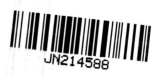

平 成 29 年 度

介護給付費等実態調査報告

（平成29年５月審査分～平成30年４月審査分）

厚生労働省政策統括官（統計・情報政策、政策評価担当）編

一般財団法人　厚 生 労 働 統 計 協 会

まえがき

本報告書は、介護給付費等実態調査月報（平成29年５月審査分から平成30年４月審査分）の結果を取りまとめたものです。

介護給付費等実態調査は、介護サービスに係る給付費等の状況を把握し、介護報酬の改定をはじめとした介護保険制度の円滑な運営に必要な基礎資料を得ることを目的とし、各都道府県国民健康保険団体連合会において審査したすべての介護給付費明細書、給付管理票等を対象として、平成13年５月審査分から毎月調査を実施してきました。

また、平成27年５月審査分からは介護予防・日常生活支援総合事業費明細書を新たに対象として加え、調査の拡充を図り、幅広く介護給付費等の実態を明らかにしています。

なお、毎月の調査結果につきましては、厚生労働省ホームページ(https://www.mhlw.go.jp)に掲載しておりますので、併せてご利用ください。

この報告書が、介護保険行政における施策推進のための基礎資料として活用されるとともに、関係各方面においても幅広く御利用いただければ幸いです。

終わりに、この調査に御協力いただいている関係各位に深く感謝申し上げるとともに、今後一層の御理解と御協力をお願いする次第です。

平成31年２月

厚生労働省政策統括官（統計・情報政策、政策評価担当）

政策統括官付参事官付社会統計室

担当係：介護統計第三係

電　話：03-5253-1111
（内線：7570）
03-3595-3107
（ダイヤルイン）

目　　次

第Ⅰ編 調査の概要

1　調査の目的

この調査は、介護サービスに係る給付費等の状況を把握し、介護報酬の改定など、介護保険制度の円滑な運営及び政策の立案に必要な基礎資料を得ることを目的とする。

なお、本調査は統計法に基づく一般統計調査である。

2　調査の範囲

各都道府県国民健康保険団体連合会が審査したすべての介護給付費明細書、介護予防・日常生活支援総合事業費明細書及び給付管理票を集計対象とした。

ただし、福祉用具購入費、住宅改修費など市区町村が直接支払う費用（償還払い）は含まない。

3　調査の時期

毎月（平成29年５月審査分～平成30年４月審査分）

4　調査事項

(1) 介護給付費明細書及び介護予防・日常生活支援総合事業費明細書

性、年齢、要介護（要支援）状態区分、サービス種類別単位数・回数等

(2) 給付管理票

性、年齢、要介護（要支援）状態区分、サービス種類別計画単位数等

5　調査の方法及び系統

(1) 調査の方法

国民健康保険中央会の取りまとめのもとに、各都道府県国民健康保険団体連合会において審査支払い後の介護給付費明細書等のデータをコピーし、厚生労働省政策統括官（統計・情報政策、政策評価担当）に提出する方法により行った。

(2) 調査の系統

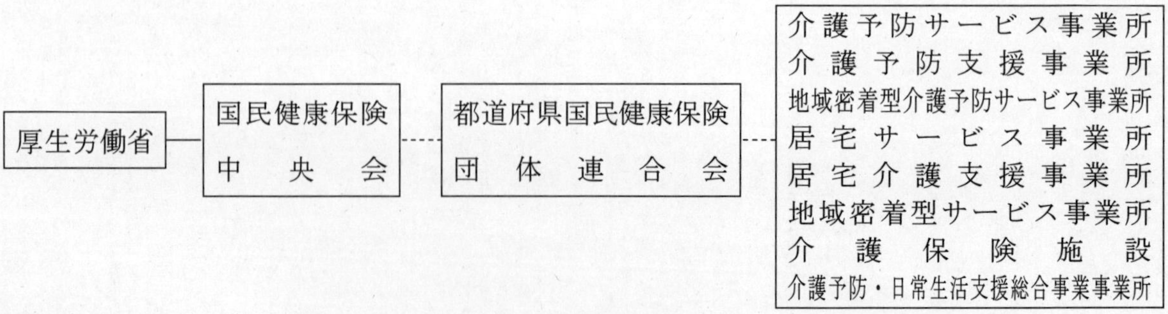

6　集計方法

結果の集計は、厚生労働省政策統括官（統計・情報政策、政策評価担当）で行った。

第Ⅱ編　結果の概要

1　表章記号の規約

計数のない場合	−
統計項目のあり得ない場合	・
計数不明又は計数を表章することが不適当な場合	…
表章単位の２分の１未満の場合	0,　0.0
減少数、減算の場合	△

2　利用上の注意

(1) 集計は、原審査分であり、過誤・再審査分は含まない。なお、単位数・件数については、事業所からの請求時点の数値を集計している。

(2) 数値はそれぞれの表章単位未満での四捨五入等のため、内訳の合計が総数に一致しない場合がある。

(3) 介護報酬改定の状況

○ 実施時期　　平成29年４月１日

○ 改定率　　＋1.14％

1　受給者の状況

（1）　年間受給者数

平成 29 年５月審査分から平成 30 年４月審査分（以下「１年間」という。）における介護予防サービス及び介護サービスの年間累計受給者数をみると 60,424.1 千人となっており、そのうち介護予防サービス受給者数は 9,737.9 千人、介護サービス受給者数は 50,705.5 千人となっている。

また、年間実受給者数は、6,041.2 千人となっている。（表１、表２－１、表２－２）

表１　受給者数の年次推移

（単位：千人）

	平成26年度	平成27年度	平成28年度	平成29年度	対前年度増減数	増減率
年間累計受給者数[1]	59 685.5	61 932.0	62 273.5	60 424.1	△ 1 849.5	△3.0%
年間実受給者数[2]	5 883.0	6 051.1	6 138.1	6 041.2	△ 96.9	△1.6%

注：1）「年間累計受給者数」は、各年度とも5月から翌年4月の各審査月の介護予防サービス又は介護サービス受給者数の合計である。
　　2）「年間実受給者数」は、各年度とも4月から翌年3月の1年間において一度でも介護予防サービス又は介護サービスを受給したことのある者の数であり、同一人が2回以上受給した場合は1人として計上している。ただし、当該期間中に被保険者番号の変更があった場合には、別受給者として計上している。

表２－１　サービス種類別にみた受給者数（介護予防サービス）

（単位：千人）

	年間累計受給者数[1]				年間実受給者数[2]			
	平成29年度	平成28年度	対前年度 増減数	対前年度 増減率	平成29年度	平成28年度	対前年度 増減数	対前年度 増減率
総数	9 737.9	12 885.8	△ 3 147.9	△ 24.4%	1 228.1	1 500.1	△ 272.0	△ 18.1%
介護予防居宅サービス	9 518.4	12 671.7	△ 3 153.3	△ 24.9%	1 210.3	1 483.6	△ 273.3	△ 18.4%
訪問通所	8 926.9	12 195.2	△ 3 268.4	△ 26.8%	1 137.9	1 429.9	△ 292.0	△ 20.4%
介護予防訪問介護[3]	1 228.3	4 183.3	△ 2 955.0	△ 70.6%	230.2	512.6	△ 282.4	△ 55.1%
介護予防訪問入浴介護	5.5	5.6	△ 0.1	△ 1.2%	1.3	1.2	0.0	3.0%
介護予防訪問看護	807.2	696.3	110.9	15.9%	113.6	99.9	13.7	13.7%
介護予防訪問リハビリテーション	194.2	169.7	24.5	14.5%	28.6	25.1	3.5	13.9%
介護予防通所介護[3]	1 626.5	5 098.4	△ 3 471.9	△ 68.1%	307.8	660.7	△ 352.9	△ 53.4%
介護予防通所リハビリテーション	1 886.1	1 769.0	117.1	6.6%	228.0	216.0	12.0	5.5%
介護予防福祉用具貸与	5 459.4	4 951.1	508.4	10.3%	650.5	598.3	52.2	8.7%
短期入所	135.0	135.7	△ 0.7	△ 0.5%	47.5	47.7	△ 0.2	△ 0.3%
介護予防短期入所生活介護	122.0	122.3	△ 0.3	△ 0.2%	42.4	42.4	0.0	0.0%
介護予防短期入所療養介護（老健）	12.6	12.9	△ 0.2	△ 1.7%	5.4	5.5	△ 0.2	△ 2.9%
介護予防短期入所療養介護（病院等）	0.5	0.7	△ 0.2	△ 30.7%	0.2	0.3	△ 0.1	△ 23.4%
介護予防居宅療養管理指導	556.5	495.7	60.8	12.3%	82.3	75.4	6.8	9.1%
介護予防特定施設入居者生活介護	357.6	332.0	25.6	7.7%	43.7	41.3	2.4	5.8%
介護予防支援	8 855.9	12 062.4	△ 3 206.5	△ 26.6%	1 145.7	1 430.4	△ 284.7	△ 19.9%
地域密着型介護予防サービス	161.3	150.3	11.0	7.3%	22.9	21.9	1.0	4.7%
介護予防認知症対応型通所介護	11.7	12.3	△ 0.6	△ 4.5%	2.0	2.0	△ 0.0	△ 1.9%
介護予防小規模多機能型居宅介護（短期利用以外）	137.3	126.5	10.8	8.5%	18.7	17.7	1.0	5.7%
介護予防小規模多機能型居宅介護（短期利用）	0.2	0.3	△ 0.1	△ 20.0%	0.2	0.2	△ 0.0	△ 10.1%
介護予防認知症対応型共同生活介護（短期利用以外）	12.1	11.3	0.9	7.8%	2.1	2.1	0.1	3.7%
介護予防認知症対応型共同生活介護（短期利用）	0.0	0.0	△ 0.0	△ 30.8%	0.0	0.0	△ 0.0	△ 11.5%

注：1年間のうち介護予防サービスと介護サービスの両方を受けた者は、それぞれに計上される。
　　1）「年間累計受給者数」は、各年度とも5月から翌年4月の各審査月の介護予防サービス受給者数の合計である。
　　2）「年間実受給者数」は、各年度とも4月から翌年3月の1年間において一度でも介護予防サービスを受給したことのある者の数であり、同一人が2回以上受給した場合は1人として計上している。ただし、当該期間中に被保険者番号の変更があった場合には、別受給者として計上している。
　　3）平成 27 年度の介護保険法改正に伴い、介護予防サービスのうち「介護予防訪問介護」及び「介護予防通所介護」は、平成 29 年度末までに「介護予防・日常生活支援総合事業」における「介護予防・生活支援サービス事業」に移行することとされている。

表２－２　サービス種類別にみた受給者数（介護サービス）

（単位：千人）

	年間累計受給者数[1]				年間実受給者数[2]			
	平成29年度	平成28年度	対前年度		平成29年度	平成28年度	対前年度	
			増減数	増減率			増減数	増減率
総　数	50 705.5	49 413.9	1 291.6	2.6%	5 095.8	4 975.5	120.3	2.4%
居宅サービス	35 738.3	34 564.1	1 174.2	3.4%	3 850.7	3 735.2	115.6	3.1%
訪問通所	30 589.2	29 708.8	880.5	3.0%	3 372.2	3 283.6	88.6	2.7%
訪問介護	12 099.7	11 918.3	181.4	1.5%	1 457.8	1 440.5	17.3	1.2%
訪問入浴介護	791.0	818.7	△ 27.7	△ 3.4%	125.5	128.9	△ 3.3	△ 2.6%
訪問看護	5 086.3	4 666.0	420.3	9.0%	662.3	612.2	50.1	8.2%
訪問リハビリテーション	1 058.9	991.3	67.6	6.8%	142.3	133.8	8.5	6.3%
通所介護	13 627.1	13 183.5	443.5	3.4%	1 579.1	1 530.3	48.7	3.2%
通所リハビリテーション	5 247.0	5 159.0	88.0	1.7%	617.8	607.9	9.8	1.6%
福祉用具貸与	19 950.4	19 013.2	937.3	4.9%	2 335.6	2 232.2	103.5	4.6%
短期入所	4 498.8	4 458.3	40.5	0.9%	851.6	837.7	13.9	1.7%
短期入所生活介護	3 940.1	3 888.1	52.0	1.3%	735.3	719.1	16.2	2.3%
短期入所療養介護（老健）	573.6	582.3	△ 8.7	△ 1.5%	144.2	146.0	△ 1.8	△ 1.2%
短期入所療養介護（病院等）	24.6	27.8	△ 3.2	△ 11.5%	5.8	6.5	△ 0.7	△ 10.3%
居宅療養管理指導	7 933.8	7 212.0	721.8	10.0%	970.2	891.1	79.2	8.9%
特定施設入居者生活介護（短期利用以外）	2 341.7	2 213.6	128.1	5.8%	261.5	246.8	14.7	6.0%
特定施設入居者生活介護（短期利用）	16.1	14.7	1.4	9.6%	5.9	5.8	0.1	2.3%
居宅介護支援	31 656.3	30 848.8	807.5	2.6%	3 532.0	3 445.7	86.3	2.5%
地域密着型サービス	10 134.1	9 802.8	331.2	3.4%	1 150.9	1 119.3	31.6	2.8%
定期巡回・随時対応型訪問介護看護	233.7	187.0	46.7	25.0%	31.2	25.8	5.5	21.2%
夜間対応型訪問介護	94.5	94.6	△ 0.2	△ 0.2%	12.9	13.0	△ 0.1	△ 1.0%
地域密着型通所介護	4 869.3	4 782.5	86.8	1.8%	589.1	585.5	3.7	0.6%
認知症対応型通所介護	682.2	693.1	△ 10.9	△ 1.6%	83.6	85.1	△ 1.5	△ 1.7%
小規模多機能型居宅介護（短期利用以外）	1 124.8	1 059.4	65.4	6.2%	135.7	127.5	8.3	6.5%
小規模多機能型居宅介護（短期利用）	4.5	3.9	0.6	15.4%	2.1	1.9	0.2	10.0%
認知症対応型共同生活介護（短期利用以外）	2 383.8	2 312.6	71.2	3.1%	249.2	240.7	8.5	3.5%
認知症対応型共同生活介護（短期利用）	3.9	3.7	0.2	5.3%	1.9	1.8	0.1	5.8%
地域密着型特定施設入居者生活介護（短期利用以外）	86.9	81.4	5.5	6.8%	9.6	9.0	0.6	6.6%
地域密着型特定施設入居者生活介護（短期利用）	0.4	0.3	0.0	12.6%	0.2	0.2	0.0	13.9%
地域密着型介護老人福祉施設入所者生活介護	658.2	605.0	53.2	8.8%	70.4	63.8	6.6	10.3%
複合型サービス（看護小規模多機能型居宅介護・短期利用以外）	94.2	72.7	21.5	29.6%	13.1	10.1	3.1	30.7%
複合型サービス（看護小規模多機能型居宅介護・短期利用）	1.4	1.0	0.4	40.1%	0.7	0.5	0.2	36.3%
施設サービス	11 307.3	11 223.3	84.0	0.7%	1 266.2	1 250.7	15.5	1.2%
介護福祉施設サービス	6 399.1	6 280.4	118.6	1.9%	672.6	656.6	16.0	2.4%
介護保健施設サービス	4 334.4	4 302.5	31.9	0.7%	559.1	552.2	7.0	1.3%
介護療養施設サービス	611.2	678.1	△ 66.9	△ 9.9%	84.1	91.6	△ 7.5	△ 8.2%

注：1年間のうち介護予防サービスと介護サービスの両方を受けた者は、それぞれに計上される。
1)「年間累計受給者数」は、各年度とも5月から翌年4月の各審査月の介護サービス受給者数の合計である。
2)「年間実受給者数」は、各年度とも4月から翌年3月の1年間において一度でも介護サービスを受給したことのある者の数であり、同一人が2回以上受給した場合は1人として計上している。ただし、当該期間中に被保険者番号の変更があった場合には、別受給者として計上している。

（2） 要介護(要支援)状態区分の変化

平成 29 年５月審査分における受給者のうち、平成 29 年４月から平成 30 年３月の各サービス提供月について１年間継続して介護予防サービス又は介護サービスを受給した者（以下「年間継続受給者」という。）は、3,582.7 千人となっている（表３）。

年間継続受給者の要介護(要支援)状態区分を平成 29 年４月と平成 30 年３月で比較すると、「要支援２」～「要介護４」において、要介護（要支援）状態区分の変化がない「維持」の割合が、およそ７割となっている（表３、図１）。

表3 要介護(要支援)状態区分別にみた年間継続受給者数の変化別割合

（単位：%）

		平成30年3月							
		総数 (3 582.7千人)	要支援1 (167.8千人)	要支援2 (294.5千人)	要介護1 (751.9千人)	要介護2 (787.1千人)	要介護3 (618.3千人)	要介護4 (542.3千人)	要介護5 (420.9千人)
平成29年4月	総数 (3 582.7千人)	(100.0) 100.0	4.7	8.2	21.0	22.0	17.3	15.1	11.7
	要支援1 (205.7千人)	(5.7) 100.0	**64.5**	18.4	12.6	3.0	0.9	0.5	0.1
	要支援2 (328.2千人)	(9.2) 100.0	7.7	**67.6**	15.1	6.9	1.6	0.9	0.2
	要介護1 (823.8千人)	(23.0) 100.0	0.8	2.4	**71.7**	17.2	5.3	2.1	0.5
	要介護2 (781.5千人)	(21.8) 100.0	0.3	1.2	8.0	**70.6**	13.8	4.8	1.4
	要介護3 (593.6千人)	(16.6) 100.0	0.1	0.5	2.5	7.7	**69.6**	14.7	4.8
	要介護4 (501.9千人)	(14.0) 100.0	0.1	0.3	1.5	3.2	7.9	**73.5**	13.5
	要介護5 (348.0千人)	(9.7) 100.0	0.0	0.1	0.4	0.9	1.9	7.9	**88.7**

図1 要介護(要支援)状態区分別にみた年間継続受給者数の変化別割合

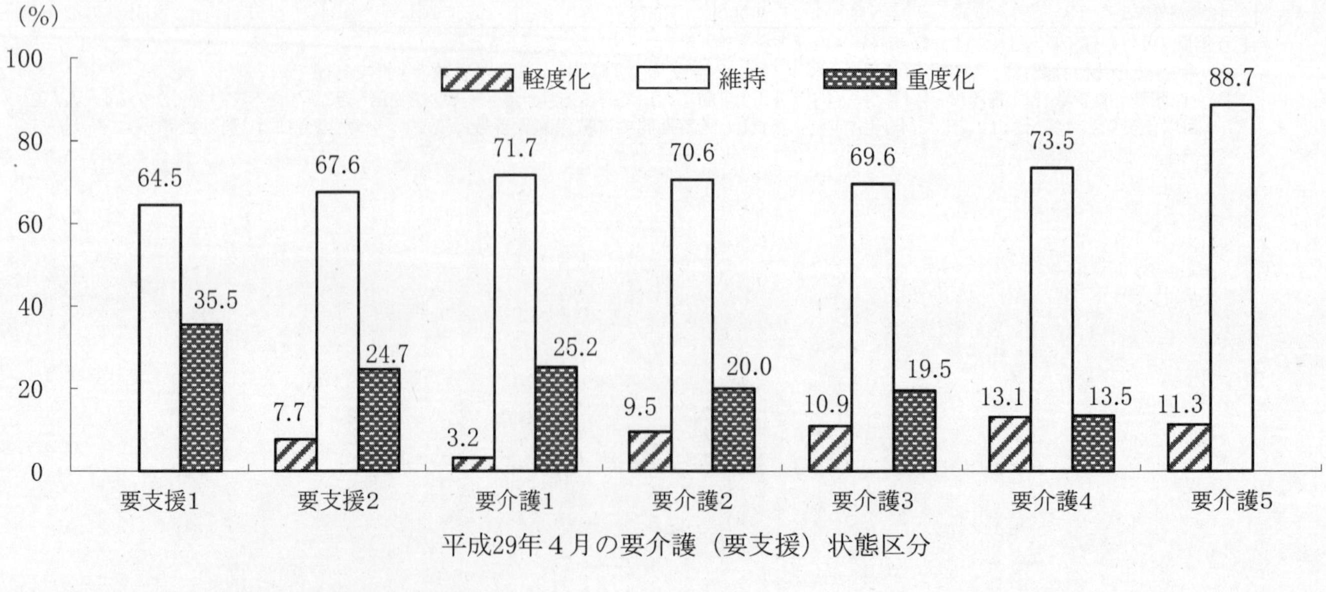

（3） 性・年齢階級別にみた受給者の状況

平成30年４月審査分においては、認定者数6,567.0千人、受給者数4,935.9千人となっており、受給者を性別にみると、男1,505.3千人（30.5%）、女3,430.6千人（69.5%） となっている。また、認定者数に占める受給者数の割合をみると、男72.4%、女76.4%となっている。（表４）

65歳以上の各年齢階級別人口に占める受給者数の割合（平成29年11月審査分）を男女別にみると、「75～79歳」以降の全ての階級において、女の受給者数の割合が男を上回っている（図２）。

表4 性別にみた認定者数・受給者数及び認定者数に占める受給者数の割合

各年4月審査分

	認定者数(千人)①		受給者数(千人)②		構成割合(%)		認定者数に占める受給者割合(%) ②／①	
	平成30年	平成29年	平成30年	平成29年	平成30年	平成29年	平成30年	平成29年
総数	6 567.0	6 471.3	4 935.9	5 162.5	100.0	100.0	75.2	79.8
男	2 079.1	2 038.2	1 505.3	1 558.6	30.5	30.2	72.4	76.5
女	4 487.9	4 433.1	3 430.6	3 603.9	69.5	69.8	76.4	81.3

図2 65歳以上における性・年齢階級別にみた受給者数及び人口に占める受給者数の割合

平成29年11月審査分

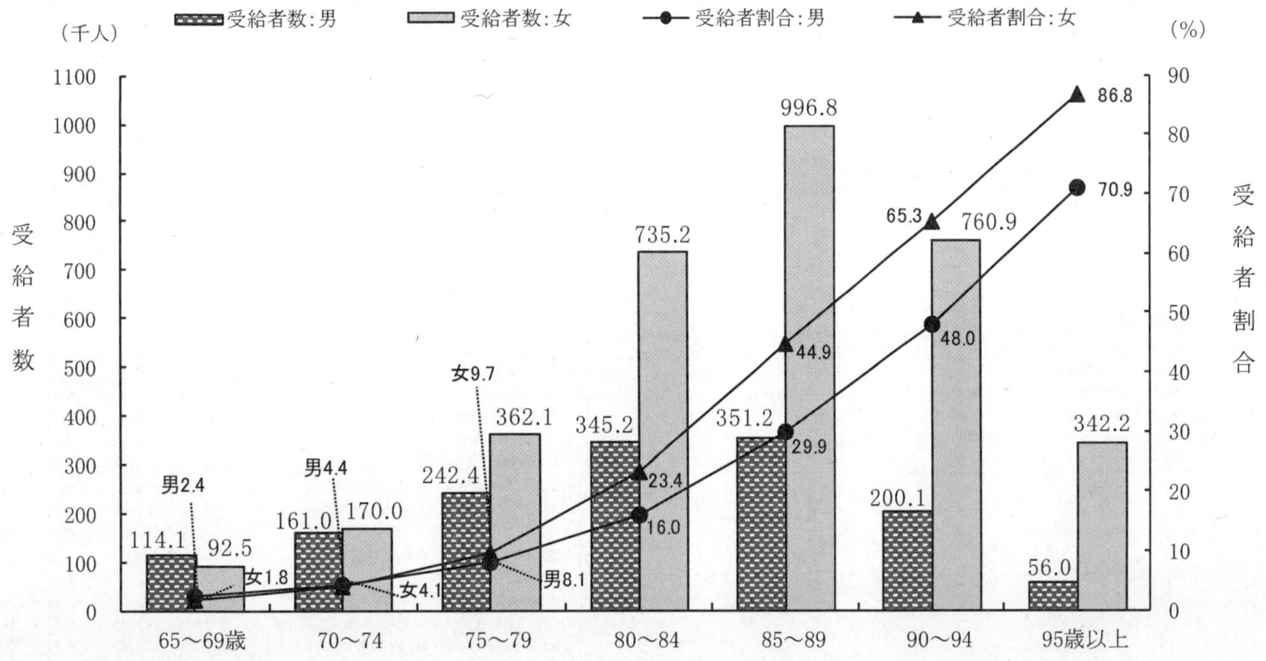

注：各性・年齢階級別人口に占める受給者割合（%）＝ 性・年齢階級別受給者数／性・年齢階級別人口×100
　人口は、総務省統計局「人口推計 平成29年10月1日現在(人口速報を基準とする確定値)」の総人口を使用した。

2 受給者1人当たり費用額

(1) サービス種類別にみた受給者１人当たり費用額

平成 30 年４月審査分の受給者１人当たり費用額は 170.6 千円となっており、平成 29 年４月審査分と比較すると 10.3 千円増加している（表５）。

サービス種類別にみた受給者１人当たり費用額をみると、介護予防サービスでは 27.5 千円、介護サービスでは 194.2 千円となっている（表６）。

表５　受給者１人当たり費用額の年次推移

各年4月審査分（単位：千円）

	平成26年	平成27年	平成28年	平成29年	平成30年	対前年同月増減額
総　数	157.2	157.8	157.0	160.4	170.6	10.3

注：受給者１人当たり費用額 ＝ 費用額／受給者数
費用額とは審査月に原審査で決定された額であり、保険給付額、公費負担額及び利用者負担額（公費の本人負担額を含む）の合計額である。
市区町村が直接支払う費用（償還払い）は含まない。

表6　サービス種類別にみた受給者1人当たり費用額及び費用額累計

介護予防サービス

	受給者1人当たり費用額[1)]（単位：千円）			平成29年度費用額累計（単位：百万円）
	平成30年4月審査分	平成29年4月審査分	対前年同月増減額	
総　数	27.5	35.1	△ 7.6	298 600
介護予防居宅サービス	22.3	30.3	△ 8.0	245 098
訪問通所	18.5	28.3	△ 9.7	204 642
介護予防訪問介護	15.6	20.2	△ 4.6	24 868
介護予防訪問入浴介護	38.8	37.4	1.4	209
介護予防訪問看護	33.3	33.9	△ 0.7	26 115
介護予防訪問リハビリテーション	32.4	33.0	△ 0.5	6 072
介護予防通所介護	24.5	29.4	△ 4.9	47 986
介護予防通所リハビリテーション	34.7	34.3	0.3	65 353
介護予防福祉用具貸与	6.3	6.2	0.1	34 039
短期入所	39.6	38.0	1.6	5 189
介護予防短期入所生活介護	39.0	37.3	1.7	4 600
介護予防短期入所療養介護(老健)	45.4	45.0	0.4	567
介護予防短期入所療養介護(病院等)	42.6	39.9	2.7	23
介護予防居宅療養管理指導	11.2	11.2	△ 0.0	6 154
介護予防特定施設入居者生活介護	83.2	81.1	2.2	29 112
介護予防支援	4.6	4.6	△ 0.0	40 381
地域密着型介護予防サービス	81.9	79.4	2.5	13 121
介護予防認知症対応型通所介護	51.0	49.3	1.7	579
介護予防小規模多機能型居宅介護(短期利用以外)	70.1	68.3	1.8	9 618
介護予防小規模多機能型居宅介護(短期利用)	34.2	22.5	11.8	6
介護予防認知症対応型共同生活介護(短期利用以外)	245.2	240.0	5.3	2 916
介護予防認知症対応型共同生活介護(短期利用)	16.8	56.8	△ 40.0	1

介護サービス

	受給者1人当たり費用額[1)]（単位：千円）			平成29年度費用額累計（単位：百万円）
	平成30年4月審査分	平成29年4月審査分	対前年同月増減額	
総　数	194.2	191.2	3.0	9 633 384
居宅サービス	121.6	119.6	2.0	4 241 624
訪問通所	106.4	104.6	1.8	3 168 756
訪問介護	76.1	72.9	3.3	898 495
訪問入浴介護	68.5	67.0	1.5	53 155
訪問看護	48.2	49.3	△ 1.1	238 248
訪問リハビリテーション	39.0	39.7	△ 0.7	39 818
通所介護	92.7	91.1	1.7	1 223 202
通所リハビリテーション	83.4	84.1	△ 0.6	424 116
福祉用具貸与	14.6	14.6	0.0	291 721
短期入所	107.8	104.5	3.3	472 606
短期入所生活介護	108.7	105.2	3.6	416 275
短期入所療養介護(老健)	92.8	91.4	1.5	53 537
短期入所療養介護(病院等)	111.9	114.5	△ 2.6	2 794
居宅療養管理指導	12.6	12.5	0.1	99 088
特定施設入居者生活介護(短期利用以外)	216.9	213.0	3.9	500 021
特定施設入居者生活介護(短期利用)	76.7	73.9	2.7	1 152
居宅介護支援	14.2	14.1	0.1	448 165
地域密着型サービス	167.8	163.4	4.4	1 661 788
定期巡回・随時対応型訪問介護看護	165.2	159.8	5.4	38 848
夜間対応型訪問介護	38.8	35.7	3.1	3 621
地域密着型通所介護	83.8	84.4	△ 0.7	398 596
認知症対応型通所介護	129.7	126.6	3.0	86 245
小規模多機能型居宅介護(短期利用以外)	212.6	208.6	4.1	239 760
小規模多機能型居宅介護(短期利用)	40.3	36.5	3.7	169
認知症対応型共同生活介護(短期利用以外)	282.2	276.0	6.2	660 949
認知症対応型共同生活介護(短期利用)	80.3	78.6	1.8	306
地域密着型特定施設入居者生活介護(短期利用以外)	217.3	213.0	4.2	18 603
地域密着型特定施設入居者生活介護(短期利用)	92.4	65.2	27.1	28
地域密着型介護老人福祉施設入所者生活介護	293.6	287.3	6.3	189 763
複合型サービス(看護小規模多機能型居宅介護・短期利用以外)	264.1	254.4	9.7	24 844
複合型サービス(看護小規模多機能型居宅介護・短期利用)	41.3	44.2	△ 2.9	57
施設サービス	295.0	291.0	4.0	3 281 809
介護福祉施設サービス	280.9	274.7	6.3	1 764 250
介護保健施設サービス	300.5	297.2	3.3	1 282 219
介護療養施設サービス	389.0	389.1	△ 0.1	235 340

注：費用額とは審査月に原審査で決定された額であり、保険給付額、公費負担額及び利用者負担額（公費の本人負担額を含む）の合計額である。市区町村が直接支払う費用（償還払い）は含まない。
1）受給者１人当たり費用額 ＝ 費用額／受給者数

(2) 都道府県別にみた受給者１人当たり費用額

平成 30 年４月審査分における受給者 1 人当たり費用額を都道府県別にみると、介護予防サービスは佐賀県が 35.2 千円と最も高く、次いで長崎県が 33.3 千円、山形県が 30.3 千円となっている。介護サービスでは、沖縄県が 212.6 千円と最も高く、次いで石川県が 208.1 千円、鳥取県が 207.9 千円となっている。（図３）

図3 都道府県別にみたサービス体系別受給者１人当たり費用額

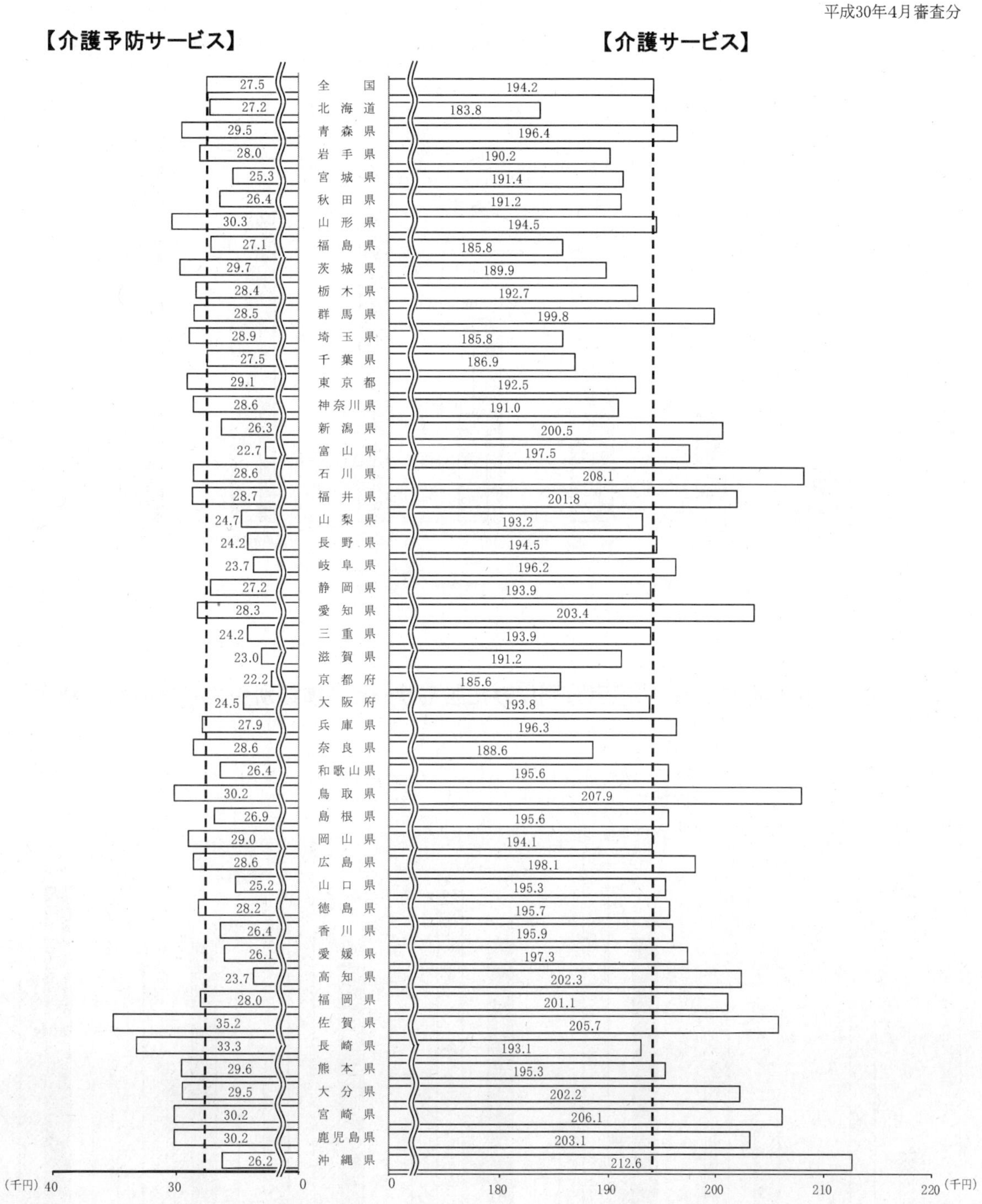

注:受給者1人当たり費用額 ＝ 費用額／受給者数
費用額とは審査月に原審査で決定された額であり、保険給付額、公費負担額及び利用者負担額(公費の本人負担額を含む)の合計額である。市区町村が直接支払う費用(償還払い)は含まない。

3 居宅サービスの状況

（1） 利用状況

平成 30 年４月審査分における平均利用率（居宅サービス受給者平均給付単位数の支給限度基準額（単位）に対する割合）を要介護（要支援）状態区分別にみると、「要介護５」65.6%が最も高く、次いで「要介護４」61.8%、「要介護３」58.0%となっている（図４）。

また、要介護（要支援）状態区分別に受給者の居宅サービス種類別の利用割合をみると、訪問看護では、要介護状態区分が高くなるに従って利用割合が多くなっている（図５）。

図4 要介護（要支援）状態区分別にみた居宅サービス受給者平均給付単位数・平均利用率

平成30年4月審査分

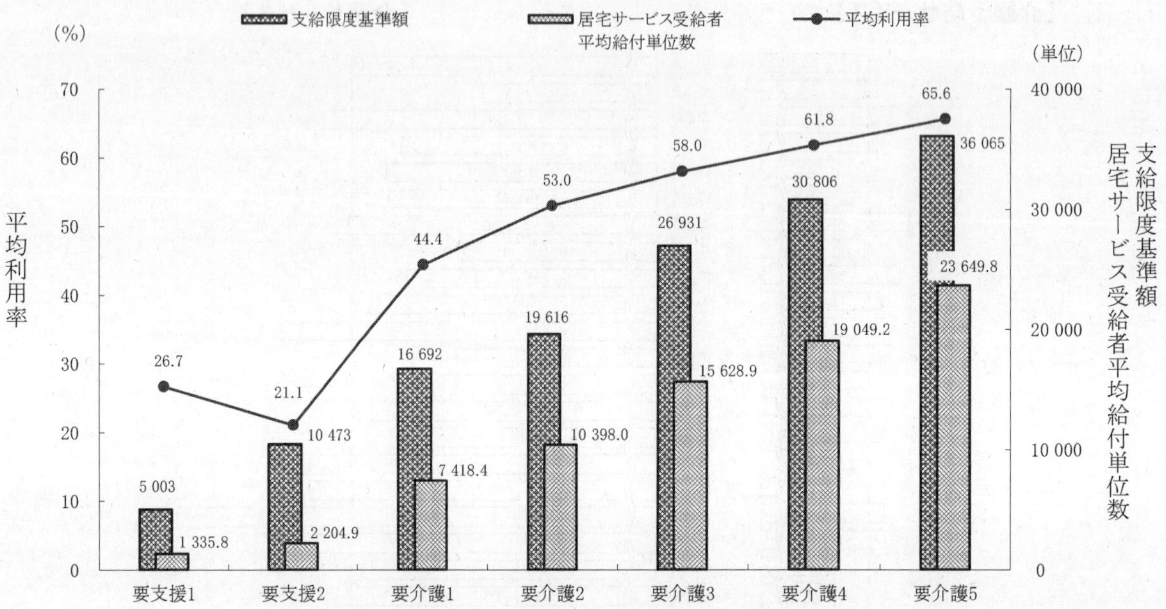

注：居宅サービス受給者平均給付単位数 ＝ 居宅サービス給付単位数／受給者数
　平均利用率（%）＝ 居宅サービス受給者平均給付単位数／支給限度基準額×100

図5 要介護（要支援）状態区分別にみた居宅サービス種類別受給者数の利用割合

平成30年4月審査分

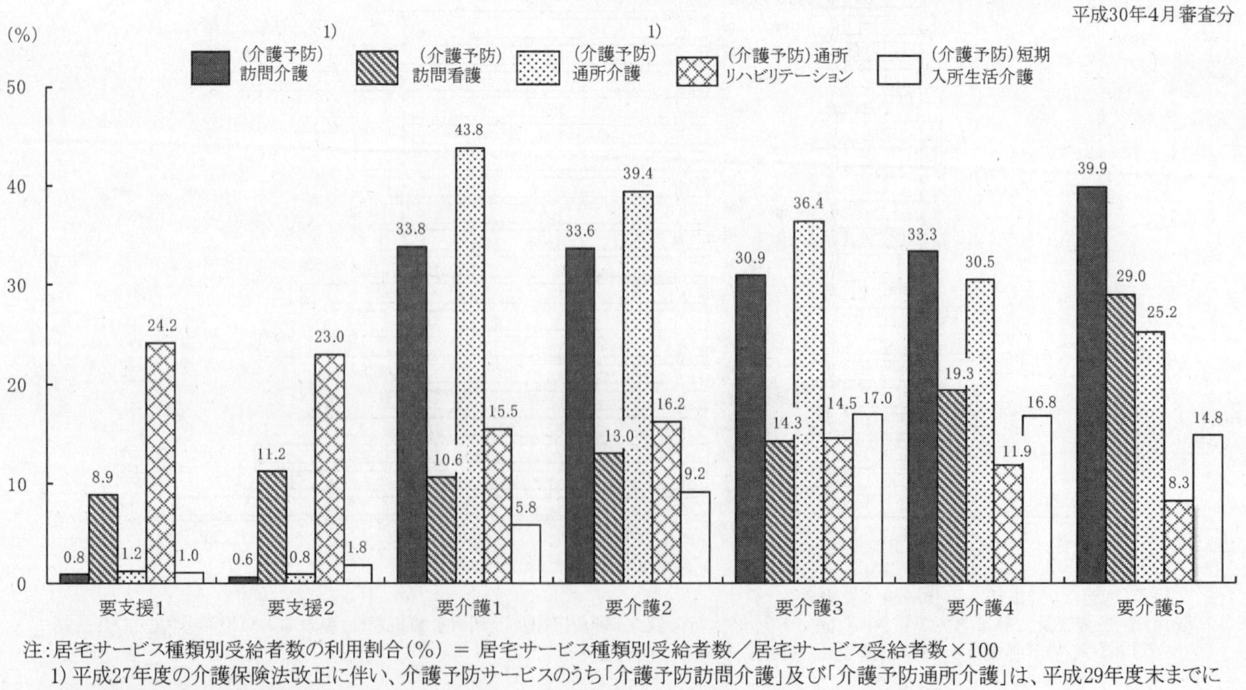

注：居宅サービス種類別受給者数の利用割合（%）＝ 居宅サービス種類別受給者数／居宅サービス受給者数×100
　1) 平成27年度の介護保険法改正に伴い、介護予防サービスのうち「介護予防訪問介護」及び「介護予防通所介護」は、平成29年度末までに「介護予防・日常生活支援総合事業」における「介護予防・生活支援サービス事業」に移行することとされている。

（2） 訪問介護

平成 30 年４月審査分の訪問介護受給者について要介護状態区分別に訪問介護内容類型別の利用割合をみると、要介護１では「生活援助」65.4%、要介護５では「身体介護」88.3%となっており、要介護状態区分が高くなるに従って「身体介護」の利用割合が多くなり、「生活援助」の利用割合は少なくなっている（図６）。

図6 要介護状態区分別にみた訪問介護内容類型別受給者数の利用割合

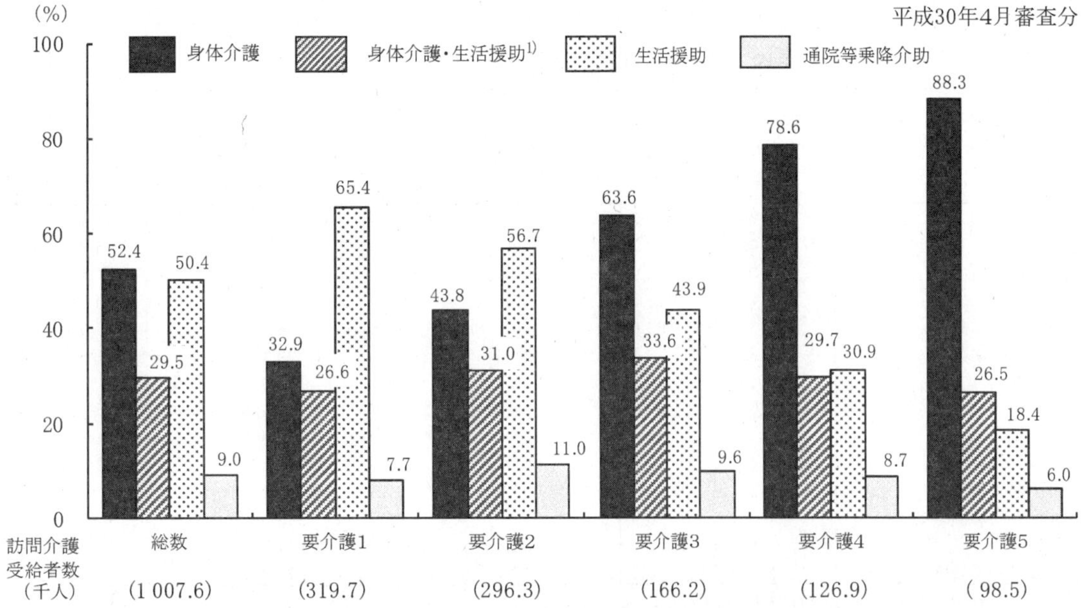

注：訪問介護内容類型別受給者数の利用割合（%）＝内容類型別の受給者数／訪問介護受給者数×100
1)「身体介護・生活援助」とは、身体介護に引き続き生活援助を行った場合をいう。

（3） 通所介護・通所リハビリテーション

平成 30 年４月審査分の通所介護と通所リハビリテーションの受給者について要介護状態区分別の割合をみると、「要介護１」～「要介護３」の合計が全体の８割以上を占めている（表７、図７）。

表7 通所介護－通所リハビリテーションの要介護状態区分別受給者数及び割合

平成30年4月審査分

	通所介護		通所リハビリテーション	
	受給者数（千人）	構成割合（%）	受給者数（千人）	構成割合（%）
総　数	1 134.7	100.0	432.4	100.0
要介護1	413.4	36.4	146.0	33.8
要介護2	347.0	30.6	142.7	33.0
要介護3	195.6	17.2	77.8	18.0
要介護4	116.4	10.3	45.4	10.5
要介護5	62.3	5.5	20.5	4.7

図7 通所介護－通所リハビリテーションの要介護状態区分別受給者数の割合

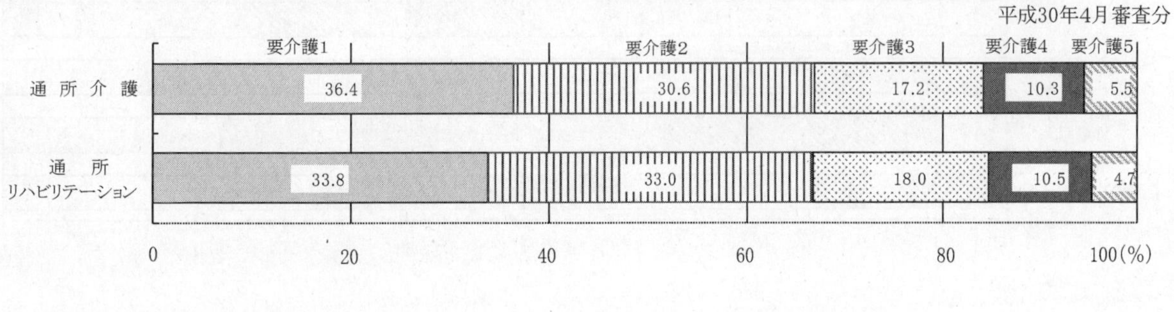

(4) 福祉用具貸与

福祉用具貸与種目別に、１年間の単位数の割合をみると、「特殊寝台」が 28.8%、「車いす」が 16.6%となっており、それらの付属品（「特殊寝台付属品」及び「車いす付属品」）を含めると、特殊寝台及び車いすの貸与が全体の約６割を占めている（表８）。

また、平成 30 年４月審査分の要介護（要支援）状態区分別件数の割合をみると、「体位変換器」や「床ずれ防止用具」で「要介護５」の割合が多くなっている（図８）。

表８　福祉用具貸与種目別にみた件数・単位数

	件数				単位数			
	平成29年度（千件）	構成割合（%）	平成28年度（千件）	対前年度増減数（千件）	平成29年度（千単位）	構成割合（%）	平成28年度（千単位）	対前年度増減数（千単位）
総数	93 304.3	100.0	86 945.0	6 359.3	32 736 804	100.0	31 011 002	1 725 801
車いす	8 466.9	9.1	8 258.9	207.9	5 420 002	16.6	5 275 054	144 948
車いす付属品	3 002.6	3.2	2 966.4	36.2	560 734	1.7	543 513	17 221
特殊寝台	10 725.1	11.5	10 336.2	388.9	9 440 712	28.8	9 192 725	247 987
特殊寝台付属品	31 324.1	33.6	29 846.2	1 477.8	4 038 604	12.3	3 913 360	125 244
床ずれ防止用具	2 853.3	3.1	2 881.4	△ 28.0	1 820 112	5.6	1 851 217	△ 31 105
体位変換器	485.3	0.5	391.1	94.1	135 526	0.4	80 726	54 799
手すり	21 055.4	22.6	18 364.5	2 690.8	6 149 430	18.8	5 311 785	837 645
スロープ	3 646.2	3.9	3 188.6	457.6	1 149 808	3.5	1 102 349	47 460
歩行器	8 412.9	9.0	7 603.0	809.9	2 468 284	7.5	2 213 601	254 683
歩行補助つえ	2 257.9	2.4	2 053.6	204.3	254 283	0.8	231 524	22 758
認知症老人徘徊感知機器	391.6	0.4	358.6	33.0	243 588	0.7	222 147	21 441
移動用リフト	670.5	0.7	682.8	△ 12.3	1 044 500	3.2	1 060 959	△ 16 459
自動排泄処理装置	12.5	0.0	13.7	△ 1.2	11 221	0.0	12 043	△ 822

注：各年度とも5月から翌年4月の各審査月分の合計である。

図８　福祉用具貸与種目別にみた要介護（要支援）状態区分別件数の割合

平成 30 年4月審査分

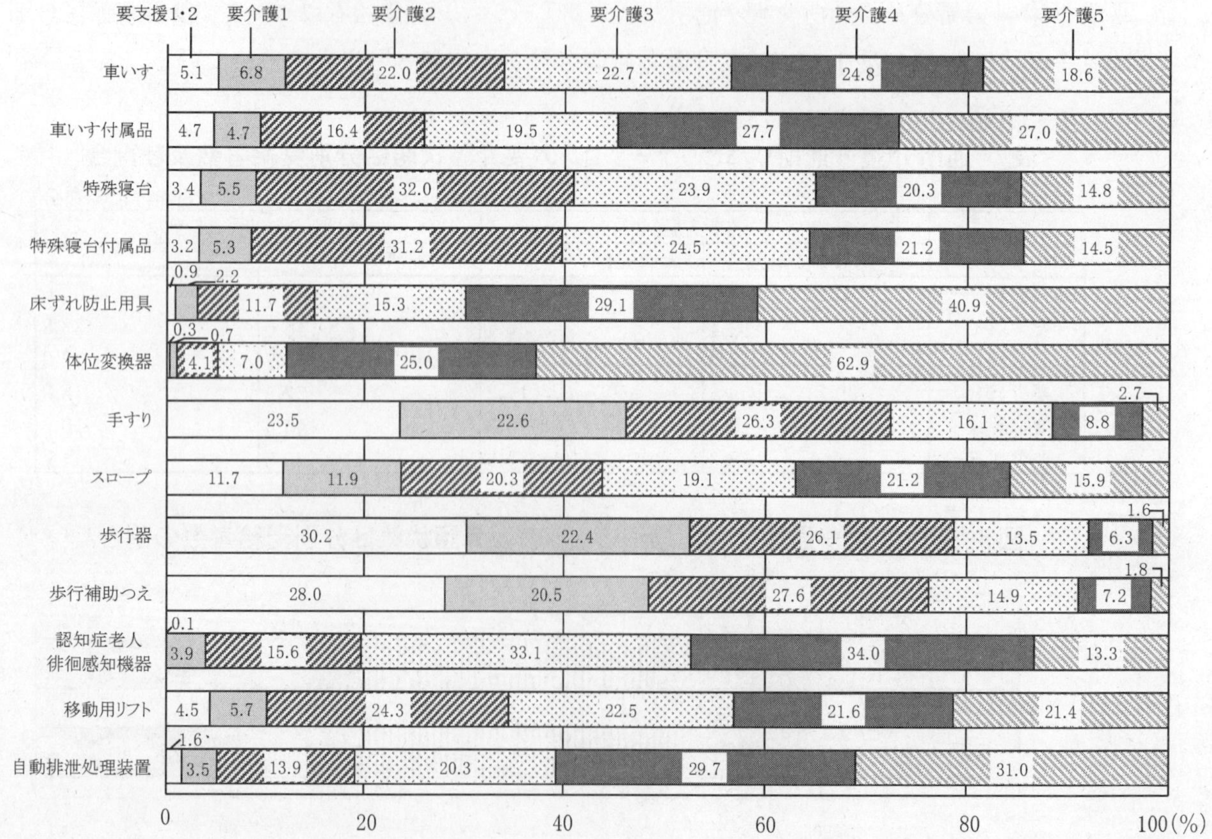

4 地域密着型サービスの状況

平成 30 年４月審査分における地域密着型サービス別の請求事業所数をみると、地域密着型通所介護で 19,709 事業所、認知症対応型共同生活介護（短期利用以外）で 13,499 事業所などとなっている（表９）。

また、地域密着型サービス別に受給者の要介護（要支援）状態区分別の割合をみると、地域密着型介護老人福祉施設入所者生活介護では、「要介護４」「要介護５」の割合が多くなっている（図９）。

表9 地域密着型サービス別にみた請求事業所数の月次推移

	平成29年5月審査分	6月	7月	8月	9月	10月	11月	12月	平成30年1月	2月	3月	4月
介護予防認知症対応型通所介護	578	576	571	554	556	558	549	553	550	547	523	545
介護予防小規模多機能型居宅介護(短期利用以外)	3 499	3 598	3 613	3 662	3 685	3 719	3 744	3 759	3 759	3 741	3 755	3 743
介護予防認知症対応型共同生活介護(短期利用以外)	810	844	854	885	856	848	853	836	873	874	876	879
定期巡回・随時対応型訪問介護看護	764	788	791	806	810	812	832	840	853	852	864	868
夜間対応型訪問介護	180	179	182	182	181	182	185	182	185	183	182	179
地域密着型通所介護	20 146	20 115	20 088	20 073	20 074	20 012	19 992	19 939	19 904	19 851	19 769	19 709
認知症対応型通所介護	3 556	3 577	3 570	3 569	3 554	3 557	3 549	3 555	3 552	3 547	3 546	3 541
小規模多機能型居宅介護(短期利用以外)	5 197	5 245	5 273	5 280	5 294	5 302	5 324	5 338	5 348	5 350	5 360	5 363
認知症対応型共同生活介護(短期利用以外)	13 124	13 315	13 343	13 369	13 381	13 400	13 424	13 420	13 431	13 449	13 463	13 499
地域密着型特定施設入居者生活介護(短期利用以外)	315	318	320	319	321	320	320	320	321	321	322	324
地域密着型介護老人福祉施設入所者生活介護	2 088	2 122	2 139	2 155	2 161	2 170	2 184	2 191	2 201	2 205	2 216	2 231
複合型サービス(看護小規模多機能型居宅介護・短期利用以外)	368	377	395	400	401	403	410	420	419	422	428	434

図9 地域密着型サービス別にみた要介護(要支援)状態区分別受給者数の割合

平成 30 年4月審査分

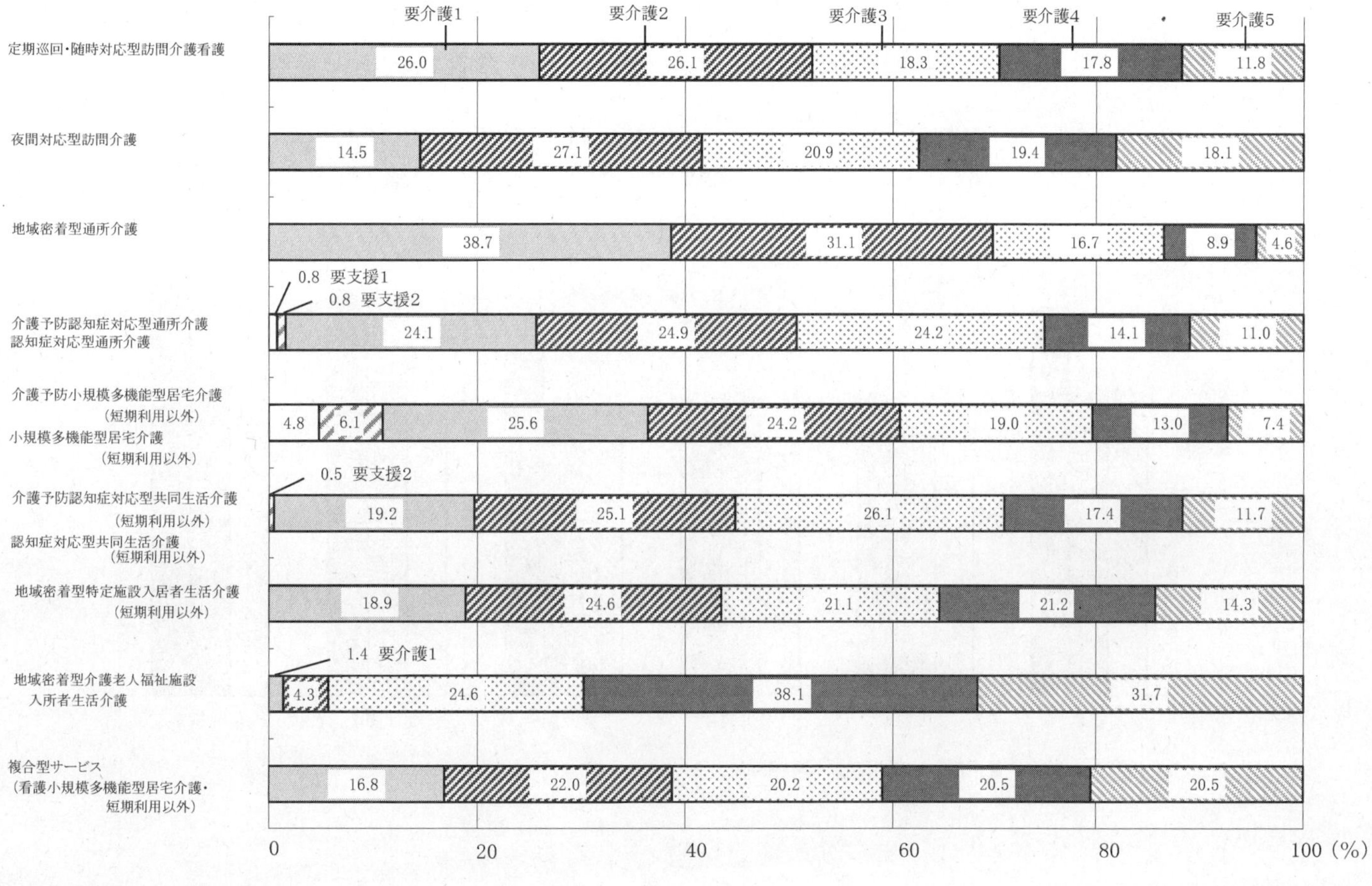

5　施設サービスの状況

(1)　要介護状態区分別にみた単位数・受給者１人当たり費用額

各施設サービスの１年間の単位数は、介護福祉施設サービスが最も高く、次いで介護保健施設サービス、介護療養施設サービスとなっている。なお、要介護状態区分別にみると、介護福祉施設サービスでは「要介護４」「要介護５」の割合が多く、介護保健施設サービスでは「要介護３」「要介護４」の割合が多く、介護療養施設サービスでは「要介護５」の割合が多くなっている。（表 10）

また、平成 30 年４月審査分の施設サービス別受給者１人当たり費用額をみると、いずれの施設サービスも要介護状態区分が高くなるほど費用額も高くなっており、特に介護療養施設サービスではその差が大きい（図 10）。

表 10　施設サービス別にみた要介護状態区分別単位数

平成29年5月審査分～平成30年4月審査分

	介護福祉施設サービス		介護保健施設サービス		介護療養施設サービス	
	単位数（百万単位）	構成割合（%）	単位数（百万単位）	構成割合（%）	単位数（百万単位）	構成割合（%）
総　　数	172 421	100.0	125 475	100.0	21 894	100.0
要介護1	2 301	1.3	12 513	10.0	158	0.7
要介護2	7 358	4.3	21 736	17.3	404	1.8
要介護3	38 112	22.1	30 296	24.1	1 628	7.4
要介護4	63 829	37.0	35 428	28.2	7 627	34.8
要介護5	60 821	35.3	25 501	20.3	12 077	55.2

注：総数には、月の途中で要介護から要支援に変更となった者を含む。

図 10　要介護状態区分別にみた施設サービス別受給者１人当たり費用額

平成30年4月審査分

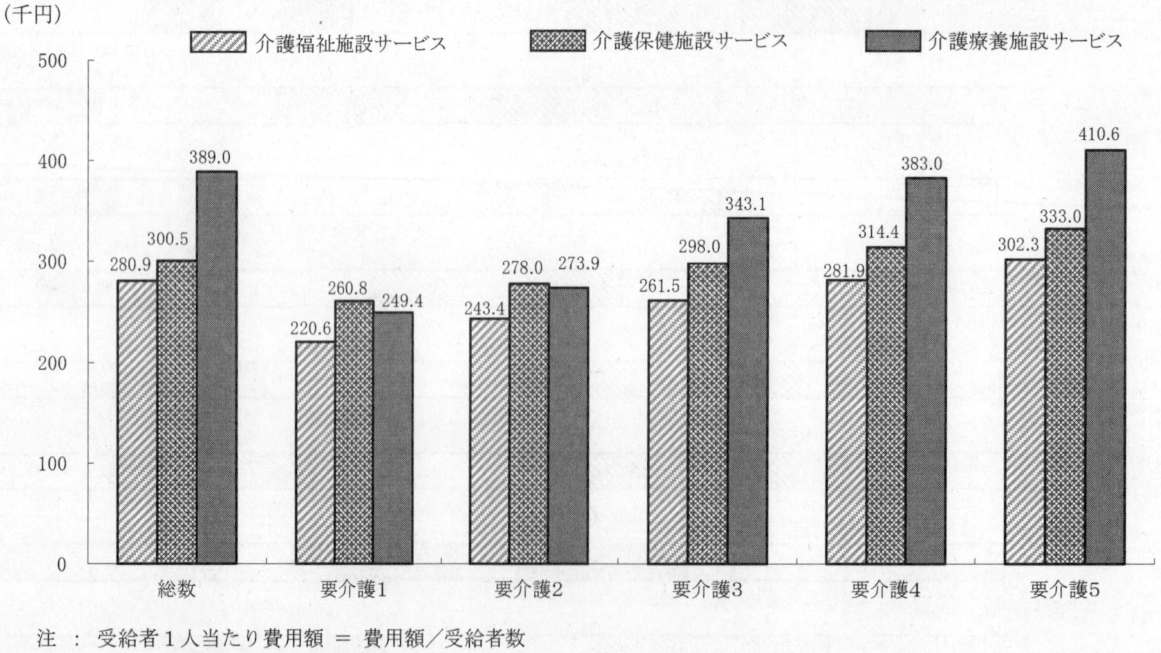

注 ： 受給者１人当たり費用額 ＝ 費用額／受給者数

(2) 退所(院)者の入所(院)期間別割合

平成30年3月中に退所（院）した施設サービス受給者について、要介護状態区分別に入所（院）期間の割合をみると、介護福祉施設サービスでは、「要介護1」及び「要介護3」～「要介護5」では「1年以上3年未満」の割合が最も多く、「要介護2」では「3年以上5年未満」の割合が最も多い。

介護保健施設サービスでは、要介護状態区分が高くなるに従って、1年以上の割合が多くなっている。

介護療養施設サービスでは、「要介護1」「要介護2」では90日未満の割合が5割を超え、「要介護4」「要介護5」では「1年以上3年未満」の割合が最も多い。（図11）

図11 施設サービス・要介護状態区分別にみた退所(院)者の入所(院)期間別構成割合

平成30年4月審査分

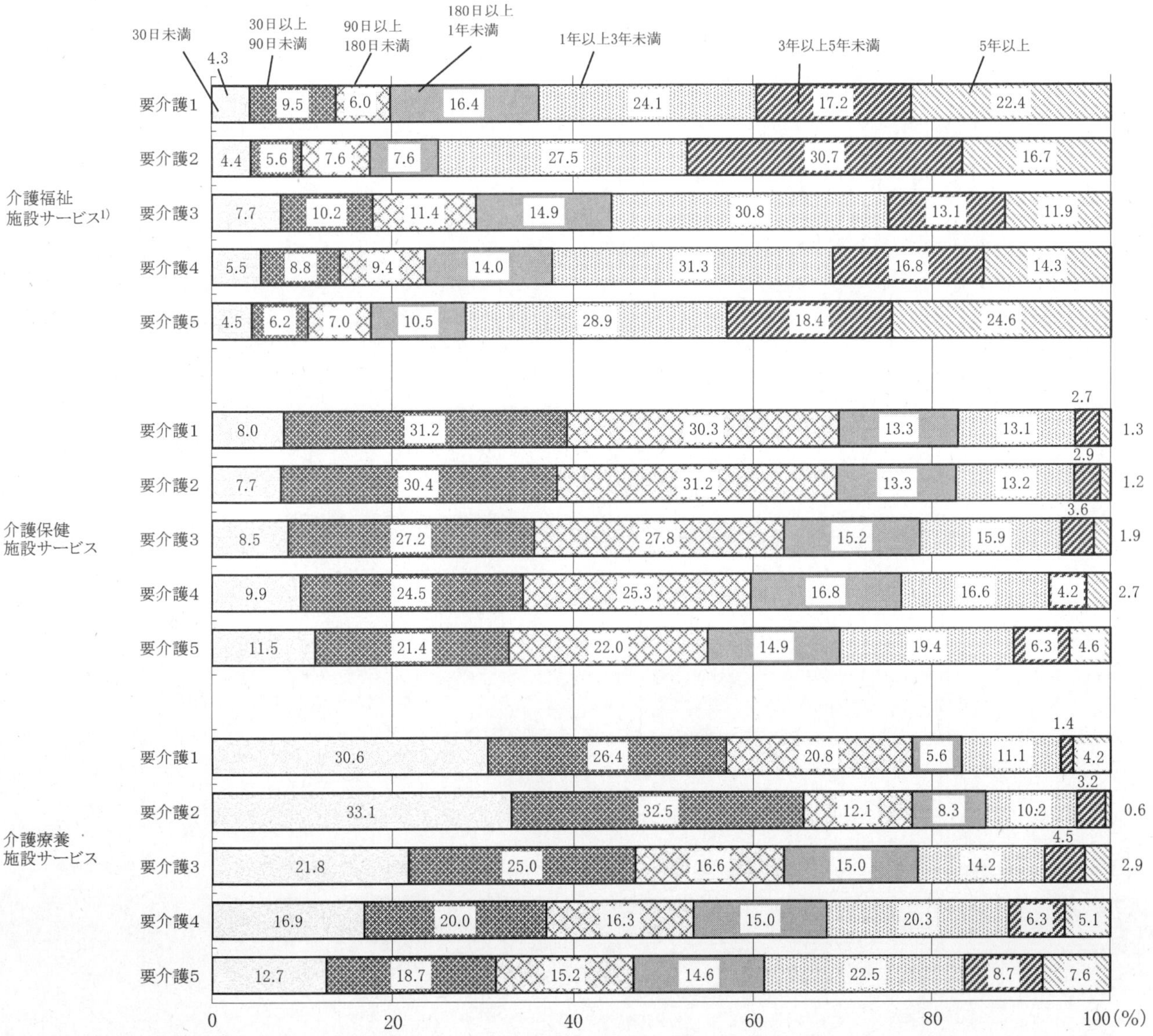

		30日未満	30日以上90日未満	90日以上180日未満	180日以上1年未満	1年以上3年未満	3年以上5年未満	5年以上
介護福祉施設サービス1)	要介護1	4.3	9.5	6.0	16.4	24.1	17.2	22.4
	要介護2	4.4	5.6	7.6	7.6	27.5	30.7	16.7
	要介護3	7.7	10.2	11.4	14.9	30.8	13.1	11.9
	要介護4	5.5	8.8	9.4	14.0	31.3	16.8	14.3
	要介護5	4.5	6.2	7.0	10.5	28.9	18.4	24.6
介護保健施設サービス	要介護1	8.0	31.2	30.3	13.3	13.1	2.7	1.3
	要介護2	7.7	30.4	31.2	13.3	13.2	2.9	1.2
	要介護3	8.5	27.2	27.8	15.2	15.9	3.6	1.9
	要介護4	9.9	24.5	25.3	16.8	16.6	4.2	2.7
	要介護5	11.5	21.4	22.0	14.9	19.4	6.3	4.6
介護療養施設サービス	要介護1	30.6	26.4	20.8	5.6	11.1	1.4	4.2
	要介護2	33.1	32.5	12.1	8.3	10.2	3.2	0.6
	要介護3	21.8	25.0	16.6	15.0	14.2	4.5	2.9
	要介護4	16.9	20.0	16.3	15.0	20.3	6.3	5.1
	要介護5	12.7	18.7	15.2	14.6	22.5	8.7	7.6

注：1）介護福祉施設サービスには、地域密着型介護老人福祉施設入所者生活介護を含む。

第Ⅲ編　統　計　表

1　表章記号の規約

計数のない場合	－
統計項目のあり得ない場合	・
計数不明又は計数を表章することが不適当な場合	…
表章単位の２分の１未満の場合	0,　0.0
減少数、減算の場合	△

2　利用上の注意

(1) 集計は、原審査分であり、過誤・再審査分は含まない。なお、単位数・件数については、事業所からの請求時点の数値を集計している。

(2) 数値はそれぞれの表章単位未満での四捨五入等のため、内訳の合計が総数に一致しない場合がある。

(3) 介護報酬改定の状況

○ 実施時期　　平成29年４月１日

○ 改定率　　＋1.14%

統計表一覧

	客体													サービスの種類														
	受給者数	年間継続受給者数	年間実受給者数	受給者1人当たり費用額	単位数	回数	回数（日数・件数）	日数	件数	実日数	保険給付額	平均利用率	請求事業所数	介護予防サービス	介護サービス	介護サービス（居宅サービス等）	介護サービス（地域密着型サービス）	介護サービス（施設サービス）	訪問介護	訪問看護・通所介護・通所リハビリテーション・地域密着型通所介護	認知症対応型通所介護	介護予防訪問看護	介護予防訪問介護・介護予防通所介護・介護予防通所リハビリテーション	介護予防認知症対応型通所介護	福祉用具貸与	特定入所者介護サービス	特定診療費	特別療養費
1	○													○														
2	○														○													
3	○																											
4				○										○														
5				○											○													
6		○																										
7			○											○														
8			○												○													
9					○		○							○														
10					○											○												
11					○												○											
12					○													○										
13							○									○												
14							○										○											
15							○											○										
16					○														○									
17						○													○									
18					○	○																○		○				
19					○															○								
20						○														○								
21					○																○							
22						○															○							
23	○																		○									
24						○													○									
25							○															○	○	○				
26						○														○	○							
27					○			○	○																○			
28					○																						○	
29						○																					○	
30					○																							○
31						○																						○
32					○				○	○				○														
33					○				○	○					○													
34											○															○		
35	○				○																							
36												○																
37													○															

分類項目																	
居宅サービス	性	年齢階級	要介護（要支援）状態区分	サービス種類	サービス種類内容	所要時間	内容類型	貸与種目	特定診療費区分	特別療養費区分	提供内容	居宅サービス給付単位数階級	都道府県	地域区分	事業所区分	月別	
		○	○	○												○	1
		○	○	○												○	2
	○	○	○													○	3
		○	○	○												○	4
		○	○	○												○	5
	○		○														6
				○									○				7
				○									○				8
			○		○												9
			○		○												10
			○		○												11
			○		○												12
			○		○												13
			○		○												14
			○		○												15
			○			○	○										16
			○			○	○										17
			○			○									○		18
			○			○									○		19
			○			○									○		20
			○			○									○		21
			○			○									○		22
			○				○									○	23
			○				○									○	24
			○													○	25
			○													○	26
								○					○				27
			○						○								28
			○						○								29
			○							○							30
			○							○							31
				○										○			32
				○										○			33
			○								○						34
○			○									○					35
○			○										○				36
				○									○				37

（閲覧可能な統計表一覧）

次の統計表は、本報告書に掲載していないが、政府統計の総合窓口（e-Stat）(https://www.e-stat.go.jp/)に掲載している。

＜統計表＞

第38表　総合事業サービス受給者数，月・年齢階級・サービス種類・要支援状態区分等別

第39表　総合事業サービス受給者数，月・性・年齢階級・要支援状態区分等別

第40表　総合事業サービス受給者１人当たり費用額，月・年齢階級・サービス種類・要支援状態区分等別

第41表　総合事業サービス年間継続受給者数，性・要支援状態区分等別

第42表　総合事業サービス年間実受給者数，都道府県・サービス種類別

第43表　総合事業サービス単位数・回数・件数，サービス種類内容・要支援状態区等分別

第44表　総合事業サービス件数・実日数・単位数，サービス種類・地域区分別

第45表　総合事業サービス請求事業所数，都道府県・サービス種類別

＜閲覧表＞

（全国編）

第１表　件数，年齢階級・介護予防サービス種類・要支援状態区分別（月別）

第２表　件数，年齢階級・介護サービス種類・要介護状態区分別（月別）

第３表　単位数（点数），年齢階級・介護予防サービス種類・要支援状態区分別（月別）

第４表　単位数（点数），年齢階級・介護サービス種類・要介護状態区分別（月別）

第５表　実日数，年齢階級・介護予防サービス種類・要支援状態区分別（月別）

第６表　実日数，年齢階級・介護サービス種類・要介護状態区分別（月別）

第７表　費用額，年齢階級・介護予防サービス種類・要支援状態区分別（月別）

第８表　費用額，年齢階級・介護サービス種類・要介護状態区分別（月別）

第９表　保険給付額，年齢階級・介護予防サービス種類・要支援状態区分別（月別）

第10表　保険給付額，年齢階級・介護サービス種類・要介護状態区分別（月別）

第11表　公費負担額，年齢階級・介護予防サービス種類・要支援状態区分別（月別）

第12表　公費負担額，年齢階級・介護サービス種類・要介護状態区分別（月別）

第13表　利用者負担額，年齢階級・介護予防サービス種類・要支援状態区分別（月別）

第14表　利用者負担額，年齢階級・介護サービス種類・要介護状態区分別（月別）

（都道府県編）

第15表　件数，介護予防サービス種類・要支援状態区分・都道府県別（累計）

第16表　件数，介護サービス種類・要介護状態区分・都道府県別（累計）

第17表　単位数（点数），介護予防サービス種類・要支援状態区分・都道府県別（累計）

第18表　単位数（点数），介護サービス種類・要介護状態区分・都道府県別（累計）

第19表　実日数，介護予防サービス種類・要支援状態区分・都道府県別（累計）

第20表　実日数，介護サービス種類・要介護状態区分・都道府県別（累計）

第21表　費用額，介護予防サービス種類・要支援状態区分・都道府県別（累計）

第22表　費用額，介護サービス種類・要介護状態区分・都道府県別（累計）

第23表　保険給付額，介護予防サービス種類・要支援状態区分・都道府県別（累計）

第24表　保険給付額，介護サービス種類・要介護状態区分・都道府県別（累計）

第25表　公費負担額，介護予防サービス種類・要支援状態区分・都道府県別（累計）

第26表　公費負担額，介護サービス種類・要介護状態区分・都道府県別（累計）

第27表　利用者負担額，介護予防サービス種類・要支援状態区分・都道府県別（累計）

第28表　利用者負担額，介護サービス種類・要介護状態区分・都道府県別（累計）

第29表　単位数・回数・日数・件数，介護予防サービス種類・要支援状態区分・都道府県別（累計）

第30表　単位数・回数・日数・件数，介護サービス種類・要介護状態区分・都道府県別（累計）

第31表　単位数・回数・件数，サービスコード別（累計）

（総合事業サービス編）

第32表　件数，年齢階級・総合事業サービス種類・要支援状態区分等別（月別）

第33表　単位数，年齢階級・総合事業サービス種類・要支援状態区分等別（月別）

第34表　実日数，年齢階級・総合事業サービス種類・要支援状態区分等別（月別）

第35表　費用額，年齢階級・総合事業サービス種類・要支援状態区分等別（月別）

第36表　事業費支給額，年齢階級・総合事業サービス種類・要支援状態区分等別（月別）

第37表　公費負担額，年齢階級・総合事業サービス種類・要支援状態区分等別（月別）

第38表　利用者負担額，年齢階級・総合事業サービス種類・要支援状態区分等別（月別）

第39表　件数，総合事業サービス種類・要支援状態区分等・都道府県別（累計）

第40表　単位数，総合事業サービス種類・要支援状態区分等・都道府県別（累計）

第41表　実日数，総合事業サービス種類・要支援状態区分等・都道府県別（累計）

第42表　費用額，総合事業サービス種類・要支援状態区分等・都道府県別（累計）

第43表　事業費支給額，総合事業サービス種類・要支援状態区分等・都道府県別（累計）

第44表　公費負担額，総合事業サービス種類・要支援状態区分等・都道府県別（累計）

第45表　利用者負担額，総合事業サービス種類・要支援状態区分等・都道府県別（累計）

第46表　単位数・回数・件数，総合事業サービス種類・要支援状態区分等・都道府県別（累計）

第47表　単位数・回数・件数，総合事業サービスコード別（累計）

統計表第１表　介護予防サービス受給者数，月・年齢階級・サービス種類・要支援状態区分別（65－１）

（総　　数）

平成29年５月審査分～平成30年４月審査分
（単位：千人）

サービス種類	総数	要支援１	要支援２
総数	9 737.9	3 983.6	5 720.2
介護予防居宅サービス	9 518.4	3 886.4	5 600.7
訪問通所	8 926.9	3 600.5	5 300.9
介護予防訪問介護	1 228.3	548.4	674.9
介護予防訪問入浴介護	5.5	0.7	4.7
介護予防訪問看護	807.2	267.1	535.9
介護予防訪問リハビリテーション	194.2	54.2	139.4
介護予防通所介護	1 626.5	745.9	876.0
介護予防通所リハビリテーション	1 886.1	750.9	1 131.7
介護予防福祉用具貸与	5 459.4	1 906.7	3 541.0
短期入所	135.0	35.2	97.9
介護予防短期入所生活介護	122.0	32.6	87.8
介護予防短期入所療養介護（老健）	12.6	2.5	9.9
特定治療・特別療養費（再掲）	0.1	0.0	0.1
介護予防短期入所療養介護（病院等）	0.5	0.1	0.4
特定診療費（再掲）	0.4	0.1	0.3
介護予防居宅療養管理指導	556.5	229.7	323.5
介護予防特定施設入居者生活介護	357.6	188.4	167.2
介護予防支援	8 855.9	3 584.6	5 262.8
地域密着型介護予防サービス	161.3	66.0	94.3
介護予防認知症対応型通所介護	11.7	5.8	5.8
介護予防小規模多機能型居宅介護（短期利用以外）	137.3	60.1	76.3
介護予防小規模多機能型居宅介護（短期利用）	0.2	0.1	0.1
介護予防認知症対応型共同生活介護（短期利用以外）	12.1	－	12.0
介護予防認知症対応型共同生活介護（短期利用）	0.0	－	0.0

注：総数には、月の途中で要支援から要介護に変更となった者を含む。

（40～64歳）

平成29年５月審査分～平成30年４月審査分
（単位：千人）

サービス種類	総数	要支援１	要支援２
総数	246.4	75.1	170.8
介護予防居宅サービス	241.6	73.3	167.8
訪問通所	236.5	71.6	164.5
介護予防訪問介護	20.0	6.6	13.4
介護予防訪問入浴介護	0.2	0.0	0.2
介護予防訪問看護	41.5	11.8	29.7
介護予防訪問リハビリテーション	15.9	4.0	11.9
介護予防通所介護	23.3	8.0	15.2
介護予防通所リハビリテーション	64.3	20.7	43.6
介護予防福祉用具貸与	135.7	32.8	102.8
短期入所	1.0	0.2	0.8
介護予防短期入所生活介護	0.9	0.2	0.7
介護予防短期入所療養介護（老健）	0.1	0.0	0.1
特定治療・特別療養費（再掲）	－	－	－
介護予防短期入所療養介護（病院等）	0.0	－	0.0
特定診療費（再掲）	0.0	－	0.0
介護予防居宅療養管理指導	8.8	2.3	6.5
介護予防特定施設入居者生活介護	1.6	0.7	1.0
介護予防支援	233.6	71.1	162.5
地域密着型介護予防サービス	2.0	0.7	1.2
介護予防認知症対応型通所介護	0.1	0.1	0.0
介護予防小規模多機能型居宅介護（短期利用以外）	1.7	0.6	1.1
介護予防小規模多機能型居宅介護（短期利用）	0.0	0.0	0.0
介護予防認知症対応型共同生活介護（短期利用以外）	0.1	－	0.1
介護予防認知症対応型共同生活介護（短期利用）	－	－	－

注：総数には、月の途中で要支援から要介護に変更となった者を含む。

統計表第１表　介護予防サービス受給者数，月・年齢階級・サービス種類・要支援状態区分別（65－２）

（65～69歳）

平成29年５月審査分～平成30年４月審査分
（単位：千人）

サービス種類	総数	要支援１	要支援２
総数	444.2	168.4	274.7
介護予防居宅サービス	434.0	163.9	269.1
訪問通所	418.7	156.5	261.4
介護予防訪問介護	67.7	29.7	37.8
介護予防訪問入浴介護	0.3	0.0	0.3
介護予防訪問看護	56.2	18.6	37.4
介護予防訪問リハビリテーション	16.6	4.5	12.1
介護予防通所介護	54.3	24.1	30.1
介護予防通所リハビリテーション	94.4	34.5	59.8
介護予防福祉用具貸与	234.8	70.9	163.6
短期入所	2.8	1.0	1.7
介護予防短期入所生活介護	2.5	0.9	1.5
介護予防短期入所療養介護（老健）	0.3	0.1	0.2
特定治療・特別療養費（再掲）	0.0	-	0.0
介護予防短期入所療養介護（病院等）	0.0	0.0	-
特定診療費（再掲）	0.0	0.0	-
介護予防居宅療養管理指導	18.8	7.1	11.5
介護予防特定施設入居者生活介護	6.0	3.2	2.8
介護予防支援	413.7	155.4	258.1
地域密着型介護予防サービス	5.2	2.4	2.8
介護予防認知症対応型通所介護	0.3	0.2	0.0
介護予防小規模多機能型居宅介護（短期利用以外）	4.4	2.1	2.3
介護予防小規模多機能型居宅介護（短期利用）	0.0	0.0	0.0
介護予防認知症対応型共同生活介護（短期利用以外）	0.4	-	0.4
介護予防認知症対応型共同生活介護（短期利用）	0.0	-	0.0

注：総数には、月の途中で要支援から要介護に変更となった者を含む。

（70～74歳）

平成29年５月審査分～平成30年４月審査分
（単位：千人）

サービス種類	総数	要支援１	要支援２
総数	756.8	309.8	445.0
介護予防居宅サービス	741.1	302.4	436.8
訪問通所	716.0	289.7	424.8
介護予防訪問介護	100.5	44.8	55.3
介護予防訪問入浴介護	0.5	0.0	0.4
介護予防訪問看護	84.5	30.3	53.8
介護予防訪問リハビリテーション	20.4	6.0	14.3
介護予防通所介護	104.6	49.7	54.7
介護予防通所リハビリテーション	158.0	64.0	93.8
介護予防福祉用具貸与	420.0	143.2	276.0
短期入所	4.5	1.3	3.1
介護予防短期入所生活介護	4.1	1.3	2.7
介護予防短期入所療養介護（老健）	0.4	0.1	0.3
特定治療・特別療養費（再掲）	-	-	-
介護予防短期入所療養介護（病院等）	0.0	0.0	0.0
特定診療費（再掲）	0.0	0.0	0.0
介護予防居宅療養管理指導	30.6	12.3	18.1
介護予防特定施設入居者生活介護	11.2	6.4	4.8
介護予防支援	708.1	287.8	419.8
地域密着型介護予防サービス	9.0	4.2	4.7
介護予防認知症対応型通所介護	0.8	0.6	0.3
介護予防小規模多機能型居宅介護（短期利用以外）	7.5	3.6	3.8
介護予防小規模多機能型居宅介護（短期利用）	0.0	0.0	0.0
介護予防認知症対応型共同生活介護（短期利用以外）	0.7	-	0.7
介護予防認知症対応型共同生活介護（短期利用）	0.0	-	0.0

注：総数には、月の途中で要支援から要介護に変更となった者を含む。

統計表第１表　介護予防サービス受給者数，月・年齢階級・サービス種類・要支援状態区分別（65－３）

（75～79歳）

平成29年５月審査分～平成30年４月審査分
（単位：千人）

サービス種類	総数	要支援１	要支援２
総数	1 464.9	641.2	819.8
介護予防居宅サービス	1 434.3	626.7	804.0
訪問通所	1 386.1	601.8	781.2
介護予防訪問介護	188.0	87.6	99.8
介護予防訪問入浴介護	0.6	0.1	0.5
介護予防訪問看護	131.4	46.1	84.7
介護予防訪問リハビリテーション	31.4	9.5	21.9
介護予防通所介護	231.7	117.2	114.1
介護予防通所リハビリテーション	295.2	128.3	166.4
介護予防福祉用具貸与	840.7	317.5	521.8
短期入所	9.2	2.7	6.4
介護予防短期入所生活介護	8.2	2.4	5.7
介護予防短期入所療養介護（老健）	1.0	0.2	0.7
特定治療・特別療養費（再掲）	0.0	－	0.0
介護予防短期入所療養介護（病院等）	0.0	0.0	0.0
特定診療費（再掲）	0.0	0.0	0.0
介護予防居宅療養管理指導	54.9	22.7	31.8
介護予防特定施設入居者生活介護	23.6	13.8	9.7
介護予防支援	1 373.1	598.2	774.0
地域密着型介護予防サービス	18.1	8.4	9.5
介護予防認知症対応型通所介護	1.7	1.0	0.7
介護予防小規模多機能型居宅介護（短期利用以外）	15.1	7.4	7.6
介護予防小規模多機能型居宅介護（短期利用）	0.0	0.0	0.0
介護予防認知症対応型共同生活介護（短期利用以外）	1.3	－	1.3
介護予防認知症対応型共同生活介護（短期利用）	0.0	－	0.0

注：総数には、月の途中で要支援から要介護に変更となった者を含む。

（80～84歳）

平成29年５月審査分～平成30年４月審査分
（単位：千人）

サービス種類	総数	要支援１	要支援２
総数	2 561.0	1 115.7	1 437.3
介護予防居宅サービス	2 506.1	1 090.0	1 408.8
訪問通所	2 392.0	1 032.2	1 353.7
介護予防訪問介護	334.5	156.4	176.9
介護予防訪問入浴介護	1.0	0.2	0.8
介護予防訪問看護	197.1	68.2	127.9
介護予防訪問リハビリテーション	44.9	13.0	31.7
介護予防通所介護	444.8	219.7	224.0
介護予防通所リハビリテーション	499.7	212.2	286.6
介護予防福祉用具貸与	1 470.9	556.2	911.8
短期入所	22.1	6.0	15.7
介護予防短期入所生活介護	20.0	5.6	14.1
介護予防短期入所療養介護（老健）	2.1	0.4	1.6
特定治療・特別療養費（再掲）	0.0	0.0	0.0
介護予防短期入所療養介護（病院等）	0.1	0.0	0.1
特定診療費（再掲）	0.1	0.0	0.0
介護予防居宅療養管理指導	116.3	48.9	66.8
介護予防特定施設入居者生活介護	64.5	36.2	28.0
介護予防支援	2 370.2	1 026.5	1 341.7
地域密着型介護予防サービス	38.1	16.5	21.3
介護予防認知症対応型通所介護	2.9	1.4	1.5
介護予防小規模多機能型居宅介護（短期利用以外）	32.6	15.1	17.3
介護予防小規模多機能型居宅介護（短期利用）	0.1	0.0	0.0
介護予防認知症対応型共同生活介護（短期利用以外）	2.6	－	2.5
介護予防認知症対応型共同生活介護（短期利用）	0.0	－	0.0

注：総数には、月の途中で要支援から要介護に変更となった者を含む。

統計表第１表　介護予防サービス受給者数，月・年齢階級・サービス種類・要支援状態区分別（65－４）

（85～89歳）

平成29年５月審査分～平成30年４月審査分
（単位：千人）

サービス種類	総数	要支援１	要支援２
総数	2 686.2	1 104.6	1 571.4
介護予防居宅サービス	2 624.1	1 077.0	1 537.8
訪問通所	2 430.4	981.8	1 441.0
介護予防訪問介護	340.7	153.5	185.7
介護予防訪問入浴介護	1.2	0.2	1.0
介護予防訪問看護	188.8	61.2	126.5
介護予防訪問リハビリテーション	42.2	11.8	30.3
介護予防通所介護	486.9	220.8	264.6
介護予防通所リハビリテーション	506.4	200.7	304.7
介護予防福祉用具貸与	1 503.9	528.3	972.2
短期入所	42.0	11.2	30.2
介護予防短期入所生活介護	38.1	10.4	27.2
介護予防短期入所療養介護（老健）	3.8	0.7	3.0
特定治療・特別療養費（再掲）	0.0	0.0	0.0
介護予防短期入所療養介護（病院等）	0.1	0.0	0.1
特定診療費（再掲）	0.1	0.0	0.1
介護予防居宅療養管理指導	172.5	73.3	98.3
介護予防特定施設入居者生活介護	124.2	66.0	57.5
介護予防支援	2 412.0	978.0	1 431.4
地域密着型介護予防サービス	50.6	20.4	29.8
介護予防認知症対応型通所介護	3.4	1.6	1.8
介護予防小規模多機能型居宅介護（短期利用以外）	43.3	18.7	24.3
介護予防小規模多機能型居宅介護（短期利用）	0.1	0.0	0.0
介護予防認知症対応型共同生活介護（短期利用以外）	3.7	－	3.7
介護予防認知症対応型共同生活介護（短期利用）	0.0	－	0.0

注：総数には、月の途中で要支援から要介護に変更となった者を含む。

（90～94歳）

平成29年５月審査分～平成30年４月審査分
（単位：千人）

サービス種類	総数	要支援１	要支援２
総数	1 316.3	484.5	825.2
介護予防居宅サービス	1 282.3	471.1	805.1
訪問通所	1 133.9	402.4	726.7
介護予防訪問介護	151.6	61.2	89.6
介護予防訪問入浴介護	1.1	0.2	1.0
介護予防訪問看護	89.8	26.4	62.7
介護予防訪問リハビリテーション	19.3	4.6	14.6
介護予防通所介護	236.0	91.6	143.5
介護予防通所リハビリテーション	229.5	79.0	149.8
介護予防福祉用具貸与	712.9	220.7	490.0
短期入所	40.0	9.8	29.8
介護予防短期入所生活介護	36.1	9.1	26.7
介護予防短期入所療養介護（老健）	3.8	0.7	3.0
特定治療・特別療養費（再掲）	0.0	－	0.0
介護予防短期入所療養介護（病院等）	0.2	0.0	0.1
特定診療費（再掲）	0.1	0.0	0.1
介護予防居宅療養管理指導	121.4	50.6	70.1
介護予防特定施設入居者生活介護	98.5	49.4	48.4
介護予防支援	1 130.9	402.6	726.6
地域密着型介護予防サービス	31.1	11.1	19.8
介護予防認知症対応型通所介護	2.1	0.8	1.3
介護予防小規模多機能型居宅介護（短期利用以外）	26.3	10.3	15.9
介護予防小規模多機能型居宅介護（短期利用）	0.1	0.0	0.0
介護予防認知症対応型共同生活介護（短期利用以外）	2.6	－	2.6
介護予防認知症対応型共同生活介護（短期利用）	0.0	－	0.0

注：総数には、月の途中で要支援から要介護に変更となった者を含む。

統計表第１表　介護予防サービス受給者数，月・年齢階級・サービス種類・要支援状態区分別（65－５）

(95歳以上)

平成29年５月審査分～平成30年４月審査分

(単位：千人)

サービス種類	総数	要支援１	要支援２
総数	262.2	84.3	176.1
介護予防居宅サービス	255.0	81.8	171.4
訪問通所	213.3	64.5	147.6
介護予防訪問介護	25.2	8.6	16.4
介護予防訪問入浴介護	0.5	0.0	0.5
介護予防訪問看護	17.9	4.6	13.2
介護予防訪問リハビリテーション	3.4	0.8	2.6
介護予防通所介護	44.9	14.9	29.8
介護予防通所リハビリテーション	38.5	11.5	26.9
介護予防福祉用具貸与	140.6	37.1	102.9
短期入所	13.4	3.0	10.2
介護予防短期入所生活介護	12.1	2.8	9.2
介護予防短期入所療養介護（老健）	1.2	0.2	1.0
特定治療・特別療養費（再掲）	0.0	0.0	0.0
介護予防短期入所療養介護（病院等）	0.1	0.0	0.1
特定診療費（再掲）	0.0	0.0	0.0
介護予防居宅療養管理指導	33.1	12.5	20.4
介護予防特定施設入居者生活介護	28.0	12.8	15.0
介護予防支援	214.2	65.1	148.8
地域密着型介護予防サービス	7.4	2.2	5.1
介護予防認知症対応型通所介護	0.4	0.1	0.3
介護予防小規模多機能型居宅介護（短期利用以外）	6.2	2.1	4.1
介護予防小規模多機能型居宅介護（短期利用）	0.0	0.0	0.0
介護予防認知症対応型共同生活介護（短期利用以外）	0.7	-	0.7
介護予防認知症対応型共同生活介護（短期利用）	0.0	-	0.0

注：総数には、月の途中で要支援から要介護に変更となった者を含む。

統計表第１表　介護予防サービス受給者数，月・年齢階級・サービス種類・要支援状態区分別（65－６）

（総　　数）

平成29年５月審査分
（単位：千人）

サービス種類	総数	要支援１	要支援２
総数	926.9	397.9	525.6
介護予防居宅サービス	906.2	388.3	514.6
訪問通所	862.3	366.8	492.6
介護予防訪問介護	212.8	94.6	117.2
介護予防訪問入浴介護	0.5	0.1	0.4
介護予防訪問看護	62.1	20.5	41.2
介護予防訪問リハビリテーション	14.9	4.2	10.7
介護予防通所介護	275.5	125.3	149.3
介護予防通所リハビリテーション	151.1	60.2	90.6
介護予防福祉用具貸与	430.4	150.7	278.8
短期入所	10.6	2.7	7.7
介護予防短期入所生活介護	9.5	2.5	6.9
介護予防短期入所療養介護（老健）	1.0	0.2	0.8
特定治療・特別療養費（再掲）	0.0	0.0	0.0
介護予防短期入所療養介護（病院等）	0.0	0.0	0.0
特定診療費（再掲）	0.0	0.0	0.0
介護予防居宅療養管理指導	43.5	18.1	25.1
介護予防特定施設入居者生活介護	28.2	14.9	13.2
介護予防支援	856.3	366.1	489.4
地域密着型介護予防サービス	12.6	5.2	7.4
介護予防認知症対応型通所介護	1.0	0.5	0.5
介護予防小規模多機能型居宅介護（短期利用以外）	10.7	4.7	6.0
介護予防小規模多機能型居宅介護（短期利用）	0.0	0.0	0.0
介護予防認知症対応型共同生活介護（短期利用以外）	1.0	－	0.9
介護予防認知症対応型共同生活介護（短期利用）	0.0	－	0.0

注：総数には、月の途中で要支援から要介護に変更となった者を含む。

（40～64歳）

平成29年５月審査分
（単位：千人）

サービス種類	総数	要支援１	要支援２
総数	21.9	7.0	14.9
介護予防居宅サービス	21.5	6.9	14.6
訪問通所	21.1	6.7	14.4
介護予防訪問介護	3.5	1.1	2.4
介護予防訪問入浴介護	0.0	0.0	0.0
介護予防訪問看護	3.2	0.9	2.3
介護予防訪問リハビリテーション	1.2	0.3	0.9
介護予防通所介護	4.0	1.4	2.6
介護予防通所リハビリテーション	5.2	1.7	3.5
介護予防福祉用具貸与	10.8	2.7	8.1
短期入所	0.1	0.0	0.1
介護予防短期入所生活介護	0.1	0.0	0.1
介護予防短期入所療養介護（老健）	0.0	0.0	0.0
特定治療・特別療養費（再掲）	－	－	－
介護予防短期入所療養介護（病院等）	0.0	－	0.0
特定診療費（再掲）	0.0	－	0.0
介護予防居宅療養管理指導	0.7	0.2	0.5
介護予防特定施設入居者生活介護	0.1	0.0	0.1
介護予防支援	20.9	6.7	14.2
地域密着型介護予防サービス	0.1	0.1	0.1
介護予防認知症対応型通所介護	0.0	0.0	0.0
介護予防小規模多機能型居宅介護（短期利用以外）	0.1	0.1	0.1
介護予防小規模多機能型居宅介護（短期利用）	－	－	－
介護予防認知症対応型共同生活介護（短期利用以外）	0.0	－	0.0
介護予防認知症対応型共同生活介護（短期利用）	－	－	－

注：総数には、月の途中で要支援から要介護に変更となった者を含む。

統計表第１表　介護予防サービス受給者数，月・年齢階級・サービス種類・要支援状態区分別（65－７）

（65～69歳）

平成29年５月審査分
（単位：千人）

サービス種類	総数	要支援１	要支援２
総数	43.3	17.4	25.8
介護予防居宅サービス	42.2	16.9	25.2
訪問通所	41.2	16.4	24.7
介護予防訪問介護	11.9	5.1	6.7
介護予防訪問入浴介護	0.0	－	0.0
介護予防訪問看護	4.5	1.5	2.9
介護予防訪問リハビリテーション	1.4	0.4	1.0
介護予防通所介護	9.5	4.1	5.3
介護予防通所リハビリテーション	7.8	2.9	4.9
介護予防福祉用具貸与	19.2	5.8	13.3
短期入所	0.2	0.1	0.1
介護予防短期入所生活介護	0.2	0.1	0.1
介護予防短期入所療養介護（老健）	0.0	0.0	0.0
特定治療・特別療養費（再掲）	－	－	－
介護予防短期入所療養介護（病院等）	－	－	－
特定診療費（再掲）	－	－	－
介護予防居宅療養管理指導	1.4	0.5	0.9
介護予防特定施設入居者生活介護	0.5	0.3	0.2
介護予防支援	40.8	16.3	24.5
地域密着型介護予防サービス	0.4	0.2	0.2
介護予防認知症対応型通所介護	0.0	0.0	0.0
介護予防小規模多機能型居宅介護（短期利用以外）	0.4	0.2	0.2
介護予防小規模多機能型居宅介護（短期利用）	－	－	－
介護予防認知症対応型共同生活介護（短期利用以外）	0.0	－	0.0
介護予防認知症対応型共同生活介護（短期利用）	0.0	－	0.0

注：総数には、月の途中で要支援から要介護に変更となった者を含む。

（70～74歳）

平成29年５月審査分
（単位：千人）

サービス種類	総数	要支援１	要支援２
総数	71.4	30.9	40.3
介護予防居宅サービス	70.0	30.2	39.6
訪問通所	68.2	29.3	38.8
介護予防訪問介護	17.4	7.8	9.5
介護予防訪問入浴介護	0.0	0.0	0.0
介護予防訪問看護	6.5	2.3	4.1
介護予防訪問リハビリテーション	1.6	0.5	1.1
介護予防通所介護	18.1	8.5	9.5
介護予防通所リハビリテーション	12.5	5.1	7.4
介護予防福祉用具貸与	33.1	11.4	21.7
短期入所	0.4	0.1	0.2
介護予防短期入所生活介護	0.3	0.1	0.2
介護予防短期入所療養介護（老健）	0.0	0.0	0.0
特定治療・特別療養費（再掲）	－	－	－
介護予防短期入所療養介護（病院等）	0.0	－	0.0
特定診療費（再掲）	0.0	－	0.0
介護予防居宅療養管理指導	2.4	1.0	1.4
介護予防特定施設入居者生活介護	0.9	0.5	0.4
介護予防支援	67.5	29.1	38.4
地域密着型介護予防サービス	0.7	0.3	0.4
介護予防認知症対応型通所介護	0.1	0.0	0.0
介護予防小規模多機能型居宅介護（短期利用以外）	0.6	0.3	0.3
介護予防小規模多機能型居宅介護（短期利用）	－	－	－
介護予防認知症対応型共同生活介護（短期利用以外）	0.1	－	0.1
介護予防認知症対応型共同生活介護（短期利用）	－	－	－

注：総数には、月の途中で要支援から要介護に変更となった者を含む。

統計表第１表　介護予防サービス受給者数，月・年齢階級・サービス種類・要支援状態区分別（65－８）

（75～79歳）

平成29年５月審査分
（単位：千人）

サービス種類	総数	要支援１	要支援２
総数	141.2	64.9	75.9
介護予防居宅サービス	138.2	63.4	74.4
訪問通所	134.7	61.6	72.8
介護予防訪問介護	33.0	15.3	17.6
介護予防訪問入浴介護	0.1	0.0	0.1
介護予防訪問看護	10.2	3.6	6.6
介護予防訪問リハビリテーション	2.4	0.8	1.6
介護予防通所介護	39.9	20.1	19.8
介護予防通所リハビリテーション	23.8	10.3	13.5
介護予防福祉用具貸与	66.9	25.3	41.5
短期入所	0.7	0.2	0.5
介護予防短期入所生活介護	0.7	0.2	0.5
介護予防短期入所療養介護（老健）	0.1	0.0	0.1
特定治療・特別療養費（再掲）	－	－	－
介護予防短期入所療養介護（病院等）	0.0	－	0.0
特定診療費（再掲）	0.0	－	0.0
介護予防居宅療養管理指導	4.3	1.8	2.5
介護予防特定施設入居者生活介護	1.9	1.1	0.8
介護予防支援	133.8	61.4	72.3
地域密着型介護予防サービス	1.4	0.7	0.8
介護予防認知症対応型通所介護	0.1	0.1	0.1
介護予防小規模多機能型居宅介護（短期利用以外）	1.2	0.6	0.6
介護予防小規模多機能型居宅介護（短期利用）	－	－	－
介護予防認知症対応型共同生活介護（短期利用以外）	0.1	－	0.1
介護予防認知症対応型共同生活介護（短期利用）	－	－	－

注：総数には、月の途中で要支援から要介護に変更となった者を含む。

（80～84歳）

平成29年５月審査分
（単位：千人）

サービス種類	総数	要支援１	要支援２
総数	248.8	113.6	134.3
介護予防居宅サービス	243.4	111.0	131.6
訪問通所	234.7	106.5	127.5
介護予防訪問介護	58.7	27.5	31.0
介護予防訪問入浴介護	0.1	0.0	0.1
介護予防訪問看護	15.2	5.2	9.9
介護予防訪問リハビリテーション	3.4	1.0	2.4
介護予防通所介護	76.0	37.2	38.6
介護予防通所リハビリテーション	40.3	17.1	23.2
介護予防福祉用具貸与	117.2	44.4	72.5
短期入所	1.8	0.5	1.3
介護予防短期入所生活介護	1.6	0.5	1.1
介護予防短期入所療養介護（老健）	0.2	0.0	0.1
特定治療・特別療養費（再掲）	0.0	－	0.0
介護予防短期入所療養介護（病院等）	0.0	0.0	0.0
特定診療費（再掲）	0.0	0.0	0.0
介護予防居宅療養管理指導	9.3	4.0	5.3
介護予防特定施設入居者生活介護	5.3	3.0	2.3
介護予防支援	232.9	106.3	126.4
地域密着型介護予防サービス	3.1	1.3	1.7
介護予防認知症対応型通所介護	0.3	0.1	0.1
介護予防小規模多機能型居宅介護（短期利用以外）	2.6	1.2	1.4
介護予防小規模多機能型居宅介護（短期利用）	0.0	0.0	0.0
介護予防認知症対応型共同生活介護（短期利用以外）	0.2	－	0.2
介護予防認知症対応型共同生活介護（短期利用）	－	－	－

注：総数には、月の途中で要支援から要介護に変更となった者を含む。

統計表第１表　介護予防サービス受給者数，月・年齢階級・サービス種類・要支援状態区分別（65－９）

（85～89歳）

平成29年５月審査分
（単位：千人）

サービス種類	総数	要支援１	要支援２
総数	254.5	109.5	144.0
介護予防居宅サービス	248.8	106.9	141.0
訪問通所	234.2	99.6	133.8
介護予防訪問介護	58.5	26.2	32.0
介護予防訪問入浴介護	0.1	0.0	0.1
介護予防訪問看護	14.4	4.6	9.7
介護予防訪問リハビリテーション	3.2	0.9	2.3
介護予防通所介護	81.5	36.6	44.6
介護予防通所リハビリテーション	40.2	16.0	24.2
介護予防福祉用具貸与	117.3	41.2	75.9
短期入所	3.3	0.8	2.4
介護予防短期入所生活介護	3.0	0.8	2.1
介護予防短期入所療養介護（老健）	0.3	0.0	0.2
特定治療・特別療養費（再掲）	0.0	0.0	－
介護予防短期入所療養介護（病院等）	0.0	0.0	0.0
特定診療費（再掲）	0.0	0.0	0.0
介護予防居宅療養管理指導	13.6	5.8	7.7
介護予防特定施設入居者生活介護	9.9	5.3	4.6
介護予防支援	232.7	99.4	133.0
地域密着型介護予防サービス	4.0	1.6	2.4
介護予防認知症対応型通所介護	0.3	0.1	0.1
介護予防小規模多機能型居宅介護（短期利用以外）	3.4	1.4	1.9
介護予防小規模多機能型居宅介護（短期利用）	0.0	0.0	0.0
介護予防認知症対応型共同生活介護（短期利用以外）	0.3	－	0.3
介護予防認知症対応型共同生活介護（短期利用）	0.0	－	0.0

注：総数には、月の途中で要支援から要介護に変更となった者を含む。

（90～94歳）

平成29年５月審査分
（単位：千人）

サービス種類	総数	要支援１	要支援２
総数	122.2	46.8	74.7
介護予防居宅サービス	119.1	45.6	72.9
訪問通所	108.2	40.5	67.2
介護予防訪問介護	25.6	10.2	15.2
介護予防訪問入浴介護	0.1	0.0	0.1
介護予防訪問看護	6.8	2.0	4.7
介護予防訪問リハビリテーション	1.5	0.4	1.1
介護予防通所介護	39.2	15.0	24.0
介護予防通所リハビリテーション	18.2	6.3	11.8
介護予防福祉用具貸与	55.0	17.0	37.8
短期入所	3.1	0.7	2.3
介護予防短期入所生活介護	2.8	0.6	2.1
介護予防短期入所療養介護（老健）	0.3	0.1	0.2
特定治療・特別療養費（再掲）	0.0	－	0.0
介護予防短期入所療養介護（病院等）	0.0	0.0	0.0
特定診療費（再掲）	0.0	0.0	0.0
介護予防居宅療養管理指導	9.3	3.9	5.4
介護予防特定施設入居者生活介護	7.6	3.8	3.8
介護予防支援	107.8	40.5	67.2
地域密着型介護予防サービス	2.4	0.9	1.5
介護予防認知症対応型通所介護	0.2	0.1	0.1
介護予防小規模多機能型居宅介護（短期利用以外）	2.0	0.8	1.2
介護予防小規模多機能型居宅介護（短期利用）	0.0	0.0	0.0
介護予防認知症対応型共同生活介護（短期利用以外）	0.2	－	0.2
介護予防認知症対応型共同生活介護（短期利用）	0.0	－	0.0

注：総数には、月の途中で要支援から要介護に変更となった者を含む。

統計表第１表　介護予防サービス受給者数，月・年齢階級・サービス種類・要支援状態区分別（65－10）

（95歳以上）

平成29年５月審査分
（単位：千人）

サービス種類	総数	要支援１	要支援２
総数	23.6	7.8	15.6
介護予防居宅サービス	22.9	7.6	15.2
訪問通所	20.0	6.3	13.5
介護予防訪問介護	4.2	1.4	2.7
介護予防訪問入浴介護	0.0	0.0	0.0
介護予防訪問看護	1.3	0.3	1.0
介護予防訪問リハビリテーション	0.3	0.1	0.2
介護予防通所介護	7.3	2.4	4.9
介護予防通所リハビリテーション	3.0	0.9	2.1
介護予防福祉用具貸与	10.8	2.8	7.9
短期入所	1.1	0.2	0.8
介護予防短期入所生活介護	0.9	0.2	0.7
介護予防短期入所療養介護（老健）	0.1	0.0	0.1
特定治療・特別療養費（再掲）	－	－	－
介護予防短期入所療養介護（病院等）	0.0	0.0	0.0
特定診療費（再掲）	0.0	0.0	0.0
介護予防居宅療養管理指導	2.4	0.9	1.5
介護予防特定施設入居者生活介護	2.1	1.0	1.1
介護予防支援	20.0	6.4	13.5
地域密着型介護予防サービス	0.6	0.2	0.4
介護予防認知症対応型通所介護	0.0	0.0	0.0
介護予防小規模多機能型居宅介護（短期利用以外）	0.5	0.2	0.3
介護予防小規模多機能型居宅介護（短期利用）	－	－	－
介護予防認知症対応型共同生活介護（短期利用以外）	0.1	－	0.0
介護予防認知症対応型共同生活介護（短期利用）	－	－	－

注：総数には、月の途中で要支援から要介護に変更となった者を含む。

統計表第１表　介護予防サービス受給者数，月・年齢階級・サービス種類・要支援状態区分別（65－11）

（総　数）

平成29年６月審査分
（単位：千人）

サービス種類	総数	要支援１	要支援２
総数	919.0	391.2	524.5
介護予防居宅サービス	900.5	382.8	514.6
訪問通所	854.0	360.1	491.2
介護予防訪問介護	195.0	86.9	107.3
介護予防訪問入浴介護	0.5	0.1	0.4
介護予防訪問看護	63.5	21.0	42.2
介護予防訪問リハビリテーション	15.1	4.2	10.9
介護予防通所介護	255.6	116.6	138.3
介護予防通所リハビリテーション	154.4	61.4	92.8
介護予防福祉用具貸与	440.9	154.0	285.9
短期入所	11.3	3.0	8.2
介護予防短期入所生活介護	10.2	2.8	7.3
介護予防短期入所療養介護（老健）	1.0	0.2	0.8
特定治療・特別療養費（再掲）	0.0	0.0	0.0
介護予防短期入所療養介護（病院等）	0.0	0.0	0.0
特定診療費（再掲）	0.0	0.0	0.0
介護予防居宅療養管理指導	44.9	18.6	26.0
介護予防特定施設入居者生活介護	29.4	15.5	13.7
介護予防支援	840.0	355.8	483.4
地域密着型介護予防サービス	13.2	5.4	7.7
介護予防認知症対応型通所介護	1.0	0.5	0.5
介護予防小規模多機能型居宅介護（短期利用以外）	11.2	4.9	6.2
介護予防小規模多機能型居宅介護（短期利用）	0.0	0.0	0.0
介護予防認知症対応型共同生活介護（短期利用以外）	1.0	－	1.0
介護予防認知症対応型共同生活介護（短期利用）	0.0	－	0.0

注：総数には、月の途中で要支援から要介護に変更となった者を含む。

（40～64歳）

平成29年６月審査分
（単位：千人）

サービス種類	総数	要支援１	要支援２
総数	21.9	7.0	14.9
介護予防居宅サービス	21.5	6.8	14.6
訪問通所	21.1	6.7	14.4
介護予防訪問介護	3.2	1.1	2.1
介護予防訪問入浴介護	0.0	0.0	0.0
介護予防訪問看護	3.3	1.0	2.3
介護予防訪問リハビリテーション	1.2	0.3	0.9
介護予防通所介護	3.7	1.3	2.4
介護予防通所リハビリテーション	5.3	1.8	3.6
介護予防福祉用具貸与	11.0	2.7	8.3
短期入所	0.1	0.0	0.1
介護予防短期入所生活介護	0.1	0.0	0.1
介護予防短期入所療養介護（老健）	0.0	－	0.0
特定治療・特別療養費（再掲）	－	－	－
介護予防短期入所療養介護（病院等）	0.0	－	0.0
特定診療費（再掲）	0.0	－	0.0
介護予防居宅療養管理指導	0.7	0.2	0.5
介護予防特定施設入居者生活介護	0.1	0.0	0.1
介護予防支援	20.8	6.6	14.2
地域密着型介護予防サービス	0.2	0.1	0.1
介護予防認知症対応型通所介護	0.0	0.0	0.0
介護予防小規模多機能型居宅介護（短期利用以外）	0.1	0.1	0.1
介護予防小規模多機能型居宅介護（短期利用）	－	－	－
介護予防認知症対応型共同生活介護（短期利用以外）	0.0	－	0.0
介護予防認知症対応型共同生活介護（短期利用）	－	－	－

注：総数には、月の途中で要支援から要介護に変更となった者を含む。

統計表第１表　介護予防サービス受給者数，月・年齢階級・サービス種類・要支援状態区分別（65－12）

（65～69歳）

平成29年６月審査分
（単位：千人）

サービス種類	総数	要支援１	要支援２
総数	43.0	17.1	25.8
介護予防居宅サービス	42.1	16.7	25.3
訪問通所	40.9	16.1	24.7
介護予防訪問介護	10.9	4.7	6.1
介護予防訪問入浴介護	0.0	－	0.0
介護予防訪問看護	4.6	1.6	3.0
介護予防訪問リハビリテーション	1.4	0.4	1.0
介護予防通所介護	8.7	3.9	4.8
介護予防通所リハビリテーション	8.0	2.9	5.0
介護予防福祉用具貸与	19.7	5.9	13.7
短期入所	0.2	0.1	0.2
介護予防短期入所生活介護	0.2	0.1	0.1
介護予防短期入所療養介護（老健）	0.0	0.0	0.0
特定治療・特別療養費（再掲）	－	－	－
介護予防短期入所療養介護（病院等）	－	－	－
特定診療費（再掲）	－	－	－
介護予防居宅療養管理指導	1.6	0.6	0.9
介護予防特定施設入居者生活介護	0.5	0.3	0.2
介護予防支援	40.1	15.9	24.2
地域密着型介護予防サービス	0.4	0.2	0.2
介護予防認知症対応型通所介護	0.0	0.0	0.0
介護予防小規模多機能型居宅介護（短期利用以外）	0.4	0.2	0.2
介護予防小規模多機能型居宅介護（短期利用）	－	－	－
介護予防認知症対応型共同生活介護（短期利用以外）	0.0	－	0.0
介護予防認知症対応型共同生活介護（短期利用）	－	－	－

注：総数には、月の途中で要支援から要介護に変更となった者を含む。

（70～74歳）

平成29年６月審査分
（単位：千人）

サービス種類	総数	要支援１	要支援２
総数	71.1	30.4	40.5
介護予防居宅サービス	69.8	29.8	39.8
訪問通所	67.8	28.8	38.9
介護予防訪問介護	16.2	7.3	8.9
介護予防訪問入浴介護	0.0	0.0	0.0
介護予防訪問看護	6.6	2.4	4.2
介護予防訪問リハビリテーション	1.6	0.5	1.1
介護予防通所介護	16.8	8.0	8.8
介護予防通所リハビリテーション	12.9	5.2	7.7
介護予防福祉用具貸与	33.9	11.6	22.3
短期入所	0.4	0.1	0.2
介護予防短期入所生活介護	0.3	0.1	0.2
介護予防短期入所療養介護（老健）	0.0	0.0	0.0
特定治療・特別療養費（再掲）	－	－	－
介護予防短期入所療養介護（病院等）	0.0	－	0.0
特定診療費（再掲）	0.0	－	0.0
介護予防居宅療養管理指導	2.5	1.0	1.5
介護予防特定施設入居者生活介護	0.9	0.5	0.4
介護予防支援	66.6	28.4	38.1
地域密着型介護予防サービス	0.7	0.3	0.4
介護予防認知症対応型通所介護	0.1	0.1	0.0
介護予防小規模多機能型居宅介護（短期利用以外）	0.6	0.3	0.3
介護予防小規模多機能型居宅介護（短期利用）	－	－	－
介護予防認知症対応型共同生活介護（短期利用以外）	0.1	－	0.1
介護予防認知症対応型共同生活介護（短期利用）	－	－	－

注：総数には、月の途中で要支援から要介護に変更となった者を含む。

統計表第１表　介護予防サービス受給者数，月・年齢階級・サービス種類・要支援状態区分別（65－13）

（75～79歳）

平成29年６月審査分
（単位：千人）

サービス種類	総数	要支援１	要支援２
総数	139.9	63.6	75.9
介護予防居宅サービス	137.3	62.3	74.6
訪問通所	133.5	60.4	72.8
介護予防訪問介護	30.3	14.0	16.2
介護予防訪問入浴介護	0.1	0.0	0.0
介護予防訪問看護	10.4	3.7	6.7
介護予防訪問リハビリテーション	2.5	0.8	1.7
介護予防通所介護	37.0	18.6	18.3
介護予防通所リハビリテーション	24.2	10.4	13.8
介護予防福祉用具貸与	68.6	25.9	42.7
短期入所	0.8	0.2	0.5
介護予防短期入所生活介護	0.7	0.2	0.5
介護予防短期入所療養介護（老健）	0.1	0.0	0.1
特定治療・特別療養費（再掲）	0.0	－	0.0
介護予防短期入所療養介護（病院等）	0.0	－	0.0
特定診療費（再掲）	0.0	－	0.0
介護予防居宅療養管理指導	4.5	1.9	2.6
介護予防特定施設入居者生活介護	2.0	1.1	0.8
介護予防支援	131.3	59.6	71.6
地域密着型介護予防サービス	1.5	0.7	0.8
介護予防認知症対応型通所介護	0.1	0.1	0.1
介護予防小規模多機能型居宅介護（短期利用以外）	1.2	0.6	0.6
介護予防小規模多機能型居宅介護（短期利用）	0.0	0.0	0.0
介護予防認知症対応型共同生活介護（短期利用以外）	0.1	－	0.1
介護予防認知症対応型共同生活介護（短期利用）	－	－	－

注：総数には、月の途中で要支援から要介護に変更となった者を含む。

（80～84歳）

平成29年６月審査分
（単位：千人）

サービス種類	総数	要支援１	要支援２
総数	245.8	111.2	133.8
介護予防居宅サービス	241.1	109.0	131.4
訪問通所	232.0	104.3	127.1
介護予防訪問介護	53.5	25.1	28.3
介護予防訪問入浴介護	0.1	0.0	0.1
介護予防訪問看護	15.7	5.4	10.2
介護予防訪問リハビリテーション	3.5	1.0	2.4
介護予防通所介護	70.4	34.6	35.7
介護予防通所リハビリテーション	41.2	17.3	23.8
介護予防福祉用具貸与	120.1	45.4	74.5
短期入所	1.9	0.5	1.3
介護予防短期入所生活介護	1.7	0.5	1.2
介護予防短期入所療養介護（老健）	0.2	0.0	0.1
特定治療・特別療養費（再掲）	0.0	－	0.0
介護予防短期入所療養介護（病院等）	0.0	0.0	0.0
特定診療費（再掲）	0.0	0.0	0.0
介護予防居宅療養管理指導	9.6	4.0	5.5
介護予防特定施設入居者生活介護	5.5	3.1	2.3
介護予防支援	228.1	103.0	124.8
地域密着型介護予防サービス	3.2	1.4	1.8
介護予防認知症対応型通所介護	0.3	0.1	0.1
介護予防小規模多機能型居宅介護（短期利用以外）	2.7	1.3	1.4
介護予防小規模多機能型居宅介護（短期利用）	0.0	0.0	0.0
介護予防認知症対応型共同生活介護（短期利用以外）	0.2	－	0.2
介護予防認知症対応型共同生活介護（短期利用）	0.0	－	0.0

注：総数には、月の途中で要支援から要介護に変更となった者を含む。

統計表第１表　介護予防サービス受給者数，月・年齢階級・サービス種類・要支援状態区分別（65－14）

（85～89歳）

平成29年６月審査分
（単位：千人）

サービス種類	総数	要支援１	要支援２
総数	252.3	107.8	143.6
介護予防居宅サービス	247.1	105.4	140.8
訪問通所	231.7	97.8	133.1
介護予防訪問介護	53.5	24.0	29.2
介護予防訪問入浴介護	0.1	0.0	0.1
介護予防訪問看護	14.7	4.7	9.9
介護予防訪問リハビリテーション	3.3	0.9	2.4
介護予防通所介護	75.7	34.0	41.4
介護予防通所リハビリテーション	41.1	16.3	24.8
介護予防福祉用具貸与	120.1	42.2	77.7
短期入所	3.6	1.0	2.5
介護予防短期入所生活介護	3.2	0.9	2.3
介護予防短期入所療養介護（老健）	0.3	0.1	0.2
特定治療・特別療養費（再掲）	0.0	－	0.0
介護予防短期入所療養介護（病院等）	0.0	0.0	0.0
特定診療費（再掲）	0.0	－	0.0
介護予防居宅療養管理指導	13.9	5.9	7.9
介護予防特定施設入居者生活介護	10.3	5.5	4.8
介護予防支援	228.0	96.6	131.1
地域密着型介護予防サービス	4.1	1.6	2.5
介護予防認知症対応型通所介護	0.3	0.1	0.2
介護予防小規模多機能型居宅介護（短期利用以外）	3.5	1.5	2.0
介護予防小規模多機能型居宅介護（短期利用）	0.0	－	0.0
介護予防認知症対応型共同生活介護（短期利用以外）	0.3	－	0.3
介護予防認知症対応型共同生活介護（短期利用）	0.0	－	0.0

注：総数には、月の途中で要支援から要介護に変更となった者を含む。

（90～94歳）

平成29年６月審査分
（単位：千人）

サービス種類	総数	要支援１	要支援２
総数	121.5	46.2	74.6
介護予防居宅サービス	118.6	45.1	72.9
訪問通所	107.1	39.7	66.9
介護予防訪問介護	23.5	9.3	14.0
介護予防訪問入浴介護	0.1	0.0	0.1
介護予防訪問看護	6.9	2.0	4.8
介護予防訪問リハビリテーション	1.5	0.3	1.1
介護予防通所介護	36.5	14.0	22.3
介護予防通所リハビリテーション	18.6	6.5	12.0
介護予防福祉用具貸与	56.4	17.5	38.7
短期入所	3.3	0.8	2.5
介護予防短期入所生活介護	3.0	0.7	2.2
介護予防短期入所療養介護（老健）	0.3	0.1	0.3
特定治療・特別療養費（再掲）	0.0	－	0.0
介護予防短期入所療養介護（病院等）	0.0	0.0	0.0
特定診療費（再掲）	0.0	0.0	0.0
介護予防居宅療養管理指導	9.6	4.0	5.5
介護予防特定施設入居者生活介護	8.0	4.0	3.9
介護予防支援	105.6	39.3	66.1
地域密着型介護予防サービス	2.5	0.9	1.6
介護予防認知症対応型通所介護	0.2	0.1	0.1
介護予防小規模多機能型居宅介護（短期利用以外）	2.1	0.9	1.3
介護予防小規模多機能型居宅介護（短期利用）	0.0	0.0	0.0
介護予防認知症対応型共同生活介護（短期利用以外）	0.2	－	0.2
介護予防認知症対応型共同生活介護（短期利用）	－	－	－

注：総数には、月の途中で要支援から要介護に変更となった者を含む。

統計表第１表　介護予防サービス受給者数，月・年齢階級・サービス種類・要支援状態区分別（65－15）

(95歳以上)

平成29年６月審査分
（単位：千人）

サービス種類	総数	要支援１	要支援２
総数	23.5	7.8	15.5
介護予防居宅サービス	22.9	7.6	15.1
訪問通所	19.8	6.3	13.4
介護予防訪問介護	3.9	1.3	2.5
介護予防訪問入浴介護	0.0	0.0	0.0
介護予防訪問看護	1.3	0.3	1.0
介護予防訪問リハビリテーション	0.3	0.1	0.2
介護予防通所介護	6.8	2.2	4.5
介護予防通所リハビリテーション	3.1	0.9	2.2
介護予防福祉用具貸与	11.1	3.0	8.1
短期入所	1.1	0.3	0.8
介護予防短期入所生活介護	1.0	0.2	0.8
介護予防短期入所療養介護（老健）	0.1	0.0	0.1
特定治療・特別療養費（再掲）	0.0	0.0	-
介護予防短期入所療養介護（病院等）	0.0	-	0.0
特定診療費（再掲）	0.0	-	0.0
介護予防居宅療養管理指導	2.5	1.0	1.6
介護予防特定施設入居者生活介護	2.1	1.0	1.1
介護予防支援	19.6	6.3	13.3
地域密着型介護予防サービス	0.6	0.2	0.4
介護予防認知症対応型通所介護	0.0	0.0	0.0
介護予防小規模多機能型居宅介護（短期利用以外）	0.5	0.2	0.3
介護予防小規模多機能型居宅介護（短期利用）	0.0	0.0	0.0
介護予防認知症対応型共同生活介護（短期利用以外）	0.1	-	0.1
介護予防認知症対応型共同生活介護（短期利用）	-	-	-

注：総数には、月の途中で要支援から要介護に変更となった者を含む。

統計表第１表　介護予防サービス受給者数，月・年齢階級・サービス種類・要支援状態区分別（65－16）

（総　　数）

平成29年７月審査分
（単位：千人）

サービス種類	総数	要支援１	要支援２
総数	890.3	376.5	510.5
介護予防居宅サービス	871.3	368.1	500.3
訪問通所	825.2	345.6	477.1
介護予防訪問介護	171.2	76.4	94.1
介護予防訪問入浴介護	0.4	0.0	0.4
介護予防訪問看護	64.6	21.5	42.8
介護予防訪問リハビリテーション	15.4	4.3	11.1
介護予防通所介護	227.4	104.1	122.6
介護予防通所リハビリテーション	155.5	62.0	93.2
介護予防福祉用具貸与	443.6	155.3	287.4
短期入所	11.0	2.9	7.9
介護予防短期入所生活介護	9.9	2.7	7.1
介護予防短期入所療養介護（老健）	1.0	0.2	0.8
特定治療・特別療養費（再掲）	0.0	0.0	0.0
介護予防短期入所療養介護（病院等）	0.0	0.0	0.0
特定診療費（再掲）	0.0	0.0	0.0
介護予防居宅療養管理指導	45.0	18.6	26.2
介護予防特定施設入居者生活介護	29.1	15.4	13.5
介護予防支援	816.7	343.2	472.7
地域密着型介護予防サービス	13.1	5.3	7.7
介護予防認知症対応型通所介護	1.0	0.5	0.5
介護予防小規模多機能型居宅介護（短期利用以外）	11.1	4.9	6.2
介護予防小規模多機能型居宅介護（短期利用）	0.0	0.0	0.0
介護予防認知症対応型共同生活介護（短期利用以外）	1.0	－	1.0
介護予防認知症対応型共同生活介護（短期利用）	0.0	－	0.0

注：総数には、月の途中で要支援から要介護に変更となった者を含む。

（40～64歳）

平成29年７月審査分
（単位：千人）

サービス種類	総数	要支援１	要支援２
総数	21.5	6.7	14.7
介護予防居宅サービス	21.1	6.6	14.5
訪問通所	20.7	6.4	14.2
介護予防訪問介護	2.8	0.9	1.9
介護予防訪問入浴介護	0.0	0.0	0.0
介護予防訪問看護	3.3	0.9	2.4
介護予防訪問リハビリテーション	1.3	0.3	0.9
介護予防通所介護	3.2	1.1	2.1
介護予防通所リハビリテーション	5.3	1.8	3.6
介護予防福祉用具貸与	11.0	2.7	8.3
短期入所	0.1	0.0	0.1
介護予防短期入所生活介護	0.1	0.0	0.1
介護予防短期入所療養介護（老健）	0.0	0.0	0.0
特定治療・特別療養費（再掲）	－	－	－
介護予防短期入所療養介護（病院等）	－	－	－
特定診療費（再掲）	－	－	－
介護予防居宅療養管理指導	0.7	0.2	0.5
介護予防特定施設入居者生活介護	0.1	0.0	0.1
介護予防支援	20.5	6.4	14.0
地域密着型介護予防サービス	0.2	0.1	0.1
介護予防認知症対応型通所介護	0.0	0.0	0.0
介護予防小規模多機能型居宅介護（短期利用以外）	0.1	0.1	0.1
介護予防小規模多機能型居宅介護（短期利用）	－	－	－
介護予防認知症対応型共同生活介護（短期利用以外）	0.0	－	0.0
介護予防認知症対応型共同生活介護（短期利用）	－	－	－

注：総数には、月の途中で要支援から要介護に変更となった者を含む。

統計表第１表　介護予防サービス受給者数，月・年齢階級・サービス種類・要支援状態区分別（65－17）

（65～69歳）

平成29年７月審査分
（単位：千人）

サービス種類	総数	要支援１	要支援２
総数	41.2	16.3	24.9
介護予防居宅サービス	40.3	15.8	24.4
訪問通所	39.1	15.3	23.8
介護予防訪問介護	9.5	4.1	5.3
介護予防訪問入浴介護	0.0	－	0.0
介護予防訪問看護	4.6	1.5	3.0
介護予防訪問リハビリテーション	1.4	0.4	1.0
介護予防通所介護	7.6	3.4	4.3
介護予防通所リハビリテーション	8.0	2.9	5.0
介護予防福祉用具貸与	19.6	5.9	13.6
短期入所	0.2	0.1	0.1
介護予防短期入所生活介護	0.2	0.1	0.1
介護予防短期入所療養介護（老健）	0.0	0.0	0.0
特定治療・特別療養費（再掲）	－	－	－
介護予防短期入所療養介護（病院等）	－	－	－
特定診療費（再掲）	－	－	－
介護予防居宅療養管理指導	1.5	0.6	0.9
介護予防特定施設入居者生活介護	0.5	0.3	0.2
介護予防支援	38.6	15.1	23.5
地域密着型介護予防サービス	0.4	0.2	0.2
介護予防認知症対応型通所介護	0.0	0.0	0.0
介護予防小規模多機能型居宅介護（短期利用以外）	0.4	0.2	0.2
介護予防小規模多機能型居宅介護（短期利用）	0.0	－	0.0
介護予防認知症対応型共同生活介護（短期利用以外）	0.0	－	0.0
介護予防認知症対応型共同生活介護（短期利用）	－	－	－

注：総数には、月の途中で要支援から要介護に変更となった者を含む。

（70～74歳）

平成29年７月審査分
（単位：千人）

サービス種類	総数	要支援１	要支援２
総数	68.7	29.1	39.4
介護予防居宅サービス	67.3	28.5	38.7
訪問通所	65.4	27.5	37.8
介護予防訪問介護	14.1	6.3	7.8
介護予防訪問入浴介護	0.0	0.0	0.0
介護予防訪問看護	6.7	2.4	4.3
介護予防訪問リハビリテーション	1.6	0.5	1.2
介護予防通所介護	14.7	7.0	7.7
介護予防通所リハビリテーション	12.9	5.2	7.7
介護予防福祉用具貸与	34.0	11.6	22.3
短期入所	0.4	0.1	0.3
介護予防短期入所生活介護	0.3	0.1	0.2
介護予防短期入所療養介護（老健）	0.0	0.0	0.0
特定治療・特別療養費（再掲）	－	－	－
介護予防短期入所療養介護（病院等）	0.0	－	0.0
特定診療費（再掲）	0.0	－	0.0
介護予防居宅療養管理指導	2.4	1.0	1.4
介護予防特定施設入居者生活介護	0.9	0.5	0.4
介護予防支援	64.6	27.3	37.3
地域密着型介護予防サービス	0.7	0.3	0.4
介護予防認知症対応型通所介護	0.1	0.0	0.0
介護予防小規模多機能型居宅介護（短期利用以外）	0.6	0.3	0.3
介護予防小規模多機能型居宅介護（短期利用）	0.0	－	0.0
介護予防認知症対応型共同生活介護（短期利用以外）	0.1	－	0.1
介護予防認知症対応型共同生活介護（短期利用）	0.0	－	0.0

注：総数には、月の途中で要支援から要介護に変更となった者を含む。

統計表第１表　介護予防サービス受給者数，月・年齢階級・サービス種類・要支援状態区分別（65－18）

（75～79歳）

平成29年７月審査分
（単位：千人）

サ ー ビ ス 種 類	総数	要支援１	要支援２
総数	135.5	61.3	73.8
介護予防居宅サービス	132.8	60.1	72.4
訪問通所	129.0	58.1	70.6
介護予防訪問介護	26.5	12.3	14.1
介護予防訪問入浴介護	0.1	0.0	0.0
介護予防訪問看護	10.6	3.8	6.8
介護予防訪問リハビリテーション	2.5	0.7	1.7
介護予防通所介護	32.7	16.5	16.1
介護予防通所リハビリテーション	24.5	10.6	13.8
介護予防福祉用具貸与	69.0	26.2	42.7
短期入所	0.7	0.2	0.5
介護予防短期入所生活介護	0.6	0.2	0.5
介護予防短期入所療養介護（老健）	0.1	0.0	0.1
特定治療・特別療養費（再掲）	－	－	－
介護予防短期入所療養介護（病院等）	0.0	－	0.0
特定診療費（再掲）	0.0	－	0.0
介護予防居宅療養管理指導	4.6	1.9	2.7
介護予防特定施設入居者生活介護	1.9	1.1	0.8
介護予防支援	127.7	57.6	70.0
地域密着型介護予防サービス	1.5	0.7	0.8
介護予防認知症対応型通所介護	0.1	0.1	0.1
介護予防小規模多機能型居宅介護（短期利用以外）	1.2	0.6	0.6
介護予防小規模多機能型居宅介護（短期利用）	0.0	0.0	0.0
介護予防認知症対応型共同生活介護（短期利用以外）	0.1	－	0.1
介護予防認知症対応型共同生活介護（短期利用）	－	－	－

注：総数には、月の途中で要支援から要介護に変更となった者を含む。

（80～84歳）

平成29年７月審査分
（単位：千人）

サ ー ビ ス 種 類	総数	要支援１	要支援２
総数	237.5	106.9	129.9
介護予防居宅サービス	232.7	104.6	127.4
訪問通所	223.7	100.0	123.1
介護予防訪問介護	47.0	22.0	24.8
介護予防訪問入浴介護	0.1	0.0	0.1
介護予防訪問看護	16.0	5.5	10.3
介護予防訪問リハビリテーション	3.6	1.0	2.5
介護予防通所介護	62.6	31.0	31.5
介護予防通所リハビリテーション	41.5	17.6	23.8
介護予防福祉用具貸与	120.5	45.6	74.7
短期入所	1.8	0.5	1.3
介護予防短期入所生活介護	1.7	0.5	1.1
介護予防短期入所療養介護（老健）	0.2	0.0	0.1
特定治療・特別療養費（再掲）	－	－	－
介護予防短期入所療養介護（病院等）	0.0	0.0	0.0
特定診療費（再掲）	0.0	0.0	0.0
介護予防居宅療養管理指導	9.5	4.0	5.5
介護予防特定施設入居者生活介護	5.3	3.0	2.3
介護予防支援	221.3	99.3	121.9
地域密着型介護予防サービス	3.1	1.3	1.8
介護予防認知症対応型通所介護	0.2	0.1	0.1
介護予防小規模多機能型居宅介護（短期利用以外）	2.6	1.2	1.4
介護予防小規模多機能型居宅介護（短期利用）	0.0	0.0	0.0
介護予防認知症対応型共同生活介護（短期利用以外）	0.2	－	0.2
介護予防認知症対応型共同生活介護（短期利用）	－	－	－

注：総数には、月の途中で要支援から要介護に変更となった者を含む。

統計表第１表　介護予防サービス受給者数，月・年齢階級・サービス種類・要支援状態区分別（65－19）

（85～89歳）

平成29年７月審査分
（単位：千人）

サービス種類	総数	要支援１	要支援２
総数	245.2	104.1	140.1
介護予防居宅サービス	239.8	101.8	137.2
訪問通所	224.5	94.1	129.6
介護予防訪問介護	47.2	21.3	25.7
介護予防訪問入浴介護	0.1	0.0	0.1
介護予防訪問看護	15.0	4.9	10.0
介護予防訪問リハビリテーション	3.3	0.9	2.4
介護予防通所介護	67.7	30.6	36.9
介護予防通所リハビリテーション	41.5	16.5	24.9
介護予防福祉用具貸与	121.4	42.6	78.4
短期入所	3.4	1.0	2.4
介護予防短期入所生活介護	3.1	0.9	2.2
介護予防短期入所療養介護（老健）	0.3	0.1	0.2
特定治療・特別療養費（再掲）	0.0	–	0.0
介護予防短期入所療養介護（病院等）	0.0	0.0	0.0
特定診療費（再掲）	0.0	–	0.0
介護予防居宅療養管理指導	14.1	6.0	8.0
介護予防特定施設入居者生活介護	10.3	5.5	4.7
介護予防支援	222.2	93.4	128.6
地域密着型介護予防サービス	4.2	1.7	2.5
介護予防認知症対応型通所介護	0.3	0.1	0.1
介護予防小規模多機能型居宅介護（短期利用以外）	3.6	1.5	2.0
介護予防小規模多機能型居宅介護（短期利用）	0.0	0.0	0.0
介護予防認知症対応型共同生活介護（短期利用以外）	0.3	–	0.3
介護予防認知症対応型共同生活介護（短期利用）	–	–	–

注：総数には、月の途中で要支援から要介護に変更となった者を含む。

（90～94歳）

平成29年７月審査分
（単位：千人）

サービス種類	総数	要支援１	要支援２
総数	117.8	44.6	72.6
介護予防居宅サービス	115.0	43.4	71.0
訪問通所	103.6	38.1	65.1
介護予防訪問介護	20.7	8.2	12.3
介護予防訪問入浴介護	0.1	0.0	0.1
介護予防訪問看護	7.0	2.1	4.9
介護予防訪問リハビリテーション	1.5	0.4	1.1
介護予防通所介護	32.6	12.6	19.8
介護予防通所リハビリテーション	18.7	6.5	12.1
介護予防福祉用具貸与	57.0	17.7	39.2
短期入所	3.2	0.8	2.4
介護予防短期入所生活介護	2.9	0.7	2.2
介護予防短期入所療養介護（老健）	0.3	0.1	0.2
特定治療・特別療養費（再掲）	0.0	–	0.0
介護予防短期入所療養介護（病院等）	0.0	0.0	0.0
特定診療費（再掲）	0.0	0.0	0.0
介護予防居宅療養管理指導	9.6	4.0	5.5
介護予防特定施設入居者生活介護	7.9	4.0	3.9
介護予防支援	102.7	38.0	64.6
地域密着型介護予防サービス	2.5	0.9	1.6
介護予防認知症対応型通所介護	0.2	0.1	0.1
介護予防小規模多機能型居宅介護（短期利用以外）	2.1	0.8	1.3
介護予防小規模多機能型居宅介護（短期利用）	0.0	0.0	0.0
介護予防認知症対応型共同生活介護（短期利用以外）	0.2	–	0.2
介護予防認知症対応型共同生活介護（短期利用）	0.0	–	0.0

注：総数には、月の途中で要支援から要介護に変更となった者を含む。

統計表第１表　介護予防サービス受給者数，月・年齢階級・サービス種類・要支援状態区分別（65－20）

（95歳以上）

平成29年７月審査分
（単位：千人）

サービス種類	総数	要支援１	要支援２
総数	22.8	7.5	15.1
介護予防居宅サービス	22.3	7.3	14.8
訪問通所	19.2	6.0	13.0
介護予防訪問介護	3.4	1.2	2.2
介護予防訪問入浴介護	0.0	0.0	0.0
介護予防訪問看護	1.4	0.3	1.0
介護予防訪問リハビリテーション	0.3	0.1	0.2
介護予防通所介護	6.2	2.0	4.2
介護予防通所リハビリテーション	3.1	0.9	2.2
介護予防福祉用具貸与	11.1	3.0	8.1
短期入所	1.1	0.3	0.8
介護予防短期入所生活介護	1.0	0.3	0.7
介護予防短期入所療養介護（老健）	0.1	0.0	0.1
特定治療・特別療養費（再掲）	0.0	0.0	－
介護予防短期入所療養介護（病院等）	0.0	0.0	0.0
特定診療費（再掲）	0.0	0.0	0.0
介護予防居宅療養管理指導	2.5	0.9	1.6
介護予防特定施設入居者生活介護	2.1	1.0	1.1
介護予防支援	19.1	6.1	13.0
地域密着型介護予防サービス	0.6	0.2	0.4
介護予防認知症対応型通所介護	0.0	0.0	0.0
介護予防小規模多機能型居宅介護（短期利用以外）	0.5	0.2	0.3
介護予防小規模多機能型居宅介護（短期利用）	0.0	－	0.0
介護予防認知症対応型共同生活介護（短期利用以外）	0.1	－	0.1
介護予防認知症対応型共同生活介護（短期利用）	－	－	－

注：総数には、月の途中で要支援から要介護に変更となった者を含む。

統計表第１表　介護予防サービス受給者数，月・年齢階級・サービス種類・要支援状態区分別（65－21）

（総　　数）

平成29年８月審査分
（単位：千人）

サービス種類	総数	要支援１	要支援２
総数	867.3	363.3	501.0
介護予防居宅サービス	849.3	355.5	491.0
訪問通所	801.9	332.5	467.2
介護予防訪問介護	150.1	67.2	82.3
介護予防訪問入浴介護	0.4	0.1	0.4
介護予防訪問看護	65.6	21.8	43.6
介護予防訪問リハビリテーション	15.7	4.3	11.3
介護予防通所介護	198.4	91.0	106.9
介護予防通所リハビリテーション	156.1	62.3	93.5
介護予防福祉用具貸与	449.9	157.6	291.4
短期入所	11.4	3.0	8.3
介護予防短期入所生活介護	10.3	2.8	7.4
介護予防短期入所療養介護（老健）	1.1	0.2	0.8
特定治療・特別療養費（再掲）	0.0	－	0.0
介護予防短期入所療養介護（病院等）	0.0	0.0	0.0
特定診療費（再掲）	0.0	0.0	0.0
介護予防居宅療養管理指導	45.6	18.9	26.4
介護予防特定施設入居者生活介護	29.3	15.5	13.7
介護予防支援	793.9	330.2	463.0
地域密着型介護予防サービス	13.4	5.5	7.8
介護予防認知症対応型通所介護	1.0	0.5	0.5
介護予防小規模多機能型居宅介護（短期利用以外）	11.3	4.9	6.3
介護予防小規模多機能型居宅介護（短期利用）	0.0	0.0	0.0
介護予防認知症対応型共同生活介護（短期利用以外）	1.1	－	1.0
介護予防認知症対応型共同生活介護（短期利用）	0.0	－	0.0

注：総数には、月の途中で要支援から要介護に変更となった者を含む。

（40～64歳）

平成29年８月審査分
（単位：千人）

サービス種類	総数	要支援１	要支援２
総数	21.2	6.6	14.5
介護予防居宅サービス	20.8	6.5	14.3
訪問通所	20.4	6.3	14.0
介護予防訪問介護	2.4	0.8	1.6
介護予防訪問入浴介護	0.0	0.0	0.0
介護予防訪問看護	3.4	1.0	2.4
介護予防訪問リハビリテーション	1.3	0.3	1.0
介護予防通所介護	2.8	1.0	1.8
介護予防通所リハビリテーション	5.4	1.7	3.6
介護予防福祉用具貸与	11.1	2.7	8.4
短期入所	0.1	0.0	0.1
介護予防短期入所生活介護	0.1	0.0	0.1
介護予防短期入所療養介護（老健）	0.0	0.0	0.0
特定治療・特別療養費（再掲）	－	－	－
介護予防短期入所療養介護（病院等）	－	－	－
特定診療費（再掲）	－	－	－
介護予防居宅療養管理指導	0.7	0.2	0.5
介護予防特定施設入居者生活介護	0.1	0.0	0.1
介護予防支援	20.1	6.3	13.8
地域密着型介護予防サービス	0.2	0.1	0.1
介護予防認知症対応型通所介護	0.0	0.0	0.0
介護予防小規模多機能型居宅介護（短期利用以外）	0.1	0.0	0.1
介護予防小規模多機能型居宅介護（短期利用）	－	－	－
介護予防認知症対応型共同生活介護（短期利用以外）	0.0	－	0.0
介護予防認知症対応型共同生活介護（短期利用）	－	－	－

注：総数には、月の途中で要支援から要介護に変更となった者を含む。

統計表第１表　介護予防サービス受給者数，月・年齢階級・サービス種類・要支援状態区分別（65－22）

（65～69歳）

平成29年８月審査分
（単位：千人）

サービス種類	総数	要支援１	要支援２
総数	40.0	15.5	24.3
介護予防居宅サービス	39.1	15.1	23.9
訪問通所	37.9	14.6	23.3
介護予防訪問介護	8.2	3.6	4.6
介護予防訪問入浴介護	0.0	−	0.0
介護予防訪問看護	4.7	1.5	3.1
介護予防訪問リハビリテーション	1.4	0.4	1.0
介護予防通所介護	6.6	2.9	3.7
介護予防通所リハビリテーション	7.9	2.9	5.0
介護予防福祉用具貸与	19.7	6.0	13.7
短期入所	0.2	0.1	0.2
介護予防短期入所生活介護	0.2	0.1	0.1
介護予防短期入所療養介護（老健）	0.0	0.0	0.0
特定治療・特別療養費（再掲）	−	−	−
介護予防短期入所療養介護（病院等）	−	−	−
特定診療費（再掲）	−	−	−
介護予防居宅療養管理指導	1.5	0.6	0.9
介護予防特定施設入居者生活介護	0.5	0.3	0.2
介護予防支援	37.4	14.4	22.9
地域密着型介護予防サービス	0.5	0.2	0.2
介護予防認知症対応型通所介護	0.0	0.0	0.0
介護予防小規模多機能型居宅介護（短期利用以外）	0.4	0.2	0.2
介護予防小規模多機能型居宅介護（短期利用）	−	−	−
介護予防認知症対応型共同生活介護（短期利用以外）	0.0	−	0.0
介護予防認知症対応型共同生活介護（短期利用）	−	−	−

注：総数には、月の途中で要支援から要介護に変更となった者を含む。

（70～74歳）

平成29年８月審査分
（単位：千人）

サービス種類	総数	要支援１	要支援２
総数	66.9	28.1	38.6
介護予防居宅サービス	65.6	27.5	37.9
訪問通所	63.6	26.5	36.9
介護予防訪問介護	12.3	5.5	6.8
介護予防訪問入浴介護	0.0	0.0	0.0
介護予防訪問看護	6.8	2.5	4.3
介護予防訪問リハビリテーション	1.7	0.5	1.2
介護予防通所介護	12.6	6.0	6.6
介護予防通所リハビリテーション	13.0	5.3	7.7
介護予防福祉用具貸与	34.6	11.9	22.6
短期入所	0.4	0.1	0.3
介護予防短期入所生活介護	0.3	0.1	0.2
介護予防短期入所療養介護（老健）	0.0	0.0	0.0
特定治療・特別療養費（再掲）	−	−	−
介護予防短期入所療養介護（病院等）	0.0	−	0.0
特定診療費（再掲）	0.0	−	0.0
介護予防居宅療養管理指導	2.5	1.0	1.5
介護予防特定施設入居者生活介護	0.9	0.5	0.4
介護予防支援	62.7	26.2	36.5
地域密着型介護予防サービス	0.7	0.3	0.4
介護予防認知症対応型通所介護	0.1	0.0	0.0
介護予防小規模多機能型居宅介護（短期利用以外）	0.6	0.3	0.3
介護予防小規模多機能型居宅介護（短期利用）	0.0	0.0	−
介護予防認知症対応型共同生活介護（短期利用以外）	0.1	−	0.1
介護予防認知症対応型共同生活介護（短期利用）	−	−	−

注：総数には、月の途中で要支援から要介護に変更となった者を含む。

統計表第１表　介護予防サービス受給者数，月・年齢階級・サービス種類・要支援状態区分別（65－23）

（75～79歳）

平成29年８月審査分
（単位：千人）

サービス種類	総数	要支援１	要支援２
総数	131.6	58.9	72.4
介護予防居宅サービス	129.1	57.7	71.0
訪問通所	125.2	55.7	69.2
介護予防訪問介護	22.9	10.8	12.1
介護予防訪問入浴介護	0.0	0.0	0.0
介護予防訪問看護	10.7	3.7	6.9
介護予防訪問リハビリテーション	2.6	0.8	1.8
介護予防通所介護	28.5	14.4	14.1
介護予防通所リハビリテーション	24.7	10.8	13.8
介護予防福祉用具貸与	69.9	26.3	43.4
短期入所	0.8	0.2	0.5
介護予防短期入所生活介護	0.7	0.2	0.5
介護予防短期入所療養介護（老健）	0.1	0.0	0.1
特定治療・特別療養費（再掲）	–	–	–
介護予防短期入所療養介護（病院等）	0.0	0.0	0.0
特定診療費（再掲）	0.0	0.0	0.0
介護予防居宅療養管理指導	4.6	1.9	2.6
介護予防特定施設入居者生活介護	2.0	1.2	0.8
介護予防支援	123.8	55.3	68.4
地域密着型介護予防サービス	1.5	0.7	0.8
介護予防認知症対応型通所介護	0.1	0.1	0.1
介護予防小規模多機能型居宅介護（短期利用以外）	1.3	0.6	0.6
介護予防小規模多機能型居宅介護（短期利用）	0.0	0.0	0.0
介護予防認知症対応型共同生活介護（短期利用以外）	0.1	–	0.1
介護予防認知症対応型共同生活介護（短期利用）	–	–	–

注：総数には、月の途中で要支援から要介護に変更となった者を含む。

（80～84歳）

平成29年８月審査分
（単位：千人）

サービス種類	総数	要支援１	要支援２
総数	230.3	102.7	126.9
介護予防居宅サービス	225.8	100.6	124.5
訪問通所	216.5	95.9	120.1
介護予防訪問介護	41.1	19.2	21.7
介護予防訪問入浴介護	0.1	0.0	0.1
介護予防訪問看護	16.1	5.6	10.4
介護予防訪問リハビリテーション	3.6	1.0	2.6
介護予防通所介護	54.5	27.0	27.4
介護予防通所リハビリテーション	41.5	17.6	23.8
介護予防福祉用具貸与	121.9	46.2	75.4
短期入所	1.9	0.5	1.4
介護予防短期入所生活介護	1.7	0.5	1.2
介護予防短期入所療養介護（老健）	0.2	0.0	0.2
特定治療・特別療養費（再掲）	–	–	–
介護予防短期入所療養介護（病院等）	0.0	0.0	0.0
特定診療費（再掲）	0.0	0.0	0.0
介護予防居宅療養管理指導	9.6	4.0	5.5
介護予防特定施設入居者生活介護	5.4	3.0	2.3
介護予防支援	214.2	95.1	118.9
地域密着型介護予防サービス	3.2	1.4	1.8
介護予防認知症対応型通所介護	0.3	0.1	0.1
介護予防小規模多機能型居宅介護（短期利用以外）	2.7	1.2	1.5
介護予防小規模多機能型居宅介護（短期利用）	0.0	0.0	0.0
介護予防認知症対応型共同生活介護（短期利用以外）	0.2	–	0.2
介護予防認知症対応型共同生活介護（短期利用）	0.0	–	0.0

注：総数には、月の途中で要支援から要介護に変更となった者を含む。

統計表第１表　介護予防サービス受給者数，月・年齢階級・サービス種類・要支援状態区分別（65－24）

（85～89歳）

平成29年８月審査分
（単位：千人）

サービス種類	総数	要支援１	要支援２
総数	239.2	100.6	137.7
介護予防居宅サービス	234.0	98.4	134.8
訪問通所	218.5	90.7	127.1
介護予防訪問介護	41.6	18.8	22.6
介護予防訪問入浴介護	0.1	0.0	0.1
介護予防訪問看護	15.3	4.9	10.3
介護予防訪問リハビリテーション	3.4	0.9	2.4
介護予防通所介護	59.3	26.9	32.3
介護予防通所リハビリテーション	41.8	16.6	25.1
介護予防福祉用具貸与	123.4	43.4	79.8
短期入所	3.6	1.0	2.6
介護予防短期入所生活介護	3.2	0.9	2.3
介護予防短期入所療養介護（老健）	0.3	0.1	0.3
特定治療・特別療養費（再掲）	0.0	－	0.0
介護予防短期入所療養介護（病院等）	0.0	0.0	0.0
特定診療費（再掲）	0.0	0.0	0.0
介護予防居宅療養管理指導	14.1	6.0	8.0
介護予防特定施設入居者生活介護	10.3	5.5	4.7
介護予防支援	216.5	90.2	126.1
地域密着型介護予防サービス	4.2	1.7	2.5
介護予防認知症対応型通所介護	0.3	0.1	0.1
介護予防小規模多機能型居宅介護（短期利用以外）	3.6	1.5	2.0
介護予防小規模多機能型居宅介護（短期利用）	0.0	0.0	0.0
介護予防認知症対応型共同生活介護（短期利用以外）	0.3	－	0.3
介護予防認知症対応型共同生活介護（短期利用）	－	－	－

注：総数には、月の途中で要支援から要介護に変更となった者を含む。

（90～94歳）

平成29年８月審査分
（単位：千人）

サービス種類	総数	要支援１	要支援２
総数	115.6	43.4	71.6
介護予防居宅サービス	112.9	42.4	70.0
訪問通所	101.1	36.9	63.8
介護予防訪問介護	18.4	7.4	10.9
介護予防訪問入浴介護	0.1	0.0	0.1
介護予防訪問看護	7.2	2.1	5.0
介護予防訪問リハビリテーション	1.6	0.4	1.2
介護予防通所介護	28.6	11.1	17.4
介護予防通所リハビリテーション	18.8	6.5	12.2
介護予防福祉用具貸与	58.0	18.0	39.8
短期入所	3.4	0.8	2.5
介護予防短期入所生活介護	3.0	0.8	2.3
介護予防短期入所療養介護（老健）	0.3	0.1	0.2
特定治療・特別療養費（再掲）	0.0	－	0.0
介護予防短期入所療養介護（病院等）	0.0	0.0	0.0
特定診療費（再掲）	0.0	0.0	0.0
介護予防居宅療養管理指導	9.9	4.1	5.7
介護予防特定施設入居者生活介護	8.0	4.0	4.0
介護予防支援	100.5	36.7	63.6
地域密着型介護予防サービス	2.5	0.9	1.6
介護予防認知症対応型通所介護	0.2	0.1	0.1
介護予防小規模多機能型居宅介護（短期利用以外）	2.1	0.9	1.3
介護予防小規模多機能型居宅介護（短期利用）	0.0	0.0	0.0
介護予防認知症対応型共同生活介護（短期利用以外）	0.2	－	0.2
介護予防認知症対応型共同生活介護（短期利用）	－	－	－

注：総数には、月の途中で要支援から要介護に変更となった者を含む。

統計表第１表　介護予防サービス受給者数，月・年齢階級・サービス種類・要支援状態区分別（65－25）

（95歳以上）

平成29年８月審査分
（単位：千人）

サービス種類	総数	要支援１	要支援２
総数	22.5	7.4	15.0
介護予防居宅サービス	21.9	7.2	14.6
訪問通所	18.8	5.9	12.7
介護予防訪問介護	3.1	1.0	2.0
介護予防訪問入浴介護	0.0	0.0	0.0
介護予防訪問看護	1.4	0.3	1.0
介護予防訪問リハビリテーション	0.3	0.1	0.2
介護予防通所介護	5.5	1.8	3.6
介護予防通所リハビリテーション	3.1	0.9	2.2
介護予防福祉用具貸与	11.3	3.1	8.2
短期入所	1.1	0.3	0.8
介護予防短期入所生活介護	1.0	0.2	0.7
介護予防短期入所療養介護（老健）	0.1	0.0	0.1
特定治療・特別療養費（再掲）	0.0	-	-
介護予防短期入所療養介護（病院等）	0.0	0.0	0.0
特定診療費（再掲）	0.0	-	0.0
介護予防居宅療養管理指導	2.6	1.0	1.6
介護予防特定施設入居者生活介護	2.2	1.0	1.2
介護予防支援	18.7	5.9	12.8
地域密着型介護予防サービス	0.6	0.2	0.4
介護予防認知症対応型通所介護	0.0	0.0	0.0
介護予防小規模多機能型居宅介護（短期利用以外）	0.5	0.2	0.3
介護予防小規模多機能型居宅介護（短期利用）	0.0	-	0.0
介護予防認知症対応型共同生活介護（短期利用以外）	0.1	-	0.1
介護予防認知症対応型共同生活介護（短期利用）	-	-	-

注：総数には、月の途中で要支援から要介護に変更となった者を含む。

統計表第１表　介護予防サービス受給者数，月・年齢階級・サービス種類・要支援状態区分別（65－26）

（総　　数）

平成29年９月審査分
（単位：千人）

サービス種類	総数	要支援１	要支援２
総数	837.5	346.8	487.9
介護予防居宅サービス	816.9	337.6	476.7
訪問通所	768.6	314.3	452.2
介護予防訪問介護	126.3	56.5	69.3
介護予防訪問入浴介護	0.4	0.0	0.4
介護予防訪問看護	65.9	21.7	43.8
介護予防訪問リハビリテーション	15.7	4.4	11.3
介護予防通所介護	167.7	76.8	90.5
介護予防通所リハビリテーション	154.8	61.6	92.9
介護予防福祉用具貸与	449.3	156.9	291.5
短期入所	11.9	3.1	8.7
介護予防短期入所生活介護	10.8	2.9	7.8
介護予防短期入所療養介護（老健）	1.1	0.2	0.9
特定治療・特別療養費（再掲）	0.0	0.0	0.0
介護予防短期入所療養介護（病院等）	0.0	0.0	0.0
特定診療費（再掲）	0.0	0.0	0.0
介護予防居宅療養管理指導	45.5	18.7	26.5
介護予防特定施設入居者生活介護	29.3	15.4	13.7
介護予防支援	766.2	314.7	450.8
地域密着型介護予防サービス	13.3	5.4	7.8
介護予防認知症対応型通所介護	1.0	0.5	0.5
介護予防小規模多機能型居宅介護（短期利用以外）	11.3	4.9	6.3
介護予防小規模多機能型居宅介護（短期利用）	0.0	0.0	0.0
介護予防認知症対応型共同生活介護（短期利用以外）	1.0	－	1.0
介護予防認知症対応型共同生活介護（短期利用）	0.0	－	0.0

注：総数には、月の途中で要支援から要介護に変更となった者を含む。

（40～64歳）

平成29年９月審査分
（単位：千人）

サービス種類	総数	要支援１	要支援２
総数	20.9	6.4	14.4
介護予防居宅サービス	20.5	6.3	14.2
訪問通所	20.1	6.2	13.9
介護予防訪問介護	2.0	0.7	1.4
介護予防訪問入浴介護	0.0	0.0	0.0
介護予防訪問看護	3.4	1.0	2.4
介護予防訪問リハビリテーション	1.3	0.3	1.0
介護予防通所介護	2.4	0.8	1.5
介護予防通所リハビリテーション	5.3	1.7	3.6
介護予防福祉用具貸与	11.3	2.8	8.5
短期入所	0.1	0.0	0.1
介護予防短期入所生活介護	0.1	0.0	0.1
介護予防短期入所療養介護（老健）	0.0	0.0	0.0
特定治療・特別療養費（再掲）	－	－	－
介護予防短期入所療養介護（病院等）	－	－	－
特定診療費（再掲）	－	－	－
介護予防居宅療養管理指導	0.7	0.2	0.6
介護予防特定施設入居者生活介護	0.1	0.1	0.1
介護予防支援	19.9	6.1	13.7
地域密着型介護予防サービス	0.2	0.1	0.1
介護予防認知症対応型通所介護	0.0	0.0	0.0
介護予防小規模多機能型居宅介護（短期利用以外）	0.1	0.0	0.1
介護予防小規模多機能型居宅介護（短期利用）	0.0	0.0	－
介護予防認知症対応型共同生活介護（短期利用以外）	0.0	－	0.0
介護予防認知症対応型共同生活介護（短期利用）	－	－	－

注：総数には、月の途中で要支援から要介護に変更となった者を含む。

統計表第1表　介護予防サービス受給者数，月・年齢階級・サービス種類・要支援状態区分別（65−27）

（65〜69歳）

平成29年9月審査分
（単位：千人）

サービス種類	総数	要支援1	要支援2
総数	38.3	14.7	23.6
介護予防居宅サービス	37.4	14.3	23.1
訪問通所	36.2	13.7	22.4
介護予防訪問介護	6.9	3.0	3.8
介護予防訪問入浴介護	0.0	-	0.0
介護予防訪問看護	4.7	1.5	3.2
介護予防訪問リハビリテーション	1.4	0.4	1.0
介護予防通所介護	5.5	2.5	3.0
介護予防通所リハビリテーション	7.8	2.8	5.0
介護予防福祉用具貸与	19.6	5.9	13.7
短期入所	0.3	0.1	0.2
介護予防短期入所生活介護	0.2	0.1	0.1
介護予防短期入所療養介護（老健）	0.0	0.0	0.0
特定治療・特別療養費（再掲）	-	-	-
介護予防短期入所療養介護（病院等）	-	-	-
特定診療費（再掲）	-	-	-
介護予防居宅療養管理指導	1.6	0.6	1.0
介護予防特定施設入居者生活介護	0.5	0.3	0.2
介護予防支援	35.8	13.6	22.2
地域密着型介護予防サービス	0.4	0.2	0.2
介護予防認知症対応型通所介護	0.0	0.0	0.0
介護予防小規模多機能型居宅介護（短期利用以外）	0.4	0.2	0.2
介護予防小規模多機能型居宅介護（短期利用）	-	-	-
介護予防認知症対応型共同生活介護（短期利用以外）	0.0	-	0.0
介護予防認知症対応型共同生活介護（短期利用）	-	-	-

注：総数には、月の途中で要支援から要介護に変更となった者を含む。

（70〜74歳）

平成29年9月審査分
（単位：千人）

サービス種類	総数	要支援1	要支援2
総数	64.7	26.9	37.6
介護予防居宅サービス	63.2	26.2	36.9
訪問通所	61.2	25.1	35.9
介護予防訪問介護	10.3	4.6	5.7
介護予防訪問入浴介護	0.0	0.0	0.0
介護予防訪問看護	6.9	2.5	4.4
介護予防訪問リハビリテーション	1.7	0.5	1.2
介護予防通所介護	10.8	5.1	5.6
介護予防通所リハビリテーション	12.9	5.2	7.6
介護予防福祉用具貸与	34.4	11.8	22.6
短期入所	0.4	0.1	0.3
介護予防短期入所生活介護	0.4	0.1	0.2
介護予防短期入所療養介護（老健）	0.0	0.0	0.0
特定治療・特別療養費（再掲）	-	-	-
介護予防短期入所療養介護（病院等）	0.0	0.0	0.0
特定診療費（再掲）	0.0	0.0	0.0
介護予防居宅療養管理指導	2.5	1.0	1.5
介護予防特定施設入居者生活介護	0.9	0.5	0.4
介護予防支援	60.7	25.1	35.6
地域密着型介護予防サービス	0.7	0.3	0.4
介護予防認知症対応型通所介護	0.1	0.0	0.0
介護予防小規模多機能型居宅介護（短期利用以外）	0.6	0.3	0.3
介護予防小規模多機能型居宅介護（短期利用）	0.0	0.0	-
介護予防認知症対応型共同生活介護（短期利用以外）	0.1	-	0.1
介護予防認知症対応型共同生活介護（短期利用）	-	-	-

注：総数には、月の途中で要支援から要介護に変更となった者を含む。

統計表第１表　介護予防サービス受給者数，月・年齢階級・サービス種類・要支援状態区分別（65－28）

（75～79歳）

平成29年９月審査分
（単位：千人）

サービス種類	総数	要支援１	要支援２
総数	126.9	56.2	70.3
介護予防居宅サービス	124.0	54.8	68.8
訪問通所	120.0	52.8	67.0
介護予防訪問介護	19.5	9.1	10.3
介護予防訪問入浴介護	0.1	0.0	0.0
介護予防訪問看護	10.8	3.7	7.0
介護予防訪問リハビリテーション	2.6	0.8	1.8
介護予防通所介護	24.1	12.1	11.9
介護予防通所リハビリテーション	24.4	10.6	13.7
介護予防福祉用具貸与	69.7	26.3	43.3
短期入所	0.8	0.2	0.6
介護予防短期入所生活介護	0.7	0.2	0.5
介護予防短期入所療養介護（老健）	0.1	0.0	0.1
特定治療・特別療養費（再掲）	0.0	－	0.0
介護予防短期入所療養介護（病院等）	0.0	－	0.0
特定診療費（再掲）	0.0	－	0.0
介護予防居宅療養管理指導	4.6	1.9	2.7
介護予防特定施設入居者生活介護	2.0	1.2	0.8
介護予防支援	119.3	52.8	66.5
地域密着型介護予防サービス	1.5	0.7	0.8
介護予防認知症対応型通所介護	0.1	0.1	0.1
介護予防小規模多機能型居宅介護（短期利用以外）	1.3	0.6	0.6
介護予防小規模多機能型居宅介護（短期利用）	0.0	0.0	0.0
介護予防認知症対応型共同生活介護（短期利用以外）	0.1	－	0.1
介護予防認知症対応型共同生活介護（短期利用）	0.0	－	0.0

注：総数には、月の途中で要支援から要介護に変更となった者を含む。

（80～84歳）

平成29年９月審査分
（単位：千人）

サービス種類	総数	要支援１	要支援２
総数	221.5	97.6	123.2
介護予防居宅サービス	216.3	95.2	120.4
訪問通所	206.8	90.4	115.9
介護予防訪問介護	34.3	16.0	18.2
介護予防訪問入浴介護	0.1	0.0	0.1
介護予防訪問看護	16.2	5.6	10.5
介護予防訪問リハビリテーション	3.6	1.0	2.6
介護予防通所介護	45.9	22.6	23.1
介護予防通所リハビリテーション	41.1	17.5	23.6
介護予防福祉用具貸与	121.6	46.0	75.5
短期入所	2.0	0.5	1.4
介護予防短期入所生活介護	1.8	0.5	1.3
介護予防短期入所療養介護（老健）	0.2	0.0	0.1
特定治療・特別療養費（再掲）	0.0	－	0.0
介護予防短期入所療養介護（病院等）	0.0	0.0	0.0
特定診療費（再掲）	0.0	0.0	0.0
介護予防居宅療養管理指導	9.6	4.0	5.5
介護予防特定施設入居者生活介護	5.3	3.0	2.3
介護予防支援	206.0	90.4	115.4
地域密着型介護予防サービス	3.2	1.4	1.8
介護予防認知症対応型通所介護	0.2	0.1	0.1
介護予防小規模多機能型居宅介護（短期利用以外）	2.7	1.2	1.4
介護予防小規模多機能型居宅介護（短期利用）	0.0	－	0.0
介護予防認知症対応型共同生活介護（短期利用以外）	0.2	－	0.2
介護予防認知症対応型共同生活介護（短期利用）	－	－	－

注：総数には、月の途中で要支援から要介護に変更となった者を含む。

統計表第１表　介護予防サービス受給者数，月・年齢階級・サービス種類・要支援状態区分別（65－29）

（85～89歳）

平成29年９月審査分
（単位：千人）

サービス種類	総数	要支援１	要支援２
総数	231.2	96.1	134.3
介護予防居宅サービス	225.3	93.5	131.0
訪問通所	209.4	85.6	123.1
介護予防訪問介護	35.1	15.8	19.1
介護予防訪問入浴介護	0.1	0.0	0.1
介護予防訪問看護	15.4	4.9	10.4
介護予防訪問リハビリテーション	3.4	0.9	2.4
介護予防通所介護	50.2	22.7	27.3
介護予防通所リハビリテーション	41.4	16.4	25.0
介護予防福祉用具貸与	123.4	43.3	79.9
短期入所	3.7	1.0	2.7
介護予防短期入所生活介護	3.3	0.9	2.4
介護予防短期入所療養介護（老健）	0.4	0.1	0.3
特定治療・特別療養費（再掲）	0.0	0.0	－
介護予防短期入所療養介護（病院等）	0.0	0.0	0.0
特定診療費（再掲）	0.0	0.0	0.0
介護予防居宅療養管理指導	14.1	6.0	8.1
介護予防特定施設入居者生活介護	10.2	5.5	4.7
介護予防支援	208.9	85.8	122.9
地域密着型介護予防サービス	4.2	1.7	2.5
介護予防認知症対応型通所介護	0.3	0.1	0.1
介護予防小規模多機能型居宅介護（短期利用以外）	3.6	1.6	2.0
介護予防小規模多機能型居宅介護（短期利用）	0.0	0.0	0.0
介護予防認知症対応型共同生活介護（短期利用以外）	0.3	－	0.3
介護予防認知症対応型共同生活介護（短期利用）	0.0	－	－

注：総数には、月の途中で要支援から要介護に変更となった者を含む。

（90～94歳）

平成29年９月審査分
（単位：千人）

サービス種類	総数	要支援１	要支援２
総数	112.0	41.6	69.8
介護予防居宅サービス	108.8	40.4	68.0
訪問通所	96.8	34.9	61.6
介護予防訪問介護	15.6	6.3	9.2
介護予防訪問入浴介護	0.1	0.0	0.1
介護予防訪問看護	7.2	2.1	5.0
介護予防訪問リハビリテーション	1.6	0.4	1.2
介護予防通所介護	24.2	9.4	14.8
介護予防通所リハビリテーション	18.7	6.4	12.3
介護予防福祉用具貸与	57.9	17.9	39.8
短期入所	3.5	0.9	2.6
介護予防短期入所生活介護	3.2	0.8	2.4
介護予防短期入所療養介護（老健）	0.3	0.1	0.3
特定治療・特別療養費（再掲）	0.0	－	0.0
介護予防短期入所療養介護（病院等）	0.0	－	0.0
特定診療費（再掲）	0.0	－	0.0
介護予防居宅療養管理指導	9.8	4.0	5.7
介護予防特定施設入居者生活介護	8.0	4.0	4.0
介護予防支援	97.3	35.2	62.0
地域密着型介護予防サービス	2.5	0.9	1.6
介護予防認知症対応型通所介護	0.2	0.1	0.1
介護予防小規模多機能型居宅介護（短期利用以外）	2.1	0.8	1.3
介護予防小規模多機能型居宅介護（短期利用）	0.0	0.0	0.0
介護予防認知症対応型共同生活介護（短期利用以外）	0.2	－	0.2
介護予防認知症対応型共同生活介護（短期利用）	－	－	－

注：総数には、月の途中で要支援から要介護に変更となった者を含む。

統計表第１表　介護予防サービス受給者数，月・年齢階級・サービス種類・要支援状態区分別（65－30）

（95歳以上）

平成29年９月審査分
（単位：千人）

サービス種類	総数	要支援１	要支援２
総数	22.1	7.2	14.7
介護予防居宅サービス	21.4	7.0	14.3
訪問通所	18.1	5.6	12.4
介護予防訪問介護	2.6	0.9	1.7
介護予防訪問入浴介護	0.0	0.0	0.0
介護予防訪問看護	1.4	0.4	1.0
介護予防訪問リハビリテーション	0.3	0.1	0.2
介護予防通所介護	4.7	1.6	3.1
介護予防通所リハビリテーション	3.1	0.9	2.2
介護予防福祉用具貸与	11.3	3.0	8.3
短期入所	1.1	0.3	0.9
介護予防短期入所生活介護	1.0	0.2	0.8
介護予防短期入所療養介護（老健）	0.1	0.0	0.1
特定治療・特別療養費（再掲）	－	－	－
介護予防短期入所療養介護（病院等）	0.0	－	0.0
特定診療費（再掲）	0.0	－	0.0
介護予防居宅療養管理指導	2.6	1.0	1.7
介護予防特定施設入居者生活介護	2.3	1.0	1.2
介護予防支援	18.3	5.7	12.6
地域密着型介護予防サービス	0.6	0.2	0.4
介護予防認知症対応型通所介護	0.0	0.0	0.0
介護予防小規模多機能型居宅介護（短期利用以外）	0.5	0.2	0.3
介護予防小規模多機能型居宅介護（短期利用）	0.0	－	0.0
介護予防認知症対応型共同生活介護（短期利用以外）	0.1	－	0.1
介護予防認知症対応型共同生活介護（短期利用）	－	－	－

注：総数には、月の途中で要支援から要介護に変更となった者を含む。

統計表第１表　介護予防サービス受給者数，月・年齢階級・サービス種類・要支援状態区分別（65－31）

（総　　数）

平成29年10月審査分
（単位：千人）

サービス種類	総数	要支援１	要支援２
総数	820.2	336.9	480.6
介護予防居宅サービス	802.5	329.0	471.0
訪問通所	753.5	305.3	446.2
介護予防訪問介護	106.8	47.8	58.6
介護予防訪問入浴介護	0.4	0.0	0.4
介護予防訪問看護	67.8	22.4	45.1
介護予防訪問リハビリテーション	16.3	4.6	11.7
介護予防通所介護	142.7	65.6	76.7
介護予防通所リハビリテーション	158.2	63.2	94.7
介護予防福祉用具貸与	457.3	159.9	296.4
短期入所	11.8	3.1	8.5
介護予防短期入所生活介護	10.6	2.8	7.6
介護予防短期入所療養介護（老健）	1.1	0.2	0.9
特定治療・特別療養費（再掲）	0.0	0.0	0.0
介護予防短期入所療養介護（病院等）	0.0	0.0	0.0
特定診療費（再掲）	0.0	0.0	0.0
介護予防居宅療養管理指導	46.0	19.0	26.8
介護予防特定施設入居者生活介護	29.7	15.8	13.8
介護予防支援	744.3	302.6	441.0
地域密着型介護予防サービス	13.5	5.6	7.9
介護予防認知症対応型通所介護	1.0	0.5	0.5
介護予防小規模多機能型居宅介護（短期利用以外）	11.5	5.1	6.4
介護予防小規模多機能型居宅介護（短期利用）	0.0	0.0	0.0
介護予防認知症対応型共同生活介護（短期利用以外）	1.0	－	1.0
介護予防認知症対応型共同生活介護（短期利用）	0.0	－	0.0

注：総数には、月の途中で要支援から要介護に変更となった者を含む。

（40～64歳）

平成29年10月審査分
（単位：千人）

サービス種類	総数	要支援１	要支援２
総数	20.6	6.2	14.3
介護予防居宅サービス	20.2	6.1	14.0
訪問通所	19.8	6.0	13.8
介護予防訪問介護	1.7	0.5	1.1
介護予防訪問入浴介護	0.0	0.0	0.0
介護予防訪問看護	3.5	1.0	2.5
介護予防訪問リハビリテーション	1.3	0.3	1.0
介護予防通所介護	2.0	0.7	1.3
介護予防通所リハビリテーション	5.4	1.7	3.7
介護予防福祉用具貸与	11.4	2.7	8.6
短期入所	0.1	0.0	0.1
介護予防短期入所生活介護	0.1	0.0	0.1
介護予防短期入所療養介護（老健）	0.0	－	0.0
特定治療・特別療養費（再掲）	－	－	－
介護予防短期入所療養介護（病院等）	－	－	－
特定診療費（再掲）	－	－	－
介護予防居宅療養管理指導	0.7	0.2	0.5
介護予防特定施設入居者生活介護	0.1	0.1	0.1
介護予防支援	19.6	6.0	13.6
地域密着型介護予防サービス	0.2	0.1	0.1
介護予防認知症対応型通所介護	0.0	0.0	0.0
介護予防小規模多機能型居宅介護（短期利用以外）	0.1	0.0	0.1
介護予防小規模多機能型居宅介護（短期利用）	－	－	－
介護予防認知症対応型共同生活介護（短期利用以外）	0.0	－	0.0
介護予防認知症対応型共同生活介護（短期利用）	－	－	－

注：総数には、月の途中で要支援から要介護に変更となった者を含む。

統計表第１表　介護予防サービス受給者数，月・年齢階級・サービス種類・要支援状態区分別（65－32）

(65～69歳)

平成29年10月審査分
(単位：千人)

サービス種類	総数	要支援１	要支援２
総数	37.5	14.3	23.2
介護予防居宅サービス	36.7	13.9	22.7
訪問通所	35.4	13.3	22.0
介護予防訪問介護	5.9	2.6	3.3
介護予防訪問入浴介護	0.0	0.0	0.0
介護予防訪問看護	4.7	1.5	3.2
介護予防訪問リハビリテーション	1.4	0.4	1.0
介護予防通所介護	4.7	2.1	2.6
介護予防通所リハビリテーション	7.9	2.9	5.0
介護予防福祉用具貸与	19.8	6.0	13.8
短期入所	0.3	0.1	0.2
介護予防短期入所生活介護	0.2	0.1	0.1
介護予防短期入所療養介護（老健）	0.0	0.0	0.0
特定治療・特別療養費（再掲）	－	－	－
介護予防短期入所療養介護（病院等）	－	－	－
特定診療費（再掲）	－	－	－
介護予防居宅療養管理指導	1.6	0.6	1.0
介護予防特定施設入居者生活介護	0.5	0.3	0.2
介護予防支援	34.9	13.2	21.7
地域密着型介護予防サービス	0.4	0.2	0.2
介護予防認知症対応型通所介護	0.0	0.0	0.0
介護予防小規模多機能型居宅介護（短期利用以外）	0.4	0.2	0.2
介護予防小規模多機能型居宅介護（短期利用）	－	－	－
介護予防認知症対応型共同生活介護（短期利用以外）	0.0	－	0.0
介護予防認知症対応型共同生活介護（短期利用）	－	－	－

注：総数には、月の途中で要支援から要介護に変更となった者を含む。

(70～74歳)

平成29年10月審査分
(単位：千人)

サービス種類	総数	要支援１	要支援２
総数	63.5	26.0	37.3
介護予防居宅サービス	62.2	25.5	36.6
訪問通所	60.2	24.4	35.6
介護予防訪問介護	8.6	3.8	4.8
介護予防訪問入浴介護	0.0	0.0	0.0
介護予防訪問看護	7.0	2.5	4.5
介護予防訪問リハビリテーション	1.7	0.5	1.2
介護予防通所介護	9.0	4.3	4.7
介護予防通所リハビリテーション	13.3	5.4	7.9
介護予防福祉用具貸与	35.1	12.0	23.0
短期入所	0.4	0.1	0.3
介護予防短期入所生活介護	0.4	0.1	0.3
介護予防短期入所療養介護（老健）	0.0	0.0	0.0
特定治療・特別療養費（再掲）	－	－	－
介護予防短期入所療養介護（病院等）	0.0	－	0.0
特定診療費（再掲）	－	－	－
介護予防居宅療養管理指導	2.6	1.0	1.5
介護予防特定施設入居者生活介護	0.9	0.5	0.4
介護予防支援	59.3	24.2	35.1
地域密着型介護予防サービス	0.8	0.4	0.4
介護予防認知症対応型通所介護	0.1	0.0	0.0
介護予防小規模多機能型居宅介護（短期利用以外）	0.6	0.3	0.3
介護予防小規模多機能型居宅介護（短期利用）	0.0	0.0	0.0
介護予防認知症対応型共同生活介護（短期利用以外）	0.1	－	0.1
介護予防認知症対応型共同生活介護（短期利用）	－	－	－

注：総数には、月の途中で要支援から要介護に変更となった者を含む。

統計表第１表　介護予防サービス受給者数，月・年齢階級・サービス種類・要支援状態区分別（65－33）

（75～79歳）

平成29年10月審査分
（単位：千人）

サービス種類	総数	要支援１	要支援２
総数	123.6	54.5	68.8
介護予防居宅サービス	121.1	53.3	67.5
訪問通所	117.1	51.2	65.7
介護予防訪問介護	16.2	7.6	8.6
介護予防訪問入浴介護	0.0	0.0	0.0
介護予防訪問看護	11.0	3.9	7.1
介護予防訪問リハビリテーション	2.7	0.8	1.8
介護予防通所介護	20.1	10.2	9.9
介護予防通所リハビリテーション	24.9	10.9	14.0
介護予防福祉用具貸与	70.7	26.8	43.8
短期入所	0.8	0.2	0.6
介護予防短期入所生活介護	0.7	0.2	0.5
介護予防短期入所療養介護（老健）	0.1	0.0	0.1
特定治療・特別療養費（再掲）	-	-	-
介護予防短期入所療養介護（病院等）	0.0	0.0	0.0
特定診療費（再掲）	0.0	0.0	0.0
介護予防居宅療養管理指導	4.6	1.9	2.6
介護予防特定施設入居者生活介護	2.0	1.2	0.8
介護予防支援	115.5	50.6	64.8
地域密着型介護予防サービス	1.5	0.7	0.8
介護予防認知症対応型通所介護	0.1	0.1	0.1
介護予防小規模多機能型居宅介護（短期利用以外）	1.3	0.6	0.6
介護予防小規模多機能型居宅介護（短期利用）	0.0	-	0.0
介護予防認知症対応型共同生活介護（短期利用以外）	0.1	-	0.1
介護予防認知症対応型共同生活介護（短期利用）	-	-	-

注：総数には、月の途中で要支援から要介護に変更となった者を含む。

（80～84歳）

平成29年10月審査分
（単位：千人）

サービス種類	総数	要支援１	要支援２
総数	215.9	94.4	120.8
介護予防居宅サービス	211.5	92.4	118.5
訪問通所	201.9	87.5	113.9
介護予防訪問介護	28.9	13.5	15.3
介護予防訪問入浴介護	0.1	0.0	0.1
介護予防訪問看護	16.6	5.8	10.8
介護予防訪問リハビリテーション	3.7	1.1	2.6
介護予防通所介護	38.9	19.3	19.5
介護予防通所リハビリテーション	42.0	17.9	24.0
介護予防福祉用具貸与	123.4	46.8	76.3
短期入所	1.9	0.5	1.4
介護予防短期入所生活介護	1.7	0.5	1.2
介護予防短期入所療養介護（老健）	0.2	0.0	0.1
特定治療・特別療養費（再掲）	0.0	0.0	-
介護予防短期入所療養介護（病院等）	0.0	0.0	0.0
特定診療費（再掲）	0.0	0.0	0.0
介護予防居宅療養管理指導	9.7	4.0	5.6
介護予防特定施設入居者生活介護	5.4	3.1	2.3
介護予防支援	199.3	86.6	112.5
地域密着型介護予防サービス	3.2	1.4	1.8
介護予防認知症対応型通所介護	0.2	0.1	0.1
介護予防小規模多機能型居宅介護（短期利用以外）	2.7	1.3	1.5
介護予防小規模多機能型居宅介護（短期利用）	0.0	-	0.0
介護予防認知症対応型共同生活介護（短期利用以外）	0.2	-	0.2
介護予防認知症対応型共同生活介護（短期利用）	-	-	-

注：総数には、月の途中で要支援から要介護に変更となった者を含む。

統計表第１表　介護予防サービス受給者数，月・年齢階級・サービス種類・要支援状態区分別（65－34）

（85～89歳）

平成29年10月審査分
（単位：千人）

サ　ー　ビ　ス　種　類	総数	要支援１	要支援２
総数	226.8	93.6	132.4
介護予防居宅サービス	221.8	91.4	129.7
訪問通所	205.7	83.4	121.7
介護予防訪問介護	29.9	13.5	16.2
介護予防訪問入浴介護	0.1	0.0	0.1
介護予防訪問看護	15.9	5.1	10.7
介護予防訪問リハビリテーション	3.6	1.0	2.6
介護予防通所介護	43.1	19.6	23.3
介護予防通所リハビリテーション	42.4	16.9	25.5
介護予防福祉用具貸与	126.0	44.2	81.5
短期入所	3.6	1.0	2.6
介護予防短期入所生活介護	3.3	0.9	2.3
介護予防短期入所療養介護（老健）	0.4	0.1	0.3
特定治療・特別療養費（再掲）	0.0	0.0	0.0
介護予防短期入所療養介護（病院等）	0.0	0.0	0.0
特定診療費（再掲）	0.0	0.0	0.0
介護予防居宅療養管理指導	14.2	6.0	8.1
介護予防特定施設入居者生活介護	10.4	5.5	4.8
介護予防支援	203.1	82.7	120.2
地域密着型介護予防サービス	4.3	1.7	2.5
介護予防認知症対応型通所介護	0.3	0.1	0.2
介護予防小規模多機能型居宅介護（短期利用以外）	3.7	1.6	2.1
介護予防小規模多機能型居宅介護（短期利用）	0.0	0.0	0.0
介護予防認知症対応型共同生活介護（短期利用以外）	0.3	－	0.3
介護予防認知症対応型共同生活介護（短期利用）	－	－	－

注：総数には、月の途中で要支援から要介護に変更となった者を含む。

（90～94歳）

平成29年10月審査分
（単位：千人）

サ　ー　ビ　ス　種　類	総数	要支援１	要支援２
総数	110.5	40.8	69.2
介護予防居宅サービス	107.8	39.7	67.6
訪問通所	95.6	34.0	61.2
介護予防訪問介護	13.3	5.4	7.9
介護予防訪問入浴介護	0.1	0.0	0.1
介護予防訪問看護	7.6	2.2	5.3
介護予防訪問リハビリテーション	1.6	0.4	1.2
介護予防通所介護	20.8	8.1	12.7
介護予防通所リハビリテーション	19.2	6.6	12.5
介護予防福祉用具貸与	59.4	18.4	40.8
短期入所	3.5	0.9	2.6
介護予防短期入所生活介護	3.1	0.8	2.3
介護予防短期入所療養介護（老健）	0.3	0.1	0.2
特定治療・特別療養費（再掲）	0.0	－	0.0
介護予防短期入所療養介護（病院等）	0.0	0.0	0.0
特定診療費（再掲）	0.0	0.0	0.0
介護予防居宅療養管理指導	9.9	4.1	5.7
介護予防特定施設入居者生活介護	8.2	4.1	4.0
介護予防支援	94.7	33.9	60.7
地域密着型介護予防サービス	2.6	0.9	1.6
介護予防認知症対応型通所介護	0.2	0.1	0.1
介護予防小規模多機能型居宅介護（短期利用以外）	2.2	0.9	1.3
介護予防小規模多機能型居宅介護（短期利用）	0.0	0.0	0.0
介護予防認知症対応型共同生活介護（短期利用以外）	0.2	－	0.2
介護予防認知症対応型共同生活介護（短期利用）	0.0	－	0.0

注：総数には、月の途中で要支援から要介護に変更となった者を含む。

統計表第１表　介護予防サービス受給者数，月・年齢階級・サービス種類・要支援状態区分別（65−35）

（95歳以上）

平成29年10月審査分
（単位：千人）

サービス種類	総数	要支援１	要支援２
総数	21.9	7.0	14.7
介護予防居宅サービス	21.3	6.8	14.3
訪問通所	17.9	5.4	12.4
介護予防訪問介護	2.3	0.8	1.5
介護予防訪問入浴介護	0.0	0.0	0.0
介護予防訪問看護	1.5	0.4	1.1
介護予防訪問リハビリテーション	0.3	0.1	0.2
介護予防通所介護	4.1	1.4	2.7
介護予防通所リハビリテーション	3.2	1.0	2.2
介護予防福祉用具貸与	11.6	3.0	8.5
短期入所	1.2	0.3	0.9
介護予防短期入所生活介護	1.1	0.2	0.8
介護予防短期入所療養介護（老健）	0.1	0.0	0.1
特定治療・特別療養費（再掲）	−	−	−
介護予防短期入所療養介護（病院等）	0.0	−	0.0
特定診療費（再掲）	0.0	−	0.0
介護予防居宅療養管理指導	2.7	1.0	1.7
介護予防特定施設入居者生活介護	2.3	1.0	1.2
介護予防支援	17.9	5.5	12.4
地域密着型介護予防サービス	0.6	0.2	0.4
介護予防認知症対応型通所介護	0.0	0.0	0.0
介護予防小規模多機能型居宅介護（短期利用以外）	0.5	0.2	0.3
介護予防小規模多機能型居宅介護（短期利用）	0.0	−	0.0
介護予防認知症対応型共同生活介護（短期利用以外）	0.1	−	0.1
介護予防認知症対応型共同生活介護（短期利用）	−	−	−

注：総数には、月の途中で要支援から要介護に変更となった者を含む。

統計表第１表　介護予防サービス受給者数，月・年齢階級・サービス種類・要支援状態区分別（65－36）

（総　　数）

平成29年11月審査分
（単位：千人）

サービス種類	総数	要支援１	要支援２
総数	797.7	323.8	471.1
介護予防居宅サービス	777.7	315.2	460.0
訪問通所	727.3	290.8	434.5
介護予防訪問介護	86.2	38.5	47.3
介護予防訪問入浴介護	0.4	0.1	0.4
介護予防訪問看護	68.8	22.8	45.6
介護予防訪問リハビリテーション	16.7	4.7	11.9
介護予防通所介護	116.2	53.6	62.3
介護予防通所リハビリテーション	159.4	63.6	95.6
介護予防福祉用具貸与	457.4	159.7	296.7
短期入所	12.0	3.3	8.5
介護予防短期入所生活介護	10.8	3.0	7.6
介護予防短期入所療養介護（老健）	1.1	0.2	0.9
特定治療・特別療養費（再掲）	0.0	－	0.0
介護予防短期入所療養介護（病院等）	0.1	0.0	0.0
特定診療費（再掲）	0.0	0.0	0.0
介護予防居宅療養管理指導	47.2	19.3	27.5
介護予防特定施設入居者生活介護	29.8	15.8	13.9
介護予防支援	724.3	290.5	433.2
地域密着型介護予防サービス	13.7	5.6	7.9
介護予防認知症対応型通所介護	1.0	0.5	0.5
介護予防小規模多機能型居宅介護（短期利用以外）	11.6	5.1	6.4
介護予防小規模多機能型居宅介護（短期利用）	0.0	0.0	0.0
介護予防認知症対応型共同生活介護（短期利用以外）	1.0	－	1.0
介護予防認知症対応型共同生活介護（短期利用）	0.0	－	0.0

注：総数には、月の途中で要支援から要介護に変更となった者を含む。

（40～64歳）

平成29年11月審査分
（単位：千人）

サービス種類	総数	要支援１	要支援２
総数	20.4	6.1	14.2
介護予防居宅サービス	19.9	6.0	13.9
訪問通所	19.5	5.8	13.6
介護予防訪問介護	1.4	0.4	0.9
介護予防訪問入浴介護	0.0	0.0	0.0
介護予防訪問看護	3.5	1.0	2.5
介護予防訪問リハビリテーション	1.4	0.3	1.0
介護予防通所介護	1.6	0.6	1.1
介護予防通所リハビリテーション	5.4	1.7	3.7
介護予防福祉用具貸与	11.3	2.7	8.5
短期入所	0.1	0.0	0.1
介護予防短期入所生活介護	0.1	0.0	0.1
介護予防短期入所療養介護（老健）	0.0	－	0.0
特定治療・特別療養費（再掲）	－	－	－
介護予防短期入所療養介護（病院等）	－	－	－
特定診療費（再掲）	－	－	－
介護予防居宅療養管理指導	0.8	0.2	0.6
介護予防特定施設入居者生活介護	0.1	0.1	0.1
介護予防支援	19.3	5.8	13.5
地域密着型介護予防サービス	0.2	0.1	0.1
介護予防認知症対応型通所介護	0.0	0.0	－
介護予防小規模多機能型居宅介護（短期利用以外）	0.2	0.1	0.1
介護予防小規模多機能型居宅介護（短期利用）	－	－	－
介護予防認知症対応型共同生活介護（短期利用以外）	0.0	－	0.0
介護予防認知症対応型共同生活介護（短期利用）	－	－	－

注：総数には、月の途中で要支援から要介護に変更となった者を含む。

統計表第１表　介護予防サービス受給者数，月・年齢階級・サービス種類・要支援状態区分別（65−37）

（65〜69歳）

平成29年11月審査分
（単位：千人）

サービス種類	総数	要支援１	要支援２
総数	36.4	13.7	22.7
介護予防居宅サービス	35.5	13.3	22.1
訪問通所	34.1	12.6	21.4
介護予防訪問介護	4.7	2.1	2.6
介護予防訪問入浴介護	0.0	0.0	0.0
介護予防訪問看護	4.8	1.6	3.2
介護予防訪問リハビリテーション	1.4	0.4	1.0
介護予防通所介護	3.8	1.7	2.1
介護予防通所リハビリテーション	7.9	2.9	5.0
介護予防福祉用具貸与	19.7	5.9	13.8
短期入所	0.2	0.1	0.1
介護予防短期入所生活介護	0.2	0.1	0.1
介護予防短期入所療養介護（老健）	0.0	0.0	0.0
特定治療・特別療養費（再掲）	−	−	−
介護予防短期入所療養介護（病院等）	−	−	−
特定診療費（再掲）	−	−	−
介護予防居宅療養管理指導	1.7	0.6	1.0
介護予防特定施設入居者生活介護	0.5	0.3	0.2
介護予防支援	33.8	12.6	21.2
地域密着型介護予防サービス	0.4	0.2	0.2
介護予防認知症対応型通所介護	0.0	0.0	0.0
介護予防小規模多機能型居宅介護（短期利用以外）	0.4	0.2	0.2
介護予防小規模多機能型居宅介護（短期利用）	0.0	0.0	0.0
介護予防認知症対応型共同生活介護（短期利用以外）	0.0	−	0.0
介護予防認知症対応型共同生活介護（短期利用）	−	−	−

注：総数には、月の途中で要支援から要介護に変更となった者を含む。

（70〜74歳）

平成29年11月審査分
（単位：千人）

サービス種類	総数	要支援１	要支援２
総数	62.0	25.2	36.7
介護予防居宅サービス	60.5	24.5	35.9
訪問通所	58.5	23.5	34.9
介護予防訪問介護	6.9	3.1	3.8
介護予防訪問入浴介護	0.0	0.0	0.0
介護予防訪問看護	7.2	2.6	4.6
介護予防訪問リハビリテーション	1.8	0.5	1.2
介護予防通所介護	7.5	3.6	3.9
介護予防通所リハビリテーション	13.3	5.5	7.9
介護予防福祉用具貸与	35.1	12.0	23.1
短期入所	0.4	0.1	0.3
介護予防短期入所生活介護	0.4	0.1	0.2
介護予防短期入所療養介護（老健）	0.0	0.0	0.0
特定治療・特別療養費（再掲）	−	−	−
介護予防短期入所療養介護（病院等）	0.0	−	0.0
特定診療費（再掲）	0.0	−	0.0
介護予防居宅療養管理指導	2.6	1.0	1.5
介護予防特定施設入居者生活介護	0.9	0.5	0.4
介護予防支援	58.0	23.3	34.6
地域密着型介護予防サービス	0.8	0.4	0.4
介護予防認知症対応型通所介護	0.1	0.0	0.0
介護予防小規模多機能型居宅介護（短期利用以外）	0.6	0.3	0.3
介護予防小規模多機能型居宅介護（短期利用）	−	−	−
介護予防認知症対応型共同生活介護（短期利用以外）	0.1	−	0.0
介護予防認知症対応型共同生活介護（短期利用）	−	−	−

注：総数には、月の途中で要支援から要介護に変更となった者を含む。

統計表第１表　介護予防サービス受給者数，月・年齢階級・サービス種類・要支援状態区分別（65－38）

（75～79歳）

平成29年11月審査分
（単位：千人）

サービス種類	総数	要支援１	要支援２
総数	119.7	52.1	67.3
介護予防居宅サービス	117.0	50.8	65.8
訪問通所	112.8	48.6	63.9
介護予防訪問介護	13.0	6.1	6.9
介護予防訪問入浴介護	0.1	0.0	0.0
介護予防訪問看護	11.2	4.0	7.2
介護予防訪問リハビリテーション	2.7	0.8	1.9
介護予防通所介護	16.2	8.3	7.9
介護予防通所リハビリテーション	25.0	10.9	14.1
介護予防福祉用具貸与	70.6	26.7	43.7
短期入所	0.8	0.3	0.5
介護予防短期入所生活介護	0.7	0.2	0.5
介護予防短期入所療養介護（老健）	0.1	0.0	0.1
特定治療・特別療養費（再掲）	－	－	－
介護予防短期入所療養介護（病院等）	0.0	0.0	0.0
特定診療費（再掲）	0.0	0.0	0.0
介護予防居宅療養管理指導	4.6	1.9	2.6
介護予防特定施設入居者生活介護	2.0	1.2	0.8
介護予防支援	112.1	48.4	63.6
地域密着型介護予防サービス	1.5	0.7	0.8
介護予防認知症対応型通所介護	0.1	0.1	0.1
介護予防小規模多機能型居宅介護（短期利用以外）	1.3	0.6	0.6
介護予防小規模多機能型居宅介護（短期利用）	0.0	－	0.0
介護予防認知症対応型共同生活介護（短期利用以外）	0.1	－	0.1
介護予防認知症対応型共同生活介護（短期利用）	－	－	－

注：総数には、月の途中で要支援から要介護に変更となった者を含む。

（80～84歳）

平成29年11月審査分
（単位：千人）

サービス種類	総数	要支援１	要支援２
総数	208.9	90.3	117.9
介護予防居宅サービス	203.8	88.0	115.3
訪問通所	194.1	83.1	110.6
介護予防訪問介護	23.2	10.8	12.3
介護予防訪問入浴介護	0.1	0.0	0.1
介護予防訪問看護	16.8	5.8	10.9
介護予防訪問リハビリテーション	3.9	1.2	2.8
介護予防通所介護	31.4	15.6	15.7
介護予防通所リハビリテーション	42.3	18.1	24.2
介護予防福祉用具貸与	123.0	46.6	76.2
短期入所	1.9	0.5	1.4
介護予防短期入所生活介護	1.7	0.5	1.2
介護予防短期入所療養介護（老健）	0.2	0.0	0.1
特定治療・特別療養費（再掲）	0.0	－	0.0
介護予防短期入所療養介護（病院等）	0.0	0.0	0.0
特定診療費（再掲）	0.0	0.0	0.0
介護予防居宅療養管理指導	9.9	4.1	5.7
介護予防特定施設入居者生活介護	5.4	3.0	2.3
介護予防支援	193.1	82.9	110.1
地域密着型介護予防サービス	3.2	1.4	1.8
介護予防認知症対応型通所介護	0.2	0.1	0.1
介護予防小規模多機能型居宅介護（短期利用以外）	2.7	1.3	1.5
介護予防小規模多機能型居宅介護（短期利用）	0.0	0.0	0.0
介護予防認知症対応型共同生活介護（短期利用以外）	0.2	－	0.2
介護予防認知症対応型共同生活介護（短期利用）	－	－	－

注：総数には、月の途中で要支援から要介護に変更となった者を含む。

統計表第１表　介護予防サービス受給者数，月・年齢階級・サービス種類・要支援状態区分別（65－39）

（85～89歳）

平成29年11月審査分
（単位：千人）

サービス種類	総数	要支援１	要支援２
総数	220.8	90.1	129.8
介護予防居宅サービス	215.1	87.7	126.8
訪問通所	198.6	79.5	118.5
介護予防訪問介護	24.2	10.9	13.2
介護予防訪問入浴介護	0.1	0.0	0.1
介護予防訪問看護	16.1	5.2	10.8
介護予防訪問リハビリテーション	3.6	1.0	2.6
介護予防通所介護	35.2	16.1	19.0
介護予防通所リハビリテーション	43.0	17.0	25.9
介護予防福祉用具貸与	126.4	44.3	81.7
短期入所	3.7	1.0	2.6
介護予防短期入所生活介護	3.3	1.0	2.3
介護予防短期入所療養介護（老健）	0.3	0.1	0.3
特定治療・特別療養費（再掲）	–	–	–
介護予防短期入所療養介護（病院等）	0.0	0.0	0.0
特定診療費（再掲）	0.0	0.0	0.0
介護予防居宅療養管理指導	14.7	6.2	8.4
介護予防特定施設入居者生活介護	10.4	5.5	4.8
介護予防支援	197.9	79.6	118.1
地域密着型介護予防サービス	4.3	1.8	2.5
介護予防認知症対応型通所介護	0.3	0.1	0.2
介護予防小規模多機能型居宅介護（短期利用以外）	3.7	1.6	2.0
介護予防小規模多機能型居宅介護（短期利用）	0.0	0.0	0.0
介護予防認知症対応型共同生活介護（短期利用以外）	0.3	–	0.3
介護予防認知症対応型共同生活介護（短期利用）	–	–	–

注：総数には、月の途中で要支援から要介護に変更となった者を含む。

（90～94歳）

平成29年11月審査分
（単位：千人）

サービス種類	総数	要支援１	要支援２
総数	107.9	39.4	68.0
介護予防居宅サービス	104.9	38.3	66.1
訪問通所	92.2	32.4	59.5
介護予防訪問介護	11.0	4.5	6.4
介護予防訪問入浴介護	0.1	0.0	0.1
介護予防訪問看護	7.7	2.2	5.4
介護予防訪問リハビリテーション	1.6	0.4	1.2
介護予防通所介護	17.1	6.6	10.4
介護予防通所リハビリテーション	19.3	6.6	12.6
介護予防福祉用具貸与	59.6	18.4	41.1
短期入所	3.6	0.9	2.6
介護予防短期入所生活介護	3.2	0.9	2.4
介護予防短期入所療養介護（老健）	0.4	0.1	0.3
特定治療・特別療養費（再掲）	0.0	–	0.0
介護予防短期入所療養介護（病院等）	0.0	0.0	0.0
特定診療費（再掲）	0.0	0.0	0.0
介護予防居宅療養管理指導	10.2	4.2	5.9
介護予防特定施設入居者生活介護	8.2	4.1	4.0
介護予防支援	92.4	32.6	59.7
地域密着型介護予防サービス	2.6	0.9	1.7
介護予防認知症対応型通所介護	0.2	0.1	0.1
介護予防小規模多機能型居宅介護（短期利用以外）	2.2	0.9	1.4
介護予防小規模多機能型居宅介護（短期利用）	0.0	0.0	0.0
介護予防認知症対応型共同生活介護（短期利用以外）	0.2	–	0.2
介護予防認知症対応型共同生活介護（短期利用）	0.0	–	0.0

注：総数には、月の途中で要支援から要介護に変更となった者を含む。

統計表第１表　介護予防サービス受給者数，月・年齢階級・サービス種類・要支援状態区分別（65－40）

（95歳以上）

平成29年11月審査分
（単位：千人）

サービス種類	総数	要支援１	要支援２
総数	21.6	6.9	14.5
介護予防居宅サービス	21.0	6.7	14.1
訪問通所	17.5	5.2	12.1
介護予防訪問介護	1.9	0.7	1.2
介護予防訪問入浴介護	0.0	0.0	0.0
介護予防訪問看護	1.5	0.4	1.1
介護予防訪問リハビリテーション	0.3	0.1	0.2
介護予防通所介護	3.3	1.1	2.2
介護予防通所リハビリテーション	3.2	1.0	2.2
介護予防福祉用具貸与	11.8	3.1	8.6
短期入所	1.2	0.3	0.9
介護予防短期入所生活介護	1.1	0.3	0.8
介護予防短期入所療養介護（老健）	0.1	0.0	0.1
特定治療・特別療養費（再掲）	-	-	-
介護予防短期入所療養介護（病院等）	0.0	0.0	0.0
特定診療費（再掲）	0.0	-	0.0
介護予防居宅療養管理指導	2.8	1.0	1.7
介護予防特定施設入居者生活介護	2.3	1.1	1.2
介護予防支援	17.6	5.3	12.3
地域密着型介護予防サービス	0.6	0.2	0.4
介護予防認知症対応型通所介護	0.0	0.0	0.0
介護予防小規模多機能型居宅介護（短期利用以外）	0.5	0.2	0.4
介護予防小規模多機能型居宅介護（短期利用）	0.0	-	0.0
介護予防認知症対応型共同生活介護（短期利用以外）	0.1	-	0.1
介護予防認知症対応型共同生活介護（短期利用）	0.0	-	0.0

注：総数には、月の途中で要支援から要介護に変更となった者を含む。

統計表第１表　介護予防サービス受給者数，月・年齢階級・サービス種類・要支援状態区分別（65－41）

（総　　数）

平成29年12月審査分
（単位：千人）

サービス種類	総数	要支援１	要支援２
総数	779.1	312.6	463.9
介護予防居宅サービス	761.8	304.9	454.5
訪問通所	711.0	280.4	428.7
介護予防訪問介護	67.9	30.4	37.3
介護予防訪問入浴介護	0.4	0.0	0.4
介護予防訪問看護	69.5	23.0	46.1
介護予防訪問リハビリテーション	16.8	4.7	12.0
介護予防通所介護	91.6	42.3	49.0
介護予防通所リハビリテーション	160.6	64.0	96.3
介護予防福祉用具貸与	466.4	162.5	303.0
短期入所	11.6	3.1	8.3
介護予防短期入所生活介護	10.4	2.9	7.4
介護予防短期入所療養介護（老健）	1.1	0.2	0.9
特定治療・特別療養費（再掲）	0.0	－	0.0
介護予防短期入所療養介護（病院等）	0.1	0.0	0.0
特定診療費（再掲）	0.0	0.0	0.0
介護予防居宅療養管理指導	47.3	19.5	27.6
介護予防特定施設入居者生活介護	30.1	15.8	14.1
介護予防支援	703.3	278.5	424.2
地域密着型介護予防サービス	13.7	5.6	8.0
介護予防認知症対応型通所介護	1.0	0.5	0.5
介護予防小規模多機能型居宅介護（短期利用以外）	11.7	5.2	6.5
介護予防小規模多機能型居宅介護（短期利用）	0.0	0.0	0.0
介護予防認知症対応型共同生活介護（短期利用以外）	1.0	－	1.0
介護予防認知症対応型共同生活介護（短期利用）	－	－	－

注：総数には、月の途中で要支援から要介護に変更となった者を含む。

（40～64歳）

平成29年12月審査分
（単位：千人）

サービス種類	総数	要支援１	要支援２
総数	20.3	6.1	14.1
介護予防居宅サービス	19.9	5.9	13.9
訪問通所	19.5	5.8	13.6
介護予防訪問介護	1.1	0.3	0.7
介護予防訪問入浴介護	0.0	0.0	0.0
介護予防訪問看護	3.6	1.0	2.6
介護予防訪問リハビリテーション	1.4	0.3	1.1
介護予防通所介護	1.3	0.4	0.8
介護予防通所リハビリテーション	5.5	1.8	3.7
介護予防福祉用具貸与	11.6	2.8	8.8
短期入所	0.1	0.0	0.1
介護予防短期入所生活介護	0.1	0.0	0.1
介護予防短期入所療養介護（老健）	0.0	0.0	0.0
特定治療・特別療養費（再掲）	－	－	－
介護予防短期入所療養介護（病院等）	－	－	－
特定診療費（再掲）	－	－	－
介護予防居宅療養管理指導	0.7	0.2	0.5
介護予防特定施設入居者生活介護	0.1	0.1	0.1
介護予防支援	19.1	5.7	13.4
地域密着型介護予防サービス	0.2	0.1	0.1
介護予防認知症対応型通所介護	0.0	0.0	0.0
介護予防小規模多機能型居宅介護（短期利用以外）	0.2	0.1	0.1
介護予防小規模多機能型居宅介護（短期利用）	0.0	－	0.0
介護予防認知症対応型共同生活介護（短期利用以外）	0.0	－	0.0
介護予防認知症対応型共同生活介護（短期利用）	－	－	－

注：総数には、月の途中で要支援から要介護に変更となった者を含む。

統計表第１表　介護予防サービス受給者数，月・年齢階級・サービス種類・要支援状態区分別（65－42）

（65～69歳）

平成29年12月審査分
（単位：千人）

サービス種類	総数	要支援１	要支援２
総数	35.4	13.1	22.2
介護予防居宅サービス	34.7	12.8	21.8
訪問通所	33.3	12.2	21.1
介護予防訪問介護	3.7	1.6	2.1
介護予防訪問入浴介護	0.0	0.0	0.0
介護予防訪問看護	4.8	1.6	3.2
介護予防訪問リハビリテーション	1.4	0.4	1.0
介護予防通所介護	3.0	1.4	1.6
介護予防通所リハビリテーション	8.0	2.9	5.1
介護予防福祉用具貸与	19.9	6.0	13.9
短期入所	0.2	0.1	0.1
介護予防短期入所生活介護	0.2	0.1	0.1
介護予防短期入所療養介護（老健）	0.0	0.0	0.0
特定治療・特別療養費（再掲）	-	-	-
介護予防短期入所療養介護（病院等）	-	-	-
特定診療費（再掲）	-	-	-
介護予防居宅療養管理指導	1.6	0.6	1.0
介護予防特定施設入居者生活介護	0.5	0.3	0.2
介護予防支援	32.8	12.0	20.8
地域密着型介護予防サービス	0.4	0.2	0.2
介護予防認知症対応型通所介護	0.0	0.0	0.0
介護予防小規模多機能型居宅介護（短期利用以外）	0.4	0.2	0.2
介護予防小規模多機能型居宅介護（短期利用）	-	-	-
介護予防認知症対応型共同生活介護（短期利用以外）	0.0	-	0.0
介護予防認知症対応型共同生活介護（短期利用）	-	-	-

注：総数には、月の途中で要支援から要介護に変更となった者を含む。

（70～74歳）

平成29年12月審査分
（単位：千人）

サービス種類	総数	要支援１	要支援２
総数	60.9	24.3	36.4
介護予防居宅サービス	59.7	23.7	35.8
訪問通所	57.5	22.6	34.7
介護予防訪問介護	5.5	2.4	3.0
介護予防訪問入浴介護	0.0	0.0	0.0
介護予防訪問看護	7.3	2.6	4.7
介護予防訪問リハビリテーション	1.8	0.5	1.2
介護予防通所介護	5.8	2.7	3.0
介護予防通所リハビリテーション	13.5	5.5	8.0
介護予防福祉用具貸与	36.0	12.2	23.7
短期入所	0.4	0.1	0.2
介護予防短期入所生活介護	0.3	0.1	0.2
介護予防短期入所療養介護（老健）	0.0	0.0	0.0
特定治療・特別療養費（再掲）	-	-	-
介護予防短期入所療養介護（病院等）	0.0	-	0.0
特定診療費（再掲）	0.0	-	0.0
介護予防居宅療養管理指導	2.6	1.1	1.6
介護予防特定施設入居者生活介護	0.9	0.5	0.4
介護予防支援	56.6	22.5	34.1
地域密着型介護予防サービス	0.8	0.4	0.4
介護予防認知症対応型通所介護	0.1	0.0	0.0
介護予防小規模多機能型居宅介護（短期利用以外）	0.6	0.3	0.3
介護予防小規模多機能型居宅介護（短期利用）	-	-	-
介護予防認知症対応型共同生活介護（短期利用以外）	0.1	-	0.1
介護予防認知症対応型共同生活介護（短期利用）	-	-	-

注：総数には、月の途中で要支援から要介護に変更となった者を含む。

統計表第１表　介護予防サービス受給者数，月・年齢階級・サービス種類・要支援状態区分別（65－43）

（75～79歳）

平成29年12月審査分
（単位：千人）

サービス種類	総数	要支援１	要支援２
総数	116.8	50.2	66.3
介護予防居宅サービス	114.4	49.0	65.1
訪問通所	110.2	46.9	63.1
介護予防訪問介護	10.1	4.7	5.3
介護予防訪問入浴介護	0.0	0.0	0.0
介護予防訪問看護	11.2	4.0	7.2
介護予防訪問リハビリテーション	2.7	0.8	1.9
介護予防通所介護	12.7	6.5	6.2
介護予防通所リハビリテーション	25.1	11.0	14.1
介護予防福祉用具貸与	71.9	27.1	44.7
短期入所	0.8	0.2	0.5
介護予防短期入所生活介護	0.7	0.2	0.5
介護予防短期入所療養介護（老健）	0.1	0.0	0.1
特定治療・特別療養費（再掲）	0.0	－	0.0
介護予防短期入所療養介護（病院等）	0.0	－	0.0
特定診療費（再掲）	－	－	－
介護予防居宅療養管理指導	4.6	1.9	2.7
介護予防特定施設入居者生活介護	2.0	1.2	0.8
介護予防支援	108.9	46.5	62.3
地域密着型介護予防サービス	1.5	0.7	0.8
介護予防認知症対応型通所介護	0.1	0.1	0.1
介護予防小規模多機能型居宅介護（短期利用以外）	1.3	0.6	0.7
介護予防小規模多機能型居宅介護（短期利用）	0.0	－	0.0
介護予防認知症対応型共同生活介護（短期利用以外）	0.1	－	0.1
介護予防認知症対応型共同生活介護（短期利用）	－	－	－

注：総数には、月の途中で要支援から要介護に変更となった者を含む。

（80～84歳）

平成29年12月審査分
（単位：千人）

サービス種類	総数	要支援１	要支援２
総数	203.7	87.0	116.0
介護予防居宅サービス	199.4	85.0	113.8
訪問通所	189.7	80.1	109.2
介護予防訪問介護	18.2	8.5	9.6
介護予防訪問入浴介護	0.1	0.0	0.1
介護予防訪問看護	16.9	5.9	11.0
介護予防訪問リハビリテーション	3.9	1.1	2.8
介護予防通所介護	24.6	12.3	12.3
介護予防通所リハビリテーション	42.7	18.2	24.5
介護予防福祉用具貸与	125.6	47.4	78.0
短期入所	1.8	0.5	1.3
介護予防短期入所生活介護	1.6	0.5	1.1
介護予防短期入所療養介護（老健）	0.2	0.0	0.1
特定治療・特別療養費（再掲）	0.0	－	0.0
介護予防短期入所療養介護（病院等）	0.0	0.0	0.0
特定診療費（再掲）	0.0	0.0	0.0
介護予防居宅療養管理指導	9.8	4.1	5.6
介護予防特定施設入居者生活介護	5.4	3.0	2.4
介護予防支援	187.3	79.4	107.8
地域密着型介護予防サービス	3.2	1.4	1.8
介護予防認知症対応型通所介護	0.2	0.1	0.1
介護予防小規模多機能型居宅介護（短期利用以外）	2.8	1.3	1.5
介護予防小規模多機能型居宅介護（短期利用）	0.0	－	0.0
介護予防認知症対応型共同生活介護（短期利用以外）	0.2	－	0.2
介護予防認知症対応型共同生活介護（短期利用）	－	－	－

注：総数には、月の途中で要支援から要介護に変更となった者を含む。

統計表第１表　介護予防サービス受給者数，月・年齢階級・サービス種類・要支援状態区分別（65－44）

（85～89歳）

平成29年12月審査分
（単位：千人）

サービス種類	総数	要支援１	要支援２
総数	215.2	86.8	127.6
介護予防居宅サービス	210.2	84.6	124.9
訪問通所	193.6	76.4	116.6
介護予防訪問介護	19.2	8.6	10.5
介護予防訪問入浴介護	0.1	0.0	0.1
介護予防訪問看護	16.3	5.3	10.9
介護予防訪問リハビリテーション	3.6	1.0	2.6
介護予防通所介護	27.9	12.7	15.1
介護予防通所リハビリテーション	43.2	17.1	26.0
介護予防福祉用具貸与	128.6	45.1	83.1
短期入所	3.6	1.0	2.6
介護予防短期入所生活介護	3.3	0.9	2.3
介護予防短期入所療養介護（老健）	0.3	0.1	0.3
特定治療・特別療養費（再掲）	－	－	－
介護予防短期入所療養介護（病院等）	0.0	0.0	0.0
特定診療費（再掲）	0.0	0.0	0.0
介護予防居宅療養管理指導	14.7	6.2	8.4
介護予防特定施設入居者生活介護	10.4	5.6	4.8
介護予防支援	191.7	76.0	115.5
地域密着型介護予防サービス	4.3	1.8	2.5
介護予防認知症対応型通所介護	0.3	0.1	0.2
介護予防小規模多機能型居宅介護（短期利用以外）	3.7	1.6	2.0
介護予防小規模多機能型居宅介護（短期利用）	0.0	0.0	0.0
介護予防認知症対応型共同生活介護（短期利用以外）	0.3	－	0.3
介護予防認知症対応型共同生活介護（短期利用）	－	－	－

注：総数には、月の途中で要支援から要介護に変更となった者を含む。

（90～94歳）

平成29年12月審査分
（単位：千人）

サービス種類	総数	要支援１	要支援２
総数	105.8	38.3	67.0
介護予防居宅サービス	103.1	37.3	65.4
訪問通所	90.3	31.4	58.5
介護予防訪問介護	8.7	3.6	5.0
介護予防訪問入浴介護	0.1	0.0	0.1
介護予防訪問看護	7.8	2.3	5.5
介護予防訪問リハビリテーション	1.7	0.4	1.2
介護予防通所介護	13.6	5.3	8.2
介護予防通所リハビリテーション	19.4	6.6	12.7
介護予防福祉用具貸与	60.9	18.8	41.9
短期入所	3.5	0.9	2.6
介護予防短期入所生活介護	3.2	0.8	2.3
介護予防短期入所療養介護（老健）	0.3	0.1	0.3
特定治療・特別療養費（再掲）	0.0	－	0.0
介護予防短期入所療養介護（病院等）	0.0	0.0	0.0
特定診療費（再掲）	0.0	0.0	0.0
介護予防居宅療養管理指導	10.3	4.3	6.0
介護予防特定施設入居者生活介護	8.3	4.1	4.1
介護予防支援	89.9	31.4	58.4
地域密着型介護予防サービス	2.6	0.9	1.7
介護予防認知症対応型通所介護	0.2	0.1	0.1
介護予防小規模多機能型居宅介護（短期利用以外）	2.3	0.9	1.4
介護予防小規模多機能型居宅介護（短期利用）	0.0	0.0	0.0
介護予防認知症対応型共同生活介護（短期利用以外）	0.2	－	0.2
介護予防認知症対応型共同生活介護（短期利用）	－	－	－

注：総数には、月の途中で要支援から要介護に変更となった者を含む。

統計表第１表　介護予防サービス受給者数，月・年齢階級・サービス種類・要支援状態区分別（65−45）

(95歳以上)

平成29年12月審査分
（単位：千人）

サービス種類	総数	要支援１	要支援２
総数	21.1	6.7	14.3
介護予防居宅サービス	20.5	6.5	13.9
訪問通所	16.9	5.0	11.8
介護予防訪問介護	1.4	0.5	0.9
介護予防訪問入浴介護	0.0	0.0	0.0
介護予防訪問看護	1.5	0.4	1.1
介護予防訪問リハビリテーション	0.3	0.1	0.2
介護予防通所介護	2.6	0.9	1.7
介護予防通所リハビリテーション	3.2	1.0	2.3
介護予防福祉用具貸与	11.9	3.1	8.7
短期入所	1.2	0.3	0.9
介護予防短期入所生活介護	1.1	0.3	0.8
介護予防短期入所療養介護（老健）	0.1	0.0	0.1
特定治療・特別療養費（再掲）	−	−	−
介護予防短期入所療養介護（病院等）	0.0	0.0	0.0
特定診療費（再掲）	0.0	0.0	0.0
介護予防居宅療養管理指導	2.8	1.1	1.7
介護予防特定施設入居者生活介護	2.4	1.1	1.3
介護予防支援	17.1	5.1	12.0
地域密着型介護予防サービス	0.6	0.2	0.4
介護予防認知症対応型通所介護	0.0	0.0	0.0
介護予防小規模多機能型居宅介護（短期利用以外）	0.5	0.2	0.3
介護予防小規模多機能型居宅介護（短期利用）	−	−	−
介護予防認知症対応型共同生活介護（短期利用以外）	0.1	−	0.1
介護予防認知症対応型共同生活介護（短期利用）	−	−	−

注：総数には、月の途中で要支援から要介護に変更となった者を含む。

統計表第１表　介護予防サービス受給者数，月・年齢階級・サービス種類・要支援状態区分別（65－46）

（総　　数）

平成30年１月審査分
（単位：千人）

サービス種類	総数	要支援１	要支援２
総数	755.5	300.2	452.9
介護予防居宅サービス	738.0	292.5	443.3
訪問通所	687.0	267.9	417.4
介護予防訪問介護	51.5	23.1	28.3
介護予防訪問入浴介護	0.5	0.1	0.4
介護予防訪問看護	69.8	23.2	46.2
介護予防訪問リハビリテーション	16.8	4.7	12.0
介護予防通所介護	68.9	31.8	36.9
介護予防通所リハビリテーション	160.3	63.7	96.2
介護予防福祉用具貸与	465.4	162.1	302.4
短期入所	11.0	2.8	8.1
介護予防短期入所生活介護	10.0	2.6	7.2
介護予防短期入所療養介護（老健）	1.0	0.2	0.8
特定治療・特別療養費（再掲）	0.0	－	0.0
介護予防短期入所療養介護（病院等）	0.0	0.0	0.0
特定診療費（再掲）	0.0	0.0	0.0
介護予防居宅療養管理指導	47.3	19.5	27.6
介護予防特定施設入居者生活介護	30.4	16.0	14.2
介護予防支援	684.1	267.5	416.0
地域密着型介護予防サービス	13.6	5.6	8.0
介護予防認知症対応型通所介護	1.0	0.5	0.5
介護予防小規模多機能型居宅介護（短期利用以外）	11.6	5.1	6.5
介護予防小規模多機能型居宅介護（短期利用）	0.0	0.0	0.0
介護予防認知症対応型共同生活介護（短期利用以外）	1.0	－	1.0
介護予防認知症対応型共同生活介護（短期利用）	0.0	－	0.0

注：総数には、月の途中で要支援から要介護に変更となった者を含む。

（40～64歳）

平成30年１月審査分
（単位：千人）

サービス種類	総数	要支援１	要支援２
総数	19.8	5.9	13.9
介護予防居宅サービス	19.4	5.7	13.6
訪問通所	18.9	5.6	13.3
介護予防訪問介護	0.8	0.3	0.5
介護予防訪問入浴介護	0.0	0.0	0.0
介護予防訪問看護	3.6	1.0	2.6
介護予防訪問リハビリテーション	1.4	0.3	1.0
介護予防通所介護	1.0	0.3	0.6
介護予防通所リハビリテーション	5.4	1.7	3.7
介護予防福祉用具貸与	11.4	2.7	8.7
短期入所	0.1	0.0	0.1
介護予防短期入所生活介護	0.1	0.0	0.1
介護予防短期入所療養介護（老健）	0.0	－	0.0
特定治療・特別療養費（再掲）	－	－	－
介護予防短期入所療養介護（病院等）	－	－	－
特定診療費（再掲）	－	－	－
介護予防居宅療養管理指導	0.7	0.2	0.6
介護予防特定施設入居者生活介護	0.1	0.1	0.1
介護予防支援	18.8	5.5	13.2
地域密着型介護予防サービス	0.2	0.1	0.1
介護予防認知症対応型通所介護	0.0	0.0	0.0
介護予防小規模多機能型居宅介護（短期利用以外）	0.2	0.1	0.1
介護予防小規模多機能型居宅介護（短期利用）	－	－	－
介護予防認知症対応型共同生活介護（短期利用以外）	0.0	－	0.0
介護予防認知症対応型共同生活介護（短期利用）	－	－	－

注：総数には、月の途中で要支援から要介護に変更となった者を含む。

統計表第1表　介護予防サービス受給者数，月・年齢階級・サービス種類・要支援状態区分別（65－47）

（65～69歳）

平成30年1月審査分
（単位：千人）

サービス種類	総数	要支援1	要支援2
総数	34.0	12.4	21.5
介護予防居宅サービス	33.2	12.1	21.0
訪問通所	31.9	11.4	20.4
介護予防訪問介護	2.8	1.2	1.6
介護予防訪問入浴介護	0.0	0.0	0.0
介護予防訪問看護	4.8	1.6	3.2
介護予防訪問リハビリテーション	1.4	0.4	1.0
介護予防通所介護	2.3	1.0	1.2
介護予防通所リハビリテーション	7.9	2.9	5.0
介護予防福祉用具貸与	19.7	5.9	13.7
短期入所	0.2	0.1	0.1
介護予防短期入所生活介護	0.2	0.1	0.1
介護予防短期入所療養介護（老健）	0.0	0.0	0.0
特定治療・特別療養費（再掲）	－	－	－
介護予防短期入所療養介護（病院等）	0.0	0.0	－
特定診療費（再掲）	0.0	0.0	－
介護予防居宅療養管理指導	1.6	0.6	1.0
介護予防特定施設入居者生活介護	0.5	0.3	0.2
介護予防支援	31.6	11.4	20.2
地域密着型介護予防サービス	0.4	0.2	0.2
介護予防認知症対応型通所介護	0.0	0.0	0.0
介護予防小規模多機能型居宅介護（短期利用以外）	0.4	0.2	0.2
介護予防小規模多機能型居宅介護（短期利用）	0.0	0.0	－
介護予防認知症対応型共同生活介護（短期利用以外）	0.0	－	0.0
介護予防認知症対応型共同生活介護（短期利用）	－	－	－

注：総数には、月の途中で要支援から要介護に変更となった者を含む。

（70～74歳）

平成30年1月審査分
（単位：千人）

サービス種類	総数	要支援1	要支援2
総数	59.0	23.4	35.5
介護予防居宅サービス	57.8	22.8	34.9
訪問通所	55.6	21.7	33.8
介護予防訪問介護	4.1	1.8	2.3
介護予防訪問入浴介護	0.0	0.0	0.0
介護予防訪問看護	7.3	2.6	4.7
介護予防訪問リハビリテーション	1.8	0.5	1.2
介護予防通所介護	4.3	2.1	2.2
介護予防通所リハビリテーション	13.4	5.4	8.0
介護予防福祉用具貸与	35.8	12.2	23.6
短期入所	0.4	0.1	0.3
介護予防短期入所生活介護	0.4	0.1	0.2
介護予防短期入所療養介護（老健）	0.0	0.0	0.0
特定治療・特別療養費（再掲）	－	－	－
介護予防短期入所療養介護（病院等）	－	－	－
特定診療費（再掲）	－	－	－
介護予防居宅療養管理指導	2.6	1.1	1.5
介護予防特定施設入居者生活介護	0.9	0.5	0.4
介護予防支援	55.2	21.6	33.5
地域密着型介護予防サービス	0.7	0.4	0.4
介護予防認知症対応型通所介護	0.1	0.0	0.0
介護予防小規模多機能型居宅介護（短期利用以外）	0.6	0.3	0.3
介護予防小規模多機能型居宅介護（短期利用）	－	－	－
介護予防認知症対応型共同生活介護（短期利用以外）	0.1	－	0.1
介護予防認知症対応型共同生活介護（短期利用）	0.0	－	0.0

注：総数には、月の途中で要支援から要介護に変更となった者を含む。

統計表第１表　介護予防サービス受給者数，月・年齢階級・サービス種類・要支援状態区分別（65－48）

（75～79歳）

平成30年１月審査分
（単位：千人）

サービス種類	総数	要支援１	要支援２
総数	112.4	47.8	64.4
介護予防居宅サービス	110.0	46.6	63.1
訪問通所	105.9	44.5	61.2
介護予防訪問介護	7.6	3.5	4.0
介護予防訪問入浴介護	0.1	0.0	0.0
介護予防訪問看護	11.3	4.0	7.2
介護予防訪問リハビリテーション	2.7	0.8	1.9
介護予防通所介護	9.4	4.8	4.6
介護予防通所リハビリテーション	24.9	10.8	14.0
介護予防福祉用具貸与	71.1	26.8	44.2
短期入所	0.7	0.2	0.5
介護予防短期入所生活介護	0.7	0.2	0.5
介護予防短期入所療養介護（老健）	0.1	0.0	0.1
特定治療・特別療養費（再掲）	－	－	－
介護予防短期入所療養介護（病院等）	0.0	0.0	－
特定診療費（再掲）	0.0	0.0	－
介護予防居宅療養管理指導	4.6	1.9	2.7
介護予防特定施設入居者生活介護	2.0	1.1	0.8
介護予防支援	105.2	44.3	60.8
地域密着型介護予防サービス	1.5	0.7	0.8
介護予防認知症対応型通所介護	0.1	0.1	0.1
介護予防小規模多機能型居宅介護（短期利用以外）	1.3	0.6	0.6
介護予防小規模多機能型居宅介護（短期利用）	－	－	－
介護予防認知症対応型共同生活介護（短期利用以外）	0.1	－	0.1
介護予防認知症対応型共同生活介護（短期利用）	－	－	－

注：総数には、月の途中で要支援から要介護に変更となった者を含む。

（80～84歳）

平成30年１月審査分
（単位：千人）

サービス種類	総数	要支援１	要支援２
総数	196.2	82.9	112.8
介護予防居宅サービス	191.9	80.8	110.5
訪問通所	182.2	76.0	105.8
介護予防訪問介護	13.7	6.4	7.3
介護予防訪問入浴介護	0.1	0.0	0.1
介護予防訪問看護	16.9	5.9	11.0
介護予防訪問リハビリテーション	3.9	1.1	2.7
介護予防通所介護	18.5	9.2	9.2
介護予防通所リハビリテーション	42.3	18.0	24.3
介護予防福祉用具貸与	124.7	46.9	77.5
短期入所	1.8	0.5	1.3
介護予防短期入所生活介護	1.6	0.4	1.2
介護予防短期入所療養介護（老健）	0.2	0.0	0.1
特定治療・特別療養費（再掲）	－	－	－
介護予防短期入所療養介護（病院等）	0.0	0.0	0.0
特定診療費（再掲）	0.0	0.0	0.0
介護予防居宅療養管理指導	9.7	4.0	5.7
介護予防特定施設入居者生活介護	5.4	3.0	2.4
介護予防支援	181.2	75.8	105.2
地域密着型介護予防サービス	3.2	1.4	1.8
介護予防認知症対応型通所介護	0.2	0.1	0.1
介護予防小規模多機能型居宅介護（短期利用以外）	2.7	1.3	1.4
介護予防小規模多機能型居宅介護（短期利用）	0.0	0.0	0.0
介護予防認知症対応型共同生活介護（短期利用以外）	0.2	－	0.2
介護予防認知症対応型共同生活介護（短期利用）	－	－	－

注：総数には、月の途中で要支援から要介護に変更となった者を含む。

（85～89歳）

平成30年１月審査分
（単位：千人）

サービス種類	総数	要支援１	要支援２
総数	209.1	83.8	124.6
介護予防居宅サービス	204.2	81.6	121.9
訪問通所	187.5	73.5	113.6
介護予防訪問介護	14.6	6.6	8.0
介護予防訪問入浴介護	0.1	0.0	0.1
介護予防訪問看護	16.4	5.4	10.9
介護予防訪問リハビリテーション	3.6	1.0	2.6
介護予防通所介護	21.0	9.7	11.3
介護予防通所リハビリテーション	43.3	17.2	26.0
介護予防福祉用具貸与	129.0	45.4	83.4
短期入所	3.5	0.9	2.5
介護予防短期入所生活介護	3.1	0.8	2.3
介護予防短期入所療養介護（老健）	0.3	0.1	0.2
特定治療・特別療養費（再掲）	－	－	－
介護予防短期入所療養介護（病院等）	0.0	0.0	0.0
特定診療費（再掲）	0.0	0.0	0.0
介護予防居宅療養管理指導	14.7	6.2	8.4
介護予防特定施設入居者生活介護	10.5	5.6	4.8
介護予防支援	186.7	73.3	113.2
地域密着型介護予防サービス	4.3	1.7	2.5
介護予防認知症対応型通所介護	0.3	0.1	0.1
介護予防小規模多機能型居宅介護（短期利用以外）	3.7	1.6	2.1
介護予防小規模多機能型居宅介護（短期利用）	0.0	0.0	0.0
介護予防認知症対応型共同生活介護（短期利用以外）	0.3	－	0.3
介護予防認知症対応型共同生活介護（短期利用）	－	－	－

注：総数には、月の途中で要支援から要介護に変更となった者を含む。

（90～94歳）

平成30年１月審査分
（単位：千人）

サービス種類	総数	要支援１	要支援２
総数	103.8	37.4	65.9
介護予防居宅サービス	101.1	36.3	64.3
訪問通所	88.1	30.4	57.4
介護予防訪問介護	6.8	2.8	3.9
介護予防訪問入浴介護	0.1	0.0	0.1
介護予防訪問看護	7.9	2.4	5.5
介護予防訪問リハビリテーション	1.7	0.4	1.3
介護予防通所介護	10.5	4.1	6.3
介護予防通所リハビリテーション	19.7	6.7	12.9
介護予防福祉用具貸与	61.4	19.0	42.3
短期入所	3.2	0.8	2.4
介護予防短期入所生活介護	2.9	0.7	2.1
介護予防短期入所療養介護（老健）	0.3	0.1	0.3
特定治療・特別療養費（再掲）	0.0	－	0.0
介護予防短期入所療養介護（病院等）	0.0	0.0	0.0
特定診療費（再掲）	0.0	0.0	0.0
介護予防居宅療養管理指導	10.4	4.3	6.0
介護予防特定施設入居者生活介護	8.5	4.3	4.2
介護予防支援	88.5	30.6	57.8
地域密着型介護予防サービス	2.6	0.9	1.7
介護予防認知症対応型通所介護	0.2	0.1	0.1
介護予防小規模多機能型居宅介護（短期利用以外）	2.2	0.8	1.4
介護予防小規模多機能型居宅介護（短期利用）	0.0	0.0	0.0
介護予防認知症対応型共同生活介護（短期利用以外）	0.2	－	0.2
介護予防認知症対応型共同生活介護（短期利用）	0.0	－	0.0

注：総数には、月の途中で要支援から要介護に変更となった者を含む。

統計表第１表　介護予防サービス受給者数，月・年齢階級・サービス種類・要支援状態区分別（65－50）

（95歳以上）

平成30年１月審査分
（単位：千人）

サービス種類	総数	要支援１	要支援２
総数	21.1	6.7	14.3
介護予防居宅サービス	20.5	6.5	13.9
訪問通所	16.9	4.9	11.8
介護予防訪問介護	1.1	0.4	0.7
介護予防訪問入浴介護	0.0	0.0	0.0
介護予防訪問看護	1.6	0.4	1.2
介護予防訪問リハビリテーション	0.3	0.1	0.2
介護予防通所介護	2.0	0.7	1.3
介護予防通所リハビリテーション	3.3	1.0	2.3
介護予防福祉用具貸与	12.2	3.2	9.0
短期入所	1.1	0.2	0.8
介護予防短期入所生活介護	1.0	0.2	0.7
介護予防短期入所療養介護（老健）	0.1	0.0	0.1
特定治療・特別療養費（再掲）	－	－	－
介護予防短期入所療養介護（病院等）	0.0	－	0.0
特定診療費（再掲）	0.0	－	0.0
介護予防居宅療養管理指導	2.9	1.1	1.8
介護予防特定施設入居者生活介護	2.5	1.1	1.3
介護予防支援	17.0	5.0	12.0
地域密着型介護予防サービス	0.7	0.2	0.5
介護予防認知症対応型通所介護	0.0	0.0	0.0
介護予防小規模多機能型居宅介護（短期利用以外）	0.6	0.2	0.4
介護予防小規模多機能型居宅介護（短期利用）	0.0	－	0.0
介護予防認知症対応型共同生活介護（短期利用以外）	0.1	－	0.1
介護予防認知症対応型共同生活介護（短期利用）	－	－	－

注：総数には、月の途中で要支援から要介護に変更となった者を含む。

統計表第１表　介護予防サービス受給者数，月・年齢階級・サービス種類・要支援状態区分別（65－51）

（総　　数）

平成30年２月審査分
（単位：千人）

サービス種類	総数	要支援１	要支援２
総数	735.0	289.4	443.1
介護予防居宅サービス	718.4	282.1	434.0
訪問通所	666.3	257.0	407.6
介護予防訪問介護	36.1	16.2	19.8
介護予防訪問入浴介護	0.5	0.1	0.4
介護予防訪問看護	69.4	23.0	46.0
介護予防訪問リハビリテーション	16.6	4.7	11.9
介護予防通所介護	49.1	22.9	26.1
介護予防通所リハビリテーション	158.3	62.9	95.0
介護予防福祉用具貸与	466.0	162.6	302.5
短期入所	10.9	2.8	7.9
介護予防短期入所生活介護	9.9	2.6	7.1
介護予防短期入所療養介護（老健）	1.0	0.2	0.8
特定治療・特別療養費（再掲）	0.0	－	0.0
介護予防短期入所療養介護（病院等）	0.0	0.0	0.0
特定診療費（再掲）	0.0	0.0	0.0
介護予防居宅療養管理指導	47.9	19.9	27.7
介護予防特定施設入居者生活介護	30.5	16.0	14.3
介護予防支援	661.8	256.0	405.1
地域密着型介護予防サービス	13.7	5.6	8.0
介護予防認知症対応型通所介護	1.0	0.5	0.5
介護予防小規模多機能型居宅介護（短期利用以外）	11.7	5.2	6.4
介護予防小規模多機能型居宅介護（短期利用）	0.0	0.0	0.0
介護予防認知症対応型共同生活介護（短期利用以外）	1.0	－	1.0
介護予防認知症対応型共同生活介護（短期利用）	0.0	－	0.0

注：総数には、月の途中で要支援から要介護に変更となった者を含む。

（40～64歳）

平成30年２月審査分
（単位：千人）

サービス種類	総数	要支援１	要支援２
総数	19.5	5.7	13.7
介護予防居宅サービス	19.1	5.6	13.5
訪問通所	18.7	5.4	13.2
介護予防訪問介護	0.6	0.2	0.4
介護予防訪問入浴介護	0.0	0.0	0.0
介護予防訪問看護	3.5	1.0	2.5
介護予防訪問リハビリテーション	1.3	0.3	1.0
介護予防通所介護	0.7	0.2	0.5
介護予防通所リハビリテーション	5.4	1.7	3.7
介護予防福祉用具貸与	11.6	2.8	8.8
短期入所	0.1	0.0	0.1
介護予防短期入所生活介護	0.1	0.0	0.1
介護予防短期入所療養介護（老健）	0.0	－	0.0
特定治療・特別療養費（再掲）	－	－	－
介護予防短期入所療養介護（病院等）	－	－	－
特定診療費（再掲）	－	－	－
介護予防居宅療養管理指導	0.8	0.2	0.5
介護予防特定施設入居者生活介護	0.1	0.1	0.1
介護予防支援	18.5	5.4	13.1
地域密着型介護予防サービス	0.2	0.1	0.1
介護予防認知症対応型通所介護	0.0	0.0	0.0
介護予防小規模多機能型居宅介護（短期利用以外）	0.1	0.1	0.1
介護予防小規模多機能型居宅介護（短期利用）	－	－	－
介護予防認知症対応型共同生活介護（短期利用以外）	0.0	－	0.0
介護予防認知症対応型共同生活介護（短期利用）	－	－	－

注：総数には、月の途中で要支援から要介護に変更となった者を含む。

統計表第１表　介護予防サービス受給者数，月・年齢階級・サービス種類・要支援状態区分別（65－52）

（65～69歳）

平成30年２月審査分
（単位：千人）

サービス種類	総数	要支援１	要支援２
総数	32.8	11.9	20.8
介護予防居宅サービス	32.0	11.6	20.4
訪問通所	30.7	10.9	19.7
介護予防訪問介護	1.9	0.8	1.1
介護予防訪問入浴介護	0.0	0.0	0.0
介護予防訪問看護	4.7	1.6	3.1
介護予防訪問リハビリテーション	1.4	0.4	1.0
介護予防通所介護	1.5	0.7	0.9
介護予防通所リハビリテーション	7.8	2.8	4.9
介護予防福祉用具貸与	19.5	5.9	13.6
短期入所	0.2	0.1	0.2
介護予防短期入所生活介護	0.2	0.1	0.1
介護予防短期入所療養介護（老健）	0.0	0.0	0.0
特定治療・特別療養費（再掲）	－	－	－
介護予防短期入所療養介護（病院等）	－	－	－
特定診療費（再掲）	－	－	－
介護予防居宅療養管理指導	1.6	0.6	1.0
介護予防特定施設入居者生活介護	0.5	0.3	0.2
介護予防支援	30.3	10.8	19.5
地域密着型介護予防サービス	0.4	0.2	0.2
介護予防認知症対応型通所介護	0.0	0.0	0.0
介護予防小規模多機能型居宅介護（短期利用以外）	0.4	0.2	0.2
介護予防小規模多機能型居宅介護（短期利用）	－	－	－
介護予防認知症対応型共同生活介護（短期利用以外）	0.0	－	0.0
介護予防認知症対応型共同生活介護（短期利用）	－	－	－

注：総数には、月の途中で要支援から要介護に変更となった者を含む。

（70～74歳）

平成30年２月審査分
（単位：千人）

サービス種類	総数	要支援１	要支援２
総数	57.7	22.7	34.9
介護予防居宅サービス	56.5	22.1	34.3
訪問通所	54.2	21.0	33.2
介護予防訪問介護	2.9	1.3	1.6
介護予防訪問入浴介護	0.0	0.0	0.0
介護予防訪問看護	7.3	2.6	4.7
介護予防訪問リハビリテーション	1.7	0.5	1.2
介護予防通所介護	3.1	1.5	1.6
介護予防通所リハビリテーション	13.4	5.4	8.0
介護予防福祉用具貸与	36.0	12.3	23.7
短期入所	0.4	0.1	0.3
介護予防短期入所生活介護	0.4	0.1	0.2
介護予防短期入所療養介護（老健）	0.0	0.0	0.0
特定治療・特別療養費（再掲）	－	－	－
介護予防短期入所療養介護（病院等）	0.0	－	0.0
特定診療費（再掲）	0.0	－	0.0
介護予防居宅療養管理指導	2.6	1.1	1.5
介護予防特定施設入居者生活介護	1.0	0.5	0.4
介護予防支援	53.8	20.9	32.8
地域密着型介護予防サービス	0.8	0.4	0.4
介護予防認知症対応型通所介護	0.1	0.0	0.0
介護予防小規模多機能型居宅介護（短期利用以外）	0.7	0.3	0.3
介護予防小規模多機能型居宅介護（短期利用）	－	－	－
介護予防認知症対応型共同生活介護（短期利用以外）	0.1	－	0.1
介護予防認知症対応型共同生活介護（短期利用）	0.0	－	0.0

注：総数には、月の途中で要支援から要介護に変更となった者を含む。

統計表第１表　介護予防サービス受給者数，月・年齢階級・サービス種類・要支援状態区分別（65−53）

(75〜79歳)

平成30年２月審査分
（単位：千人）

サービス種類	総数	要支援１	要支援２
総数	109.0	45.9	62.8
介護予防居宅サービス	106.7	44.8	61.7
訪問通所	102.5	42.6	59.7
介護予防訪問介護	5.2	2.5	2.8
介護予防訪問入浴介護	0.1	0.0	0.1
介護予防訪問看護	11.1	3.9	7.2
介護予防訪問リハビリテーション	2.7	0.8	1.9
介護予防通所介護	6.6	3.4	3.2
介護予防通所リハビリテーション	24.6	10.7	13.8
介護予防福祉用具貸与	71.0	26.8	44.1
短期入所	0.8	0.2	0.5
介護予防短期入所生活介護	0.7	0.2	0.5
介護予防短期入所療養介護（老健）	0.1	0.0	0.1
特定治療・特別療養費（再掲）	-	-	-
介護予防短期入所療養介護（病院等）	0.0	-	0.0
特定診療費（再掲）	0.0	-	0.0
介護予防居宅療養管理指導	4.6	1.9	2.6
介護予防特定施設入居者生活介護	2.0	1.1	0.8
介護予防支援	101.6	42.4	59.2
地域密着型介護予防サービス	1.5	0.7	0.8
介護予防認知症対応型通所介護	0.1	0.1	0.1
介護予防小規模多機能型居宅介護（短期利用以外）	1.2	0.6	0.6
介護予防小規模多機能型居宅介護（短期利用）	-	-	-
介護予防認知症対応型共同生活介護（短期利用以外）	0.1	-	0.1
介護予防認知症対応型共同生活介護（短期利用）	-	-	-

注：総数には、月の途中で要支援から要介護に変更となった者を含む。

(80〜84歳)

平成30年２月審査分
（単位：千人）

サービス種類	総数	要支援１	要支援２
総数	190.3	79.6	110.1
介護予防居宅サービス	186.2	77.7	108.0
訪問通所	176.3	72.7	103.1
介護予防訪問介護	9.6	4.5	5.1
介護予防訪問入浴介護	0.1	0.0	0.1
介護予防訪問看護	16.8	5.8	10.9
介護予防訪問リハビリテーション	3.9	1.1	2.7
介護予防通所介護	13.1	6.5	6.5
介護予防通所リハビリテーション	41.7	17.8	23.8
介護予防福祉用具貸与	124.6	47.0	77.3
短期入所	1.8	0.5	1.3
介護予防短期入所生活介護	1.6	0.4	1.2
介護予防短期入所療養介護（老健）	0.2	0.0	0.1
特定治療・特別療養費（再掲）	-	-	-
介護予防短期入所療養介護（病院等）	0.0	0.0	0.0
特定診療費（再掲）	0.0	0.0	0.0
介護予防居宅療養管理指導	9.9	4.1	5.7
介護予防特定施設入居者生活介護	5.4	3.0	2.3
介護予防支援	174.8	72.4	102.3
地域密着型介護予防サービス	3.2	1.4	1.8
介護予防認知症対応型通所介護	0.2	0.1	0.1
介護予防小規模多機能型居宅介護（短期利用以外）	2.8	1.3	1.5
介護予防小規模多機能型居宅介護（短期利用）	0.0	0.0	-
介護予防認知症対応型共同生活介護（短期利用以外）	0.2	-	0.2
介護予防認知症対応型共同生活介護（短期利用）	0.0	-	0.0

注：総数には、月の途中で要支援から要介護に変更となった者を含む。

統計表第１表　介護予防サービス受給者数，月・年齢階級・サービス種類・要支援状態区分別（65－54）

（85～89歳）

平成30年２月審査分
（単位：千人）

サービス種類	総数	要支援１	要支援２
総数	202.9	80.6	121.6
介護予防居宅サービス	198.3	78.5	119.1
訪問通所	181.5	70.3	110.7
介護予防訪問介護	10.3	4.6	5.6
介護予防訪問入浴介護	0.1	0.0	0.1
介護予防訪問看護	16.4	5.3	10.9
介護予防訪問リハビリテーション	3.6	1.0	2.6
介護予防通所介護	15.1	7.0	8.0
介護予防通所リハビリテーション	42.7	16.9	25.7
介護予防福祉用具貸与	129.1	45.5	83.3
短期入所	3.3	0.9	2.4
介護予防短期入所生活介護	3.1	0.8	2.2
介護予防短期入所療養介護（老健）	0.3	0.1	0.2
特定治療・特別療養費（再掲）	－	－	－
介護予防短期入所療養介護（病院等）	0.0	－	0.0
特定診療費（再掲）	0.0	－	0.0
介護予防居宅療養管理指導	14.7	6.3	8.4
介護予防特定施設入居者生活介護	10.5	5.6	4.9
介護予防支援	180.2	70.0	110.1
地域密着型介護予防サービス	4.3	1.8	2.5
介護予防認知症対応型通所介護	0.3	0.1	0.2
介護予防小規模多機能型居宅介護（短期利用以外）	3.6	1.6	2.0
介護予防小規模多機能型居宅介護（短期利用）	0.0	0.0	0.0
介護予防認知症対応型共同生活介護（短期利用以外）	0.3	－	0.3
介護予防認知症対応型共同生活介護（短期利用）	0.0	－	0.0

注：総数には、月の途中で要支援から要介護に変更となった者を含む。

（90～94歳）

平成30年２月審査分
（単位：千人）

サービス種類	総数	要支援１	要支援２
総数	102.0	36.5	64.9
介護予防居宅サービス	99.3	35.5	63.3
訪問通所	86.0	29.3	56.4
介護予防訪問介護	4.8	2.0	2.7
介護予防訪問入浴介護	0.1	0.0	0.1
介護予防訪問看護	7.9	2.3	5.5
介護予防訪問リハビリテーション	1.7	0.4	1.3
介護予防通所介護	7.6	3.1	4.5
介護予防通所リハビリテーション	19.5	6.7	12.8
介護予防福祉用具貸与	61.9	19.2	42.6
短期入所	3.2	0.8	2.4
介護予防短期入所生活介護	2.9	0.7	2.1
介護予防短期入所療養介護（老健）	0.3	0.1	0.3
特定治療・特別療養費（再掲）	0.0	－	0.0
介護予防短期入所療養介護（病院等）	0.0	0.0	0.0
特定診療費（再掲）	0.0	0.0	0.0
介護予防居宅療養管理指導	10.6	4.5	6.1
介護予防特定施設入居者生活介護	8.6	4.3	4.2
介護予防支援	86.0	29.4	56.5
地域密着型介護予防サービス	2.7	1.0	1.7
介護予防認知症対応型通所介護	0.2	0.1	0.1
介護予防小規模多機能型居宅介護（短期利用以外）	2.3	0.9	1.4
介護予防小規模多機能型居宅介護（短期利用）	0.0	－	0.0
介護予防認知症対応型共同生活介護（短期利用以外）	0.2	－	0.2
介護予防認知症対応型共同生活介護（短期利用）	－	－	－

注：総数には、月の途中で要支援から要介護に変更となった者を含む。

統計表第１表　介護予防サービス受給者数，月・年齢階級・サービス種類・要支援状態区分別（65−55）

（95歳以上）

平成30年２月審査分
（単位：千人）

サービス種類	総数	要支援１	要支援２
総数	20.8	6.5	14.2
介護予防居宅サービス	20.3	6.3	13.8
訪問通所	16.5	4.7	11.6
介護予防訪問介護	0.8	0.3	0.5
介護予防訪問入浴介護	0.0	0.0	0.0
介護予防訪問看護	1.6	0.4	1.2
介護予防訪問リハビリテーション	0.3	0.1	0.2
介護予防通所介護	1.4	0.5	1.0
介護予防通所リハビリテーション	3.3	1.0	2.3
介護予防福祉用具貸与	12.3	3.2	9.0
短期入所	1.0	0.2	0.8
介護予防短期入所生活介護	0.9	0.2	0.7
介護予防短期入所療養介護（老健）	0.1	0.0	0.1
特定治療・特別療養費（再掲）	0.0	−	0.0
介護予防短期入所療養介護（病院等）	0.0	−	0.0
特定診療費（再掲）	0.0	−	0.0
介護予防居宅療養管理指導	3.0	1.1	1.8
介護予防特定施設入居者生活介護	2.5	1.1	1.4
介護予防支援	16.6	4.8	11.8
地域密着型介護予防サービス	0.7	0.2	0.4
介護予防認知症対応型通所介護	0.0	0.0	0.0
介護予防小規模多機能型居宅介護（短期利用以外）	0.6	0.2	0.4
介護予防小規模多機能型居宅介護（短期利用）	0.0	−	0.0
介護予防認知症対応型共同生活介護（短期利用以外）	0.1	−	0.1
介護予防認知症対応型共同生活介護（短期利用）	−	−	−

注：総数には、月の途中で要支援から要介護に変更となった者を含む。

統計表第１表　介護予防サービス受給者数，月・年齢階級・サービス種類・要支援状態区分別（65−56）

（総　　数）

平成30年３月審査分
（単位：千人）

サ ー ビ ス 種 類	総数	要支援１	要支援２
総数	711.4	276.6	432.1
介護予防居宅サービス	694.9	269.4	423.1
訪問通所	642.5	244.3	396.3
介護予防訪問介護	19.9	8.8	10.9
介護予防訪問入浴介護	0.5	0.1	0.4
介護予防訪問看護	69.9	23.0	46.5
介護予防訪問リハビリテーション	17.0	4.8	12.1
介護予防通所介護	26.8	12.6	14.1
介護予防通所リハビリテーション	157.7	62.7	94.7
介護予防福祉用具貸与	464.4	161.9	301.4
短期入所	10.4	2.6	7.6
介護予防短期入所生活介護	9.4	2.4	6.9
介護予防短期入所療養介護（老健）	0.9	0.2	0.7
特定治療・特別療養費（再掲）	0.0	−	0.0
介護予防短期入所療養介護（病院等）	0.0	0.0	0.0
特定診療費（再掲）	0.0	0.0	0.0
介護予防居宅療養管理指導	47.9	19.8	27.8
介護予防特定施設入居者生活介護	30.6	16.1	14.4
介護予防支援	639.1	243.9	394.5
地域密着型介護予防サービス	13.7	5.6	8.0
介護予防認知症対応型通所介護	0.9	0.5	0.5
介護予防小規模多機能型居宅介護（短期利用以外）	11.8	5.1	6.5
介護予防小規模多機能型居宅介護（短期利用）	0.0	0.0	0.0
介護予防認知症対応型共同生活介護（短期利用以外）	1.0	−	1.0
介護予防認知症対応型共同生活介護（短期利用）	0.0	−	0.0

注：総数には、月の途中で要支援から要介護に変更となった者を含む。

（40～64歳）

平成30年３月審査分
（単位：千人）

サ ー ビ ス 種 類	総数	要支援１	要支援２
総数	19.3	5.6	13.7
介護予防居宅サービス	19.0	5.5	13.4
訪問通所	18.5	5.3	13.1
介護予防訪問介護	0.4	0.1	0.2
介護予防訪問入浴介護	0.0	0.0	0.0
介護予防訪問看護	3.6	1.0	2.6
介護予防訪問リハビリテーション	1.4	0.4	1.1
介護予防通所介護	0.4	0.1	0.3
介護予防通所リハビリテーション	5.3	1.7	3.6
介護予防福祉用具貸与	11.6	2.7	8.8
短期入所	0.1	0.0	0.1
介護予防短期入所生活介護	0.1	0.0	0.0
介護予防短期入所療養介護（老健）	0.0	−	0.0
特定治療・特別療養費（再掲）	−	−	−
介護予防短期入所療養介護（病院等）	−	−	−
特定診療費（再掲）	−	−	−
介護予防居宅療養管理指導	0.8	0.2	0.6
介護予防特定施設入居者生活介護	0.2	0.1	0.1
介護予防支援	18.2	5.3	12.9
地域密着型介護予防サービス	0.2	0.1	0.1
介護予防認知症対応型通所介護	0.0	0.0	0.0
介護予防小規模多機能型居宅介護（短期利用以外）	0.1	0.1	0.1
介護予防小規模多機能型居宅介護（短期利用）	−	−	−
介護予防認知症対応型共同生活介護（短期利用以外）	0.0	−	0.0
介護予防認知症対応型共同生活介護（短期利用）	−	−	−

注：総数には、月の途中で要支援から要介護に変更となった者を含む。

統計表第１表　介護予防サービス受給者数，月・年齢階級・サービス種類・要支援状態区分別（65－57）

（65～69歳）

平成30年３月審査分
（単位：千人）

サービス種類	総数	要支援１	要支援２
総数	31.6	11.3	20.2
介護予防居宅サービス	30.8	10.9	19.8
訪問通所	29.5	10.3	19.2
介護予防訪問介護	1.1	0.5	0.6
介護予防訪問入浴介護	0.0	0.0	0.0
介護予防訪問看護	4.7	1.6	3.2
介護予防訪問リハビリテーション	1.4	0.4	1.0
介護予防通所介護	0.8	0.4	0.5
介護予防通所リハビリテーション	7.7	2.8	4.9
介護予防福祉用具貸与	19.3	5.8	13.4
短期入所	0.2	0.1	0.1
介護予防短期入所生活介護	0.2	0.1	0.1
介護予防短期入所療養介護（老健）	0.0	0.0	0.0
特定治療・特別療養費（再掲）	－	－	－
介護予防短期入所療養介護（病院等）	－	－	－
特定診療費（再掲）	－	－	－
介護予防居宅療養管理指導	1.6	0.6	0.9
介護予防特定施設入居者生活介護	0.5	0.3	0.2
介護予防支援	29.2	10.2	18.9
地域密着型介護予防サービス	0.4	0.2	0.2
介護予防認知症対応型通所介護	0.0	0.0	0.0
介護予防小規模多機能型居宅介護（短期利用以外）	0.4	0.2	0.2
介護予防小規模多機能型居宅介護（短期利用）	－	－	－
介護予防認知症対応型共同生活介護（短期利用以外）	0.0	－	0.0
介護予防認知症対応型共同生活介護（短期利用）	－	－	－

注：総数には、月の途中で要支援から要介護に変更となった者を含む。

（70～74歳）

平成30年３月審査分
（単位：千人）

サービス種類	総数	要支援１	要支援２
総数	55.9	21.7	34.1
介護予防居宅サービス	54.8	21.1	33.5
訪問通所	52.5	20.0	32.4
介護予防訪問介護	1.6	0.7	0.9
介護予防訪問入浴介護	0.0	0.0	0.0
介護予防訪問看護	7.4	2.6	4.7
介護予防訪問リハビリテーション	1.8	0.5	1.2
介護予防通所介護	1.6	0.8	0.8
介護予防通所リハビリテーション	13.3	5.3	8.0
介護予防福祉用具貸与	36.0	12.2	23.7
短期入所	0.3	0.1	0.2
介護予防短期入所生活介護	0.3	0.1	0.2
介護予防短期入所療養介護（老健）	0.0	0.0	0.0
特定治療・特別療養費（再掲）	－	－	－
介護予防短期入所療養介護（病院等）	－	－	－
特定診療費（再掲）	－	－	－
介護予防居宅療養管理指導	2.6	1.1	1.6
介護予防特定施設入居者生活介護	1.0	0.5	0.4
介護予防支援	52.0	19.9	32.1
地域密着型介護予防サービス	0.8	0.4	0.4
介護予防認知症対応型通所介護	0.1	0.0	0.0
介護予防小規模多機能型居宅介護（短期利用以外）	0.7	0.3	0.3
介護予防小規模多機能型居宅介護（短期利用）	－	－	－
介護予防認知症対応型共同生活介護（短期利用以外）	0.1	－	0.1
介護予防認知症対応型共同生活介護（短期利用）	－	－	－

注：総数には、月の途中で要支援から要介護に変更となった者を含む。

統計表第１表　介護予防サービス受給者数，月・年齢階級・サービス種類・要支援状態区分別（65－58）

（75～79歳）

平成30年３月審査分
（単位：千人）

サービス種類	総数	要支援１	要支援２
総数	105.1	43.6	61.3
介護予防居宅サービス	103.0	42.6	60.1
訪問通所	98.8	40.5	58.1
介護予防訪問介護	2.9	1.4	1.5
介護予防訪問入浴介護	0.1	0.0	0.0
介護予防訪問看護	11.3	4.0	7.3
介護予防訪問リハビリテーション	2.7	0.8	1.9
介護予防通所介護	3.6	1.9	1.7
介護予防通所リハビリテーション	24.5	10.7	13.8
介護予防福祉用具貸与	70.4	26.5	43.7
短期入所	0.7	0.2	0.5
介護予防短期入所生活介護	0.7	0.2	0.5
介護予防短期入所療養介護（老健）	0.1	0.0	0.1
特定治療・特別療養費（再掲）	-	-	-
介護予防短期入所療養介護（病院等）	0.0	0.0	0.0
特定診療費（再掲）	0.0	0.0	0.0
介護予防居宅療養管理指導	4.6	1.9	2.7
介護予防特定施設入居者生活介護	2.0	1.1	0.8
介護予防支援	97.9	40.2	57.6
地域密着型介護予防サービス	1.5	0.7	0.8
介護予防認知症対応型通所介護	0.1	0.1	0.0
介護予防小規模多機能型居宅介護（短期利用以外）	1.3	0.6	0.6
介護予防小規模多機能型居宅介護（短期利用）	0.0	0.0	0.0
介護予防認知症対応型共同生活介護（短期利用以外）	0.1	-	0.1
介護予防認知症対応型共同生活介護（短期利用）	0.0	-	0.0

注：総数には、月の途中で要支援から要介護に変更となった者を含む。

（80～84歳）

平成30年３月審査分
（単位：千人）

サービス種類	総数	要支援１	要支援２
総数	183.0	75.9	106.5
介護予防居宅サービス	178.8	74.0	104.3
訪問通所	168.9	69.0	99.5
介護予防訪問介護	5.1	2.4	2.8
介護予防訪問入浴介護	0.1	0.0	0.1
介護予防訪問看護	16.8	5.8	10.9
介護予防訪問リハビリテーション	3.9	1.1	2.7
介護予防通所介護	7.1	3.6	3.5
介護予防通所リハビリテーション	41.2	17.5	23.6
介護予防福祉用具貸与	123.5	46.7	76.5
短期入所	1.6	0.4	1.2
介護予防短期入所生活介護	1.5	0.4	1.1
介護予防短期入所療養介護（老健）	0.1	0.0	0.1
特定治療・特別療養費（再掲）	-	-	-
介護予防短期入所療養介護（病院等）	0.0	0.0	0.0
特定診療費（再掲）	0.0	0.0	0.0
介護予防居宅療養管理指導	9.8	4.2	5.6
介護予防特定施設入居者生活介護	5.4	3.0	2.4
介護予防支援	167.9	68.8	98.9
地域密着型介護予防サービス	3.2	1.4	1.7
介護予防認知症対応型通所介護	0.2	0.1	0.1
介護予防小規模多機能型居宅介護（短期利用以外）	2.7	1.3	1.4
介護予防小規模多機能型居宅介護（短期利用）	0.0	0.0	-
介護予防認知症対応型共同生活介護（短期利用以外）	0.2	-	0.2
介護予防認知症対応型共同生活介護（短期利用）	0.0	-	0.0

注：総数には、月の途中で要支援から要介護に変更となった者を含む。

統計表第１表　介護予防サービス受給者数，月・年齢階級・サービス種類・要支援状態区分別（65－59）

（85～89歳）

平成30年３月審査分
（単位：千人）

サービス種類	総数	要支援１	要支援２
総数	196.2	76.9	118.4
介護予防居宅サービス	191.5	74.9	115.9
訪問通所	174.7	66.7	107.4
介護予防訪問介護	5.6	2.6	3.0
介護予防訪問入浴介護	0.1	0.0	0.1
介護予防訪問看護	16.5	5.3	11.0
介護予防訪問リハビリテーション	3.7	1.1	2.6
介護予防通所介護	8.3	3.9	4.4
介護予防通所リハビリテーション	42.5	16.9	25.6
介護予防福祉用具貸与	128.8	45.3	83.2
短期入所	3.2	0.8	2.4
介護予防短期入所生活介護	2.9	0.8	2.1
介護予防短期入所療養介護（老健）	0.3	0.0	0.2
特定治療・特別療養費（再掲）	0.0	-	0.0
介護予防短期入所療養介護（病院等）	0.0	-	0.0
特定診療費（再掲）	0.0	-	0.0
介護予防居宅療養管理指導	14.7	6.2	8.4
介護予防特定施設入居者生活介護	10.4	5.5	4.8
介護予防支援	173.8	66.7	107.0
地域密着型介護予防サービス	4.2	1.7	2.5
介護予防認知症対応型通所介護	0.3	0.1	0.1
介護予防小規模多機能型居宅介護（短期利用以外）	3.7	1.6	2.0
介護予防小規模多機能型居宅介護（短期利用）	0.0	-	0.0
介護予防認知症対応型共同生活介護（短期利用以外）	0.3	-	0.3
介護予防認知症対応型共同生活介護（短期利用）	0.0	-	0.0

注：総数には、月の途中で要支援から要介護に変更となった者を含む。

（90～94歳）

平成30年３月審査分
（単位：千人）

サービス種類	総数	要支援１	要支援２
総数	99.5	35.2	63.8
介護予防居宅サービス	96.8	34.2	62.2
訪問通所	83.4	28.0	55.1
介護予防訪問介護	2.7	1.1	1.6
介護予防訪問入浴介護	0.1	0.0	0.1
介護予防訪問看護	7.9	2.3	5.5
介護予防訪問リハビリテーション	1.7	0.4	1.3
介護予防通所介護	4.1	1.7	2.4
介護予防通所リハビリテーション	19.6	6.7	12.8
介護予防福祉用具貸与	62.4	19.3	42.8
短期入所	3.1	0.7	2.3
介護予防短期入所生活介護	2.8	0.7	2.1
介護予防短期入所療養介護（老健）	0.3	0.0	0.2
特定治療・特別療養費（再掲）	0.0	-	0.0
介護予防短期入所療養介護（病院等）	0.0	0.0	0.0
特定診療費（再掲）	0.0	0.0	0.0
介護予防居宅療養管理指導	10.8	4.5	6.2
介護予防特定施設入居者生活介護	8.6	4.4	4.2
介護予防支援	83.7	28.1	55.4
地域密着型介護予防サービス	2.7	0.9	1.8
介護予防認知症対応型通所介護	0.2	0.1	0.1
介護予防小規模多機能型居宅介護（短期利用以外）	2.3	0.9	1.4
介護予防小規模多機能型居宅介護（短期利用）	0.0	-	0.0
介護予防認知症対応型共同生活介護（短期利用以外）	0.2	-	0.2
介護予防認知症対応型共同生活介護（短期利用）	-	-	-

注：総数には、月の途中で要支援から要介護に変更となった者を含む。

統計表第１表　介護予防サービス受給者数，月・年齢階級・サービス種類・要支援状態区分別（65−60）

（95歳以上）

平成30年３月審査分
（単位：千人）

サービス種類	総数	要支援１	要支援２
総数	20.7	6.4	14.2
介護予防居宅サービス	20.1	6.2	13.8
訪問通所	16.2	4.6	11.5
介護予防訪問介護	0.5	0.2	0.3
介護予防訪問入浴介護	0.0	0.0	0.0
介護予防訪問看護	1.7	0.4	1.2
介護予防訪問リハビリテーション	0.3	0.1	0.2
介護予防通所介護	0.8	0.3	0.5
介護予防通所リハビリテーション	3.4	1.0	2.4
介護予防福祉用具貸与	12.6	3.3	9.2
短期入所	1.0	0.2	0.8
介護予防短期入所生活介護	0.9	0.2	0.7
介護予防短期入所療養介護（老健）	0.1	0.0	0.1
特定治療・特別療養費（再掲）	−	−	−
介護予防短期入所療養介護（病院等）	0.0	−	0.0
特定診療費（再掲）	0.0	−	0.0
介護予防居宅療養管理指導	3.1	1.2	1.9
介護予防特定施設入居者生活介護	2.6	1.2	1.4
介護予防支援	16.4	4.7	11.7
地域密着型介護予防サービス	0.7	0.2	0.5
介護予防認知症対応型通所介護	0.0	0.0	0.0
介護予防小規模多機能型居宅介護（短期利用以外）	0.6	0.2	0.4
介護予防小規模多機能型居宅介護（短期利用）	0.0	−	0.0
介護予防認知症対応型共同生活介護（短期利用以外）	0.1	−	0.1
介護予防認知症対応型共同生活介護（短期利用）	−	−	−

注：総数には、月の途中で要支援から要介護に変更となった者を含む。

統計表第１表　介護予防サービス受給者数，月・年齢階級・サービス種類・要支援状態区分別（65－61）

（総　　数）

平成30年４月審査分
（単位：千人）

サービス種類	総数	要支援１	要支援２
総数	698.0	268.4	427.0
介護予防居宅サービス	681.0	260.9	417.6
訪問通所	627.3	235.4	390.0
介護予防訪問介護	4.5	2.0	2.4
介護予防訪問入浴介護	0.5	0.1	0.4
介護予防訪問看護	70.4	23.2	46.8
介護予防訪問リハビリテーション	17.2	4.8	12.3
介護予防通所介護	6.6	3.2	3.3
介護予防通所リハビリテーション	159.7	63.3	96.1
介護予防福祉用具貸与	468.5	163.5	303.9
短期入所	11.3	2.8	8.3
介護予防短期入所生活介護	10.2	2.6	7.4
介護予防短期入所療養介護（老健）	1.1	0.2	0.8
特定治療・特別療養費（再掲）	0.0	－	0.0
介護予防短期入所療養介護（病院等）	0.1	0.0	0.0
特定診療費（再掲）	0.0	0.0	0.0
介護予防居宅療養管理指導	48.5	20.0	28.2
介護予防特定施設入居者生活介護	31.0	16.2	14.6
介護予防支援	625.9	235.7	389.5
地域密着型介護予防サービス	13.7	5.6	8.0
介護予防認知症対応型通所介護	1.0	0.5	0.5
介護予防小規模多機能型居宅介護（短期利用以外）	11.7	5.1	6.5
介護予防小規模多機能型居宅介護（短期利用）	0.0	0.0	0.0
介護予防認知症対応型共同生活介護（短期利用以外）	1.0	－	1.0
介護予防認知症対応型共同生活介護（短期利用）	0.0	－	0.0

注：総数には、月の途中で要支援から要介護に変更となった者を含む。

（40～64歳）

平成30年４月審査分
（単位：千人）

サービス種類	総数	要支援１	要支援２
総数	19.1	5.6	13.5
介護予防居宅サービス	18.8	5.4	13.3
訪問通所	18.3	5.3	13.0
介護予防訪問介護	0.1	0.0	0.1
介護予防訪問入浴介護	0.0	0.0	0.0
介護予防訪問看護	3.6	1.0	2.6
介護予防訪問リハビリテーション	1.4	0.4	1.0
介護予防通所介護	0.1	0.0	0.1
介護予防通所リハビリテーション	5.4	1.7	3.7
介護予防福祉用具貸与	11.6	2.8	8.8
短期入所	0.1	0.0	0.1
介護予防短期入所生活介護	0.1	0.0	0.1
介護予防短期入所療養介護（老健）	0.0	0.0	0.0
特定治療・特別療養費（再掲）	－	－	－
介護予防短期入所療養介護（病院等）	－	－	－
特定診療費（再掲）	－	－	－
介護予防居宅療養管理指導	0.8	0.2	0.6
介護予防特定施設入居者生活介護	0.2	0.1	0.1
介護予防支援	18.1	5.3	12.9
地域密着型介護予防サービス	0.2	0.1	0.1
介護予防認知症対応型通所介護	0.0	0.0	0.0
介護予防小規模多機能型居宅介護（短期利用以外）	0.1	0.1	0.1
介護予防小規模多機能型居宅介護（短期利用）	－	－	－
介護予防認知症対応型共同生活介護（短期利用以外）	0.0	－	0.0
介護予防認知症対応型共同生活介護（短期利用）	－	－	－

注：総数には、月の途中で要支援から要介護に変更となった者を含む。

統計表第１表　介護予防サービス受給者数，月・年齢階級・サービス種類・要支援状態区分別（65－62）

（65～69歳）

平成30年４月審査分
（単位：千人）

サービス種類	総数	要支援１	要支援２
総数	30.8	10.8	19.8
介護予防居宅サービス	30.0	10.5	19.4
訪問通所	28.6	9.9	18.7
介護予防訪問介護	0.3	0.2	0.2
介護予防訪問入浴介護	0.0	0.0	0.0
介護予防訪問看護	4.8	1.6	3.2
介護予防訪問リハビリテーション	1.4	0.4	1.0
介護予防通所介護	0.3	0.1	0.1
介護予防通所リハビリテーション	7.7	2.8	4.9
介護予防福祉用具貸与	19.2	5.8	13.4
短期入所	0.2	0.1	0.1
介護予防短期入所生活介護	0.2	0.1	0.1
介護予防短期入所療養介護（老健）	0.0	0.0	0.0
特定治療・特別療養費（再掲）	0.0	－	0.0
介護予防短期入所療養介護（病院等）	－	－	－
特定診療費（再掲）	－	－	－
介護予防居宅療養管理指導	1.6	0.6	1.0
介護予防特定施設入居者生活介護	0.5	0.3	0.2
介護予防支援	28.4	9.8	18.6
地域密着型介護予防サービス	0.4	0.2	0.2
介護予防認知症対応型通所介護	0.0	0.0	0.0
介護予防小規模多機能型居宅介護（短期利用以外）	0.4	0.2	0.2
介護予防小規模多機能型居宅介護（短期利用）	－	－	－
介護予防認知症対応型共同生活介護（短期利用以外）	0.0	－	0.0
介護予防認知症対応型共同生活介護（短期利用）	－	－	－

注：総数には、月の途中で要支援から要介護に変更となった者を含む。

（70～74歳）

平成30年４月審査分
（単位：千人）

サービス種類	総数	要支援１	要支援２
総数	54.8	21.0	33.6
介護予防居宅サービス	53.6	20.5	33.0
訪問通所	51.3	19.3	31.9
介護予防訪問介護	0.4	0.2	0.2
介護予防訪問入浴介護	0.0	0.0	0.0
介護予防訪問看護	7.4	2.6	4.8
介護予防訪問リハビリテーション	1.8	0.5	1.2
介護予防通所介護	0.4	0.2	0.2
介護予防通所リハビリテーション	13.6	5.4	8.1
介護予防福祉用具貸与	36.1	12.2	23.8
短期入所	0.4	0.1	0.2
介護予防短期入所生活介護	0.3	0.1	0.2
介護予防短期入所療養介護（老健）	0.0	0.0	0.0
特定治療・特別療養費（再掲）	－	－	－
介護予防短期入所療養介護（病院等）	0.0	－	0.0
特定診療費（再掲）	0.0	－	0.0
介護予防居宅療養管理指導	2.6	1.1	1.6
介護予防特定施設入居者生活介護	1.0	0.6	0.4
介護予防支援	51.0	19.3	31.7
地域密着型介護予防サービス	0.8	0.4	0.4
介護予防認知症対応型通所介護	0.1	0.0	0.0
介護予防小規模多機能型居宅介護（短期利用以外）	0.7	0.3	0.3
介護予防小規模多機能型居宅介護（短期利用）	0.0	0.0	－
介護予防認知症対応型共同生活介護（短期利用以外）	0.1	－	0.1
介護予防認知症対応型共同生活介護（短期利用）	－	－	－

注：総数には、月の途中で要支援から要介護に変更となった者を含む。

統計表第１表　介護予防サービス受給者数，月・年齢階級・サービス種類・要支援状態区分別（65－63）

（75～79歳）

平成30年４月審査分
（単位：千人）

サ ー ビ ス 種 類	総数	要支援１	要支援２
総数	103.2	42.3	60.6
介護予防居宅サービス	100.8	41.2	59.3
訪問通所	96.5	39.1	57.2
介護予防訪問介護	0.7	0.3	0.3
介護予防訪問入浴介護	0.1	0.0	0.1
介護予防訪問看護	11.5	4.0	7.4
介護予防訪問リハビリテーション	2.7	0.8	1.9
介護予防通所介護	0.9	0.5	0.4
介護予防通所リハビリテーション	24.7	10.7	14.0
介護予防福祉用具貸与	70.9	26.7	44.0
短期入所	0.8	0.2	0.5
介護予防短期入所生活介護	0.7	0.2	0.5
介護予防短期入所療養介護（老健）	0.1	0.0	0.1
特定治療・特別療養費（再掲）	0.0	－	0.0
介護予防短期入所療養介護（病院等）	0.0	－	0.0
特定診療費（再掲）	0.0	－	0.0
介護予防居宅療養管理指導	4.7	1.9	2.8
介護予防特定施設入居者生活介護	2.0	1.1	0.8
介護予防支援	96.0	39.0	57.0
地域密着型介護予防サービス	1.5	0.7	0.8
介護予防認知症対応型通所介護	0.1	0.1	0.1
介護予防小規模多機能型居宅介護（短期利用以外）	1.3	0.6	0.6
介護予防小規模多機能型居宅介護（短期利用）	0.0	－	0.0
介護予防認知症対応型共同生活介護（短期利用以外）	0.1	－	0.1
介護予防認知症対応型共同生活介護（短期利用）	－	－	－

注：総数には、月の途中で要支援から要介護に変更となった者を含む。

（80～84歳）

平成30年４月審査分
（単位：千人）

サ ー ビ ス 種 類	総数	要支援１	要支援２
総数	179.2	73.6	105.1
介護予防居宅サービス	175.1	71.7	102.9
訪問通所	165.1	66.7	98.0
介護予防訪問介護	1.1	0.6	0.6
介護予防訪問入浴介護	0.1	0.0	0.1
介護予防訪問看護	16.9	5.9	11.0
介護予防訪問リハビリテーション	4.0	1.1	2.8
介護予防通所介護	1.7	0.9	0.8
介護予防通所リハビリテーション	41.8	17.7	23.9
介護予防福祉用具貸与	124.8	47.2	77.2
短期入所	1.8	0.5	1.3
介護予防短期入所生活介護	1.6	0.4	1.2
介護予防短期入所療養介護（老健）	0.2	0.0	0.1
特定治療・特別療養費（再掲）	0.0	－	0.0
介護予防短期入所療養介護（病院等）	0.0	－	0.0
特定診療費（再掲）	0.0	－	0.0
介護予防居宅療養管理指導	9.9	4.2	5.7
介護予防特定施設入居者生活介護	5.4	3.0	2.4
介護予防支援	164.2	66.6	97.5
地域密着型介護予防サービス	3.1	1.4	1.8
介護予防認知症対応型通所介護	0.2	0.1	0.1
介護予防小規模多機能型居宅介護（短期利用以外）	2.7	1.3	1.4
介護予防小規模多機能型居宅介護（短期利用）	0.0	0.0	0.0
介護予防認知症対応型共同生活介護（短期利用以外）	0.2	－	0.2
介護予防認知症対応型共同生活介護（短期利用）	－	－	－

注：総数には、月の途中で要支援から要介護に変更となった者を含む。

統計表第１表　介護予防サービス受給者数，月・年齢階級・サービス種類・要支援状態区分別（65－64）

（85～89歳）

平成30年４月審査分
（単位：千人）

サービス種類	総数	要支援１	要支援２
総数	192.7	74.6	117.3
介護予防居宅サービス	187.9	72.5	114.7
訪問通所	170.5	64.1	105.8
介護予防訪問介護	1.2	0.5	0.7
介護予防訪問入浴介護	0.1	0.0	0.1
介護予防訪問看護	16.6	5.4	11.1
介護予防訪問リハビリテーション	3.8	1.1	2.7
介護予防通所介護	1.9	0.9	1.0
介護予防通所リハビリテーション	43.2	17.1	26.0
介護予防福祉用具貸与	130.4	45.8	84.2
短期入所	3.5	0.9	2.6
介護予防短期入所生活介護	3.2	0.8	2.3
介護予防短期入所療養介護（老健）	0.3	0.1	0.3
特定治療・特別療養費（再掲）	-	-	-
介護予防短期入所療養介護（病院等）	0.0	0.0	0.0
特定診療費（再掲）	0.0	0.0	0.0
介護予防居宅療養管理指導	14.9	6.3	8.5
介護予防特定施設入居者生活介護	10.6	5.6	5.0
介護予防支援	170.2	64.3	105.7
地域密着型介護予防サービス	4.2	1.7	2.5
介護予防認知症対応型通所介護	0.3	0.1	0.2
介護予防小規模多機能型居宅介護（短期利用以外）	3.6	1.6	2.0
介護予防小規模多機能型居宅介護（短期利用）	0.0	0.0	0.0
介護予防認知症対応型共同生活介護（短期利用以外）	0.3	-	0.3
介護予防認知症対応型共同生活介護（短期利用）	0.0	-	0.0

注：総数には、月の途中で要支援から要介護に変更となった者を含む。

（90～94歳）

平成30年４月審査分
（単位：千人）

サービス種類	総数	要支援１	要支援２
総数	97.7	34.2	63.0
介護予防居宅サービス	95.0	33.1	61.4
訪問通所	81.3	26.8	54.1
介護予防訪問介護	0.6	0.2	0.4
介護予防訪問入浴介護	0.1	0.0	0.1
介護予防訪問看護	7.9	2.3	5.6
介護予防訪問リハビリテーション	1.8	0.4	1.3
介護予防通所介護	1.0	0.4	0.6
介護予防通所リハビリテーション	19.9	6.8	13.0
介護予防福祉用具貸与	62.9	19.5	43.2
短期入所	3.4	0.8	2.5
介護予防短期入所生活介護	3.1	0.8	2.3
介護予防短期入所療養介護（老健）	0.3	0.1	0.3
特定治療・特別療養費（再掲）	0.0	-	0.0
介護予防短期入所療養介護（病院等）	0.0	0.0	0.0
特定診療費（再掲）	0.0	0.0	0.0
介護予防居宅療養管理指導	10.9	4.6	6.3
介護予防特定施設入居者生活介護	8.7	4.4	4.3
介護予防支援	81.8	27.1	54.6
地域密着型介護予防サービス	2.7	0.9	1.8
介護予防認知症対応型通所介護	0.2	0.1	0.1
介護予防小規模多機能型居宅介護（短期利用以外）	2.3	0.9	1.4
介護予防小規模多機能型居宅介護（短期利用）	0.0	-	0.0
介護予防認知症対応型共同生活介護（短期利用以外）	0.2	-	0.2
介護予防認知症対応型共同生活介護（短期利用）	-	-	-

注：総数には、月の途中で要支援から要介護に変更となった者を含む。

統計表第１表　介護予防サービス受給者数，月・年齢階級・サービス種類・要支援状態区分別（65－65）

（95歳以上）

平成30年４月審査分
（単位：千人）

サービス種類	総数	要支援１	要支援２
総数	20.4	6.2	14.0
介護予防居宅サービス	19.8	6.0	13.6
訪問通所	15.8	4.4	11.3
介護予防訪問介護	0.1	0.0	0.1
介護予防訪問入浴介護	0.1	0.0	0.0
介護予防訪問看護	1.7	0.4	1.3
介護予防訪問リハビリテーション	0.3	0.1	0.2
介護予防通所介護	0.2	0.1	0.1
介護予防通所リハビリテーション	3.4	1.0	2.4
介護予防福祉用具貸与	12.6	3.3	9.2
短期入所	1.1	0.2	0.9
介護予防短期入所生活介護	1.0	0.2	0.8
介護予防短期入所療養介護（老健）	0.1	0.0	0.1
特定治療・特別療養費（再掲）	0.0	-	0.0
介護予防短期入所療養介護（病院等）	0.0	0.0	0.0
特定診療費（再掲）	0.0	0.0	0.0
介護予防居宅療養管理指導	3.1	1.2	1.9
介護予防特定施設入居者生活介護	2.6	1.2	1.4
介護予防支援	16.0	4.5	11.5
地域密着型介護予防サービス	0.7	0.2	0.5
介護予防認知症対応型通所介護	0.0	0.0	0.0
介護予防小規模多機能型居宅介護（短期利用以外）	0.6	0.2	0.4
介護予防小規模多機能型居宅介護（短期利用）	0.0	-	0.0
介護予防認知症対応型共同生活介護（短期利用以外）	0.1	-	0.1
介護予防認知症対応型共同生活介護（短期利用）	-	-	-

注：総数には、月の途中で要支援から要介護に変更となった者を含む。

統計表第２表　介護サービス受給者数，月・年齢階級・サービス種類・要介護状態区分別（65－１）

（総　数）

平成29年５月審査分～平成30年４月審査分
（単位：千人）

サ ー ビ ス 種 類	総数	要介護１	要介護２	要介護３	要介護４	要介護５
総数	50 705.5	13 174.1	12 555.3	9 724.4	8 743.3	6 507.3
居宅サービス	35 738.3	11 274.8	10 538.5	6 427.8	4 532.1	2 964.2
訪問通所	30 589.2	10 149.1	9 395.8	5 249.2	3 517.2	2 277.5
訪問介護	12 099.7	3 851.3	3 563.8	1 991.6	1 509.5	1 183.4
訪問入浴介護	791.0	19.7	64.4	94.5	212.1	400.3
訪問看護	5 086.3	1 146.7	1 322.0	896.9	863.0	857.7
訪問リハビリテーション	1 058.9	203.4	293.7	212.1	189.5	160.2
通所介護	13 627.1	4 959.5	4 166.6	2 351.1	1 397.8	751.9
通所リハビリテーション	5 247.0	1 755.4	1 729.2	950.1	558.1	254.1
福祉用具貸与	19 950.4	4 362.8	6 364.3	4 091.8	3 072.5	2 058.9
短期入所	4 498.8	731.2	1 111.6	1 230.4	885.3	540.2
短期入所生活介護	3 940.1	649.0	976.0	1 093.1	770.6	451.4
短期入所療養介護（老健）	573.6	82.3	137.6	143.9	120.2	89.6
特定治療・特別療養費（再掲）	3.7	0.3	0.7	0.8	0.7	1.2
短期入所療養介護（病院等）	24.6	3.0	4.6	4.6	5.0	7.5
特定診療費（再掲）	17.5	2.0	3.1	3.2	3.5	5.6
居宅療養管理指導	7 933.8	1 498.3	1 776.7	1 619.1	1 588.1	1 451.4
特定施設入居者生活介護（短期利用以外）	2 341.7	611.9	512.4	438.8	457.8	320.4
特定施設入居者生活介護（短期利用）	16.1	3.8	4.8	3.6	2.4	1.6
居宅介護支援	31 656.3	10 828.6	9 621.0	5 423.4	3 550.6	2 232.7
地域密着型サービス	10 134.1	2 907.7	2 729.1	2 101.2	1 442.8	953.1
定期巡回・随時対応型訪問介護看護	233.7	59.7	60.0	44.5	41.7	27.9
夜間対応型訪問介護	94.5	14.1	25.4	19.4	18.5	17.1
地域密着型通所介護	4 869.3	1 874.2	1 515.9	818.0	436.4	224.7
認知症対応型通所介護	682.2	166.7	171.0	169.5	98.6	76.4
小規模多機能型居宅介護（短期利用以外）	1 124.8	321.2	307.3	240.1	161.7	94.4
小規模多機能型居宅介護（短期利用）	4.5	1.1	1.3	1.1	0.7	0.4
認知症対応型共同生活介護（短期利用以外）	2 383.8	451.8	601.3	632.2	415.7	282.7
認知症対応型共同生活介護（短期利用）	3.9	1.0	1.0	1.2	0.5	0.2
地域密着型特定施設入居者生活介護（短期利用以外）	86.9	15.8	21.7	18.2	18.6	12.6
地域密着型特定施設入居者生活介護（短期利用）	0.4	0.1	0.1	0.1	0.0	0.0
地域密着型介護老人福祉施設入所者生活介護	658.2	9.9	30.9	162.9	247.1	207.5
複合型サービス（看護小規模多機能型居宅介護・短期利用以外）	94.2	15.6	20.5	19.3	19.3	19.5
複合型サービス（看護小規模多機能型居宅介護・短期利用）	1.4	0.3	0.3	0.3	0.3	0.3
施設サービス	11 307.3	614.6	1 145.3	2 617.2	3 728.9	3 201.3
介護福祉施設サービス	6 399.1	108.8	315.5	1 518.6	2 359.4	2 096.7
介護保健施設サービス	4 334.4	498.8	814.2	1 056.1	1 169.4	795.9
特定治療・特別療養費（再掲）	115.6	4.9	8.2	15.2	39.0	48.3
介護療養施設サービス	611.2	7.3	16.2	51.7	216.7	319.3
特定診療費（再掲）	605.7	7.0	15.9	51.1	215.1	316.6

注：総数には、月の途中で要介護から要支援に変更となった者を含む。

（40～64歳）

平成29年５月審査分～平成30年４月審査分
（単位：千人）

サ ー ビ ス 種 類	総数	要介護１	要介護２	要介護３	要介護４	要介護５
総数	1 244.9	266.1	366.8	237.2	187.0	187.9
居宅サービス	1 048.3	239.1	337.6	196.0	140.7	134.9
訪問通所	981.3	228.5	323.9	181.6	126.9	120.3
訪問介護	380.9	82.5	114.5	67.9	52.4	63.5
訪問入浴介護	46.5	0.5	2.5	3.7	9.2	30.6
訪問看護	222.6	43.2	65.7	40.8	33.7	39.2
訪問リハビリテーション	86.2	16.1	25.7	16.8	12.0	15.7
通所介護	281.1	65.7	88.3	57.6	38.9	30.7
通所リハビリテーション	243.2	60.1	85.0	50.5	28.5	19.2
福祉用具貸与	740.0	119.1	248.6	151.7	111.9	108.7
短期入所	70.4	5.3	11.7	17.4	17.2	18.8
短期入所生活介護	55.1	4.4	9.4	14.1	13.3	14.0
短期入所療養介護（老健）	15.7	0.9	2.3	3.5	4.1	4.9
特定治療・特別療養費（再掲）	0.1	－	0.0	0.0	0.0	0.1
短期入所療養介護（病院等）	0.7	0.0	0.1	0.1	0.1	0.4
特定診療費（再掲）	0.6	0.0	0.1	0.1	0.1	0.3
居宅療養管理指導	211.0	25.4	43.1	38.0	40.6	63.9
特定施設入居者生活介護（短期利用以外）	22.4	3.8	4.6	4.0	4.9	5.0
特定施設入居者生活介護（短期利用）	0.2	0.0	0.0	0.0	0.1	0.1
居宅介護支援	980.4	235.5	323.6	181.0	124.3	116.0
地域密着型サービス	196.9	49.4	59.8	39.5	25.3	22.9
定期巡回・随時対応型訪問介護看護	5.3	0.9	1.1	1.1	1.1	1.1
夜間対応型訪問介護	5.1	0.5	1.2	1.1	1.0	1.3
地域密着型通所介護	134.0	38.1	47.2	25.1	13.9	9.8
認知症対応型通所介護	10.3	1.9	1.8	2.5	1.7	2.4
小規模多機能型居宅介護（短期利用以外）	19.0	4.2	4.4	4.3	3.5	2.6
小規模多機能型居宅介護（短期利用）	0.1	0.0	0.0	0.0	0.0	0.0
認知症対応型共同生活介護（短期利用以外）	16.0	3.5	3.7	4.2	2.1	2.4
認知症対応型共同生活介護（短期利用）	0.0	0.0	0.0	0.0	0.0	0.0
地域密着型特定施設入居者生活介護（短期利用以外）	0.8	0.1	0.2	0.1	0.2	0.2
地域密着型特定施設入居者生活介護（短期利用）	－	－	－	－	－	－
地域密着型介護老人福祉施設入所者生活介護	5.6	0.1	0.3	1.1	1.7	2.4
複合型サービス（看護小規模多機能型居宅介護・短期利用以外）	2.8	0.3	0.4	0.5	0.6	1.1
複合型サービス（看護小規模多機能型居宅介護・短期利用）	0.0	0.0	0.0	0.0	0.0	0.0
施設サービス	144.3	8.1	15.1	31.8	41.3	48.1
介護福祉施設サービス	58.3	1.1	3.1	12.8	18.2	23.1
介護保健施設サービス	73.4	6.9	11.8	18.2	19.2	17.4
特定治療・特別療養費（再掲）	2.3	0.0	0.1	0.2	0.8	1.1
介護療養施設サービス	13.1	0.1	0.3	0.9	4.0	7.7
特定診療費（再掲）	13.0	0.1	0.3	0.9	4.0	7.7

注：総数には、月の途中で要介護から要支援に変更となった者を含む。

統計表第２表　介護サービス受給者数，月・年齢階級・サービス種類・要介護状態区分別（65－２）

（65～69歳）

平成29年５月審査分～平成30年４月審査分
（単位：千人）

サービス種類	総数	要介護１	要介護２	要介護３	要介護４	要介護５
総数	2 031.5	505.0	564.7	379.7	309.0	273.0
居宅サービス	1 653.3	445.9	509.6	299.7	218.8	179.3
訪問通所	1 532.1	420.1	483.7	273.6	195.6	159.0
訪問介護	706.7	202.9	212.5	115.9	89.3	86.1
訪問入浴介護	56.8	1.1	3.4	5.2	12.9	34.2
訪問看護	301.0	60.2	83.6	55.4	49.0	52.8
訪問リハビリテーション	91.1	15.0	25.3	18.2	15.5	17.2
通所介護	501.2	140.7	152.2	96.4	65.5	46.3
通所リハビリテーション	337.4	85.0	113.7	70.1	44.2	24.4
福祉用具貸与	1 042.5	176.0	341.5	217.3	168.5	139.2
短期入所	131.2	13.4	23.5	33.4	31.0	29.9
短期入所生活介護	106.4	11.5	19.3	27.6	24.8	23.1
短期入所療養介護（老健）	25.3	1.8	4.2	5.9	6.4	7.0
特定治療・特別療養費（再掲）	0.2	0.0	0.0	0.0	0.0	0.1
短期入所療養介護（病院等）	1.2	0.1	0.1	0.2	0.3	0.5
特定診療費（再掲）	1.0	0.1	0.1	0.2	0.3	0.4
居宅療養管理指導	317.4	50.1	67.9	59.8	60.4	79.3
特定施設入居者生活介護（短期利用以外）	43.6	10.4	9.8	8.0	8.6	6.9
特定施設入居者生活介護（短期利用）	0.5	0.1	0.1	0.1	0.1	0.1
居宅介護支援	1 551.0	439.2	487.0	276.6	193.7	154.5
地域密着型サービス	343.4	100.3	99.1	67.1	42.5	34.4
定期巡回・随時対応型訪問介護看護	8.6	1.9	2.0	1.7	1.7	1.3
夜間対応型訪問介護	5.9	0.7	1.4	1.1	1.3	1.5
地域密着型通所介護	221.1	72.5	73.2	39.9	21.7	13.8
認知症対応型通所介護	22.5	5.0	4.3	5.4	3.5	4.3
小規模多機能型居宅介護（短期利用以外）	33.5	9.4	8.1	7.0	5.0	4.0
小規模多機能型居宅介護（短期利用）	0.1	0.0	0.0	0.0	0.0	0.0
認知症対応型共同生活介護（短期利用以外）	38.5	10.5	9.3	9.0	5.2	4.5
認知症対応型共同生活介護（短期利用）	0.1	0.0	0.0	0.0	0.0	0.0
地域密着型特定施設入居者生活介護（短期利用以外）	1.6	0.3	0.4	0.3	0.3	0.3
地域密着型特定施設入居者生活介護（短期利用）	0.0	0.0	－	－	－	0.0
地域密着型介護老人福祉施設入所者生活介護	11.7	0.2	0.6	3.0	3.7	4.3
複合型サービス(看護小規模多機能型居宅介護・短期利用以外)	3.8	0.6	0.7	0.8	0.7	1.0
複合型サービス(看護小規模多機能型居宅介護・短期利用)	0.0	0.0	0.0	0.0	0.0	0.0
施設サービス	273.8	16.7	28.6	61.9	80.7	85.9
介護福祉施設サービス	137.7	2.9	7.9	32.0	44.5	50.4
介護保健施設サービス	117.6	13.6	20.2	28.5	30.2	25.1
特定治療・特別療養費（再掲）	3.5	0.2	0.1	0.4	1.1	1.8
介護療養施設サービス	19.4	0.2	0.5	1.5	6.3	10.8
特定診療費（再掲）	19.2	0.2	0.5	1.5	6.3	10.7

注：総数には、月の途中で要介護から要支援に変更となった者を含む。

（70～74歳）

平成29年５月審査分～平成30年４月審査分
（単位：千人）

サービス種類	総数	要介護１	要介護２	要介護３	要介護４	要介護５
総数	3 198.9	840.8	866.5	596.5	493.5	401.7
居宅サービス	2 520.9	729.2	770.3	455.5	326.4	239.4
訪問通所	2 312.9	681.5	725.0	409.1	288.4	208.9
訪問介護	973.6	287.4	294.5	161.5	122.7	107.4
訪問入浴介護	71.2	1.3	4.9	7.2	17.5	40.3
訪問看護	431.8	93.0	117.6	77.5	71.3	72.4
訪問リハビリテーション	119.2	19.9	33.3	24.1	21.7	20.3
通所介護	845.0	269.9	251.0	155.5	102.5	66.0
通所リハビリテーション	499.9	135.1	164.2	101.8	65.6	33.3
福祉用具貸与	1 563.2	285.0	510.1	325.5	253.4	189.3
短期入所	225.2	26.8	42.4	59.6	53.8	42.5
短期入所生活介護	186.4	23.5	35.8	50.5	43.7	32.9
短期入所療養介護（老健）	39.7	3.3	6.7	9.5	10.6	9.7
特定治療・特別療養費（再掲）	0.3	0.0	0.0	0.0	0.1	0.2
短期入所療養介護（病院等）	1.8	0.1	0.2	0.3	0.4	0.8
特定診療費（再掲）	1.4	0.1	0.2	0.2	0.3	0.7
居宅療養管理指導	480.9	82.1	105.6	93.1	92.8	107.2
特定施設入居者生活介護（短期利用以外）	76.5	20.7	16.8	14.3	13.3	11.5
特定施設入居者生活介護（短期利用）	0.7	0.1	0.2	0.2	0.1	0.1
居宅介護支援	2 372.2	727.6	736.6	417.4	287.2	203.3
地域密着型サービス	584.4	184.7	165.6	112.4	70.4	51.4
定期巡回・随時対応型訪問介護看護	12.8	3.2	3.0	2.4	2.5	1.8
夜間対応型訪問介護	8.3	0.9	1.8	1.8	1.8	2.0
地域密着型通所介護	360.8	131.0	115.6	61.7	32.7	19.7
認知症対応型通所介護	42.4	10.6	9.2	10.1	6.7	5.8
小規模多機能型居宅介護（短期利用以外）	56.4	17.9	14.1	11.0	7.8	5.6
小規模多機能型居宅介護（短期利用）	0.2	0.0	0.1	0.1	0.0	0.0
認知症対応型共同生活介護（短期利用以外）	78.8	20.7	19.8	19.8	10.7	7.9
認知症対応型共同生活介護（短期利用）	0.2	0.0	0.0	0.1	0.0	0.0
地域密着型特定施設入居者生活介護（短期利用以外）	2.7	0.5	0.7	0.6	0.5	0.4
地域密着型特定施設入居者生活介護（短期利用）	0.0	0.0	0.0	0.0	0.0	0.0
地域密着型介護老人福祉施設入所者生活介護	21.7	0.5	1.2	5.3	7.3	7.4
複合型サービス(看護小規模多機能型居宅介護・短期利用以外)	6.0	0.9	1.3	1.0	1.3	1.6
複合型サービス(看護小規模多機能型居宅介護・短期利用)	0.1	0.0	0.0	0.0	0.0	0.0
施設サービス	488.5	27.7	48.9	110.4	151.0	150.4
介護福祉施設サービス	263.8	5.9	15.1	62.2	89.2	91.3
介護保健施設サービス	195.3	21.4	33.1	46.2	52.3	42.3
特定治療・特別療養費（再掲）	5.6	0.2	0.3	0.6	1.7	2.8
介護療養施設サービス	31.2	0.4	0.7	2.4	10.3	17.4
特定診療費（再掲）	31.0	0.4	0.7	2.4	10.2	17.3

注：総数には、月の途中で要介護から要支援に変更となった者を含む。

統計表第２表　介護サービス受給者数，月・年齢階級・サービス種類・要介護状態区分別（65－３）

（75～79歳）

平成29年５月審査分～平成30年４月審査分
（単位：千人）

サービス種類	総数	要介護１	要介護２	要介護３	要介護４	要介護５
総数	5 774.6	1 660.3	1 504.0	1 055.6	871.5	683.1
居宅サービス	4 369.9	1 421.4	1 307.9	764.2	522.0	354.3
訪問通所	3 938.2	1 322.0	1 212.1	664.0	444.0	296.1
訪問介護	1 587.7	511.5	477.9	256.5	188.5	153.2
訪問入浴介護	95.4	2.2	7.3	10.3	25.3	50.4
訪問看護	674.6	164.2	179.7	115.3	108.3	107.1
訪問リハビリテーション	156.3	27.8	43.3	32.1	29.1	24.0
通所介護	1 615.5	599.9	475.4	275.7	166.6	97.9
通所リハビリテーション	782.1	243.2	255.1	148.1	91.8	43.8
福祉用具貸与	2 538.0	535.8	827.5	516.8	389.1	268.9
短期入所	423.5	59.5	89.0	116.2	92.0	66.8
短期入所生活介護	358.4	52.3	75.7	100.4	76.8	53.3
短期入所療養介護（老健）	66.9	7.2	13.5	16.6	16.0	13.6
特定治療・特別療養費（再掲）	0.4	0.0	0.1	0.1	0.1	0.1
短期入所療養介護（病院等）	2.7	0.2	0.4	0.5	0.5	1.1
特定診療費（再掲）	2.0	0.2	0.3	0.4	0.4	0.8
居宅療養管理指導	832.1	158.5	187.2	164.6	157.1	164.6
特定施設入居者生活介護（短期利用以外）	157.3	41.7	34.4	29.7	28.3	23.2
特定施設入居者生活介護（短期利用）	1.5	0.3	0.4	0.3	0.3	0.2
居宅介護支援	4 090.4	1 427.6	1 242.3	684.9	445.6	290.0
地域密着型サービス	1 147.8	387.2	318.1	219.2	131.8	91.5
定期巡回・随時対応型訪問介護看護	23.6	6.7	5.6	4.3	4.2	2.8
夜間対応型訪問介護	12.2	1.6	3.2	2.6	2.4	2.4
地域密着型通所介護	652.7	265.7	201.8	104.1	52.7	28.4
認知症対応型通所介護	88.6	25.2	21.5	21.2	11.0	9.7
小規模多機能型居宅介護（短期利用以外）	117.9	38.2	31.1	23.7	15.3	9.5
小規模多機能型居宅介護（短期利用）	0.4	0.1	0.1	0.1	0.1	0.0
認知症対応型共同生活介護（短期利用以外）	198.5	49.1	51.3	50.9	27.6	19.8
認知症対応型共同生活介護（短期利用）	0.4	0.1	0.1	0.1	0.1	0.0
地域密着型特定施設入居者生活介護（短期利用以外）	5.6	1.0	1.4	1.1	1.3	0.8
地域密着型特定施設入居者生活介護（短期利用）	0.0	0.0	0.0	0.0	0.0	−
地域密着型介護老人福祉施設入所者生活介護	47.9	0.7	2.2	11.6	16.6	16.7
複合型サービス(看護小規模多機能型居宅介護・短期利用以外)	12.0	2.1	2.8	2.3	2.3	2.4
複合型サービス(看護小規模多機能型居宅介護・短期利用)	0.2	0.0	0.0	0.0	0.0	0.0
施設サービス	998.7	56.9	97.1	226.9	314.7	303.1
介護福祉施設サービス	557.3	11.7	29.1	131.0	193.4	192.2
介護保健施設サービス	388.2	44.6	66.6	92.4	104.3	80.4
特定治療・特別療養費（再掲）	10.6	0.5	0.7	1.2	3.4	5.0
介護療養施設サービス	56.8	0.6	1.5	4.4	18.7	31.6
特定診療費（再掲）	56.5	0.6	1.4	4.4	18.6	31.5

注：総数には、月の途中で要介護から要支援に変更となった者を含む。

（80～84歳）

平成29年５月審査分～平成30年４月審査分
（単位：千人）

サービス種類	総数	要介護１	要介護２	要介護３	要介護４	要介護５
総数	10 377.8	3 135.3	2 629.8	1 874.1	1 567.5	1 170.9
居宅サービス	7 550.9	2 678.7	2 227.6	1 272.1	840.6	531.7
訪問通所	6 601.3	2 456.9	2 012.5	1 052.8	667.6	411.5
訪問介護	2 671.5	939.6	798.6	419.7	295.8	217.8
訪問入浴介護	125.1	3.5	10.1	15.1	34.2	62.2
訪問看護	1 045.9	279.2	283.2	176.4	156.9	150.2
訪問リハビリテーション	205.5	42.7	58.5	41.3	35.6	27.4
通所介護	2 985.5	1 216.6	891.1	470.0	265.0	142.9
通所リハビリテーション	1 155.7	422.6	374.4	196.6	113.4	48.6
福祉用具貸与	4 083.5	998.1	1 329.6	804.0	579.4	372.3
短期入所	807.5	138.3	190.9	224.0	157.4	96.8
短期入所生活介護	703.9	122.1	166.7	198.0	136.1	81.0
短期入所療養介護（老健）	107.3	16.4	24.7	27.4	22.6	16.2
特定治療・特別療養費（再掲）	0.7	0.1	0.1	0.1	0.2	0.2
短期入所療養介護（病院等）	3.9	0.5	0.7	0.8	0.7	1.2
特定診療費（再掲）	3.0	0.3	0.5	0.6	0.6	1.0
居宅療養管理指導	1 518.3	317.0	352.8	308.7	281.1	258.7
特定施設入居者生活介護（短期利用以外）	383.4	106.0	86.1	70.2	69.2	51.8
特定施設入居者生活介護（短期利用）	3.0	0.7	0.9	0.6	0.4	0.3
居宅介護支援	6 888.5	2 645.3	2 070.6	1 093.0	675.5	404.2
地域密着型サービス	2 202.5	735.3	603.7	429.7	261.2	172.6
定期巡回・随時対応型訪問介護看護	47.1	13.7	12.3	8.3	7.6	5.2
夜間対応型訪問介護	19.8	3.1	5.6	4.0	3.8	3.3
地域密着型通所介護	1 123.4	482.8	341.9	172.2	85.1	41.5
認知症対応型通所介護	161.9	47.1	41.8	39.3	19.3	14.3
小規模多機能型居宅介護（短期利用以外）	246.0	79.5	68.0	49.9	31.0	17.7
小規模多機能型居宅介護（短期利用）	0.8	0.2	0.2	0.2	0.1	0.1
認知症対応型共同生活介護（短期利用以外）	484.8	106.4	127.5	127.6	72.6	50.6
認知症対応型共同生活介護（短期利用）	0.9	0.2	0.2	0.2	0.1	0.1
地域密着型特定施設入居者生活介護（短期利用以外）	13.6	2.8	3.4	2.9	2.6	2.0
地域密着型特定施設入居者生活介護（短期利用）	0.1	0.0	0.0	0.0	0.0	0.0
地域密着型介護老人福祉施設入所者生活介護	108.1	1.7	4.7	26.8	38.7	36.2
複合型サービス(看護小規模多機能型居宅介護・短期利用以外)	19.6	3.8	4.4	3.9	3.7	3.7
複合型サービス(看護小規模多機能型居宅介護・短期利用)	0.3	0.1	0.1	0.1	0.1	0.0
施設サービス	2 015.3	119.1	202.8	465.3	646.9	581.1
介護福祉施設サービス	1 123.2	21.4	54.8	266.5	401.8	378.8
介護保健施設サービス	792.3	96.4	145.4	191.8	211.2	147.4
特定治療・特別療養費（再掲）	20.1	0.9	1.3	2.8	6.9	8.2
介護療養施設サービス	107.1	1.3	2.7	8.8	37.1	57.1
特定診療費（再掲）	106.3	1.3	2.7	8.7	36.9	56.8

注：総数には、月の途中で要介護から要支援に変更となった者を含む。

統計表第２表　介護サービス受給者数，月・年齢階級・サービス種類・要介護状態区分別（65－４）

（85～89歳）

平成29年５月審査分～平成30年４月審査分
（単位：千人）

サービス種類	総数	要介護１	要介護２	要介護３	要介護４	要介護５
総数	13 404.6	3 788.7	3 337.6	2 521.7	2 186.0	1 570.3
居宅サービス	9 373.8	3 244.8	2 765.8	1 626.6	1 083.0	653.3
訪問通所	7 853.7	2 888.0	2 418.7	1 279.0	800.1	467.7
訪問介護	3 126.3	1 087.3	931.8	498.9	356.9	251.4
訪問入浴介護	144.4	4.2	13.6	19.1	40.5	67.0
訪問看護	1 184.4	298.2	316.2	205.0	188.7	176.2
訪問リハビリテーション	214.0	48.1	60.3	42.1	36.8	26.7
通所介護	3 801.6	1 510.6	1 173.7	615.1	338.0	164.1
通所リハビリテーション	1 244.7	479.2	410.1	202.6	110.1	42.7
福祉用具貸与	4 911.4	1 233.6	1 588.9	975.1	692.4	421.4
短期入所	1 215.7	226.1	321.4	333.7	217.0	117.4
短期入所生活介護	1 077.4	201.2	284.1	299.2	192.0	100.9
短期入所療養介護（老健）	142.8	24.9	38.1	36.5	26.3	16.8
特定治療・特別療養費（再掲）	0.9	0.1	0.2	0.2	0.2	0.3
短期入所療養介護（病院等）	5.3	0.9	1.1	1.1	1.0	1.3
特定診療費（再掲）	3.6	0.5	0.7	0.7	0.7	0.9
居宅療養管理指導	2 125.7	451.4	496.6	439.9	404.1	333.6
特定施設入居者生活介護（短期利用以外）	709.9	201.6	158.3	130.0	129.7	90.2
特定施設入居者生活介護（短期利用）	4.7	1.2	1.4	1.0	0.6	0.3
居宅介護支援	8 166.4	3 078.5	2 485.3	1 329.8	812.5	460.3
地域密着型サービス	2 849.3	850.7	778.5	587.0	385.5	247.5
定期巡回・随時対応型訪問介護看護	67.5	18.3	18.0	12.8	11.1	7.4
夜間対応型訪問介護	22.4	4.1	6.8	4.6	3.9	3.0
地域密着型通所介護	1 295.6	531.5	400.7	206.8	105.3	51.3
認知症対応型通所介護	189.3	48.4	52.1	46.3	25.0	17.5
小規模多機能型居宅介護（短期利用以外）	332.0	98.4	94.3	70.7	44.7	23.8
小規模多機能型居宅介護（短期利用）	1.4	0.4	0.4	0.3	0.2	0.1
認知症対応型共同生活介護（短期利用以外）	737.2	143.9	193.7	196.5	121.8	81.3
認知症対応型共同生活介護（短期利用）	1.1	0.3	0.4	0.3	0.1	0.0
地域密着型特定施設入居者生活介護（短期利用以外）	25.7	5.1	6.6	5.4	5.2	3.4
地域密着型特定施設入居者生活介護（短期利用）	0.1	0.0	0.0	0.0	0.0	0.0
地域密着型介護老人福祉施設入所者生活介護	181.9	2.8	8.7	45.2	67.5	57.7
複合型サービス（看護小規模多機能型居宅介護・短期利用以外）	24.9	4.5	5.6	5.2	4.9	4.8
複合型サービス（看護小規模多機能型居宅介護・短期利用）	0.4	0.1	0.1	0.1	0.1	0.1
施設サービス	2 983.5	174.5	316.2	700.6	969.9	822.3
介護福祉施設サービス	1 669.3	27.9	82.0	405.3	611.8	542.5
介護保健施設サービス	1 168.2	144.5	230.1	284.6	306.5	202.4
特定治療・特別療養費（再掲）	30.1	1.3	2.3	4.0	9.9	12.6
介護療養施設サービス	156.3	2.1	4.3	13.4	56.2	80.3
特定診療費（再掲）	154.9	2.1	4.2	13.2	55.8	79.6

注：総数には、月の途中で要介護から要支援に変更となった者を含む。

（90～94歳）

平成29年５月審査分～平成30年４月審査分
（単位：千人）

サービス種類	総数	要介護１	要介護２	要介護３	要介護４	要介護５
総数	10 166.0	2 330.4	2 410.5	2 077.5	1 972.7	1 374.7
居宅サービス	6 652.6	1 980.6	1 944.6	1 263.3	915.3	548.6
訪問通所	5 367.5	1 706.5	1 655.8	969.1	652.1	384.0
訪問介護	1 979.1	598.4	569.0	341.8	274.6	195.2
訪問入浴介護	141.3	4.3	13.5	18.9	40.7	64.0
訪問看護	836.6	164.7	202.5	153.3	160.8	155.3
訪問リハビリテーション	137.3	27.3	36.0	27.3	27.3	19.4
通所介護	2 647.9	916.9	844.8	476.4	278.6	131.2
通所リハビリテーション	756.2	267.1	253.4	133.1	73.7	28.9
福祉用具貸与	3 583.7	788.3	1 116.1	759.7	571.9	347.7
短期入所	1 108.1	194.9	305.3	301.6	201.5	104.7
短期入所生活介護	988.4	174.0	271.1	272.2	180.3	90.9
短期入所療養介護（老健）	122.0	20.8	34.5	30.8	22.1	13.8
特定治療・特別療養費（再掲）	0.7	0.1	0.2	0.2	0.1	0.2
短期入所療養介護（病院等）	5.7	0.9	1.4	1.1	1.1	1.3
特定診療費（再掲）	3.8	0.6	0.9	0.7	0.7	0.8
居宅療養管理指導	1 687.1	316.2	379.2	355.0	355.7	281.1
特定施設入居者生活介護（短期利用以外）	649.3	169.3	143.2	123.2	130.1	83.5
特定施設入居者生活介護（短期利用）	4.1	1.0	1.3	0.9	0.6	0.3
居宅介護支援	5 552.9	1 805.7	1 698.7	1 006.1	664.1	378.4
地域密着型サービス	2 029.4	481.7	534.1	457.8	342.7	213.2
定期巡回・随時対応型訪問介護看護	50.3	11.9	13.5	9.9	9.3	5.6
夜間対応型訪問介護	15.2	2.5	4.0	3.2	3.0	2.4
地域密着型通所介護	818.5	286.3	258.0	150.5	84.6	39.1
認知症対応型通所介護	122.6	23.4	31.3	32.2	21.2	14.5
小規模多機能型居宅介護（短期利用以外）	233.3	58.8	66.0	52.7	35.9	19.9
小規模多機能型居宅介護（短期利用）	1.0	0.3	0.3	0.3	0.1	0.1
認知症対応型共同生活介護（短期利用以外）	586.4	92.1	146.7	159.5	113.7	74.4
認知症対応型共同生活介護（短期利用）	0.9	0.2	0.2	0.2	0.1	0.1
地域密着型特定施設入居者生活介護（短期利用以外）	25.1	4.5	6.4	5.1	5.5	3.5
地域密着型特定施設入居者生活介護（短期利用）	0.1	0.0	0.0	0.0	0.0	0.0
地域密着型介護老人福祉施設入所者生活介護	176.9	2.7	8.5	45.2	68.6	51.9
複合型サービス（看護小規模多機能型居宅介護・短期利用以外）	18.0	2.7	4.1	4.0	4.0	3.2
複合型サービス（看護小規模多機能型居宅介護・短期利用）	0.3	0.1	0.1	0.1	0.0	0.1
施設サービス	2 763.0	147.7	291.5	656.1	928.8	738.8
介護福祉施設サービス	1 590.5	24.8	78.9	387.7	602.6	496.5
介護保健施設サービス	1 040.6	121.2	208.6	258.2	279.0	173.5
特定治療・特別療養費（再掲）	27.4	1.2	2.2	4.0	9.6	10.4
介護療養施設サービス	140.6	1.7	4.1	12.6	51.2	71.0
特定診療費（再掲）	139.2	1.7	4.0	12.4	50.8	70.3

注：総数には、月の途中で要介護から要支援に変更となった者を含む。

統計表第２表　介護サービス受給者数，月・年齢階級・サービス種類・要介護状態区分別（65－５）

（95歳以上）

平成29年５月審査分～平成30年４月審査分

（単位：千人）

サービス種類	総数	要介護１	要介護２	要介護３	要介護４	要介護５
総数	4 507.2	647.5	875.6	982.1	1 156.3	845.7
居宅サービス	2 568.6	535.0	675.1	550.4	485.4	322.7
訪問通所	2 002.2	445.6	564.1	420.0	342.6	229.9
訪問介護	673.8	141.6	164.8	129.2	129.3	108.8
訪問入浴介護	110.3	2.6	9.1	15.1	31.9	51.6
訪問看護	389.6	44.0	73.5	73.3	94.3	104.4
訪問リハビリテーション	49.1	6.5	11.3	10.2	11.5	9.5
通所介護	949.3	239.2	290.0	204.5	142.8	72.8
通所リハビリテーション	227.8	63.1	73.3	47.2	30.8	13.4
福祉用具貸与	1 488.2	227.0	402.0	341.7	306.0	211.5
短期入所	517.3	67.0	127.3	144.4	115.3	63.3
短期入所生活介護	464.1	60.0	113.8	131.3	103.6	55.4
短期入所療養介護（老健）	53.9	6.9	13.5	13.8	12.0	7.7
特定治療・特別療養費（再掲）	0.4	0.0	0.0	0.2	0.0	0.1
短期入所療養介護（病院等）	3.2	0.3	0.6	0.5	0.8	0.9
特定診療費（再掲）	2.1	0.2	0.4	0.4	0.5	0.6
居宅療養管理指導	761.2	97.6	144.3	160.0	196.2	163.0
特定施設入居者生活介護（短期利用以外）	299.2	58.4	59.3	59.4	73.8	48.3
特定施設入居者生活介護（短期利用）	1.5	0.3	0.4	0.4	0.3	0.2
居宅介護支援	2 054.5	469.1	577.0	434.7	347.7	226.0
地域密着型サービス	780.4	118.4	170.4	188.5	183.4	119.6
定期巡回・随時対応型訪問介護看護	18.5	3.1	4.5	3.9	4.3	2.7
夜間対応型訪問介護	5.5	0.6	1.3	1.1	1.2	1.2
地域密着型通所介護	263.2	66.3	77.5	57.9	40.4	21.0
認知症対応型通所介護	44.7	5.1	9.0	12.5	10.3	7.8
小規模多機能型居宅介護（短期利用以外）	86.7	14.9	21.4	20.8	18.5	11.2
小規模多機能型居宅介護（短期利用）	0.4	0.1	0.1	0.1	0.1	0.1
認知症対応型共同生活介護（短期利用以外）	243.6	25.6	49.3	64.7	62.2	41.9
認知症対応型共同生活介護（短期利用）	0.4	0.1	0.1	0.1	0.1	0.0
地域密着型特定施設入居者生活介護（短期利用以外）	11.8	1.5	2.6	2.7	2.9	2.1
地域密着型特定施設入居者生活介護（短期利用）	0.0	0.0	0.0	0.0	0.0	0.0
地域密着型介護老人福祉施設入所者生活介護	104.3	1.3	4.6	24.6	42.9	30.9
複合型サービス(看護小規模多機能型居宅介護・短期利用以外)	7.2	0.7	1.3	1.7	1.9	1.6
複合型サービス(看護小規模多機能型居宅介護・短期利用)	0.1	0.0	0.0	0.0	0.0	0.0
施設サービス	1 640.3	63.9	145.1	364.1	595.5	471.7
介護福祉施設サービス	998.9	13.1	44.7	221.2	397.9	322.0
介護保健施設サービス	558.8	50.1	98.3	136.3	166.7	107.4
特定治療・特別療養費（再掲）	16.0	0.6	1.2	2.0	5.7	6.5
介護療養施設サービス	86.7	0.8	2.2	7.7	32.9	43.3
特定診療費（再掲）	85.6	0.7	2.1	7.5	32.5	42.7

注：総数には、月の途中で要介護から要支援に変更となった者を含む。

統計表第２表　介護サービス受給者数，月・年齢階級・サービス種類・要介護状態区分別（65－６）

（総　　数）

平成29年５月審査分
（単位：千人）

サービス種類	総数	要介護１	要介護２	要介護３	要介護４	要介護５
総数	4 149.5	1 072.9	1 028.6	796.3	715.3	536.4
居宅サービス	2 914.9	914.6	859.1	525.8	371.6	243.8
訪問通所	2 501.0	824.7	767.6	430.8	289.7	188.1
訪問介護	994.0	315.6	292.7	163.5	124.3	97.8
訪問入浴介護	67.0	1.7	5.6	8.2	17.9	33.7
訪問看護	404.0	88.9	103.9	71.0	69.7	70.4
訪問リハビリテーション	84.7	15.8	23.4	17.0	15.4	13.2
通所介護	1 112.7	403.4	340.0	192.7	114.7	61.9
通所リハビリテーション	431.9	143.2	142.2	78.7	46.4	21.4
福祉用具貸与	1 620.1	347.3	515.6	334.2	252.9	170.2
短期入所	367.9	58.4	90.0	100.6	73.7	45.3
短期入所生活介護	321.9	51.9	78.8	89.1	64.1	37.8
短期入所療養介護（老健）	47.2	6.5	11.3	11.9	10.0	7.5
特定治療・特別療養費（再掲）	0.3	0.0	0.1	0.1	0.0	0.1
短期入所療養介護（病院等）	2.1	0.2	0.4	0.4	0.4	0.6
特定診療費（再掲）	1.5	0.2	0.3	0.3	0.3	0.5
居宅療養管理指導	628.0	116.9	140.1	128.2	126.1	116.6
特定施設入居者生活介護（短期利用以外）	189.4	49.4	41.2	35.5	36.9	26.3
特定施設入居者生活介護（短期利用）	1.3	0.3	0.4	0.3	0.2	0.1
居宅介護支援	2 597.3	883.4	788.6	446.5	293.6	185.2
地域密着型サービス	820.9	234.9	221.8	170.9	116.7	76.5
定期巡回・随時対応型訪問介護看護	17.8	4.5	4.6	3.4	3.2	2.1
夜間対応型訪問介護	7.9	1.2	2.1	1.6	1.5	1.4
地域密着型通所介護	396.5	152.1	123.5	66.6	36.0	18.3
認知症対応型通所介護	56.3	13.7	14.0	14.1	8.2	6.4
小規模多機能型居宅介護（短期利用以外）	90.4	25.5	24.7	19.5	13.1	7.6
小規模多機能型居宅介護（短期利用）	0.3	0.1	0.1	0.1	0.0	0.0
認知症対応型共同生活介護（短期利用以外）	193.0	36.2	48.8	51.5	33.6	22.8
認知症対応型共同生活介護（短期利用）	0.3	0.1	0.1	0.1	0.0	0.0
地域密着型特定施設入居者生活介護（短期利用以外）	7.1	1.3	1.8	1.5	1.5	1.0
地域密着型特定施設入居者生活介護（短期利用）	0.0	0.0	0.0	0.0	0.0	0.0
地域密着型介護老人福祉施設入所者生活介護	52.4	0.9	2.8	13.0	19.3	16.4
複合型サービス(看護小規模多機能型居宅介護・短期利用以外)	7.0	1.2	1.5	1.5	1.4	1.4
複合型サービス(看護小規模多機能型居宅介護・短期利用)	0.1	0.0	0.0	0.0	0.0	0.0
施設サービス	935.4	52.1	97.5	214.9	305.6	265.3
介護福祉施設サービス	525.0	9.8	28.1	123.6	191.3	172.2
介護保健施設サービス	360.6	41.7	68.1	87.7	97.1	66.0
特定治療・特別療養費（再掲）	9.3	0.4	0.7	1.2	3.1	3.9
介護療養施設サービス	53.2	0.6	1.4	4.5	18.7	27.9
特定診療費（再掲）	52.7	0.6	1.4	4.5	18.6	27.7

注：総数には、月の途中で要介護から要支援に変更となった者を含む。

（40～64歳）

平成29年５月審査分
（単位：千人）

サービス種類	総数	要介護１	要介護２	要介護３	要介護４	要介護５
総数	103.3	21.9	30.7	19.6	15.7	15.5
居宅サービス	86.6	19.5	28.2	16.1	11.7	11.1
訪問通所	81.2	18.7	27.0	15.0	10.6	10.0
訪問介護	31.8	6.9	9.6	5.6	4.4	5.3
訪問入浴介護	3.9	0.0	0.2	0.3	0.8	2.5
訪問看護	17.9	3.4	5.3	3.2	2.8	3.2
訪問リハビリテーション	7.0	1.3	2.1	1.4	1.0	1.3
通所介護	23.3	5.4	7.3	4.8	3.2	2.6
通所リハビリテーション	20.4	5.0	7.1	4.2	2.5	1.6
福祉用具貸与	61.3	9.6	20.8	12.5	9.4	9.0
短期入所	5.8	0.4	1.0	1.4	1.4	1.6
短期入所生活介護	4.5	0.3	0.8	1.1	1.1	1.2
短期入所療養介護（老健）	1.3	0.1	0.2	0.3	0.4	0.4
特定治療・特別療養費（再掲）	0.0	－	－	－	0.0	0.0
短期入所療養介護（病院等）	0.1	0.0	0.0	0.0	0.0	0.0
特定診療費（再掲）	0.1	0.0	0.0	0.0	0.0	0.0
居宅療養管理指導	16.9	1.9	3.5	3.0	3.3	5.2
特定施設入居者生活介護（短期利用以外）	1.8	0.3	0.4	0.3	0.4	0.4
特定施設入居者生活介護（短期利用）	0.0	0.0	0.0	0.0	0.0	0.0
居宅介護支援	81.6	19.4	27.1	15.0	10.4	9.7
地域密着型サービス	16.4	4.1	5.0	3.3	2.1	1.9
定期巡回・随時対応型訪問介護看護	0.4	0.1	0.1	0.1	0.1	0.1
夜間対応型訪問介護	0.4	0.0	0.1	0.1	0.1	0.1
地域密着型通所介護	11.3	3.2	3.9	2.1	1.2	0.8
認知症対応型通所介護	0.9	0.1	0.2	0.2	0.1	0.2
小規模多機能型居宅介護（短期利用以外）	1.6	0.4	0.4	0.3	0.3	0.2
小規模多機能型居宅介護（短期利用）	0.0	－	－	0.0	0.0	0.0
認知症対応型共同生活介護（短期利用以外）	1.3	0.3	0.3	0.3	0.2	0.2
認知症対応型共同生活介護（短期利用）	0.0	－	0.0	－	－	－
地域密着型特定施設入居者生活介護（短期利用以外）	0.1	0.0	0.0	0.0	0.0	0.0
地域密着型特定施設入居者生活介護（短期利用）	－	－	－	－	－	－
地域密着型介護老人福祉施設入所者生活介護	0.5	0.0	0.0	0.1	0.1	0.2
複合型サービス(看護小規模多機能型居宅介護・短期利用以外)	0.2	0.0	0.0	0.0	0.0	0.1
複合型サービス(看護小規模多機能型居宅介護・短期利用)	0.0	－	0.0	－	0.0	0.0
施設サービス	12.2	0.7	1.3	2.7	3.5	4.0
介護福祉施設サービス	4.9	0.1	0.3	1.1	1.5	1.9
介護保健施設サービス	6.2	0.6	1.0	1.5	1.6	1.4
特定治療・特別療養費（再掲）	0.2	0.0	0.0	0.0	0.1	0.1
介護療養施設サービス	1.2	0.0	0.0	0.1	0.4	0.7
特定診療費（再掲）	1.2	0.0	0.0	0.1	0.4	0.7

注：総数には、月の途中で要介護から要支援に変更となった者を含む。

統計表第２表　介護サービス受給者数，月・年齢階級・サービス種類・要介護状態区分別（65－７）

（65～69歳）

平成29年５月審査分
（単位：千人）

サービス種類	総数	要介護１	要介護２	要介護３	要介護４	要介護５
総数	172.1	42.5	48.1	32.2	26.1	23.1
居宅サービス	139.7	37.4	43.3	25.4	18.6	15.1
訪問通所	129.7	35.3	41.2	23.2	16.7	13.4
訪問介護	60.0	17.1	18.1	9.9	7.6	7.3
訪問入浴介護	4.9	0.1	0.3	0.5	1.1	2.9
訪問看護	24.6	4.8	6.8	4.6	4.0	4.3
訪問リハビリテーション	7.7	1.3	2.1	1.5	1.3	1.5
通所介護	42.3	11.8	12.9	8.2	5.5	3.9
通所リハビリテーション	29.0	7.3	9.8	6.0	3.8	2.1
福祉用具貸与	87.9	14.6	28.9	18.4	14.4	11.8
短期入所	11.0	1.1	1.9	2.8	2.7	2.5
短期入所生活介護	8.9	0.9	1.6	2.3	2.1	2.0
短期入所療養介護（老健）	2.1	0.2	0.3	0.5	0.6	0.6
特定治療・特別療養費（再掲）	0.0	−	0.0	0.0	0.0	0.0
短期入所療養介護（病院等）	0.1	0.0	0.0	0.0	0.0	0.0
特定診療費（再掲）	0.1	0.0	0.0	0.0	0.0	0.0
居宅療養管理指導	25.9	4.0	5.6	4.9	4.9	6.5
特定施設入居者生活介護（短期利用以外）	3.7	0.9	0.8	0.7	0.7	0.6
特定施設入居者生活介護（短期利用）	0.0	0.0	0.0	0.0	0.0	0.0
居宅介護支援	132.0	37.1	41.6	23.6	16.6	13.1
地域密着型サービス	29.2	8.5	8.5	5.7	3.6	2.9
定期巡回・随時対応型訪問介護看護	0.6	0.1	0.2	0.1	0.1	0.1
夜間対応型訪問介護	0.5	0.1	0.1	0.1	0.1	0.1
地域密着型通所介護	18.9	6.2	6.3	3.4	1.9	1.2
認知症対応型通所介護	1.9	0.4	0.4	0.5	0.3	0.4
小規模多機能型居宅介護（短期利用以外）	2.8	0.8	0.7	0.6	0.4	0.3
小規模多機能型居宅介護（短期利用）	0.0	0.0	0.0	0.0	−	0.0
認知症対応型共同生活介護（短期利用以外）	3.3	0.9	0.8	0.8	0.4	0.4
認知症対応型共同生活介護（短期利用）	0.0	0.0	0.0	0.0	0.0	−
地域密着型特定施設入居者生活介護（短期利用以外）	0.1	0.0	0.0	0.0	0.0	0.0
地域密着型特定施設入居者生活介護（短期利用）	0.0	0.0	−	−	−	−
地域密着型介護老人福祉施設入所者生活介護	1.0	0.0	0.1	0.2	0.3	0.4
複合型サービス(看護小規模多機能型居宅介護・短期利用以外)	0.3	0.0	0.1	0.1	0.0	0.1
複合型サービス(看護小規模多機能型居宅介護・短期利用)	0.0	−	0.0	0.0	−	0.0
施設サービス	23.4	1.4	2.5	5.3	6.8	7.4
介護福祉施設サービス	11.6	0.3	0.7	2.7	3.6	4.3
介護保健施設サービス	10.2	1.1	1.8	2.5	2.6	2.2
特定治療・特別療養費（再掲）	0.3	0.0	0.0	0.0	0.1	0.1
介護療養施設サービス	1.7	0.0	0.0	0.1	0.5	1.0
特定診療費（再掲）	1.7	0.0	0.0	0.1	0.5	1.0

注：総数には、月の途中で要介護から要支援に変更となった者を含む。

（70～74歳）

平成29年５月審査分
（単位：千人）

サービス種類	総数	要介護１	要介護２	要介護３	要介護４	要介護５
総数	259.2	68.0	69.9	48.6	40.0	32.7
居宅サービス	203.4	58.8	61.9	37.1	26.4	19.3
訪問通所	187.1	55.0	58.4	33.4	23.3	16.9
訪問介護	79.2	23.4	24.0	13.2	9.9	8.8
訪問入浴介護	5.9	0.1	0.4	0.6	1.4	3.4
訪問看護	33.7	7.0	9.0	6.1	5.7	5.9
訪問リハビリテーション	9.4	1.5	2.5	1.9	1.7	1.7
通所介護	68.6	22.0	20.3	12.7	8.3	5.3
通所リハビリテーション	40.9	11.0	13.4	8.4	5.4	2.8
福祉用具貸与	126.0	22.7	40.9	26.6	20.5	15.3
短期入所	18.2	2.1	3.4	4.9	4.4	3.5
短期入所生活介護	15.0	1.8	2.8	4.1	3.6	2.6
短期入所療養介護（老健）	3.3	0.2	0.5	0.8	0.9	0.8
特定治療・特別療養費（再掲）	0.0	0.0	0.0	0.0	0.0	0.0
短期入所療養介護（病院等）	0.2	0.0	0.0	0.0	0.0	0.1
特定診療費（再掲）	0.1	0.0	0.0	0.0	0.0	0.1
居宅療養管理指導	37.6	6.4	8.1	7.3	7.3	8.5
特定施設入居者生活介護（短期利用以外）	6.1	1.7	1.3	1.1	1.0	0.9
特定施設入居者生活介護（短期利用）	0.1	0.0	0.0	0.0	0.0	0.0
居宅介護支援	192.8	59.0	59.6	34.2	23.4	16.6
地域密着型サービス	47.3	15.0	13.4	9.1	5.7	4.1
定期巡回・随時対応型訪問介護看護	1.0	0.3	0.2	0.2	0.2	0.1
夜間対応型訪問介護	0.7	0.1	0.1	0.1	0.1	0.2
地域密着型通所介護	29.4	10.7	9.4	5.0	2.7	1.6
認知症対応型通所介護	3.5	0.9	0.8	0.9	0.5	0.5
小規模多機能型居宅介護（短期利用以外）	4.5	1.4	1.2	0.9	0.6	0.4
小規模多機能型居宅介護（短期利用）	0.0	0.0	0.0	0.0	0.0	0.0
認知症対応型共同生活介護（短期利用以外）	6.3	1.7	1.6	1.6	0.9	0.6
認知症対応型共同生活介護（短期利用）	0.0	0.0	−	0.0	−	−
地域密着型特定施設入居者生活介護（短期利用以外）	0.2	0.0	0.1	0.0	0.0	0.0
地域密着型特定施設入居者生活介護（短期利用）	0.0	0.0	−	−	0.0	0.0
地域密着型介護老人福祉施設入所者生活介護	1.7	0.0	0.1	0.4	0.6	0.6
複合型サービス(看護小規模多機能型居宅介護・短期利用以外)	0.4	0.1	0.1	0.1	0.1	0.1
複合型サービス(看護小規模多機能型居宅介護・短期利用)	0.0	0.0	0.0	0.0	0.0	0.0
施設サービス	40.2	2.3	4.1	9.1	12.4	12.4
介護福祉施設サービス	21.6	0.5	1.3	5.1	7.3	7.4
介護保健施設サービス	16.1	1.8	2.7	3.8	4.3	3.5
特定治療・特別療養費（再掲）	0.5	0.0	0.0	0.0	0.1	0.2
介護療養施設サービス	2.7	0.0	0.1	0.2	0.9	1.5
特定診療費（再掲）	2.7	0.0	0.1	0.2	0.9	1.5

注：総数には、月の途中で要介護から要支援に変更となった者を含む。

統計表第２表　介護サービス受給者数，月・年齢階級・サービス種類・要介護状態区分別（65－８）

（75～79歳）

平成29年５月審査分
（単位：千人）

サービス種類	総数	要介護１	要介護２	要介護３	要介護４	要介護５
総数	476.8	136.3	124.4	87.1	72.2	56.7
居宅サービス	359.5	116.2	107.8	63.0	43.2	29.3
訪問通所	324.4	108.2	100.1	54.7	36.9	24.6
訪問介護	131.8	42.4	39.9	21.2	15.7	12.7
訪問入浴介護	8.1	0.2	0.6	0.9	2.1	4.2
訪問看護	54.1	13.0	14.3	9.2	8.8	8.8
訪問リハビリテーション	12.5	2.1	3.4	2.6	2.4	2.0
通所介護	133.0	49.2	39.3	22.6	13.8	8.1
通所リハビリテーション	64.9	19.8	21.3	12.3	7.8	3.7
福祉用具貸与	207.7	43.1	67.7	42.4	32.3	22.3
短期入所	34.7	4.7	7.3	9.5	7.7	5.6
短期入所生活介護	29.5	4.2	6.2	8.2	6.4	4.5
短期入所療養介護（老健）	5.4	0.6	1.1	1.4	1.3	1.1
特定治療・特別療養費（再掲）	0.0	0.0	0.0	0.0	0.0	0.0
短期入所療養介護（病院等）	0.2	0.0	0.0	0.0	0.0	0.1
特定診療費（再掲）	0.2	0.0	0.0	0.0	0.0	0.1
居宅療養管理指導	66.4	12.4	14.9	13.2	12.6	13.3
特定施設入居者生活介護（短期利用以外）	13.0	3.4	2.8	2.5	2.3	1.9
特定施設入居者生活介護（短期利用）	0.1	0.0	0.0	0.0	0.0	0.0
居宅介護支援	338.0	117.3	102.9	56.6	37.1	24.1
地域密着型サービス	94.0	31.8	26.2	17.9	10.8	7.4
定期巡回・随時対応型訪問介護看護	1.8	0.5	0.4	0.3	0.3	0.2
夜間対応型訪問介護	1.0	0.2	0.3	0.2	0.2	0.2
地域密着型通所介護	53.5	21.8	16.6	8.5	4.3	2.3
認知症対応型通所介護	7.3	2.1	1.8	1.7	0.9	0.8
小規模多機能型居宅介護（短期利用以外）	9.6	3.1	2.5	2.0	1.2	0.7
小規模多機能型居宅介護（短期利用）	0.0	0.0	0.0	0.0	0.0	0.0
認知症対応型共同生活介護（短期利用以外）	16.4	4.1	4.3	4.2	2.3	1.6
認知症対応型共同生活介護（短期利用）	0.0	0.0	0.0	0.0	0.0	0.0
地域密着型特定施設入居者生活介護（短期利用以外）	0.5	0.1	0.1	0.1	0.1	0.1
地域密着型特定施設入居者生活介護（短期利用）	0.0	0.0	−	−	−	−
地域密着型介護老人福祉施設入所者生活介護	3.8	0.1	0.2	0.9	1.3	1.3
複合型サービス(看護小規模多機能型居宅介護・短期利用以外)	0.9	0.2	0.2	0.2	0.2	0.2
複合型サービス(看護小規模多機能型居宅介護・短期利用)	0.0	0.0	−	0.0	0.0	0.0
施設サービス	83.7	4.9	8.3	18.8	26.2	25.4
介護福祉施設サービス	46.2	1.1	2.6	10.7	15.8	16.0
介護保健施設サービス	32.8	3.8	5.7	7.8	8.9	6.7
特定治療・特別療養費（再掲）	0.9	0.0	0.1	0.1	0.3	0.4
介護療養施設サービス	5.0	0.1	0.1	0.4	1.6	2.8
特定診療費（再掲）	4.9	0.1	0.1	0.4	1.6	2.8

注：総数には、月の途中で要介護から要支援に変更となった者を含む。

（80～84歳）

平成29年５月審査分
（単位：千人）

サービス種類	総数	要介護１	要介護２	要介護３	要介護４	要介護５
総数	856.5	257.3	217.5	155.0	129.4	97.3
居宅サービス	620.5	219.2	183.2	105.0	69.3	43.9
訪問通所	542.9	201.3	165.6	86.9	55.1	34.0
訪問介護	221.6	78.1	66.4	34.7	24.3	18.0
訪問入浴介護	10.6	0.3	0.9	1.3	2.9	5.2
訪問看護	83.4	21.8	22.5	14.1	12.7	12.3
訪問リハビリテーション	16.5	3.3	4.7	3.2	2.9	2.3
通所介護	245.6	99.8	73.2	38.9	21.9	11.8
通所リハビリテーション	95.4	34.7	30.8	16.3	9.4	4.1
福祉用具貸与	333.5	80.4	108.5	66.0	47.8	30.8
短期入所	66.5	11.0	15.6	18.6	13.2	8.1
短期入所生活介護	57.9	9.7	13.6	16.4	11.4	6.8
短期入所療養介護（老健）	8.9	1.3	2.0	2.3	1.9	1.3
特定治療・特別療養費（再掲）	0.0	0.0	0.0	0.0	0.0	0.0
短期入所療養介護（病院等）	0.3	0.0	0.1	0.1	0.1	0.1
特定診療費（再掲）	0.2	0.0	0.0	0.1	0.0	0.1
居宅療養管理指導	121.2	25.0	28.1	24.7	22.5	20.9
特定施設入居者生活介護（短期利用以外）	31.7	8.7	7.1	5.8	5.8	4.3
特定施設入居者生活介護（短期利用）	0.3	0.1	0.1	0.1	0.0	0.0
居宅介護支援	568.4	217.4	170.9	90.6	56.0	33.5
地域密着型サービス	180.2	59.9	49.6	35.4	21.4	14.0
定期巡回・随時対応型訪問介護看護	3.7	1.0	1.0	0.7	0.6	0.4
夜間対応型訪問介護	1.7	0.3	0.5	0.4	0.3	0.3
地域密着型通所介護	92.0	39.5	28.0	14.1	7.1	3.4
認知症対応型通所介護	13.4	3.9	3.4	3.2	1.6	1.2
小規模多機能型居宅介護（短期利用以外）	20.0	6.3	5.6	4.1	2.5	1.4
小規模多機能型居宅介護（短期利用）	0.1	0.0	0.0	0.0	0.0	0.0
認知症対応型共同生活介護（短期利用以外）	39.9	8.6	10.6	10.6	6.0	4.2
認知症対応型共同生活介護（短期利用）	0.1	0.0	0.0	0.0	0.0	0.0
地域密着型特定施設入居者生活介護（短期利用以外）	1.2	0.2	0.3	0.2	0.2	0.2
地域密着型特定施設入居者生活介護（短期利用）	0.0	−	0.0	0.0	0.0	0.0
地域密着型介護老人福祉施設入所者生活介護	8.7	0.1	0.4	2.2	3.1	2.9
複合型サービス(看護小規模多機能型居宅介護・短期利用以外)	1.5	0.3	0.3	0.3	0.3	0.3
複合型サービス(看護小規模多機能型居宅介護・短期利用)	0.0	0.0	0.0	0.0	0.0	0.0
施設サービス	168.9	10.2	17.6	38.7	53.8	48.7
介護福祉施設サービス	93.0	1.9	4.9	21.9	33.0	31.3
介護保健施設サービス	66.9	8.2	12.5	16.2	17.7	12.4
特定治療・特別療養費（再掲）	1.7	0.1	0.1	0.2	0.6	0.7
介護療養施設サービス	9.6	0.1	0.3	0.7	3.3	5.2
特定診療費（再掲）	9.5	0.1	0.2	0.7	3.3	5.2

注：総数には、月の途中で要介護から要支援に変更となった者を含む。

統計表第２表　介護サービス受給者数，月・年齢階級・サービス種類・要介護状態区分別（65－９）

（85～89歳）

平成29年５月審査分
（単位：千人）

サービス種類	総数	要介護１	要介護２	要介護３	要介護４	要介護５
総数	1 091.2	306.6	271.7	205.8	178.0	129.1
居宅サービス	760.1	261.5	223.8	132.5	88.5	53.8
訪問通所	638.0	233.1	195.9	104.7	65.7	38.6
訪問介護	254.8	88.3	75.6	40.8	29.4	20.7
訪問入浴介護	12.3	0.4	1.2	1.7	3.5	5.6
訪問看護	93.2	22.9	24.6	16.2	15.2	14.4
訪問リハビリテーション	16.9	3.7	4.7	3.3	3.0	2.2
通所介護	308.3	122.1	95.0	50.2	27.5	13.5
通所リハビリテーション	101.3	38.7	33.3	16.7	9.0	3.6
福祉用具貸与	395.4	97.3	127.4	79.3	56.7	34.8
短期入所	99.1	18.0	26.1	27.1	18.1	9.8
短期入所生活介護	87.7	16.1	23.0	24.2	16.0	8.4
短期入所療養介護（老健）	11.8	2.0	3.2	3.0	2.2	1.5
特定治療・特別療養費（再掲）	0.1	0.0	0.0	0.0	0.0	0.0
短期入所療養介護（病院等）	0.4	0.1	0.1	0.1	0.1	0.1
特定診療費（再掲）	0.3	0.0	0.1	0.1	0.1	0.1
居宅療養管理指導	167.7	35.0	39.1	34.6	32.1	26.9
特定施設入居者生活介護（短期利用以外）	57.6	16.3	12.8	10.5	10.5	7.5
特定施設入居者生活介護（短期利用）	0.4	0.1	0.1	0.1	0.1	0.0
居宅介護支援	665.5	249.3	202.1	109.1	66.9	38.1
地域密着型サービス	229.6	68.1	62.9	47.7	31.1	19.8
定期巡回・随時対応型訪問介護看護	5.1	1.3	1.3	1.0	0.9	0.5
夜間対応型訪問介護	1.9	0.4	0.6	0.4	0.3	0.3
地域密着型通所介護	104.7	42.7	32.4	16.8	8.6	4.1
認知症対応型通所介護	15.5	3.9	4.3	3.8	2.0	1.4
小規模多機能型居宅介護（短期利用以外）	26.6	7.7	7.6	5.8	3.7	1.9
小規模多機能型居宅介護（短期利用）	0.1	0.0	0.0	0.0	0.0	0.0
認知症対応型共同生活介護（短期利用以外）	59.5	11.5	15.6	16.0	9.8	6.5
認知症対応型共同生活介護（短期利用）	0.1	0.0	0.0	0.0	0.0	0.0
地域密着型特定施設入居者生活介護（短期利用以外）	2.2	0.4	0.6	0.4	0.4	0.3
地域密着型特定施設入居者生活介護（短期利用）	0.0	0.0	0.0	0.0	－	－
地域密着型介護老人福祉施設入所者生活介護	14.5	0.3	0.8	3.6	5.3	4.5
複合型サービス(看護小規模多機能型居宅介護・短期利用以外)	1.9	0.3	0.4	0.4	0.4	0.3
複合型サービス(看護小規模多機能型居宅介護・短期利用)	0.0	0.0	0.0	0.0	0.0	0.0
施設サービス	245.8	14.8	26.8	57.3	79.0	67.8
介護福祉施設サービス	136.3	2.5	7.3	32.8	49.3	44.4
介護保健施設サービス	96.9	12.2	19.1	23.5	25.3	16.7
特定治療・特別療養費（再掲）	2.4	0.1	0.2	0.3	0.8	1.0
介護療養施設サービス	13.5	0.2	0.4	1.2	4.9	6.9
特定診療費（再掲）	13.4	0.2	0.4	1.2	4.8	6.8

注：総数には、月の途中で要介護から要支援に変更となった者を含む。

（90～94歳）

平成29年５月審査分
（単位：千人）

サービス種類	総数	要介護１	要介護２	要介護３	要介護４	要介護５
総数	824.1	188.2	195.1	168.5	159.7	112.7
居宅サービス	537.2	159.3	156.4	102.3	74.3	44.9
訪問通所	434.9	137.4	133.7	78.9	53.3	31.7
訪問介護	160.1	48.2	45.9	27.7	22.3	16.0
訪問入浴介護	12.0	0.4	1.2	1.6	3.4	5.4
訪問看護	65.8	12.6	15.7	12.0	12.8	12.7
訪問リハビリテーション	10.9	2.1	2.9	2.2	2.2	1.6
通所介護	214.6	73.9	68.4	38.8	22.7	10.8
通所リハビリテーション	61.5	21.7	20.5	10.9	6.1	2.4
福祉用具貸与	287.8	61.8	89.2	61.5	46.7	28.7
短期入所	90.4	15.7	24.6	24.6	16.6	8.9
短期入所生活介護	80.5	14.0	21.7	22.2	14.9	7.7
短期入所療養介護（老健）	10.0	1.6	2.9	2.5	1.9	1.2
特定治療・特別療養費（再掲）	0.1	0.0	0.0	0.0	0.0	0.0
短期入所療養介護（病院等）	0.5	0.1	0.1	0.1	0.1	0.1
特定診療費（再掲）	0.3	0.0	0.1	0.1	0.1	0.1
居宅療養管理指導	132.2	24.4	29.5	27.9	28.0	22.4
特定施設入居者生活介護（短期利用以外）	51.6	13.5	11.3	9.8	10.3	6.8
特定施設入居者生活介護（短期利用）	0.3	0.1	0.1	0.1	0.0	0.0
居宅介護支援	451.5	146.0	137.6	82.1	54.5	31.3
地域密着型サービス	162.0	38.2	42.5	36.9	27.4	17.1
定期巡回・随時対応型訪問介護看護	3.8	0.9	1.0	0.8	0.7	0.4
夜間対応型訪問介護	1.2	0.2	0.3	0.3	0.2	0.2
地域密着型通所介護	65.6	22.8	20.6	12.1	6.9	3.2
認知症対応型通所介護	10.1	1.9	2.5	2.7	1.7	1.2
小規模多機能型居宅介護（短期利用以外）	18.5	4.6	5.2	4.2	2.9	1.6
小規模多機能型居宅介護（短期利用）	0.1	0.0	0.0	0.0	0.0	0.0
認知症対応型共同生活介護（短期利用以外）	46.9	7.2	11.7	12.8	9.1	6.0
認知症対応型共同生活介護（短期利用）	0.1	0.0	0.0	0.0	0.0	0.0
地域密着型特定施設入居者生活介護（短期利用以外）	2.0	0.4	0.5	0.4	0.4	0.3
地域密着型特定施設入居者生活介護（短期利用）	0.0	0.0	0.0	0.0	0.0	－
地域密着型介護老人福祉施設入所者生活介護	14.0	0.3	0.8	3.6	5.3	4.1
複合型サービス(看護小規模多機能型居宅介護・短期利用以外)	1.3	0.2	0.3	0.3	0.3	0.2
複合型サービス(看護小規模多機能型居宅介護・短期利用)	0.0	0.0	0.0	0.0	0.0	0.0
施設サービス	226.6	12.4	24.6	53.4	75.5	60.8
介護福祉施設サービス	130.0	2.3	7.1	31.4	48.6	40.7
介護保健施設サービス	85.4	10.0	17.2	21.2	22.9	14.2
特定治療・特別療養費（再掲）	2.1	0.1	0.2	0.3	0.8	0.8
介護療養施設サービス	12.1	0.2	0.3	1.1	4.4	6.1
特定診療費（再掲）	12.0	0.2	0.3	1.1	4.3	6.1

注：総数には、月の途中で要介護から要支援に変更となった者を含む。

統計表第２表　介護サービス受給者数，月・年齢階級・サービス種類・要介護状態区分別（65－10）

（95歳以上）

平成29年５月審査分

（単位：千人）

サービス種類	総数	要介護１	要介護２	要介護３	要介護４	要介護５
総数	366.2	52.1	71.2	79.5	94.2	69.2
居宅サービス	207.9	42.8	54.5	44.5	39.7	26.5
訪問通所	162.7	35.8	45.7	34.0	28.2	19.0
訪問介護	54.8	11.3	13.3	10.4	10.7	9.0
訪問入浴介護	9.4	0.2	0.8	1.3	2.7	4.4
訪問看護	31.2	3.4	5.7	5.7	7.7	8.6
訪問リハビリテーション	3.9	0.5	0.9	0.8	0.9	0.8
通所介護	76.8	19.2	23.5	16.5	11.7	5.9
通所リハビリテーション	18.6	5.1	6.0	3.9	2.5	1.1
福祉用具貸与	120.5	17.9	32.3	27.6	25.1	17.5
短期入所	42.2	5.4	10.2	11.7	9.6	5.3
短期入所生活介護	37.8	4.8	9.1	10.5	8.7	4.6
短期入所療養介護（老健）	4.4	0.5	1.1	1.2	1.0	0.6
特定治療・特別療養費（再掲）	0.0	0.0	0.0	0.0	0.0	0.0
短期入所療養介護（病院等）	0.3	0.0	0.1	0.1	0.1	0.1
特定診療費（再掲）	0.2	0.0	0.0	0.0	0.0	0.1
居宅療養管理指導	60.1	7.6	11.4	12.6	15.5	13.0
特定施設入居者生活介護（短期利用以外）	23.9	4.6	4.7	4.8	5.9	3.9
特定施設入居者生活介護（短期利用）	0.1	0.0	0.0	0.0	0.0	0.0
居宅介護支援	167.5	37.8	46.8	35.3	28.8	18.8
地域密着型サービス	62.2	9.3	13.6	15.0	14.7	9.5
定期巡回・随時対応型訪問介護看護	1.4	0.2	0.4	0.3	0.3	0.2
夜間対応型訪問介護	0.5	0.0	0.1	0.1	0.1	0.1
地域密着型通所介護	21.1	5.2	6.2	4.6	3.3	1.7
認知症対応型通所介護	3.7	0.4	0.7	1.1	0.9	0.6
小規模多機能型居宅介護（短期利用以外）	6.9	1.2	1.7	1.6	1.5	0.9
小規模多機能型居宅介護（短期利用）	0.0	0.0	0.0	0.0	0.0	0.0
認知症対応型共同生活介護（短期利用以外）	19.4	2.0	4.0	5.2	4.9	3.3
認知症対応型共同生活介護（短期利用）	0.0	0.0	0.0	0.0	0.0	0.0
地域密着型特定施設入居者生活介護（短期利用以外）	1.0	0.1	0.2	0.2	0.3	0.2
地域密着型特定施設入居者生活介護（短期利用）	－	－	－	－	－	－
地域密着型介護老人福祉施設入所者生活介護	8.2	0.1	0.4	2.0	3.3	2.4
複合型サービス（看護小規模多機能型居宅介護・短期利用以外）	0.6	0.1	0.1	0.1	0.1	0.1
複合型サービス（看護小規模多機能型居宅介護・短期利用）	0.0	－	0.0	0.0	0.0	－
施設サービス	134.5	5.4	12.3	29.6	48.5	38.7
介護福祉施設サービス	81.5	1.2	4.0	18.0	32.1	26.2
介護保健施設サービス	46.0	4.1	8.1	11.1	13.8	8.9
特定治療・特別療養費（再掲）	1.2	0.0	0.1	0.2	0.4	0.5
介護療養施設サービス	7.4	0.1	0.2	0.7	2.8	3.7
特定診療費（再掲）	7.3	0.1	0.2	0.7	2.8	3.7

注：総数には、月の途中で要介護から要支援に変更となった者を含む。

統計表第２表　介護サービス受給者数，月・年齢階級・サービス種類・要介護状態区分別（65－11）

（総　　数）

平成29年６月審査分
（単位：千人）

サービス種類	総数	要介護１	要介護２	要介護３	要介護４	要介護５
総数	4 213.6	1 089.6	1 043.8	810.0	726.5	543.6
居宅サービス	2 961.0	929.6	872.3	534.7	377.3	247.1
訪問通所	2 533.8	836.4	777.8	436.8	293.1	189.7
訪問介護	1 006.3	319.3	296.4	165.9	125.9	98.8
訪問入浴介護	67.4	1.7	5.6	8.1	18.1	33.9
訪問看護	410.5	90.6	105.9	72.5	70.5	71.0
訪問リハビリテーション	85.9	16.2	23.6	17.2	15.6	13.2
通所介護	1 130.9	409.8	345.3	196.1	116.8	62.9
通所リハビリテーション	437.7	145.2	144.0	79.9	47.1	21.6
福祉用具貸与	1 640.9	353.8	522.3	338.3	255.2	171.3
短期入所	379.4	60.9	93.5	103.8	75.1	46.1
短期入所生活介護	330.9	54.0	81.6	91.7	65.2	38.4
短期入所療養介護（老健）	49.9	7.0	12.1	12.6	10.5	7.8
特定治療・特別療養費（再掲）	0.3	0.0	0.1	0.1	0.1	0.1
短期入所療養介護（病院等）	2.2	0.3	0.4	0.4	0.4	0.7
特定診療費（再掲）	1.5	0.2	0.3	0.3	0.3	0.5
居宅療養管理指導	644.3	120.4	144.0	131.8	129.1	119.0
特定施設入居者生活介護（短期利用以外）	193.3	50.6	42.1	36.3	37.5	26.8
特定施設入居者生活介護（短期利用）	1.4	0.3	0.4	0.3	0.2	0.1
居宅介護支援	2 620.7	891.7	795.9	450.8	296.0	186.3
地域密着型サービス	842.2	240.4	227.6	175.8	119.6	78.7
定期巡回・随時対応型訪問介護看護	18.2	4.6	4.6	3.5	3.4	2.1
夜間対応型訪問介護	7.9	1.2	2.1	1.6	1.5	1.4
地域密着型通所介護	406.6	155.7	126.7	68.7	36.8	18.8
認知症対応型通所介護	57.2	13.9	14.2	14.3	8.3	6.4
小規模多機能型居宅介護（短期利用以外）	92.4	26.2	25.2	20.0	13.3	7.8
小規模多機能型居宅介護（短期利用）	0.4	0.1	0.1	0.1	0.1	0.0
認知症対応型共同生活介護（短期利用以外）	199.3	37.3	50.5	53.1	34.7	23.7
認知症対応型共同生活介護（短期利用）	0.3	0.1	0.1	0.1	0.0	0.0
地域密着型特定施設入居者生活介護（短期利用以外）	7.2	1.3	1.8	1.5	1.5	1.1
地域密着型特定施設入居者生活介護（短期利用）	0.0	0.0	0.0	0.0	0.0	0.0
地域密着型介護老人福祉施設入所者生活介護	53.7	0.9	2.7	13.4	19.9	16.8
複合型サービス(看護小規模多機能型居宅介護・短期利用以外)	7.2	1.2	1.5	1.5	1.5	1.5
複合型サービス(看護小規模多機能型居宅介護・短期利用)	0.1	0.0	0.0	0.0	0.0	0.0
施設サービス	942.3	51.6	96.7	217.1	309.0	267.9
介護福祉施設サービス	532.1	9.7	27.8	125.6	194.3	174.6
介護保健施設サービス	360.6	41.3	67.5	87.9	97.4	66.4
特定治療・特別療養費（再掲）	9.3	0.4	0.7	1.2	3.1	3.9
介護療養施設サービス	53.1	0.6	1.4	4.5	18.7	27.8
特定診療費（再掲）	52.6	0.6	1.4	4.4	18.6	27.6

注：総数には、月の途中で要介護から要支援に変更となった者を含む。

（40～64歳）

平成29年６月審査分
（単位：千人）

サービス種類	総数	要介護１	要介護２	要介護３	要介護４	要介護５
総数	104.8	22.3	31.0	20.0	15.8	15.7
居宅サービス	87.9	20.0	28.5	16.5	11.8	11.2
訪問通所	82.2	19.1	27.2	15.2	10.6	10.0
訪問介護	32.1	7.0	9.7	5.7	4.5	5.3
訪問入浴介護	3.9	0.0	0.2	0.3	0.8	2.5
訪問看護	18.2	3.5	5.4	3.3	2.8	3.2
訪問リハビリテーション	7.1	1.3	2.1	1.4	1.0	1.3
通所介護	23.7	5.5	7.5	4.9	3.3	2.5
通所リハビリテーション	20.6	5.0	7.2	4.3	2.4	1.6
福祉用具貸与	61.6	9.8	20.8	12.7	9.4	9.0
短期入所	5.9	0.4	1.0	1.5	1.4	1.6
短期入所生活介護	4.7	0.4	0.8	1.2	1.1	1.2
短期入所療養介護（老健）	1.3	0.1	0.2	0.3	0.4	0.4
特定治療・特別療養費（再掲）	0.0	－	－	0.0	0.0	0.0
短期入所療養介護（病院等）	0.1	0.0	0.0	0.0	0.0	0.0
特定診療費（再掲）	0.1	0.0	0.0	0.0	0.0	0.0
居宅療養管理指導	17.4	2.1	3.6	3.1	3.4	5.2
特定施設入居者生活介護（短期利用以外）	1.9	0.3	0.4	0.3	0.4	0.4
特定施設入居者生活介護（短期利用）	0.0	0.0	0.0	0.0	0.0	0.0
居宅介護支援	82.1	19.7	27.2	15.2	10.4	9.7
地域密着型サービス	16.7	4.2	5.1	3.4	2.1	2.0
定期巡回・随時対応型訪問介護看護	0.4	0.1	0.1	0.1	0.1	0.1
夜間対応型訪問介護	0.4	0.0	0.1	0.1	0.1	0.1
地域密着型通所介護	11.5	3.2	4.0	2.2	1.2	0.8
認知症対応型通所介護	0.9	0.1	0.2	0.2	0.1	0.2
小規模多機能型居宅介護（短期利用以外）	1.6	0.3	0.4	0.4	0.3	0.2
小規模多機能型居宅介護（短期利用）	0.0	－	0.0	0.0	0.0	0.0
認知症対応型共同生活介護（短期利用以外）	1.4	0.3	0.3	0.4	0.2	0.2
認知症対応型共同生活介護（短期利用）	0.0	－	－	0.0	－	－
地域密着型特定施設入居者生活介護（短期利用以外）	0.1	0.0	0.0	0.0	0.0	0.0
地域密着型特定施設入居者生活介護（短期利用）	－	－	－	－	－	－
地域密着型介護老人福祉施設入所者生活介護	0.5	0.0	0.0	0.1	0.1	0.2
複合型サービス(看護小規模多機能型居宅介護・短期利用以外)	0.2	0.0	0.0	0.0	0.0	0.1
複合型サービス(看護小規模多機能型居宅介護・短期利用)	0.0	－	0.0	－	－	0.0
施設サービス	12.3	0.7	1.3	2.7	3.5	4.0
介護福祉施設サービス	4.9	0.1	0.3	1.0	1.6	1.9
介護保健施設サービス	6.2	0.6	1.0	1.6	1.6	1.4
特定治療・特別療養費（再掲）	0.2	0.0	0.0	0.0	0.1	0.1
介護療養施設サービス	1.2	0.0	0.0	0.1	0.4	0.7
特定診療費（再掲）	1.2	0.0	0.0	0.1	0.4	0.7

注：総数には、月の途中で要介護から要支援に変更となった者を含む。

統計表第２表　介護サービス受給者数，月・年齢階級・サービス種類・要介護状態区分別（65－12）

（65～69歳）

平成29年６月審査分
（単位：千人）

サ ー ビ ス 種 類	総数	要介護１	要介護２	要介護３	要介護４	要介護５
総数	173.9	43.0	48.5	32.7	26.4	23.3
居宅サービス	141.3	37.9	43.7	25.7	18.8	15.2
訪問通所	130.8	35.7	41.4	23.5	16.8	13.5
訪問介護	60.4	17.2	18.3	10.0	7.6	7.4
訪問入浴介護	4.9	0.1	0.3	0.5	1.1	2.9
訪問看護	25.0	4.9	6.9	4.7	4.1	4.5
訪問リハビリテーション	7.7	1.2	2.1	1.5	1.3	1.4
通所介護	42.8	12.0	13.0	8.3	5.6	3.9
通所リハビリテーション	29.1	7.3	9.8	6.0	3.8	2.2
福祉用具貸与	88.6	14.8	29.1	18.5	14.4	11.9
短期入所	11.4	1.2	2.0	3.0	2.7	2.6
短期入所生活介護	9.2	1.0	1.6	2.4	2.2	2.0
短期入所療養介護（老健）	2.2	0.2	0.4	0.6	0.5	0.6
特定治療・特別療養費（再掲）	0.0	0.0	0.0	－	0.0	0.0
短期入所療養介護（病院等）	0.1	0.0	0.0	0.0	0.0	0.0
特定診療費（再掲）	0.1	0.0	0.0	0.0	0.0	0.0
居宅療養管理指導	26.6	4.1	5.8	5.0	5.0	6.7
特定施設入居者生活介護（短期利用以外）	3.7	0.9	0.8	0.7	0.7	0.6
特定施設入居者生活介護（短期利用）	0.0	0.0	0.0	0.0	0.0	0.0
居宅介護支援	132.2	37.2	41.6	23.6	16.6	13.1
地域密着型サービス	29.7	8.6	8.7	5.8	3.6	3.0
定期巡回・随時対応型訪問介護看護	0.7	0.1	0.2	0.1	0.1	0.1
夜間対応型訪問介護	0.5	0.1	0.1	0.1	0.1	0.1
地域密着型通所介護	19.3	6.3	6.5	3.4	1.9	1.2
認知症対応型通所介護	2.0	0.4	0.4	0.5	0.3	0.4
小規模多機能型居宅介護（短期利用以外）	2.8	0.8	0.7	0.6	0.4	0.3
小規模多機能型居宅介護（短期利用）	0.0	0.0	0.0	0.0	0.0	－
認知症対応型共同生活介護（短期利用以外）	3.4	0.9	0.8	0.8	0.5	0.4
認知症対応型共同生活介護（短期利用）	0.0	0.0	－	0.0	0.0	－
地域密着型特定施設入居者生活介護（短期利用以外）	0.1	0.0	0.0	0.0	0.0	0.0
地域密着型特定施設入居者生活介護（短期利用）	0.0	0.0	－	－	－	0.0
地域密着型介護老人福祉施設入所者生活介護	1.0	0.0	0.1	0.3	0.3	0.4
複合型サービス（看護小規模多機能型居宅介護・短期利用以外）	0.3	0.0	0.1	0.1	0.1	0.1
複合型サービス（看護小規模多機能型居宅介護・短期利用）	0.0	－	－	0.0	－	0.0
施設サービス	23.5	1.5	2.5	5.3	6.8	7.4
介護福祉施設サービス	11.7	0.3	0.7	2.7	3.7	4.2
介護保健施設サービス	10.1	1.2	1.7	2.5	2.6	2.2
特定治療・特別療養費（再掲）	0.3	0.0	0.0	0.0	0.1	0.2
介護療養施設サービス	1.7	0.0	0.0	0.1	0.6	1.0
特定診療費（再掲）	1.7	0.0	0.0	0.1	0.6	1.0

注：総数には、月の途中で要介護から要支援に変更となった者を含む。

（70～74歳）

平成29年６月審査分
（単位：千人）

サ ー ビ ス 種 類	総数	要介護１	要介護２	要介護３	要介護４	要介護５
総数	264.0	69.2	71.2	49.6	40.8	33.2
居宅サービス	207.2	59.9	63.1	37.8	26.8	19.7
訪問通所	190.1	55.9	59.3	33.9	23.7	17.2
訪問介護	80.5	23.7	24.3	13.5	10.1	8.9
訪問入浴介護	6.0	0.1	0.5	0.6	1.4	3.4
訪問看護	34.5	7.2	9.3	6.2	5.8	6.0
訪問リハビリテーション	9.6	1.6	2.6	2.0	1.8	1.7
通所介護	69.8	22.3	20.6	12.9	8.5	5.4
通所リハビリテーション	41.3	11.1	13.5	8.5	5.4	2.8
福祉用具貸与	127.8	23.1	41.5	27.0	20.8	15.6
短期入所	18.9	2.2	3.6	5.0	4.5	3.6
短期入所生活介護	15.5	1.9	3.0	4.2	3.6	2.7
短期入所療養介護（老健）	3.4	0.3	0.6	0.8	0.9	0.9
特定治療・特別療養費（再掲）	0.0	0.0	0.0	0.0	0.0	0.0
短期入所療養介護（病院等）	0.2	0.0	0.0	0.0	0.0	0.1
特定診療費（再掲）	0.1	0.0	0.0	0.0	0.0	0.1
居宅療養管理指導	38.8	6.6	8.5	7.7	7.4	8.6
特定施設入居者生活介護（短期利用以外）	6.2	1.7	1.3	1.1	1.1	0.9
特定施設入居者生活介護（短期利用）	0.1	0.0	0.0	0.0	0.0	0.0
居宅介護支援	194.8	59.7	60.2	34.6	23.6	16.7
地域密着型サービス	48.3	15.2	13.7	9.4	5.8	4.2
定期巡回・随時対応型訪問介護看護	1.0	0.3	0.2	0.2	0.2	0.1
夜間対応型訪問介護	0.7	0.1	0.2	0.1	0.1	0.2
地域密着型通所介護	29.9	10.8	9.6	5.1	2.7	1.6
認知症対応型通所介護	3.5	0.9	0.8	0.9	0.5	0.5
小規模多機能型居宅介護（短期利用以外）	4.7	1.5	1.2	1.0	0.6	0.5
小規模多機能型居宅介護（短期利用）	0.0	0.0	0.0	0.0	0.0	0.0
認知症対応型共同生活介護（短期利用以外）	6.5	1.7	1.7	1.6	0.9	0.7
認知症対応型共同生活介護（短期利用）	0.0	0.0	－	0.0	0.0	－
地域密着型特定施設入居者生活介護（短期利用以外）	0.2	0.0	0.1	0.1	0.0	0.0
地域密着型特定施設入居者生活介護（短期利用）	0.0	0.0	－	－	－	0.0
地域密着型介護老人福祉施設入所者生活介護	1.8	0.0	0.1	0.4	0.6	0.6
複合型サービス（看護小規模多機能型居宅介護・短期利用以外）	0.5	0.1	0.1	0.1	0.1	0.1
複合型サービス（看護小規模多機能型居宅介護・短期利用）	0.0	0.0	0.0	0.0	0.0	0.0
施設サービス	40.7	2.3	4.1	9.2	12.6	12.6
介護福祉施設サービス	22.0	0.5	1.3	5.1	7.5	7.6
介護保健施設サービス	16.2	1.8	2.7	3.8	4.3	3.6
特定治療・特別療養費（再掲）	0.5	0.0	0.0	0.0	0.1	0.2
介護療養施設サービス	2.7	0.0	0.1	0.2	0.9	1.5
特定診療費（再掲）	2.7	0.0	0.1	0.2	0.9	1.5

注：総数には、月の途中で要介護から要支援に変更となった者を含む。

統計表第２表　介護サービス受給者数，月・年齢階級・サービス種類・要介護状態区分別（65－13）

（75～79歳）

平成29年６月審査分
（単位：千人）

サービス種類	総数	要介護１	要介護２	要介護３	要介護４	要介護５
総数	484.7	138.6	126.6	88.5	73.2	57.6
居宅サービス	365.4	118.3	109.8	63.8	43.8	29.7
訪問通所	328.9	109.8	101.7	55.4	37.3	24.7
訪問介護	133.5	42.9	40.4	21.5	15.9	12.8
訪問入浴介護	8.1	0.2	0.6	0.9	2.2	4.2
訪問看護	55.0	13.1	14.6	9.3	8.9	9.0
訪問リハビリテーション	12.7	2.2	3.5	2.6	2.4	2.0
通所介護	135.3	50.0	40.0	23.0	14.0	8.2
通所リハビリテーション	65.8	20.2	21.6	12.5	7.8	3.7
福祉用具貸与	210.7	44.0	68.8	42.8	32.6	22.4
短期入所	35.9	4.9	7.7	9.8	7.8	5.7
短期入所生活介護	30.3	4.3	6.5	8.5	6.5	4.6
短期入所療養介護（老健）	5.7	0.6	1.2	1.4	1.4	1.1
特定治療・特別療養費（再掲）	0.0	0.0	0.0	0.0	0.0	0.0
短期入所療養介護（病院等）	0.2	0.0	0.0	0.0	0.0	0.1
特定診療費（再掲）	0.2	0.0	0.0	0.0	0.0	0.1
居宅療養管理指導	68.2	13.0	15.4	13.4	12.9	13.5
特定施設入居者生活介護（短期利用以外）	13.2	3.5	2.9	2.5	2.3	2.0
特定施設入居者生活介護（短期利用）	0.1	0.0	0.0	0.0	0.0	0.0
居宅介護支援	341.6	118.6	104.2	57.2	37.5	24.3
地域密着型サービス	96.8	32.6	26.8	18.6	11.1	7.7
定期巡回・随時対応型訪問介護看護	1.9	0.5	0.5	0.3	0.3	0.2
夜間対応型訪問介護	1.0	0.1	0.3	0.2	0.2	0.2
地域密着型通所介護	55.0	22.3	17.0	8.8	4.5	2.4
認知症対応型通所介護	7.5	2.2	1.8	1.8	0.9	0.8
小規模多機能型居宅介護（短期利用以外）	9.9	3.2	2.6	2.0	1.3	0.8
小規模多機能型居宅介護（短期利用）	0.0	0.0	0.0	0.0	0.0	0.0
認知症対応型共同生活介護（短期利用以外）	17.0	4.2	4.4	4.4	2.4	1.7
認知症対応型共同生活介護（短期利用）	0.0	0.0	0.0	0.0	0.0	0.0
地域密着型特定施設入居者生活介護（短期利用以外）	0.5	0.1	0.1	0.1	0.1	0.1
地域密着型特定施設入居者生活介護（短期利用）	0.0	0.0	－	0.0	－	－
地域密着型介護老人福祉施設入所者生活介護	4.0	0.1	0.2	1.0	1.4	1.4
複合型サービス（看護小規模多機能型居宅介護・短期利用以外）	0.9	0.2	0.2	0.2	0.2	0.2
複合型サービス（看護小規模多機能型居宅介護・短期利用）	0.0	0.0	0.0	0.0	0.0	0.0
施設サービス	84.2	4.8	8.3	19.0	26.4	25.8
介護福祉施設サービス	47.0	1.1	2.6	10.9	16.1	16.4
介護保健施設サービス	32.7	3.7	5.6	7.8	8.9	6.7
特定治療・特別療養費（再掲）	0.9	0.0	0.1	0.1	0.3	0.4
介護療養施設サービス	4.9	0.1	0.1	0.4	1.6	2.8
特定診療費（再掲）	4.9	0.1	0.1	0.4	1.6	2.8

注：総数には、月の途中で要介護から要支援に変更となった者を含む。

（80～84歳）

平成29年６月審査分
（単位：千人）

サービス種類	総数	要介護１	要介護２	要介護３	要介護４	要介護５
総数	869.2	261.3	220.2	157.6	131.4	98.6
居宅サービス	629.4	222.4	185.6	106.7	70.2	44.6
訪問通所	549.3	203.9	167.5	88.0	55.6	34.4
訪問介護	223.8	78.8	67.1	35.1	24.5	18.3
訪問入浴介護	10.6	0.3	0.9	1.3	2.9	5.2
訪問看護	84.7	22.2	22.8	14.4	12.9	12.4
訪問リハビリテーション	16.7	3.4	4.8	3.3	2.9	2.3
通所介護	249.2	101.2	74.2	39.4	22.2	12.1
通所リハビリテーション	96.6	35.1	31.1	16.6	9.5	4.1
福祉用具貸与	337.5	81.6	109.8	66.8	48.1	31.1
短期入所	68.3	11.5	16.1	19.0	13.4	8.3
短期入所生活介護	59.4	10.1	14.0	16.8	11.6	6.9
短期入所療養介護（老健）	9.2	1.4	2.1	2.4	1.9	1.4
特定治療・特別療養費（再掲）	0.1	0.0	0.0	0.0	0.0	0.0
短期入所療養介護（病院等）	0.3	0.0	0.1	0.1	0.1	0.1
特定診療費（再掲）	0.3	0.0	0.0	0.0	0.0	0.1
居宅療養管理指導	124.5	25.7	28.9	25.4	23.1	21.4
特定施設入居者生活介護（短期利用以外）	32.4	8.9	7.3	6.0	5.8	4.4
特定施設入居者生活介護（短期利用）	0.3	0.1	0.1	0.1	0.0	0.0
居宅介護支援	572.9	219.2	172.0	91.5	56.4	33.9
地域密着型サービス	184.9	61.3	50.9	36.3	21.9	14.5
定期巡回・随時対応型訪問介護看護	3.8	1.1	1.0	0.7	0.6	0.4
夜間対応型訪問介護	1.7	0.3	0.5	0.3	0.3	0.3
地域密着型通所介護	94.3	40.5	28.7	14.5	7.2	3.4
認知症対応型通所介護	13.7	3.9	3.5	3.3	1.7	1.2
小規模多機能型居宅介護（短期利用以外）	20.5	6.6	5.7	4.2	2.6	1.5
小規模多機能型居宅介護（短期利用）	0.1	0.0	0.0	0.0	0.0	0.0
認知症対応型共同生活介護（短期利用以外）	41.2	8.9	11.0	10.9	6.2	4.3
認知症対応型共同生活介護（短期利用）	0.1	0.0	0.0	0.0	0.0	0.0
地域密着型特定施設入居者生活介護（短期利用以外）	1.1	0.2	0.3	0.3	0.2	0.2
地域密着型特定施設入居者生活介護（短期利用）	0.0	0.0	0.0	0.0	0.0	－
地域密着型介護老人福祉施設入所者生活介護	8.9	0.2	0.4	2.2	3.2	3.0
複合型サービス（看護小規模多機能型居宅介護・短期利用以外）	1.5	0.3	0.3	0.3	0.3	0.3
複合型サービス（看護小規模多機能型居宅介護・短期利用）	0.0	0.0	0.0	0.0	0.0	0.0
施設サービス	170.1	10.1	17.4	39.2	54.4	49.1
介護福祉施設サービス	94.4	1.9	4.9	22.4	33.5	31.7
介護保健施設サービス	66.9	8.1	12.3	16.2	17.9	12.5
特定治療・特別療養費（再掲）	1.7	0.1	0.1	0.2	0.6	0.7
介護療養施設サービス	9.5	0.1	0.3	0.7	3.3	5.1
特定診療費（再掲）	9.4	0.1	0.2	0.7	3.2	5.1

注：総数には、月の途中で要介護から要支援に変更となった者を含む。

（85～89歳）

平成29年６月審査分
（単位：千人）

サービス種類	総数	要介護１	要介護２	要介護３	要介護４	要介護５
総数	1 110.3	312.0	276.4	209.6	181.3	130.9
居宅サービス	773.7	266.4	227.8	135.0	90.0	54.4
訪問通所	647.7	236.8	199.1	106.3	66.6	38.9
訪問介護	258.4	89.4	76.9	41.4	29.7	21.0
訪問入浴介護	12.4	0.4	1.2	1.6	3.5	5.8
訪問看護	95.0	23.4	25.1	16.6	15.4	14.5
訪問リハビリテーション	17.1	3.8	4.7	3.4	3.0	2.2
通所介護	314.1	124.3	96.7	51.3	28.0	13.7
通所リハビリテーション	103.0	39.3	33.9	16.9	9.3	3.6
福祉用具貸与	401.5	99.4	129.5	80.3	57.4	35.0
短期入所	102.6	19.0	27.2	28.0	18.5	10.0
短期入所生活介護	90.5	16.9	23.8	25.0	16.3	8.5
短期入所療養介護（老健）	12.5	2.1	3.4	3.2	2.3	1.5
特定治療・特別療養費（再掲）	0.1	0.0	0.0	0.0	0.0	0.0
短期入所療養介護（病院等）	0.5	0.1	0.1	0.1	0.1	0.1
特定診療費（再掲）	0.3	0.0	0.1	0.1	0.1	0.1
居宅療養管理指導	172.0	36.2	39.9	35.6	32.9	27.4
特定施設入居者生活介護（短期利用以外）	58.8	16.8	13.0	10.7	10.6	7.6
特定施設入居者生活介護（短期利用）	0.4	0.1	0.1	0.1	0.1	0.0
居宅介護支援	673.3	252.3	204.6	110.3	67.7	38.4
地域密着型サービス	236.0	69.8	64.7	49.0	32.0	20.4
定期巡回・随時対応型訪問介護看護	5.3	1.4	1.4	1.0	0.9	0.6
夜間対応型訪問介護	1.9	0.4	0.6	0.4	0.4	0.3
地域密着型通所介護	107.7	43.8	33.4	17.3	8.9	4.3
認知症対応型通所介護	15.8	4.0	4.3	3.9	2.1	1.5
小規模多機能型居宅介護（短期利用以外）	27.1	7.9	7.7	5.9	3.7	2.0
小規模多機能型居宅介護（短期利用）	0.1	0.0	0.0	0.0	0.0	0.0
認知症対応型共同生活介護（短期利用以外）	61.3	11.8	16.2	16.5	10.1	6.8
認知症対応型共同生活介護（短期利用）	0.1	0.0	0.0	0.0	0.0	0.0
地域密着型特定施設入居者生活介護（短期利用以外）	2.2	0.4	0.6	0.5	0.4	0.3
地域密着型特定施設入居者生活介護（短期利用）	0.0	0.0	0.0	0.0	－	－
地域密着型介護老人福祉施設入所者生活介護	14.9	0.2	0.8	3.7	5.5	4.7
複合型サービス（看護小規模多機能型居宅介護・短期利用以外）	1.9	0.3	0.4	0.4	0.4	0.3
複合型サービス（看護小規模多機能型居宅介護・短期利用）	0.0	0.0	0.0	0.0	0.0	0.0
施設サービス	247.9	14.7	26.6	57.9	80.1	68.6
介護福祉施設サービス	138.5	2.5	7.2	33.4	50.3	45.1
介護保健施設サービス	97.0	12.1	19.0	23.7	25.4	16.9
特定治療・特別療養費（再掲）	2.4	0.1	0.2	0.3	0.8	1.0
介護療養施設サービス	13.5	0.2	0.4	1.2	4.9	6.9
特定診療費（再掲）	13.3	0.2	0.4	1.2	4.8	6.8

注：総数には、月の途中で要介護から要支援に変更となった者を含む。

（90～94歳）

平成29年６月審査分
（単位：千人）

サービス種類	総数	要介護１	要介護２	要介護３	要介護４	要介護５
総数	836.9	190.5	198.0	171.5	162.5	114.4
居宅サービス	545.9	161.5	158.9	104.2	75.6	45.6
訪問通所	440.8	139.2	135.5	80.1	54.2	31.9
訪問介護	162.3	48.8	46.4	28.1	22.8	16.1
訪問入浴介護	12.1	0.4	1.2	1.7	3.5	5.5
訪問看護	66.7	12.8	16.0	12.2	13.0	12.8
訪問リハビリテーション	11.1	2.2	2.9	2.2	2.3	1.6
通所介護	218.1	75.0	69.5	39.5	23.1	11.0
通所リハビリテーション	62.5	22.0	20.9	11.0	6.2	2.4
福祉用具貸与	292.0	63.1	90.3	62.3	47.4	28.9
短期入所	93.1	16.3	25.4	25.3	17.1	9.0
短期入所生活介護	82.6	14.5	22.4	22.7	15.2	7.8
短期入所療養介護（老健）	10.8	1.8	3.1	2.7	2.0	1.2
特定治療・特別療養費（再掲）	0.1	0.0	0.0	0.0	0.0	0.0
短期入所療養介護（病院等）	0.5	0.1	0.1	0.1	0.1	0.1
特定診療費（再掲）	0.3	0.0	0.1	0.1	0.1	0.1
居宅療養管理指導	135.5	24.9	30.4	28.6	28.6	23.0
特定施設入居者生活介護（短期利用以外）	52.8	13.7	11.6	10.0	10.5	6.9
特定施設入居者生活介護（短期利用）	0.3	0.1	0.1	0.1	0.0	0.0
居宅介護支援	455.8	147.2	139.0	82.9	55.2	31.5
地域密着型サービス	166.2	39.1	43.7	37.9	28.1	17.4
定期巡回・随時対応型訪問介護看護	3.8	0.9	1.0	0.8	0.7	0.4
夜間対応型訪問介護	1.3	0.2	0.3	0.3	0.3	0.2
地域密着型通所介護	67.3	23.4	21.2	12.5	7.1	3.2
認知症対応型通所介護	10.2	1.9	2.6	2.7	1.8	1.2
小規模多機能型居宅介護（短期利用以外）	18.8	4.7	5.3	4.3	2.9	1.7
小規模多機能型居宅介護（短期利用）	0.1	0.0	0.0	0.0	0.0	0.0
認知症対応型共同生活介護（短期利用以外）	48.5	7.5	12.1	13.3	9.4	6.2
認知症対応型共同生活介護（短期利用）	0.1	0.0	0.0	0.0	0.0	0.0
地域密着型特定施設入居者生活介護（短期利用以外）	2.0	0.4	0.5	0.4	0.4	0.3
地域密着型特定施設入居者生活介護（短期利用）	0.0	0.0	0.0	－	0.0	－
地域密着型介護老人福祉施設入所者生活介護	14.3	0.2	0.8	3.7	5.4	4.2
複合型サービス（看護小規模多機能型居宅介護・短期利用以外）	1.4	0.2	0.3	0.3	0.3	0.2
複合型サービス（看護小規模多機能型居宅介護・短期利用）	0.0	0.0	0.0	0.0	0.0	0.0
施設サービス	228.5	12.2	24.3	54.0	76.4	61.5
介護福祉施設サービス	131.6	2.2	7.0	31.9	49.2	41.2
介護保健施設サービス	85.5	9.8	17.0	21.2	23.1	14.3
特定治療・特別療養費（再掲）	2.2	0.1	0.2	0.3	0.8	0.8
介護療養施設サービス	12.2	0.2	0.4	1.1	4.4	6.1
特定診療費（再掲）	12.0	0.2	0.3	1.1	4.4	6.1

注：総数には、月の途中で要介護から要支援に変更となった者を含む。

統計表第２表　介護サービス受給者数，月・年齢階級・サービス種類・要介護状態区分別（65－15）

(95歳以上)

平成29年６月審査分
（単位：千人）

サービス種類	総数	要介護１	要介護２	要介護３	要介護４	要介護５
総数	369.8	52.6	71.8	80.6	95.0	69.9
居宅サービス	210.1	43.2	55.0	45.0	40.2	26.7
訪問通所	163.8	36.1	45.9	34.3	28.4	19.1
訪問介護	55.2	11.5	13.4	10.6	10.7	9.1
訪問入浴介護	9.4	0.2	0.8	1.3	2.7	4.4
訪問看護	31.3	3.5	5.8	5.8	7.7	8.6
訪問リハビリテーション	3.9	0.5	0.9	0.8	0.9	0.8
通所介護	78.0	19.4	23.8	16.7	12.0	6.0
通所リハビリテーション	18.8	5.1	6.0	3.9	2.6	1.1
福祉用具貸与	121.1	18.1	32.5	27.8	25.2	17.5
短期入所	43.3	5.5	10.6	12.1	9.8	5.4
短期入所生活介護	38.7	4.9	9.4	10.9	8.8	4.7
短期入所療養介護（老健）	4.7	0.6	1.2	1.2	1.0	0.7
特定治療・特別療養費（再掲）	0.0	0.0	0.0	0.0	0.0	0.0
短期入所療養介護（病院等）	0.3	0.0	0.0	0.0	0.1	0.1
特定診療費（再掲）	0.2	0.0	0.0	0.0	0.0	0.0
居宅療養管理指導	61.2	7.7	11.5	12.9	15.8	13.2
特定施設入居者生活介護（短期利用以外）	24.2	4.7	4.8	4.9	6.0	3.9
特定施設入居者生活介護（短期利用）	0.1	0.0	0.0	0.0	0.0	0.0
居宅介護支援	168.0	38.0	47.0	35.5	28.8	18.8
地域密着型サービス	63.6	9.6	13.9	15.5	15.0	9.7
定期巡回・随時対応型訪問介護看護	1.4	0.2	0.3	0.3	0.3	0.2
夜間対応型訪問介護	0.4	0.0	0.1	0.1	0.1	0.1
地域密着型通所介護	21.6	5.4	6.3	4.8	3.4	1.7
認知症対応型通所介護	3.7	0.4	0.7	1.1	0.9	0.7
小規模多機能型居宅介護（短期利用以外）	7.0	1.2	1.7	1.7	1.5	0.9
小規模多機能型居宅介護（短期利用）	0.0	0.0	0.0	0.0	0.0	0.0
認知症対応型共同生活介護（短期利用以外）	20.0	2.1	4.1	5.3	5.1	3.4
認知症対応型共同生活介護（短期利用）	0.0	0.0	0.0	0.0	0.0	0.0
地域密着型特定施設入居者生活介護（短期利用以外）	0.9	0.1	0.2	0.2	0.2	0.2
地域密着型特定施設入居者生活介護（短期利用）	0.0	－	0.0	0.0	－	－
地域密着型介護老人福祉施設入所者生活介護	8.4	0.1	0.4	2.0	3.4	2.5
複合型サービス(看護小規模多機能型居宅介護・短期利用以外)	0.6	0.1	0.1	0.1	0.2	0.1
複合型サービス(看護小規模多機能型居宅介護・短期利用)	0.0	－	－	0.0	0.0	－
施設サービス	135.1	5.3	12.2	29.8	48.8	39.0
介護福祉施設サービス	82.1	1.1	3.9	18.1	32.4	26.5
介護保健施設サービス	45.9	4.1	8.1	11.1	13.7	8.9
特定治療・特別療養費（再掲）	1.2	0.0	0.1	0.2	0.4	0.5
介護療養施設サービス	7.4	0.1	0.2	0.7	2.8	3.7
特定診療費（再掲）	7.3	0.1	0.2	0.7	2.8	3.7

注：総数には、月の途中で要介護から要支援に変更となった者を含む。

統計表第２表　介護サービス受給者数，月・年齢階級・サービス種類・要介護状態区分別（65－16）

（総　　数）

平成29年７月審査分
（単位：千人）

サービス種類	総数	要介護１	要介護２	要介護３	要介護４	要介護５
総数	4 204.7	1 088.9	1 040.9	807.3	725.6	541.9
居宅サービス	2 959.6	931.0	871.9	533.3	376.8	246.5
訪問通所	2 538.3	839.5	778.7	436.6	293.4	190.0
訪問介護	1 010.0	320.6	297.3	166.4	126.5	99.2
訪問入浴介護	66.8	1.6	5.4	8.0	17.9	33.9
訪問看護	416.0	92.4	107.2	73.5	71.4	71.5
訪問リハビリテーション	87.2	16.6	24.1	17.5	15.7	13.3
通所介護	1 135.2	411.7	346.9	196.4	117.3	63.0
通所リハビリテーション	440.8	146.5	145.0	80.4	47.3	21.6
福祉用具貸与	1 644.8	356.1	523.1	338.6	255.6	171.4
短期入所	373.5	59.5	91.3	102.2	74.4	46.0
短期入所生活介護	324.9	52.5	79.6	90.3	64.5	38.0
短期入所療養介護（老健）	49.8	7.0	11.9	12.5	10.4	7.9
特定治療・特別療養費（再掲）	0.3	0.0	0.1	0.1	0.1	0.1
短期入所療養介護（病院等）	2.1	0.2	0.4	0.4	0.4	0.7
特定診療費（再掲）	1.5	0.2	0.3	0.3	0.3	0.5
居宅療養管理指導	648.3	121.2	145.1	132.4	130.2	119.4
特定施設入居者生活介護（短期利用以外）	192.4	50.0	42.0	36.2	37.5	26.6
特定施設入居者生活介護（短期利用）	1.3	0.3	0.3	0.3	0.2	0.1
居宅介護支援	2 631.0	896.8	798.9	451.8	296.8	186.6
地域密着型サービス	844.2	241.4	228.1	175.8	119.9	78.9
定期巡回・随時対応型訪問介護看護	18.5	4.6	4.7	3.6	3.4	2.2
夜間対応型訪問介護	7.9	1.2	2.1	1.6	1.5	1.4
地域密着型通所介護	409.1	156.6	127.4	69.1	36.9	19.1
認知症対応型通所介護	57.2	13.9	14.3	14.3	8.4	6.4
小規模多機能型居宅介護（短期利用以外）	92.7	26.3	25.4	19.9	13.3	7.8
小規模多機能型居宅介護（短期利用）	0.3	0.1	0.1	0.1	0.1	0.0
認知症対応型共同生活介護（短期利用以外）	197.8	37.2	50.0	52.7	34.5	23.4
認知症対応型共同生活介護（短期利用）	0.3	0.1	0.1	0.1	0.0	0.0
地域密着型特定施設入居者生活介護（短期利用以外）	7.2	1.3	1.8	1.5	1.5	1.1
地域密着型特定施設入居者生活介護（短期利用）	0.0	0.0	0.0	0.0	0.0	0.0
地域密着型介護老人福祉施設入所者生活介護	53.9	0.9	2.7	13.5	20.0	16.8
複合型サービス（看護小規模多機能型居宅介護・短期利用以外）	7.5	1.2	1.6	1.6	1.5	1.5
複合型サービス（看護小規模多機能型居宅介護・短期利用）	0.1	0.0	0.0	0.0	0.0	0.0
施設サービス	940.5	51.1	95.8	217.0	309.1	267.4
介護福祉施設サービス	531.6	9.6	27.4	125.8	194.5	174.3
介護保健施設サービス	359.8	40.9	67.1	87.7	97.7	66.4
特定治療・特別療養費（再掲）	9.4	0.4	0.6	1.2	3.2	3.9
介護療養施設サービス	52.4	0.6	1.4	4.5	18.4	27.5
特定診療費（再掲）	51.9	0.6	1.3	4.4	18.2	27.3

注：総数には、月の途中で要介護から要支援に変更となった者を含む。

（40～64歳）

平成29年７月審査分
（単位：千人）

サービス種類	総数	要介護１	要介護２	要介護３	要介護４	要介護５
総数	104.1	22.1	30.8	19.8	15.8	15.6
居宅サービス	87.4	19.8	28.3	16.4	11.8	11.2
訪問通所	81.8	19.0	27.1	15.2	10.6	10.0
訪問介護	32.0	6.9	9.7	5.7	4.5	5.3
訪問入浴介護	3.9	0.0	0.2	0.3	0.8	2.5
訪問看護	18.3	3.5	5.4	3.3	2.8	3.2
訪問リハビリテーション	7.2	1.3	2.1	1.4	1.0	1.3
通所介護	23.7	5.5	7.5	4.8	3.3	2.6
通所リハビリテーション	20.5	5.0	7.2	4.3	2.4	1.6
福祉用具貸与	61.5	9.8	20.7	12.7	9.3	9.0
短期入所	5.8	0.4	1.0	1.5	1.4	1.6
短期入所生活介護	4.5	0.3	0.8	1.2	1.1	1.2
短期入所療養介護（老健）	1.3	0.1	0.2	0.3	0.3	0.4
特定治療・特別療養費（再掲）	0.0	－	－	0.0	0.0	0.0
短期入所療養介護（病院等）	0.1	0.0	0.0	0.0	0.0	0.0
特定診療費（再掲）	0.1	0.0	0.0	0.0	0.0	0.0
居宅療養管理指導	17.5	2.1	3.7	3.1	3.4	5.2
特定施設入居者生活介護（短期利用以外）	1.9	0.3	0.4	0.3	0.4	0.4
特定施設入居者生活介護（短期利用）	0.0	0.0	0.0	0.0	0.0	0.0
居宅介護支援	82.1	19.5	27.1	15.2	10.5	9.7
地域密着型サービス	16.7	4.2	5.1	3.4	2.2	1.9
定期巡回・随時対応型訪問介護看護	0.4	0.1	0.1	0.1	0.1	0.1
夜間対応型訪問介護	0.4	0.0	0.1	0.1	0.1	0.1
地域密着型通所介護	11.4	3.2	4.0	2.2	1.2	0.8
認知症対応型通所介護	0.9	0.2	0.2	0.2	0.1	0.2
小規模多機能型居宅介護（短期利用以外）	1.6	0.3	0.4	0.4	0.3	0.2
小規模多機能型居宅介護（短期利用）	0.0	－	0.0	0.0	－	0.0
認知症対応型共同生活介護（短期利用以外）	1.4	0.3	0.3	0.4	0.2	0.2
認知症対応型共同生活介護（短期利用）	0.0	－	－	0.0	－	－
地域密着型特定施設入居者生活介護（短期利用以外）	0.1	0.0	0.0	0.0	0.0	0.0
地域密着型特定施設入居者生活介護（短期利用）	－	－	－	－	－	－
地域密着型介護老人福祉施設入所者生活介護	0.5	0.0	0.0	0.1	0.1	0.2
複合型サービス（看護小規模多機能型居宅介護・短期利用以外）	0.2	0.0	0.0	0.0	0.1	0.1
複合型サービス（看護小規模多機能型居宅介護・短期利用）	0.0	－	－	－	－	0.0
施設サービス	12.2	0.7	1.3	2.7	3.5	4.0
介護福祉施設サービス	4.9	0.1	0.3	1.0	1.6	1.9
介護保健施設サービス	6.2	0.6	1.0	1.5	1.6	1.4
特定治療・特別療養費（再掲）	0.2	0.0	0.0	0.0	0.1	0.1
介護療養施設サービス	1.2	0.0	0.0	0.1	0.4	0.7
特定診療費（再掲）	1.2	0.0	0.0	0.1	0.4	0.7

注：総数には、月の途中で要介護から要支援に変更となった者を含む。

統計表第２表　介護サービス受給者数，月・年齢階級・サービス種類・要介護状態区分別（65－17）

（65～69歳）

平成29年７月審査分
（単位：千人）

サービス種類	総数	要介護１	要介護２	要介護３	要介護４	要介護５
総数	172.2	42.7	48.0	32.3	26.1	23.2
居宅サービス	140.0	37.6	43.3	25.5	18.5	15.2
訪問通所	129.8	35.4	41.0	23.2	16.6	13.5
訪問介護	60.2	17.1	18.2	9.9	7.6	7.4
訪問入浴介護	4.8	0.1	0.3	0.4	1.1	2.9
訪問看護	25.1	5.0	6.9	4.7	4.1	4.4
訪問リハビリテーション	7.7	1.2	2.1	1.5	1.3	1.5
通所介護	42.6	11.9	13.0	8.3	5.6	3.9
通所リハビリテーション	28.9	7.3	9.8	6.0	3.8	2.1
福祉用具貸与	87.9	14.7	28.7	18.4	14.3	11.9
短期入所	11.2	1.1	2.0	2.8	2.7	2.6
短期入所生活介護	9.0	1.0	1.6	2.3	2.1	2.0
短期入所療養介護（老健）	2.2	0.2	0.4	0.5	0.6	0.6
特定治療・特別療養費（再掲）	0.0	0.0	0.0	0.0	0.0	0.0
短期入所療養介護（病院等）	0.1	0.0	0.0	0.0	0.0	0.1
特定診療費（再掲）	0.1	0.0	0.0	0.0	0.0	0.0
居宅療養管理指導	26.6	4.2	5.7	5.0	5.0	6.6
特定施設入居者生活介護（短期利用以外）	3.7	0.9	0.8	0.7	0.7	0.6
特定施設入居者生活介護（短期利用）	0.0	0.0	0.0	0.0	0.0	0.0
居宅介護支援	131.8	37.1	41.4	23.5	16.5	13.2
地域密着型サービス	29.5	8.6	8.6	5.8	3.6	2.9
定期巡回・随時対応型訪問介護看護	0.7	0.1	0.1	0.1	0.1	0.1
夜間対応型訪問介護	0.5	0.1	0.1	0.1	0.1	0.1
地域密着型通所介護	19.1	6.2	6.4	3.4	1.9	1.2
認知症対応型通所介護	2.0	0.4	0.4	0.5	0.3	0.4
小規模多機能型居宅介護（短期利用以外）	2.8	0.8	0.7	0.6	0.4	0.3
小規模多機能型居宅介護（短期利用）	0.0	0.0	0.0	0.0	0.0	0.0
認知症対応型共同生活介護（短期利用以外）	3.2	0.9	0.8	0.8	0.4	0.4
認知症対応型共同生活介護（短期利用）	0.0	0.0	0.0	0.0	－	－
地域密着型特定施設入居者生活介護（短期利用以外）	0.1	0.0	0.0	0.0	0.0	0.0
地域密着型特定施設入居者生活介護（短期利用）	0.0	0.0	－	－	－	0.0
地域密着型介護老人福祉施設入所者生活介護	1.0	0.0	0.0	0.3	0.3	0.4
複合型サービス（看護小規模多機能型居宅介護・短期利用以外）	0.3	0.0	0.1	0.1	0.1	0.1
複合型サービス（看護小規模多機能型居宅介護・短期利用）	0.0	－	－	－	－	0.0
施設サービス	23.3	1.4	2.5	5.3	6.8	7.3
介護福祉施設サービス	11.6	0.3	0.7	2.7	3.7	4.2
介護保健施設サービス	10.1	1.2	1.7	2.5	2.6	2.2
特定治療・特別療養費（再掲）	0.3	0.0	0.0	0.0	0.1	0.1
介護療養施設サービス	1.7	0.0	0.0	0.1	0.6	0.9
特定診療費（再掲）	1.7	0.0	0.0	0.1	0.5	0.9

注：総数には、月の途中で要介護から要支援に変更となった者を含む。

（70～74歳）

平成29年７月審査分
（単位：千人）

サービス種類	総数	要介護１	要介護２	要介護３	要介護４	要介護５
総数	264.1	69.4	71.3	49.5	40.7	33.3
居宅サービス	207.7	60.1	63.3	37.7	26.8	19.7
訪問通所	190.8	56.2	59.6	34.0	23.8	17.2
訪問介護	80.9	23.8	24.5	13.5	10.2	8.9
訪問入浴介護	5.9	0.1	0.4	0.6	1.4	3.4
訪問看護	34.9	7.4	9.4	6.3	5.9	5.9
訪問リハビリテーション	9.7	1.6	2.6	2.0	1.8	1.7
通所介護	70.1	22.3	20.8	13.0	8.5	5.5
通所リハビリテーション	41.7	11.2	13.7	8.6	5.4	2.8
福祉用具貸与	128.2	23.3	41.6	26.9	20.8	15.6
短期入所	18.6	2.1	3.5	5.0	4.5	3.6
短期入所生活介護	15.2	1.8	2.9	4.2	3.6	2.7
短期入所療養介護（老健）	3.4	0.3	0.6	0.8	0.9	0.9
特定治療・特別療養費（再掲）	0.0	0.0	0.0	0.0	0.0	0.0
短期入所療養介護（病院等）	0.2	0.0	0.0	0.0	0.0	0.1
特定診療費（再掲）	0.1	0.0	0.0	0.0	0.0	0.1
居宅療養管理指導	39.2	6.6	8.6	7.6	7.6	8.8
特定施設入居者生活介護（短期利用以外）	6.2	1.7	1.4	1.1	1.0	0.9
特定施設入居者生活介護（短期利用）	0.0	0.0	0.0	0.0	0.0	0.0
居宅介護支援	196.1	60.2	60.7	34.7	23.7	16.8
地域密着型サービス	48.5	15.3	13.8	9.3	5.9	4.2
定期巡回・随時対応型訪問介護看護	1.0	0.3	0.2	0.2	0.2	0.1
夜間対応型訪問介護	0.7	0.1	0.2	0.1	0.1	0.2
地域密着型通所介護	30.1	10.9	9.7	5.1	2.8	1.6
認知症対応型通所介護	3.5	0.9	0.8	0.9	0.5	0.5
小規模多機能型居宅介護（短期利用以外）	4.7	1.5	1.2	0.9	0.6	0.5
小規模多機能型居宅介護（短期利用）	0.0	0.0	0.0	0.0	0.0	0.0
認知症対応型共同生活介護（短期利用以外）	6.5	1.7	1.6	1.6	0.9	0.6
認知症対応型共同生活介護（短期利用）	0.0	0.0	0.0	0.0	0.0	0.0
地域密着型特定施設入居者生活介護（短期利用以外）	0.2	0.0	0.1	0.1	0.0	0.0
地域密着型特定施設入居者生活介護（短期利用）	0.0	0.0	－	－	－	0.0
地域密着型介護老人福祉施設入所者生活介護	1.8	0.0	0.1	0.4	0.6	0.6
複合型サービス（看護小規模多機能型居宅介護・短期利用以外）	0.5	0.1	0.1	0.1	0.1	0.1
複合型サービス（看護小規模多機能型居宅介護・短期利用）	0.0	0.0	0.0	0.0	0.0	0.0
施設サービス	40.7	2.3	4.1	9.2	12.5	12.6
介護福祉施設サービス	22.0	0.5	1.3	5.2	7.4	7.6
介護保健施設サービス	16.2	1.7	2.7	3.8	4.4	3.6
特定治療・特別療養費（再掲）	0.5	0.0	0.0	0.0	0.2	0.2
介護療養施設サービス	2.7	0.0	0.1	0.2	0.8	1.5
特定診療費（再掲）	2.6	0.0	0.1	0.2	0.8	1.5

注：総数には、月の途中で要介護から要支援に変更となった者を含む。

統計表第２表　介護サービス受給者数，月・年齢階級・サービス種類・要介護状態区分別（65－18）

（75～79歳）

平成29年７月審査分
（単位：千人）

サービス種類	総数	要介護１	要介護２	要介護３	要介護４	要介護５
総数	484.3	138.8	126.1	88.4	73.4	57.5
居宅サービス	365.9	118.8	109.4	63.9	44.0	29.8
訪問通所	329.9	110.5	101.5	55.5	37.5	24.9
訪問介護	134.2	43.2	40.4	21.5	16.1	12.9
訪問入浴介護	8.1	0.2	0.6	0.9	2.1	4.3
訪問看護	55.9	13.5	14.7	9.5	9.0	9.1
訪問リハビリテーション	12.9	2.2	3.6	2.6	2.4	2.0
通所介護	135.9	50.3	40.2	23.1	14.1	8.2
通所リハビリテーション	66.2	20.4	21.5	12.6	7.9	3.7
福祉用具貸与	211.2	44.2	68.7	43.0	32.7	22.6
短期入所	35.5	4.8	7.3	9.8	7.9	5.7
短期入所生活介護	29.9	4.2	6.2	8.4	6.5	4.6
短期入所療養介護（老健）	5.9	0.6	1.2	1.5	1.4	1.2
特定治療・特別療養費（再掲）	0.0	0.0	0.0	0.0	0.0	0.0
短期入所療養介護（病院等）	0.2	0.0	0.0	0.0	0.0	0.1
特定診療費（再掲）	0.2	0.0	0.0	0.0	0.0	0.1
居宅療養管理指導	68.8	13.1	15.5	13.6	13.0	13.7
特定施設入居者生活介護（短期利用以外）	13.2	3.5	2.9	2.5	2.3	2.0
特定施設入居者生活介護（短期利用）	0.1	0.0	0.0	0.0	0.0	0.0
居宅介護支援	343.3	119.4	104.3	57.5	37.6	24.4
地域密着型サービス	97.1	32.7	27.0	18.5	11.2	7.7
定期巡回・随時対応型訪問介護看護	1.9	0.5	0.5	0.3	0.3	0.2
夜間対応型訪問介護	1.0	0.1	0.3	0.2	0.2	0.2
地域密着型通所介護	55.6	22.5	17.2	8.9	4.5	2.5
認知症対応型通所介護	7.5	2.1	1.8	1.8	0.9	0.8
小規模多機能型居宅介護（短期利用以外）	9.8	3.2	2.6	2.0	1.3	0.8
小規模多機能型居宅介護（短期利用）	0.0	0.0	0.0	0.0	0.0	0.0
認知症対応型共同生活介護（短期利用以外）	16.8	4.1	4.4	4.3	2.4	1.6
認知症対応型共同生活介護（短期利用）	0.0	0.0	0.0	0.0	0.0	0.0
地域密着型特定施設入居者生活介護（短期利用以外）	0.5	0.1	0.1	0.1	0.1	0.1
地域密着型特定施設入居者生活介護（短期利用）	0.0	－	0.0	0.0	－	－
地域密着型介護老人福祉施設入所者生活介護	4.0	0.1	0.2	1.0	1.4	1.4
複合型サービス（看護小規模多機能型居宅介護・短期利用以外）	0.9	0.2	0.2	0.2	0.2	0.2
複合型サービス（看護小規模多機能型居宅介護・短期利用）	0.0	0.0	0.0	0.0	0.0	0.0
施設サービス	84.2	4.8	8.2	19.1	26.4	25.6
介護福祉施設サービス	46.9	1.1	2.6	10.9	16.1	16.2
介護保健施設サービス	32.8	3.7	5.6	7.8	8.9	6.8
特定治療・特別療養費（再掲）	0.9	0.0	0.1	0.1	0.3	0.4
介護療養施設サービス	4.9	0.1	0.1	0.4	1.6	2.8
特定診療費（再掲）	4.9	0.1	0.1	0.4	1.6	2.7

注：総数には、月の途中で要介護から要支援に変更となった者を含む。

（80～84歳）

平成29年７月審査分
（単位：千人）

サービス種類	総数	要介護１	要介護２	要介護３	要介護４	要介護５
総数	867.3	261.1	219.6	157.0	131.5	98.0
居宅サービス	629.5	222.8	185.6	106.5	70.3	44.2
訪問通所	550.8	204.7	167.8	88.2	55.9	34.3
訪問介護	224.7	78.9	67.3	35.4	24.8	18.3
訪問入浴介護	10.6	0.3	0.8	1.3	2.9	5.3
訪問看護	86.0	22.6	23.2	14.6	13.2	12.5
訪問リハビリテーション	17.0	3.5	4.8	3.4	3.0	2.3
通所介護	250.2	101.7	74.6	39.5	22.4	12.0
通所リハビリテーション	97.2	35.4	31.5	16.6	9.6	4.1
福祉用具貸与	338.4	82.2	109.9	66.9	48.4	31.0
短期入所	67.1	11.1	15.7	18.7	13.3	8.3
短期入所生活介護	58.3	9.8	13.7	16.5	11.5	6.9
短期入所療養介護（老健）	9.1	1.4	2.1	2.4	1.9	1.4
特定治療・特別療養費（再掲）	0.1	0.0	0.0	0.0	0.0	0.0
短期入所療養介護（病院等）	0.3	0.0	0.1	0.1	0.1	0.1
特定診療費（再掲）	0.3	0.0	0.0	0.1	0.0	0.1
居宅療養管理指導	125.1	25.9	29.1	25.5	23.2	21.3
特定施設入居者生活介護（短期利用以外）	32.1	8.8	7.2	5.9	5.8	4.3
特定施設入居者生活介護（短期利用）	0.2	0.1	0.1	0.0	0.0	0.0
居宅介護支援	575.7	220.6	172.9	91.6	56.7	33.9
地域密着型サービス	185.1	61.4	50.9	36.3	22.0	14.4
定期巡回・随時対応型訪問介護看護	3.8	1.1	1.0	0.7	0.6	0.4
夜間対応型訪問介護	1.7	0.3	0.5	0.3	0.3	0.3
地域密着型通所介護	94.8	40.6	28.8	14.6	7.3	3.5
認知症対応型通所介護	13.6	3.9	3.5	3.3	1.7	1.2
小規模多機能型居宅介護（短期利用以外）	20.5	6.6	5.7	4.2	2.6	1.5
小規模多機能型居宅介護（短期利用）	0.1	0.0	0.0	0.0	0.0	0.0
認知症対応型共同生活介護（短期利用以外）	40.8	8.8	10.8	10.8	6.2	4.3
認知症対応型共同生活介護（短期利用）	0.1	0.0	0.0	0.0	0.0	0.0
地域密着型特定施設入居者生活介護（短期利用以外）	1.2	0.2	0.3	0.2	0.2	0.2
地域密着型特定施設入居者生活介護（短期利用）	0.0	－	0.0	0.0	0.0	－
地域密着型介護老人福祉施設入所者生活介護	8.9	0.1	0.4	2.2	3.2	2.9
複合型サービス（看護小規模多機能型居宅介護・短期利用以外）	1.6	0.3	0.3	0.3	0.3	0.3
複合型サービス（看護小規模多機能型居宅介護・短期利用）	0.0	0.0	0.0	0.0	0.0	0.0
施設サービス	169.4	10.0	17.1	39.0	54.4	48.9
介護福祉施設サービス	94.1	1.9	4.8	22.3	33.4	31.7
介護保健施設サービス	66.7	8.0	12.1	16.2	18.0	12.4
特定治療・特別療養費（再掲）	1.7	0.1	0.1	0.2	0.6	0.7
介護療養施設サービス	9.4	0.1	0.2	0.7	3.2	5.0
特定診療費（再掲）	9.3	0.1	0.2	0.7	3.2	5.0

注：総数には、月の途中で要介護から要支援に変更となった者を含む。

統計表第２表　介護サービス受給者数，月・年齢階級・サービス種類・要介護状態区分別（65－19）

（85～89歳）

平成29年７月審査分
（単位：千人）

サービス種類	総数	要介護１	要介護２	要介護３	要介護４	要介護５
総数	1 109.5	312.0	275.9	209.4	181.3	130.8
居宅サービス	774.4	266.9	228.0	134.9	90.1	54.4
訪問通所	649.8	237.9	199.7	106.4	66.7	39.0
訪問介護	259.7	90.0	77.1	41.7	29.9	21.1
訪問入浴介護	12.3	0.4	1.2	1.6	3.5	5.7
訪問看護	96.3	23.8	25.5	16.8	15.6	14.6
訪問リハビリテーション	17.6	3.9	4.9	3.5	3.0	2.2
通所介護	315.6	124.9	97.3	51.4	28.3	13.7
通所リハビリテーション	104.1	39.8	34.2	17.1	9.4	3.7
福祉用具貸与	403.5	100.2	129.9	80.7	57.5	35.1
短期入所	100.7	18.5	26.4	27.6	18.3	9.9
短期入所生活介護	88.7	16.4	23.2	24.6	16.1	8.4
短期入所療養介護（老健）	12.3	2.1	3.3	3.1	2.3	1.5
特定治療・特別療養費（再掲）	0.1	0.0	0.0	0.0	0.0	0.0
短期入所療養介護（病院等）	0.4	0.1	0.1	0.1	0.1	0.1
特定診療費（再掲）	0.3	0.0	0.1	0.1	0.1	0.1
居宅療養管理指導	173.4	36.4	40.3	35.8	33.4	27.4
特定施設入居者生活介護（短期利用以外）	58.6	16.5	13.0	10.8	10.7	7.6
特定施設入居者生活介護（短期利用）	0.4	0.1	0.1	0.1	0.0	0.0
居宅介護支援	676.7	254.0	205.6	110.7	67.9	38.5
地域密着型サービス	236.6	70.2	64.9	49.1	31.9	20.5
定期巡回・随時対応型訪問介護看護	5.3	1.4	1.4	1.0	0.9	0.6
夜間対応型訪問介護	1.9	0.4	0.6	0.4	0.3	0.2
地域密着型通所介護	108.4	44.1	33.5	17.4	8.9	4.4
認知症対応型通所介護	15.8	4.0	4.3	3.9	2.1	1.5
小規模多機能型居宅介護（短期利用以外）	27.3	7.9	7.8	5.9	3.7	2.0
小規模多機能型居宅介護（短期利用）	0.1	0.0	0.0	0.0	0.0	0.0
認知症対応型共同生活介護（短期利用以外）	61.1	11.8	16.1	16.4	10.1	6.7
認知症対応型共同生活介護（短期利用）	0.1	0.0	0.0	0.0	0.0	0.0
地域密着型特定施設入居者生活介護（短期利用以外）	2.2	0.4	0.6	0.5	0.4	0.3
地域密着型特定施設入居者生活介護（短期利用）	0.0	0.0	0.0	0.0	0.0	－
地域密着型介護老人福祉施設入所者生活介護	15.0	0.2	0.8	3.7	5.5	4.7
複合型サービス（看護小規模多機能型居宅介護・短期利用以外）	2.0	0.3	0.5	0.4	0.4	0.4
複合型サービス（看護小規模多機能型居宅介護・短期利用）	0.0	0.0	0.0	0.0	0.0	0.0
施設サービス	247.9	14.5	26.4	58.1	80.3	68.6
介護福祉施設サービス	138.7	2.5	7.1	33.6	50.4	45.1
介護保健施設サービス	96.9	11.9	18.9	23.6	25.6	16.9
特定治療・特別療養費（再掲）	2.4	0.1	0.2	0.3	0.8	1.0
介護療養施設サービス	13.3	0.2	0.4	1.2	4.7	6.9
特定診療費（再掲）	13.2	0.2	0.4	1.2	4.7	6.8

注：総数には、月の途中で要介護から要支援に変更となった者を含む。

（90～94歳）

平成29年７月審査分
（単位：千人）

サービス種類	総数	要介護１	要介護２	要介護３	要介護４	要介護５
総数	835.5	190.5	197.8	170.8	162.5	114.0
居宅サービス	545.6	161.8	159.2	103.7	75.5	45.4
訪問通所	441.7	139.8	136.0	79.9	54.1	31.9
訪問介護	163.0	49.1	46.8	28.1	22.8	16.3
訪問入浴介護	12.0	0.3	1.1	1.6	3.5	5.4
訪問看護	67.8	13.0	16.2	12.4	13.2	12.9
訪問リハビリテーション	11.3	2.2	2.9	2.3	2.3	1.6
通所介護	219.1	75.6	69.8	39.5	23.2	11.0
通所リハビリテーション	63.1	22.1	21.0	11.2	6.3	2.5
福祉用具貸与	293.0	63.6	91.0	62.2	47.3	28.8
短期入所	91.9	16.0	25.1	24.9	16.9	8.9
短期入所生活介護	81.2	14.2	22.0	22.3	15.0	7.7
短期入所療養介護（老健）	10.8	1.8	3.1	2.7	2.0	1.3
特定治療・特別療養費（再掲）	0.1	0.0	0.0	0.0	0.0	0.0
短期入所療養介護（病院等）	0.5	0.1	0.1	0.1	0.1	0.1
特定診療費（再掲）	0.3	0.0	0.1	0.1	0.1	0.1
居宅療養管理指導	136.5	25.2	30.6	28.8	28.8	23.0
特定施設入居者生活介護（短期利用以外）	52.7	13.7	11.6	10.0	10.5	6.8
特定施設入居者生活介護（短期利用）	0.3	0.1	0.1	0.1	0.0	0.0
居宅介護支援	457.3	148.0	139.7	82.9	55.2	31.5
地域密着型サービス	167.1	39.6	43.8	38.0	28.2	17.6
定期巡回・随時対応型訪問介護看護	3.9	0.9	1.0	0.8	0.8	0.4
夜間対応型訪問介護	1.3	0.2	0.3	0.3	0.3	0.2
地域密着型通所介護	67.9	23.6	21.3	12.6	7.1	3.3
認知症対応型通所介護	10.3	2.0	2.6	2.7	1.8	1.2
小規模多機能型居宅介護（短期利用以外）	19.0	4.8	5.3	4.3	2.9	1.6
小規模多機能型居宅介護（短期利用）	0.1	0.0	0.0	0.0	0.0	0.0
認知症対応型共同生活介護（短期利用以外）	48.2	7.5	12.0	13.2	9.3	6.2
認知症対応型共同生活介護（短期利用）	0.1	0.0	0.0	0.0	0.0	0.0
地域密着型特定施設入居者生活介護（短期利用以外）	2.0	0.4	0.5	0.4	0.4	0.3
地域密着型特定施設入居者生活介護（短期利用）	0.0	0.0	0.0	－	0.0	－
地域密着型介護老人福祉施設入所者生活介護	14.4	0.2	0.7	3.7	5.5	4.2
複合型サービス（看護小規模多機能型居宅介護・短期利用以外）	1.4	0.2	0.3	0.3	0.3	0.3
複合型サービス（看護小規模多機能型居宅介護・短期利用）	0.0	0.0	0.0	0.0	0.0	0.0
施設サービス	228.4	12.1	24.2	54.1	76.6	61.4
介護福祉施設サービス	131.8	2.2	6.9	32.0	49.5	41.2
介護保健施設サービス	85.4	9.8	17.0	21.2	23.1	14.3
特定治療・特別療養費（再掲）	2.2	0.1	0.2	0.3	0.8	0.8
介護療養施設サービス	11.9	0.2	0.3	1.1	4.3	6.1
特定診療費（再掲）	11.8	0.1	0.3	1.0	4.3	6.0

注：総数には、月の途中で要介護から要支援に変更となった者を含む。

統計表第２表　介護サービス受給者数，月・年齢階級・サービス種類・要介護状態区分別（65－20）

（95歳以上）

平成29年７月審査分
（単位：千人）

サービス種類	総数	要介護１	要介護２	要介護３	要介護４	要介護５
総数	367.7	52.4	71.4	80.1	94.3	69.5
居宅サービス	209.1	43.2	54.8	44.8	39.7	26.5
訪問通所	163.7	36.1	46.0	34.3	28.2	19.1
訪問介護	55.2	11.5	13.4	10.5	10.7	9.1
訪問入浴介護	9.3	0.2	0.8	1.2	2.7	4.4
訪問看護	31.6	3.5	5.8	5.9	7.6	8.7
訪問リハビリテーション	4.0	0.5	0.9	0.8	0.9	0.8
通所介護	78.0	19.4	23.9	16.7	11.9	6.0
通所リハビリテーション	19.0	5.2	6.1	4.0	2.6	1.1
福祉用具貸与	121.1	18.1	32.5	27.8	25.1	17.5
短期入所	42.6	5.4	10.4	11.9	9.6	5.3
短期入所生活介護	38.1	4.8	9.2	10.8	8.6	4.7
短期入所療養介護（老健）	4.7	0.6	1.2	1.2	1.1	0.7
特定治療・特別療養費（再掲）	0.0	0.0	0.0	0.0	0.0	0.0
短期入所療養介護（病院等）	0.3	0.0	0.0	0.0	0.1	0.1
特定診療費（再掲）	0.2	0.0	0.0	0.0	0.0	0.1
居宅療養管理指導	61.2	7.7	11.6	12.9	15.8	13.3
特定施設入居者生活介護（短期利用以外）	24.1	4.7	4.8	4.8	6.0	3.9
特定施設入居者生活介護（短期利用）	0.1	0.0	0.0	0.0	0.0	0.0
居宅介護支援	168.1	38.0	47.1	35.6	28.7	18.8
地域密着型サービス	63.6	9.6	13.9	15.5	14.9	9.7
定期巡回・随時対応型訪問介護看護	1.4	0.2	0.3	0.3	0.3	0.2
夜間対応型訪問介護	0.4	0.0	0.1	0.1	0.1	0.1
地域密着型通所介護	21.8	5.4	6.4	4.8	3.3	1.8
認知症対応型通所介護	3.7	0.4	0.7	1.1	0.9	0.7
小規模多機能型居宅介護（短期利用以外）	7.0	1.2	1.7	1.7	1.5	0.9
小規模多機能型居宅介護（短期利用）	0.0	0.0	0.0	0.0	0.0	0.0
認知症対応型共同生活介護（短期利用以外）	19.7	2.1	4.0	5.3	5.1	3.4
認知症対応型共同生活介護（短期利用）	0.0	0.0	0.0	0.0	0.0	0.0
地域密着型特定施設入居者生活介護（短期利用以外）	1.0	0.1	0.2	0.2	0.2	0.2
地域密着型特定施設入居者生活介護（短期利用）	0.0	0.0	0.0	－	0.0	－
地域密着型介護老人福祉施設入所者生活介護	8.4	0.1	0.4	2.0	3.5	2.5
複合型サービス(看護小規模多機能型居宅介護・短期利用以外)	0.6	0.1	0.1	0.1	0.1	0.1
複合型サービス(看護小規模多機能型居宅介護・短期利用)	0.0	0.0	－	0.0	0.0	－
施設サービス	134.4	5.2	12.0	29.7	48.5	38.9
介護福祉施設サービス	81.8	1.1	3.9	18.0	32.3	26.4
介護保健施設サービス	45.6	4.0	8.0	11.1	13.6	8.9
特定治療・特別療養費（再掲）	1.3	0.0	0.1	0.1	0.5	0.5
介護療養施設サービス	7.3	0.1	0.2	0.7	2.8	3.7
特定診療費（再掲）	7.2	0.0	0.2	0.7	2.7	3.6

注：総数には、月の途中で要介護から要支援に変更となった者を含む。

統計表第２表　介護サービス受給者数，月・年齢階級・サービス種類・要介護状態区分別（65－21）

（総　　数）

平成29年８月審査分
（単位：千人）

サービス種類	総数	要介護１	要介護２	要介護３	要介護４	要介護５
総数	4 218.7	1 094.3	1 044.7	810.0	727.2	542.4
居宅サービス	2 972.7	936.3	876.6	535.4	377.4	247.0
訪問通所	2 549.2	843.9	782.7	438.2	294.0	190.4
訪問介護	1 009.2	321.0	297.2	166.1	125.9	98.9
訪問入浴介護	66.4	1.6	5.3	7.9	17.8	33.8
訪問看護	418.5	93.4	108.3	73.9	71.4	71.5
訪問リハビリテーション	87.4	16.8	24.1	17.5	15.7	13.3
通所介護	1 136.6	412.9	347.2	196.4	117.1	63.0
通所リハビリテーション	439.9	146.5	144.7	80.0	47.1	21.5
福祉用具貸与	1 659.5	360.5	528.4	341.3	257.0	172.3
短期入所	377.7	61.7	93.0	103.0	74.4	45.7
短期入所生活介護	329.9	54.6	81.4	91.1	64.6	38.1
短期入所療養介護（老健）	49.1	7.0	11.8	12.4	10.2	7.7
特定治療・特別療養費（再掲）	0.3	0.0	0.1	0.1	0.1	0.1
短期入所療養介護（病院等）	2.1	0.3	0.4	0.4	0.4	0.6
特定診療費（再掲）	1.5	0.2	0.3	0.3	0.3	0.5
居宅療養管理指導	652.4	122.5	145.9	133.3	130.5	120.1
特定施設入居者生活介護（短期利用以外）	193.7	50.6	42.5	36.4	37.7	26.6
特定施設入居者生活介護（短期利用）	1.3	0.3	0.4	0.3	0.2	0.1
居宅介護支援	2 634.8	900.4	800.1	451.7	296.2	186.3
地域密着型サービス	844.9	242.1	227.7	175.8	120.2	79.1
定期巡回・随時対応型訪問介護看護	18.8	4.8	4.8	3.6	3.4	2.3
夜間対応型訪問介護	7.9	1.2	2.1	1.6	1.6	1.4
地域密着型通所介護	408.2	156.7	126.9	68.9	36.8	18.9
認知症対応型通所介護	57.5	13.9	14.3	14.4	8.4	6.5
小規模多機能型居宅介護（短期利用以外）	92.9	26.4	25.4	19.8	13.3	7.8
小規模多機能型居宅介護（短期利用）	0.4	0.1	0.1	0.1	0.1	0.0
認知症対応型共同生活介護（短期利用以外）	198.3	37.4	50.0	52.9	34.6	23.4
認知症対応型共同生活介護（短期利用）	0.3	0.1	0.1	0.1	0.0	0.0
地域密着型特定施設入居者生活介護（短期利用以外）	7.2	1.3	1.8	1.5	1.5	1.1
地域密着型特定施設入居者生活介護（短期利用）	0.0	0.0	0.0	0.0	0.0	0.0
地域密着型介護老人福祉施設入所者生活介護	54.4	0.9	2.7	13.5	20.3	17.0
複合型サービス(看護小規模多機能型居宅介護・短期利用以外)	7.5	1.2	1.6	1.6	1.6	1.5
複合型サービス(看護小規模多機能型居宅介護・短期利用)	0.1	0.0	0.0	0.0	0.0	0.0
施設サービス	943.1	51.2	96.0	218.4	310.1	267.3
介護福祉施設サービス	532.7	9.4	27.2	126.4	195.5	174.3
介護保健施設サービス	361.6	41.3	67.6	88.3	97.7	66.7
特定治療・特別療養費（再掲）	9.5	0.4	0.7	1.2	3.2	4.0
介護療養施設サービス	51.8	0.6	1.4	4.4	18.2	27.2
特定診療費（再掲）	51.3	0.6	1.3	4.4	18.1	27.0

注：総数には、月の途中で要介護から要支援に変更となった者を含む。

（40～64歳）

平成29年８月審査分
（単位：千人）

サービス種類	総数	要介護１	要介護２	要介護３	要介護４	要介護５
総数	104.6	22.3	30.9	19.9	15.8	15.8
居宅サービス	88.0	20.0	28.4	16.4	11.9	11.3
訪問通所	82.4	19.1	27.3	15.2	10.7	10.1
訪問介護	32.0	6.9	9.7	5.7	4.5	5.3
訪問入浴介護	3.9	0.0	0.2	0.3	0.8	2.6
訪問看護	18.5	3.5	5.5	3.3	2.9	3.3
訪問リハビリテーション	7.2	1.4	2.2	1.4	1.0	1.3
通所介護	23.6	5.6	7.4	4.8	3.3	2.6
通所リハビリテーション	20.5	5.0	7.2	4.3	2.4	1.6
福祉用具貸与	62.2	9.9	21.0	12.7	9.5	9.1
短期入所	6.0	0.4	1.0	1.5	1.5	1.6
短期入所生活介護	4.7	0.4	0.8	1.2	1.1	1.2
短期入所療養介護（老健）	1.3	0.1	0.2	0.3	0.4	0.4
特定治療・特別療養費（再掲）	0.0	－	－	0.0	0.0	0.0
短期入所療養介護（病院等）	0.1	0.0	0.0	0.0	0.0	0.0
特定診療費（再掲）	0.1	0.0	0.0	0.0	0.0	0.0
居宅療養管理指導	17.6	2.1	3.6	3.1	3.4	5.3
特定施設入居者生活介護（短期利用以外）	1.8	0.3	0.4	0.3	0.4	0.4
特定施設入居者生活介護（短期利用）	0.0	－	0.0	0.0	0.0	0.0
居宅介護支援	82.2	19.7	27.2	15.2	10.5	9.7
地域密着型サービス	16.7	4.1	5.1	3.3	2.2	1.9
定期巡回・随時対応型訪問介護看護	0.4	0.1	0.1	0.1	0.1	0.1
夜間対応型訪問介護	0.4	0.0	0.1	0.1	0.1	0.1
地域密着型通所介護	11.4	3.2	4.1	2.1	1.2	0.8
認知症対応型通所介護	0.9	0.1	0.2	0.2	0.1	0.2
小規模多機能型居宅介護（短期利用以外）	1.6	0.4	0.4	0.4	0.3	0.2
小規模多機能型居宅介護（短期利用）	0.0	－	0.0	0.0	0.0	0.0
認知症対応型共同生活介護（短期利用以外）	1.3	0.3	0.3	0.4	0.2	0.2
認知症対応型共同生活介護（短期利用）	0.0	－	0.0	0.0	－	0.0
地域密着型特定施設入居者生活介護（短期利用以外）	0.1	0.0	0.0	0.0	0.0	0.0
地域密着型特定施設入居者生活介護（短期利用）	－	－	－	－	－	－
地域密着型介護老人福祉施設入所者生活介護	0.5	0.0	0.0	0.1	0.1	0.2
複合型サービス(看護小規模多機能型居宅介護・短期利用以外)	0.2	0.0	0.0	0.0	0.0	0.1
複合型サービス(看護小規模多機能型居宅介護・短期利用)	0.0	－	－	0.0	－	0.0
施設サービス	12.2	0.7	1.3	2.7	3.5	4.1
介護福祉施設サービス	4.9	0.1	0.3	1.1	1.5	2.0
介護保健施設サービス	6.2	0.6	1.0	1.6	1.6	1.5
特定治療・特別療養費（再掲）	0.2	0.0	0.0	0.0	0.1	0.1
介護療養施設サービス	1.2	0.0	0.0	0.1	0.3	0.7
特定診療費（再掲）	1.1	0.0	0.0	0.1	0.3	0.7

注：総数には、月の途中で要介護から要支援に変更となった者を含む。

統計表第２表　介護サービス受給者数，月・年齢階級・サービス種類・要介護状態区分別（65－22）

（65～69歳）

平成29年８月審査分
（単位：千人）

サービス種類	総数	要介護１	要介護２	要介護３	要介護４	要介護５
総数	172.0	42.6	47.8	32.3	26.1	23.1
居宅サービス	139.9	37.6	43.2	25.4	18.5	15.2
訪問通所	129.6	35.5	41.0	23.2	16.5	13.5
訪問介護	59.7	17.2	18.0	9.7	7.5	7.3
訪問入浴介護	4.7	0.1	0.3	0.4	1.1	2.9
訪問看護	25.1	5.0	7.0	4.7	4.1	4.4
訪問リハビリテーション	7.6	1.2	2.1	1.5	1.3	1.5
通所介護	42.4	11.9	12.9	8.2	5.6	3.9
通所リハビリテーション	28.7	7.2	9.6	5.9	3.7	2.1
福祉用具貸与	88.1	14.7	28.9	18.4	14.2	11.8
短期入所	11.1	1.1	2.0	2.8	2.7	2.6
短期入所生活介護	9.0	1.0	1.6	2.3	2.1	2.0
短期入所療養介護（老健）	2.2	0.1	0.4	0.5	0.5	0.6
特定治療・特別療養費（再掲）	0.0	－	0.0	0.0	0.0	0.0
短期入所療養介護（病院等）	0.1	0.0	0.0	0.0	0.0	0.0
特定診療費（再掲）	0.1	0.0	0.0	0.0	0.0	0.0
居宅療養管理指導	26.6	4.2	5.7	5.1	5.0	6.6
特定施設入居者生活介護（短期利用以外）	3.7	0.9	0.8	0.7	0.7	0.6
特定施設入居者生活介護（短期利用）	0.0	0.0	0.0	0.0	0.0	0.0
居宅介護支援	131.0	37.1	41.2	23.3	16.3	13.0
地域密着型サービス	29.2	8.5	8.4	5.8	3.6	3.0
定期巡回・随時対応型訪問介護看護	0.7	0.1	0.2	0.2	0.1	0.1
夜間対応型訪問介護	0.5	0.1	0.1	0.1	0.1	0.1
地域密着型通所介護	18.9	6.2	6.3	3.4	1.9	1.2
認知症対応型通所介護	1.9	0.4	0.4	0.5	0.3	0.4
小規模多機能型居宅介護（短期利用以外）	2.8	0.8	0.7	0.6	0.4	0.3
小規模多機能型居宅介護（短期利用）	0.0	0.0	0.0	0.0	0.0	－
認知症対応型共同生活介護（短期利用以外）	3.3	0.8	0.8	0.8	0.5	0.4
認知症対応型共同生活介護（短期利用）	0.0	0.0	0.0	0.0	0.0	－
地域密着型特定施設入居者生活介護（短期利用以外）	0.1	0.0	0.0	0.0	0.0	0.0
地域密着型特定施設入居者生活介護（短期利用）	－	－	－	－	－	－
地域密着型介護老人福祉施設入所者生活介護	1.0	0.0	0.0	0.3	0.3	0.4
複合型サービス（看護小規模多機能型居宅介護・短期利用以外）	0.3	0.1	0.1	0.1	0.1	0.1
複合型サービス（看護小規模多機能型居宅介護・短期利用）	0.0	－	0.0	－	0.0	0.0
施設サービス	23.3	1.4	2.4	5.3	6.8	7.3
介護福祉施設サービス	11.7	0.3	0.7	2.8	3.7	4.2
介護保健施設サービス	10.0	1.2	1.7	2.4	2.6	2.2
特定治療・特別療養費（再掲）	0.3	0.0	0.0	0.0	0.1	0.1
介護療養施設サービス	1.7	0.0	0.0	0.1	0.5	0.9
特定診療費（再掲）	1.6	0.0	0.0	0.1	0.5	0.9

注：総数には、月の途中で要介護から要支援に変更となった者を含む。

（70～74歳）

平成29年８月審査分
（単位：千人）

サービス種類	総数	要介護１	要介護２	要介護３	要介護４	要介護５
総数	265.7	69.8	71.9	49.6	40.9	33.4
居宅サービス	209.1	60.5	63.9	37.9	27.0	19.8
訪問通所	192.1	56.6	60.2	34.1	23.8	17.4
訪問介護	80.8	23.8	24.5	13.4	10.2	9.0
訪問入浴介護	5.9	0.1	0.4	0.6	1.4	3.4
訪問看護	35.2	7.5	9.5	6.3	5.8	6.0
訪問リハビリテーション	9.8	1.7	2.7	2.0	1.8	1.7
通所介護	70.2	22.5	20.9	12.9	8.5	5.5
通所リハビリテーション	41.7	11.3	13.7	8.6	5.4	2.8
福祉用具貸与	129.8	23.7	42.2	27.2	20.9	15.7
短期入所	18.7	2.2	3.5	5.0	4.4	3.5
短期入所生活介護	15.4	1.9	3.0	4.2	3.6	2.7
短期入所療養介護（老健）	3.4	0.3	0.6	0.8	0.9	0.8
特定治療・特別療養費（再掲）	0.0	0.0	0.0	0.0	0.0	0.0
短期入所療養介護（病院等）	0.2	0.0	0.0	0.0	0.0	0.1
特定診療費（再掲）	0.1	0.0	0.0	0.0	0.0	0.1
居宅療養管理指導	39.4	6.7	8.6	7.6	7.7	8.9
特定施設入居者生活介護（短期利用以外）	6.3	1.7	1.4	1.2	1.1	0.9
特定施設入居者生活介護（短期利用）	0.1	0.0	0.0	0.0	0.0	0.0
居宅介護支援	196.7	60.4	61.1	34.6	23.7	16.8
地域密着型サービス	48.8	15.4	13.9	9.4	5.9	4.2
定期巡回・随時対応型訪問介護看護	1.1	0.3	0.2	0.2	0.2	0.1
夜間対応型訪問介護	0.7	0.1	0.1	0.1	0.1	0.2
地域密着型通所介護	30.3	11.0	9.7	5.2	2.7	1.7
認知症対応型通所介護	3.5	0.9	0.8	0.9	0.5	0.5
小規模多機能型居宅介護（短期利用以外）	4.7	1.5	1.2	0.9	0.6	0.5
小規模多機能型居宅介護（短期利用）	0.0	0.0	0.0	0.0	0.0	0.0
認知症対応型共同生活介護（短期利用以外）	6.6	1.7	1.7	1.7	0.9	0.6
認知症対応型共同生活介護（短期利用）	0.0	0.0	0.0	0.0	0.0	0.0
地域密着型特定施設入居者生活介護（短期利用以外）	0.2	0.0	0.1	0.1	0.0	0.0
地域密着型特定施設入居者生活介護（短期利用）	0.0	－	－	－	－	0.0
地域密着型介護老人福祉施設入所者生活介護	1.8	0.0	0.1	0.4	0.6	0.6
複合型サービス（看護小規模多機能型居宅介護・短期利用以外）	0.5	0.1	0.1	0.1	0.1	0.1
複合型サービス（看護小規模多機能型居宅介護・短期利用）	0.0	0.0	0.0	0.0	0.0	0.0
施設サービス	40.8	2.3	4.1	9.2	12.6	12.6
介護福祉施設サービス	22.0	0.5	1.3	5.2	7.4	7.6
介護保健施設サービス	16.4	1.7	2.7	3.9	4.4	3.6
特定治療・特別療養費（再掲）	0.5	0.0	0.0	0.0	0.1	0.2
介護療養施設サービス	2.6	0.0	0.1	0.2	0.9	1.5
特定診療費（再掲）	2.6	0.0	0.1	0.2	0.9	1.5

注：総数には、月の途中で要介護から要支援に変更となった者を含む。

統計表第２表　介護サービス受給者数，月・年齢階級・サービス種類・要介護状態区分別（65－23）

（75～79歳）

平成29年８月審査分
（単位：千人）

サービス種類	総数	要介護１	要介護２	要介護３	要介護４	要介護５
総数	485.5	139.1	126.8	88.7	73.4	57.4
居宅サービス	367.2	119.1	110.1	64.2	44.0	29.8
訪問通所	331.3	110.8	102.2	55.9	37.5	24.9
訪問介護	134.1	43.1	40.5	21.7	16.0	12.9
訪問入浴介護	8.0	0.2	0.6	0.9	2.1	4.2
訪問看護	56.2	13.6	14.9	9.6	9.0	9.1
訪問リハビリテーション	12.9	2.3	3.6	2.6	2.4	2.0
通所介護	136.0	50.3	40.2	23.1	14.0	8.3
通所リハビリテーション	65.9	20.4	21.5	12.5	7.8	3.7
福祉用具貸与	213.3	44.7	69.6	43.5	32.9	22.7
短期入所	35.8	5.0	7.5	9.8	7.9	5.6
短期入所生活介護	30.1	4.4	6.4	8.4	6.5	4.5
短期入所療養介護（老健）	5.8	0.6	1.2	1.4	1.4	1.2
特定治療・特別療養費（再掲）	0.0	0.0	0.0	0.0	0.0	0.0
短期入所療養介護（病院等）	0.2	0.0	0.0	0.0	0.0	0.1
特定診療費（再掲）	0.2	0.0	0.0	0.0	0.0	0.1
居宅療養管理指導	69.2	13.2	15.5	13.7	13.1	13.8
特定施設入居者生活介護（短期利用以外）	13.2	3.5	2.8	2.5	2.3	2.0
特定施設入居者生活介護（短期利用）	0.1	0.0	0.0	0.0	0.0	0.0
居宅介護支援	343.4	119.6	104.5	57.4	37.5	24.3
地域密着型サービス	96.8	32.5	26.9	18.5	11.2	7.7
定期巡回・随時対応型訪問介護看護	1.9	0.5	0.5	0.4	0.3	0.2
夜間対応型訪問介護	1.0	0.1	0.3	0.2	0.2	0.2
地域密着型通所介護	55.2	22.4	17.1	8.9	4.5	2.4
認知症対応型通所介護	7.6	2.1	1.9	1.8	1.0	0.8
小規模多機能型居宅介護（短期利用以外）	9.8	3.2	2.6	2.0	1.3	0.8
小規模多機能型居宅介護（短期利用）	0.0	0.0	0.0	0.0	0.0	0.0
認知症対応型共同生活介護（短期利用以外）	16.7	4.1	4.3	4.3	2.4	1.7
認知症対応型共同生活介護（短期利用）	0.0	0.0	0.0	0.0	0.0	0.0
地域密着型特定施設入居者生活介護（短期利用以外）	0.5	0.1	0.1	0.1	0.1	0.1
地域密着型特定施設入居者生活介護（短期利用）	0.0	－	0.0	－	0.0	－
地域密着型介護老人福祉施設入所者生活介護	4.0	0.1	0.2	1.0	1.4	1.4
複合型サービス（看護小規模多機能型居宅介護・短期利用以外）	1.0	0.2	0.2	0.2	0.2	0.2
複合型サービス（看護小規模多機能型居宅介護・短期利用）	0.0	0.0	0.0	0.0	0.0	0.0
施設サービス	84.4	4.8	8.3	19.2	26.5	25.6
介護福祉施設サービス	46.9	1.0	2.5	11.0	16.2	16.1
介護保健施設サービス	33.0	3.7	5.7	7.9	8.9	6.8
特定治療・特別療養費（再掲）	0.9	0.0	0.1	0.1	0.3	0.4
介護療養施設サービス	4.9	0.1	0.1	0.4	1.6	2.7
特定診療費（再掲）	4.8	0.1	0.1	0.4	1.6	2.7

注：総数には、月の途中で要介護から要支援に変更となった者を含む。

（80～84歳）

平成29年８月審査分
（単位：千人）

サービス種類	総数	要介護１	要介護２	要介護３	要介護４	要介護５
総数	868.9	262.1	219.9	157.2	131.5	98.3
居宅サービス	631.7	223.9	186.2	106.7	70.5	44.4
訪問通所	552.5	205.4	168.2	88.4	56.0	34.5
訪問介護	224.0	78.8	66.9	35.3	24.7	18.3
訪問入浴介護	10.6	0.3	0.9	1.3	2.9	5.3
訪問看護	86.4	22.8	23.3	14.6	13.2	12.6
訪問リハビリテーション	16.9	3.5	4.8	3.4	2.9	2.3
通所介護	250.3	101.9	74.4	39.6	22.4	12.0
通所リハビリテーション	97.2	35.5	31.3	16.6	9.6	4.1
福祉用具貸与	341.1	82.9	110.7	67.5	48.8	31.2
短期入所	68.0	11.6	16.0	18.9	13.3	8.2
短期入所生活介護	59.1	10.2	13.9	16.7	11.5	6.8
短期入所療養介護（老健）	9.2	1.4	2.1	2.3	1.9	1.4
特定治療・特別療養費（再掲）	0.1	0.0	0.0	0.0	0.0	0.0
短期入所療養介護（病院等）	0.3	0.0	0.1	0.1	0.1	0.1
特定診療費（再掲）	0.3	0.0	0.0	0.1	0.1	0.1
居宅療養管理指導	126.0	26.1	29.4	25.7	23.2	21.5
特定施設入居者生活介護（短期利用以外）	32.3	8.9	7.3	5.9	5.8	4.3
特定施設入居者生活介護（短期利用）	0.2	0.1	0.1	0.1	0.0	0.0
居宅介護支援	575.9	221.2	172.6	91.6	56.6	33.9
地域密着型サービス	184.7	61.4	50.6	36.3	22.0	14.5
定期巡回・随時対応型訪問介護看護	3.8	1.1	1.0	0.7	0.6	0.4
夜間対応型訪問介護	1.7	0.2	0.5	0.3	0.3	0.3
地域密着型通所介護	94.3	40.4	28.6	14.6	7.2	3.5
認知症対応型通所介護	13.6	3.9	3.5	3.3	1.7	1.2
小規模多機能型居宅介護（短期利用以外）	20.4	6.5	5.7	4.1	2.6	1.5
小規模多機能型居宅介護（短期利用）	0.1	0.0	0.0	0.0	0.0	0.0
認知症対応型共同生活介護（短期利用以外）	40.9	8.9	10.8	10.8	6.1	4.3
認知症対応型共同生活介護（短期利用）	0.1	0.0	0.0	0.0	0.0	0.0
地域密着型特定施設入居者生活介護（短期利用以外）	1.2	0.2	0.3	0.2	0.2	0.2
地域密着型特定施設入居者生活介護（短期利用）	0.0	－	0.0	0.0	－	0.0
地域密着型介護老人福祉施設入所者生活介護	9.0	0.1	0.4	2.2	3.2	3.0
複合型サービス（看護小規模多機能型居宅介護・短期利用以外）	1.6	0.3	0.3	0.3	0.3	0.3
複合型サービス（看護小規模多機能型居宅介護・短期利用）	0.0	0.0	0.0	0.0	0.0	0.0
施設サービス	169.4	10.0	17.1	39.0	54.3	49.0
介護福祉施設サービス	94.4	1.9	4.7	22.4	33.6	31.8
介護保健施設サービス	66.5	8.0	12.2	16.1	17.8	12.4
特定治療・特別療養費（再掲）	1.7	0.1	0.1	0.2	0.6	0.7
介護療養施設サービス	9.1	0.1	0.2	0.7	3.1	4.9
特定診療費（再掲）	9.1	0.1	0.2	0.7	3.1	4.9

注：総数には、月の途中で要介護から要支援に変更となった者を含む。

統計表第２表　介護サービス受給者数，月・年齢階級・サービス種類・要介護状態区分別（65－24）

（85～89歳）

平成29年８月審査分
（単位：千人）

サ ー ビ ス 種 類	総数	要介護１	要介護２	要介護３	要介護４	要介護５
総数	1 112.9	313.7	276.8	210.0	181.7	130.8
居宅サービス	777.7	268.6	229.2	135.3	90.1	54.4
訪問通所	652.5	239.2	200.7	106.6	66.8	39.1
訪問介護	259.8	90.1	77.2	41.6	29.8	21.1
訪問入浴介護	12.1	0.3	1.1	1.6	3.4	5.7
訪問看護	97.1	24.2	25.7	16.9	15.5	14.7
訪問リハビリテーション	17.6	3.9	4.9	3.5	3.0	2.2
通所介護	316.5	125.3	97.6	51.5	28.3	13.8
通所リハビリテーション	104.1	39.8	34.4	17.0	9.3	3.7
福祉用具貸与	407.0	101.6	131.3	81.0	57.9	35.3
短期入所	102.1	19.2	26.9	27.9	18.3	9.9
短期入所生活介護	90.3	17.1	23.7	24.9	16.1	8.5
短期入所療養介護（老健）	12.1	2.1	3.2	3.2	2.2	1.4
特定治療・特別療養費（再掲）	0.1	0.0	0.0	0.0	0.0	0.0
短期入所療養介護（病院等）	0.4	0.1	0.1	0.1	0.1	0.1
特定診療費（再掲）	0.3	0.0	0.1	0.0	0.1	0.1
居宅療養管理指導	174.5	36.9	40.7	36.1	33.3	27.5
特定施設入居者生活介護（短期利用以外）	58.9	16.7	13.1	10.8	10.7	7.5
特定施設入居者生活介護（短期利用）	0.4	0.1	0.1	0.1	0.1	0.0
居宅介護支援	678.1	255.0	206.2	110.7	67.8	38.4
地域密着型サービス	237.0	70.8	64.7	49.1	32.0	20.4
定期巡回・随時対応型訪問介護看護	5.4	1.4	1.5	1.0	0.9	0.6
夜間対応型訪問介護	1.9	0.4	0.6	0.4	0.3	0.3
地域密着型通所介護	108.4	44.4	33.4	17.4	8.9	4.3
認知症対応型通所介護	15.9	4.1	4.3	3.9	2.1	1.5
小規模多機能型居宅介護（短期利用以外）	27.3	8.1	7.8	5.8	3.6	2.0
小規模多機能型居宅介護（短期利用）	0.1	0.0	0.0	0.0	0.0	0.0
認知症対応型共同生活介護（短期利用以外）	61.2	11.9	16.0	16.4	10.2	6.7
認知症対応型共同生活介護（短期利用）	0.1	0.0	0.0	0.0	0.0	0.0
地域密着型特定施設入居者生活介護（短期利用以外）	2.1	0.4	0.5	0.5	0.4	0.3
地域密着型特定施設入居者生活介護（短期利用）	0.0	0.0	0.0	0.0	0.0	0.0
地域密着型介護老人福祉施設入所者生活介護	15.1	0.2	0.8	3.8	5.6	4.8
複合型サービス（看護小規模多機能型居宅介護・短期利用以外）	2.0	0.4	0.5	0.4	0.4	0.4
複合型サービス（看護小規模多機能型居宅介護・短期利用）	0.0	0.0	0.0	0.0	0.0	0.0
施設サービス	248.9	14.6	26.4	58.6	80.6	68.6
介護福祉施設サービス	139.0	2.4	7.0	33.8	50.6	45.1
介護保健施設サービス	97.5	12.0	19.0	23.8	25.7	17.0
特定治療・特別療養費（再掲）	2.5	0.1	0.2	0.3	0.8	1.1
介護療養施設サービス	13.1	0.2	0.4	1.2	4.7	6.7
特定診療費（再掲）	13.0	0.2	0.3	1.2	4.6	6.7

注：総数には、月の途中で要介護から要支援に変更となった者を含む。

（90～94歳）

平成29年８月審査分
（単位：千人）

サ ー ビ ス 種 類	総数	要介護１	要介護２	要介護３	要介護４	要介護５
総数	839.7	191.9	199.0	171.7	163.1	113.9
居宅サービス	548.9	163.0	160.5	104.2	75.7	45.5
訪問通所	444.2	140.8	136.9	80.3	54.3	31.9
訪問介護	163.6	49.5	47.0	28.2	22.8	16.1
訪問入浴介護	11.8	0.3	1.1	1.6	3.4	5.4
訪問看護	68.3	13.2	16.4	12.6	13.2	12.8
訪問リハビリテーション	11.3	2.2	2.9	2.2	2.3	1.6
通所介護	219.4	75.8	69.9	39.5	23.2	11.0
通所リハビリテーション	62.9	22.2	21.0	11.2	6.2	2.4
福祉用具貸与	296.1	64.6	92.0	62.8	47.7	28.9
短期入所	93.0	16.5	25.5	25.2	16.9	9.0
短期入所生活介護	82.7	14.7	22.6	22.6	15.1	7.7
短期入所療養介護（老健）	10.5	1.8	3.0	2.7	1.9	1.2
特定治療・特別療養費（再掲）	0.1	0.0	0.0	0.0	0.0	0.0
短期入所療養介護（病院等）	0.5	0.1	0.1	0.1	0.1	0.1
特定診療費（再掲）	0.3	0.0	0.1	0.1	0.1	0.1
居宅療養管理指導	137.4	25.4	30.9	29.0	28.9	23.2
特定施設入居者生活介護（短期利用以外）	53.2	13.8	11.8	10.1	10.6	6.9
特定施設入居者生活介護（短期利用）	0.3	0.1	0.1	0.1	0.1	0.0
居宅介護支援	458.9	149.1	140.2	83.1	55.2	31.4
地域密着型サービス	167.9	39.8	44.1	38.0	28.4	17.6
定期巡回・随時対応型訪問介護看護	4.0	0.9	1.1	0.8	0.8	0.4
夜間対応型訪問介護	1.3	0.2	0.3	0.3	0.2	0.2
地域密着型通所介護	68.0	23.8	21.4	12.5	7.1	3.3
認知症対応型通所介護	10.4	2.0	2.6	2.7	1.8	1.2
小規模多機能型居宅介護（短期利用以外）	19.1	4.8	5.4	4.3	3.0	1.7
小規模多機能型居宅介護（短期利用）	0.1	0.0	0.0	0.0	0.0	0.0
認知症対応型共同生活介護（短期利用以外）	48.5	7.6	12.1	13.3	9.4	6.2
認知症対応型共同生活介護（短期利用）	0.1	0.0	0.0	0.0	0.0	0.0
地域密着型特定施設入居者生活介護（短期利用以外）	2.0	0.4	0.5	0.4	0.4	0.3
地域密着型特定施設入居者生活介護（短期利用）	0.0	0.0	0.0	0.0	0.0	-
地域密着型介護老人福祉施設入所者生活介護	14.5	0.2	0.7	3.8	5.6	4.2
複合型サービス（看護小規模多機能型居宅介護・短期利用以外）	1.5	0.2	0.3	0.3	0.3	0.3
複合型サービス（看護小規模多機能型居宅介護・短期利用）	0.0	0.0	0.0	0.0	0.0	0.0
施設サービス	229.3	12.2	24.3	54.5	76.9	61.4
介護福祉施設サービス	132.0	2.1	6.8	32.2	49.9	41.1
介護保健施設サービス	86.0	9.9	17.2	21.4	23.1	14.4
特定治療・特別療養費（再掲）	2.2	0.1	0.2	0.3	0.8	0.8
介護療養施設サービス	12.0	0.1	0.4	1.1	4.3	6.1
特定診療費（再掲）	11.8	0.1	0.3	1.1	4.3	6.0

注：総数には、月の途中で要介護から要支援に変更となった者を含む。

統計表第２表　介護サービス受給者数，月・年齢階級・サービス種類・要介護状態区分別（65－25）

(95歳以上)

平成29年８月審査分
(単位：千人)

サービス種類	総数	要介護１	要介護２	要介護３	要介護４	要介護５
総数	369.4	52.9	71.7	80.6	94.7	69.6
居宅サービス	210.3	43.7	55.1	45.3	39.7	26.6
訪問通所	164.6	36.5	46.2	34.6	28.2	19.1
訪問介護	55.2	11.6	13.4	10.6	10.6	9.0
訪問入浴介護	9.2	0.2	0.7	1.3	2.6	4.4
訪問看護	31.8	3.5	6.0	6.0	7.7	8.7
訪問リハビリテーション	4.0	0.5	0.9	0.8	0.9	0.8
通所介護	78.1	19.6	23.8	16.9	11.8	6.0
通所リハビリテーション	18.9	5.2	6.0	3.9	2.6	1.1
福祉用具貸与	121.9	18.4	32.8	28.1	25.2	17.5
短期入所	43.0	5.6	10.6	12.0	9.5	5.3
短期入所生活介護	38.5	5.0	9.5	10.9	8.5	4.6
短期入所療養介護（老健）	4.6	0.6	1.2	1.2	1.0	0.6
特定治療・特別療養費（再掲）	0.0	0.0	0.0	0.0	0.0	0.0
短期入所療養介護（病院等）	0.3	0.0	0.1	0.0	0.1	0.1
特定診療費（再掲）	0.2	0.0	0.0	0.0	0.0	0.1
居宅療養管理指導	61.7	7.9	11.6	13.0	15.9	13.3
特定施設入居者生活介護（短期利用以外）	24.3	4.7	4.8	4.9	6.0	3.9
特定施設入居者生活介護（短期利用）	0.1	0.0	0.0	0.0	0.0	0.0
居宅介護支援	168.6	38.3	47.2	35.8	28.5	18.7
地域密着型サービス	63.8	9.7	13.9	15.5	15.0	9.8
定期巡回・随時対応型訪問介護看護	1.5	0.3	0.4	0.3	0.3	0.2
夜間対応型訪問介護	0.4	0.0	0.1	0.1	0.1	0.1
地域密着型通所介護	21.7	5.4	6.4	4.8	3.3	1.8
認知症対応型通所介護	3.7	0.4	0.7	1.0	0.9	0.7
小規模多機能型居宅介護（短期利用以外）	7.1	1.2	1.7	1.7	1.5	0.9
小規模多機能型居宅介護（短期利用）	0.0	0.0	0.0	0.0	0.0	0.0
認知症対応型共同生活介護（短期利用以外）	19.9	2.1	4.0	5.3	5.1	3.4
認知症対応型共同生活介護（短期利用）	0.0	0.0	0.0	0.0	0.0	0.0
地域密着型特定施設入居者生活介護（短期利用以外）	0.9	0.1	0.2	0.2	0.2	0.2
地域密着型特定施設入居者生活介護（短期利用）	0.0	-	-	0.0	-	-
地域密着型介護老人福祉施設入所者生活介護	8.5	0.1	0.4	2.0	3.5	2.5
複合型サービス(看護小規模多機能型居宅介護・短期利用以外)	0.5	0.1	0.1	0.1	0.1	0.1
複合型サービス(看護小規模多機能型居宅介護・短期利用)	0.0	0.0	0.0	0.0	0.0	0.0
施設サービス	134.9	5.2	12.1	29.9	48.9	38.8
介護福祉施設サービス	82.0	1.1	3.8	18.0	32.5	26.5
介護保健施設サービス	46.0	4.1	8.1	11.3	13.7	8.8
特定治療・特別療養費（再掲）	1.3	0.0	0.1	0.1	0.5	0.5
介護療養施設サービス	7.2	0.1	0.2	0.6	2.7	3.6
特定診療費（再掲）	7.1	0.0	0.2	0.6	2.7	3.6

注：総数には、月の途中で要介護から要支援に変更となった者を含む。

統計表第２表　介護サービス受給者数，月・年齢階級・サービス種類・要介護状態区分別（65−26）

（総　　数）

平成29年９月審査分
（単位：千人）

サービス種類	総数	要介護１	要介護２	要介護３	要介護４	要介護５
総数	4 203.1	1 094.0	1 041.9	805.3	722.6	539.1
居宅サービス	2 958.8	934.3	872.8	531.8	374.5	245.3
訪問通所	2 533.6	840.9	778.4	434.8	290.8	188.6
訪問介護	1 002.2	319.5	295.2	164.8	124.6	98.1
訪問入浴介護	65.3	1.6	5.2	7.7	17.5	33.3
訪問看護	418.2	93.9	108.3	73.8	71.1	71.1
訪問リハビリテーション	87.1	16.8	24.1	17.4	15.6	13.2
通所介護	1 129.2	410.6	345.1	195.1	116.0	62.5
通所リハビリテーション	435.5	145.5	143.5	78.9	46.4	21.1
福祉用具貸与	1 645.0	359.1	524.6	337.7	253.5	170.2
短期入所	379.2	62.7	94.2	102.9	74.0	45.4
短期入所生活介護	332.5	55.7	82.8	91.4	64.5	38.1
短期入所療養介護（老健）	47.9	7.0	11.5	12.1	9.9	7.4
特定治療・特別療養費（再掲）	0.3	0.0	0.1	0.1	0.1	0.1
短期入所療養介護（病院等）	2.1	0.3	0.4	0.4	0.4	0.6
特定診療費（再掲）	1.5	0.2	0.3	0.3	0.3	0.5
居宅療養管理指導	652.3	122.9	145.8	133.0	130.8	119.8
特定施設入居者生活介護（短期利用以外）	193.0	50.3	42.2	36.1	37.6	26.6
特定施設入居者生活介護（短期利用）	1.5	0.4	0.4	0.3	0.2	0.1
居宅介護支援	2 632.8	901.1	800.3	451.0	294.7	185.7
地域密着型サービス	839.0	240.6	226.0	174.2	119.3	78.9
定期巡回・随時対応型訪問介護看護	18.9	4.8	4.8	3.6	3.4	2.3
夜間対応型訪問介護	7.8	1.2	2.0	1.6	1.5	1.4
地域密着型通所介護	403.8	155.2	125.6	67.9	36.2	18.8
認知症対応型通所介護	56.9	13.9	14.2	14.2	8.3	6.3
小規模多機能型居宅介護（短期利用以外）	93.1	26.6	25.4	19.9	13.3	7.9
小規模多機能型居宅介護（短期利用）	0.4	0.1	0.1	0.1	0.1	0.0
認知症対応型共同生活介護（短期利用以外）	197.3	37.3	49.8	52.5	34.4	23.4
認知症対応型共同生活介護（短期利用）	0.4	0.1	0.1	0.1	0.0	0.0
地域密着型特定施設入居者生活介護（短期利用以外）	7.1	1.3	1.8	1.5	1.5	1.0
地域密着型特定施設入居者生活介護（短期利用）	0.0	0.0	0.0	0.0	0.0	0.0
地域密着型介護老人福祉施設入所者生活介護	54.1	0.8	2.6	13.4	20.3	17.0
複合型サービス(看護小規模多機能型居宅介護・短期利用以外)	7.6	1.2	1.7	1.6	1.6	1.6
複合型サービス(看護小規模多機能型居宅介護・短期利用)	0.1	0.0	0.0	0.0	0.0	0.0
施設サービス	932.8	50.4	94.3	215.6	307.2	265.3
介護福祉施設サービス	526.7	9.1	26.3	124.6	193.6	173.1
介護保健施設サービス	357.7	40.7	66.8	87.4	96.7	66.1
特定治療・特別療養費（再掲）	9.5	0.4	0.7	1.2	3.2	4.0
介護療養施設サービス	51.3	0.6	1.3	4.3	18.1	26.9
特定診療費（再掲）	50.8	0.6	1.3	4.2	18.0	26.7

注：総数には、月の途中で要介護から要支援に変更となった者を含む。

（40〜64歳）

平成29年９月審査分
（単位：千人）

サービス種類	総数	要介護１	要介護２	要介護３	要介護４	要介護５
総数	103.8	22.2	30.7	19.7	15.6	15.6
居宅サービス	87.4	20.0	28.2	16.3	11.8	11.2
訪問通所	81.8	19.0	27.1	15.1	10.6	9.9
訪問介護	31.8	7.0	9.6	5.7	4.4	5.2
訪問入浴介護	3.8	0.0	0.2	0.3	0.7	2.5
訪問看護	18.4	3.6	5.5	3.3	2.8	3.3
訪問リハビリテーション	7.2	1.4	2.2	1.4	1.0	1.3
通所介護	23.4	5.5	7.4	4.8	3.2	2.6
通所リハビリテーション	20.3	5.0	7.1	4.2	2.4	1.6
福祉用具貸与	61.7	9.9	20.7	12.6	9.4	9.0
短期入所	6.0	0.5	1.0	1.5	1.5	1.6
短期入所生活介護	4.7	0.4	0.8	1.2	1.1	1.2
短期入所療養介護（老健）	1.3	0.1	0.2	0.3	0.4	0.4
特定治療・特別療養費（再掲）	0.0	−	0.0	0.0	0.0	0.0
短期入所療養介護（病院等）	0.1	0.0	0.0	0.0	0.0	0.0
特定診療費（再掲）	0.1	0.0	0.0	0.0	0.0	0.0
居宅療養管理指導	17.6	2.1	3.5	3.2	3.4	5.3
特定施設入居者生活介護（短期利用以外）	1.9	0.3	0.4	0.3	0.4	0.4
特定施設入居者生活介護（短期利用）	0.0	0.0	0.0	0.0	0.0	0.0
居宅介護支援	82.0	19.7	27.1	15.1	10.4	9.6
地域密着型サービス	16.5	4.1	5.1	3.3	2.1	1.9
定期巡回・随時対応型訪問介護看護	0.4	0.1	0.1	0.1	0.1	0.1
夜間対応型訪問介護	0.4	0.0	0.1	0.1	0.1	0.1
地域密着型通所介護	11.3	3.2	4.0	2.1	1.2	0.8
認知症対応型通所介護	0.9	0.2	0.2	0.2	0.1	0.2
小規模多機能型居宅介護（短期利用以外）	1.6	0.4	0.4	0.3	0.3	0.2
小規模多機能型居宅介護（短期利用）	0.0	−	0.0	0.0	−	−
認知症対応型共同生活介護（短期利用以外）	1.3	0.3	0.3	0.4	0.2	0.2
認知症対応型共同生活介護（短期利用）	0.0	0.0	−	0.0	−	0.0
地域密着型特定施設入居者生活介護（短期利用以外）	0.1	0.0	0.0	0.0	0.0	0.0
地域密着型特定施設入居者生活介護（短期利用）	−	−	−	−	−	−
地域密着型介護老人福祉施設入所者生活介護	0.5	0.0	0.0	0.1	0.1	0.2
複合型サービス(看護小規模多機能型居宅介護・短期利用以外)	0.2	0.0	0.0	0.0	0.0	0.1
複合型サービス(看護小規模多機能型居宅介護・短期利用)	0.0	0.0	−	0.0	−	0.0
施設サービス	12.0	0.7	1.3	2.6	3.4	4.0
介護福祉施設サービス	4.8	0.1	0.3	1.0	1.5	1.9
介護保健施設サービス	6.1	0.6	1.0	1.5	1.6	1.5
特定治療・特別療養費（再掲）	0.2	0.0	0.0	0.0	0.1	0.1
介護療養施設サービス	1.1	0.0	0.0	0.1	0.3	0.7
特定診療費（再掲）	1.1	0.0	0.0	0.1	0.3	0.7

注：総数には、月の途中で要介護から要支援に変更となった者を含む。

統計表第２表　介護サービス受給者数，月・年齢階級・サービス種類・要介護状態区分別（65－27）

（65～69歳）

平成29年９月審査分
（単位：千人）

サービス種類	総数	要介護１	要介護２	要介護３	要介護４	要介護５
総数	170.2	42.6	47.3	31.7	25.9	22.8
居宅サービス	138.4	37.5	42.6	25.0	18.4	14.9
訪問通所	128.4	35.4	40.4	22.9	16.4	13.3
訪問介護	59.4	17.2	17.8	9.7	7.4	7.3
訪問入浴介護	4.7	0.1	0.3	0.4	1.1	2.9
訪問看護	25.1	5.0	6.9	4.7	4.1	4.4
訪問リハビリテーション	7.6	1.2	2.1	1.5	1.3	1.4
通所介護	42.0	11.8	12.7	8.1	5.5	3.9
通所リハビリテーション	28.3	7.2	9.6	5.9	3.7	2.0
福祉用具貸与	86.9	14.7	28.4	18.1	14.1	11.6
短期入所	11.2	1.1	2.1	2.8	2.7	2.5
短期入所生活介護	9.1	1.0	1.7	2.3	2.1	1.9
短期入所療養介護（老健）	2.2	0.1	0.4	0.5	0.5	0.6
特定治療・特別療養費（再掲）	0.0	－	0.0	0.0	0.0	0.0
短期入所療養介護（病院等）	0.1	0.0	0.0	0.0	0.0	0.0
特定診療費（再掲）	0.1	0.0	0.0	0.0	0.0	0.0
居宅療養管理指導	26.3	4.1	5.7	4.9	5.0	6.5
特定施設入居者生活介護（短期利用以外）	3.6	0.9	0.8	0.7	0.7	0.6
特定施設入居者生活介護（短期利用）	0.0	0.0	0.0	0.0	0.0	0.0
居宅介護支援	130.5	37.2	40.9	23.2	16.3	13.0
地域密着型サービス	28.7	8.4	8.3	5.6	3.5	2.9
定期巡回・随時対応型訪問介護看護	0.7	0.2	0.2	0.2	0.1	0.1
夜間対応型訪問介護	0.5	0.1	0.1	0.1	0.1	0.1
地域密着型通所介護	18.5	6.1	6.1	3.3	1.8	1.2
認知症対応型通所介護	1.9	0.4	0.3	0.4	0.3	0.4
小規模多機能型居宅介護（短期利用以外）	2.8	0.8	0.7	0.6	0.4	0.3
小規模多機能型居宅介護（短期利用）	0.0	0.0	0.0	0.0	0.0	0.0
認知症対応型共同生活介護（短期利用以外）	3.2	0.9	0.8	0.8	0.4	0.4
認知症対応型共同生活介護（短期利用）	0.0	0.0	0.0	0.0	0.0	－
地域密着型特定施設入居者生活介護（短期利用以外）	0.1	0.0	0.0	0.0	0.0	0.0
地域密着型特定施設入居者生活介護（短期利用）	0.0	－	－	－	－	0.0
地域密着型介護老人福祉施設入所者生活介護	1.0	0.0	0.0	0.3	0.3	0.4
複合型サービス(看護小規模多機能型居宅介護・短期利用以外)	0.3	0.0	0.1	0.1	0.1	0.1
複合型サービス(看護小規模多機能型居宅介護・短期利用)	0.0	－	0.0	0.0	0.0	0.0
施設サービス	22.7	1.4	2.4	5.1	6.7	7.2
介護福祉施設サービス	11.4	0.2	0.7	2.6	3.7	4.2
介護保健施設サービス	9.8	1.1	1.7	2.3	2.5	2.1
特定治療・特別療養費（再掲）	0.3	0.0	0.0	0.0	0.1	0.1
介護療養施設サービス	1.6	0.0	0.0	0.1	0.5	0.9
特定診療費（再掲）	1.6	0.0	0.0	0.1	0.5	0.9

注：総数には、月の途中で要介護から要支援に変更となった者を含む。

（70～74歳）

平成29年９月審査分
（単位：千人）

サービス種類	総数	要介護１	要介護２	要介護３	要介護４	要介護５
総数	264.7	69.9	71.8	49.3	40.5	33.1
居宅サービス	208.3	60.5	63.7	37.6	26.8	19.7
訪問通所	191.3	56.6	60.0	33.8	23.7	17.2
訪問介護	80.6	23.8	24.4	13.3	10.1	8.9
訪問入浴介護	5.8	0.1	0.4	0.6	1.4	3.3
訪問看護	35.4	7.6	9.6	6.3	5.8	6.0
訪問リハビリテーション	9.8	1.6	2.7	2.0	1.8	1.7
通所介護	70.0	22.4	20.7	12.9	8.5	5.5
通所リハビリテーション	41.5	11.2	13.6	8.5	5.4	2.8
福祉用具貸与	128.9	23.6	42.1	26.8	20.8	15.6
短期入所	18.8	2.3	3.5	5.0	4.5	3.5
短期入所生活介護	15.6	2.0	2.9	4.2	3.6	2.7
短期入所療養介護（老健）	3.3	0.3	0.6	0.8	0.9	0.8
特定治療・特別療養費（再掲）	0.0	0.0	0.0	0.0	0.0	0.0
短期入所療養介護（病院等）	0.2	0.0	0.0	0.0	0.0	0.1
特定診療費（再掲）	0.1	0.0	0.0	0.0	0.0	0.1
居宅療養管理指導	39.3	6.7	8.6	7.7	7.5	8.8
特定施設入居者生活介護（短期利用以外）	6.3	1.7	1.4	1.2	1.1	1.0
特定施設入居者生活介護（短期利用）	0.1	0.0	0.0	0.0	0.0	0.0
居宅介護支援	197.1	60.7	61.1	34.6	23.7	16.9
地域密着型サービス	48.5	15.3	13.8	9.3	5.8	4.3
定期巡回・随時対応型訪問介護看護	1.0	0.3	0.2	0.2	0.2	0.1
夜間対応型訪問介護	0.7	0.1	0.2	0.1	0.2	0.2
地域密着型通所介護	30.0	10.9	9.6	5.1	2.7	1.7
認知症対応型通所介護	3.5	0.9	0.8	0.9	0.5	0.5
小規模多機能型居宅介護（短期利用以外）	4.7	1.4	1.2	0.9	0.6	0.5
小規模多機能型居宅介護（短期利用）	0.0	0.0	0.0	0.0	0.0	0.0
認知症対応型共同生活介護（短期利用以外）	6.6	1.7	1.6	1.7	0.9	0.7
認知症対応型共同生活介護（短期利用）	0.0	0.0	0.0	0.0	0.0	0.0
地域密着型特定施設入居者生活介護（短期利用以外）	0.2	0.0	0.1	0.1	0.0	0.0
地域密着型特定施設入居者生活介護（短期利用）	0.0	－	－	－	－	0.0
地域密着型介護老人福祉施設入所者生活介護	1.8	0.0	0.1	0.4	0.6	0.6
複合型サービス(看護小規模多機能型居宅介護・短期利用以外)	0.5	0.1	0.1	0.1	0.1	0.1
複合型サービス(看護小規模多機能型居宅介護・短期利用)	0.0	－	0.0	0.0	－	0.0
施設サービス	40.1	2.3	4.0	9.0	12.4	12.4
介護福祉施設サービス	21.5	0.5	1.3	5.1	7.3	7.5
介護保健施設サービス	16.1	1.7	2.7	3.8	4.3	3.5
特定治療・特別療養費（再掲）	0.4	0.0	0.0	0.0	0.1	0.2
介護療養施設サービス	2.6	0.0	0.1	0.2	0.9	1.5
特定診療費（再掲）	2.6	0.0	0.1	0.2	0.9	1.5

注：総数には、月の途中で要介護から要支援に変更となった者を含む。

統計表第２表　介護サービス受給者数，月・年齢階級・サービス種類・要介護状態区分別（65－28）

（75～79歳）

平成29年９月審査分
（単位：千人）

サービス種類	総数	要介護１	要介護２	要介護３	要介護４	要介護５
総数	482.2	138.9	125.8	88.2	72.6	56.6
居宅サービス	364.4	118.8	109.3	63.7	43.3	29.3
訪問通所	328.6	110.5	101.3	55.4	36.9	24.5
訪問介護	132.8	43.0	40.0	21.4	15.7	12.8
訪問入浴介護	7.9	0.2	0.6	0.8	2.1	4.2
訪問看護	56.0	13.6	14.9	9.6	9.0	8.9
訪問リハビリテーション	12.9	2.3	3.5	2.6	2.4	2.0
通所介護	134.8	50.1	39.7	23.0	13.8	8.2
通所リハビリテーション	65.4	20.3	21.4	12.5	7.6	3.6
福祉用具貸与	211.0	44.5	68.9	43.0	32.3	22.3
短期入所	36.0	5.2	7.7	9.8	7.7	5.6
短期入所生活介護	30.4	4.6	6.6	8.4	6.4	4.5
短期入所療養介護（老健）	5.7	0.6	1.2	1.5	1.4	1.1
特定治療・特別療養費（再掲）	0.0	0.0	0.0	0.0	0.0	0.0
短期入所療養介護（病院等）	0.2	0.0	0.0	0.0	0.1	0.1
特定診療費（再掲）	0.2	0.0	0.0	0.0	0.0	0.1
居宅療養管理指導	68.7	13.0	15.5	13.6	12.9	13.6
特定施設入居者生活介護（短期利用以外）	13.1	3.5	2.8	2.5	2.3	1.9
特定施設入居者生活介護（短期利用）	0.2	0.0	0.0	0.0	0.0	0.0
居宅介護支援	342.7	119.7	104.3	57.3	37.2	24.2
地域密着型サービス	95.9	32.2	26.6	18.4	11.0	7.6
定期巡回・随時対応型訪問介護看護	1.9	0.5	0.5	0.4	0.3	0.2
夜間対応型訪問介護	1.0	0.1	0.3	0.2	0.2	0.2
地域密着型通所介護	54.6	22.1	16.9	8.8	4.4	2.4
認知症対応型通所介護	7.5	2.1	1.8	1.8	0.9	0.8
小規模多機能型居宅介護（短期利用以外）	9.8	3.2	2.6	2.0	1.3	0.8
小規模多機能型居宅介護（短期利用）	0.0	0.0	0.0	0.0	0.0	0.0
認知症対応型共同生活介護（短期利用以外）	16.6	4.1	4.2	4.2	2.3	1.6
認知症対応型共同生活介護（短期利用）	0.0	0.0	0.0	0.0	0.0	0.0
地域密着型特定施設入居者生活介護（短期利用以外）	0.4	0.1	0.1	0.1	0.1	0.1
地域密着型特定施設入居者生活介護（短期利用）	0.0	－	－	0.0	－	－
地域密着型介護老人福祉施設入所者生活介護	4.0	0.1	0.2	1.0	1.4	1.4
複合型サービス（看護小規模多機能型居宅介護・短期利用以外）	1.0	0.2	0.2	0.2	0.2	0.2
複合型サービス（看護小規模多機能型居宅介護・短期利用）	0.0	0.0	0.0	0.0	0.0	0.0
施設サービス	82.9	4.7	8.0	18.9	26.2	25.1
介護福祉施設サービス	46.2	1.0	2.4	10.9	16.0	15.8
介護保健施設サービス	32.2	3.7	5.5	7.7	8.7	6.6
特定治療・特別療養費（再掲）	0.9	0.0	0.1	0.1	0.3	0.4
介護療養施設サービス	4.8	0.1	0.1	0.4	1.5	2.7
特定診療費（再掲）	4.7	0.1	0.1	0.4	1.5	2.6

注：総数には、月の途中で要介護から要支援に変更となった者を含む。

（80～84歳）

平成29年９月審査分
（単位：千人）

サービス種類	総数	要介護１	要介護２	要介護３	要介護４	要介護５
総数	864.7	261.7	219.2	155.9	130.4	97.6
居宅サービス	628.2	223.1	185.1	105.7	70.0	44.3
訪問通所	549.0	204.5	167.1	87.6	55.6	34.2
訪問介護	222.4	78.3	66.5	35.0	24.5	18.1
訪問入浴介護	10.3	0.3	0.8	1.2	2.8	5.2
訪問看護	86.4	23.0	23.3	14.6	13.1	12.5
訪問リハビリテーション	16.9	3.5	4.8	3.4	2.9	2.3
通所介護	248.6	101.3	74.0	39.2	22.2	11.9
通所リハビリテーション	96.2	35.1	31.1	16.4	9.5	4.1
福祉用具貸与	338.2	82.6	109.8	66.7	48.2	30.9
短期入所	68.6	12.1	16.3	18.9	13.2	8.1
短期入所生活介護	59.9	10.6	14.2	16.7	11.5	6.8
短期入所療養介護（老健）	9.0	1.4	2.1	2.3	1.9	1.3
特定治療・特別療養費（再掲）	0.1	0.0	0.0	0.0	0.0	0.0
短期入所療養介護（病院等）	0.3	0.0	0.1	0.1	0.1	0.1
特定診療費（再掲）	0.3	0.0	0.0	0.0	0.0	0.1
居宅療養管理指導	125.7	26.1	29.2	25.5	23.3	21.6
特定施設入居者生活介護（短期利用以外）	32.0	8.8	7.2	5.8	5.8	4.4
特定施設入居者生活介護（短期利用）	0.3	0.1	0.1	0.1	0.0	0.0
居宅介護支援	575.4	221.2	172.8	91.3	56.5	33.7
地域密着型サービス	183.3	61.1	50.2	35.8	21.8	14.4
定期巡回・随時対応型訪問介護看護	3.8	1.1	1.0	0.7	0.6	0.4
夜間対応型訪問介護	1.6	0.3	0.5	0.3	0.3	0.3
地域密着型通所介護	93.4	40.1	28.3	14.4	7.2	3.5
認知症対応型通所介護	13.5	3.9	3.5	3.2	1.6	1.2
小規模多機能型居宅介護（短期利用以外）	20.6	6.6	5.7	4.2	2.6	1.5
小規模多機能型居宅介護（短期利用）	0.1	0.0	0.0	0.0	0.0	0.0
認知症対応型共同生活介護（短期利用以外）	40.5	8.8	10.7	10.7	6.0	4.3
認知症対応型共同生活介護（短期利用）	0.1	0.0	0.0	0.0	0.0	0.0
地域密着型特定施設入居者生活介護（短期利用以外）	1.1	0.2	0.3	0.2	0.2	0.2
地域密着型特定施設入居者生活介護（短期利用）	0.0	－	0.0	0.0	－	0.0
地域密着型介護老人福祉施設入所者生活介護	8.9	0.1	0.4	2.2	3.2	3.0
複合型サービス（看護小規模多機能型居宅介護・短期利用以外）	1.6	0.3	0.3	0.3	0.3	0.3
複合型サービス（看護小規模多機能型居宅介護・短期利用）	0.0	0.0	0.0	0.0	0.0	0.0
施設サービス	167.0	9.8	16.8	38.5	53.6	48.3
介護福祉施設サービス	92.9	1.8	4.6	22.1	33.1	31.4
介護保健施設サービス	65.7	7.9	12.0	15.8	17.6	12.3
特定治療・特別療養費（再掲）	1.6	0.1	0.1	0.2	0.6	0.7
介護療養施設サービス	9.0	0.1	0.2	0.7	3.1	4.9
特定診療費（再掲）	9.0	0.1	0.2	0.7	3.1	4.8

注：総数には、月の途中で要介護から要支援に変更となった者を含む。

統計表第２表　介護サービス受給者数，月・年齢階級・サービス種類・要介護状態区分別（65－29）

（85～89歳）

平成29年９月審査分
（単位：千人）

サービス種類	総数	要介護１	要介護２	要介護３	要介護４	要介護５
総数	1 109.8	313.7	276.5	208.9	180.6	130.0
居宅サービス	774.8	268.0	228.7	134.7	89.4	54.0
訪問通所	649.0	238.3	200.1	106.0	66.0	38.8
訪問介護	258.0	89.7	76.8	41.3	29.4	20.8
訪問入浴介護	12.0	0.3	1.1	1.6	3.3	5.6
訪問看護	96.8	24.2	25.7	16.8	15.5	14.7
訪問リハビリテーション	17.6	4.0	4.9	3.5	3.0	2.2
通所介護	314.2	124.6	97.1	51.0	28.0	13.6
通所リハビリテーション	103.0	39.5	34.0	16.8	9.1	3.6
福祉用具貸与	403.9	101.1	130.6	80.4	57.0	34.8
短期入所	102.3	19.3	27.1	27.9	18.2	9.8
短期入所生活介護	90.8	17.2	24.0	25.0	16.2	8.5
短期入所療養介護（老健）	11.9	2.1	3.2	3.1	2.1	1.4
特定治療・特別療養費（再掲）	0.1	0.0	0.0	0.0	0.0	0.0
短期入所療養介護（病院等）	0.4	0.1	0.1	0.1	0.1	0.1
特定診療費（再掲）	0.3	0.0	0.1	0.1	0.0	0.1
居宅療養管理指導	174.9	37.2	40.7	36.1	33.3	27.6
特定施設入居者生活介護（短期利用以外）	58.7	16.7	13.1	10.8	10.7	7.5
特定施設入居者生活介護（短期利用）	0.4	0.1	0.1	0.1	0.1	0.0
居宅介護支援	677.7	255.1	206.4	110.6	67.4	38.2
地域密着型サービス	235.5	70.2	64.3	48.7	31.9	20.4
定期巡回・随時対応型訪問介護看護	5.4	1.4	1.5	1.0	0.9	0.6
夜間対応型訪問介護	1.8	0.3	0.5	0.4	0.3	0.2
地域密着型通所介護	107.1	43.9	33.0	17.2	8.7	4.3
認知症対応型通所介護	15.7	4.0	4.3	3.9	2.1	1.4
小規模多機能型居宅介護（短期利用以外）	27.5	8.1	7.8	5.9	3.7	2.0
小規模多機能型居宅介護（短期利用）	0.1	0.0	0.0	0.0	0.0	0.0
認知症対応型共同生活介護（短期利用以外）	61.0	11.9	16.0	16.3	10.1	6.7
認知症対応型共同生活介護（短期利用）	0.1	0.0	0.0	0.0	0.0	0.0
地域密着型特定施設入居者生活介護（短期利用以外）	2.1	0.4	0.6	0.4	0.4	0.3
地域密着型特定施設入居者生活介護（短期利用）	0.0	0.0	0.0	0.0	0.0	0.0
地域密着型介護老人福祉施設入所者生活介護	15.0	0.2	0.7	3.7	5.5	4.7
複合型サービス（看護小規模多機能型居宅介護・短期利用以外）	2.0	0.4	0.5	0.4	0.4	0.4
複合型サービス（看護小規模多機能型居宅介護・短期利用）	0.0	0.0	0.0	0.0	0.0	0.0
施設サービス	245.9	14.3	26.0	57.7	79.9	68.1
介護福祉施設サービス	137.3	2.3	6.8	33.3	50.2	44.8
介護保健施設サービス	96.2	11.8	18.8	23.5	25.3	16.8
特定治療・特別療養費（再掲）	2.5	0.1	0.2	0.3	0.8	1.0
介護療養施設サービス	13.1	0.2	0.3	1.1	4.7	6.7
特定診療費（再掲）	13.0	0.2	0.3	1.1	4.7	6.7

注：総数には、月の途中で要介護から要支援に変更となった者を含む。

（90～94歳）

平成29年９月審査分
（単位：千人）

サービス種類	総数	要介護１	要介護２	要介護３	要介護４	要介護５
総数	838.8	192.1	198.8	171.4	162.6	113.9
居宅サービス	547.6	162.9	160.1	104.0	75.3	45.3
訪問通所	441.8	140.3	136.2	79.8	53.8	31.6
訪問介護	162.3	49.0	46.7	28.0	22.5	16.0
訪問入浴介護	11.7	0.4	1.1	1.5	3.4	5.3
訪問看護	68.3	13.3	16.4	12.6	13.2	12.7
訪問リハビリテーション	11.1	2.2	2.9	2.2	2.3	1.6
通所介護	218.5	75.5	69.6	39.4	23.1	10.9
通所リハビリテーション	62.2	22.0	20.8	10.9	6.1	2.4
福祉用具貸与	293.5	64.4	91.3	62.3	47.0	28.6
短期入所	93.1	16.5	25.8	25.2	16.8	8.8
短期入所生活介護	83.3	14.8	23.0	22.7	15.1	7.7
短期入所療養介護（老健）	10.0	1.7	2.8	2.6	1.8	1.1
特定治療・特別療養費（再掲）	0.1	0.0	0.0	0.0	0.0	0.0
短期入所療養介護（病院等）	0.5	0.1	0.1	0.1	0.1	0.1
特定診療費（再掲）	0.3	0.0	0.1	0.1	0.1	0.1
居宅療養管理指導	138.2	25.8	30.9	29.1	29.2	23.2
特定施設入居者生活介護（短期利用以外）	53.2	13.8	11.7	10.1	10.6	6.9
特定施設入居者生活介護（短期利用）	0.4	0.1	0.1	0.1	0.1	0.0
居宅介護支援	459.1	149.2	140.4	83.2	54.9	31.4
地域密着型サービス	166.9	39.6	43.9	37.6	28.3	17.6
定期巡回・随時対応型訪問介護看護	4.0	0.9	1.1	0.8	0.8	0.5
夜間対応型訪問介護	1.2	0.2	0.3	0.3	0.2	0.2
地域密着型通所介護	67.3	23.5	21.2	12.3	7.0	3.3
認知症対応型通所介護	10.3	2.0	2.6	2.7	1.8	1.2
小規模多機能型居宅介護（短期利用以外）	19.1	4.8	5.4	4.3	2.9	1.7
小規模多機能型居宅介護（短期利用）	0.1	0.0	0.0	0.0	0.0	0.0
認知症対応型共同生活介護（短期利用以外）	48.3	7.6	12.1	13.1	9.4	6.2
認知症対応型共同生活介護（短期利用）	0.1	0.0	0.0	0.0	0.0	0.0
地域密着型特定施設入居者生活介護（短期利用以外）	2.0	0.4	0.5	0.4	0.5	0.3
地域密着型特定施設入居者生活介護（短期利用）	0.0	0.0	0.0	0.0	0.0	－
地域密着型介護老人福祉施設入所者生活介護	14.5	0.2	0.7	3.7	5.6	4.2
複合型サービス（看護小規模多機能型居宅介護・短期利用以外）	1.5	0.2	0.3	0.3	0.3	0.3
複合型サービス（看護小規模多機能型居宅介護・短期利用）	0.0	0.0	0.0	0.0	0.0	0.0
施設サービス	227.7	12.0	23.9	54.1	76.4	61.3
介護福祉施設サービス	131.0	2.1	6.6	31.8	49.4	41.1
介護保健施設サービス	85.7	9.8	17.0	21.5	22.9	14.5
特定治療・特別療養費（再掲）	2.2	0.1	0.2	0.3	0.8	0.8
介護療養施設サービス	11.8	0.1	0.3	1.1	4.3	6.0
特定診療費（再掲）	11.7	0.1	0.3	1.0	4.3	5.9

注：総数には、月の途中で要介護から要支援に変更となった者を含む。

統計表第２表　介護サービス受給者数，月・年齢階級・サービス種類・要介護状態区分別（65－30）

（95歳以上）

平成29年９月審査分
（単位：千人）

サービス種類	総数	要介護１	要介護２	要介護３	要介護４	要介護５
総数	368.9	52.8	71.8	80.2	94.5	69.6
居宅サービス	209.6	43.5	55.1	44.9	39.5	26.6
訪問通所	163.6	36.3	46.1	34.3	27.9	19.0
訪問介護	54.8	11.5	13.4	10.5	10.5	8.9
訪問入浴介護	9.1	0.2	0.7	1.2	2.6	4.4
訪問看護	31.8	3.6	6.0	5.9	7.6	8.6
訪問リハビリテーション	4.0	0.5	0.9	0.8	1.0	0.8
通所介護	77.7	19.5	23.8	16.7	11.7	6.0
通所リハビリテーション	18.6	5.2	5.9	3.9	2.6	1.1
福祉用具貸与	120.9	18.2	32.6	27.8	24.9	17.4
短期入所	43.1	5.7	10.6	11.9	9.5	5.3
短期入所生活介護	38.7	5.1	9.5	10.8	8.6	4.7
短期入所療養介護（老健）	4.5	0.6	1.1	1.1	1.0	0.7
特定治療・特別療養費（再掲）	0.0	0.0	0.0	0.0	0.0	0.0
短期入所療養介護（病院等）	0.3	0.0	0.0	0.1	0.1	0.1
特定診療費（再掲）	0.2	0.0	0.0	0.0	0.0	0.1
居宅療養管理指導	61.8	7.8	11.7	13.0	16.0	13.3
特定施設入居者生活介護（短期利用以外）	24.3	4.7	4.8	4.8	6.1	4.0
特定施設入居者生活介護（短期利用）	0.1	0.0	0.0	0.0	0.0	0.0
居宅介護支援	168.4	38.4	47.3	35.6	28.4	18.7
地域密着型サービス	63.7	9.6	13.9	15.5	14.9	9.8
定期巡回・随時対応型訪問介護看護	1.5	0.2	0.4	0.3	0.3	0.2
夜間対応型訪問介護	0.4	0.0	0.1	0.1	0.1	0.1
地域密着型通所介護	21.6	5.4	6.4	4.8	3.3	1.7
認知症対応型通所介護	3.7	0.4	0.7	1.0	0.8	0.7
小規模多機能型居宅介護（短期利用以外）	7.0	1.2	1.7	1.7	1.5	0.9
小規模多機能型居宅介護（短期利用）	0.0	0.0	0.0	0.0	0.0	0.0
認知症対応型共同生活介護（短期利用以外）	19.8	2.1	4.0	5.3	5.1	3.4
認知症対応型共同生活介護（短期利用）	0.0	0.0	0.0	0.0	0.0	–
地域密着型特定施設入居者生活介護（短期利用以外）	1.0	0.1	0.2	0.2	0.2	0.2
地域密着型特定施設入居者生活介護（短期利用）	0.0	0.0	–	0.0	–	–
地域密着型介護老人福祉施設入所者生活介護	8.5	0.1	0.4	2.0	3.5	2.5
複合型サービス(看護小規模多機能型居宅介護・短期利用以外)	0.6	0.1	0.1	0.1	0.2	0.1
複合型サービス(看護小規模多機能型居宅介護・短期利用)	0.0	0.0	0.0	–	0.0	0.0
施設サービス	134.4	5.2	12.0	29.7	48.7	38.9
介護福祉施設サービス	81.6	1.1	3.7	18.0	32.4	26.4
介護保健施設サービス	45.9	4.1	8.1	11.2	13.7	8.9
特定治療・特別療養費（再掲）	1.3	0.0	0.1	0.2	0.5	0.5
介護療養施設サービス	7.3	0.1	0.2	0.6	2.8	3.6
特定診療費（再掲）	7.2	0.1	0.2	0.6	2.7	3.6

注：総数には、月の途中で要介護から要支援に変更となった者を含む。

統計表第２表　介護サービス受給者数，月・年齢階級・サービス種類・要介護状態区分別（65－31）

（総　　数）

平成29年10月審査分
（単位：千人）

サ ー ビ ス 種 類	総数	要介護１	要介護２	要介護３	要介護４	要介護５
総数	4 260.0	1 106.5	1 054.0	816.8	734.2	548.3
居宅サービス	3 002.5	948.2	884.9	539.9	380.3	249.0
訪問通所	2 570.5	853.8	789.1	440.9	295.5	191.1
訪問介護	1 016.5	323.8	299.6	167.4	126.6	99.2
訪問入浴介護	65.4	1.6	5.2	7.6	17.4	33.6
訪問看護	426.9	96.3	110.9	75.4	72.3	72.0
訪問リハビリテーション	88.5	17.0	24.6	17.8	15.7	13.3
通所介護	1 147.4	417.7	350.7	197.8	118.0	63.2
通所リハビリテーション	441.5	147.6	145.5	80.0	47.1	21.4
福祉用具貸与	1 670.1	365.4	532.1	342.4	257.6	172.5
短期入所	381.6	62.1	94.2	104.2	75.1	46.1
短期入所生活介護	334.2	55.1	82.8	92.5	65.3	38.5
短期入所療養介護（老健）	48.7	7.0	11.6	12.2	10.2	7.6
特定治療・特別療養費（再掲）	0.3	0.0	0.1	0.1	0.1	0.1
短期入所療養介護（病院等）	2.0	0.2	0.4	0.4	0.4	0.6
特定診療費（再掲）	1.4	0.2	0.3	0.3	0.3	0.5
居宅療養管理指導	661.6	124.9	147.9	135.0	132.3	121.5
特定施設入居者生活介護（短期利用以外）	196.0	51.2	42.9	36.8	38.3	26.8
特定施設入居者生活介護（短期利用）	1.4	0.3	0.4	0.3	0.2	0.1
居宅介護支援	2 644.7	905.4	803.6	452.9	296.3	186.5
地域密着型サービス	851.1	243.6	229.3	176.5	121.3	80.3
定期巡回・随時対応型訪問介護看護	19.3	5.0	5.0	3.7	3.5	2.3
夜間対応型訪問介護	7.9	1.2	2.1	1.6	1.6	1.5
地域密着型通所介護	409.7	157.1	127.7	69.0	36.9	19.0
認知症対応型通所介護	57.8	14.1	14.4	14.3	8.4	6.5
小規模多機能型居宅介護（短期利用以外）	94.3	26.9	25.9	20.1	13.6	7.9
小規模多機能型居宅介護（短期利用）	0.4	0.1	0.1	0.1	0.1	0.0
認知症対応型共同生活介護（短期利用以外）	199.4	37.6	50.2	53.0	34.8	23.8
認知症対応型共同生活介護（短期利用）	0.3	0.1	0.1	0.1	0.0	0.0
地域密着型特定施設入居者生活介護（短期利用以外）	7.2	1.3	1.8	1.5	1.6	1.0
地域密着型特定施設入居者生活介護（短期利用）	0.0	0.0	0.0	0.0	0.0	0.0
地域密着型介護老人福祉施設入所者生活介護	55.2	0.8	2.6	13.7	20.7	17.5
複合型サービス(看護小規模多機能型居宅介護・短期利用以外)	7.9	1.3	1.7	1.6	1.6	1.7
複合型サービス(看護小規模多機能型居宅介護・短期利用)	0.1	0.0	0.0	0.0	0.0	0.0
施設サービス	950.4	51.1	95.8	219.6	313.3	270.6
介護福祉施設サービス	538.0	9.1	26.6	127.4	198.0	176.9
介護保健施設サービス	363.6	41.4	68.0	88.5	98.2	67.4
特定治療・特別療養費（再掲）	9.7	0.4	0.7	1.3	3.2	4.1
介護療養施設サービス	51.6	0.6	1.3	4.3	18.3	27.0
特定診療費（再掲）	51.1	0.6	1.3	4.3	18.2	26.8

注：総数には、月の途中で要介護から要支援に変更となった者を含む。

（40～64歳）

平成29年10月審査分
（単位：千人）

サ ー ビ ス 種 類	総数	要介護１	要介護２	要介護３	要介護４	要介護５
総数	103.8	22.4	30.5	19.8	15.5	15.6
居宅サービス	87.4	20.2	28.1	16.3	11.6	11.2
訪問通所	81.9	19.3	27.0	15.1	10.5	10.0
訪問介護	31.8	7.0	9.6	5.6	4.4	5.3
訪問入浴介護	3.8	0.0	0.2	0.3	0.7	2.5
訪問看護	18.6	3.7	5.5	3.4	2.8	3.3
訪問リハビリテーション	7.2	1.4	2.2	1.4	1.0	1.3
通所介護	23.5	5.6	7.4	4.8	3.2	2.6
通所リハビリテーション	20.4	5.1	7.1	4.2	2.4	1.6
福祉用具貸与	61.7	10.0	20.7	12.6	9.3	9.1
短期入所	5.9	0.4	0.9	1.5	1.5	1.6
短期入所生活介護	4.6	0.4	0.7	1.2	1.1	1.2
短期入所療養介護（老健）	1.3	0.1	0.2	0.3	0.4	0.4
特定治療・特別療養費（再掲）	0.0	－	－	0.0	0.0	0.0
短期入所療養介護（病院等）	0.1	0.0	0.0	0.0	0.0	0.0
特定診療費（再掲）	0.1	0.0	0.0	0.0	0.0	0.0
居宅療養管理指導	17.4	2.2	3.6	3.1	3.3	5.3
特定施設入居者生活介護（短期利用以外）	1.9	0.3	0.4	0.3	0.4	0.4
特定施設入居者生活介護（短期利用）	0.0	0.0	0.0	0.0	0.0	0.0
居宅介護支援	81.9	19.8	27.0	15.1	10.4	9.7
地域密着型サービス	16.4	4.1	5.0	3.3	2.1	1.9
定期巡回・随時対応型訪問介護看護	0.4	0.1	0.1	0.1	0.1	0.1
夜間対応型訪問介護	0.4	0.0	0.1	0.1	0.1	0.1
地域密着型通所介護	11.2	3.1	4.0	2.1	1.2	0.8
認知症対応型通所介護	0.9	0.2	0.1	0.2	0.1	0.2
小規模多機能型居宅介護（短期利用以外）	1.6	0.4	0.4	0.4	0.3	0.2
小規模多機能型居宅介護（短期利用）	0.0	－	0.0	0.0	－	0.0
認知症対応型共同生活介護（短期利用以外）	1.4	0.3	0.3	0.4	0.2	0.2
認知症対応型共同生活介護（短期利用）	0.0	－	0.0	0.0	0.0	－
地域密着型特定施設入居者生活介護（短期利用以外）	0.1	0.0	0.0	0.0	0.0	0.0
地域密着型特定施設入居者生活介護（短期利用）	－	－	－	－	－	－
地域密着型介護老人福祉施設入所者生活介護	0.5	0.0	0.0	0.1	0.1	0.2
複合型サービス(看護小規模多機能型居宅介護・短期利用以外)	0.2	0.0	0.0	0.0	0.0	0.1
複合型サービス(看護小規模多機能型居宅介護・短期利用)	0.0	－	－	－	－	0.0
施設サービス	12.1	0.7	1.2	2.7	3.5	4.0
介護福祉施設サービス	4.9	0.1	0.3	1.1	1.5	2.0
介護保健施設サービス	6.1	0.6	1.0	1.5	1.6	1.4
特定治療・特別療養費（再掲）	0.2	0.0	0.0	0.0	0.1	0.1
介護療養施設サービス	1.1	0.0	0.0	0.1	0.3	0.6
特定診療費（再掲）	1.1	0.0	0.0	0.1	0.3	0.6

注：総数には、月の途中で要介護から要支援に変更となった者を含む。

統計表第２表　介護サービス受給者数，月・年齢階級・サービス種類・要介護状態区分別（65－32）

（65～69歳）

平成29年10月審査分
（単位：千人）

サービス種類	総数	要介護１	要介護２	要介護３	要介護４	要介護５
総数	171.0	42.5	47.2	32.1	26.1	23.0
居宅サービス	139.0	37.6	42.6	25.4	18.4	15.0
訪問通所	129.0	35.5	40.5	23.2	16.5	13.4
訪問介護	59.5	17.1	17.8	9.8	7.5	7.3
訪問入浴介護	4.7	0.1	0.3	0.4	1.1	2.9
訪問看護	25.4	5.1	7.1	4.8	4.1	4.4
訪問リハビリテーション	7.6	1.2	2.1	1.5	1.3	1.4
通所介護	42.1	11.8	12.7	8.2	5.5	3.9
通所リハビリテーション	28.4	7.2	9.5	5.8	3.8	2.0
福祉用具貸与	87.7	14.9	28.6	18.3	14.2	11.6
短期入所	11.2	1.1	2.0	2.8	2.7	2.5
短期入所生活介護	9.0	0.9	1.6	2.4	2.2	1.9
短期入所療養介護（老健）	2.2	0.2	0.3	0.5	0.5	0.6
特定治療・特別療養費（再掲）	0.0	–	0.0	0.0	0.0	0.0
短期入所療養介護（病院等）	0.1	0.0	0.0	0.0	0.0	0.0
特定診療費（再掲）	0.1	0.0	0.0	0.0	0.0	0.0
居宅療養管理指導	26.5	4.2	5.6	5.0	5.0	6.6
特定施設入居者生活介護（短期利用以外）	3.6	0.9	0.8	0.7	0.7	0.6
特定施設入居者生活介護（短期利用）	0.0	0.0	0.0	0.0	0.0	0.0
居宅介護支援	130.0	36.9	40.6	23.3	16.2	12.9
地域密着型サービス	28.9	8.4	8.2	5.7	3.6	2.9
定期巡回・随時対応型訪問介護看護	0.7	0.2	0.2	0.1	0.1	0.1
夜間対応型訪問介護	0.5	0.1	0.1	0.1	0.1	0.1
地域密着型通所介護	18.6	6.1	6.1	3.4	1.9	1.2
認知症対応型通所介護	1.9	0.4	0.4	0.5	0.3	0.4
小規模多機能型居宅介護（短期利用以外）	2.8	0.8	0.7	0.6	0.4	0.3
小規模多機能型居宅介護（短期利用）	0.0	0.0	0.0	0.0	0.0	0.0
認知症対応型共同生活介護（短期利用以外）	3.3	0.9	0.8	0.8	0.4	0.4
認知症対応型共同生活介護（短期利用）	0.0	0.0	0.0	0.0	0.0	–
地域密着型特定施設入居者生活介護（短期利用以外）	0.1	0.0	0.0	0.0	0.0	0.0
地域密着型特定施設入居者生活介護（短期利用）	0.0	–	–	–	–	0.0
地域密着型介護老人福祉施設入所者生活介護	1.0	0.0	0.1	0.2	0.3	0.4
複合型サービス(看護小規模多機能型居宅介護・短期利用以外)	0.3	0.1	0.1	0.1	0.1	0.1
複合型サービス(看護小規模多機能型居宅介護・短期利用)	0.0	–	0.0	–	0.0	0.0
施設サービス	23.2	1.4	2.4	5.2	6.9	7.3
介護福祉施設サービス	11.7	0.2	0.7	2.7	3.8	4.3
介護保健施設サービス	9.9	1.1	1.7	2.4	2.6	2.1
特定治療・特別療養費（再掲）	0.3	0.0	0.0	0.0	0.1	0.1
介護療養施設サービス	1.7	0.0	0.0	0.1	0.6	0.9
特定診療費（再掲）	1.7	0.0	0.0	0.1	0.6	0.9

注：総数には、月の途中で要介護から要支援に変更となった者を含む。

（70～74歳）

平成29年10月審査分
（単位：千人）

サービス種類	総数	要介護１	要介護２	要介護３	要介護４	要介護５
総数	268.5	70.5	72.8	50.0	41.4	33.9
居宅サービス	211.5	61.1	64.8	38.1	27.3	20.2
訪問通所	194.0	57.2	60.9	34.3	24.1	17.5
訪問介護	81.5	24.0	24.8	13.4	10.2	9.1
訪問入浴介護	5.9	0.1	0.4	0.6	1.4	3.4
訪問看護	36.1	7.8	9.9	6.4	5.9	6.1
訪問リハビリテーション	10.0	1.7	2.8	2.0	1.8	1.7
通所介護	71.0	22.8	21.0	13.0	8.7	5.6
通所リハビリテーション	41.9	11.3	13.8	8.6	5.5	2.8
福祉用具貸与	130.9	23.9	42.7	27.2	21.2	15.9
短期入所	19.1	2.3	3.6	5.0	4.6	3.6
短期入所生活介護	15.8	2.0	3.1	4.2	3.8	2.8
短期入所療養介護（老健）	3.4	0.3	0.6	0.8	0.9	0.8
特定治療・特別療養費（再掲）	0.0	0.0	0.0	0.0	0.0	0.0
短期入所療養介護（病院等）	0.1	0.0	0.0	0.0	0.0	0.1
特定診療費（再掲）	0.1	0.0	0.0	0.0	0.0	0.1
居宅療養管理指導	40.0	6.8	8.8	7.6	7.7	9.0
特定施設入居者生活介護（短期利用以外）	6.5	1.7	1.5	1.2	1.1	1.0
特定施設入居者生活介護（短期利用）	0.1	0.0	0.0	0.0	0.0	0.0
居宅介護支援	198.1	60.8	61.5	34.8	23.9	17.1
地域密着型サービス	49.2	15.5	14.0	9.4	5.9	4.4
定期巡回・随時対応型訪問介護看護	1.0	0.3	0.2	0.2	0.2	0.1
夜間対応型訪問介護	0.7	0.1	0.2	0.2	0.2	0.2
地域密着型通所介護	30.5	11.0	9.8	5.2	2.7	1.7
認知症対応型通所介護	3.6	0.9	0.8	0.8	0.6	0.5
小規模多機能型居宅介護（短期利用以外）	4.7	1.5	1.2	0.9	0.7	0.5
小規模多機能型居宅介護（短期利用）	0.0	0.0	0.0	0.0	0.0	0.0
認知症対応型共同生活介護（短期利用以外）	6.6	1.8	1.6	1.7	0.9	0.7
認知症対応型共同生活介護（短期利用）	0.0	0.0	0.0	0.0	–	0.0
地域密着型特定施設入居者生活介護（短期利用以外）	0.2	0.0	0.1	0.1	0.0	0.0
地域密着型特定施設入居者生活介護（短期利用）	0.0	–	–	–	–	0.0
地域密着型介護老人福祉施設入所者生活介護	1.8	0.0	0.1	0.4	0.6	0.6
複合型サービス(看護小規模多機能型居宅介護・短期利用以外)	0.5	0.1	0.1	0.1	0.1	0.1
複合型サービス(看護小規模多機能型居宅介護・短期利用)	0.0	–	0.0	0.0	0.0	0.0
施設サービス	41.3	2.3	4.1	9.3	12.7	12.8
介護福祉施設サービス	22.2	0.5	1.3	5.2	7.5	7.7
介護保健施設サービス	16.6	1.8	2.8	3.9	4.4	3.6
特定治療・特別療養費（再掲）	0.5	0.0	0.0	0.0	0.1	0.2
介護療養施設サービス	2.6	0.0	0.1	0.2	0.9	1.5
特定診療費（再掲）	2.6	0.0	0.1	0.2	0.9	1.5

注：総数には、月の途中で要介護から要支援に変更となった者を含む。

統計表第２表　介護サービス受給者数，月・年齢階級・サービス種類・要介護状態区分別（65－33）

（75～79歳）

平成29年10月審査分
（単位：千人）

サービス種類	総数	要介護１	要介護２	要介護３	要介護４	要介護５
総数	486.9	140.1	126.4	89.1	73.6	57.7
居宅サービス	368.2	119.9	109.9	64.4	44.0	30.0
訪問通所	331.8	111.6	101.9	55.9	37.4	24.9
訪問介護	133.8	43.1	40.2	21.7	15.9	12.9
訪問入浴介護	7.9	0.2	0.6	0.8	2.1	4.2
訪問看護	56.6	13.8	15.1	9.7	9.1	9.0
訪問リハビリテーション	13.1	2.4	3.6	2.7	2.4	2.0
通所介護	136.3	50.7	40.0	23.3	14.0	8.2
通所リハビリテーション	66.0	20.5	21.6	12.6	7.7	3.7
福祉用具貸与	213.0	45.0	69.3	43.3	32.8	22.6
短期入所	36.0	4.9	7.5	10.0	7.9	5.7
短期入所生活介護	30.4	4.3	6.4	8.6	6.6	4.5
短期入所療養介護（老健）	5.7	0.6	1.1	1.4	1.4	1.2
特定治療・特別療養費（再掲）	0.0	0.0	0.0	0.0	0.0	0.0
短期入所療養介護（病院等）	0.2	0.0	0.0	0.0	0.0	0.1
特定診療費（再掲）	0.2	0.0	0.0	0.0	0.0	0.1
居宅療養管理指導	69.7	13.3	15.6	13.8	13.1	13.9
特定施設入居者生活介護（短期利用以外）	13.3	3.5	2.9	2.5	2.4	2.0
特定施設入居者生活介護（短期利用）	0.1	0.0	0.0	0.0	0.0	0.0
居宅介護支援	342.9	119.8	103.9	57.4	37.4	24.4
地域密着型サービス	96.6	32.4	26.7	18.5	11.2	7.7
定期巡回・随時対応型訪問介護看護	2.0	0.6	0.5	0.4	0.4	0.2
夜間対応型訪問介護	1.0	0.1	0.3	0.2	0.2	0.2
地域密着型通所介護	54.9	22.2	17.0	8.8	4.5	2.4
認知症対応型通所介護	7.5	2.1	1.8	1.8	0.9	0.8
小規模多機能型居宅介護（短期利用以外）	10.0	3.2	2.6	2.0	1.3	0.8
小規模多機能型居宅介護（短期利用）	0.0	0.0	0.0	0.0	0.0	0.0
認知症対応型共同生活介護（短期利用以外）	16.6	4.1	4.3	4.3	2.3	1.7
認知症対応型共同生活介護（短期利用）	0.0	0.0	0.0	0.0	0.0	0.0
地域密着型特定施設入居者生活介護（短期利用以外）	0.5	0.1	0.1	0.1	0.1	0.1
地域密着型特定施設入居者生活介護（短期利用）	0.0	−	−	0.0	−	−
地域密着型介護老人福祉施設入所者生活介護	4.1	0.1	0.2	1.0	1.4	1.4
複合型サービス(看護小規模多機能型居宅介護・短期利用以外)	1.0	0.2	0.2	0.2	0.2	0.2
複合型サービス(看護小規模多機能型居宅介護・短期利用)	0.0	0.0	0.0	0.0	0.0	0.0
施設サービス	84.6	4.8	8.2	19.3	26.6	25.6
介護福祉施設サービス	47.1	1.0	2.5	11.1	16.3	16.2
介護保健施設サービス	33.0	3.8	5.6	7.9	8.8	6.9
特定治療・特別療養費（再掲）	0.9	0.0	0.1	0.1	0.3	0.4
介護療養施設サービス	4.7	0.1	0.1	0.4	1.6	2.6
特定診療費（再掲）	4.7	0.1	0.1	0.4	1.6	2.6

注：総数には、月の途中で要介護から要支援に変更となった者を含む。

（80～84歳）

平成29年10月審査分
（単位：千人）

サービス種類	総数	要介護１	要介護２	要介護３	要介護４	要介護５
総数	874.6	264.2	221.5	157.9	132.1	98.8
居宅サービス	636.3	226.1	187.5	107.2	70.7	44.7
訪問通所	556.5	207.5	169.5	88.8	56.3	34.6
訪問介護	225.1	79.3	67.3	35.4	25.0	18.2
訪問入浴介護	10.4	0.3	0.8	1.2	2.8	5.2
訪問看護	88.1	23.5	23.8	14.9	13.2	12.6
訪問リハビリテーション	17.2	3.6	4.9	3.6	2.9	2.2
通所介護	251.8	102.7	75.2	39.6	22.4	12.0
通所リハビリテーション	97.6	35.7	31.6	16.6	9.6	4.1
福祉用具貸与	342.9	83.9	111.4	67.6	48.7	31.3
短期入所	68.5	11.8	16.2	19.0	13.3	8.3
短期入所生活介護	59.7	10.4	14.1	16.8	11.5	6.9
短期入所療養介護（老健）	9.2	1.4	2.1	2.3	1.9	1.4
特定治療・特別療養費（再掲）	0.1	0.0	0.0	0.0	0.0	0.0
短期入所療養介護（病院等）	0.3	0.0	0.1	0.1	0.1	0.1
特定診療費（再掲）	0.2	0.0	0.0	0.0	0.0	0.1
居宅療養管理指導	127.0	26.5	29.5	25.8	23.5	21.7
特定施設入居者生活介護（短期利用以外）	32.2	8.9	7.3	5.8	5.8	4.4
特定施設入居者生活介護（短期利用）	0.3	0.1	0.1	0.0	0.0	0.0
居宅介護支援	577.3	222.0	173.5	91.6	56.5	33.8
地域密着型サービス	185.5	61.8	51.0	36.2	22.0	14.6
定期巡回・随時対応型訪問介護看護	3.9	1.1	1.0	0.7	0.6	0.4
夜間対応型訪問介護	1.6	0.3	0.5	0.3	0.3	0.3
地域密着型通所介護	94.9	40.6	29.0	14.6	7.2	3.5
認知症対応型通所介護	13.7	4.0	3.5	3.4	1.6	1.2
小規模多機能型居宅介護（短期利用以外）	20.6	6.6	5.7	4.2	2.6	1.5
小規模多機能型居宅介護（短期利用）	0.1	0.0	0.0	0.0	0.0	0.0
認知症対応型共同生活介護（短期利用以外）	40.8	8.9	10.7	10.8	6.1	4.3
認知症対応型共同生活介護（短期利用）	0.1	0.0	0.0	0.0	0.0	0.0
地域密着型特定施設入居者生活介護（短期利用以外）	1.1	0.2	0.3	0.2	0.2	0.2
地域密着型特定施設入居者生活介護（短期利用）	0.0	0.0	0.0	0.0	0.0	−
地域密着型介護老人福祉施設入所者生活介護	9.1	0.1	0.4	2.2	3.3	3.1
複合型サービス(看護小規模多機能型居宅介護・短期利用以外)	1.6	0.3	0.4	0.3	0.3	0.3
複合型サービス(看護小規模多機能型居宅介護・短期利用)	0.0	0.0	0.0	0.0	0.0	0.0
施設サービス	170.0	9.9	17.1	39.2	54.6	49.2
介護福祉施設サービス	94.9	1.8	4.6	22.5	33.9	32.0
介護保健施設サービス	66.6	8.0	12.2	16.2	17.8	12.4
特定治療・特別療養費（再掲）	1.7	0.1	0.1	0.2	0.6	0.7
介護療養施設サービス	9.1	0.1	0.2	0.7	3.1	4.9
特定診療費（再掲）	9.1	0.1	0.2	0.7	3.1	4.9

注：総数には、月の途中で要介護から要支援に変更となった者を含む。

統計表第２表　介護サービス受給者数，月・年齢階級・サービス種類・要介護状態区分別（65－34）

（85～89歳）

平成29年10月審査分
（単位：千人）

サービス種類	総数	要介護１	要介護２	要介護３	要介護４	要介護５
総数	1 127.1	318.0	280.6	212.4	183.8	132.2
居宅サービス	788.4	272.8	232.6	137.0	91.1	54.9
訪問通所	660.1	242.6	203.4	107.5	67.3	39.3
訪問介護	262.8	91.3	78.4	42.0	30.0	21.1
訪問入浴介護	11.9	0.3	1.1	1.5	3.3	5.6
訪問看護	99.6	25.0	26.5	17.2	15.9	14.9
訪問リハビリテーション	18.0	4.0	5.1	3.6	3.1	2.2
通所介護	320.3	127.1	99.0	51.9	28.6	13.8
通所リハビリテーション	104.7	40.2	34.6	17.0	9.3	3.6
福祉用具貸与	411.0	103.2	132.9	81.5	58.1	35.3
短期入所	103.2	19.3	27.3	28.2	18.4	10.0
短期入所生活介護	91.6	17.2	24.1	25.3	16.3	8.7
短期入所療養介護（老健）	12.1	2.1	3.2	3.1	2.2	1.4
特定治療・特別療養費（再掲）	0.1	0.0	0.0	0.0	0.0	0.0
短期入所療養介護（病院等）	0.4	0.1	0.1	0.1	0.1	0.1
特定診療費（再掲）	0.3	0.0	0.1	0.0	0.1	0.1
居宅療養管理指導	177.6	37.7	41.5	36.8	33.7	27.9
特定施設入居者生活介護（短期利用以外）	59.6	16.9	13.2	11.0	10.9	7.6
特定施設入居者生活介護（短期利用）	0.4	0.1	0.1	0.1	0.1	0.0
居宅介護支援	681.9	256.9	207.7	111.0	67.8	38.4
地域密着型サービス	239.5	71.3	65.5	49.5	32.4	20.8
定期巡回・随時対応型訪問介護看護	5.6	1.5	1.5	1.1	0.9	0.6
夜間対応型訪問介護	1.9	0.4	0.6	0.4	0.3	0.2
地域密着型通所介護	109.0	44.6	33.8	17.5	8.9	4.3
認知症対応型通所介護	16.1	4.1	4.4	3.9	2.1	1.5
小規模多機能型居宅介護（短期利用以外）	27.9	8.3	7.9	5.9	3.7	2.0
小規模多機能型居宅介護（短期利用）	0.1	0.0	0.0	0.0	0.0	0.0
認知症対応型共同生活介護（短期利用以外）	61.8	12.0	16.2	16.5	10.2	6.8
認知症対応型共同生活介護（短期利用）	0.1	0.0	0.0	0.0	0.0	0.0
地域密着型特定施設入居者生活介護（短期利用以外）	2.2	0.4	0.6	0.5	0.4	0.3
地域密着型特定施設入居者生活介護（短期利用）	0.0	0.0	0.0	0.0	0.0	－
地域密着型介護老人福祉施設入所者生活介護	15.3	0.2	0.7	3.8	5.6	4.9
複合型サービス（看護小規模多機能型居宅介護・短期利用以外）	2.1	0.4	0.5	0.4	0.4	0.4
複合型サービス（看護小規模多機能型居宅介護・短期利用）	0.0	0.0	0.0	0.0	0.0	0.0
施設サービス	250.6	14.5	26.4	58.8	81.6	69.3
介護福祉施設サービス	140.4	2.3	6.9	34.1	51.4	45.7
介護保健施設サービス	97.8	12.0	19.2	23.8	25.8	17.0
特定治療・特別療養費（再掲）	2.5	0.1	0.2	0.3	0.8	1.1
介護療養施設サービス	13.2	0.2	0.3	1.1	4.8	6.8
特定診療費（再掲）	13.1	0.2	0.3	1.1	4.7	6.7

注：総数には、月の途中で要介護から要支援に変更となった者を含む。

（90～94歳）

平成29年10月審査分
（単位：千人）

サービス種類	総数	要介護１	要介護２	要介護３	要介護４	要介護５
総数	852.4	195.0	202.1	174.0	165.4	115.9
居宅サービス	557.7	166.0	163.1	105.8	76.9	46.0
訪問通所	450.2	143.2	138.8	81.2	54.9	32.1
訪問介護	165.8	50.2	47.8	28.5	22.9	16.3
訪問入浴介護	11.7	0.3	1.1	1.5	3.4	5.4
訪問看護	70.1	13.7	16.9	12.9	13.5	13.0
訪問リハビリテーション	11.4	2.2	3.0	2.3	2.3	1.6
通所介護	222.8	77.1	71.0	40.0	23.6	11.0
通所リハビリテーション	63.4	22.4	21.2	11.2	6.2	2.4
福祉用具貸与	299.2	65.8	93.0	63.4	48.0	29.0
短期入所	93.9	16.6	25.9	25.5	17.0	8.9
短期入所生活介護	83.9	14.8	23.1	23.1	15.3	7.7
短期入所療養介護（老健）	10.2	1.8	2.9	2.6	1.8	1.2
特定治療・特別療養費（再掲）	0.1	0.0	0.0	0.0	0.0	0.0
短期入所療養介護（病院等）	0.5	0.1	0.1	0.1	0.1	0.1
特定診療費（再掲）	0.3	0.0	0.1	0.1	0.0	0.1
居宅療養管理指導	140.5	26.3	31.4	29.6	29.7	23.5
特定施設入居者生活介護（短期利用以外）	54.2	14.1	11.9	10.3	10.9	6.9
特定施設入居者生活介護（短期利用）	0.3	0.1	0.1	0.1	0.1	0.0
居宅介護支援	462.3	150.4	141.4	83.7	55.4	31.5
地域密着型サービス	170.1	40.2	44.8	38.3	28.9	18.0
定期巡回・随時対応型訪問介護看護	4.2	1.0	1.1	0.8	0.8	0.5
夜間対応型訪問介護	1.3	0.2	0.3	0.3	0.3	0.2
地域密着型通所介護	68.7	24.0	21.6	12.6	7.2	3.3
認知症対応型通所介護	10.4	2.0	2.6	2.7	1.8	1.3
小規模多機能型居宅介護（短期利用以外）	19.5	4.9	5.6	4.4	3.0	1.7
小規模多機能型居宅介護（短期利用）	0.1	0.0	0.0	0.0	0.0	0.0
認知症対応型共同生活介護（短期利用以外）	49.0	7.6	12.2	13.3	9.5	6.3
認知症対応型共同生活介護（短期利用）	0.1	0.0	0.0	0.0	0.0	0.0
地域密着型特定施設入居者生活介護（短期利用以外）	2.1	0.4	0.5	0.4	0.5	0.3
地域密着型特定施設入居者生活介護（短期利用）	0.0	0.0	0.0	0.0	0.0	0.0
地域密着型介護老人福祉施設入所者生活介護	14.8	0.2	0.7	3.8	5.7	4.3
複合型サービス（看護小規模多機能型居宅介護・短期利用以外）	1.5	0.2	0.3	0.3	0.3	0.3
複合型サービス（看護小規模多機能型居宅介護・短期利用）	0.0	0.0	0.0	0.0	0.0	0.0
施設サービス	231.7	12.2	24.3	54.8	77.7	62.6
介護福祉施設サービス	133.4	2.0	6.7	32.4	50.4	42.0
介護保健施設サービス	87.1	10.0	17.4	21.6	23.3	14.8
特定治療・特別療養費（再掲）	2.3	0.1	0.2	0.3	0.8	0.9
介護療養施設サービス	11.9	0.1	0.3	1.1	4.3	6.0
特定診療費（再掲）	11.7	0.1	0.3	1.0	4.3	6.0

注：総数には、月の途中で要介護から要支援に変更となった者を含む。

統計表第２表　介護サービス受給者数，月・年齢階級・サービス種類・要介護状態区分別（65－35）

（95歳以上）

平成29年10月審査分
（単位：千人）

サービス種類	総数	要介護１	要介護２	要介護３	要介護４	要介護５
総数	375.6	53.7	73.0	81.5	96.3	71.0
居宅サービス	214.0	44.4	56.4	45.8	40.3	27.1
訪問通所	167.0	37.0	47.1	35.0	28.6	19.3
訪問介護	56.1	11.8	13.8	10.8	10.7	9.1
訪問入浴介護	9.1	0.2	0.7	1.2	2.6	4.3
訪問看護	32.5	3.7	6.1	6.1	7.9	8.7
訪問リハビリテーション	4.0	0.5	0.9	0.9	0.9	0.8
通所介護	79.6	19.9	24.4	17.2	12.0	6.1
通所リハビリテーション	19.1	5.3	6.1	4.0	2.6	1.1
福祉用具貸与	123.6	18.7	33.5	28.3	25.4	17.7
短期入所	43.7	5.7	10.9	12.1	9.6	5.5
短期入所生活介護	39.2	5.1	9.7	11.0	8.6	4.8
短期入所療養介護（老健）	4.6	0.6	1.2	1.1	1.0	0.7
特定治療・特別療養費（再掲）	0.0	－	0.0	0.0	0.0	0.0
短期入所療養介護（病院等）	0.3	0.0	0.1	0.1	0.1	0.1
特定診療費（再掲）	0.2	0.0	0.0	0.0	0.0	0.1
居宅療養管理指導	62.8	8.0	11.9	13.2	16.2	13.6
特定施設入居者生活介護（短期利用以外）	24.8	4.9	4.9	4.9	6.1	4.0
特定施設入居者生活介護（短期利用）	0.1	0.0	0.0	0.0	0.0	0.0
居宅介護支援	170.3	38.8	48.0	36.1	28.7	18.8
地域密着型サービス	64.8	9.7	14.2	15.6	15.3	10.0
定期巡回・随時対応型訪問介護看護	1.5	0.2	0.4	0.3	0.3	0.2
夜間対応型訪問介護	0.5	0.0	0.1	0.1	0.1	0.1
地域密着型通所介護	22.0	5.5	6.6	4.8	3.4	1.8
認知症対応型通所介護	3.7	0.4	0.7	1.0	0.9	0.7
小規模多機能型居宅介護（短期利用以外）	7.2	1.2	1.8	1.7	1.5	0.9
小規模多機能型居宅介護（短期利用）	0.0	0.0	0.0	0.0	0.0	0.0
認知症対応型共同生活介護（短期利用以外）	20.1	2.1	4.0	5.3	5.1	3.5
認知症対応型共同生活介護（短期利用）	0.0	0.0	0.0	0.0	0.0	－
地域密着型特定施設入居者生活介護（短期利用以外）	1.0	0.1	0.2	0.2	0.2	0.2
地域密着型特定施設入居者生活介護（短期利用）	0.0	－	0.0	0.0	－	－
地域密着型介護老人福祉施設入所者生活介護	8.7	0.1	0.4	2.0	3.6	2.6
複合型サービス（看護小規模多機能型居宅介護・短期利用以外）	0.6	0.1	0.1	0.1	0.2	0.1
複合型サービス（看護小規模多機能型居宅介護・短期利用）	0.0	0.0	0.0	0.0	0.0	0.0
施設サービス	136.9	5.3	12.0	30.2	49.7	39.8
介護福祉施設サービス	83.4	1.1	3.7	18.4	33.1	27.1
介護保健施設サービス	46.5	4.1	8.1	11.2	13.9	9.1
特定治療・特別療養費（再掲）	1.3	0.0	0.1	0.2	0.5	0.5
介護療養施設サービス	7.3	0.1	0.2	0.6	2.8	3.6
特定診療費（再掲）	7.2	0.1	0.2	0.6	2.8	3.6

注：総数には、月の途中で要介護から要支援に変更となった者を含む。

統計表第２表　介護サービス受給者数，月・年齢階級・サービス種類・要介護状態区分別（65－36）

（総　　数）

平成29年11月審査分
（単位：千人）

サービス種類	総数	要介護１	要介護２	要介護３	要介護４	要介護５
総数	4 258.2	1 107.5	1 053.5	815.2	734.1	547.7
居宅サービス	3 005.2	949.7	885.8	539.8	380.5	249.4
訪問通所	2 572.9	855.3	789.7	441.1	295.3	191.5
訪問介護	1 020.0	325.0	300.5	168.0	127.1	99.5
訪問入浴介護	65.5	1.6	5.2	7.7	17.5	33.5
訪問看護	431.2	97.6	112.3	75.9	72.9	72.5
訪問リハビリテーション	89.7	17.2	25.0	18.0	16.0	13.5
通所介護	1 152.6	419.2	352.4	199.0	118.4	63.7
通所リハビリテーション	444.2	148.5	146.3	80.4	47.2	21.7
福祉用具貸与	1 658.1	364.6	529.0	339.4	254.5	170.6
短期入所	387.6	63.2	96.3	105.7	75.9	46.6
短期入所生活介護	337.7	55.9	84.2	93.4	65.5	38.7
短期入所療養介護（老健）	51.3	7.3	12.3	12.8	10.8	8.0
特定治療・特別療養費（再掲）	0.3	0.0	0.1	0.1	0.1	0.1
短期入所療養介護（病院等）	2.1	0.3	0.4	0.4	0.4	0.6
特定診療費（再掲）	1.5	0.2	0.3	0.3	0.3	0.5
居宅療養管理指導	670.3	126.5	150.1	136.6	134.3	122.8
特定施設入居者生活介護（短期利用以外）	196.2	51.2	42.8	36.8	38.3	27.0
特定施設入居者生活介護（短期利用）	1.4	0.3	0.4	0.3	0.2	0.1
居宅介護支援	2 663.0	911.7	809.0	456.1	298.2	187.8
地域密着型サービス	855.0	245.1	230.3	177.0	121.8	80.8
定期巡回・随時対応型訪問介護看護	19.7	5.0	5.0	3.7	3.5	2.4
夜間対応型訪問介護	7.9	1.2	2.1	1.6	1.6	1.5
地域密着型通所介護	412.6	158.4	128.6	69.6	37.0	19.1
認知症対応型通所介護	57.6	14.1	14.4	14.2	8.4	6.5
小規模多機能型居宅介護（短期利用以外）	94.8	27.1	25.9	20.1	13.7	8.0
小規模多機能型居宅介護（短期利用）	0.4	0.1	0.1	0.1	0.1	0.0
認知症対応型共同生活介護（短期利用以外）	199.6	37.7	50.1	53.0	34.9	23.9
認知症対応型共同生活介護（短期利用）	0.3	0.1	0.1	0.1	0.0	0.0
地域密着型特定施設入居者生活介護（短期利用以外）	7.3	1.3	1.8	1.5	1.6	1.1
地域密着型特定施設入居者生活介護（短期利用）	0.0	0.0	0.0	0.0	0.0	0.0
地域密着型介護老人福祉施設入所者生活介護	55.3	0.8	2.5	13.6	20.7	17.6
複合型サービス(看護小規模多機能型居宅介護・短期利用以外)	8.1	1.3	1.8	1.6	1.7	1.7
複合型サービス(看護小規模多機能型居宅介護・短期利用)	0.1	0.0	0.0	0.0	0.0	0.0
施設サービス	946.2	50.2	94.8	218.5	313.1	269.6
介護福祉施設サービス	537.2	8.9	26.2	127.3	198.2	176.6
介護保健施設サービス	360.8	40.7	67.3	87.7	98.0	67.1
特定治療・特別療養費（再掲）	9.7	0.4	0.7	1.2	3.3	4.1
介護療養施設サービス	51.2	0.6	1.3	4.3	18.2	26.8
特定診療費（再掲）	50.7	0.6	1.3	4.3	18.1	26.5

注：総数には、月の途中で要介護から要支援に変更となった者を含む。

（40～64歳）

平成29年11月審査分
（単位：千人）

サービス種類	総数	要介護１	要介護２	要介護３	要介護４	要介護５
総数	104.4	22.4	30.7	20.0	15.7	15.6
居宅サービス	87.7	20.1	28.1	16.5	11.8	11.2
訪問通所	82.1	19.2	27.0	15.3	10.6	10.1
訪問介護	32.1	7.0	9.6	5.8	4.4	5.3
訪問入浴介護	3.8	0.1	0.2	0.3	0.7	2.6
訪問看護	18.7	3.7	5.5	3.4	2.8	3.3
訪問リハビリテーション	7.3	1.4	2.2	1.4	1.0	1.3
通所介護	23.6	5.5	7.4	4.8	3.3	2.6
通所リハビリテーション	20.5	5.0	7.1	4.3	2.4	1.6
福祉用具貸与	61.0	9.9	20.5	12.5	9.2	8.9
短期入所	6.1	0.5	1.0	1.5	1.5	1.6
短期入所生活介護	4.7	0.4	0.8	1.2	1.1	1.2
短期入所療養介護（老健）	1.4	0.1	0.2	0.3	0.4	0.4
特定治療・特別療養費（再掲）	0.0	－	0.0	0.0	0.0	0.0
短期入所療養介護（病院等）	0.1	0.0	0.0	0.0	0.0	0.0
特定診療費（再掲）	0.0	0.0	0.0	0.0	0.0	0.0
居宅療養管理指導	17.8	2.2	3.6	3.2	3.4	5.3
特定施設入居者生活介護（短期利用以外）	1.9	0.3	0.4	0.3	0.4	0.4
特定施設入居者生活介護（短期利用）	0.0	－	0.0	0.0	0.0	0.0
居宅介護支援	82.3	19.8	27.1	15.2	10.4	9.7
地域密着型サービス	16.6	4.2	5.0	3.3	2.2	1.9
定期巡回・随時対応型訪問介護看護	0.4	0.1	0.1	0.1	0.1	0.1
夜間対応型訪問介護	0.4	0.0	0.1	0.1	0.1	0.1
地域密着型通所介護	11.3	3.2	4.0	2.1	1.2	0.8
認知症対応型通所介護	0.9	0.2	0.1	0.2	0.1	0.2
小規模多機能型居宅介護（短期利用以外）	1.6	0.4	0.4	0.4	0.3	0.2
小規模多機能型居宅介護（短期利用）	0.0	－	0.0	0.0	－	－
認知症対応型共同生活介護（短期利用以外）	1.3	0.3	0.3	0.3	0.2	0.2
認知症対応型共同生活介護（短期利用）	0.0	－	0.0	0.0	0.0	－
地域密着型特定施設入居者生活介護（短期利用以外）	0.1	0.0	0.0	0.0	0.0	0.0
地域密着型特定施設入居者生活介護（短期利用）	－	－	－	－	－	－
地域密着型介護老人福祉施設入所者生活介護	0.5	0.0	0.0	0.1	0.1	0.2
複合型サービス(看護小規模多機能型居宅介護・短期利用以外)	0.3	0.0	0.0	0.0	0.1	0.1
複合型サービス(看護小規模多機能型居宅介護・短期利用)	0.0	－	－	0.0	－	0.0
施設サービス	12.1	0.7	1.3	2.7	3.5	4.0
介護福祉施設サービス	4.9	0.1	0.3	1.1	1.5	1.9
介護保健施設サービス	6.2	0.6	1.0	1.5	1.6	1.5
特定治療・特別療養費（再掲）	0.2	0.0	0.0	0.0	0.1	0.1
介護療養施設サービス	1.1	0.0	0.0	0.1	0.3	0.6
特定診療費（再掲）	1.1	0.0	0.0	0.1	0.3	0.6

注：総数には、月の途中で要介護から要支援に変更となった者を含む。

統計表第２表　介護サービス受給者数，月・年齢階級・サービス種類・要介護状態区分別（65－37）

（65～69歳）

平成29年11月審査分
（単位：千人）

サービス種類	総数	要介護１	要介護２	要介護３	要介護４	要介護５
総数	170.2	42.5	47.0	31.7	26.0	23.0
居宅サービス	138.5	37.6	42.4	25.0	18.5	15.1
訪問通所	128.4	35.4	40.3	22.8	16.5	13.4
訪問介護	59.4	17.1	17.8	9.7	7.6	7.3
訪問入浴介護	4.8	0.1	0.3	0.4	1.1	2.9
訪問看護	25.5	5.1	7.0	4.7	4.2	4.4
訪問リハビリテーション	7.7	1.3	2.1	1.5	1.3	1.5
通所介護	42.1	11.8	12.7	8.2	5.5	3.9
通所リハビリテーション	28.4	7.2	9.6	5.9	3.7	2.1
福祉用具貸与	86.3	14.7	28.2	18.0	14.0	11.5
短期入所	11.3	1.2	2.0	2.8	2.7	2.6
短期入所生活介護	9.0	1.0	1.7	2.3	2.1	2.0
短期入所療養介護（老健）	2.3	0.2	0.4	0.5	0.6	0.6
特定治療・特別療養費（再掲）	0.0	－	0.0	0.0	0.0	0.0
短期入所療養介護（病院等）	0.1	0.0	0.0	0.0	0.0	0.0
特定診療費（再掲）	0.1	0.0	0.0	0.0	0.0	0.0
居宅療養管理指導	26.9	4.3	5.7	5.1	5.1	6.7
特定施設入居者生活介護（短期利用以外）	3.6	0.9	0.8	0.7	0.7	0.6
特定施設入居者生活介護（短期利用）	0.0	0.0	0.0	0.0	0.0	0.0
居宅介護支援	130.0	36.9	40.6	23.2	16.3	13.0
地域密着型サービス	28.7	8.5	8.2	5.6	3.5	2.9
定期巡回・随時対応型訪問介護看護	0.7	0.2	0.2	0.1	0.1	0.1
夜間対応型訪問介護	0.5	0.1	0.1	0.1	0.1	0.1
地域密着型通所介護	18.5	6.1	6.0	3.4	1.8	1.2
認知症対応型通所介護	1.9	0.4	0.4	0.4	0.3	0.4
小規模多機能型居宅介護（短期利用以外）	2.8	0.8	0.7	0.6	0.4	0.3
小規模多機能型居宅介護（短期利用）	0.0	0.0	0.0	0.0	0.0	0.0
認知症対応型共同生活介護（短期利用以外）	3.2	0.9	0.8	0.7	0.4	0.4
認知症対応型共同生活介護（短期利用）	0.0	0.0	0.0	0.0	－	－
地域密着型特定施設入居者生活介護（短期利用以外）	0.1	0.0	0.0	0.0	0.0	0.0
地域密着型特定施設入居者生活介護（短期利用）	－	－	－	－	－	－
地域密着型介護老人福祉施設入所者生活介護	1.0	0.0	0.1	0.3	0.3	0.4
複合型サービス(看護小規模多機能型居宅介護・短期利用以外)	0.3	0.1	0.1	0.1	0.1	0.1
複合型サービス(看護小規模多機能型居宅介護・短期利用)	0.0	－	－	－	0.0	0.0
施設サービス	22.9	1.4	2.4	5.1	6.8	7.2
介護福祉施設サービス	11.6	0.2	0.7	2.7	3.8	4.3
介護保健施設サービス	9.8	1.1	1.7	2.3	2.5	2.1
特定治療・特別療養費（再掲）	0.3	0.0	0.0	0.0	0.1	0.1
介護療養施設サービス	1.6	0.0	0.0	0.1	0.5	0.9
特定診療費（再掲）	1.6	0.0	0.0	0.1	0.5	0.9

注：総数には、月の途中で要介護から要支援に変更となった者を含む。

（70～74歳）

平成29年11月審査分
（単位：千人）

サービス種類	総数	要介護１	要介護２	要介護３	要介護４	要介護５
総数	269.1	70.8	73.0	49.9	41.5	33.9
居宅サービス	211.9	61.4	64.8	38.0	27.4	20.3
訪問通所	194.4	57.4	61.0	34.2	24.2	17.6
訪問介護	81.9	24.2	24.8	13.4	10.4	9.1
訪問入浴介護	5.9	0.1	0.4	0.6	1.4	3.4
訪問看護	36.7	7.9	10.1	6.5	6.0	6.2
訪問リハビリテーション	10.1	1.7	2.9	2.0	1.8	1.7
通所介護	71.3	22.8	21.2	13.0	8.7	5.6
通所リハビリテーション	42.2	11.4	13.9	8.6	5.5	2.8
福祉用具貸与	129.8	23.8	42.5	26.8	20.9	15.7
短期入所	19.5	2.3	3.7	5.1	4.7	3.7
短期入所生活介護	16.1	2.1	3.1	4.3	3.8	2.9
短期入所療養介護（老健）	3.4	0.3	0.6	0.8	0.9	0.8
特定治療・特別療養費（再掲）	0.0	0.0	0.0	0.0	0.0	0.0
短期入所療養介護（病院等）	0.2	0.0	0.0	0.0	0.0	0.1
特定診療費（再掲）	0.1	0.0	0.0	0.0	0.0	0.1
居宅療養管理指導	40.7	6.9	9.0	7.7	7.9	9.2
特定施設入居者生活介護（短期利用以外）	6.4	1.7	1.4	1.2	1.1	1.0
特定施設入居者生活介護（短期利用）	0.0	0.0	0.0	0.0	0.0	0.0
居宅介護支援	199.6	61.3	62.1	35.0	24.1	17.2
地域密着型サービス	49.5	15.5	14.1	9.6	5.9	4.4
定期巡回・随時対応型訪問介護看護	1.1	0.3	0.2	0.2	0.2	0.1
夜間対応型訪問介護	0.7	0.1	0.1	0.2	0.2	0.2
地域密着型通所介護	30.6	11.1	9.9	5.3	2.7	1.7
認知症対応型通所介護	3.6	0.9	0.8	0.8	0.6	0.5
小規模多機能型居宅介護（短期利用以外）	4.7	1.5	1.2	0.9	0.7	0.5
小規模多機能型居宅介護（短期利用）	0.0	0.0	0.0	0.0	0.0	0.0
認知症対応型共同生活介護（短期利用以外）	6.6	1.7	1.6	1.7	0.9	0.7
認知症対応型共同生活介護（短期利用）	0.0	0.0	0.0	0.0	0.0	0.0
地域密着型特定施設入居者生活介護（短期利用以外）	0.2	0.0	0.1	0.1	0.0	0.0
地域密着型特定施設入居者生活介護（短期利用）	0.0	－	－	0.0	－	0.0
地域密着型介護老人福祉施設入所者生活介護	1.8	0.0	0.1	0.5	0.6	0.6
複合型サービス(看護小規模多機能型居宅介護・短期利用以外)	0.5	0.1	0.1	0.1	0.1	0.1
複合型サービス(看護小規模多機能型居宅介護・短期利用)	0.0	0.0	0.0	0.0	0.0	0.0
施設サービス	41.0	2.3	4.1	9.3	12.7	12.6
介護福祉施設サービス	22.0	0.5	1.3	5.2	7.5	7.6
介護保健施設サービス	16.5	1.8	2.8	3.9	4.4	3.6
特定治療・特別療養費（再掲）	0.5	0.0	0.0	0.0	0.1	0.2
介護療養施設サービス	2.6	0.0	0.1	0.2	0.9	1.4
特定診療費（再掲）	2.6	0.0	0.1	0.2	0.9	1.4

注：総数には、月の途中で要介護から要支援に変更となった者を含む。

統計表第２表　介護サービス受給者数，月・年齢階級・サービス種類・要介護状態区分別（65－38）

（75～79歳）

平成29年11月審査分
（単位：千人）

サービス種類	総数	要介護１	要介護２	要介護３	要介護４	要介護５
総数	484.9	139.7	125.9	88.6	73.1	57.6
居宅サービス	367.3	119.7	109.6	64.2	43.8	29.9
訪問通所	330.9	111.4	101.5	55.8	37.2	25.0
訪問介護	133.7	43.2	40.1	21.7	15.8	12.9
訪問入浴介護	7.9	0.2	0.6	0.8	2.1	4.2
訪問看護	57.3	14.0	15.3	9.8	9.2	9.0
訪問リハビリテーション	13.2	2.3	3.6	2.7	2.5	2.1
通所介護	136.2	50.6	40.0	23.4	14.0	8.2
通所リハビリテーション	65.9	20.5	21.5	12.5	7.7	3.7
福祉用具貸与	210.7	44.8	68.6	42.8	32.2	22.3
短期入所	36.4	5.1	7.7	10.1	7.9	5.7
短期入所生活介護	30.7	4.4	6.5	8.7	6.6	4.5
短期入所療養介護（老健）	6.0	0.6	1.2	1.5	1.4	1.2
特定治療・特別療養費（再掲）	0.0	0.0	0.0	0.0	0.0	0.0
短期入所療養介護（病院等）	0.2	0.0	0.0	0.0	0.0	0.1
特定診療費（再掲）	0.1	0.0	0.0	0.0	0.0	0.1
居宅療養管理指導	70.4	13.3	15.8	14.0	13.3	14.0
特定施設入居者生活介護（短期利用以外）	13.1	3.5	2.9	2.5	2.3	2.0
特定施設入居者生活介護（短期利用）	0.1	0.0	0.0	0.0	0.0	0.0
居宅介護支援	343.8	120.1	104.2	57.6	37.4	24.5
地域密着型サービス	96.9	32.7	26.8	18.5	11.2	7.8
定期巡回・随時対応型訪問介護看護	2.1	0.6	0.5	0.4	0.4	0.3
夜間対応型訪問介護	1.0	0.1	0.3	0.2	0.2	0.2
地域密着型通所介護	55.3	22.4	17.1	8.8	4.5	2.5
認知症対応型通所介護	7.5	2.1	1.8	1.8	0.9	0.8
小規模多機能型居宅介護（短期利用以外）	10.0	3.3	2.6	2.0	1.3	0.8
小規模多機能型居宅介護（短期利用）	0.0	0.0	0.0	0.0	0.0	0.0
認知症対応型共同生活介護（短期利用以外）	16.6	4.1	4.2	4.3	2.3	1.6
認知症対応型共同生活介護（短期利用）	0.0	0.0	0.0	0.0	0.0	0.0
地域密着型特定施設入居者生活介護（短期利用以外）	0.5	0.1	0.1	0.1	0.1	0.1
地域密着型特定施設入居者生活介護（短期利用）	0.0	0.0	0.0	0.0	0.0	－
地域密着型介護老人福祉施設入所者生活介護	4.0	0.1	0.2	1.0	1.4	1.4
複合型サービス（看護小規模多機能型居宅介護・短期利用以外）	1.0	0.2	0.2	0.2	0.2	0.2
複合型サービス（看護小規模多機能型居宅介護・短期利用）	0.0	0.0	0.0	0.0	0.0	0.0
施設サービス	83.6	4.7	8.1	19.0	26.4	25.5
介護福祉施設サービス	46.7	1.0	2.4	11.0	16.2	16.1
介護保健施設サービス	32.5	3.7	5.5	7.7	8.7	6.8
特定治療・特別療養費（再掲）	0.9	0.0	0.1	0.1	0.3	0.4
介護療養施設サービス	4.8	0.0	0.1	0.4	1.6	2.7
特定診療費（再掲）	4.8	0.0	0.1	0.4	1.6	2.7

注：総数には、月の途中で要介護から要支援に変更となった者を含む。

（80～84歳）

平成29年11月審査分
（単位：千人）

サービス種類	総数	要介護１	要介護２	要介護３	要介護４	要介護５
総数	871.9	263.6	220.8	157.2	131.6	98.7
居宅サービス	635.2	225.7	187.3	106.8	70.5	44.9
訪問通所	555.6	207.1	169.3	88.5	56.1	34.6
訪問介護	225.5	79.2	67.4	35.6	25.0	18.3
訪問入浴介護	10.3	0.3	0.8	1.2	2.8	5.1
訪問看護	88.8	23.8	24.1	15.0	13.3	12.7
訪問リハビリテーション	17.4	3.6	5.0	3.5	3.0	2.3
通所介護	252.5	102.9	75.4	39.8	22.3	12.1
通所リハビリテーション	98.0	35.8	31.8	16.7	9.6	4.2
福祉用具貸与	339.5	83.2	110.6	66.7	48.1	30.9
短期入所	69.1	11.9	16.4	19.1	13.4	8.4
短期入所生活介護	59.9	10.4	14.3	16.7	11.5	6.9
短期入所療養介護（老健）	9.6	1.4	2.2	2.5	2.0	1.5
特定治療・特別療養費（再掲）	0.1	0.0	0.0	0.0	0.0	0.0
短期入所療養介護（病院等）	0.3	0.0	0.0	0.1	0.1	0.1
特定診療費（再掲）	0.3	0.0	0.0	0.1	0.1	0.1
居宅療養管理指導	128.5	26.9	29.9	26.0	23.8	21.9
特定施設入居者生活介護（短期利用以外）	32.1	8.9	7.2	5.8	5.7	4.4
特定施設入居者生活介護（短期利用）	0.3	0.1	0.1	0.1	0.0	0.0
居宅介護支援	579.8	222.7	174.2	92.1	56.8	34.1
地域密着型サービス	185.8	62.0	50.9	36.2	22.1	14.6
定期巡回・随時対応型訪問介護看護	4.0	1.1	1.0	0.7	0.6	0.4
夜間対応型訪問介護	1.7	0.3	0.4	0.3	0.3	0.3
地域密着型通所介護	95.2	40.8	29.0	14.6	7.2	3.5
認知症対応型通所介護	13.6	4.0	3.5	3.3	1.6	1.2
小規模多機能型居宅介護（短期利用以外）	20.7	6.7	5.7	4.1	2.7	1.5
小規模多機能型居宅介護（短期利用）	0.1	0.0	0.0	0.0	0.0	0.0
認知症対応型共同生活介護（短期利用以外）	40.6	8.9	10.7	10.7	6.1	4.3
認知症対応型共同生活介護（短期利用）	0.1	0.0	0.0	0.0	0.0	0.0
地域密着型特定施設入居者生活介護（短期利用以外）	1.1	0.2	0.3	0.2	0.2	0.2
地域密着型特定施設入居者生活介護（短期利用）	0.0	0.0	0.0	0.0	0.0	－
地域密着型介護老人福祉施設入所者生活介護	9.1	0.1	0.4	2.3	3.3	3.1
複合型サービス（看護小規模多機能型居宅介護・短期利用以外）	1.7	0.3	0.4	0.3	0.3	0.3
複合型サービス（看護小規模多機能型居宅介護・短期利用）	0.0	0.0	0.0	0.0	0.0	0.0
施設サービス	168.6	9.7	16.8	38.8	54.3	49.0
介護福祉施設サービス	94.4	1.8	4.6	22.3	33.8	32.0
介護保健施設サービス	65.8	7.8	12.0	15.9	17.7	12.4
特定治療・特別療養費（再掲）	1.7	0.1	0.1	0.2	0.6	0.7
介護療養施設サービス	8.9	0.1	0.2	0.7	3.1	4.8
特定診療費（再掲）	8.9	0.1	0.2	0.7	3.0	4.8

注：総数には、月の途中で要介護から要支援に変更となった者を含む。

統計表第２表　介護サービス受給者数，月・年齢階級・サービス種類・要介護状態区分別（65－39）

（85～89歳）

平成29年11月審査分
（単位：千人）

サービス種類	総数	要介護１	要介護２	要介護３	要介護４	要介護５
総数	1 127.6	319.0	280.7	211.9	183.7	132.3
居宅サービス	789.8	273.8	233.2	136.9	91.1	54.9
訪問通所	661.7	243.7	203.9	107.6	67.3	39.2
訪問介護	263.9	91.9	78.7	42.1	30.1	21.1
訪問入浴介護	12.0	0.3	1.1	1.6	3.3	5.6
訪問看護	100.5	25.4	26.9	17.3	15.9	14.9
訪問リハビリテーション	18.2	4.1	5.2	3.6	3.1	2.2
通所介護	322.1	127.8	99.6	52.1	28.7	13.9
通所リハビリテーション	105.5	40.6	34.7	17.1	9.4	3.7
福祉用具貸与	409.2	103.4	132.4	81.1	57.5	34.9
短期入所	104.4	19.4	27.8	28.6	18.6	10.1
短期入所生活介護	92.1	17.2	24.4	25.5	16.3	8.7
短期入所療養介護（老健）	12.8	2.2	3.4	3.2	2.4	1.5
特定治療・特別療養費（再掲）	0.1	0.0	0.0	0.0	0.0	0.0
短期入所療養介護（病院等）	0.5	0.1	0.1	0.1	0.1	0.1
特定診療費（再掲）	0.3	0.0	0.1	0.1	0.1	0.1
居宅療養管理指導	180.0	38.3	42.1	37.2	34.1	28.2
特定施設入居者生活介護（短期利用以外）	59.7	17.0	13.3	11.0	10.8	7.6
特定施設入居者生活介護（短期利用）	0.4	0.1	0.1	0.1	0.1	0.0
居宅介護支援	687.7	259.6	209.3	111.8	68.4	38.7
地域密着型サービス	241.0	71.8	65.9	49.7	32.5	21.1
定期巡回・随時対応型訪問介護看護	5.7	1.5	1.5	1.1	0.9	0.6
夜間対応型訪問介護	1.9	0.3	0.6	0.4	0.3	0.3
地域密着型通所介護	110.0	45.0	34.1	17.6	8.9	4.4
認知症対応型通所介護	16.1	4.1	4.5	3.9	2.2	1.5
小規模多機能型居宅介護（短期利用以外）	28.1	8.3	8.0	6.0	3.8	2.0
小規模多機能型居宅介護（短期利用）	0.1	0.0	0.0	0.0	0.0	0.0
認知症対応型共同生活介護（短期利用以外）	62.0	12.0	16.2	16.6	10.3	6.9
認知症対応型共同生活介護（短期利用）	0.1	0.0	0.0	0.0	0.0	0.0
地域密着型特定施設入居者生活介護（短期利用以外）	2.2	0.4	0.6	0.4	0.4	0.3
地域密着型特定施設入居者生活介護（短期利用）	0.0	0.0	0.0	0.0	－	－
地域密着型介護老人福祉施設入所者生活介護	15.3	0.2	0.7	3.8	5.6	4.9
複合型サービス（看護小規模多機能型居宅介護・短期利用以外）	2.1	0.4	0.5	0.4	0.4	0.4
複合型サービス（看護小規模多機能型居宅介護・短期利用）	0.0	0.0	0.0	0.0	0.0	0.0
施設サービス	250.0	14.3	26.2	58.7	81.6	69.3
介護福祉施設サービス	140.4	2.3	6.8	34.1	51.5	45.8
介護保健施設サービス	97.3	11.8	19.1	23.6	25.7	17.1
特定治療・特別療養費（再掲）	2.5	0.1	0.2	0.3	0.8	1.1
介護療養施設サービス	13.1	0.2	0.3	1.1	4.8	6.7
特定診療費（再掲）	13.0	0.2	0.3	1.1	4.7	6.7

注：総数には、月の途中で要介護から要支援に変更となった者を含む。

（90～94歳）

平成29年11月審査分
（単位：千人）

サービス種類	総数	要介護１	要介護２	要介護３	要介護４	要介護５
総数	853.4	195.6	202.3	174.0	165.8	115.7
居宅サービス	559.5	166.7	163.7	106.2	76.8	46.0
訪問通所	451.8	143.9	139.4	81.6	54.7	32.2
訪問介護	167.0	50.5	48.2	28.8	23.1	16.4
訪問入浴介護	11.7	0.3	1.1	1.6	3.3	5.4
訪問看護	70.9	14.0	17.2	13.0	13.6	13.1
訪問リハビリテーション	11.6	2.3	3.0	2.3	2.3	1.6
通所介護	224.4	77.7	71.6	40.4	23.7	11.1
通所リハビリテーション	64.3	22.6	21.5	11.4	6.3	2.5
福祉用具貸与	298.2	65.9	92.9	63.2	47.4	28.8
短期入所	95.8	17.0	26.6	26.0	17.2	8.9
短期入所生活介護	85.0	15.1	23.6	23.3	15.3	7.7
短期入所療養介護（老健）	11.0	1.9	3.1	2.8	2.0	1.2
特定治療・特別療養費（再掲）	0.1	0.0	0.0	0.0	0.0	0.0
短期入所療養介護（病院等）	0.5	0.1	0.1	0.1	0.1	0.1
特定診療費（再掲）	0.3	0.1	0.1	0.1	0.1	0.1
居宅療養管理指導	142.0	26.6	31.8	29.8	30.2	23.7
特定施設入居者生活介護（短期利用以外）	54.4	14.1	11.9	10.4	10.9	7.1
特定施設入居者生活介護（短期利用）	0.4	0.1	0.1	0.1	0.1	0.0
居宅介護支援	467.3	152.1	143.1	84.6	55.7	31.7
地域密着型サービス	171.0	40.6	45.0	38.3	29.0	18.0
定期巡回・随時対応型訪問介護看護	4.2	1.0	1.1	0.8	0.8	0.5
夜間対応型訪問介護	1.3	0.2	0.3	0.3	0.3	0.2
地域密着型通所介護	69.5	24.3	22.0	12.7	7.2	3.3
認知症対応型通所介護	10.4	2.0	2.6	2.7	1.8	1.3
小規模多機能型居宅介護（短期利用以外）	19.6	4.9	5.6	4.4	3.0	1.7
小規模多機能型居宅介護（短期利用）	0.1	0.0	0.0	0.0	0.0	0.0
認知症対応型共同生活介護（短期利用以外）	49.0	7.7	12.2	13.3	9.6	6.3
認知症対応型共同生活介護（短期利用）	0.1	0.0	0.0	0.0	0.0	0.0
地域密着型特定施設入居者生活介護（短期利用以外）	2.1	0.4	0.5	0.4	0.5	0.3
地域密着型特定施設入居者生活介護（短期利用）	0.0	0.0	0.0	0.0	0.0	0.0
地域密着型介護老人福祉施設入所者生活介護	14.9	0.2	0.7	3.8	5.8	4.4
複合型サービス（看護小規模多機能型居宅介護・短期利用以外）	1.5	0.2	0.4	0.3	0.3	0.3
複合型サービス（看護小規模多機能型居宅介護・短期利用）	0.0	0.0	0.0	0.0	0.0	0.0
施設サービス	231.3	12.0	24.1	54.8	78.1	62.3
介護福祉施設サービス	133.6	2.0	6.6	32.5	50.7	41.9
介護保健施設サービス	86.6	9.9	17.2	21.5	23.4	14.7
特定治療・特別療養費（再掲）	2.3	0.1	0.2	0.3	0.8	0.9
介護療養施設サービス	11.8	0.1	0.3	1.1	4.3	6.0
特定診療費（再掲）	11.7	0.1	0.3	1.1	4.3	5.9

注：総数には、月の途中で要介護から要支援に変更となった者を含む。

統計表第２表　介護サービス受給者数，月・年齢階級・サービス種類・要介護状態区分別（65－40）

(95歳以上)

平成29年11月審査分
（単位：千人）

サービス種類	総数	要介護１	要介護２	要介護３	要介護４	要介護５
総数	376.7	53.9	73.1	81.8	96.7	71.1
居宅サービス	215.3	44.7	56.7	46.1	40.6	27.1
訪問通所	168.0	37.3	47.4	35.3	28.6	19.3
訪問介護	56.6	11.9	13.9	10.9	10.8	9.1
訪問入浴介護	9.2	0.2	0.8	1.2	2.6	4.4
訪問看護	32.8	3.6	6.2	6.2	7.9	8.8
訪問リハビリテーション	4.1	0.6	1.0	0.8	1.0	0.8
通所介護	80.3	20.1	24.6	17.3	12.1	6.2
通所リハビリテーション	19.4	5.4	6.2	4.0	2.6	1.2
福祉用具貸与	123.4	18.8	33.4	28.4	25.3	17.6
短期入所	45.0	5.9	11.1	12.5	9.9	5.5
短期入所生活介護	40.1	5.2	9.9	11.3	8.9	4.8
短期入所療養介護（老健）	4.9	0.6	1.2	1.3	1.1	0.7
特定治療・特別療養費（再掲）	0.0	-	0.0	0.0	0.0	0.0
短期入所療養介護（病院等）	0.3	0.0	0.1	0.1	0.1	0.1
特定診療費（再掲）	0.2	0.0	0.0	0.0	0.0	0.1
居宅療養管理指導	64.0	8.1	12.1	13.5	16.6	13.8
特定施設入居者生活介護（短期利用以外）	24.9	4.9	4.9	4.9	6.2	4.1
特定施設入居者生活介護（短期利用）	0.1	0.0	0.0	0.0	0.0	0.0
居宅介護支援	172.4	39.2	48.5	36.5	29.1	19.0
地域密着型サービス	65.5	9.8	14.3	15.8	15.4	10.1
定期巡回・随時対応型訪問介護看護	1.5	0.3	0.4	0.3	0.4	0.2
夜間対応型訪問介護	0.5	0.1	0.1	0.1	0.1	0.1
地域密着型通所介護	22.3	5.5	6.6	4.9	3.4	1.8
認知症対応型通所介護	3.8	0.4	0.8	1.0	0.9	0.7
小規模多機能型居宅介護（短期利用以外）	7.3	1.2	1.8	1.7	1.6	1.0
小規模多機能型居宅介護（短期利用）	0.0	0.0	0.0	0.0	0.0	0.0
認知症対応型共同生活介護（短期利用以外）	20.2	2.1	4.1	5.4	5.2	3.5
認知症対応型共同生活介護（短期利用）	0.0	0.0	0.0	0.0	0.0	-
地域密着型特定施設入居者生活介護（短期利用以外）	1.0	0.1	0.2	0.2	0.2	0.2
地域密着型特定施設入居者生活介護（短期利用）	0.0	-	0.0	-	-	-
地域密着型介護老人福祉施設入所者生活介護	8.7	0.1	0.4	2.0	3.6	2.6
複合型サービス（看護小規模多機能型居宅介護・短期利用以外）	0.6	0.1	0.1	0.1	0.2	0.1
複合型サービス（看護小規模多機能型居宅介護・短期利用）	0.0	0.0	0.0	0.0	0.0	0.0
施設サービス	136.7	5.2	11.9	30.2	49.9	39.6
介護福祉施設サービス	83.6	1.1	3.7	18.4	33.3	27.1
介護保健施設サービス	46.2	4.0	8.0	11.2	13.9	9.0
特定治療・特別療養費（再掲）	1.4	0.0	0.1	0.2	0.5	0.6
介護療養施設サービス	7.2	0.1	0.2	0.6	2.8	3.6
特定診療費（再掲）	7.1	0.1	0.2	0.6	2.7	3.5

注：総数には、月の途中で要介護から要支援に変更となった者を含む。

統計表第２表　介護サービス受給者数，月・年齢階級・サービス種類・要介護状態区分別（65－41）

（総　　数）

平成29年12月審査分
（単位：千人）

サービス種類	総数	要介護１	要介護２	要介護３	要介護４	要介護５
総数	4 266.4	1 110.1	1 057.2	817.5	734.5	547.0
居宅サービス	3 021.6	953.0	891.3	543.7	382.6	251.0
訪問通所	2 591.1	858.8	795.8	445.1	298.1	193.2
訪問介護	1 017.4	324.1	299.5	167.6	126.7	99.4
訪問入浴介護	65.5	1.6	5.3	7.7	17.6	33.3
訪問看護	432.8	98.1	112.8	76.3	73.1	72.5
訪問リハビリテーション	90.1	17.4	25.1	18.1	16.1	13.4
通所介護	1 152.6	419.8	352.5	198.9	117.7	63.7
通所リハビリテーション	444.4	148.9	146.6	80.2	47.2	21.5
福祉用具貸与	1 699.1	372.1	542.0	348.5	261.3	175.3
短期入所	382.7	62.9	95.0	104.4	74.8	45.7
短期入所生活介護	333.2	55.6	82.9	92.3	64.5	37.9
短期入所療養介護（老健）	50.9	7.3	12.2	12.7	10.8	7.9
特定治療・特別療養費（再掲）	0.3	0.0	0.1	0.1	0.1	0.1
短期入所療養介護（病院等）	2.1	0.3	0.4	0.4	0.4	0.6
特定診療費（再掲）	1.5	0.2	0.3	0.2	0.3	0.5
居宅療養管理指導	671.6	126.9	150.4	137.1	134.3	122.9
特定施設入居者生活介護（短期利用以外）	196.5	51.2	43.0	36.9	38.5	26.9
特定施設入居者生活介護（短期利用）	1.3	0.3	0.4	0.3	0.2	0.1
居宅介護支援	2 661.3	912.8	809.0	455.5	296.8	187.2
地域密着型サービス	853.5	245.6	229.6	176.3	121.4	80.5
定期巡回・随時対応型訪問介護看護	20.0	5.1	5.2	3.8	3.5	2.4
夜間対応型訪問介護	7.8	1.1	2.1	1.6	1.5	1.4
地域密着型通所介護	411.4	158.6	128.0	69.0	36.8	19.1
認知症対応型通所介護	57.7	14.1	14.5	14.3	8.3	6.5
小規模多機能型居宅介護（短期利用以外）	94.8	27.3	25.9	20.2	13.5	8.0
小規模多機能型居宅介護（短期利用）	0.4	0.1	0.1	0.1	0.1	0.0
認知症対応型共同生活介護（短期利用以外）	199.0	37.7	50.0	52.6	34.9	23.7
認知症対応型共同生活介護（短期利用）	0.3	0.1	0.1	0.1	0.0	0.0
地域密着型特定施設入居者生活介護（短期利用以外）	7.3	1.3	1.8	1.5	1.6	1.1
地域密着型特定施設入居者生活介護（短期利用）	0.0	0.0	0.0	0.0	0.0	0.0
地域密着型介護老人福祉施設入所者生活介護	55.4	0.8	2.5	13.7	20.8	17.6
複合型サービス（看護小規模多機能型居宅介護・短期利用以外）	8.1	1.3	1.8	1.6	1.7	1.7
複合型サービス（看護小規模多機能型居宅介護・短期利用）	0.1	0.0	0.0	0.0	0.0	0.0
施設サービス	941.2	50.4	94.0	217.5	311.7	267.5
介護福祉施設サービス	534.2	8.8	25.7	126.4	197.7	175.5
介護保健施設サービス	359.8	41.1	67.0	87.6	97.5	66.7
特定治療・特別療養費（再掲）	9.8	0.4	0.7	1.3	3.3	4.1
介護療養施設サービス	50.2	0.6	1.3	4.2	17.9	26.2
特定診療費（再掲）	49.7	0.5	1.3	4.2	17.7	25.9

注：総数には、月の途中で要介護から要支援に変更となった者を含む。

（40～64歳）

平成29年12月審査分
（単位：千人）

サービス種類	総数	要介護１	要介護２	要介護３	要介護４	要介護５
総数	104.9	22.4	30.9	20.0	15.8	15.8
居宅サービス	88.6	20.1	28.5	16.6	12.0	11.4
訪問通所	83.1	19.3	27.4	15.4	10.8	10.2
訪問介護	31.9	6.9	9.6	5.7	4.4	5.3
訪問入浴介護	3.9	0.0	0.2	0.3	0.8	2.6
訪問看護	18.8	3.6	5.6	3.5	2.8	3.3
訪問リハビリテーション	7.3	1.4	2.2	1.4	1.0	1.3
通所介護	23.6	5.5	7.5	4.8	3.2	2.6
通所リハビリテーション	20.4	5.1	7.1	4.2	2.4	1.6
福祉用具貸与	63.0	10.2	21.1	12.9	9.5	9.2
短期入所	6.0	0.5	1.0	1.5	1.4	1.6
短期入所生活介護	4.6	0.4	0.8	1.2	1.1	1.2
短期入所療養介護（老健）	1.4	0.1	0.2	0.3	0.4	0.4
特定治療・特別療養費（再掲）	0.0	–	–	0.0	0.0	0.0
短期入所療養介護（病院等）	0.1	0.0	0.0	0.0	0.0	0.0
特定診療費（再掲）	0.0	0.0	0.0	0.0	0.0	0.0
居宅療養管理指導	17.8	2.1	3.6	3.2	3.4	5.4
特定施設入居者生活介護（短期利用以外）	1.9	0.3	0.4	0.4	0.4	0.4
特定施設入居者生活介護（短期利用）	0.0	0.0	0.0	0.0	0.0	0.0
居宅介護支援	82.1	19.7	27.1	15.2	10.4	9.7
地域密着型サービス	16.5	4.2	5.0	3.3	2.1	1.9
定期巡回・随時対応型訪問介護看護	0.5	0.1	0.1	0.1	0.1	0.1
夜間対応型訪問介護	0.4	0.0	0.1	0.1	0.1	0.1
地域密着型通所介護	11.2	3.2	3.9	2.1	1.2	0.8
認知症対応型通所介護	0.9	0.2	0.1	0.2	0.1	0.2
小規模多機能型居宅介護（短期利用以外）	1.6	0.4	0.4	0.4	0.3	0.2
小規模多機能型居宅介護（短期利用）	0.0	–	0.0	0.0	–	0.0
認知症対応型共同生活介護（短期利用以外）	1.3	0.3	0.3	0.3	0.2	0.2
認知症対応型共同生活介護（短期利用）	0.0	–	–	0.0	0.0	–
地域密着型特定施設入居者生活介護（短期利用以外）	0.1	0.0	0.0	0.0	0.0	0.0
地域密着型特定施設入居者生活介護（短期利用）	–	–	–	–	–	–
地域密着型介護老人福祉施設入所者生活介護	0.5	0.0	0.0	0.1	0.0	0.2
複合型サービス（看護小規模多機能型居宅介護・短期利用以外）	0.2	0.0	0.0	0.0	0.0	0.1
複合型サービス（看護小規模多機能型居宅介護・短期利用）	0.0	–	–	0.0	0.0	0.0
施設サービス	12.0	0.7	1.2	2.6	3.5	4.0
介護福祉施設サービス	4.8	0.1	0.3	1.1	1.5	1.9
介護保健施設サービス	6.2	0.6	1.0	1.5	1.6	1.5
特定治療・特別療養費（再掲）	0.2	0.0	0.0	0.0	0.1	0.1
介護療養施設サービス	1.0	0.0	0.0	0.1	0.3	0.6
特定診療費（再掲）	1.0	0.0	0.0	0.1	0.3	0.6

注：総数には、月の途中で要介護から要支援に変更となった者を含む。

統計表第２表　介護サービス受給者数，月・年齢階級・サービス種類・要介護状態区分別（65－42）

（65～69歳）

平成29年12月審査分
（単位：千人）

サービス種類	総数	要介護１	要介護２	要介護３	要介護４	要介護５
総数	170.7	42.5	47.3	31.9	26.0	22.9
居宅サービス	139.2	37.6	42.8	25.3	18.5	15.1
訪問通所	129.2	35.4	40.6	23.1	16.6	13.5
訪問介護	59.2	17.0	17.7	9.8	7.5	7.2
訪問入浴介護	4.8	0.1	0.3	0.4	1.1	2.8
訪問看護	25.5	5.2	7.1	4.7	4.2	4.5
訪問リハビリテーション	7.7	1.3	2.1	1.5	1.3	1.4
通所介護	42.1	11.9	12.7	8.1	5.5	3.9
通所リハビリテーション	28.2	7.1	9.4	5.9	3.7	2.0
福祉用具貸与	88.5	15.0	28.9	18.5	14.3	11.8
短期入所	11.1	1.1	2.0	2.8	2.7	2.5
短期入所生活介護	8.9	1.0	1.6	2.3	2.1	1.9
短期入所療養介護（老健）	2.2	0.2	0.4	0.5	0.6	0.6
特定治療・特別療養費（再掲）	0.0	－	0.0	0.0	0.0	0.0
短期入所療養介護（病院等）	0.1	0.0	0.0	0.0	0.0	0.0
特定診療費（再掲）	0.1	0.0	0.0	0.0	0.0	0.0
居宅療養管理指導	26.9	4.3	5.6	5.1	5.2	6.7
特定施設入居者生活介護（短期利用以外）	3.6	0.9	0.8	0.7	0.7	0.6
特定施設入居者生活介護（短期利用）	0.0	0.0	0.0	0.0	0.0	0.0
居宅介護支援	129.8	36.9	40.6	23.2	16.2	12.9
地域密着型サービス	28.8	8.4	8.2	5.7	3.5	2.9
定期巡回・随時対応型訪問介護看護	0.7	0.2	0.2	0.1	0.1	0.1
夜間対応型訪問介護	0.5	0.1	0.1	0.1	0.1	0.1
地域密着型通所介護	18.5	6.1	6.1	3.4	1.8	1.2
認知症対応型通所介護	1.9	0.4	0.4	0.4	0.3	0.4
小規模多機能型居宅介護（短期利用以外）	2.9	0.8	0.7	0.6	0.4	0.3
小規模多機能型居宅介護（短期利用）	0.0	－	0.0	0.0	0.0	0.0
認知症対応型共同生活介護（短期利用以外）	3.2	0.9	0.8	0.8	0.4	0.4
認知症対応型共同生活介護（短期利用）	0.0	0.0	0.0	0.0	0.0	0.0
地域密着型特定施設入居者生活介護（短期利用以外）	0.1	0.0	0.0	0.0	0.0	0.0
地域密着型特定施設入居者生活介護（短期利用）	0.0	－	－	－	－	0.0
地域密着型介護老人福祉施設入所者生活介護	1.0	0.0	0.1	0.3	0.3	0.4
複合型サービス（看護小規模多機能型居宅介護・短期利用以外）	0.3	0.0	0.1	0.1	0.1	0.1
複合型サービス（看護小規模多機能型居宅介護・短期利用）	0.0	－	－	－	0.0	0.0
施設サービス	22.7	1.4	2.4	5.1	6.7	7.1
介護福祉施設サービス	11.5	0.2	0.6	2.7	3.8	4.2
介護保健施設サービス	9.7	1.1	1.7	2.3	2.5	2.1
特定治療・特別療養費（再掲）	0.3	0.0	0.0	0.0	0.1	0.2
介護療養施設サービス	1.6	0.0	0.1	0.1	0.5	0.9
特定診療費（再掲）	1.6	0.0	0.0	0.1	0.5	0.9

注：総数には、月の途中で要介護から要支援に変更となった者を含む。

（70～74歳）

平成29年12月審査分
（単位：千人）

サービス種類	総数	要介護１	要介護２	要介護３	要介護４	要介護５
総数	270.9	71.2	73.4	50.5	41.9	33.9
居宅サービス	214.3	61.9	65.4	38.7	27.8	20.4
訪問通所	196.7	57.8	61.6	34.8	24.6	17.8
訪問介護	82.0	24.3	24.7	13.6	10.4	9.1
訪問入浴介護	5.9	0.1	0.4	0.6	1.5	3.3
訪問看護	36.9	8.0	10.1	6.6	6.0	6.1
訪問リハビリテーション	10.2	1.7	2.9	2.0	1.9	1.7
通所介護	71.7	22.9	21.2	13.2	8.7	5.6
通所リハビリテーション	42.3	11.5	13.9	8.6	5.6	2.8
福祉用具貸与	133.5	24.2	43.5	27.8	21.7	16.3
短期入所	19.3	2.3	3.6	5.2	4.6	3.7
短期入所生活介護	16.0	2.0	3.0	4.4	3.8	2.8
短期入所療養介護（老健）	3.4	0.3	0.6	0.8	0.9	0.8
特定治療・特別療養費（再掲）	0.0	0.0	0.0	0.0	0.0	0.0
短期入所療養介護（病院等）	0.1	0.0	0.0	0.0	0.0	0.1
特定診療費（再掲）	0.1	0.0	0.0	0.0	0.0	0.1
居宅療養管理指導	40.9	7.0	9.0	7.9	7.8	9.2
特定施設入居者生活介護（短期利用以外）	6.5	1.8	1.4	1.2	1.1	0.9
特定施設入居者生活介護（短期利用）	0.1	0.0	0.0	0.0	0.0	0.0
居宅介護支援	200.2	61.5	62.1	35.2	24.2	17.1
地域密着型サービス	49.4	15.6	14.0	9.6	5.9	4.4
定期巡回・随時対応型訪問介護看護	1.1	0.3	0.2	0.2	0.2	0.1
夜間対応型訪問介護	0.7	0.1	0.1	0.2	0.2	0.2
地域密着型通所介護	30.6	11.1	9.8	5.3	2.7	1.7
認知症対応型通所介護	3.6	0.9	0.8	0.9	0.6	0.5
小規模多機能型居宅介護（短期利用以外）	4.8	1.5	1.2	0.9	0.7	0.5
小規模多機能型居宅介護（短期利用）	0.0	0.0	0.0	0.0	0.0	0.0
認知症対応型共同生活介護（短期利用以外）	6.6	1.7	1.7	1.7	0.9	0.7
認知症対応型共同生活介護（短期利用）	0.0	0.0	0.0	0.0	0.0	0.0
地域密着型特定施設入居者生活介護（短期利用以外）	0.2	0.0	0.1	0.1	0.0	0.0
地域密着型特定施設入居者生活介護（短期利用）	0.0	－	－	－	－	0.0
地域密着型介護老人福祉施設入所者生活介護	1.8	0.0	0.1	0.5	0.6	0.6
複合型サービス（看護小規模多機能型居宅介護・短期利用以外）	0.5	0.1	0.1	0.1	0.1	0.1
複合型サービス（看護小規模多機能型居宅介護・短期利用）	0.0	0.0	0.0	0.0	0.0	0.0
施設サービス	40.8	2.3	4.1	9.2	12.7	12.5
介護福祉施設サービス	22.0	0.5	1.3	5.2	7.5	7.6
介護保健施設サービス	16.4	1.8	2.8	3.9	4.4	3.5
特定治療・特別療養費（再掲）	0.5	0.0	0.0	0.0	0.1	0.2
介護療養施設サービス	2.5	0.0	0.1	0.2	0.9	1.4
特定診療費（再掲）	2.5	0.0	0.1	0.2	0.9	1.4

注：総数には、月の途中で要介護から要支援に変更となった者を含む。

統計表第２表　介護サービス受給者数，月・年齢階級・サービス種類・要介護状態区分別（65－43）

（75～79歳）

平成29年12月審査分
（単位：千人）

サービス種類	総数	要介護１	要介護２	要介護３	要介護４	要介護５
総数	485.7	139.8	126.5	88.8	73.2	57.5
居宅サービス	369.1	120.0	110.4	64.6	44.1	30.0
訪問通所	332.8	111.7	102.3	56.1	37.6	25.1
訪問介護	133.1	42.9	40.0	21.6	15.8	12.8
訪問入浴介護	7.9	0.2	0.6	0.8	2.1	4.2
訪問看護	57.3	14.0	15.3	9.7	9.2	9.0
訪問リハビリテーション	13.4	2.4	3.7	2.8	2.5	2.0
通所介護	136.2	50.7	40.0	23.3	14.0	8.2
通所リハビリテーション	66.0	20.6	21.5	12.4	7.7	3.7
福祉用具貸与	215.6	45.6	70.2	43.9	33.0	22.9
短期入所	35.9	5.0	7.5	9.8	7.8	5.6
短期入所生活介護	30.1	4.4	6.3	8.5	6.5	4.4
短期入所療養介護（老健）	6.0	0.6	1.2	1.4	1.4	1.2
特定治療・特別療養費（再掲）	0.0	0.0	0.0	0.0	0.0	0.0
短期入所療養介護（病院等）	0.2	0.0	0.0	0.0	0.0	0.1
特定診療費（再掲）	0.2	0.0	0.0	0.0	0.0	0.1
居宅療養管理指導	70.6	13.5	15.9	14.0	13.4	13.9
特定施設入居者生活介護（短期利用以外）	13.2	3.5	2.8	2.5	2.4	2.0
特定施設入居者生活介護（短期利用）	0.1	0.0	0.0	0.0	0.0	0.0
居宅介護支援	343.2	120.2	104.1	57.4	37.2	24.3
地域密着型サービス	96.4	32.6	26.7	18.4	11.0	7.7
定期巡回・随時対応型訪問介護看護	2.0	0.6	0.5	0.4	0.3	0.2
夜間対応型訪問介護	1.0	0.1	0.3	0.2	0.2	0.2
地域密着型通所介護	54.9	22.3	17.0	8.7	4.5	2.4
認知症対応型通所介護	7.5	2.1	1.8	1.8	0.9	0.8
小規模多機能型居宅介護（短期利用以外）	9.9	3.3	2.6	2.0	1.3	0.8
小規模多機能型居宅介護（短期利用）	0.0	0.0	0.0	0.0	0.0	0.0
認知症対応型共同生活介護（短期利用以外）	16.6	4.1	4.3	4.3	2.3	1.6
認知症対応型共同生活介護（短期利用）	0.0	0.0	0.0	0.0	0.0	0.0
地域密着型特定施設入居者生活介護（短期利用以外）	0.5	0.1	0.1	0.1	0.1	0.1
地域密着型特定施設入居者生活介護（短期利用）	0.0	0.0	0.0	0.0	－	－
地域密着型介護老人福祉施設入所者生活介護	4.0	0.1	0.2	1.0	1.4	1.4
複合型サービス（看護小規模多機能型居宅介護・短期利用以外）	1.1	0.2	0.3	0.2	0.2	0.2
複合型サービス（看護小規模多機能型居宅介護・短期利用）	0.0	0.0	－	0.0	0.0	0.0
施設サービス	83.2	4.7	8.0	18.8	26.3	25.4
介護福祉施設サービス	46.4	0.9	2.4	10.9	16.2	16.1
介護保健施設サービス	32.4	3.7	5.5	7.7	8.7	6.8
特定治療・特別療養費（再掲）	0.9	0.0	0.1	0.1	0.3	0.4
介護療養施設サービス	4.7	0.0	0.1	0.4	1.5	2.6
特定診療費（再掲）	4.7	0.0	0.1	0.4	1.5	2.6

注：総数には、月の途中で要介護から要支援に変更となった者を含む。

（80～84歳）

平成29年12月審査分
（単位：千人）

サービス種類	総数	要介護１	要介護２	要介護３	要介護４	要介護５
総数	874.8	264.8	221.7	157.9	131.7	98.8
居宅サービス	639.2	226.8	188.4	107.7	71.1	45.2
訪問通所	559.9	208.2	170.4	89.4	56.8	35.1
訪問介護	224.9	79.1	67.1	35.3	25.0	18.4
訪問入浴介護	10.3	0.3	0.8	1.2	2.9	5.1
訪問看護	89.3	24.0	24.2	15.1	13.3	12.8
訪問リハビリテーション	17.6	3.6	5.0	3.6	3.0	2.3
通所介護	252.9	103.2	75.5	39.7	22.3	12.2
通所リハビリテーション	98.1	35.9	31.7	16.6	9.6	4.1
福祉用具貸与	348.7	85.3	113.4	68.7	49.5	31.8
短期入所	68.3	11.8	16.2	18.8	13.3	8.2
短期入所生活介護	59.1	10.4	14.1	16.5	11.3	6.8
短期入所療養介護（老健）	9.6	1.4	2.2	2.4	2.0	1.4
特定治療・特別療養費（再掲）	0.1	0.0	0.0	0.0	0.0	0.0
短期入所療養介護（病院等）	0.3	0.0	0.1	0.1	0.1	0.1
特定診療費（再掲）	0.3	0.0	0.0	0.1	0.1	0.1
居宅療養管理指導	128.7	27.0	29.9	26.1	23.8	21.9
特定施設入居者生活介護（短期利用以外）	32.2	8.9	7.2	5.9	5.8	4.4
特定施設入居者生活介護（短期利用）	0.2	0.0	0.1	0.0	0.0	0.0
居宅介護支援	580.2	223.4	174.4	91.8	56.6	34.0
地域密着型サービス	186.0	62.3	50.9	36.1	22.0	14.6
定期巡回・随時対応型訪問介護看護	4.1	1.2	1.1	0.7	0.7	0.4
夜間対応型訪問介護	1.6	0.3	0.5	0.3	0.3	0.3
地域密着型通所介護	95.2	41.0	28.9	14.5	7.2	3.6
認知症対応型通所介護	13.8	4.0	3.6	3.4	1.6	1.2
小規模多機能型居宅介護（短期利用以外）	20.9	6.8	5.7	4.2	2.6	1.5
小規模多機能型居宅介護（短期利用）	0.1	0.0	0.0	0.0	0.0	0.0
認知症対応型共同生活介護（短期利用以外）	40.3	8.9	10.6	10.6	6.0	4.2
認知症対応型共同生活介護（短期利用）	0.1	0.0	0.0	0.0	0.0	0.0
地域密着型特定施設入居者生活介護（短期利用以外）	1.1	0.2	0.3	0.2	0.2	0.2
地域密着型特定施設入居者生活介護（短期利用）	0.0	0.0	0.0	0.0	0.0	－
地域密着型介護老人福祉施設入所者生活介護	9.1	0.1	0.4	2.3	3.3	3.1
複合型サービス（看護小規模多機能型居宅介護・短期利用以外）	1.7	0.3	0.4	0.3	0.3	0.3
複合型サービス（看護小規模多機能型居宅介護・短期利用）	0.0	0.0	0.0	0.0	0.0	0.0
施設サービス	168.0	9.8	16.7	38.8	54.0	48.7
介護福祉施設サービス	94.0	1.8	4.5	22.2	33.8	31.8
介護保健施設サービス	65.8	7.9	12.0	16.0	17.5	12.4
特定治療・特別療養費（再掲）	1.7	0.1	0.1	0.2	0.6	0.7
介護療養施設サービス	8.8	0.1	0.2	0.8	3.0	4.7
特定診療費（再掲）	8.7	0.1	0.2	0.7	3.0	4.7

注：総数には、月の途中で要介護から要支援に変更となった者を含む。

統計表第２表　介護サービス受給者数，月・年齢階級・サービス種類・要介護状態区分別（65－44）

（85～89歳）

平成29年12月審査分
（単位：千人）

サービス種類	総数	要介護１	要介護２	要介護３	要介護４	要介護５
総数	1 128.8	319.4	281.4	212.4	183.6	132.0
居宅サービス	793.1	274.6	234.3	137.8	91.1	55.2
訪問通所	666.0	244.7	205.3	108.6	67.7	39.6
訪問介護	263.5	91.9	78.6	42.1	29.7	21.2
訪問入浴介護	12.0	0.3	1.1	1.5	3.4	5.6
訪問看護	101.1	25.5	27.1	17.5	16.0	14.9
訪問リハビリテーション	18.3	4.1	5.2	3.6	3.1	2.2
通所介護	322.2	127.9	99.7	52.1	28.5	13.9
通所リハビリテーション	105.8	40.8	35.0	17.2	9.3	3.5
福祉用具貸与	418.7	105.3	135.6	83.1	58.8	35.9
短期入所	103.0	19.4	27.3	28.4	18.1	9.9
短期入所生活介護	90.8	17.1	24.0	25.3	15.9	8.5
短期入所療養介護（老健）	12.6	2.2	3.3	3.3	2.4	1.5
特定治療・特別療養費（再掲）	0.1	0.0	0.0	0.0	0.0	0.0
短期入所療養介護（病院等）	0.4	0.1	0.1	0.1	0.1	0.1
特定診療費（再掲）	0.3	0.1	0.1	0.1	0.1	0.1
居宅療養管理指導	180.2	38.2	42.2	37.4	34.1	28.3
特定施設入居者生活介護（短期利用以外）	59.7	17.0	13.3	11.0	10.9	7.5
特定施設入居者生活介護（短期利用）	0.4	0.1	0.1	0.1	0.0	0.0
居宅介護支援	687.4	259.7	209.5	111.8	67.8	38.6
地域密着型サービス	240.4	71.9	65.6	49.4	32.5	21.0
定期巡回・随時対応型訪問介護看護	5.8	1.6	1.5	1.1	0.9	0.7
夜間対応型訪問介護	1.8	0.3	0.6	0.4	0.3	0.3
地域密着型通所介護	109.6	45.1	33.8	17.5	8.8	4.4
認知症対応型通所介護	16.1	4.1	4.4	3.9	2.1	1.5
小規模多機能型居宅介護（短期利用以外）	28.0	8.3	7.9	5.9	3.8	2.0
小規模多機能型居宅介護（短期利用）	0.1	0.0	0.0	0.0	0.0	0.0
認知症対応型共同生活介護（短期利用以外）	61.8	12.0	16.2	16.4	10.3	6.9
認知症対応型共同生活介護（短期利用）	0.1	0.0	0.0	0.0	0.0	0.0
地域密着型特定施設入居者生活介護（短期利用以外）	2.1	0.4	0.5	0.5	0.4	0.3
地域密着型特定施設入居者生活介護（短期利用）	0.0	0.0	0.0	0.0	－	－
地域密着型介護老人福祉施設入所者生活介護	15.3	0.2	0.7	3.8	5.7	4.9
複合型サービス（看護小規模多機能型居宅介護・短期利用以外）	2.2	0.4	0.5	0.4	0.4	0.4
複合型サービス（看護小規模多機能型居宅介護・短期利用）	0.0	0.0	0.0	0.0	0.0	0.0
施設サービス	248.8	14.2	26.0	58.5	81.2	68.8
介護福祉施設サービス	139.7	2.2	6.7	33.9	51.4	45.5
介護保健施設サービス	97.1	11.8	19.0	23.7	25.6	16.9
特定治療・特別療養費（再掲）	2.5	0.1	0.2	0.3	0.8	1.1
介護療養施設サービス	12.9	0.2	0.4	1.1	4.6	6.6
特定診療費（再掲）	12.8	0.2	0.3	1.1	4.6	6.6

注：総数には、月の途中で要介護から要支援に変更となった者を含む。

（90～94歳）

平成29年12月審査分
（単位：千人）

サービス種類	総数	要介護１	要介護２	要介護３	要介護４	要介護５
総数	854.5	196.0	202.9	174.3	165.8	115.5
居宅サービス	562.3	167.2	164.7	106.7	77.3	46.4
訪問通所	454.8	144.2	140.6	82.1	55.3	32.6
訪問介護	166.6	50.3	48.0	28.7	23.1	16.3
訪問入浴介護	11.6	0.3	1.1	1.5	3.3	5.3
訪問看護	71.1	14.1	17.3	13.0	13.6	13.1
訪問リハビリテーション	11.6	2.3	3.0	2.3	2.3	1.6
通所介護	224.1	77.5	71.5	40.4	23.6	11.1
通所リハビリテーション	64.2	22.6	21.6	11.3	6.2	2.5
福祉用具貸与	305.3	67.2	95.3	64.6	48.6	29.6
短期入所	94.9	17.0	26.4	25.6	17.1	8.9
短期入所生活介護	84.2	15.1	23.3	23.0	15.2	7.6
短期入所療養介護（老健）	10.9	1.9	3.1	2.8	2.0	1.2
特定治療・特別療養費（再掲）	0.1	0.0	0.0	0.0	0.0	0.0
短期入所療養介護（病院等）	0.5	0.1	0.1	0.1	0.1	0.1
特定診療費（再掲）	0.3	0.1	0.1	0.1	0.1	0.1
居宅療養管理指導	142.7	26.8	32.1	30.0	30.1	23.7
特定施設入居者生活介護（短期利用以外）	54.5	14.1	12.0	10.4	11.0	7.1
特定施設入居者生活介護（短期利用）	0.3	0.1	0.1	0.1	0.0	0.0
居宅介護支援	466.9	152.0	143.0	84.5	55.6	31.7
地域密着型サービス	170.9	40.6	45.1	38.2	28.9	18.0
定期巡回・随時対応型訪問介護看護	4.3	1.0	1.2	0.8	0.8	0.5
夜間対応型訪問介護	1.3	0.2	0.3	0.3	0.3	0.2
地域密着型通所介護	69.3	24.2	22.0	12.7	7.2	3.3
認知症対応型通所介護	10.3	2.0	2.7	2.6	1.8	1.3
小規模多機能型居宅介護（短期利用以外）	19.6	4.9	5.6	4.4	3.0	1.7
小規模多機能型居宅介護（短期利用）	0.1	0.0	0.0	0.0	0.0	0.0
認知症対応型共同生活介護（短期利用以外）	49.0	7.7	12.2	13.3	9.5	6.2
認知症対応型共同生活介護（短期利用）	0.1	0.0	0.0	0.0	0.0	0.0
地域密着型特定施設入居者生活介護（短期利用以外）	2.1	0.4	0.5	0.4	0.5	0.3
地域密着型特定施設入居者生活介護（短期利用）	0.0	0.0	0.0	0.0	0.0	0.0
地域密着型介護老人福祉施設入所者生活介護	14.9	0.2	0.7	3.8	5.8	4.4
複合型サービス（看護小規模多機能型居宅介護・短期利用以外）	1.5	0.2	0.4	0.3	0.3	0.3
複合型サービス（看護小規模多機能型居宅介護・短期利用）	0.0	0.0	0.0	0.0	0.0	0.0
施設サービス	230.0	12.1	23.9	54.4	77.7	61.9
介護福祉施設サービス	132.7	2.0	6.4	32.2	50.5	41.7
介護保健施設サービス	86.4	10.0	17.2	21.3	23.4	14.6
特定治療・特別療養費（再掲）	2.3	0.1	0.2	0.3	0.8	0.9
介護療養施設サービス	11.6	0.1	0.4	1.0	4.2	5.8
特定診療費（再掲）	11.4	0.1	0.3	1.0	4.2	5.8

注：総数には、月の途中で要介護から要支援に変更となった者を含む。

統計表第２表　介護サービス受給者数，月・年齢階級・サービス種類・要介護状態区分別（65－45）

（95歳以上）

平成29年12月審査分
（単位：千人）

サービス種類	総数	要介護１	要介護２	要介護３	要介護４	要介護５
総数	376.0	54.0	73.1	81.8	96.5	70.6
居宅サービス	215.8	44.8	56.8	46.3	40.7	27.2
訪問通所	168.6	37.5	47.6	35.5	28.8	19.3
訪問介護	56.2	11.8	13.8	10.8	10.7	9.1
訪問入浴介護	9.1	0.2	0.7	1.2	2.6	4.3
訪問看護	32.8	3.7	6.2	6.2	7.9	8.8
訪問リハビリテーション	4.1	0.6	0.9	0.9	1.0	0.8
通所介護	79.9	20.1	24.4	17.3	11.9	6.2
通所リハビリテーション	19.3	5.3	6.3	3.9	2.6	1.1
福祉用具貸与	125.9	19.3	34.1	28.9	25.8	17.8
短期入所	44.3	5.8	11.0	12.3	9.8	5.3
短期入所生活介護	39.4	5.2	9.8	11.1	8.7	4.7
短期入所療養介護（老健）	4.9	0.6	1.3	1.2	1.1	0.7
特定治療・特別療養費（再掲）	0.0	0.0	0.0	0.0	0.0	0.0
短期入所療養介護（病院等）	0.3	0.0	0.1	0.0	0.1	0.1
特定診療費（再掲）	0.2	0.0	0.0	0.0	0.0	0.1
居宅療養管理指導	63.9	8.0	12.1	13.4	16.6	13.8
特定施設入居者生活介護（短期利用以外）	24.9	4.8	4.9	5.0	6.2	4.1
特定施設入居者生活介護（短期利用）	0.1	0.0	0.0	0.0	0.0	0.0
居宅介護支援	171.6	39.3	48.2	36.3	28.9	18.8
地域密着型サービス	65.3	10.0	14.1	15.7	15.4	10.1
定期巡回・随時対応型訪問介護看護	1.5	0.3	0.4	0.3	0.4	0.2
夜間対応型訪問介護	0.5	0.1	0.1	0.1	0.1	0.1
地域密着型通所介護	22.2	5.6	6.5	4.9	3.4	1.8
認知症対応型通所介護	3.7	0.4	0.8	1.0	0.9	0.7
小規模多機能型居宅介護（短期利用以外）	7.2	1.2	1.8	1.7	1.5	0.9
小規模多機能型居宅介護（短期利用）	0.0	0.0	0.0	0.0	0.0	0.0
認知症対応型共同生活介護（短期利用以外）	20.2	2.1	4.0	5.4	5.2	3.5
認知症対応型共同生活介護（短期利用）	0.0	0.0	0.0	0.0	0.0	－
地域密着型特定施設入居者生活介護（短期利用以外）	1.0	0.1	0.2	0.2	0.2	0.2
地域密着型特定施設入居者生活介護（短期利用）	0.0	－	0.0	0.0	－	－
地域密着型介護老人福祉施設入所者生活介護	8.7	0.1	0.4	2.0	3.6	2.6
複合型サービス(看護小規模多機能型居宅介護・短期利用以外)	0.6	0.1	0.1	0.1	0.2	0.1
複合型サービス(看護小規模多機能型居宅介護・短期利用)	0.0	－	0.0	0.0	0.0	－
施設サービス	135.8	5.2	11.8	30.0	49.5	39.2
介護福祉施設サービス	83.0	1.1	3.6	18.3	33.2	26.9
介護保健施設サービス	46.0	4.1	8.0	11.2	13.8	8.9
特定治療・特別療養費（再掲）	1.3	0.0	0.1	0.2	0.5	0.5
介護療養施設サービス	7.1	0.1	0.2	0.6	2.7	3.5
特定診療費（再掲）	7.0	0.1	0.2	0.6	2.7	3.5

注：総数には、月の途中で要介護から要支援に変更となった者を含む。

統計表第２表　介護サービス受給者数，月・年齢階級・サービス種類・要介護状態区分別（65－46）

（総　　数）

平成30年１月審査分
（単位：千人）

サービス種類	総数	要介護１	要介護２	要介護３	要介護４	要介護５
総数	4 245.4	1 106.6	1 051.3	813.1	731.4	542.9
居宅サービス	2 998.5	949.3	885.2	538.3	378.5	247.1
訪問通所	2 570.7	855.6	790.3	440.2	294.2	190.4
訪問介護	1 016.5	324.4	299.4	167.2	126.5	99.0
訪問入浴介護	66.3	1.7	5.4	8.0	17.8	33.5
訪問看護	433.6	98.8	113.3	76.6	72.9	72.0
訪問リハビリテーション	90.0	17.4	25.1	18.0	16.0	13.5
通所介護	1 147.0	418.2	351.2	197.6	117.0	63.1
通所リハビリテーション	441.4	148.3	145.6	79.5	46.8	21.1
福祉用具貸与	1 685.7	370.9	538.9	345.1	258.1	172.8
短期入所	378.7	61.5	93.8	103.7	74.2	45.5
短期入所生活介護	331.5	54.4	82.4	92.3	64.4	38.1
短期入所療養介護（老健）	48.4	7.1	11.6	12.0	10.3	7.5
特定治療・特別療養費（再掲）	0.3	0.0	0.1	0.1	0.1	0.1
短期入所療養介護（病院等）	2.0	0.2	0.4	0.3	0.4	0.6
特定診療費（再掲）	1.4	0.2	0.3	0.2	0.3	0.5
居宅療養管理指導	670.6	127.3	150.3	136.9	134.2	121.9
特定施設入居者生活介護（短期利用以外）	197.0	51.4	43.2	36.9	38.6	26.9
特定施設入居者生活介護（短期利用）	1.4	0.3	0.5	0.3	0.2	0.1
居宅介護支援	2 661.8	913.0	809.5	455.2	297.2	186.9
地域密着型サービス	852.4	245.4	229.1	176.4	121.4	80.3
定期巡回・随時対応型訪問介護看護	20.2	5.2	5.2	3.9	3.5	2.4
夜間対応型訪問介護	8.0	1.2	2.1	1.6	1.6	1.4
地域密着型通所介護	409.4	158.2	127.3	68.7	36.5	18.7
認知症対応型通所介護	57.2	14.0	14.4	14.2	8.2	6.4
小規模多機能型居宅介護（短期利用以外）	94.8	27.2	25.9	20.1	13.6	7.9
小規模多機能型居宅介護（短期利用）	0.4	0.1	0.1	0.1	0.1	0.0
認知症対応型共同生活介護（短期利用以外）	199.5	38.0	50.2	52.8	34.8	23.7
認知症対応型共同生活介護（短期利用）	0.3	0.1	0.1	0.1	0.0	0.0
地域密着型特定施設入居者生活介護（短期利用以外）	7.3	1.3	1.8	1.5	1.5	1.0
地域密着型特定施設入居者生活介護（短期利用）	0.0	0.0	0.0	0.0	0.0	0.0
地域密着型介護老人福祉施設入所者生活介護	55.9	0.8	2.5	13.8	21.1	17.7
複合型サービス(看護小規模多機能型居宅介護・短期利用以外)	8.2	1.3	1.8	1.6	1.7	1.7
複合型サービス(看護小規模多機能型居宅介護・短期利用)	0.1	0.0	0.0	0.0	0.0	0.0
施設サービス	945.9	51.1	94.9	219.4	313.0	267.4
介護福祉施設サービス	536.3	8.7	25.4	127.6	198.8	175.8
介護保健施設サービス	362.8	41.8	68.3	88.5	97.7	66.5
特定治療・特別療養費（再掲）	9.9	0.4	0.7	1.3	3.3	4.1
介護療養施設サービス	50.0	0.6	1.3	4.2	17.8	26.1
特定診療費（再掲）	49.5	0.6	1.3	4.1	17.7	25.9

注：総数には、月の途中で要介護から要支援に変更となった者を含む。

（40～64歳）

平成30年１月審査分
（単位：千人）

サービス種類	総数	要介護１	要介護２	要介護３	要介護４	要介護５
総数	103.5	22.1	30.4	19.8	15.6	15.6
居宅サービス	87.3	19.9	28.0	16.4	11.8	11.2
訪問通所	81.9	19.1	27.0	15.2	10.6	10.0
訪問介護	31.8	6.9	9.5	5.7	4.4	5.3
訪問入浴介護	4.0	0.1	0.2	0.3	0.8	2.6
訪問看護	18.9	3.7	5.5	3.5	2.8	3.3
訪問リハビリテーション	7.2	1.3	2.1	1.4	1.0	1.3
通所介護	23.4	5.5	7.4	4.8	3.2	2.5
通所リハビリテーション	20.3	5.0	7.1	4.2	2.3	1.6
福祉用具貸与	62.1	10.0	20.8	12.8	9.4	9.1
短期入所	6.0	0.5	1.0	1.5	1.5	1.6
短期入所生活介護	4.7	0.4	0.8	1.2	1.2	1.2
短期入所療養介護（老健）	1.3	0.1	0.2	0.3	0.3	0.4
特定治療・特別療養費（再掲）	0.0	－	－	0.0	0.0	0.0
短期入所療養介護（病院等）	0.1	0.0	0.0	0.0	0.0	0.0
特定診療費（再掲）	0.0	0.0	0.0	0.0	0.0	0.0
居宅療養管理指導	17.6	2.1	3.5	3.3	3.4	5.3
特定施設入居者生活介護（短期利用以外）	1.9	0.3	0.4	0.4	0.4	0.4
特定施設入居者生活介護（短期利用）	0.0	0.0	0.0	0.0	0.0	0.0
居宅介護支援	81.9	19.7	26.9	15.2	10.4	9.6
地域密着型サービス	16.3	4.1	4.9	3.3	2.1	1.9
定期巡回・随時対応型訪問介護看護	0.5	0.1	0.1	0.1	0.1	0.1
夜間対応型訪問介護	0.4	0.0	0.1	0.1	0.1	0.1
地域密着型通所介護	11.0	3.1	3.9	2.1	1.2	0.8
認知症対応型通所介護	0.8	0.2	0.1	0.2	0.1	0.2
小規模多機能型居宅介護（短期利用以外）	1.6	0.4	0.4	0.4	0.3	0.2
小規模多機能型居宅介護（短期利用）	0.0	0.0	0.0	0.0	0.0	－
認知症対応型共同生活介護（短期利用以外）	1.3	0.3	0.3	0.4	0.2	0.2
認知症対応型共同生活介護（短期利用）	0.0	－	－	－	0.0	－
地域密着型特定施設入居者生活介護（短期利用以外）	0.1	0.0	0.0	0.0	0.0	0.0
地域密着型特定施設入居者生活介護（短期利用）	－	－	－	－	－	－
地域密着型介護老人福祉施設入所者生活介護	0.5	0.0	0.0	0.1	0.2	0.2
複合型サービス(看護小規模多機能型居宅介護・短期利用以外)	0.2	0.0	0.0	0.0	0.0	0.1
複合型サービス(看護小規模多機能型居宅介護・短期利用)	0.0	－	－	－	0.0	0.0
施設サービス	11.9	0.6	1.2	2.6	3.4	4.0
介護福祉施設サービス	4.8	0.1	0.3	1.1	1.5	2.0
介護保健施設サービス	6.1	0.5	1.0	1.5	1.6	1.5
特定治療・特別療養費（再掲）	0.2	0.0	0.0	0.0	0.1	0.1
介護療養施設サービス	1.1	0.0	0.0	0.1	0.3	0.6
特定診療費（再掲）	1.0	0.0	0.0	0.1	0.3	0.6

注：総数には、月の途中で要介護から要支援に変更となった者を含む。

統計表第２表　介護サービス受給者数，月・年齢階級・サービス種類・要介護状態区分別（65－47）

（65～69歳）

平成30年１月審査分
（単位：千人）

サービス種類	総数	要介護１	要介護２	要介護３	要介護４	要介護５
総数	167.3	41.7	46.5	31.2	25.3	22.6
居宅サービス	136.3	36.9	42.0	24.7	17.9	14.8
訪問通所	126.5	34.7	39.9	22.6	16.1	13.2
訪問介護	58.4	16.7	17.6	9.6	7.4	7.1
訪問入浴介護	4.7	0.1	0.3	0.4	1.1	2.8
訪問看護	25.3	5.1	7.0	4.7	4.1	4.4
訪問リハビリテーション	7.6	1.3	2.1	1.6	1.3	1.4
通所介護	41.5	11.7	12.6	8.0	5.3	3.9
通所リハビリテーション	27.8	7.0	9.3	5.8	3.7	2.0
福祉用具貸与	86.6	14.7	28.4	18.0	13.9	11.6
短期入所	11.1	1.1	2.0	2.8	2.6	2.5
短期入所生活介護	9.1	1.0	1.7	2.4	2.1	2.0
短期入所療養介護（老健）	2.1	0.2	0.4	0.5	0.5	0.6
特定治療・特別療養費（再掲）	0.0	－	0.0	0.0	0.0	0.0
短期入所療養介護（病院等）	0.1	0.0	0.0	0.0	0.0	0.0
特定診療費（再掲）	0.1	0.0	0.0	0.0	0.0	0.0
居宅療養管理指導	26.4	4.2	5.6	4.9	5.1	6.6
特定施設入居者生活介護（短期利用以外）	3.6	0.9	0.8	0.7	0.7	0.6
特定施設入居者生活介護（短期利用）	0.0	0.0	0.0	0.0	0.0	0.0
居宅介護支援	128.3	36.4	40.2	22.9	16.0	12.9
地域密着型サービス	28.3	8.3	8.1	5.6	3.5	2.8
定期巡回・随時対応型訪問介護看護	0.7	0.2	0.2	0.1	0.1	0.1
夜間対応型訪問介護	0.5	0.1	0.1	0.1	0.1	0.1
地域密着型通所介護	18.2	6.0	5.9	3.3	1.8	1.1
認知症対応型通所介護	1.8	0.4	0.4	0.4	0.3	0.4
小規模多機能型居宅介護（短期利用以外）	2.8	0.8	0.7	0.6	0.4	0.3
小規模多機能型居宅介護（短期利用）	0.0	0.0	0.0	0.0	0.0	0.0
認知症対応型共同生活介護（短期利用以外）	3.1	0.9	0.7	0.7	0.4	0.4
認知症対応型共同生活介護（短期利用）	0.0	0.0	－	－	0.0	－
地域密着型特定施設入居者生活介護（短期利用以外）	0.1	0.0	0.0	0.0	0.0	0.0
地域密着型特定施設入居者生活介護（短期利用）	0.0	－	－	－	－	0.0
地域密着型介護老人福祉施設入所者生活介護	1.0	0.0	0.1	0.2	0.3	0.4
複合型サービス（看護小規模多機能型居宅介護・短期利用以外）	0.3	0.0	0.1	0.1	0.1	0.1
複合型サービス（看護小規模多機能型居宅介護・短期利用）	0.0	0.0	0.0	0.0	0.0	0.0
施設サービス	22.6	1.4	2.4	5.1	6.7	7.1
介護福祉施設サービス	11.4	0.2	0.6	2.6	3.7	4.2
介護保健施設サービス	9.7	1.1	1.7	2.4	2.5	2.1
特定治療・特別療養費（再掲）	0.3	0.0	0.0	0.0	0.1	0.2
介護療養施設サービス	1.5	0.0	0.0	0.1	0.5	0.9
特定診療費（再掲）	1.5	0.0	0.0	0.1	0.5	0.8

注：総数には、月の途中で要介護から要支援に変更となった者を含む。

（70～74歳）

平成30年１月審査分
（単位：千人）

サービス種類	総数	要介護１	要介護２	要介護３	要介護４	要介護５
総数	269.4	70.9	73.0	50.1	41.7	33.6
居宅サービス	212.8	61.7	65.1	38.3	27.7	20.0
訪問通所	195.4	57.6	61.3	34.4	24.4	17.6
訪問介護	82.4	24.4	24.9	13.8	10.3	9.1
訪問入浴介護	6.1	0.1	0.4	0.6	1.5	3.4
訪問看護	37.1	8.1	10.2	6.6	6.1	6.1
訪問リハビリテーション	10.2	1.7	2.9	2.0	1.8	1.7
通所介護	71.4	22.8	21.2	13.1	8.7	5.6
通所リハビリテーション	42.2	11.5	13.8	8.5	5.6	2.8
福祉用具貸与	132.5	24.1	43.4	27.4	21.6	16.0
短期入所	19.4	2.4	3.7	5.1	4.6	3.6
短期入所生活介護	16.1	2.1	3.1	4.3	3.7	2.8
短期入所療養介護（老健）	3.4	0.3	0.6	0.8	0.9	0.8
特定治療・特別療養費（再掲）	0.0	0.0	0.0	0.0	0.0	0.0
短期入所療養介護（病院等）	0.1	0.0	0.0	0.0	0.0	0.1
特定診療費（再掲）	0.1	0.0	0.0	0.0	0.0	0.1
居宅療養管理指導	41.0	7.0	9.1	7.9	7.9	9.0
特定施設入居者生活介護（短期利用以外）	6.5	1.7	1.4	1.2	1.1	1.0
特定施設入居者生活介護（短期利用）	0.1	0.0	0.0	0.0	0.0	0.0
居宅介護支援	200.7	61.5	62.3	35.2	24.4	17.2
地域密着型サービス	49.3	15.6	13.8	9.4	6.0	4.4
定期巡回・随時対応型訪問介護看護	1.1	0.3	0.2	0.2	0.2	0.1
夜間対応型訪問介護	0.7	0.1	0.1	0.2	0.2	0.2
地域密着型通所介護	30.4	11.1	9.6	5.3	2.8	1.7
認知症対応型通所介護	3.6	0.9	0.8	0.8	0.6	0.5
小規模多機能型居宅介護（短期利用以外）	4.8	1.5	1.2	0.9	0.7	0.5
小規模多機能型居宅介護（短期利用）	0.0	0.0	0.0	0.0	0.0	0.0
認知症対応型共同生活介護（短期利用以外）	6.6	1.7	1.7	1.6	0.9	0.7
認知症対応型共同生活介護（短期利用）	0.0	0.0	0.0	0.0	0.0	0.0
地域密着型特定施設入居者生活介護（短期利用以外）	0.2	0.0	0.1	0.1	0.0	0.0
地域密着型特定施設入居者生活介護（短期利用）	0.0	－	－	0.0	－	0.0
地域密着型介護老人福祉施設入所者生活介護	1.9	0.0	0.1	0.5	0.6	0.6
複合型サービス（看護小規模多機能型居宅介護・短期利用以外）	0.5	0.1	0.1	0.1	0.1	0.1
複合型サービス（看護小規模多機能型居宅介護・短期利用）	0.0	0.0	0.0	0.0	0.0	0.0
施設サービス	40.9	2.3	4.1	9.2	12.7	12.6
介護福祉施設サービス	22.1	0.5	1.2	5.2	7.5	7.7
介護保健施設サービス	16.4	1.8	2.8	3.9	4.4	3.5
特定治療・特別療養費（再掲）	0.5	0.0	0.0	0.1	0.2	0.2
介護療養施設サービス	2.5	0.0	0.1	0.2	0.9	1.4
特定診療費（再掲）	2.5	0.0	0.1	0.2	0.9	1.4

注：総数には、月の途中で要介護から要支援に変更となった者を含む。

統計表第２表　介護サービス受給者数，月・年齢階級・サービス種類・要介護状態区分別（65－48）

（75～79歳）

平成30年１月審査分
（単位：千人）

サービス種類	総数	要介護１	要介護２	要介護３	要介護４	要介護５
総数	479.6	138.4	125.0	87.6	72.1	56.5
居宅サービス	363.9	118.8	108.9	63.6	43.2	29.3
訪問通所	328.5	110.6	101.0	55.4	36.8	24.7
訪問介護	132.0	42.7	39.6	21.3	15.6	12.8
訪問入浴介護	8.0	0.2	0.6	0.9	2.1	4.2
訪問看護	57.1	13.9	15.4	9.8	9.1	8.9
訪問リハビリテーション	13.3	2.4	3.6	2.8	2.4	2.0
通所介護	134.8	50.1	39.5	23.1	13.9	8.2
通所リハビリテーション	65.4	20.5	21.3	12.3	7.7	3.6
福祉用具貸与	212.9	45.2	69.4	43.4	32.4	22.5
短期入所	35.6	5.1	7.5	9.7	7.6	5.6
短期入所生活介護	30.1	4.5	6.4	8.4	6.4	4.5
短期入所療養介護（老健）	5.6	0.6	1.1	1.4	1.3	1.1
特定治療・特別療養費（再掲）	0.0	0.0	0.0	0.0	0.0	0.0
短期入所療養介護（病院等）	0.2	0.0	0.0	0.0	0.0	0.1
特定診療費（再掲）	0.2	0.0	0.0	0.0	0.0	0.1
居宅療養管理指導	69.9	13.4	15.7	13.8	13.3	13.7
特定施設入居者生活介護（短期利用以外）	13.1	3.4	2.9	2.4	2.4	1.9
特定施設入居者生活介護（短期利用）	0.1	0.0	0.0	0.0	0.0	0.0
居宅介護支援	341.5	119.5	103.5	57.1	37.0	24.2
地域密着型サービス	95.7	32.3	26.5	18.2	10.9	7.6
定期巡回・随時対応型訪問介護看護	2.0	0.6	0.5	0.4	0.4	0.2
夜間対応型訪問介護	1.0	0.1	0.3	0.2	0.2	0.2
地域密着型通所介護	54.5	22.2	16.9	8.6	4.4	2.3
認知症対応型通所介護	7.4	2.1	1.8	1.8	0.9	0.8
小規模多機能型居宅介護（短期利用以外）	9.8	3.2	2.6	2.0	1.3	0.8
小規模多機能型居宅介護（短期利用）	0.0	0.0	0.0	0.0	0.0	0.0
認知症対応型共同生活介護（短期利用以外）	16.4	4.1	4.2	4.2	2.2	1.6
認知症対応型共同生活介護（短期利用）	0.0	0.0	0.0	0.0	0.0	0.0
地域密着型特定施設入居者生活介護（短期利用以外）	0.5	0.1	0.1	0.1	0.1	0.1
地域密着型特定施設入居者生活介護（短期利用）	0.0	－	0.0	0.0	0.0	－
地域密着型介護老人福祉施設入所者生活介護	4.1	0.1	0.2	1.0	1.4	1.4
複合型サービス（看護小規模多機能型居宅介護・短期利用以外）	1.0	0.2	0.2	0.2	0.2	0.2
複合型サービス（看護小規模多機能型居宅介護・短期利用）	0.0	0.0	0.0	0.0	0.0	0.0
施設サービス	82.6	4.7	8.0	18.8	26.1	25.0
介護福祉施設サービス	46.2	0.9	2.3	11.0	16.1	15.9
介護保健施設サービス	32.0	3.7	5.5	7.6	8.6	6.7
特定治療・特別療養費（再掲）	0.9	0.0	0.1	0.1	0.3	0.4
介護療養施設サービス	4.7	0.0	0.1	0.4	1.6	2.6
特定診療費（再掲）	4.6	0.0	0.1	0.4	1.5	2.6

注：総数には、月の途中で要介護から要支援に変更となった者を含む。

（80～84歳）

平成30年１月審査分
（単位：千人）

サービス種類	総数	要介護１	要介護２	要介護３	要介護４	要介護５
総数	864.3	261.9	219.3	155.7	130.2	97.1
居宅サービス	630.4	224.2	186.3	105.8	70.1	44.0
訪問通所	552.5	205.9	168.6	87.8	55.9	34.2
訪問介護	223.3	78.6	66.7	35.0	24.9	18.1
訪問入浴介護	10.5	0.3	0.8	1.2	2.9	5.2
訪問看護	88.8	23.9	24.1	15.0	13.2	12.6
訪問リハビリテーション	17.5	3.7	5.0	3.5	3.0	2.3
通所介護	250.1	102.1	74.8	39.2	22.1	11.9
通所リハビリテーション	96.9	35.5	31.5	16.4	9.5	4.0
福祉用具貸与	343.6	84.2	112.2	67.5	48.7	31.1
短期入所	68.2	11.8	16.3	18.8	13.2	8.1
短期入所生活介護	59.4	10.4	14.2	16.7	11.4	6.8
短期入所療養介護（老健）	9.2	1.4	2.2	2.2	1.9	1.4
特定治療・特別療養費（再掲）	0.1	0.0	0.0	0.0	0.0	0.0
短期入所療養介護（病院等）	0.3	0.0	0.1	0.1	0.1	0.1
特定診療費（再掲）	0.2	0.0	0.0	0.0	0.0	0.1
居宅療養管理指導	127.5	26.7	29.6	26.0	23.6	21.6
特定施設入居者生活介護（短期利用以外）	31.8	8.8	7.1	5.8	5.7	4.3
特定施設入居者生活介護（短期利用）	0.3	0.1	0.1	0.0	0.0	0.0
居宅介護支援	576.9	222.0	173.7	91.1	56.5	33.7
地域密着型サービス	184.0	61.7	50.5	35.7	21.8	14.3
定期巡回・随時対応型訪問介護看護	4.0	1.2	1.0	0.7	0.6	0.4
夜間対応型訪問介護	1.6	0.3	0.5	0.3	0.3	0.3
地域密着型通所介護	94.1	40.5	28.7	14.3	7.1	3.5
認知症対応型通所介護	13.5	4.0	3.5	3.3	1.6	1.2
小規模多機能型居宅介護（短期利用以外）	20.6	6.7	5.7	4.2	2.6	1.5
小規模多機能型居宅介護（短期利用）	0.1	0.0	0.0	0.0	0.0	0.0
認知症対応型共同生活介護（短期利用以外）	40.1	8.9	10.5	10.6	6.0	4.2
認知症対応型共同生活介護（短期利用）	0.1	0.0	0.0	0.0	0.0	0.0
地域密着型特定施設入居者生活介護（短期利用以外）	1.1	0.2	0.3	0.2	0.2	0.2
地域密着型特定施設入居者生活介護（短期利用）	0.0	0.0	0.0	0.0	－	－
地域密着型介護老人福祉施設入所者生活介護	9.1	0.1	0.4	2.3	3.3	3.1
複合型サービス（看護小規模多機能型居宅介護・短期利用以外）	1.7	0.3	0.4	0.3	0.3	0.3
複合型サービス（看護小規模多機能型居宅介護・短期利用）	0.0	0.0	0.0	0.0	0.0	－
施設サービス	167.5	9.8	16.7	38.9	53.8	48.3
介護福祉施設サービス	93.6	1.7	4.4	22.3	33.5	31.7
介護保健施設サービス	65.9	8.1	12.1	16.0	17.4	12.3
特定治療・特別療養費（再掲）	1.7	0.1	0.1	0.2	0.6	0.7
介護療養施設サービス	8.6	0.1	0.2	0.7	3.0	4.5
特定診療費（再掲）	8.6	0.1	0.2	0.7	3.0	4.5

注：総数には、月の途中で要介護から要支援に変更となった者を含む。

統計表第２表　介護サービス受給者数，月・年齢階級・サービス種類・要介護状態区分別（65－49）

（85～89歳）

平成30年１月審査分
（単位：千人）

サービス種類	総数	要介護１	要介護２	要介護３	要介護４	要介護５
総数	1 126.0	319.6	280.4	211.2	183.3	131.5
居宅サービス	789.5	274.5	233.3	136.6	90.4	54.7
訪問通所	662.8	244.7	204.4	107.5	66.9	39.2
訪問介護	263.8	92.2	78.9	42.0	29.7	21.0
訪問入浴介護	12.0	0.3	1.1	1.6	3.4	5.6
訪問看護	101.6	25.9	27.2	17.5	16.0	14.9
訪問リハビリテーション	18.3	4.2	5.2	3.6	3.1	2.2
通所介護	321.4	127.9	99.6	51.7	28.4	13.8
通所リハビリテーション	105.3	40.8	34.7	17.0	9.2	3.5
福祉用具貸与	416.8	105.4	135.2	82.5	58.2	35.4
短期入所	102.2	18.9	27.1	28.2	18.1	9.9
短期入所生活介護	90.5	16.7	24.0	25.2	15.9	8.5
短期入所療養介護（老健）	12.1	2.2	3.1	3.1	2.2	1.4
特定治療・特別療養費（再掲）	0.1	0.0	0.0	0.0	0.0	0.0
短期入所療養介護（病院等）	0.4	0.1	0.1	0.1	0.1	0.1
特定診療費（再掲）	0.3	0.0	0.1	0.1	0.1	0.1
居宅療養管理指導	180.1	38.5	42.1	37.3	34.1	28.1
特定施設入居者生活介護（短期利用以外）	59.7	16.9	13.3	11.0	10.9	7.5
特定施設入居者生活介護（短期利用）	0.4	0.1	0.1	0.1	0.1	0.0
居宅介護支援	689.2	260.9	209.9	111.9	67.9	38.6
地域密着型サービス	240.5	72.2	65.4	49.4	32.5	21.0
定期巡回・随時対応型訪問介護看護	5.9	1.6	1.6	1.1	0.9	0.7
夜間対応型訪問介護	1.9	0.3	0.6	0.4	0.3	0.2
地域密着型通所介護	109.4	45.2	33.7	17.5	8.8	4.3
認知症対応型通所介護	16.0	4.1	4.4	3.9	2.1	1.5
小規模多機能型居宅介護（短期利用以外）	28.1	8.4	7.9	5.9	3.8	2.0
小規模多機能型居宅介護（短期利用）	0.1	0.0	0.0	0.0	0.0	0.0
認知症対応型共同生活介護（短期利用以外）	61.9	12.1	16.2	16.5	10.2	6.9
認知症対応型共同生活介護（短期利用）	0.1	0.0	0.0	0.0	0.0	0.0
地域密着型特定施設入居者生活介護（短期利用以外）	2.1	0.4	0.5	0.5	0.4	0.3
地域密着型特定施設入居者生活介護（短期利用）	0.0	0.0	0.0	0.0	－	－
地域密着型介護老人福祉施設入所者生活介護	15.5	0.2	0.7	3.8	5.8	4.9
複合型サービス（看護小規模多機能型居宅介護・短期利用以外）	2.1	0.4	0.5	0.4	0.4	0.4
複合型サービス（看護小規模多機能型居宅介護・短期利用）	0.0	0.0	0.0	0.0	0.0	0.0
施設サービス	250.3	14.5	26.3	58.8	81.8	68.9
介護福祉施設サービス	140.3	2.2	6.6	34.1	51.8	45.6
介護保健施設サービス	98.1	12.1	19.4	23.9	25.8	17.0
特定治療・特別療養費（再掲）	2.6	0.1	0.2	0.3	0.9	1.1
介護療養施設サービス	12.9	0.2	0.4	1.0	4.6	6.6
特定診療費（再掲）	12.7	0.2	0.4	1.0	4.6	6.6

注：総数には、月の途中で要介護から要支援に変更となった者を含む。

（90～94歳）

平成30年１月審査分
（単位：千人）

サービス種類	総数	要介護１	要介護２	要介護３	要介護４	要介護５
総数	855.5	196.8	203.1	174.7	165.7	115.2
居宅サービス	561.3	167.7	164.5	106.4	76.7	46.0
訪問通所	453.7	144.8	140.2	81.8	54.6	32.3
訪問介護	167.5	50.8	48.2	28.9	23.1	16.4
訪問入浴介護	11.8	0.4	1.1	1.6	3.4	5.4
訪問看護	71.6	14.3	17.5	13.1	13.6	13.1
訪問リハビリテーション	11.6	2.3	3.1	2.3	2.3	1.7
通所介護	223.9	77.8	71.5	40.2	23.4	11.0
通所リハビリテーション	64.2	22.6	21.6	11.3	6.2	2.4
福祉用具貸与	304.6	67.7	95.1	64.5	48.0	29.3
短期入所	92.8	16.1	25.6	25.5	16.9	8.8
短期入所生活介護	82.7	14.3	22.8	23.0	15.0	7.6
短期入所療養介護（老健）	10.2	1.8	2.8	2.6	1.9	1.1
特定治療・特別療養費（再掲）	0.1	0.0	0.0	0.0	0.0	0.0
短期入所療養介護（病院等）	0.5	0.1	0.1	0.1	0.1	0.1
特定診療費（再掲）	0.3	0.1	0.1	0.1	0.1	0.1
居宅療養管理指導	143.5	27.1	32.4	30.1	30.2	23.8
特定施設入居者生活介護（短期利用以外）	55.0	14.3	12.2	10.4	11.0	7.1
特定施設入居者生活介護（短期利用）	0.4	0.1	0.1	0.1	0.1	0.0
居宅介護支援	469.3	153.1	144.0	84.9	55.6	31.7
地域密着型サービス	172.0	40.9	45.5	38.7	28.9	18.0
定期巡回・随時対応型訪問介護看護	4.4	1.0	1.2	0.9	0.8	0.5
夜間対応型訪問介護	1.3	0.2	0.3	0.3	0.3	0.2
地域密着型通所介護	69.4	24.3	22.0	12.7	7.1	3.3
認知症対応型通所介護	10.3	2.0	2.7	2.7	1.8	1.2
小規模多機能型居宅介護（短期利用以外）	19.9	5.0	5.7	4.5	3.0	1.7
小規模多機能型居宅介護（短期利用）	0.1	0.0	0.0	0.0	0.0	0.0
認知症対応型共同生活介護（短期利用以外）	49.4	7.8	12.4	13.3	9.6	6.2
認知症対応型共同生活介護（短期利用）	0.1	0.0	0.0	0.0	0.0	0.0
地域密着型特定施設入居者生活介護（短期利用以外）	2.1	0.4	0.6	0.4	0.5	0.3
地域密着型特定施設入居者生活介護（短期利用）	0.0	0.0	0.0	0.0	－	－
地域密着型介護老人福祉施設入所者生活介護	15.1	0.2	0.7	3.8	5.9	4.4
複合型サービス（看護小規模多機能型居宅介護・短期利用以外）	1.6	0.2	0.3	0.4	0.3	0.3
複合型サービス（看護小規模多機能型居宅介護・短期利用）	0.0	0.0	0.0	0.0	0.0	0.0
施設サービス	232.0	12.4	24.3	55.2	78.3	61.9
介護福祉施設サービス	133.7	2.0	6.3	32.7	50.9	41.7
介護保健施設サービス	87.6	10.3	17.6	21.7	23.5	14.5
特定治療・特別療養費（再掲）	2.4	0.1	0.2	0.3	0.8	0.9
介護療養施設サービス	11.6	0.1	0.3	1.0	4.2	5.9
特定診療費（再掲）	11.5	0.1	0.3	1.0	4.2	5.8

注：総数には、月の途中で要介護から要支援に変更となった者を含む。

統計表第２表　介護サービス受給者数，月・年齢階級・サービス種類・要介護状態区分別（65－50）

（95歳以上）

平成30年１月審査分

（単位：千人）

サービス種類	総数	要介護１	要介護２	要介護３	要介護４	要介護５
総数	379.8	55.0	73.6	82.8	97.3	71.0
居宅サービス	217.1	45.6	57.1	46.5	40.8	27.1
訪問通所	169.5	38.1	47.8	35.6	28.8	19.2
訪問介護	57.1	12.1	14.0	10.9	10.9	9.1
訪問入浴介護	9.2	0.2	0.8	1.3	2.7	4.3
訪問看護	33.3	3.8	6.4	6.3	8.0	8.8
訪問リハビリテーション	4.2	0.6	0.9	0.9	1.0	0.8
通所介護	80.5	20.4	24.6	17.4	12.0	6.2
通所リハビリテーション	19.3	5.4	6.2	3.9	2.6	1.1
福祉用具貸与	126.6	19.6	34.3	29.0	25.9	17.7
短期入所	43.4	5.5	10.6	12.2	9.7	5.4
短期入所生活介護	39.0	5.0	9.5	11.1	8.7	4.7
短期入所療養介護（老健）	4.5	0.6	1.2	1.1	1.1	0.6
特定治療・特別療養費（再掲）	0.0	－	0.0	0.0	0.0	0.0
短期入所療養介護（病院等）	0.3	0.0	0.1	0.0	0.1	0.1
特定診療費（再掲）	0.2	0.0	0.0	0.0	0.0	0.1
居宅療養管理指導	64.6	8.3	12.2	13.5	16.7	13.8
特定施設入居者生活介護（短期利用以外）	25.5	5.0	5.0	5.1	6.3	4.1
特定施設入居者生活介護（短期利用）	0.1	0.0	0.0	0.0	0.0	0.0
居宅介護支援	173.9	40.0	48.9	36.7	29.3	19.0
地域密着型サービス	66.4	10.2	14.4	16.0	15.6	10.1
定期巡回・随時対応型訪問介護看護	1.6	0.3	0.4	0.3	0.4	0.2
夜間対応型訪問介護	0.5	0.1	0.1	0.1	0.1	0.1
地域密着型通所介護	22.4	5.7	6.6	4.9	3.4	1.8
認知症対応型通所介護	3.8	0.4	0.8	1.1	0.9	0.7
小規模多機能型居宅介護（短期利用以外）	7.3	1.3	1.8	1.7	1.6	0.9
小規模多機能型居宅介護（短期利用）	0.0	0.0	0.0	0.0	0.0	0.0
認知症対応型共同生活介護（短期利用以外）	20.6	2.2	4.1	5.5	5.2	3.5
認知症対応型共同生活介護（短期利用）	0.0	0.0	0.0	0.0	0.0	0.0
地域密着型特定施設入居者生活介護（短期利用以外）	1.0	0.1	0.2	0.2	0.2	0.2
地域密着型特定施設入居者生活介護（短期利用）	0.0	－	0.0	0.0	－	－
地域密着型介護老人福祉施設入所者生活介護	8.9	0.1	0.4	2.1	3.7	2.7
複合型サービス(看護小規模多機能型居宅介護・短期利用以外)	0.6	0.1	0.1	0.1	0.2	0.1
複合型サービス(看護小規模多機能型居宅介護・短期利用)	0.0	0.0	0.0	0.0	0.0	0.0
施設サービス	137.9	5.4	12.0	30.7	50.3	39.6
介護福祉施設サービス	84.2	1.1	3.6	18.7	33.7	27.1
介護保健施設サービス	47.0	4.2	8.3	11.5	14.0	9.0
特定治療・特別療養費（再掲）	1.4	0.1	0.1	0.2	0.5	0.6
介護療養施設サービス	7.1	0.1	0.2	0.6	2.7	3.6
特定診療費（再掲）	7.0	0.1	0.2	0.6	2.7	3.5

注：総数には、月の途中で要介護から要支援に変更となった者を含む。

統計表第２表　介護サービス受給者数，月・年齢階級・サービス種類・要介護状態区分別（65－51）

（総　　数）

平成30年２月審査分
（単位：千人）

サービス種類	総数	要介護１	要介護２	要介護３	要介護４	要介護５
総数	4 233.7	1 103.4	1 048.9	811.6	729.6	540.2
居宅サービス	2 986.1	945.3	881.5	535.6	377.2	246.4
訪問通所	2 548.2	848.9	783.8	435.4	291.2	188.7
訪問介護	1 003.1	320.2	295.8	164.8	124.6	97.8
訪問入浴介護	65.2	1.7	5.4	7.9	17.4	32.8
訪問看護	429.4	98.2	112.3	75.5	72.1	71.3
訪問リハビリテーション	88.1	17.1	24.6	17.6	15.7	13.1
通所介護	1 128.2	413.1	345.3	193.5	114.7	61.7
通所リハビリテーション	431.0	145.2	142.2	77.7	45.4	20.5
福祉用具貸与	1 678.7	371.1	537.4	342.7	256.1	171.4
短期入所	365.9	59.8	91.0	100.5	71.4	43.1
短期入所生活介護	323.3	53.5	80.6	90.2	62.7	36.3
短期入所療養介護（老健）	43.7	6.4	10.6	10.9	9.1	6.8
特定治療・特別療養費（再掲）	0.3	0.0	0.0	0.1	0.1	0.1
短期入所療養介護（病院等）	1.9	0.2	0.4	0.3	0.4	0.6
特定診療費（再掲）	1.3	0.2	0.2	0.2	0.3	0.4
居宅療養管理指導	673.9	129.0	151.5	137.7	134.4	121.3
特定施設入居者生活介護（短期利用以外）	196.5	51.5	43.1	36.7	38.5	26.6
特定施設入居者生活介護（短期利用）	1.4	0.3	0.4	0.3	0.2	0.1
居宅介護支援	2 636.8	905.5	803.1	449.9	293.8	184.6
地域密着型サービス	844.0	243.0	226.8	174.3	120.2	79.6
定期巡回・随時対応型訪問介護看護	20.5	5.3	5.2	3.9	3.6	2.5
夜間対応型訪問介護	7.9	1.1	2.2	1.6	1.5	1.4
地域密着型通所介護	401.6	155.6	125.0	67.1	35.5	18.3
認知症対応型通所介護	56.0	13.8	14.1	13.9	8.0	6.2
小規模多機能型居宅介護（短期利用以外）	94.6	27.2	25.9	20.0	13.5	7.9
小規模多機能型居宅介護（短期利用）	0.4	0.1	0.1	0.1	0.1	0.0
認知症対応型共同生活介護（短期利用以外）	199.9	38.3	50.4	52.8	34.8	23.7
認知症対応型共同生活介護（短期利用）	0.4	0.1	0.1	0.1	0.1	0.0
地域密着型特定施設入居者生活介護（短期利用以外）	7.3	1.4	1.8	1.5	1.5	1.1
地域密着型特定施設入居者生活介護（短期利用）	0.0	0.0	0.0	0.0	0.0	0.0
地域密着型介護老人福祉施設入所者生活介護	55.8	0.8	2.4	13.8	21.2	17.7
複合型サービス(看護小規模多機能型居宅介護・短期利用以外)	8.3	1.4	1.8	1.6	1.7	1.7
複合型サービス(看護小規模多機能型居宅介護・短期利用)	0.1	0.0	0.0	0.0	0.0	0.0
施設サービス	942.4	51.4	95.0	219.3	311.7	265.0
介護福祉施設サービス	534.8	8.6	25.2	127.8	198.7	174.5
介護保健施設サービス	361.2	42.2	68.5	88.0	96.8	65.7
特定治療・特別療養費（再掲）	9.8	0.4	0.7	1.3	3.3	4.1
介護療養施設サービス	49.3	0.6	1.3	4.2	17.5	25.6
特定診療費（再掲）	48.8	0.6	1.3	4.2	17.4	25.4

注：総数には、月の途中で要介護から要支援に変更となった者を含む。

（40～64歳）

平成30年２月審査分
（単位：千人）

サービス種類	総数	要介護１	要介護２	要介護３	要介護４	要介護５
総数	103.2	22.2	30.2	19.7	15.4	15.7
居宅サービス	87.1	20.0	27.8	16.4	11.6	11.3
訪問通所	81.4	19.1	26.7	15.1	10.5	10.0
訪問介護	31.3	6.8	9.4	5.6	4.3	5.3
訪問入浴介護	3.9	0.0	0.2	0.3	0.8	2.6
訪問看護	18.6	3.7	5.4	3.5	2.8	3.3
訪問リハビリテーション	7.1	1.3	2.1	1.4	1.0	1.3
通所介護	23.2	5.4	7.2	4.8	3.2	2.5
通所リハビリテーション	19.9	4.9	6.9	4.1	2.3	1.6
福祉用具貸与	61.7	10.1	20.5	12.7	9.3	9.2
短期入所	5.7	0.5	1.0	1.4	1.4	1.5
短期入所生活介護	4.5	0.4	0.8	1.2	1.1	1.1
短期入所療養介護（老健）	1.2	0.1	0.2	0.3	0.3	0.4
特定治療・特別療養費（再掲）	0.0	－	－	0.0	0.0	0.0
短期入所療養介護（病院等）	0.1	0.0	0.0	0.0	0.0	0.0
特定診療費（再掲）	0.0	0.0	0.0	0.0	0.0	0.0
居宅療養管理指導	17.7	2.2	3.6	3.3	3.4	5.2
特定施設入居者生活介護（短期利用以外）	1.9	0.3	0.4	0.3	0.4	0.4
特定施設入居者生活介護（短期利用）	0.0	0.0	0.0	0.0	0.0	0.0
居宅介護支援	81.2	19.6	26.7	15.0	10.3	9.6
地域密着型サービス	16.1	4.1	4.9	3.2	2.1	1.9
定期巡回・随時対応型訪問介護看護	0.5	0.1	0.1	0.1	0.1	0.1
夜間対応型訪問介護	0.4	0.0	0.1	0.1	0.1	0.1
地域密着型通所介護	10.9	3.1	3.8	2.0	1.1	0.8
認知症対応型通所介護	0.9	0.2	0.1	0.2	0.1	0.2
小規模多機能型居宅介護（短期利用以外）	1.6	0.3	0.4	0.4	0.3	0.2
小規模多機能型居宅介護（短期利用）	0.0	0.0	0.0	0.0	－	－
認知症対応型共同生活介護（短期利用以外）	1.3	0.3	0.3	0.4	0.2	0.2
認知症対応型共同生活介護（短期利用）	0.0	－	－	－	0.0	0.0
地域密着型特定施設入居者生活介護（短期利用以外）	0.1	0.0	0.0	0.0	0.0	0.0
地域密着型特定施設入居者生活介護（短期利用）	－	－	－	－	－	－
地域密着型介護老人福祉施設入所者生活介護	0.5	0.0	0.0	0.1	0.2	0.2
複合型サービス(看護小規模多機能型居宅介護・短期利用以外)	0.2	0.0	0.0	0.0	0.0	0.1
複合型サービス(看護小規模多機能型居宅介護・短期利用)	0.0	－	0.0	0.0	0.0	0.0
施設サービス	11.9	0.6	1.2	2.6	3.4	4.0
介護福祉施設サービス	4.8	0.1	0.2	1.1	1.5	1.9
介護保健施設サービス	6.0	0.5	0.9	1.5	1.6	1.5
特定治療・特別療養費（再掲）	0.2	0.0	0.0	0.0	0.1	0.1
介護療養施設サービス	1.0	0.0	0.0	0.1	0.3	0.6
特定診療費（再掲）	1.0	0.0	0.0	0.1	0.3	0.6

注：総数には、月の途中で要介護から要支援に変更となった者を含む。

統計表第２表　介護サービス受給者数，月・年齢階級・サービス種類・要介護状態区分別（65－52）

（65～69歳）

平成30年２月審査分
（単位：千人）

サービス種類	総数	要介護１	要介護２	要介護３	要介護４	要介護５
総数	165.8	41.2	46.3	30.9	25.2	22.2
居宅サービス	135.2	36.5	41.9	24.4	17.8	14.6
訪問通所	125.1	34.3	39.6	22.2	15.9	13.0
訪問介護	57.5	16.5	17.4	9.3	7.3	7.0
訪問入浴介護	4.7	0.1	0.3	0.4	1.1	2.8
訪問看護	24.9	5.0	7.0	4.5	4.1	4.3
訪問リハビリテーション	7.4	1.2	2.1	1.5	1.2	1.4
通所介護	40.8	11.5	12.4	7.8	5.3	3.8
通所リハビリテーション	27.2	6.8	9.2	5.7	3.6	1.9
福祉用具貸与	85.8	14.6	28.2	17.8	13.7	11.4
短期入所	10.6	1.1	2.0	2.7	2.4	2.4
短期入所生活介護	8.6	1.0	1.6	2.2	2.0	1.8
短期入所療養介護（老健）	1.9	0.1	0.3	0.4	0.5	0.5
特定治療・特別療養費（再掲）	0.0	－	0.0	0.0	0.0	0.0
短期入所療養介護（病院等）	0.1	0.0	0.0	0.0	0.0	0.0
特定診療費（再掲）	0.1	0.0	0.0	0.0	0.0	0.0
居宅療養管理指導	26.3	4.2	5.7	4.9	5.0	6.5
特定施設入居者生活介護（短期利用以外）	3.6	0.9	0.8	0.6	0.7	0.5
特定施設入居者生活介護（短期利用）	0.0	0.0	0.0	0.0	0.0	0.0
居宅介護支援	126.4	35.8	39.8	22.4	15.8	12.7
地域密着型サービス	27.7	8.1	8.0	5.4	3.5	2.8
定期巡回・随時対応型訪問介護看護	0.8	0.2	0.2	0.1	0.2	0.1
夜間対応型訪問介護	0.5	0.1	0.1	0.1	0.1	0.1
地域密着型通所介護	17.7	5.8	5.8	3.2	1.7	1.1
認知症対応型通所介護	1.8	0.4	0.4	0.4	0.3	0.3
小規模多機能型居宅介護（短期利用以外）	2.7	0.7	0.7	0.6	0.4	0.3
小規模多機能型居宅介護（短期利用）	0.0	0.0	0.0	0.0	0.0	0.0
認知症対応型共同生活介護（短期利用以外）	3.1	0.9	0.7	0.7	0.4	0.4
認知症対応型共同生活介護（短期利用）	0.0	－	－	－	0.0	－
地域密着型特定施設入居者生活介護（短期利用以外）	0.1	0.0	0.0	0.0	0.0	0.0
地域密着型特定施設入居者生活介護（短期利用）	0.0	－	－	－	－	0.0
地域密着型介護老人福祉施設入所者生活介護	1.0	0.0	0.0	0.2	0.3	0.3
複合型サービス（看護小規模多機能型居宅介護・短期利用以外）	0.3	0.1	0.1	0.1	0.1	0.1
複合型サービス（看護小規模多機能型居宅介護・短期利用）	0.0	－	0.0	0.0	－	0.0
施設サービス	22.3	1.4	2.3	5.1	6.6	6.9
介護福祉施設サービス	11.3	0.2	0.6	2.6	3.7	4.1
介護保健施設サービス	9.5	1.1	1.6	2.3	2.4	2.0
特定治療・特別療養費（再掲）	0.3	0.0	0.0	0.0	0.1	0.1
介護療養施設サービス	1.5	0.0	0.0	0.1	0.5	0.8
特定診療費（再掲）	1.5	0.0	0.0	0.1	0.5	0.8

注：総数には、月の途中で要介護から要支援に変更となった者を含む。

（70～74歳）

平成30年２月審査分
（単位：千人）

サービス種類	総数	要介護１	要介護２	要介護３	要介護４	要介護５
総数	268.6	70.6	72.9	49.9	41.5	33.7
居宅サービス	212.4	61.4	65.0	38.2	27.6	20.2
訪問通所	194.3	57.2	61.0	34.2	24.3	17.5
訪問介護	81.3	24.0	24.6	13.5	10.3	8.9
訪問入浴介護	5.9	0.1	0.4	0.6	1.5	3.3
訪問看護	36.7	8.0	10.1	6.6	6.0	6.0
訪問リハビリテーション	9.9	1.6	2.9	2.0	1.8	1.7
通所介護	70.5	22.5	21.1	12.9	8.5	5.5
通所リハビリテーション	41.5	11.4	13.6	8.4	5.5	2.7
福祉用具貸与	132.4	24.2	43.3	27.3	21.5	15.9
短期入所	18.6	2.3	3.5	4.9	4.4	3.5
短期入所生活介護	15.6	2.0	3.0	4.2	3.6	2.8
短期入所療養介護（老健）	3.1	0.3	0.5	0.7	0.8	0.8
特定治療・特別療養費（再掲）	0.0	0.0	0.0	0.0	0.0	0.0
短期入所療養介護（病院等）	0.1	0.0	0.0	0.0	0.0	0.1
特定診療費（再掲）	0.1	0.0	0.0	0.0	0.0	0.0
居宅療養管理指導	41.1	7.1	9.1	8.0	7.9	9.0
特定施設入居者生活介護（短期利用以外）	6.5	1.7	1.4	1.2	1.2	1.0
特定施設入居者生活介護（短期利用）	0.1	0.0	0.0	0.0	0.0	0.0
居宅介護支援	199.0	61.1	61.9	34.8	24.2	17.0
地域密着型サービス	48.6	15.5	13.7	9.3	5.9	4.3
定期巡回・随時対応型訪問介護看護	1.2	0.3	0.3	0.2	0.2	0.2
夜間対応型訪問介護	0.7	0.1	0.2	0.2	0.2	0.2
地域密着型通所介護	29.8	10.9	9.5	5.1	2.7	1.6
認知症対応型通所介護	3.5	0.9	0.7	0.8	0.6	0.5
小規模多機能型居宅介護（短期利用以外）	4.7	1.5	1.2	0.9	0.7	0.5
小規模多機能型居宅介護（短期利用）	0.0	0.0	0.0	0.0	0.0	0.0
認知症対応型共同生活介護（短期利用以外）	6.6	1.7	1.7	1.7	0.9	0.7
認知症対応型共同生活介護（短期利用）	0.0	0.0	0.0	0.0	0.0	－
地域密着型特定施設入居者生活介護（短期利用以外）	0.2	0.0	0.1	0.1	0.0	0.0
地域密着型特定施設入居者生活介護（短期利用）	0.0	－	0.0	0.0	0.0	0.0
地域密着型介護老人福祉施設入所者生活介護	1.8	0.0	0.1	0.5	0.6	0.6
複合型サービス（看護小規模多機能型居宅介護・短期利用以外）	0.5	0.1	0.1	0.1	0.1	0.1
複合型サービス（看護小規模多機能型居宅介護・短期利用）	0.0	－	0.0	0.0	0.0	0.0
施設サービス	40.6	2.3	4.1	9.2	12.5	12.5
介護福祉施設サービス	22.0	0.5	1.2	5.2	7.5	7.7
介護保健施設サービス	16.2	1.8	2.8	3.9	4.3	3.5
特定治療・特別療養費（再掲）	0.5	0.0	0.0	0.0	0.1	0.2
介護療養施設サービス	2.5	0.0	0.1	0.2	0.8	1.4
特定診療費（再掲）	2.5	0.0	0.1	0.2	0.8	1.4

注：総数には、月の途中で要介護から要支援に変更となった者を含む。

統計表第２表　介護サービス受給者数，月・年齢階級・サービス種類・要介護状態区分別（65－53）

（75～79歳）

平成30年２月審査分
（単位：千人）

サ ー ビ ス 種 類	総数	要介護１	要介護２	要介護３	要介護４	要介護５
総数	476.8	137.5	124.3	87.1	71.5	56.3
居宅サービス	361.3	117.9	108.2	63.2	42.7	29.3
訪問通所	325.2	109.5	100.2	54.8	36.3	24.5
訪問介護	130.0	41.9	39.2	21.0	15.2	12.6
訪問入浴介護	7.9	0.2	0.6	0.9	2.1	4.2
訪問看護	56.2	13.8	15.0	9.7	8.9	8.8
訪問リハビリテーション	12.8	2.3	3.6	2.6	2.4	1.9
通所介護	132.7	49.5	38.9	22.6	13.7	8.0
通所リハビリテーション	63.8	20.0	20.8	12.0	7.4	3.5
福祉用具貸与	211.8	45.1	69.3	43.0	32.0	22.3
短期入所	34.4	5.0	7.3	9.4	7.3	5.3
短期入所生活介護	29.4	4.4	6.3	8.3	6.2	4.3
短期入所療養介護（老健）	5.1	0.6	1.1	1.2	1.2	1.0
特定治療・特別療養費（再掲）	0.0	0.0	0.0	0.0	0.0	0.0
短期入所療養介護（病院等）	0.2	0.0	0.0	0.0	0.0	0.1
特定診療費（再掲）	0.2	0.0	0.0	0.0	0.0	0.1
居宅療養管理指導	69.5	13.4	15.6	13.7	13.1	13.6
特定施設入居者生活介護（短期利用以外）	13.0	3.4	2.9	2.4	2.4	1.9
特定施設入居者生活介護（短期利用）	0.1	0.0	0.0	0.0	0.0	0.0
居宅介護支援	337.8	118.2	102.8	56.4	36.5	23.9
地域密着型サービス	94.2	31.9	26.1	17.9	10.7	7.6
定期巡回・随時対応型訪問介護看護	2.0	0.6	0.5	0.4	0.3	0.2
夜間対応型訪問介護	1.0	0.1	0.3	0.2	0.2	0.2
地域密着型通所介護	53.4	21.9	16.5	8.4	4.3	2.3
認知症対応型通所介護	7.2	2.0	1.8	1.7	0.9	0.8
小規模多機能型居宅介護（短期利用以外）	9.8	3.2	2.6	2.0	1.3	0.8
小規模多機能型居宅介護（短期利用）	0.0	0.0	0.0	0.0	0.0	0.0
認知症対応型共同生活介護（短期利用以外）	16.3	4.1	4.2	4.1	2.2	1.7
認知症対応型共同生活介護（短期利用）	0.0	0.0	0.0	0.0	0.0	0.0
地域密着型特定施設入居者生活介護（短期利用以外）	0.4	0.1	0.1	0.1	0.1	0.1
地域密着型特定施設入居者生活介護（短期利用）	0.0	－	0.0	0.0	0.0	－
地域密着型介護老人福祉施設入所者生活介護	4.0	0.1	0.2	1.0	1.4	1.4
複合型サービス(看護小規模多機能型居宅介護・短期利用以外)	1.0	0.2	0.2	0.2	0.2	0.2
複合型サービス(看護小規模多機能型居宅介護・短期利用)	0.0	0.0	0.0	0.0	0.0	0.0
施設サービス	82.0	4.7	7.9	18.7	25.9	24.8
介護福祉施設サービス	46.0	0.9	2.3	10.9	16.1	15.8
介護保健施設サービス	31.7	3.7	5.5	7.5	8.4	6.6
特定治療・特別療養費（再掲）	0.9	0.0	0.1	0.1	0.3	0.4
介護療養施設サービス	4.6	0.0	0.1	0.4	1.6	2.5
特定診療費（再掲）	4.6	0.0	0.1	0.4	1.5	2.5

注：総数には、月の途中で要介護から要支援に変更となった者を含む。

（80～84歳）

平成30年２月審査分
（単位：千人）

サ ー ビ ス 種 類	総数	要介護１	要介護２	要介護３	要介護４	要介護５
総数	859.0	260.4	218.0	154.8	129.5	96.3
居宅サービス	626.2	222.7	185.0	104.9	69.6	43.9
訪問通所	546.7	203.9	166.9	86.7	55.1	34.0
訪問介護	219.9	77.4	65.7	34.4	24.4	17.9
訪問入浴介護	10.4	0.3	0.8	1.2	2.8	5.1
訪問看護	87.8	23.7	23.9	14.8	12.9	12.4
訪問リハビリテーション	17.1	3.6	4.9	3.4	3.0	2.2
通所介護	245.6	100.5	73.5	38.3	21.7	11.7
通所リハビリテーション	94.6	34.7	30.8	16.0	9.2	3.9
福祉用具貸与	341.6	84.1	111.6	66.9	48.1	30.8
短期入所	65.8	11.5	15.7	18.1	12.8	7.7
短期入所生活介護	57.8	10.2	13.8	16.2	11.1	6.5
短期入所療養介護（老健）	8.4	1.3	2.0	2.1	1.8	1.2
特定治療・特別療養費（再掲）	0.1	0.0	0.0	0.0	0.0	0.0
短期入所療養介護（病院等）	0.3	0.0	0.1	0.1	0.1	0.1
特定診療費（再掲）	0.2	0.0	0.0	0.0	0.0	0.1
居宅療養管理指導	127.6	26.9	29.8	25.8	23.6	21.5
特定施設入居者生活介護（短期利用以外）	31.4	8.7	7.0	5.7	5.7	4.2
特定施設入居者生活介護（短期利用）	0.3	0.1	0.1	0.0	0.0	0.0
居宅介護支援	570.4	219.5	171.9	90.0	55.8	33.3
地域密着型サービス	181.8	61.0	49.6	35.3	21.6	14.3
定期巡回・随時対応型訪問介護看護	4.1	1.2	1.0	0.7	0.7	0.5
夜間対応型訪問介護	1.6	0.3	0.5	0.3	0.3	0.3
地域密着型通所介護	92.3	39.8	28.1	14.0	6.9	3.4
認知症対応型通所介護	13.3	3.9	3.4	3.2	1.6	1.2
小規模多機能型居宅介護（短期利用以外）	20.5	6.7	5.6	4.1	2.6	1.5
小規模多機能型居宅介護（短期利用）	0.1	0.0	0.0	0.0	0.0	0.0
認知症対応型共同生活介護（短期利用以外）	40.0	8.9	10.5	10.5	6.0	4.1
認知症対応型共同生活介護（短期利用）	0.1	0.0	0.0	0.0	0.0	0.0
地域密着型特定施設入居者生活介護（短期利用以外）	1.1	0.2	0.3	0.2	0.2	0.2
地域密着型特定施設入居者生活介護（短期利用）	0.0	0.0	0.0	0.0	0.0	0.0
地域密着型介護老人福祉施設入所者生活介護	9.1	0.1	0.4	2.3	3.3	3.1
複合型サービス(看護小規模多機能型居宅介護・短期利用以外)	1.7	0.3	0.4	0.3	0.3	0.3
複合型サービス(看護小規模多機能型居宅介護・短期利用)	0.0	0.0	0.0	0.0	0.0	0.0
施設サービス	165.9	9.9	16.6	38.6	53.2	47.6
介護福祉施設サービス	92.9	1.7	4.4	22.2	33.3	31.2
介護保健施設サービス	65.2	8.1	12.0	15.8	17.2	12.1
特定治療・特別療養費（再掲）	1.7	0.1	0.1	0.2	0.6	0.7
介護療養施設サービス	8.4	0.1	0.2	0.7	3.0	4.4
特定診療費（再掲）	8.4	0.1	0.2	0.7	2.9	4.4

注：総数には、月の途中で要介護から要支援に変更となった者を含む。

統計表第２表　介護サービス受給者数，月・年齢階級・サービス種類・要介護状態区分別（65－54）

（85～89歳）

平成30年２月審査分
（単位：千人）

サービス種類	総数	要介護１	要介護２	要介護３	要介護４	要介護５
総数	1 122.1	318.6	279.5	210.6	182.7	130.6
居宅サービス	785.5	273.1	232.0	135.8	90.2	54.3
訪問通所	656.3	242.7	202.5	106.1	66.2	38.7
訪問介護	260.2	91.0	77.8	41.3	29.4	20.6
訪問入浴介護	11.8	0.4	1.1	1.6	3.3	5.4
訪問看護	100.7	25.8	27.2	17.2	15.9	14.6
訪問リハビリテーション	18.0	4.1	5.1	3.5	3.1	2.2
通所介護	315.8	126.5	97.5	50.6	27.7	13.5
通所リハビリテーション	102.8	39.9	33.8	16.6	9.0	3.4
福祉用具貸与	415.0	105.4	135.0	81.8	57.8	35.1
短期入所	99.2	18.3	26.4	27.5	17.5	9.5
短期入所生活介護	88.6	16.4	23.5	24.8	15.6	8.2
短期入所療養介護（老健）	11.0	1.9	2.9	2.8	2.0	1.3
特定治療・特別療養費（再掲）	0.1	0.0	0.0	0.0	0.0	0.0
短期入所療養介護（病院等）	0.4	0.1	0.1	0.1	0.1	0.1
特定診療費（再掲）	0.3	0.0	0.1	0.1	0.1	0.1
居宅療養管理指導	181.4	39.0	42.4	37.7	34.3	28.0
特定施設入居者生活介護（短期利用以外）	59.3	16.9	13.3	10.9	10.9	7.4
特定施設入居者生活介護（短期利用）	0.4	0.1	0.1	0.1	0.0	0.0
居宅介護支援	682.6	258.9	208.1	110.5	67.2	38.0
地域密着型サービス	237.9	71.5	64.8	48.6	32.1	20.7
定期巡回・随時対応型訪問介護看護	5.9	1.6	1.6	1.1	0.9	0.7
夜間対応型訪問介護	1.9	0.3	0.6	0.4	0.3	0.2
地域密着型通所介護	107.1	44.4	33.1	16.9	8.5	4.2
認知症対応型通所介護	15.6	4.0	4.3	3.8	2.0	1.4
小規模多機能型居宅介護（短期利用以外）	27.9	8.4	7.9	5.9	3.7	2.0
小規模多機能型居宅介護（短期利用）	0.1	0.0	0.0	0.0	0.0	0.0
認知症対応型共同生活介護（短期利用以外）	62.0	12.3	16.2	16.4	10.2	6.9
認知症対応型共同生活介護（短期利用）	0.1	0.0	0.0	0.0	0.0	0.0
地域密着型特定施設入居者生活介護（短期利用以外）	2.1	0.4	0.5	0.4	0.4	0.3
地域密着型特定施設入居者生活介護（短期利用）	0.0	0.0	0.0	－	0.0	0.0
地域密着型介護老人福祉施設入所者生活介護	15.4	0.2	0.7	3.8	5.8	4.9
複合型サービス（看護小規模多機能型居宅介護・短期利用以外）	2.2	0.4	0.5	0.4	0.4	0.4
複合型サービス（看護小規模多機能型居宅介護・短期利用）	0.0	0.0	0.0	0.0	0.0	0.0
施設サービス	249.2	14.5	26.3	58.6	81.4	68.3
介護福祉施設サービス	139.8	2.2	6.6	34.1	51.7	45.3
介護保健施設サービス	97.4	12.1	19.4	23.7	25.5	16.7
特定治療・特別療養費（再掲）	2.6	0.1	0.2	0.4	0.9	1.1
介護療養施設サービス	12.8	0.2	0.4	1.1	4.6	6.5
特定診療費（再掲）	12.6	0.2	0.3	1.1	4.6	6.5

注：総数には、月の途中で要介護から要支援に変更となった者を含む。

（90～94歳）

平成30年２月審査分
（単位：千人）

サービス種類	総数	要介護１	要介護２	要介護３	要介護４	要介護５
総数	856.0	197.4	203.3	174.9	165.7	114.6
居宅サービス	560.6	167.9	164.2	106.0	76.6	45.8
訪問通所	450.2	144.2	139.2	80.8	54.2	31.8
訪問介護	166.1	50.5	47.8	28.6	22.8	16.3
訪問入浴介護	11.6	0.4	1.2	1.6	3.3	5.2
訪問看護	71.1	14.3	17.3	13.0	13.5	13.0
訪問リハビリテーション	11.5	2.3	3.0	2.3	2.3	1.7
通所介護	220.2	76.9	70.4	39.3	22.9	10.7
通所リハビリテーション	62.5	22.2	21.0	11.0	5.9	2.3
福祉用具貸与	303.7	67.9	95.0	64.0	47.9	29.0
短期入所	89.8	15.7	24.8	24.6	16.3	8.3
短期入所生活介護	80.9	14.1	22.3	22.4	14.7	7.3
短期入所療養介護（老健）	9.1	1.6	2.6	2.3	1.6	1.0
特定治療・特別療養費（再掲）	0.1	0.0	0.0	0.0	0.0	0.0
短期入所療養介護（病院等）	0.4	0.1	0.1	0.1	0.1	0.1
特定診療費（再掲）	0.3	0.0	0.1	0.1	0.1	0.1
居宅療養管理指導	144.7	27.5	32.7	30.5	30.4	23.7
特定施設入居者生活介護（短期利用以外）	55.2	14.5	12.2	10.4	11.1	7.0
特定施設入居者生活介護（短期利用）	0.4	0.1	0.1	0.1	0.0	0.0
居宅介護支援	465.8	152.4	143.0	83.9	55.1	31.4
地域密着型サービス	171.0	40.7	45.2	38.5	28.7	17.9
定期巡回・随時対応型訪問介護看護	4.4	1.1	1.2	0.9	0.8	0.5
夜間対応型訪問介護	1.3	0.2	0.3	0.3	0.3	0.2
地域密着型通所介護	68.4	24.0	21.7	12.6	6.9	3.3
認知症対応型通所介護	10.0	2.0	2.6	2.6	1.7	1.2
小規模多機能型居宅介護（短期利用以外）	19.8	5.0	5.7	4.5	3.0	1.7
小規模多機能型居宅介護（短期利用）	0.1	0.0	0.0	0.0	0.0	0.0
認知症対応型共同生活介護（短期利用以外）	49.6	7.9	12.5	13.5	9.5	6.2
認知症対応型共同生活介護（短期利用）	0.1	0.0	0.0	0.0	0.0	0.0
地域密着型特定施設入居者生活介護（短期利用以外）	2.2	0.4	0.5	0.5	0.5	0.3
地域密着型特定施設入居者生活介護（短期利用）	0.0	0.0	－	0.0	－	－
地域密着型介護老人福祉施設入所者生活介護	15.1	0.2	0.7	3.8	5.9	4.5
複合型サービス（看護小規模多機能型居宅介護・短期利用以外）	1.6	0.2	0.3	0.4	0.3	0.3
複合型サービス（看護小規模多機能型居宅介護・短期利用）	0.0	0.0	0.0	0.0	0.0	0.0
施設サービス	232.0	12.5	24.4	55.4	78.2	61.4
介護福祉施設サービス	133.5	2.0	6.3	32.8	51.0	41.4
介護保健施設サービス	87.8	10.4	17.8	21.8	23.4	14.4
特定治療・特別療養費（再掲）	2.3	0.1	0.2	0.3	0.8	0.9
介護療養施設サービス	11.4	0.1	0.3	1.0	4.1	5.8
特定診療費（再掲）	11.3	0.1	0.3	1.0	4.1	5.7

注：総数には、月の途中で要介護から要支援に変更となった者を含む。

統計表第２表　介護サービス受給者数，月・年齢階級・サービス種類・要介護状態区分別（65－55）

（95歳以上）

平成30年２月審査分
（単位：千人）

サービス種類	総数	要介護１	要介護２	要介護３	要介護４	要介護５
総数	382.2	55.5	74.4	83.6	98.0	70.8
居宅サービス	217.9	45.8	57.4	46.7	41.0	27.0
訪問通所	168.9	38.0	47.7	35.5	28.7	19.1
訪問介護	56.8	12.0	14.0	10.9	10.9	9.0
訪問入浴介護	9.0	0.2	0.8	1.2	2.6	4.1
訪問看護	33.2	3.8	6.4	6.3	8.0	8.7
訪問リハビリテーション	4.3	0.6	1.0	0.9	1.0	0.8
通所介護	79.4	20.3	24.2	17.1	11.8	6.0
通所リハビリテーション	18.8	5.2	6.1	3.9	2.5	1.1
福祉用具貸与	126.7	19.7	34.4	29.1	25.8	17.6
短期入所	41.8	5.4	10.3	11.9	9.3	5.0
短期入所生活介護	37.9	4.9	9.3	10.9	8.4	4.4
短期入所療養介護（老健）	4.0	0.5	1.0	1.0	0.9	0.6
特定治療・特別療養費（再掲）	0.0	0.0	0.0	0.0	0.0	0.0
短期入所療養介護（病院等）	0.3	0.0	0.1	0.0	0.1	0.1
特定診療費（再掲）	0.2	0.0	0.0	0.0	0.0	0.1
居宅療養管理指導	65.6	8.6	12.5	13.8	16.8	13.8
特定施設入居者生活介護（短期利用以外）	25.6	5.1	5.1	5.1	6.3	4.1
特定施設入居者生活介護（短期利用）	0.1	0.0	0.0	0.0	0.0	0.0
居宅介護支援	173.5	40.1	48.9	36.8	29.1	18.7
地域密着型サービス	66.6	10.2	14.5	16.0	15.7	10.2
定期巡回・随時対応型訪問介護看護	1.6	0.3	0.4	0.3	0.4	0.2
夜間対応型訪問介護	0.5	0.1	0.1	0.1	0.1	0.1
地域密着型通所介護	22.1	5.7	6.5	4.9	3.4	1.7
認知症対応型通所介護	3.7	0.4	0.8	1.0	0.8	0.6
小規模多機能型居宅介護（短期利用以外）	7.4	1.3	1.8	1.8	1.6	1.0
小規模多機能型居宅介護（短期利用）	0.0	0.0	0.0	0.0	0.0	0.0
認知症対応型共同生活介護（短期利用以外）	21.0	2.2	4.3	5.5	5.4	3.6
認知症対応型共同生活介護（短期利用）	0.0	0.0	0.0	0.0	0.0	0.0
地域密着型特定施設入居者生活介護（短期利用以外）	1.0	0.1	0.2	0.2	0.2	0.2
地域密着型特定施設入居者生活介護（短期利用）	0.0	－	0.0	0.0	－	－
地域密着型介護老人福祉施設入所者生活介護	9.0	0.1	0.4	2.1	3.7	2.7
複合型サービス(看護小規模多機能型居宅介護・短期利用以外)	0.6	0.1	0.1	0.1	0.2	0.1
複合型サービス(看護小規模多機能型居宅介護・短期利用)	0.0	－	0.0	－	0.0	0.0
施設サービス	138.5	5.4	12.1	31.1	50.5	39.5
介護福祉施設サービス	84.5	1.0	3.6	18.9	33.9	27.0
介護保健施設サービス	47.3	4.3	8.3	11.6	14.0	9.0
特定治療・特別療養費（再掲）	1.4	0.1	0.1	0.2	0.5	0.6
介護療養施設サービス	7.1	0.1	0.2	0.6	2.7	3.5
特定診療費（再掲）	7.0	0.1	0.2	0.6	2.6	3.5

注：総数には、月の途中で要介護から要支援に変更となった者を含む。

統計表第２表　介護サービス受給者数，月・年齢階級・サービス種類・要介護状態区分別（65－56）

（総　　数）

平成30年３月審査分
（単位：千人）

サービス種類	総数	要介護１	要介護２	要介護３	要介護４	要介護５
総数	4 212.9	1 097.3	1 042.9	807.7	727.1	537.8
居宅サービス	2 965.4	938.8	875.4	531.8	374.5	244.9
訪問通所	2 527.7	842.8	778.0	431.9	288.1	186.9
訪問介護	996.9	318.1	293.9	163.7	124.0	97.2
訪問入浴介護	64.3	1.7	5.3	7.8	17.3	32.2
訪問看護	429.0	98.7	112.4	75.7	71.8	70.3
訪問リハビリテーション	89.7	17.4	25.0	17.9	15.9	13.5
通所介護	1 119.9	409.9	343.1	192.1	113.8	61.0
通所リハビリテーション	426.5	144.1	141.0	76.6	44.6	20.2
福祉用具貸与	1 665.4	369.0	533.3	340.0	253.3	169.7
短期入所	352.8	57.4	87.5	97.3	69.2	41.4
短期入所生活介護	312.3	51.4	77.6	87.4	61.1	34.9
短期入所療養介護（老健）	41.5	6.1	10.0	10.4	8.6	6.5
特定治療・特別療養費（再掲）	0.3	0.0	0.1	0.1	0.1	0.1
短期入所療養介護（病院等）	1.9	0.2	0.4	0.4	0.4	0.6
特定診療費（再掲）	1.3	0.2	0.2	0.3	0.3	0.4
居宅療養管理指導	676.3	129.2	151.9	137.7	134.9	122.5
特定施設入居者生活介護（短期利用以外）	197.5	51.9	43.4	36.9	38.7	26.6
特定施設入居者生活介護（短期利用）	1.3	0.3	0.4	0.3	0.2	0.1
居宅介護支援	2 622.2	900.1	798.4	448.1	292.2	183.3
地域密着型サービス	838.7	241.5	225.4	173.2	119.4	79.2
定期巡回・随時対応型訪問介護看護	20.7	5.3	5.3	3.9	3.6	2.5
夜間対応型訪問介護	7.8	1.1	2.1	1.6	1.5	1.4
地域密着型通所介護	397.6	154.2	123.8	66.3	35.1	18.2
認知症対応型通所介護	55.1	13.6	13.9	13.7	7.8	6.1
小規模多機能型居宅介護（短期利用以外）	94.5	27.2	25.8	20.2	13.5	7.9
小規模多機能型居宅介護（短期利用）	0.4	0.1	0.1	0.1	0.1	0.0
認知症対応型共同生活介護（短期利用以外）	199.5	38.3	50.5	52.5	34.7	23.5
認知症対応型共同生活介護（短期利用）	0.4	0.1	0.1	0.1	0.1	0.0
地域密着型特定施設入居者生活介護（短期利用以外）	7.3	1.4	1.8	1.5	1.5	1.1
地域密着型特定施設入居者生活介護（短期利用）	0.0	0.0	0.0	0.0	0.0	0.0
地域密着型介護老人福祉施設入所者生活介護	55.8	0.8	2.4	13.8	21.2	17.6
複合型サービス(看護小規模多機能型居宅介護・短期利用以外)	8.3	1.4	1.8	1.7	1.7	1.7
複合型サービス(看護小規模多機能型居宅介護・短期利用)	0.1	0.0	0.0	0.0	0.0	0.0
施設サービス	940.3	51.7	94.8	218.8	311.2	263.7
介護福祉施設サービス	533.9	8.5	24.9	127.6	198.7	174.1
介護保健施設サービス	360.4	42.6	68.6	87.8	96.4	65.1
特定治療・特別療養費（再掲）	9.8	0.4	0.7	1.3	3.3	4.0
介護療養施設サービス	48.8	0.6	1.4	4.1	17.4	25.3
特定診療費（再掲）	48.4	0.6	1.3	4.1	17.3	25.1

注：総数には、月の途中で要介護から要支援に変更となった者を含む。

（40～64歳）

平成30年３月審査分
（単位：千人）

サービス種類	総数	要介護１	要介護２	要介護３	要介護４	要介護５
総数	102.4	21.9	30.1	19.4	15.2	15.8
居宅サービス	86.5	19.8	27.7	16.1	11.5	11.4
訪問通所	80.8	18.9	26.6	14.9	10.3	10.1
訪問介護	31.1	6.7	9.3	5.6	4.2	5.3
訪問入浴介護	3.9	0.0	0.2	0.3	0.8	2.6
訪問看護	18.7	3.7	5.5	3.5	2.8	3.2
訪問リハビリテーション	7.2	1.3	2.2	1.4	1.0	1.3
通所介護	23.1	5.4	7.2	4.7	3.2	2.6
通所リハビリテーション	19.7	5.0	6.9	4.1	2.3	1.5
福祉用具貸与	61.2	10.0	20.6	12.5	9.1	9.0
短期入所	5.4	0.4	0.9	1.3	1.3	1.4
短期入所生活介護	4.3	0.4	0.7	1.1	1.1	1.1
短期入所療養介護（老健）	1.1	0.1	0.2	0.3	0.3	0.4
特定治療・特別療養費（再掲）	0.0	－	－	0.0	0.0	0.0
短期入所療養介護（病院等）	0.1	0.0	0.0	0.0	0.0	0.0
特定診療費（再掲）	0.0	0.0	0.0	0.0	0.0	0.0
居宅療養管理指導	17.8	2.2	3.6	3.2	3.4	5.5
特定施設入居者生活介護（短期利用以外）	1.9	0.3	0.4	0.3	0.4	0.4
特定施設入居者生活介護（短期利用）	0.0	0.0	0.0	0.0	0.0	0.0
居宅介護支援	80.5	19.4	26.6	14.9	10.1	9.6
地域密着型サービス	16.0	4.1	4.9	3.2	2.0	1.9
定期巡回・随時対応型訪問介護看護	0.5	0.1	0.1	0.1	0.1	0.1
夜間対応型訪問介護	0.4	0.0	0.1	0.1	0.1	0.1
地域密着型通所介護	10.8	3.1	3.8	2.0	1.1	0.8
認知症対応型通所介護	0.8	0.2	0.1	0.2	0.1	0.2
小規模多機能型居宅介護（短期利用以外）	1.6	0.3	0.4	0.4	0.3	0.2
小規模多機能型居宅介護（短期利用）	0.0	0.0	0.0	－	－	－
認知症対応型共同生活介護（短期利用以外）	1.3	0.3	0.3	0.4	0.2	0.2
認知症対応型共同生活介護（短期利用）	0.0	－	－	0.0	0.0	0.0
地域密着型特定施設入居者生活介護（短期利用以外）	0.1	0.0	0.0	0.0	0.0	0.0
地域密着型特定施設入居者生活介護（短期利用）	－	－	－	－	－	－
地域密着型介護老人福祉施設入所者生活介護	0.5	0.0	0.0	0.1	0.1	0.2
複合型サービス(看護小規模多機能型居宅介護・短期利用以外)	0.2	0.0	0.0	0.0	0.0	0.1
複合型サービス(看護小規模多機能型居宅介護・短期利用)	0.0	－	0.0	－	－	0.0
施設サービス	11.7	0.6	1.2	2.6	3.4	4.0
介護福祉施設サービス	4.8	0.1	0.2	1.1	1.5	1.9
介護保健施設サービス	5.9	0.6	0.9	1.4	1.5	1.4
特定治療・特別療養費（再掲）	0.2	0.0	0.0	0.0	0.1	0.1
介護療養施設サービス	1.0	0.0	0.0	0.1	0.3	0.6
特定診療費（再掲）	1.0	0.0	0.0	0.1	0.3	0.6

注：総数には、月の途中で要介護から要支援に変更となった者を含む。

統計表第２表　介護サービス受給者数，月・年齢階級・サービス種類・要介護状態区分別（65－57）

（65～69歳）

平成30年３月審査分
（単位：千人）

サービス種類	総数	要介護１	要介護２	要介護３	要介護４	要介護５
総数	163.2	40.6	45.5	30.4	24.8	22.0
居宅サービス	133.0	36.0	41.1	24.0	17.4	14.5
訪問通所	122.8	33.8	38.9	21.9	15.5	12.7
訪問介護	56.3	16.2	17.0	9.2	7.1	6.8
訪問入浴介護	4.6	0.1	0.3	0.4	1.1	2.8
訪問看護	24.6	5.0	6.9	4.4	4.0	4.3
訪問リハビリテーション	7.4	1.2	2.1	1.5	1.2	1.4
通所介護	40.2	11.3	12.3	7.6	5.2	3.7
通所リハビリテーション	26.7	6.7	9.0	5.6	3.5	1.9
福祉用具貸与	83.9	14.3	27.6	17.4	13.4	11.1
短期入所	9.8	1.0	1.7	2.5	2.3	2.2
短期入所生活介護	8.0	0.9	1.4	2.1	1.8	1.7
短期入所療養介護（老健）	1.8	0.1	0.3	0.4	0.5	0.5
特定治療・特別療養費（再掲）	0.0	－	0.0	0.0	0.0	0.0
短期入所療養介護（病院等）	0.1	0.0	0.0	0.0	0.0	0.0
特定診療費（再掲）	0.1	0.0	0.0	0.0	0.0	0.0
居宅療養管理指導	26.3	4.2	5.7	4.9	5.0	6.6
特定施設入居者生活介護（短期利用以外）	3.6	0.9	0.8	0.7	0.7	0.6
特定施設入居者生活介護（短期利用）	0.0	0.0	0.0	0.0	0.0	0.0
居宅介護支援	124.4	35.3	39.2	22.1	15.4	12.3
地域密着型サービス	27.3	7.9	7.9	5.3	3.5	2.7
定期巡回・随時対応型訪問介護看護	0.7	0.2	0.2	0.1	0.1	0.1
夜間対応型訪問介護	0.5	0.1	0.1	0.1	0.1	0.1
地域密着型通所介護	17.4	5.7	5.8	3.1	1.7	1.1
認知症対応型通所介護	1.8	0.4	0.3	0.4	0.3	0.3
小規模多機能型居宅介護（短期利用以外）	2.7	0.7	0.7	0.6	0.4	0.3
小規模多機能型居宅介護（短期利用）	0.0	0.0	0.0	0.0	0.0	0.0
認知症対応型共同生活介護（短期利用以外）	3.1	0.9	0.7	0.7	0.4	0.3
認知症対応型共同生活介護（短期利用）	0.0	0.0	0.0	－	－	－
地域密着型特定施設入居者生活介護（短期利用以外）	0.1	0.0	0.0	0.0	0.0	0.0
地域密着型特定施設入居者生活介護（短期利用）	－	－	－	－	－	－
地域密着型介護老人福祉施設入所者生活介護	1.0	0.0	0.0	0.2	0.3	0.4
複合型サービス(看護小規模多機能型居宅介護・短期利用以外)	0.3	0.1	0.1	0.1	0.1	0.1
複合型サービス(看護小規模多機能型居宅介護・短期利用)	0.0	0.0	0.0	－	－	－
施設サービス	22.0	1.3	2.3	5.0	6.6	6.9
介護福祉施設サービス	11.2	0.2	0.6	2.6	3.7	4.1
介護保健施設サービス	9.4	1.1	1.6	2.3	2.4	2.0
特定治療・特別療養費（再掲）	0.3	0.0	0.0	0.0	0.1	0.1
介護療養施設サービス	1.5	0.0	0.0	0.1	0.5	0.8
特定診療費（再掲）	1.5	0.0	0.0	0.1	0.5	0.8

注：総数には，月の途中で要介護から要支援に変更となった者を含む。

（70～74歳）

平成30年３月審査分
（単位：千人）

サービス種類	総数	要介護１	要介護２	要介護３	要介護４	要介護５
総数	266.6	70.1	72.3	49.6	41.1	33.5
居宅サービス	210.5	60.8	64.5	37.9	27.2	20.1
訪問通所	192.6	56.8	60.6	33.9	24.0	17.3
訪問介護	80.8	23.9	24.5	13.4	10.2	8.8
訪問入浴介護	5.8	0.1	0.4	0.6	1.4	3.3
訪問看護	37.0	8.1	10.1	6.7	6.1	6.0
訪問リハビリテーション	10.2	1.7	2.9	2.1	1.8	1.7
通所介護	69.9	22.2	21.0	12.8	8.5	5.4
通所リハビリテーション	41.1	11.2	13.5	8.3	5.4	2.7
福祉用具貸与	131.1	24.1	43.0	27.0	21.2	15.8
短期入所	17.6	2.1	3.3	4.7	4.2	3.4
短期入所生活介護	14.7	1.8	2.8	4.0	3.5	2.6
短期入所療養介護（老健）	3.0	0.3	0.5	0.7	0.8	0.7
特定治療・特別療養費（再掲）	0.0	0.0	0.0	0.0	0.0	0.0
短期入所療養介護（病院等）	0.1	0.0	0.0	0.0	0.0	0.1
特定診療費（再掲）	0.1	0.0	0.0	0.0	0.0	0.0
居宅療養管理指導	41.3	7.1	9.1	8.0	7.9	9.1
特定施設入居者生活介護（短期利用以外）	6.5	1.7	1.4	1.2	1.2	1.0
特定施設入居者生活介護（短期利用）	0.1	0.0	0.0	0.0	0.0	0.0
居宅介護支援	197.5	60.6	61.5	34.6	23.9	16.9
地域密着型サービス	48.2	15.3	13.5	9.2	5.8	4.3
定期巡回・随時対応型訪問介護看護	1.1	0.3	0.3	0.2	0.2	0.2
夜間対応型訪問介護	0.7	0.1	0.1	0.2	0.1	0.2
地域密着型通所介護	29.4	10.8	9.4	5.0	2.7	1.6
認知症対応型通所介護	3.4	0.9	0.7	0.8	0.6	0.5
小規模多機能型居宅介護（短期利用以外）	4.7	1.6	1.1	0.9	0.6	0.5
小規模多機能型居宅介護（短期利用）	0.0	0.0	0.0	0.0	0.0	0.0
認知症対応型共同生活介護（短期利用以外）	6.6	1.7	1.7	1.6	0.9	0.7
認知症対応型共同生活介護（短期利用）	0.0	0.0	0.0	0.0	0.0	－
地域密着型特定施設入居者生活介護（短期利用以外）	0.2	0.0	0.1	0.1	0.0	0.0
地域密着型特定施設入居者生活介護（短期利用）	0.0	－	－	－	－	0.0
地域密着型介護老人福祉施設入所者生活介護	1.8	0.0	0.1	0.5	0.6	0.6
複合型サービス(看護小規模多機能型居宅介護・短期利用以外)	0.5	0.1	0.1	0.1	0.1	0.1
複合型サービス(看護小規模多機能型居宅介護・短期利用)	0.0	0.0	0.0	0.0	0.0	0.0
施設サービス	40.5	2.3	4.0	9.2	12.5	12.4
介護福祉施設サービス	22.1	0.5	1.2	5.2	7.5	7.7
介護保健施設サービス	16.1	1.8	2.7	3.8	4.3	3.4
特定治療・特別療養費（再掲）	0.5	0.0	0.0	0.0	0.1	0.2
介護療養施設サービス	2.5	0.0	0.1	0.2	0.8	1.4
特定診療費（再掲）	2.5	0.0	0.1	0.2	0.8	1.4

注：総数には，月の途中で要介護から要支援に変更となった者を含む。

統計表第２表　介護サービス受給者数，月・年齢階級・サービス種類・要介護状態区分別（65－58）

（75～79歳）

平成30年３月審査分
（単位：千人）

サービス種類	総数	要介護１	要介護２	要介護３	要介護４	要介護５
総数	472.5	136.1	122.9	86.4	71.2	55.8
居宅サービス	357.8	116.7	107.0	62.6	42.7	28.9
訪問通所	321.8	108.5	98.9	54.3	36.0	24.1
訪問介護	128.8	41.6	38.8	20.8	15.2	12.4
訪問入浴介護	7.7	0.2	0.6	0.8	2.0	4.1
訪問看護	56.1	13.8	15.0	9.7	8.9	8.7
訪問リハビリテーション	13.2	2.4	3.6	2.7	2.4	2.0
通所介護	131.5	49.0	38.6	22.5	13.5	7.9
通所リハビリテーション	63.1	19.8	20.5	11.9	7.3	3.5
福祉用具貸与	209.1	44.6	68.2	42.6	31.8	21.9
短期入所	32.8	4.7	6.8	9.1	7.1	5.1
短期入所生活介護	28.1	4.1	5.9	7.9	6.1	4.1
短期入所療養介護（老健）	4.8	0.6	1.0	1.2	1.1	1.0
特定治療・特別療養費（再掲）	0.0	0.0	0.0	0.0	0.0	0.0
短期入所療養介護（病院等）	0.2	0.0	0.0	0.0	0.0	0.1
特定診療費（再掲）	0.2	0.0	0.0	0.0	0.0	0.1
居宅療養管理指導	69.8	13.4	15.8	13.7	13.2	13.7
特定施設入居者生活介護（短期利用以外）	12.9	3.4	2.9	2.4	2.3	1.9
特定施設入居者生活介護（短期利用）	0.1	0.0	0.0	0.0	0.0	0.0
居宅介護支援	334.7	117.2	101.6	56.1	36.4	23.5
地域密着型サービス	93.3	31.5	25.8	17.9	10.6	7.5
定期巡回・随時対応型訪問介護看護	2.0	0.6	0.5	0.4	0.3	0.2
夜間対応型訪問介護	1.0	0.1	0.3	0.2	0.2	0.2
地域密着型通所介護	52.7	21.6	16.3	8.4	4.2	2.2
認知症対応型通所介護	7.1	2.0	1.7	1.7	0.9	0.8
小規模多機能型居宅介護（短期利用以外）	9.8	3.1	2.6	2.0	1.2	0.8
小規模多機能型居宅介護（短期利用）	0.0	0.0	0.0	0.0	0.0	0.0
認知症対応型共同生活介護（短期利用以外）	16.2	4.0	4.2	4.1	2.2	1.6
認知症対応型共同生活介護（短期利用）	0.0	0.0	0.0	0.0	0.0	0.0
地域密着型特定施設入居者生活介護（短期利用以外）	0.5	0.1	0.1	0.1	0.1	0.1
地域密着型特定施設入居者生活介護（短期利用）	0.0	0.0	0.0	－	－	－
地域密着型介護老人福祉施設入所者生活介護	3.9	0.1	0.2	1.0	1.3	1.4
複合型サービス（看護小規模多機能型居宅介護・短期利用以外）	1.1	0.2	0.2	0.2	0.2	0.2
複合型サービス（看護小規模多機能型居宅介護・短期利用）	0.0	－	0.0	0.0	0.0	0.0
施設サービス	81.3	4.6	7.8	18.6	25.7	24.7
介護福祉施設サービス	45.8	0.9	2.3	10.8	16.0	15.8
介護保健施設サービス	31.3	3.7	5.4	7.5	8.3	6.5
特定治療・特別療養費（再掲）	0.9	0.0	0.1	0.1	0.3	0.4
介護療養施設サービス	4.5	0.0	0.1	0.4	1.5	2.5
特定診療費（再掲）	4.5	0.0	0.1	0.4	1.5	2.5

注：総数には、月の途中で要介護から要支援に変更となった者を含む。

（80～84歳）

平成30年３月審査分
（単位：千人）

サービス種類	総数	要介護１	要介護２	要介護３	要介護４	要介護５
総数	850.5	257.7	215.6	153.4	128.4	95.4
居宅サービス	619.2	220.1	182.9	103.9	68.7	43.5
訪問通所	540.0	201.4	165.1	85.7	54.2	33.5
訪問介護	216.9	76.4	64.8	33.9	24.1	17.7
訪問入浴介護	10.2	0.3	0.9	1.2	2.8	5.0
訪問看護	87.3	23.8	23.8	14.7	12.8	12.2
訪問リハビリテーション	17.2	3.6	4.9	3.5	3.0	2.3
通所介護	242.8	99.2	72.7	38.0	21.4	11.5
通所リハビリテーション	93.3	34.4	30.4	15.7	9.0	3.8
福祉用具貸与	337.3	83.2	110.4	66.0	47.3	30.5
短期入所	62.9	10.8	15.0	17.4	12.2	7.4
短期入所生活介護	55.4	9.6	13.2	15.6	10.7	6.3
短期入所療養介護（老健）	7.7	1.1	1.8	1.9	1.6	1.2
特定治療・特別療養費（再掲）	0.0	0.0	0.0	0.0	0.0	0.0
短期入所療養介護（病院等）	0.3	0.0	0.1	0.1	0.1	0.1
特定診療費（再掲）	0.2	0.0	0.0	0.1	0.0	0.1
居宅療養管理指導	127.6	27.0	29.5	25.9	23.5	21.7
特定施設入居者生活介護（短期利用以外）	31.4	8.7	7.0	5.8	5.7	4.2
特定施設入居者生活介護（短期利用）	0.2	0.1	0.1	0.0	0.0	0.0
居宅介護支援	564.5	217.1	170.1	89.3	55.1	33.0
地域密着型サービス	179.7	60.3	49.2	34.9	21.2	14.1
定期巡回・随時対応型訪問介護看護	4.1	1.2	1.0	0.7	0.7	0.5
夜間対応型訪問介護	1.6	0.3	0.5	0.3	0.3	0.3
地域密着型通所介護	91.0	39.2	27.8	13.9	6.7	3.3
認知症対応型通所介護	13.0	3.8	3.4	3.1	1.5	1.1
小規模多機能型居宅介護（短期利用以外）	20.3	6.6	5.5	4.1	2.5	1.4
小規模多機能型居宅介護（短期利用）	0.1	0.0	0.0	0.0	0.0	0.0
認知症対応型共同生活介護（短期利用以外）	39.6	8.9	10.4	10.3	5.9	4.1
認知症対応型共同生活介護（短期利用）	0.1	0.0	0.0	0.0	0.0	0.0
地域密着型特定施設入居者生活介護（短期利用以外）	1.1	0.2	0.3	0.2	0.2	0.2
地域密着型特定施設入居者生活介護（短期利用）	0.0	0.0	－	0.0	0.0	0.0
地域密着型介護老人福祉施設入所者生活介護	9.0	0.1	0.4	2.3	3.3	3.0
複合型サービス（看護小規模多機能型居宅介護・短期利用以外）	1.7	0.3	0.4	0.3	0.3	0.3
複合型サービス（看護小規模多機能型居宅介護・短期利用）	0.0	0.0	0.0	0.0	0.0	0.0
施設サービス	164.6	9.8	16.5	38.2	53.0	47.0
介護福祉施設サービス	92.2	1.7	4.3	21.9	33.3	31.0
介護保健施設サービス	64.6	8.1	12.0	15.7	17.0	11.9
特定治療・特別療養費（再掲）	1.7	0.1	0.1	0.2	0.6	0.7
介護療養施設サービス	8.3	0.1	0.2	0.7	2.9	4.3
特定診療費（再掲）	8.2	0.1	0.2	0.7	2.9	4.3

注：総数には、月の途中で要介護から要支援に変更となった者を含む。

統計表第２表　介護サービス受給者数，月・年齢階級・サービス種類・要介護状態区分別（65－59）

（85～89歳）

平成30年３月審査分
（単位：千人）

サービス種類	総数	要介護１	要介護２	要介護３	要介護４	要介護５
総数	1 114.6	316.9	277.8	208.7	181.4	129.7
居宅サービス	778.7	271.2	230.1	134.2	89.3	53.9
訪問通所	650.6	241.1	200.7	105.0	65.4	38.4
訪問介護	258.9	90.4	77.4	40.9	29.4	20.7
訪問入浴介護	11.6	0.4	1.1	1.6	3.2	5.3
訪問看護	100.3	25.8	27.1	17.3	15.7	14.4
訪問リハビリテーション	18.2	4.1	5.1	3.6	3.1	2.3
通所介護	313.0	125.4	96.7	50.0	27.5	13.3
通所リハビリテーション	101.6	39.6	33.5	16.4	8.8	3.4
福祉用具貸与	412.0	105.2	133.8	81.1	57.1	34.8
短期入所	95.6	17.8	25.2	26.6	17.0	9.0
短期入所生活介護	85.6	16.0	22.5	24.2	15.2	7.8
短期入所療養介護（老健）	10.3	1.9	2.8	2.6	1.9	1.2
特定治療・特別療養費（再掲）	0.1	0.0	0.0	0.0	0.0	0.0
短期入所療養介護（病院等）	0.4	0.1	0.1	0.1	0.1	0.1
特定診療費（再掲）	0.3	0.0	0.1	0.1	0.1	0.1
居宅療養管理指導	180.8	38.8	42.4	37.4	34.1	28.0
特定施設入居者生活介護（短期利用以外）	59.3	16.9	13.3	10.8	10.9	7.4
特定施設入居者生活介護（短期利用）	0.4	0.1	0.1	0.1	0.0	0.0
居宅介護支援	678.7	257.4	206.9	109.7	66.9	37.8
地域密着型サービス	236.1	71.1	64.5	48.1	31.9	20.6
定期巡回・随時対応型訪問介護看護	5.9	1.6	1.6	1.1	0.9	0.6
夜間対応型訪問介護	1.9	0.3	0.6	0.4	0.3	0.3
地域密着型通所介護	106.3	44.1	32.9	16.6	8.5	4.2
認知症対応型通所介護	15.3	3.9	4.2	3.7	2.0	1.4
小規模多機能型居宅介護（短期利用以外）	28.0	8.4	7.9	5.9	3.8	2.0
小規模多機能型居宅介護（短期利用）	0.1	0.0	0.0	0.0	0.0	0.0
認知症対応型共同生活介護（短期利用以外）	61.6	12.3	16.2	16.2	10.1	6.8
認知症対応型共同生活介護（短期利用）	0.1	0.0	0.0	0.0	0.0	0.0
地域密着型特定施設入居者生活介護（短期利用以外）	2.1	0.4	0.5	0.4	0.4	0.3
地域密着型特定施設入居者生活介護（短期利用）	0.0	0.0	－	－	0.0	0.0
地域密着型介護老人福祉施設入所者生活介護	15.2	0.2	0.7	3.8	5.8	4.8
複合型サービス（看護小規模多機能型居宅介護・短期利用以外）	2.2	0.4	0.5	0.4	0.4	0.4
複合型サービス（看護小規模多機能型居宅介護・短期利用）	0.0	0.0	0.0	0.0	0.0	0.0
施設サービス	247.9	14.7	26.3	58.5	80.8	67.7
介護福祉施設サービス	138.9	2.2	6.4	33.9	51.4	45.0
介護保健施設サービス	97.2	12.3	19.5	23.6	25.2	16.6
特定治療・特別療養費（再掲）	2.5	0.1	0.2	0.3	0.8	1.0
介護療養施設サービス	12.6	0.2	0.4	1.1	4.5	6.4
特定診療費（再掲）	12.4	0.2	0.4	1.1	4.5	6.4

注：総数には、月の途中で要介護から要支援に変更となった者を含む。

（90～94歳）

平成30年３月審査分
（単位：千人）

サービス種類	総数	要介護１	要介護２	要介護３	要介護４	要介護５
総数	856.3	197.8	203.5	175.1	165.8	114.1
居宅サービス	560.0	167.8	164.1	106.2	76.4	45.6
訪問通所	449.0	143.9	139.0	80.8	53.7	31.7
訪問介護	166.5	50.6	47.9	28.9	22.9	16.3
訪問入浴介護	11.5	0.4	1.1	1.6	3.3	5.1
訪問看護	71.6	14.5	17.5	13.1	13.5	12.9
訪問リハビリテーション	11.8	2.4	3.1	2.3	2.3	1.7
通所介護	219.4	76.6	70.3	39.2	22.7	10.7
通所リハビリテーション	62.2	22.2	21.0	10.8	5.9	2.3
福祉用具貸与	303.2	67.7	95.0	64.1	47.4	28.9
短期入所	87.2	15.3	24.2	24.0	15.9	7.9
短期入所生活介護	78.6	13.7	21.7	21.9	14.4	7.0
短期入所療養介護（老健）	8.8	1.5	2.5	2.2	1.5	1.0
特定治療・特別療養費（再掲）	0.1	0.0	0.0	0.0	0.0	0.0
短期入所療養介護（病院等）	0.4	0.1	0.1	0.1	0.1	0.1
特定診療費（再掲）	0.3	0.1	0.1	0.1	0.1	0.1
居宅療養管理指導	146.1	27.9	33.1	30.6	30.6	23.9
特定施設入居者生活介護（短期利用以外）	55.7	14.7	12.4	10.5	11.2	7.0
特定施設入居者生活介護（短期利用）	0.3	0.1	0.1	0.1	0.1	0.0
居宅介護支援	466.5	152.6	143.0	84.4	55.0	31.4
地域密着型サービス	171.0	40.9	44.9	38.5	28.7	17.9
定期巡回・随時対応型訪問介護看護	4.6	1.1	1.2	0.9	0.8	0.5
夜間対応型訪問介護	1.3	0.2	0.3	0.3	0.3	0.2
地域密着型通所介護	67.9	24.1	21.3	12.4	6.9	3.2
認知症対応型通所介護	9.9	1.9	2.6	2.7	1.7	1.1
小規模多機能型居宅介護（短期利用以外）	20.0	5.1	5.7	4.5	3.0	1.7
小規模多機能型居宅介護（短期利用）	0.1	0.0	0.0	0.0	0.0	0.0
認知症対応型共同生活介護（短期利用以外）	49.8	8.0	12.6	13.5	9.6	6.2
認知症対応型共同生活介護（短期利用）	0.1	0.0	0.0	0.0	0.0	0.0
地域密着型特定施設入居者生活介護（短期利用以外）	2.2	0.4	0.5	0.5	0.5	0.3
地域密着型特定施設入居者生活介護（短期利用）	0.0	0.0	0.0	0.0	－	－
地域密着型介護老人福祉施設入所者生活介護	15.2	0.2	0.7	3.8	6.0	4.5
複合型サービス（看護小規模多機能型居宅介護・短期利用以外）	1.6	0.2	0.4	0.4	0.3	0.3
複合型サービス（看護小規模多機能型居宅介護・短期利用）	0.0	0.0	0.0	0.0	0.0	0.0
施設サービス	231.7	12.7	24.4	55.4	78.2	61.0
介護福祉施設サービス	133.2	1.9	6.2	32.8	51.0	41.2
介護保健施設サービス	87.9	10.7	17.9	21.8	23.3	14.3
特定治療・特別療養費（再掲）	2.4	0.1	0.2	0.4	0.8	0.9
介護療養施設サービス	11.2	0.2	0.3	1.0	4.1	5.6
特定診療費（再掲）	11.1	0.1	0.3	1.0	4.1	5.6

注：総数には、月の途中で要介護から要支援に変更となった者を含む。

統計表第２表　介護サービス受給者数，月・年齢階級・サービス種類・要介護状態区分別（65－60）

（95歳以上）

平成30年３月審査分
（単位：千人）

サービス種類	総数	要介護１	要介護２	要介護３	要介護４	要介護５
総数	386.8	56.3	75.3	84.6	99.1	71.6
居宅サービス	219.8	46.5	58.0	47.0	41.3	27.0
訪問通所	170.1	38.5	48.2	35.5	28.8	19.1
訪問介護	57.5	12.3	14.2	11.0	11.0	9.1
訪問入浴介護	9.0	0.2	0.8	1.3	2.7	4.1
訪問看護	33.4	3.9	6.5	6.4	8.0	8.6
訪問リハビリテーション	4.3	0.6	1.0	0.9	1.0	0.8
通所介護	80.0	20.6	24.5	17.1	11.8	6.0
通所リハビリテーション	18.8	5.3	6.1	3.9	2.5	1.1
福祉用具貸与	127.6	20.1	34.8	29.2	26.0	17.6
短期入所	41.5	5.4	10.3	11.6	9.2	4.9
短期入所生活介護	37.6	4.9	9.3	10.7	8.4	4.3
短期入所療養介護（老健）	3.9	0.5	1.0	1.0	0.9	0.6
特定治療・特別療養費（再掲）	0.0	0.0	0.0	0.0	0.0	0.0
短期入所療養介護（病院等）	0.3	0.0	0.1	0.0	0.1	0.1
特定診療費（再掲）	0.2	0.0	0.0	0.0	0.0	0.0
居宅療養管理指導	66.7	8.8	12.8	14.0	17.1	14.0
特定施設入居者生活介護（短期利用以外）	26.1	5.2	5.2	5.2	6.3	4.2
特定施設入居者生活介護（短期利用）	0.1	0.0	0.0	0.0	0.0	0.0
居宅介護支援	175.4	40.6	49.4	37.1	29.4	18.8
地域密着型サービス	67.2	10.3	14.7	16.1	15.7	10.3
定期巡回・随時対応型訪問介護看護	1.7	0.3	0.4	0.3	0.4	0.2
夜間対応型訪問介護	0.5	0.1	0.1	0.1	0.1	0.1
地域密着型通所介護	22.1	5.7	6.5	4.8	3.3	1.7
認知症対応型通所介護	3.7	0.4	0.8	1.0	0.8	0.6
小規模多機能型居宅介護（短期利用以外）	7.6	1.3	1.9	1.8	1.6	1.0
小規模多機能型居宅介護（短期利用）	0.0	0.0	0.0	0.0	0.0	0.0
認知症対応型共同生活介護（短期利用以外）	21.3	2.3	4.4	5.6	5.4	3.6
認知症対応型共同生活介護（短期利用）	0.0	0.0	0.0	0.0	0.0	0.0
地域密着型特定施設入居者生活介護（短期利用以外）	1.0	0.1	0.2	0.2	0.2	0.2
地域密着型特定施設入居者生活介護（短期利用）	0.0	－	0.0	－	－	0.0
地域密着型介護老人福祉施設入所者生活介護	9.1	0.1	0.4	2.1	3.8	2.7
複合型サービス（看護小規模多機能型居宅介護・短期利用以外）	0.6	0.1	0.1	0.1	0.2	0.1
複合型サービス（看護小規模多機能型居宅介護・短期利用）	0.0	0.0	0.0	0.0	－	0.0
施設サービス	140.5	5.5	12.3	31.5	51.1	40.0
介護福祉施設サービス	85.6	1.0	3.6	19.2	34.4	27.4
介護保健施設サービス	48.0	4.4	8.5	11.8	14.2	9.0
特定治療・特別療養費（再掲）	1.4	0.1	0.1	0.2	0.5	0.6
介護療養施設サービス	7.2	0.1	0.2	0.6	2.7	3.6
特定診療費（再掲）	7.1	0.1	0.2	0.6	2.7	3.6

注：総数には、月の途中で要介護から要支援に変更となった者を含む。

統計表第２表　介護サービス受給者数，月・年齢階級・サービス種類・要介護状態区分別（65－61）

（総　　数）

平成30年４月審査分
（単位：千人）

サービス種類	総数	要介護１	要介護２	要介護３	要介護４	要介護５
総数	4 239.4	1 103.0	1 047.4	813.8	735.2	539.9
居宅サービス	2 991.8	944.7	881.6	537.7	380.9	246.8
訪問通所	2 552.5	848.4	784.0	437.3	293.7	189.0
訪問介護	1 007.6	319.7	296.3	166.2	126.9	98.5
訪問入浴介護	65.9	1.7	5.4	8.0	17.9	32.8
訪問看護	436.3	99.8	114.4	76.7	73.7	71.7
訪問リハビリテーション	90.5	17.6	25.2	18.0	16.1	13.6
通所介護	1 134.7	413.4	347.0	195.6	116.4	62.3
通所リハビリテーション	432.4	146.0	142.7	77.8	45.4	20.5
福祉用具貸与	1 683.0	373.1	537.6	343.6	257.5	171.3
短期入所	371.7	61.1	91.8	102.2	73.1	43.4
短期入所生活介護	327.8	54.5	81.2	91.4	64.1	36.5
短期入所療養介護（老健）	45.2	6.6	10.8	11.4	9.4	6.9
特定治療・特別療養費（再掲）	0.3	0.0	0.1	0.1	0.1	0.1
短期入所療養介護（病院等）	2.0	0.3	0.3	0.4	0.4	0.6
特定診療費（再掲）	1.4	0.2	0.2	0.3	0.3	0.4
居宅療養管理指導	684.1	130.5	153.8	139.5	136.8	123.5
特定施設入居者生活介護（短期利用以外）	200.0	52.5	43.9	37.3	39.5	26.8
特定施設入居者生活介護（短期利用）	1.2	0.3	0.4	0.3	0.2	0.1
居宅介護支援	2 650.0	906.5	804.6	454.1	298.6	186.3
地域密着型サービス	848.2	244.1	227.6	174.9	121.6	80.1
定期巡回・随時対応型訪問介護看護	21.2	5.5	5.5	3.9	3.8	2.5
夜間対応型訪問介護	7.8	1.1	2.1	1.6	1.5	1.4
地域密着型通所介護	402.6	155.9	125.2	67.3	35.8	18.4
認知症対応型通所介護	55.7	13.7	14.1	13.7	8.0	6.2
小規模多機能型居宅介護（短期利用以外）	95.5	27.4	25.9	20.4	13.9	7.9
小規模多機能型居宅介護（短期利用）	0.4	0.1	0.1	0.1	0.1	0.0
認知症対応型共同生活介護（短期利用以外）	201.1	38.7	50.8	52.8	35.1	23.7
認知症対応型共同生活介護（短期利用）	0.3	0.1	0.1	0.1	0.0	0.0
地域密着型特定施設入居者生活介護（短期利用以外）	7.4	1.4	1.8	1.6	1.6	1.1
地域密着型特定施設入居者生活介護（短期利用）	0.0	0.0	0.0	0.0	0.0	0.0
地域密着型介護老人福祉施設入所者生活介護	56.4	0.8	2.4	13.9	21.5	17.9
複合型サービス（看護小規模多機能型居宅介護・短期利用以外）	8.6	1.4	1.9	1.7	1.8	1.8
複合型サービス（看護小規模多機能型居宅介護・短期利用）	0.1	0.0	0.0	0.0	0.0	0.0
施設サービス	946.9	52.2	95.4	220.9	313.9	264.4
介護福祉施設サービス	536.4	8.5	24.7	128.5	200.0	174.7
介護保健施設サービス	365.5	43.1	69.5	89.1	98.1	65.7
特定治療・特別療養費（再掲）	10.1	0.4	0.8	1.4	3.4	4.1
介護療養施設サービス	48.5	0.6	1.3	4.1	17.4	24.9
特定診療費（再掲）	48.0	0.6	1.3	4.1	17.3	24.8

注：総数には、月の途中で要介護から要支援に変更となった者を含む。

（40～64歳）

平成30年４月審査分
（単位：千人）

サービス種類	総数	要介護１	要介護２	要介護３	要介護４	要介護５
総数	102.0	21.9	30.0	19.4	15.1	15.6
居宅サービス	86.3	19.7	27.7	16.1	11.5	11.3
訪問通所	80.6	18.8	26.5	14.9	10.4	10.0
訪問介護	31.1	6.7	9.3	5.5	4.2	5.3
訪問入浴介護	3.9	0.1	0.2	0.3	0.8	2.5
訪問看護	18.9	3.7	5.6	3.5	2.8	3.3
訪問リハビリテーション	7.2	1.3	2.2	1.4	1.0	1.3
通所介護	23.0	5.4	7.2	4.7	3.2	2.6
通所リハビリテーション	19.8	5.0	6.9	4.1	2.3	1.5
福祉用具貸与	61.1	10.0	20.5	12.4	9.2	9.1
短期入所	5.7	0.4	1.0	1.4	1.4	1.5
短期入所生活介護	4.5	0.4	0.8	1.1	1.1	1.1
短期入所療養介護（老健）	1.3	0.1	0.2	0.3	0.3	0.4
特定治療・特別療養費（再掲）	0.0	−	−	−	0.0	0.0
短期入所療養介護（病院等）	0.1	0.0	0.0	0.0	0.0	0.0
特定診療費（再掲）	0.0	0.0	0.0	0.0	0.0	0.0
居宅療養管理指導	18.0	2.2	3.7	3.3	3.4	5.5
特定施設入居者生活介護（短期利用以外）	1.9	0.3	0.4	0.3	0.4	0.4
特定施設入居者生活介護（短期利用）	0.0	−	0.0	0.0	0.0	0.0
居宅介護支援	80.6	19.5	26.5	14.8	10.2	9.7
地域密着型サービス	16.0	4.1	4.8	3.2	2.0	1.9
定期巡回・随時対応型訪問介護看護	0.5	0.1	0.1	0.1	0.1	0.1
夜間対応型訪問介護	0.4	0.0	0.1	0.1	0.1	0.1
地域密着型通所介護	10.8	3.1	3.8	2.0	1.1	0.8
認知症対応型通所介護	0.8	0.2	0.1	0.2	0.1	0.2
小規模多機能型居宅介護（短期利用以外）	1.6	0.3	0.4	0.4	0.3	0.2
小規模多機能型居宅介護（短期利用）	0.0	0.0	0.0	0.0	0.0	0.0
認知症対応型共同生活介護（短期利用以外）	1.3	0.3	0.3	0.3	0.2	0.2
認知症対応型共同生活介護（短期利用）	0.0	0.0	−	0.0	−	−
地域密着型特定施設入居者生活介護（短期利用以外）	0.1	0.0	0.0	0.0	0.0	0.0
地域密着型特定施設入居者生活介護（短期利用）	−	−	−	−	−	−
地域密着型介護老人福祉施設入所者生活介護	0.5	0.0	0.0	0.1	0.1	0.2
複合型サービス（看護小規模多機能型居宅介護・短期利用以外）	0.3	0.0	0.0	0.0	0.0	0.1
複合型サービス（看護小規模多機能型居宅介護・短期利用）	0.0	−	0.0	−	−	−
施設サービス	11.6	0.6	1.2	2.6	3.3	3.9
介護福祉施設サービス	4.8	0.1	0.2	1.1	1.5	1.9
介護保健施設サービス	5.9	0.5	0.9	1.4	1.5	1.4
特定治療・特別療養費（再掲）	0.2	0.0	0.0	0.0	0.1	0.1
介護療養施設サービス	1.0	0.0	0.0	0.1	0.3	0.6
特定診療費（再掲）	1.0	0.0	0.0	0.1	0.3	0.6

注：総数には、月の途中で要介護から要支援に変更となった者を含む。

統計表第２表　介護サービス受給者数，月・年齢階級・サービス種類・要介護状態区分別（65－62）

（65～69歳）

平成30年４月審査分
（単位：千人）

サービス種類	総数	要介護１	要介護２	要介護３	要介護４	要介護５
総数	162.9	40.4	45.2	30.5	24.8	21.9
居宅サービス	132.8	35.9	40.9	24.0	17.5	14.5
訪問通所	123.0	33.7	38.9	21.9	15.7	12.7
訪問介護	56.5	16.2	17.0	9.3	7.2	6.8
訪問入浴介護	4.6	0.1	0.3	0.4	1.1	2.8
訪問看護	24.9	5.0	7.0	4.4	4.1	4.4
訪問リハビリテーション	7.4	1.3	2.0	1.5	1.2	1.4
通所介護	40.3	11.4	12.3	7.6	5.3	3.7
通所リハビリテーション	26.8	6.8	9.0	5.6	3.4	1.9
福祉用具貸与	84.2	14.3	27.6	17.5	13.5	11.2
短期入所	10.3	1.1	1.9	2.6	2.4	2.4
短期入所生活介護	8.4	0.9	1.5	2.2	1.9	1.8
短期入所療養介護（老健）	1.9	0.1	0.3	0.4	0.5	0.5
特定治療・特別療養費（再掲）	0.0	－	0.0	0.0	0.0	0.0
短期入所療養介護（病院等）	0.1	0.0	0.0	0.0	0.0	0.0
特定診療費（再掲）	0.1	0.0	0.0	0.0	0.0	0.0
居宅療養管理指導	26.3	4.2	5.6	4.9	5.0	6.6
特定施設入居者生活介護（短期利用以外）	3.5	0.9	0.8	0.7	0.7	0.6
特定施設入居者生活介護（短期利用）	0.0	0.0	0.0	0.0	0.0	0.0
居宅介護支援	124.7	35.2	39.2	22.2	15.6	12.4
地域密着型サービス	27.4	8.0	7.9	5.3	3.4	2.8
定期巡回・随時対応型訪問介護看護	0.8	0.2	0.2	0.1	0.1	0.1
夜間対応型訪問介護	0.5	0.0	0.1	0.1	0.1	0.1
地域密着型通所介護	17.6	5.8	5.9	3.2	1.7	1.1
認知症対応型通所介護	1.8	0.4	0.3	0.4	0.3	0.3
小規模多機能型居宅介護（短期利用以外）	2.7	0.7	0.7	0.5	0.4	0.3
小規模多機能型居宅介護（短期利用）	0.0	－	0.0	0.0	0.0	0.0
認知症対応型共同生活介護（短期利用以外）	3.1	0.9	0.7	0.7	0.4	0.4
認知症対応型共同生活介護（短期利用）	0.0	0.0	0.0	－	－	－
地域密着型特定施設入居者生活介護（短期利用以外）	0.1	0.0	0.0	0.0	0.0	0.0
地域密着型特定施設入居者生活介護（短期利用）	－	－	－	－	－	－
地域密着型介護老人福祉施設入所者生活介護	1.0	0.0	0.0	0.2	0.3	0.4
複合型サービス(看護小規模多機能型居宅介護・短期利用以外)	0.3	0.0	0.1	0.1	0.1	0.1
複合型サービス(看護小規模多機能型居宅介護・短期利用)	0.0	－	－	0.0	0.0	－
施設サービス	22.0	1.3	2.3	5.0	6.6	6.8
介護福祉施設サービス	11.2	0.2	0.6	2.6	3.7	4.1
介護保健施設サービス	9.4	1.1	1.6	2.3	2.5	2.0
特定治療・特別療養費（再掲）	0.3	0.0	0.0	0.0	0.1	0.1
介護療養施設サービス	1.5	0.0	0.0	0.1	0.5	0.8
特定診療費（再掲）	1.5	0.0	0.0	0.1	0.5	0.8

注：総数には、月の途中で要介護から要支援に変更となった者を含む。

（70～74歳）

平成30年４月審査分
（単位：千人）

サービス種類	総数	要介護１	要介護２	要介護３	要介護４	要介護５
総数	268.1	70.2	72.9	49.9	41.6	33.5
居宅サービス	211.8	61.1	64.9	38.2	27.6	20.1
訪問通所	194.0	57.0	61.1	34.2	24.3	17.5
訪問介護	81.6	24.0	24.6	13.6	10.4	9.0
訪問入浴介護	6.0	0.1	0.4	0.7	1.5	3.3
訪問看護	37.6	8.2	10.3	6.8	6.2	6.1
訪問リハビリテーション	10.4	1.7	3.0	2.1	1.9	1.7
通所介護	70.4	22.4	21.1	12.9	8.5	5.5
通所リハビリテーション	41.5	11.2	13.7	8.3	5.5	2.7
福祉用具貸与	132.4	24.2	43.4	27.4	21.5	15.9
短期入所	18.5	2.2	3.5	5.0	4.4	3.4
短期入所生活介護	15.4	1.9	3.0	4.3	3.6	2.7
短期入所療養介護（老健）	3.2	0.3	0.5	0.8	0.9	0.8
特定治療・特別療養費（再掲）	0.0	－	0.0	0.0	0.0	0.0
短期入所療養介護（病院等）	0.1	0.0	0.0	0.0	0.0	0.1
特定診療費（再掲）	0.1	0.0	0.0	0.0	0.0	0.0
居宅療養管理指導	41.7	7.2	9.1	8.1	8.2	9.2
特定施設入居者生活介護（短期利用以外）	6.6	1.8	1.5	1.3	1.2	1.0
特定施設入居者生活介護（短期利用）	0.1	0.0	0.0	0.0	0.0	0.0
居宅介護支援	199.6	60.9	62.3	35.0	24.3	17.1
地域密着型サービス	48.7	15.4	13.7	9.3	5.9	4.3
定期巡回・随時対応型訪問介護看護	1.2	0.3	0.3	0.2	0.2	0.2
夜間対応型訪問介護	0.7	0.1	0.2	0.2	0.2	0.2
地域密着型通所介護	29.8	10.9	9.6	5.0	2.8	1.6
認知症対応型通所介護	3.5	0.9	0.8	0.8	0.5	0.5
小規模多機能型居宅介護（短期利用以外）	4.7	1.6	1.1	0.9	0.6	0.5
小規模多機能型居宅介護（短期利用）	0.0	0.0	0.0	0.0	0.0	0.0
認知症対応型共同生活介護（短期利用以外）	6.6	1.7	1.7	1.7	0.9	0.7
認知症対応型共同生活介護（短期利用）	0.0	0.0	0.0	0.0	0.0	－
地域密着型特定施設入居者生活介護（短期利用以外）	0.2	0.0	0.1	0.1	0.0	0.0
地域密着型特定施設入居者生活介護（短期利用）	0.0	－	0.0	－	－	0.0
地域密着型介護老人福祉施設入所者生活介護	1.9	0.0	0.1	0.5	0.6	0.6
複合型サービス(看護小規模多機能型居宅介護・短期利用以外)	0.6	0.1	0.1	0.1	0.1	0.1
複合型サービス(看護小規模多機能型居宅介護・短期利用)	0.0	0.0	－	0.0	0.0	0.0
施設サービス	40.9	2.4	4.1	9.3	12.7	12.5
介護福祉施設サービス	22.3	0.5	1.2	5.3	7.6	7.7
介護保健施設サービス	16.3	1.8	2.8	3.8	4.4	3.4
特定治療・特別療養費（再掲）	0.5	0.0	0.0	0.1	0.2	0.2
介護療養施設サービス	2.5	0.0	0.1	0.2	0.8	1.4
特定診療費（再掲）	2.5	0.0	0.1	0.2	0.8	1.4

注：総数には、月の途中で要介護から要支援に変更となった者を含む。

統計表第２表　介護サービス受給者数，月・年齢階級・サービス種類・要介護状態区分別（65－63）

（75〜79歳）

平成30年４月審査分
（単位：千人）

サービス種類	総数	要介護１	要介護２	要介護３	要介護４	要介護５
総数	474.8	136.8	123.2	87.0	71.8	55.9
居宅サービス	360.0	117.3	107.4	63.1	43.1	29.1
訪問通所	324.0	109.0	99.4	54.9	36.5	24.2
訪問介護	129.8	41.6	39.0	21.1	15.5	12.6
訪問入浴介護	8.0	0.2	0.6	0.9	2.1	4.2
訪問看護	56.8	13.9	15.2	9.9	9.0	8.8
訪問リハビリテーション	13.3	2.4	3.7	2.8	2.4	2.0
通所介護	132.8	49.4	38.9	22.8	13.8	8.0
通所リハビリテーション	63.8	20.1	20.7	12.0	7.5	3.5
福祉用具貸与	211.0	45.0	68.7	43.1	32.1	22.1
短期入所	34.5	5.0	7.2	9.4	7.4	5.5
短期入所生活介護	29.4	4.5	6.1	8.2	6.3	4.3
短期入所療養介護（老健）	5.2	0.6	1.1	1.3	1.2	1.1
特定治療・特別療養費（再掲）	0.0	0.0	0.0	0.0	0.0	0.0
短期入所療養介護（病院等）	0.2	0.0	0.0	0.0	0.0	0.1
特定診療費（再掲）	0.2	0.0	0.0	0.0	0.0	0.1
居宅療養管理指導	70.7	13.5	16.0	14.0	13.4	13.9
特定施設入居者生活介護（短期利用以外）	13.1	3.5	2.9	2.4	2.4	1.9
特定施設入居者生活介護（短期利用）	0.1	0.0	0.0	0.0	0.0	0.0
居宅介護支援	337.5	118.0	102.1	56.7	36.9	23.9
地域密着型サービス	94.2	31.9	25.9	17.9	10.8	7.6
定期巡回・随時対応型訪問介護看護	2.1	0.6	0.5	0.4	0.4	0.2
夜間対応型訪問介護	1.0	0.1	0.3	0.2	0.2	0.2
地域密着型通所介護	53.1	21.9	16.3	8.5	4.3	2.3
認知症対応型通所介護	7.1	2.0	1.8	1.7	0.9	0.8
小規模多機能型居宅介護（短期利用以外）	9.8	3.1	2.6	2.0	1.3	0.8
小規模多機能型居宅介護（短期利用）	0.0	0.0	0.0	0.0	0.0	0.0
認知症対応型共同生活介護（短期利用以外）	16.4	4.1	4.2	4.1	2.3	1.7
認知症対応型共同生活介護（短期利用）	0.0	0.0	0.0	0.0	0.0	0.0
地域密着型特定施設入居者生活介護（短期利用以外）	0.5	0.1	0.1	0.1	0.1	0.1
地域密着型特定施設入居者生活介護（短期利用）	0.0	－	0.0	－	－	－
地域密着型介護老人福祉施設入所者生活介護	4.0	0.1	0.2	1.0	1.4	1.4
複合型サービス（看護小規模多機能型居宅介護・短期利用以外）	1.1	0.2	0.2	0.2	0.2	0.2
複合型サービス（看護小規模多機能型居宅介護・短期利用）	0.0	0.0	0.0	0.0	0.0	0.0
施設サービス	81.9	4.6	7.9	18.8	26.0	24.6
介護福祉施設サービス	46.0	0.9	2.3	10.9	16.1	15.8
介護保健施設サービス	31.9	3.7	5.5	7.6	8.6	6.5
特定治療・特別療養費（再掲）	0.9	0.0	0.1	0.1	0.3	0.4
介護療養施設サービス	4.4	0.0	0.1	0.3	1.5	2.4
特定診療費（再掲）	4.4	0.0	0.1	0.3	1.5	2.4

注：総数には、月の途中で要介護から要支援に変更となった者を含む。

（80〜84歳）

平成30年４月審査分
（単位：千人）

サービス種類	総数	要介護１	要介護２	要介護３	要介護４	要介護５
総数	856.1	259.3	216.6	154.5	129.7	96.0
居宅サービス	625.0	221.7	184.4	105.3	69.6	44.0
訪問通所	545.6	203.0	166.5	86.8	55.1	34.1
訪問介護	219.5	76.9	65.5	34.5	24.5	18.1
訪問入浴介護	10.4	0.3	0.9	1.2	2.8	5.2
訪問看護	88.7	24.0	24.2	14.8	13.1	12.6
訪問リハビリテーション	17.5	3.7	4.9	3.5	3.0	2.3
通所介護	245.8	100.0	73.6	38.7	21.7	11.8
通所リハビリテーション	94.6	34.8	30.8	16.0	9.1	3.9
福祉用具貸与	341.1	84.4	111.2	66.7	47.9	30.9
短期入所	66.0	11.5	15.5	18.5	12.8	7.7
短期入所生活介護	58.0	10.2	13.7	16.4	11.1	6.5
短期入所療養介護（老健）	8.4	1.3	1.9	2.2	1.8	1.2
特定治療・特別療養費（再掲）	0.1	0.0	0.0	0.0	0.0	0.0
短期入所療養介護（病院等）	0.3	0.1	0.1	0.1	0.1	0.1
特定診療費（再掲）	0.2	0.0	0.0	0.0	0.0	0.1
居宅療養管理指導	128.8	27.1	29.9	26.2	23.8	21.7
特定施設入居者生活介護（短期利用以外）	31.9	8.9	7.0	5.9	5.8	4.3
特定施設入居者生活介護（短期利用）	0.2	0.1	0.1	0.0	0.0	0.0
居宅介護支援	571.0	219.0	171.7	90.6	56.1	33.6
地域密着型サービス	181.4	61.0	49.6	35.1	21.5	14.3
定期巡回・随時対応型訪問介護看護	4.1	1.2	1.1	0.7	0.7	0.5
夜間対応型訪問介護	1.6	0.3	0.4	0.3	0.3	0.3
地域密着型通所介護	92.0	39.7	28.1	14.0	6.8	3.4
認知症対応型通所介護	13.2	3.9	3.4	3.2	1.5	1.2
小規模多機能型居宅介護（短期利用以外）	20.5	6.7	5.6	4.2	2.6	1.4
小規模多機能型居宅介護（短期利用）	0.1	0.0	0.0	0.0	0.0	0.0
認知症対応型共同生活介護（短期利用以外）	39.9	9.0	10.4	10.3	6.0	4.2
認知症対応型共同生活介護（短期利用）	0.1	0.0	0.0	0.0	0.0	0.0
地域密着型特定施設入居者生活介護（短期利用以外）	1.1	0.2	0.3	0.2	0.2	0.1
地域密着型特定施設入居者生活介護（短期利用）	0.0	0.0	－	0.0	－	0.0
地域密着型介護老人福祉施設入所者生活介護	9.1	0.1	0.4	2.3	3.3	3.0
複合型サービス（看護小規模多機能型居宅介護・短期利用以外）	1.8	0.4	0.4	0.4	0.3	0.3
複合型サービス（看護小規模多機能型居宅介護・短期利用）	0.0	0.0	0.0	0.0	0.0	0.0
施設サービス	165.7	10.0	16.5	38.4	53.6	47.3
介護福祉施設サービス	92.5	1.7	4.2	22.0	33.5	31.2
介護保健施設サービス	65.6	8.2	12.1	15.8	17.5	12.0
特定治療・特別療養費（再掲）	1.7	0.1	0.1	0.2	0.6	0.7
介護療養施設サービス	8.3	0.1	0.2	0.7	2.9	4.3
特定診療費（再掲）	8.2	0.1	0.2	0.7	2.9	4.3

注：総数には、月の途中で要介護から要支援に変更となった者を含む。

統計表第２表　介護サービス受給者数，月・年齢階級・サービス種類・要介護状態区分別（65－64）

（85～89歳）

平成30年４月審査分
（単位：千人）

サービス種類	総数	要介護１	要介護２	要介護３	要介護４	要介護５
総数	1 124.7	319.1	279.8	210.9	184.4	130.5
居宅サービス	788.1	273.5	232.7	136.0	91.6	54.4
訪問通所	659.1	243.2	202.9	106.7	67.5	38.8
訪問介護	262.5	91.1	78.2	41.8	30.4	21.0
訪問入浴介護	11.9	0.4	1.1	1.6	3.4	5.5
訪問看護	102.3	26.1	27.6	17.5	16.3	14.7
訪問リハビリテーション	18.4	4.2	5.2	3.5	3.2	2.2
通所介護	318.0	126.8	98.0	51.2	28.5	13.6
通所リハビリテーション	103.6	40.3	34.1	16.8	9.0	3.4
福祉用具貸与	417.3	106.2	135.3	82.1	58.6	35.1
短期入所	101.1	18.9	26.8	27.9	18.1	9.5
短期入所生活介護	90.2	16.9	23.8	25.1	16.2	8.2
短期入所療養介護（老健）	11.3	2.0	3.0	2.9	2.1	1.3
特定治療・特別療養費（再掲）	0.1	0.0	0.0	0.0	0.0	0.0
短期入所療養介護（病院等）	0.4	0.1	0.1	0.1	0.1	0.1
特定診療費（再掲）	0.3	0.0	0.0	0.1	0.1	0.1
居宅療養管理指導	183.3	39.3	43.2	37.7	34.7	28.3
特定施設入居者生活介護（短期利用以外）	60.0	17.0	13.5	10.8	11.1	7.4
特定施設入居者生活介護（短期利用）	0.4	0.1	0.1	0.1	0.0	0.0
居宅介護支援	687.5	259.6	208.9	111.7	68.9	38.5
地域密着型サービス	239.2	71.8	65.2	48.8	32.6	20.8
定期巡回・随時対応型訪問介護看護	6.2	1.7	1.7	1.1	1.0	0.6
夜間対応型訪問介護	1.9	0.3	0.6	0.4	0.3	0.3
地域密着型通所介護	107.7	44.4	33.4	17.0	8.8	4.2
認知症対応型通所介護	15.5	4.0	4.3	3.7	2.0	1.4
小規模多機能型居宅介護（短期利用以外）	28.3	8.5	7.9	5.9	3.9	2.0
小規模多機能型居宅介護（短期利用）	0.1	0.0	0.0	0.0	0.0	0.0
認知症対応型共同生活介護（短期利用以外）	62.3	12.4	16.5	16.3	10.2	6.9
認知症対応型共同生活介護（短期利用）	0.1	0.0	0.0	0.0	0.0	0.0
地域密着型特定施設入居者生活介護（短期利用以外）	2.2	0.4	0.5	0.5	0.4	0.3
地域密着型特定施設入居者生活介護（短期利用）	0.0	0.0	0.0	0.0	0.0	0.0
地域密着型介護老人福祉施設入所者生活介護	15.5	0.2	0.7	3.8	5.9	4.9
複合型サービス(看護小規模多機能型居宅介護・短期利用以外)	2.2	0.4	0.5	0.5	0.5	0.4
複合型サービス(看護小規模多機能型居宅介護・短期利用)	0.0	0.0	0.0	0.0	0.0	0.0
施設サービス	250.3	14.8	26.4	59.2	81.6	68.2
介護福祉施設サービス	139.9	2.2	6.4	34.2	51.8	45.3
介護保健施設サービス	98.8	12.5	19.7	24.2	25.7	16.8
特定治療・特別療養費（再掲）	2.6	0.1	0.2	0.4	0.9	1.1
介護療養施設サービス	12.5	0.2	0.4	1.1	4.5	6.4
特定診療費（再掲）	12.4	0.2	0.3	1.1	4.5	6.3

注：総数には、月の途中で要介護から要支援に変更となった者を含む。

（90～94歳）

平成30年４月審査分
（単位：千人）

サービス種類	総数	要介護１	要介護２	要介護３	要介護４	要介護５
総数	862.8	198.7	204.5	176.7	168.0	114.8
居宅サービス	566.1	168.8	165.3	107.6	78.2	46.1
訪問通所	454.5	144.9	140.3	81.9	55.1	32.2
訪問介護	168.4	50.9	48.4	29.2	23.5	16.5
訪問入浴介護	11.8	0.4	1.1	1.6	3.5	5.2
訪問看護	73.3	14.8	18.0	13.3	14.0	13.2
訪問リハビリテーション	12.0	2.4	3.2	2.4	2.3	1.7
通所介護	223.3	77.4	71.3	40.2	23.4	10.9
通所リハビリテーション	63.3	22.4	21.3	11.1	6.1	2.4
福祉用具貸与	307.0	68.6	95.9	64.8	48.5	29.2
短期入所	92.1	16.3	25.3	25.2	16.9	8.3
短期入所生活介護	82.7	14.6	22.6	22.9	15.2	7.3
短期入所療養介護（老健）	9.7	1.7	2.7	2.4	1.8	1.1
特定治療・特別療養費（再掲）	0.1	0.0	0.0	0.0	0.0	0.0
短期入所療養介護（病院等）	0.4	0.1	0.1	0.1	0.1	0.1
特定診療費（再掲）	0.3	0.1	0.1	0.1	0.1	0.1
居宅療養管理指導	147.8	28.2	33.4	31.0	31.1	24.1
特定施設入居者生活介護（短期利用以外）	56.6	14.9	12.5	10.8	11.4	7.1
特定施設入居者生活介護（短期利用）	0.3	0.1	0.1	0.1	0.0	0.0
居宅介護支援	472.2	153.6	144.3	85.7	56.7	32.0
地域密着型サービス	173.3	41.5	45.5	38.9	29.3	18.1
定期巡回・随時対応型訪問介護看護	4.7	1.1	1.3	0.9	0.9	0.5
夜間対応型訪問介護	1.3	0.2	0.4	0.3	0.2	0.2
地域密着型通所介護	69.1	24.5	21.7	12.7	7.0	3.3
認知症対応型通所介護	10.1	1.9	2.6	2.7	1.8	1.2
小規模多機能型居宅介護（短期利用以外）	20.2	5.2	5.7	4.6	3.1	1.7
小規模多機能型居宅介護（短期利用）	0.1	0.0	0.0	0.0	0.0	0.0
認知症対応型共同生活介護（短期利用以外）	50.2	8.1	12.6	13.6	9.7	6.2
認知症対応型共同生活介護（短期利用）	0.1	0.0	0.0	0.0	0.0	0.0
地域密着型特定施設入居者生活介護（短期利用以外）	2.2	0.4	0.6	0.5	0.5	0.3
地域密着型特定施設入居者生活介護（短期利用）	0.0	0.0	0.0	－	－	0.0
地域密着型介護老人福祉施設入所者生活介護	15.3	0.2	0.7	3.8	6.0	4.6
複合型サービス(看護小規模多機能型居宅介護・短期利用以外)	1.7	0.3	0.4	0.4	0.4	0.3
複合型サービス(看護小規模多機能型居宅介護・短期利用)	0.0	0.0	0.0	0.0	0.0	0.0
施設サービス	233.8	12.8	24.7	56.0	78.9	61.3
介護福祉施設サービス	134.1	1.9	6.1	33.1	51.4	41.4
介護保健施設サービス	89.3	10.7	18.3	22.1	23.7	14.5
特定治療・特別療養費（再掲）	2.4	0.1	0.2	0.4	0.8	0.9
介護療養施設サービス	11.2	0.2	0.3	1.0	4.1	5.6
特定診療費（再掲）	11.1	0.1	0.3	1.0	4.1	5.5

注：総数には、月の途中で要介護から要支援に変更となった者を含む。

統計表第２表　介護サービス受給者数，月・年齢階級・サービス種類・要介護状態区分別（65－65）

（95歳以上）

平成30年４月審査分
（単位：千人）

サービス種類	総数	要介護１	要介護２	要介護３	要介護４	要介護５
総数	388.1	56.5	75.2	84.9	99.7	71.7
居宅サービス	221.7	46.7	58.2	47.5	41.9	27.4
訪問通所	171.7	38.7	48.4	36.0	29.3	19.4
訪問介護	58.2	12.3	14.3	11.1	11.2	9.3
訪問入浴介護	9.2	0.2	0.8	1.3	2.7	4.2
訪問看護	34.0	4.0	6.6	6.5	8.2	8.8
訪問リハビリテーション	4.3	0.6	1.0	0.9	1.0	0.8
通所介護	81.0	20.7	24.7	17.4	12.0	6.2
通所リハビリテーション	19.2	5.4	6.2	3.9	2.5	1.1
福祉用具貸与	128.8	20.2	34.9	29.6	26.3	17.8
短期入所	43.4	5.7	10.7	12.2	9.6	5.1
短期入所生活介護	39.2	5.1	9.7	11.2	8.7	4.5
短期入所療養介護（老健）	4.2	0.6	1.1	1.1	0.9	0.6
特定治療・特別療養費（再掲）	0.0	0.0	0.0	0.0	0.0	0.0
短期入所療養介護（病院等）	0.3	0.0	0.0	0.0	0.1	0.1
特定診療費（再掲）	0.2	0.0	0.0	0.0	0.0	0.0
居宅療養管理指導	67.5	8.8	13.0	14.2	17.3	14.1
特定施設入居者生活介護（短期利用以外）	26.4	5.3	5.3	5.2	6.5	4.1
特定施設入居者生活介護（短期利用）	0.1	0.0	0.0	0.0	0.0	0.0
居宅介護支援	176.8	40.8	49.6	37.4	30.0	19.1
地域密着型サービス	67.9	10.4	14.8	16.3	16.0	10.4
定期巡回・随時対応型訪問介護看護	1.8	0.3	0.4	0.3	0.4	0.3
夜間対応型訪問介護	0.5	0.1	0.1	0.1	0.1	0.1
地域密着型通所介護	22.4	5.7	6.6	4.9	3.5	1.8
認知症対応型通所介護	3.7	0.4	0.8	1.0	0.8	0.6
小規模多機能型居宅介護（短期利用以外）	7.7	1.3	1.9	1.9	1.6	1.0
小規模多機能型居宅介護（短期利用）	0.0	0.0	0.0	0.0	0.0	0.0
認知症対応型共同生活介護（短期利用以外）	21.4	2.3	4.4	5.6	5.4	3.6
認知症対応型共同生活介護（短期利用）	0.0	0.0	0.0	0.0	0.0	0.0
地域密着型特定施設入居者生活介護（短期利用以外）	1.0	0.1	0.2	0.2	0.2	0.2
地域密着型特定施設入居者生活介護（短期利用）	0.0	-	0.0	-	-	-
地域密着型介護老人福祉施設入所者生活介護	9.2	0.1	0.4	2.2	3.8	2.7
複合型サービス(看護小規模多機能型居宅介護・短期利用以外)	0.7	0.1	0.1	0.2	0.2	0.2
複合型サービス(看護小規模多機能型居宅介護・短期利用)	0.0	0.0	0.0	0.0	0.0	0.0
施設サービス	140.7	5.6	12.3	31.7	51.3	39.8
介護福祉施設サービス	85.6	1.0	3.6	19.3	34.5	27.3
介護保健施設サービス	48.4	4.5	8.6	11.9	14.3	9.1
特定治療・特別療養費（再掲）	1.5	0.1	0.1	0.2	0.5	0.6
介護療養施設サービス	7.1	0.1	0.2	0.6	2.7	3.5
特定診療費（再掲）	7.0	0.1	0.2	0.6	2.7	3.5

注：総数には、月の途中で要介護から要支援に変更となった者を含む。

統計表第３表　受給者数，月・性・年齢階級・要介護（要支援）状態区分別（７－１）

平成29年５月審査分～平成30年４月審査分
（単位：千人）

性・年齢階級	総数	介護予防サービス		介護サービス				
		要支援1	要支援2	要介護1	要介護2	要介護3	要介護4	要介護5
受給者総数	60 424.1	3 984.0	5 720.9	13 177.5	12 558.6	9 727.3	8 746.7	6 509.0
40 ～ 64歳	1 491.0	75.1	170.8	266.1	366.8	237.2	187.0	187.9
65 ～ 69	2 475.1	168.5	274.7	505.1	564.8	379.8	309.0	273.1
70 ～ 74	3 954.6	309.9	445.0	841.0	866.7	596.6	493.6	401.8
75 ～ 79	7 237.4	641.3	819.9	1 660.7	1 504.4	1 055.9	871.9	683.3
80 ～ 84	12 934.3	1 115.8	1 437.5	3 136.2	2 630.5	1 874.8	1 568.2	1 171.3
85 ～ 89	16 085.0	1 104.7	1 571.6	3 789.7	3 338.6	2 522.6	2 187.0	1 570.8
90 ～ 94	11 478.4	484.5	825.3	2 331.0	2 411.1	2 078.1	1 973.4	1 375.0
95歳以上	4 768.3	84.3	176.1	647.7	875.7	982.2	1 156.5	845.8
男	18 383.6	1 112.3	1 503.3	4 173.4	4 252.7	3 182.4	2 490.8	1 668.7
40 ～ 64歳	852.2	41.9	91.6	158.5	213.8	141.3	104.7	100.4
65 ～ 69	1 364.8	79.9	128.2	282.0	327.0	226.9	175.9	144.8
70 ～ 74	1 921.5	114.3	169.5	407.3	457.0	326.1	254.0	193.3
75 ～ 79	2 898.2	180.0	240.0	650.5	679.4	491.2	384.4	272.7
80 ～ 84	4 121.4	267.9	331.6	987.4	938.2	695.4	542.6	358.3
85 ～ 89	4 177.9	271.6	331.0	1 017.3	940.9	720.4	556.9	339.8
90 ～ 94	2 378.3	133.6	175.2	545.3	543.7	440.5	347.7	192.3
95歳以上	669.2	23.0	36.2	125.1	152.7	140.6	124.6	67.0
女	42 040.4	2 871.8	4 217.6	9 004.1	8 305.9	6 545.0	6 255.9	4 840.3
40 ～ 64歳	638.8	33.2	79.2	107.6	153.0	95.9	82.4	87.4
65 ～ 69	1 110.3	88.6	146.5	223.1	237.8	152.9	133.1	128.3
70 ～ 74	2 033.1	195.5	275.5	433.7	409.7	270.6	239.6	208.5
75 ～ 79	4 339.2	461.3	579.9	1 010.3	825.0	564.8	487.4	410.6
80 ～ 84	8 812.9	847.9	1 105.9	2 148.8	1 692.3	1 179.3	1 025.7	813.0
85 ～ 89	11 907.1	833.1	1 240.6	2 772.4	2 397.7	1 802.2	1 630.0	1 231.1
90 ～ 94	9 100.1	350.9	650.1	1 785.7	1 867.4	1 637.6	1 625.7	1 182.7
95歳以上	4 099.0	61.3	139.9	522.6	723.0	841.6	1 031.9	778.8

平成29年５月審査分
（単位：千人）

性・年齢階級	総数	介護予防サービス		介護サービス				
		要支援1	要支援2	要介護1	要介護2	要介護3	要介護4	要介護5
受給者総数	5 074.2	397.9	525.6	1 073.2	1 028.9	796.6	715.6	536.5
40 ～ 64歳	125.2	7.0	14.9	21.9	30.7	19.6	15.7	15.5
65 ～ 69	215.3	17.4	25.8	42.5	48.1	32.2	26.1	23.1
70 ～ 74	330.5	30.9	40.3	68.1	69.9	48.6	40.0	32.7
75 ～ 79	617.7	64.9	75.9	136.3	124.4	87.2	72.2	56.7
80 ～ 84	1 104.8	113.6	134.4	257.4	217.6	155.1	129.5	97.4
85 ～ 89	1 345.1	109.5	144.0	306.7	271.7	205.8	178.1	129.1
90 ～ 94	945.9	46.8	74.7	188.2	195.2	168.5	159.8	112.7
95歳以上	389.7	7.8	15.6	52.1	71.3	79.5	94.2	69.2
男	1 534.7	110.5	136.9	338.2	347.5	260.8	203.6	137.2
40 ～ 64歳	71.5	3.9	8.0	13.0	17.8	11.7	8.7	8.4
65 ～ 69	118.1	8.3	12.1	23.8	27.7	19.3	14.8	12.2
70 ～ 74	158.8	11.4	15.2	32.7	36.9	26.5	20.5	15.7
75 ～ 79	244.2	18.1	22.1	53.2	55.9	40.5	31.9	22.5
80 ～ 84	346.5	27.0	30.5	80.4	76.9	57.4	44.6	29.7
85 ～ 89	346.8	26.9	30.2	81.7	76.4	58.8	45.1	27.7
90 ～ 94	193.7	12.7	15.6	43.4	43.4	35.1	27.9	15.6
95歳以上	55.2	2.1	3.2	10.1	12.5	11.5	10.1	5.5
女	3 539.5	287.4	388.8	735.0	681.3	535.7	512.0	399.3
40 ～ 64歳	53.7	3.1	6.9	8.9	12.9	7.9	6.9	7.2
65 ～ 69	97.2	9.1	13.8	18.8	20.4	12.9	11.3	10.9
70 ～ 74	171.7	19.5	25.1	35.4	33.0	22.1	19.5	17.0
75 ～ 79	373.5	46.8	53.8	83.2	68.5	46.7	40.3	34.2
80 ～ 84	758.3	86.6	103.8	177.0	140.7	97.6	84.8	67.7
85 ～ 89	998.3	82.6	113.9	225.0	195.3	147.1	133.1	101.4
90 ～ 94	752.3	34.1	59.1	144.8	151.7	133.4	132.0	97.2
95歳以上	334.5	5.7	12.3	41.9	58.8	68.0	84.1	63.7

統計表第3表　受給者数，月・性・年齢階級・要介護（要支援）状態区分別（7－2）

平成29年６月審査分
（単位：千人）

性・年齢階級	総数	介護予防サービス		介護サービス				
		要支援1	要支援2	要介護1	要介護2	要介護3	要介護4	要介護5
受給者総数	5 130.7	391.2	524.6	1 089.9	1 044.1	810.3	726.8	543.8
40 ～ 64歳	126.7	7.0	14.9	22.3	31.0	20.0	15.8	15.7
65 ～ 69	216.8	17.1	25.8	43.0	48.5	32.7	26.5	23.3
70 ～ 74	335.0	30.4	40.5	69.3	71.2	49.6	40.8	33.2
75 ～ 79	624.4	63.6	76.0	138.7	126.7	88.5	73.3	57.6
80 ～ 84	1 114.5	111.2	133.8	261.4	220.3	157.7	131.4	98.6
85 ～ 89	1 362.0	107.8	143.6	312.1	276.5	209.7	181.4	131.0
90 ～ 94	958.0	46.2	74.6	190.6	198.0	171.5	162.6	114.4
95歳以上	393.2	7.8	15.5	52.6	71.8	80.6	95.1	69.9
男	1 553.7	108.9	136.6	344.0	352.9	265.0	206.9	139.2
40 ～ 64歳	72.5	3.9	8.0	13.3	18.1	11.9	8.8	8.4
65 ～ 69	119.0	8.2	12.1	24.0	27.9	19.5	15.0	12.4
70 ～ 74	161.1	11.3	15.3	33.3	37.5	27.0	20.9	15.9
75 ～ 79	247.3	17.8	22.1	54.0	57.0	41.1	32.3	22.8
80 ～ 84	350.2	26.5	30.4	81.8	77.7	58.4	45.3	30.1
85 ～ 89	351.7	26.5	30.0	83.3	78.0	59.8	45.9	28.2
90 ～ 94	196.5	12.6	15.7	44.0	44.0	35.7	28.5	15.9
95歳以上	55.5	2.1	3.2	10.2	12.7	11.6	10.2	5.6
女	3 577.0	282.3	387.9	745.9	691.1	545.3	519.9	404.6
40 ～ 64歳	54.2	3.1	6.9	9.0	13.0	8.0	7.0	7.3
65 ～ 69	97.8	8.9	13.7	19.0	20.6	13.2	11.5	10.9
70 ～ 74	173.9	19.1	25.2	36.0	33.7	22.6	19.9	17.3
75 ～ 79	377.1	45.8	53.8	84.7	69.6	47.4	41.0	34.8
80 ～ 84	764.4	84.8	103.4	179.6	142.5	99.3	86.2	68.6
85 ～ 89	1 010.3	81.2	113.6	228.7	198.5	149.9	135.5	102.8
90 ～ 94	761.5	33.6	58.9	146.5	154.0	135.8	134.1	98.6
95歳以上	337.8	5.8	12.3	42.4	59.2	69.0	84.8	64.4

平成29年７月審査分
（単位：千人）

性・年齢階級	総数	介護予防サービス		介護サービス				
		要支援1	要支援2	要介護1	要介護2	要介護3	要介護4	要介護5
受給者総数	5 093.1	376.6	510.6	1 089.2	1 041.3	807.5	725.9	542.0
40 ～ 64歳	125.6	6.7	14.7	22.1	30.8	19.9	15.8	15.6
65 ～ 69	213.4	16.3	24.9	42.7	48.0	32.3	26.1	23.2
70 ～ 74	332.7	29.1	39.4	69.4	71.3	49.5	40.7	33.3
75 ～ 79	619.6	61.3	73.8	138.9	126.2	88.4	73.4	57.6
80 ～ 84	1 104.3	106.9	129.9	261.2	219.7	157.0	131.6	98.0
85 ～ 89	1 354.1	104.1	140.1	312.1	276.0	209.4	181.4	130.8
90 ～ 94	953.0	44.6	72.7	190.5	197.8	170.9	162.5	114.0
95歳以上	390.4	7.5	15.1	52.4	71.4	80.2	94.3	69.5
男	1 544.6	104.9	133.2	344.3	351.9	264.2	207.0	139.1
40 ～ 64歳	71.8	3.8	7.9	13.1	17.9	11.9	8.9	8.4
65 ～ 69	117.1	7.7	11.6	23.8	27.7	19.3	14.8	12.3
70 ～ 74	160.6	10.8	14.9	33.5	37.5	27.0	20.9	16.1
75 ～ 79	245.8	17.2	21.4	54.1	56.7	41.0	32.3	22.9
80 ～ 84	348.2	25.5	29.7	81.9	77.8	58.0	45.5	29.8
85 ～ 89	350.3	25.7	29.3	83.6	77.7	59.8	46.0	28.2
90 ～ 94	195.7	12.2	15.3	44.2	44.1	35.8	28.5	15.9
95歳以上	55.0	2.0	3.1	10.1	12.6	11.5	10.2	5.5
女	3 548.5	271.7	377.5	745.0	689.4	543.3	518.9	402.9
40 ～ 64歳	53.8	2.9	6.8	9.0	12.9	8.0	6.9	7.3
65 ～ 69	96.3	8.5	13.3	18.9	20.3	13.0	11.3	10.9
70 ～ 74	172.1	18.4	24.5	36.0	33.8	22.5	19.8	17.2
75 ～ 79	373.8	44.1	52.4	84.8	69.5	47.4	41.1	34.6
80 ～ 84	756.1	81.4	100.2	179.3	141.9	99.0	86.1	68.2
85 ～ 89	1 003.7	78.5	110.8	228.4	198.4	149.6	135.5	102.6
90 ～ 94	757.2	32.4	57.4	146.3	153.8	135.1	134.1	98.2
95歳以上	335.4	5.5	12.0	42.3	58.8	68.7	84.2	64.0

統計表第３表　受給者数，月・性・年齢階級・要介護（要支援）状態区分別（７－３）

平成29年８月審査分
（単位：千人）

性・年齢階級	総数	介護予防サービス		介護サービス				
		要支援1	要支援2	要介護1	要介護2	要介護3	要介護4	要介護5
受給者総数	5 084.4	363.4	501.1	1 094.6	1 045.0	810.3	727.5	542.5
40 ～ 64歳	125.8	6.6	14.5	22.3	30.9	19.9	15.8	15.8
65 ～ 69	211.9	15.5	24.3	42.7	47.9	32.3	26.1	23.1
70 ～ 74	332.5	28.1	38.6	69.8	72.0	49.7	40.9	33.5
75 ～ 79	616.9	58.9	72.4	139.2	126.8	88.8	73.4	57.5
80 ～ 84	1 098.8	102.7	127.0	262.1	219.9	157.3	131.5	98.3
85 ～ 89	1 351.7	100.6	137.7	313.8	276.9	210.1	181.8	130.8
90 ～ 94	954.9	43.5	71.6	191.9	199.1	171.7	163.2	114.0
95歳以上	391.9	7.4	15.0	52.9	71.7	80.6	94.7	69.7
男	1 544.4	101.3	131.0	346.2	353.7	265.0	207.7	139.5
40 ～ 64歳	71.8	3.7	7.8	13.2	17.9	11.8	8.9	8.5
65 ～ 69	116.7	7.4	11.4	23.8	27.7	19.3	14.9	12.3
70 ～ 74	160.8	10.4	14.6	33.7	38.0	27.1	21.0	16.2
75 ～ 79	245.3	16.5	21.1	54.3	57.1	41.1	32.4	22.9
80 ～ 84	347.6	24.5	29.1	82.2	78.1	58.1	45.5	30.0
85 ～ 89	350.3	24.8	28.9	84.2	77.9	60.0	46.2	28.3
90 ～ 94	196.8	12.0	15.1	44.6	44.5	36.1	28.6	15.9
95歳以上	55.1	2.0	3.0	10.2	12.6	11.6	10.2	5.5
女	3 539.9	262.1	370.1	748.4	691.3	545.2	519.8	403.1
40 ～ 64歳	54.0	2.9	6.8	9.0	12.9	8.1	6.9	7.4
65 ～ 69	95.2	8.1	13.0	18.8	20.2	13.0	11.2	10.9
70 ～ 74	171.7	17.8	24.0	36.2	34.0	22.6	19.9	17.3
75 ～ 79	371.6	42.4	51.3	84.9	69.7	47.7	41.1	34.6
80 ～ 84	751.3	78.2	97.9	179.9	141.8	99.1	86.0	68.3
85 ～ 89	1 001.4	75.8	108.8	229.6	199.0	150.1	135.6	102.5
90 ～ 94	758.1	31.5	56.5	147.3	154.5	135.6	134.6	98.1
95歳以上	336.8	5.4	11.9	42.7	59.1	69.1	84.4	64.2

平成29年９月審査分
（単位：千人）

性・年齢階級	総数	介護予防サービス		介護サービス				
		要支援1	要支援2	要介護1	要介護2	要介護3	要介護4	要介護5
受給者総数	5 038.9	346.9	487.9	1 094.3	1 042.2	805.5	722.9	539.3
40 ～ 64歳	124.7	6.4	14.4	22.2	30.7	19.7	15.6	15.6
65 ～ 69	208.5	14.7	23.6	42.6	47.3	31.7	25.9	22.8
70 ～ 74	329.3	26.9	37.6	70.0	71.8	49.3	40.5	33.2
75 ～ 79	608.8	56.2	70.3	139.0	125.8	88.2	72.7	56.6
80 ～ 84	1 085.7	97.6	123.2	261.8	219.2	155.9	130.4	97.6
85 ～ 89	1 340.6	96.1	134.3	313.8	276.6	209.0	180.7	130.0
90 ～ 94	950.4	41.6	69.8	192.2	198.8	171.5	162.6	113.9
95歳以上	390.9	7.2	14.7	52.8	71.8	80.2	94.5	69.6
男	1 530.5	96.9	127.7	346.1	352.5	263.3	205.8	138.2
40 ～ 64歳	71.3	3.6	7.8	13.1	17.9	11.7	8.8	8.3
65 ～ 69	114.9	7.0	11.0	23.8	27.4	18.9	14.7	12.1
70 ～ 74	159.8	9.9	14.2	33.9	37.9	27.0	20.9	16.0
75 ～ 79	242.7	15.8	20.5	54.3	56.7	40.9	32.0	22.5
80 ～ 84	344.0	23.4	28.3	82.1	78.0	57.6	45.0	29.7
85 ～ 89	347.1	23.6	28.2	84.1	77.7	59.5	45.8	28.2
90 ～ 94	195.9	11.5	14.7	44.7	44.5	36.1	28.4	15.8
95歳以上	54.9	2.0	3.0	10.2	12.5	11.5	10.2	5.5
女	3 508.4	250.0	360.2	748.2	689.6	542.3	517.1	401.1
40 ～ 64歳	53.4	2.8	6.6	9.1	12.8	8.0	6.8	7.2
65 ～ 69	93.6	7.7	12.6	18.8	19.9	12.8	11.2	10.7
70 ～ 74	169.6	17.0	23.4	36.1	34.0	22.4	19.6	17.1
75 ～ 79	366.1	40.4	49.8	84.7	69.1	47.3	40.7	34.1
80 ～ 84	741.7	74.3	94.9	179.7	141.2	98.3	85.4	67.9
85 ～ 89	993.5	72.5	106.0	229.7	199.0	149.5	134.9	101.8
90 ～ 94	754.6	30.1	55.1	147.5	154.3	135.3	134.2	98.0
95歳以上	336.0	5.2	11.7	42.6	59.3	68.8	84.2	64.1

統計表第３表　受給者数，月・性・年齢階級・要介護（要支援）状態区分別（７－４）

平成29年10月審査分
（単位：千人）

性・年齢階級	総数	介護予防サービス		介護サービス				
		要支援1	要支援2	要介護1	要介護2	要介護3	要介護4	要介護5
受給者総数	5 078.7	337.0	480.6	1 106.8	1 054.3	817.1	734.5	548.4
40 ～ 64歳	124.3	6.2	14.3	22.4	30.5	19.8	15.5	15.6
65 ～ 69	208.5	14.3	23.2	42.6	47.2	32.1	26.1	23.1
70 ～ 74	332.0	26.1	37.3	70.5	72.8	50.0	41.4	33.9
75 ～ 79	610.4	54.5	68.8	140.1	126.4	89.2	73.6	57.7
80 ～ 84	1 090.1	94.4	120.8	264.3	221.5	158.0	132.2	98.9
85 ～ 89	1 353.4	93.6	132.4	318.1	280.7	212.4	183.9	132.3
90 ～ 94	962.6	40.8	69.2	195.1	202.2	174.0	165.5	115.9
95歳以上	397.4	7.0	14.7	53.7	73.0	81.5	96.3	71.1
男	1 552.3	94.5	126.8	352.4	358.7	268.3	210.5	141.2
40 ～ 64歳	71.1	3.5	7.8	13.3	17.9	11.8	8.7	8.3
65 ～ 69	115.2	6.8	10.8	23.8	27.4	19.2	15.0	12.3
70 ～ 74	161.5	9.7	14.2	34.2	38.4	27.3	21.4	16.4
75 ～ 79	244.6	15.3	20.2	54.9	57.2	41.4	32.5	23.0
80 ～ 84	348.5	22.7	27.9	83.6	79.1	58.7	46.1	30.4
85 ～ 89	354.0	23.2	28.1	86.0	79.8	61.0	47.1	28.8
90 ～ 94	201.1	11.3	14.8	46.1	46.0	37.2	29.3	16.3
95歳以上	56.3	1.9	3.0	10.5	12.9	11.8	10.6	5.7
女	3 526.4	242.5	353.9	754.4	695.6	548.8	524.0	407.3
40 ～ 64歳	53.2	2.8	6.5	9.1	12.6	8.0	6.8	7.3
65 ～ 69	93.3	7.5	12.3	18.8	19.8	12.9	11.1	10.8
70 ～ 74	170.5	16.4	23.1	36.3	34.4	22.7	20.0	17.5
75 ～ 79	365.8	39.2	48.6	85.2	69.2	47.8	41.2	34.7
80 ～ 84	741.7	71.7	92.9	180.7	142.5	99.3	86.1	68.5
85 ～ 89	999.4	70.4	104.3	232.1	200.8	151.4	136.8	103.4
90 ～ 94	761.5	29.5	54.3	149.0	156.1	136.8	136.2	99.6
95歳以上	341.0	5.1	11.7	43.3	60.1	69.7	85.7	65.4

平成29年11月審査分
（単位：千人）

性・年齢階級	総数	介護予防サービス		介護サービス				
		要支援1	要支援2	要介護1	要介護2	要介護3	要介護4	要介護5
受給者総数	5 054.4	323.9	471.2	1 107.9	1 053.8	815.4	734.4	547.9
40 ～ 64歳	124.7	6.1	14.2	22.4	30.7	20.0	15.7	15.6
65 ～ 69	206.6	13.7	22.7	42.6	47.0	31.7	26.0	23.0
70 ～ 74	331.0	25.2	36.7	70.8	73.0	50.0	41.5	33.9
75 ～ 79	604.5	52.1	67.3	139.7	126.0	88.6	73.2	57.6
80 ～ 84	1 080.4	90.3	117.9	263.7	220.9	157.2	131.7	98.7
85 ～ 89	1 348.0	90.1	129.9	319.1	280.8	211.9	183.8	132.3
90 ～ 94	961.1	39.4	68.0	195.7	202.3	174.1	165.8	115.7
95歳以上	398.2	6.9	14.5	53.9	73.1	81.9	96.7	71.1
男	1 541.4	90.5	124.2	351.5	357.5	267.0	209.8	140.9
40 ～ 64歳	71.4	3.4	7.6	13.4	17.9	11.9	8.8	8.4
65 ～ 69	114.1	6.4	10.6	23.7	27.3	19.0	14.8	12.2
70 ～ 74	161.0	9.3	14.0	34.3	38.5	27.3	21.4	16.3
75 ～ 79	242.4	14.6	19.7	54.7	56.9	41.1	32.3	23.0
80 ～ 84	345.2	21.7	27.3	83.0	78.8	58.3	45.7	30.3
85 ～ 89	351.2	22.2	27.5	86.0	79.3	60.4	47.0	28.8
90 ～ 94	200.1	11.0	14.6	46.1	45.9	37.1	29.2	16.2
95歳以上	56.0	1.9	3.0	10.4	12.8	11.8	10.4	5.7
女	3 513.0	233.3	346.9	756.3	696.4	548.5	524.6	406.9
40 ～ 64歳	53.3	2.7	6.5	9.0	12.8	8.1	6.9	7.2
65 ～ 69	92.5	7.2	12.1	18.8	19.7	12.7	11.2	10.7
70 ～ 74	170.0	15.9	22.7	36.5	34.6	22.7	20.1	17.6
75 ～ 79	362.1	37.5	47.6	85.1	69.0	47.5	40.8	34.5
80 ～ 84	735.2	68.6	90.6	180.7	142.0	98.9	86.0	68.4
85 ～ 89	996.8	67.9	102.4	233.1	201.5	151.5	136.8	103.5
90 ～ 94	760.9	28.5	53.4	149.6	156.4	136.9	136.6	99.5
95歳以上	342.2	5.0	11.6	43.5	60.3	70.0	86.3	65.4

統計表第３表　受給者数，月・性・年齢階級・要介護（要支援）状態区分別（７－５）

平成29年12月審査分
（単位：千人）

性・年齢階級	総数	介護予防サービス		介護サービス				
		要支援1	要支援2	要介護1	要介護2	要介護3	要介護4	要介護5
受給者総数	5 044.1	312.6	464.0	1 110.3	1 057.5	817.7	734.8	547.2
40 ～ 64歳	125.2	6.1	14.1	22.4	30.9	20.0	15.8	15.8
65 ～ 69	206.0	13.1	22.2	42.5	47.3	31.9	26.0	22.9
70 ～ 74	331.7	24.3	36.4	71.2	73.4	50.5	41.9	33.9
75 ～ 79	602.4	50.2	66.3	139.8	126.5	88.8	73.2	57.5
80 ～ 84	1 078.2	87.0	116.1	264.8	221.7	157.9	131.8	98.8
85 ～ 89	1 343.5	86.8	127.6	319.5	281.5	212.5	183.6	132.1
90 ～ 94	960.0	38.3	67.0	196.0	203.0	174.3	165.9	115.6
95歳以上	397.1	6.7	14.3	54.0	73.1	81.8	96.5	70.6
男	1 538.2	87.4	122.5	351.8	358.2	268.0	209.7	140.6
40 ～ 64歳	71.5	3.4	7.5	13.3	18.0	11.9	8.9	8.4
65 ～ 69	113.7	6.2	10.4	23.7	27.4	19.0	14.8	12.2
70 ～ 74	161.4	8.9	13.9	34.5	38.6	27.7	21.5	16.2
75 ～ 79	242.1	14.1	19.5	54.7	57.2	41.2	32.3	23.0
80 ～ 84	344.8	21.0	26.8	83.4	79.0	58.6	45.7	30.3
85 ～ 89	349.8	21.3	27.1	85.9	79.2	60.7	46.9	28.7
90 ～ 94	199.4	10.6	14.4	45.9	46.0	37.2	29.2	16.1
95歳以上	55.6	1.8	3.0	10.4	12.7	11.7	10.4	5.6
女	3 505.8	225.2	341.5	758.5	699.2	549.7	525.1	406.5
40 ～ 64歳	53.6	2.7	6.6	9.0	12.9	8.1	7.0	7.4
65 ～ 69	92.3	6.9	11.8	18.8	19.9	12.9	11.2	10.7
70 ～ 74	170.3	15.4	22.5	36.8	34.8	22.8	20.3	17.6
75 ～ 79	360.3	36.1	46.9	85.1	69.4	47.6	40.9	34.5
80 ～ 84	733.4	66.1	89.2	181.4	142.7	99.3	86.1	68.5
85 ～ 89	993.7	65.5	100.5	233.6	202.2	151.8	136.7	103.3
90 ～ 94	760.6	27.7	52.6	150.1	157.0	137.2	136.7	99.4
95歳以上	341.5	4.9	11.3	43.6	60.3	70.1	86.1	65.1

平成30年１月審査分
（単位：千人）

性・年齢階級	総数	介護予防サービス		介護サービス				
		要支援1	要支援2	要介護1	要介護2	要介護3	要介護4	要介護5
受給者総数	4 999.5	300.2	453.0	1 106.8	1 051.6	813.3	731.7	543.1
40 ～ 64歳	123.2	5.9	13.9	22.1	30.4	19.8	15.6	15.6
65 ～ 69	201.2	12.4	21.5	41.7	46.5	31.2	25.3	22.6
70 ～ 74	328.3	23.4	35.5	70.9	73.0	50.1	41.7	33.6
75 ～ 79	591.9	47.8	64.4	138.5	125.0	87.6	72.2	56.5
80 ～ 84	1 060.2	82.9	112.8	262.0	219.3	155.8	130.3	97.1
85 ～ 89	1 334.7	83.8	124.6	319.7	280.5	211.3	183.4	131.5
90 ～ 94	959.1	37.4	65.9	196.9	203.2	174.7	165.8	115.2
95歳以上	400.8	6.7	14.3	55.0	73.6	82.8	97.4	71.0
男	1 524.5	84.1	119.6	351.0	356.6	265.9	208.3	139.0
40 ～ 64歳	70.5	3.3	7.4	13.2	17.7	11.8	8.7	8.4
65 ～ 69	111.1	5.8	10.0	23.2	27.0	18.6	14.5	12.0
70 ～ 74	160.3	8.6	13.7	34.4	38.5	27.4	21.5	16.1
75 ～ 79	238.7	13.4	18.9	54.4	56.7	40.8	31.7	22.7
80 ～ 84	340.7	20.0	26.2	83.0	78.8	57.8	45.3	29.7
85 ～ 89	347.6	20.7	26.4	86.0	79.1	60.3	46.8	28.3
90 ～ 94	199.5	10.4	14.0	46.2	46.1	37.2	29.3	16.2
95歳以上	56.0	1.9	3.0	10.6	12.7	11.9	10.4	5.6
女	3 475.0	216.1	333.3	755.8	695.0	547.4	523.4	404.1
40 ～ 64歳	52.8	2.6	6.5	8.9	12.7	8.0	6.9	7.2
65 ～ 69	90.1	6.6	11.4	18.5	19.5	12.6	10.9	10.6
70 ～ 74	168.0	14.8	21.9	36.5	34.6	22.7	20.2	17.5
75 ～ 79	353.2	34.3	45.4	84.1	68.3	46.8	40.4	33.8
80 ～ 84	719.5	62.9	86.7	179.0	140.6	97.9	85.0	67.4
85 ～ 89	987.1	63.1	98.2	233.6	201.5	150.9	136.5	103.2
90 ～ 94	759.6	27.0	51.9	150.7	157.0	137.5	136.4	99.0
95歳以上	344.8	4.8	11.4	44.4	60.9	71.0	86.9	65.4

統計表第３表　受給者数，月・性・年齢階級・要介護（要支援）状態区分別（７－６）

平成30年２月審査分
（単位：千人）

性・年齢階級	総数	介護予防サービス		介護サービス				
		要支援1	要支援2	要介護1	要介護2	要介護3	要介護4	要介護5
受給者総数	4 967.4	289.5	443.2	1 103.7	1 049.1	811.8	729.9	540.3
40 ～ 64歳	122.7	5.7	13.7	22.2	30.2	19.7	15.4	15.7
65 ～ 69	198.6	11.9	20.8	41.2	46.3	30.9	25.2	22.2
70 ～ 74	326.2	22.7	34.9	70.6	72.9	50.0	41.5	33.7
75 ～ 79	585.6	45.9	62.8	137.5	124.4	87.1	71.6	56.3
80 ～ 84	1 049.0	79.6	110.1	260.5	218.0	154.8	129.6	96.3
85 ～ 89	1 324.7	80.7	121.6	318.7	279.6	210.7	182.8	130.7
90 ～ 94	957.6	36.5	64.9	197.5	203.4	174.9	165.8	114.6
95歳以上	403.0	6.5	14.2	55.5	74.4	83.6	98.0	70.8
男	1 514.9	81.1	117.4	350.2	355.5	265.4	207.0	138.3
40 ～ 64歳	70.3	3.2	7.4	13.3	17.7	11.7	8.6	8.4
65 ～ 69	109.9	5.6	9.7	23.1	26.9	18.5	14.4	11.8
70 ～ 74	159.9	8.4	13.5	34.4	38.5	27.5	21.3	16.2
75 ～ 79	236.9	12.9	18.6	54.1	56.4	40.8	31.5	22.5
80 ～ 84	337.9	19.3	25.8	82.5	78.3	57.6	44.8	29.5
85 ～ 89	344.7	19.8	25.7	85.7	78.7	60.1	46.6	28.2
90 ～ 94	199.3	10.1	13.8	46.5	46.1	37.3	29.4	16.1
95歳以上	56.1	1.8	3.0	10.7	12.8	11.9	10.5	5.5
女	3 452.5	208.4	325.7	753.4	693.6	546.4	522.8	402.1
40 ～ 64歳	52.5	2.6	6.4	8.9	12.5	8.0	6.8	7.3
65 ～ 69	88.7	6.3	11.1	18.2	19.4	12.4	10.9	10.4
70 ～ 74	166.4	14.3	21.4	36.2	34.4	22.5	20.2	17.4
75 ～ 79	348.7	32.9	44.3	83.4	67.9	46.3	40.1	33.8
80 ～ 84	711.1	60.3	84.3	178.0	139.7	97.3	84.8	66.8
85 ～ 89	979.9	60.9	95.9	233.0	200.8	150.5	136.3	102.5
90 ～ 94	758.3	26.4	51.1	151.0	157.3	137.6	136.4	98.5
95歳以上	346.9	4.7	11.2	44.8	61.6	71.8	87.5	65.3

平成30年３月審査分
（単位：千人）

性・年齢階級	総数	介護予防サービス		介護サービス				
		要支援1	要支援2	要介護1	要介護2	要介護3	要介護4	要介護5
受給者総数	4 922.9	276.7	432.2	1 097.6	1 043.2	807.9	727.4	538.0
40 ～ 64歳	121.7	5.6	13.7	21.9	30.1	19.4	15.2	15.8
65 ～ 69	194.8	11.3	20.2	40.6	45.5	30.4	24.8	22.0
70 ～ 74	322.5	21.7	34.1	70.1	72.4	49.6	41.2	33.5
75 ～ 79	577.5	43.6	61.3	136.1	122.9	86.5	71.3	55.8
80 ～ 84	1 033.1	75.9	106.5	257.7	215.6	153.5	128.5	95.4
85 ～ 89	1 310.4	77.0	118.4	317.0	277.9	208.8	181.5	129.7
90 ～ 94	955.5	35.2	63.8	197.8	203.5	175.2	165.8	114.1
95歳以上	407.5	6.4	14.2	56.3	75.3	84.6	99.1	71.6
男	1 499.1	77.3	114.4	347.8	352.9	263.8	205.7	137.2
40 ～ 64歳	69.3	3.1	7.3	13.1	17.6	11.5	8.4	8.4
65 ～ 69	107.7	5.3	9.5	22.6	26.4	18.2	14.1	11.6
70 ～ 74	157.9	7.9	13.2	34.2	38.2	27.1	21.1	16.1
75 ～ 79	234.0	12.3	18.1	53.7	55.7	40.5	31.4	22.3
80 ～ 84	333.3	18.4	25.0	81.5	77.7	57.2	44.3	29.2
85 ～ 89	340.7	18.7	24.9	85.1	78.1	59.7	46.2	28.0
90 ～ 94	199.5	9.7	13.6	46.7	46.2	37.6	29.6	16.1
95歳以上	56.6	1.8	2.9	10.9	13.0	11.9	10.6	5.6
女	3 423.8	199.4	317.8	749.8	690.3	544.1	521.7	400.7
40 ～ 64歳	52.4	2.5	6.4	8.8	12.5	7.9	6.8	7.4
65 ～ 69	87.1	6.0	10.7	18.0	19.1	12.2	10.7	10.4
70 ～ 74	164.6	13.7	21.0	35.9	34.1	22.4	20.0	17.5
75 ～ 79	343.5	31.4	43.2	82.4	67.2	45.9	39.9	33.5
80 ～ 84	699.8	57.5	81.4	176.2	137.9	96.3	84.2	66.2
85 ～ 89	969.7	58.2	93.6	231.9	199.8	149.1	135.3	101.8
90 ～ 94	756.0	25.5	50.2	151.1	157.3	137.6	136.3	98.0
95歳以上	350.8	4.6	11.3	45.5	62.3	72.6	88.5	66.0

統計表第３表　受給者数，月・性・年齢階級・要介護（要支援）状態区分別（７－７）

平成30年４月審査分
（単位：千人）

性・年齢階級		総数	介護予防サービス		介護サービス				
			要支援1	要支援2	要介護1	要介護2	要介護3	要介護4	要介護5
受給者総数		4 935.9	268.4	427.1	1 103.2	1 047.7	814.0	735.4	540.1
	40 ～ 64歳	121.1	5.6	13.5	21.9	30.0	19.4	15.1	15.6
	65 ～ 69	193.6	10.8	19.8	40.5	45.2	30.5	24.8	21.9
	70 ～ 74	322.8	21.0	33.6	70.3	72.9	49.9	41.6	33.5
	75 ～ 79	577.8	42.3	60.6	136.9	123.3	87.1	71.8	55.9
	80 ～ 84	1 035.0	73.6	105.1	259.3	216.7	154.5	129.7	96.1
	85 ～ 89	1 316.9	74.6	117.3	319.2	279.9	210.9	184.5	130.5
	90 ～ 94	960.2	34.2	63.1	198.7	204.6	176.8	168.1	114.9
	95歳以上	408.4	6.2	14.0	56.5	75.2	84.9	99.7	71.7
男		1 505.3	75.1	113.0	349.8	354.7	265.8	208.7	138.2
	40 ～ 64歳	69.2	3.1	7.2	13.1	17.5	11.5	8.4	8.3
	65 ～ 69	107.3	5.1	9.2	22.7	26.3	18.2	14.2	11.6
	70 ～ 74	158.5	7.8	13.0	34.3	38.6	27.3	21.5	16.0
	75 ～ 79	234.4	11.9	17.8	54.0	55.7	40.7	31.8	22.4
	80 ～ 84	334.7	17.8	24.6	82.1	78.1	57.7	44.8	29.6
	85 ～ 89	343.6	18.2	24.8	85.7	79.1	60.2	47.4	28.2
	90 ～ 94	200.7	9.4	13.5	46.9	46.6	38.0	29.9	16.3
	95歳以上	57.0	1.8	2.9	10.9	12.9	12.0	10.7	5.8
女		3 430.6	193.3	314.0	753.4	693.0	548.3	526.7	401.8
	40 ～ 64歳	51.9	2.5	6.3	8.8	12.5	7.8	6.7	7.3
	65 ～ 69	86.3	5.7	10.6	17.8	19.0	12.2	10.6	10.3
	70 ～ 74	164.4	13.3	20.6	35.9	34.3	22.6	20.1	17.5
	75 ～ 79	343.4	30.4	42.7	82.8	67.6	46.4	40.0	33.5
	80 ～ 84	700.4	55.8	80.5	177.2	138.5	96.9	85.0	66.5
	85 ～ 89	973.4	56.4	92.5	233.5	200.8	150.7	137.1	102.3
	90 ～ 94	759.5	24.8	49.6	151.8	158.0	138.7	138.2	98.5
	95歳以上	351.4	4.5	11.1	45.6	62.4	72.9	89.0	65.9

統計表第４表　介護予防サービス受給者１人当たり費用額，月・年齢階級・サービス種類・要支援状態区分別(60－１)

（総　　数）

平成29年５月審査分
（単位：千円）

サービス種類	総数	要支援１	要支援２
総数	33.3	25.3	39.5
介護予防居宅サービス	28.6	20.9	34.5
訪問通所	26.4	18.9	32.1
介護予防訪問介護	20.4	17.7	22.7
介護予防訪問入浴介護	36.4	30.7	37.7
介護予防訪問看護	31.4	25.4	34.5
介護予防訪問リハビリテーション	30.4	25.7	32.3
介護予防通所介護	29.6	19.8	38.0
介護予防通所リハビリテーション	34.6	22.3	42.9
介護予防福祉用具貸与	6.2	5.4	6.6
短期入所	38.0	26.4	42.1
介護予防短期入所生活介護	37.3	26.2	41.3
介護予防短期入所療養介護（老健）	45.0	28.5	49.0
特定治療・特別療養費（再掲）	0.3	0.1	0.3
介護予防短期入所療養介護（病院等）	42.5	35.2	45.5
特定診療費（再掲）	5.0	3.2	5.6
介護予防居宅療養管理指導	11.0	11.2	10.8
介護予防特定施設入居者生活介護	80.3	61.5	101.9
介護予防支援	4.6	4.6	4.6
地域密着型介護予防サービス	80.8	47.8	104.3
介護予防認知症対応型通所介護	47.3	34.5	61.5
介護予防小規模多機能型居宅介護（短期利用以外）	69.9	49.3	86.4
介護予防小規模多機能型居宅介護（短期利用）	28.9	21.7	32.5
介護予防認知症対応型共同生活介護（短期利用以外）	237.4	–	239.3
介護予防認知症対応型共同生活介護（短期利用）	52.3	–	52.3

注：1）受給者１人当たり費用額＝費用額／受給者数
　　2）総数には、月の途中で要支援から要介護に変更となった者を含む。

（40～64歳）

平成29年５月審査分
（単位：千円）

サービス種類	総数	要支援１	要支援２
総数	35.9	25.8	40.7
介護予防居宅サービス	31.6	21.4	36.4
訪問通所	31.1	21.1	35.9
介護予防訪問介護	23.2	18.8	25.4
介護予防訪問入浴介護	48.8	36.0	49.6
介護予防訪問看護	35.6	28.1	38.6
介護予防訪問リハビリテーション	32.7	27.9	34.5
介護予防通所介護	32.1	20.0	38.5
介護予防通所リハビリテーション	36.2	22.4	42.9
介護予防福祉用具貸与	9.5	7.4	10.2
短期入所	41.3	26.0	44.3
介護予防短期入所生活介護	41.0	24.7	44.5
介護予防短期入所療養介護（老健）	45.5	44.1	45.6
特定治療・特別療養費（再掲）	–	–	–
介護予防短期入所療養介護（病院等）	22.7	–	22.7
特定診療費（再掲）	0.2	–	0.2
介護予防居宅療養管理指導	10.5	10.6	10.4
介護予防特定施設入居者生活介護	86.7	60.3	100.9
介護予防支援	4.6	4.6	4.6
地域密着型介護予防サービス	81.3	48.2	104.8
介護予防認知症対応型通所介護	43.2	36.3	71.0
介護予防小規模多機能型居宅介護（短期利用以外）	70.3	50.0	85.2
介護予防小規模多機能型居宅介護（短期利用）	–	–	–
介護予防認知症対応型共同生活介護（短期利用以外）	216.2	–	228.1
介護予防認知症対応型共同生活介護（短期利用）	–	–	–

注：1）受給者１人当たり費用額＝費用額／受給者数
　　2）総数には、月の途中で要支援から要介護に変更となった者を含む。

統計表第４表　介護予防サービス受給者１人当たり費用額，月・年齢階級・サービス種類・要支援状態区分別(60－２)

（65～69歳）

平成29年５月審査分
（単位：千円）

サービス種類	総数	要支援１	要支援２
総数	33.6	25.3	39.2
介護予防居宅サービス	29.2	21.0	34.6
訪問通所	28.4	20.3	33.8
介護予防訪問介護	22.6	19.3	25.2
介護予防訪問入浴介護	36.5	-	36.5
介護予防訪問看護	32.9	26.5	36.3
介護予防訪問リハビリテーション	32.0	27.3	33.8
介護予防通所介護	30.2	19.9	38.3
介護予防通所リハビリテーション	35.4	22.4	43.0
介護予防福祉用具貸与	7.7	6.2	8.4
短期入所	39.8	27.8	47.4
介護予防短期入所生活介護	39.3	27.5	47.2
介護予防短期入所療養介護（老健）	43.3	30.6	48.6
特定治療・特別療養費（再掲）	-	-	-
介護予防短期入所療養介護（病院等）	-	-	-
特定診療費（再掲）	-	-	-
介護予防居宅療養管理指導	10.9	10.8	11.0
介護予防特定施設入居者生活介護	77.8	58.6	99.6
介護予防支援	4.6	4.6	4.6
地域密着型介護予防サービス	81.0	47.7	107.8
介護予防認知症対応型通所介護	40.9	32.9	77.4
介護予防小規模多機能型居宅介護（短期利用以外）	69.1	49.8	85.7
介護予防小規模多機能型居宅介護（短期利用）	-	-	-
介護予防認知症対応型共同生活介護（短期利用以外）	243.9	-	245.1
介護予防認知症対応型共同生活介護（短期利用）	69.6	-	69.6

注：１）受給者１人当たり費用額＝費用額／受給者数
　　２）総数には、月の途中で要支援から要介護に変更となった者を含む。

（70～74歳）

平成29年５月審査分
（単位：千円）

サービス種類	総数	要支援１	要支援２
総数	32.3	24.6	38.2
介護予防居宅サービス	27.7	20.2	33.5
訪問通所	26.8	19.3	32.6
介護予防訪問介護	21.4	18.4	23.9
介護予防訪問入浴介護	43.6	37.4	44.5
介護予防訪問看護	31.9	25.5	35.5
介護予防訪問リハビリテーション	31.6	26.3	33.9
介護予防通所介護	29.7	20.1	38.4
介護予防通所リハビリテーション	34.6	22.4	43.1
介護予防福祉用具貸与	7.0	5.8	7.6
短期入所	37.5	28.2	42.5
介護予防短期入所生活介護	37.0	27.8	41.7
介護予防短期入所療養介護（老健）	41.2	31.9	47.5
特定治療・特別療養費（再掲）	-	-	-
介護予防短期入所療養介護（病院等）	14.2	-	14.2
特定診療費（再掲）	0.1	-	0.1
介護予防居宅療養管理指導	11.0	11.0	11.1
介護予防特定施設入居者生活介護	77.0	60.0	98.8
介護予防支援	4.6	4.6	4.6
地域密着型介護予防サービス	78.1	46.2	107.3
介護予防認知症対応型通所介護	42.3	35.5	56.6
介護予防小規模多機能型居宅介護（短期利用以外）	66.8	48.0	85.4
介護予防小規模多機能型居宅介護（短期利用）	-	-	-
介護予防認知症対応型共同生活介護（短期利用以外）	249.3	-	249.3
介護予防認知症対応型共同生活介護（短期利用）	-	-	-

注：１）受給者１人当たり費用額＝費用額／受給者数
　　２）総数には、月の途中で要支援から要介護に変更となった者を含む。

統計表第４表　介護予防サービス受給者１人当たり費用額，月・年齢階級・サービス種類・要支援状態区分別(60－３)

（75～79歳）

平成29年５月審査分
（単位：千円）

サ ー ビ ス 種 類	総数	要支援１	要支援２
総数	31.2	24.0	37.5
介護予防居宅サービス	26.6	19.6	32.7
訪問通所	25.7	18.7	31.7
介護予防訪問介護	20.3	17.7	22.6
介護予防訪問入浴介護	33.8	23.8	34.8
介護予防訪問看護	31.5	25.7	34.7
介護予防訪問リハビリテーション	30.6	26.3	32.8
介護予防通所介護	29.1	20.0	38.4
介護予防通所リハビリテーション	34.1	22.3	43.1
介護予防福祉用具貸与	6.3	5.4	6.9
短期入所	37.8	25.3	42.8
介護予防短期入所生活介護	37.2	25.7	42.0
介護予防短期入所療養介護（老健）	42.2	20.3	48.1
特定治療・特別療養費（再掲）	－	－	－
介護予防短期入所療養介護（病院等）	20.1	－	20.1
特定診療費（再掲）	0.2	－	0.2
介護予防居宅療養管理指導	10.9	11.1	10.8
介護予防特定施設入居者生活介護	75.9	60.3	98.6
介護予防支援	4.6	4.6	4.6
地域密着型介護予防サービス	78.5	47.0	105.6
介護予防認知症対応型通所介護	44.6	34.6	62.2
介護予防小規模多機能型居宅介護（短期利用以外）	68.4	49.0	86.6
介護予防小規模多機能型居宅介護（短期利用）	－	－	－
介護予防認知症対応型共同生活介護（短期利用以外）	239.7	－	239.7
介護予防認知症対応型共同生活介護（短期利用）	－	－	－

注：１）受給者１人当たり費用額＝費用額／受給者数
　　２）総数には、月の途中で要支援から要介護に変更となった者を含む。

（80～84歳）

平成29年５月審査分
（単位：千円）

サ ー ビ ス 種 類	総数	要支援１	要支援２
総数	31.9	24.4	38.2
介護予防居宅サービス	27.2	20.0	33.2
訪問通所	25.7	18.7	31.6
介護予防訪問介護	19.8	17.3	22.0
介護予防訪問入浴介護	35.1	30.2	36.1
介護予防訪問看護	31.1	25.4	34.2
介護予防訪問リハビリテーション	29.7	25.0	31.7
介護予防通所介護	29.1	19.9	38.2
介護予防通所リハビリテーション	34.1	22.3	42.9
介護予防福祉用具貸与	5.9	5.3	6.4
短期入所	38.1	26.8	42.2
介護予防短期入所生活介護	37.2	26.6	41.3
介護予防短期入所療養介護（老健）	45.9	28.2	50.2
特定治療・特別療養費（再掲）	0.3	－	0.3
介護予防短期入所療養介護（病院等）	45.2	53.5	50.3
特定診療費（再掲）	7.1	8.0	9.7
介護予防居宅療養管理指導	11.0	11.1	11.0
介護予防特定施設入居者生活介護	78.4	61.1	101.5
介護予防支援	4.6	4.6	4.6
地域密着型介護予防サービス	79.5	48.2	104.2
介護予防認知症対応型通所介護	47.2	34.0	60.6
介護予防小規模多機能型居宅介護（短期利用以外）	69.3	49.8	86.8
介護予防小規模多機能型居宅介護（短期利用）	22.9	9.7	26.2
介護予防認知症対応型共同生活介護（短期利用以外）	237.8	－	239.4
介護予防認知症対応型共同生活介護（短期利用）	－	－	－

注：１）受給者１人当たり費用額＝費用額／受給者数
　　２）総数には、月の途中で要支援から要介護に変更となった者を含む。

統計表第４表　介護予防サービス受給者１人当たり費用額，月・年齢階級・サービス種類・要支援状態区分別（60－４）

（85～89歳）

平成29年５月審査分
（単位：千円）

サービス種類	総数	要支援１	要支援２
総数	33.9	25.8	40.2
介護予防居宅サービス	29.2	21.5	35.1
訪問通所	26.4	18.9	32.1
介護予防訪問介護	19.9	17.4	22.1
介護予防訪問入浴介護	34.2	33.1	35.8
介護予防訪問看護	30.6	24.7	33.6
介護予防訪問リハビリテーション	29.4	24.9	31.3
介護予防通所介護	29.6	19.6	37.9
介護予防通所リハビリテーション	34.6	22.2	42.8
介護予防福祉用具貸与	5.8	5.2	6.1
短期入所	38.3	26.3	42.7
介護予防短期入所生活介護	37.5	26.0	41.9
介護予防短期入所療養介護（老健）	46.1	30.3	48.9
特定治療・特別療養費（再掲）	0.1	0.1	－
介護予防短期入所療養介護（病院等）	48.0	32.2	55.3
特定診療費（再掲）	5.0	1.4	5.7
介護予防居宅療養管理指導	11.0	11.3	10.8
介護予防特定施設入居者生活介護	80.4	61.9	102.2
介護予防支援	4.6	4.6	4.6
地域密着型介護予防サービス	80.7	48.1	102.7
介護予防認知症対応型通所介護	49.7	34.8	63.1
介護予防小規模多機能型居宅介護（短期利用以外）	70.3	49.4	86.4
介護予防小規模多機能型居宅介護（短期利用）	40.5	33.8	42.8
介護予防認知症対応型共同生活介護（短期利用以外）	235.9	－	238.0
介護予防認知症対応型共同生活介護（短期利用）	61.4	－	61.4

注：１）受給者１人当たり費用額＝費用額／受給者数
　　２）総数には、月の途中で要支援から要介護に変更となった者を含む。

（90～94歳）

平成29年５月審査分
（単位：千円）

サービス種類	総数	要支援１	要支援２
総数	36.5	27.3	42.4
介護予防居宅サービス	31.7	23.1	37.2
訪問通所	27.1	18.7	32.3
介護予防訪問介護	20.6	17.5	22.8
介護予防訪問入浴介護	37.4	29.3	40.3
介護予防訪問看護	30.4	24.2	33.2
介護予防訪問リハビリテーション	28.8	24.0	30.4
介護予防通所介護	30.5	19.3	37.6
介護予防通所リハビリテーション	35.4	22.1	42.6
介護予防福祉用具貸与	5.7	5.2	6.0
短期入所	37.5	25.8	41.1
介護予防短期入所生活介護	36.7	25.6	40.3
介護予防短期入所療養介護（老健）	44.2	28.3	48.3
特定治療・特別療養費（再掲）	0.4	－	0.4
介護予防短期入所療養介護（病院等）	46.0	25.5	48.0
特定診療費（再掲）	6.0	0.2	6.8
介護予防居宅療養管理指導	11.0	11.5	10.8
介護予防特定施設入居者生活介護	82.0	61.9	102.7
介護予防支援	4.5	4.5	4.5
地域密着型介護予防サービス	83.4	47.9	104.8
介護予防認知症対応型通所介護	47.9	34.8	58.3
介護予防小規模多機能型居宅介護（短期利用以外）	71.1	49.0	86.3
介護予防小規模多機能型居宅介護（短期利用）	13.2	9.4	14.5
介護予防認知症対応型共同生活介護（短期利用以外）	236.4	－	238.5
介護予防認知症対応型共同生活介護（短期利用）	25.9	－	25.9

注：１）受給者１人当たり費用額＝費用額／受給者数
　　２）総数には、月の途中で要支援から要介護に変更となった者を含む。

統計表第４表　介護予防サービス受給者１人当たり費用額，月・年齢階級・サービス種類・要支援状態区分別(60－５)

(95歳以上)

平成29年５月審査分
(単位：千円)

サービス種類	総数	要支援１	要支援２
総数	38.8	29.5	43.7
介護予防居宅サービス	33.9	25.4	38.3
訪問通所	26.9	18.4	31.0
介護予防訪問介護	21.8	18.6	23.7
介護予防訪問入浴介護	35.0	38.5	34.8
介護予防訪問看護	29.6	24.4	31.7
介護予防訪問リハビリテーション	30.6	23.5	32.8
介護予防通所介護	31.2	19.2	37.2
介護予防通所リハビリテーション	36.2	22.0	42.4
介護予防福祉用具貸与	5.6	5.2	5.8
短期入所	38.4	27.2	41.7
介護予防短期入所生活介護	37.5	27.1	40.7
介護予防短期入所療養介護（老健）	46.5	28.5	50.9
特定治療・特別療養費（再掲）	－	－	－
介護予防短期入所療養介護（病院等）	33.1	17.3	37.1
特定診療費（再掲）	4.4	0.2	5.5
介護予防居宅療養管理指導	10.8	11.0	10.7
介護予防特定施設入居者生活介護	83.7	62.7	102.7
介護予防支援	4.5	4.5	4.5
地域密着型介護予防サービス	86.3	48.1	105.1
介護予防認知症対応型通所介護	54.2	30.4	68.3
介護予防小規模多機能型居宅介護（短期利用以外）	72.9	49.6	86.0
介護予防小規模多機能型居宅介護（短期利用）	－	－	－
介護予防認知症対応型共同生活介護（短期利用以外）	232.2	－	236.6
介護予防認知症対応型共同生活介護（短期利用）	－	－	－

注：１）受給者１人当たり費用額＝費用額／受給者数
　　２）総数には、月の途中で要支援から要介護に変更となった者を含む。

統計表第４表　介護予防サービス受給者１人当たり費用額，月・年齢階級・サービス種類・要支援状態区分別(60－６)

（総　　数）

平成29年６月審査分
（単位：千円）

サービス種類	総数	要支援１	要支援２
総数	33.2	25.2	39.2
介護予防居宅サービス	28.4	20.8	34.1
訪問通所	26.0	18.6	31.5
介護予防訪問介護	20.4	17.7	22.6
介護予防訪問入浴介護	39.0	31.1	40.5
介護予防訪問看護	32.8	26.2	36.2
介護予防訪問リハビリテーション	31.7	26.1	33.8
介護予防通所介護	29.7	19.8	38.1
介護予防通所リハビリテーション	34.7	22.3	42.9
介護予防福祉用具貸与	6.2	5.4	6.6
短期入所	38.0	26.4	42.4
介護予防短期入所生活介護	37.3	26.1	41.6
介護予防短期入所療養介護（老健）	44.8	29.4	48.8
特定治療・特別療養費（再掲）	0.4	0.3	0.4
介護予防短期入所療養介護（病院等）	38.4	38.5	38.6
特定診療費（再掲）	4.5	2.9	4.8
介護予防居宅療養管理指導	11.0	11.2	10.9
介護予防特定施設入居者生活介護	82.5	63.2	105.0
介護予防支援	4.6	4.6	4.6
地域密着型介護予防サービス	81.8	48.1	106.0
介護予防認知症対応型通所介護	51.2	37.1	65.9
介護予防小規模多機能型居宅介護（短期利用以外）	69.8	49.3	86.6
介護予防小規模多機能型居宅介護（短期利用）	33.5	19.2	40.8
介護予防認知症対応型共同生活介護（短期利用以外）	243.1	－	244.8
介護予防認知症対応型共同生活介護（短期利用）	71.4	－	71.4

注：１）受給者１人当たり費用額＝費用額／受給者数
　　２）総数には、月の途中で要支援から要介護に変更となった者を含む。

（40～64歳）

平成29年６月審査分
（単位：千円）

サービス種類	総数	要支援１	要支援２
総数	35.8	25.7	40.5
介護予防居宅サービス	31.4	21.4	36.2
訪問通所	31.0	21.1	35.6
介護予防訪問介護	23.0	18.8	25.1
介護予防訪問入浴介護	49.6	45.0	49.8
介護予防訪問看護	36.4	28.4	39.8
介護予防訪問リハビリテーション	34.0	28.3	36.1
介護予防通所介護	32.1	20.0	38.6
介護予防通所リハビリテーション	36.1	22.4	42.9
介護予防福祉用具貸与	9.5	7.3	10.2
短期入所	43.4	26.5	45.8
介護予防短期入所生活介護	42.5	26.5	45.1
介護予防短期入所療養介護（老健）	50.3	－	50.3
特定治療・特別療養費（再掲）	－	－	－
介護予防短期入所療養介護（病院等）	43.6	－	43.6
特定診療費（再掲）	5.2	－	5.2
介護予防居宅療養管理指導	11.0	10.7	11.1
介護予防特定施設入居者生活介護	87.0	62.7	101.9
介護予防支援	4.6	4.6	4.6
地域密着型介護予防サービス	79.9	46.4	105.3
介護予防認知症対応型通所介護	34.5	29.3	77.1
介護予防小規模多機能型居宅介護（短期利用以外）	71.9	50.7	86.2
介護予防小規模多機能型居宅介護（短期利用）	－	－	－
介護予防認知症対応型共同生活介護（短期利用以外）	272.8	－	272.8
介護予防認知症対応型共同生活介護（短期利用）	－	－	－

注：１）受給者１人当たり費用額＝費用額／受給者数
　　２）総数には、月の途中で要支援から要介護に変更となった者を含む。

統計表第４表　介護予防サービス受給者１人当たり費用額，月・年齢階級・サービス種類・要支援状態区分別(60－７)

（65～69歳）

平成29年６月審査分
（単位：千円）

サービス種類	総数	要支援１	要支援２
総数	33.3	25.2	38.8
介護予防居宅サービス	28.8	20.9	34.1
訪問通所	28.1	20.1	33.3
介護予防訪問介護	22.7	19.3	25.4
介護予防訪問入浴介護	40.5	－	40.5
介護予防訪問看護	34.2	27.3	37.8
介護予防訪問リハビリテーション	33.3	26.8	35.8
介護予防通所介護	30.1	19.9	38.4
介護予防通所リハビリテーション	35.4	22.4	43.1
介護予防福祉用具貸与	7.7	6.2	8.4
短期入所	37.1	27.5	42.6
介護予防短期入所生活介護	36.3	27.3	41.6
介護予防短期入所療養介護（老健）	48.4	30.6	56.4
特定治療・特別療養費（再掲）	－	－	－
介護予防短期入所療養介護（病院等）	－	－	－
特定診療費（再掲）	－	－	－
介護予防居宅療養管理指導	11.1	11.2	11.1
介護予防特定施設入居者生活介護	79.4	60.2	101.0
介護予防支援	4.6	4.6	4.6
地域密着型介護予防サービス	83.4	47.8	113.3
介護予防認知症対応型通所介護	44.7	37.7	75.3
介護予防小規模多機能型居宅介護（短期利用以外）	69.4	49.1	87.9
介護予防小規模多機能型居宅介護（短期利用）	－	－	－
介護予防認知症対応型共同生活介護（短期利用以外）	255.0	－	255.0
介護予防認知症対応型共同生活介護（短期利用）	－	－	－

注：１）受給者１人当たり費用額＝費用額／受給者数
　　２）総数には、月の途中で要支援から要介護に変更となった者を含む。

（70～74歳）

平成29年６月審査分
（単位：千円）

サービス種類	総数	要支援１	要支援２
総数	32.0	24.4	37.9
介護予防居宅サービス	27.5	20.1	33.1
訪問通所	26.6	19.2	32.1
介護予防訪問介護	21.3	18.4	23.8
介護予防訪問入浴介護	44.5	28.2	46.3
介護予防訪問看護	33.2	26.2	37.3
介護予防訪問リハビリテーション	32.9	27.2	35.3
介護予防通所介護	29.7	20.0	38.5
介護予防通所リハビリテーション	34.8	22.4	43.2
介護予防福祉用具貸与	7.0	5.8	7.6
短期入所	37.1	28.7	41.2
介護予防短期入所生活介護	36.4	28.6	40.5
介護予防短期入所療養介護（老健）	42.6	30.8	45.7
特定治療・特別療養費（再掲）	－	－	－
介護予防短期入所療養介護（病院等）	35.0	－	38.0
特定診療費（再掲）	0.8	－	0.1
介護予防居宅療養管理指導	10.8	10.8	10.9
介護予防特定施設入居者生活介護	78.8	61.4	101.9
介護予防支援	4.6	4.6	4.6
地域密着型介護予防サービス	79.1	46.6	106.4
介護予防認知症対応型通所介護	44.9	36.6	64.1
介護予防小規模多機能型居宅介護（短期利用以外）	68.4	48.5	85.7
介護予防小規模多機能型居宅介護（短期利用）	－	－	－
介護予防認知症対応型共同生活介護（短期利用以外）	249.2	－	249.2
介護予防認知症対応型共同生活介護（短期利用）	－	－	－

注：１）受給者１人当たり費用額＝費用額／受給者数
　　２）総数には、月の途中で要支援から要介護に変更となった者を含む。

統計表第４表　介護予防サービス受給者１人当たり費用額，月・年齢階級・サービス種類・要支援状態区分別(60－8)

（75～79歳）

平成29年６月審査分
（単位：千円）

サービス種類	総数	要支援１	要支援２
総数	31.0	23.8	37.0
介護予防居宅サービス	26.3	19.4	32.1
訪問通所	25.3	18.4	31.1
介護予防訪問介護	20.3	17.7	22.6
介護予防訪問入浴介護	36.5	34.3	37.8
介護予防訪問看護	32.9	26.8	36.3
介護予防訪問リハビリテーション	32.0	26.5	34.5
介護予防通所介護	29.1	20.0	38.4
介護予防通所リハビリテーション	34.1	22.4	43.1
介護予防福祉用具貸与	6.4	5.4	6.9
短期入所	37.4	25.9	42.0
介護予防短期入所生活介護	36.5	26.0	40.8
介護予防短期入所療養介護（老健）	44.2	24.2	50.7
特定治療・特別療養費（再掲）	0.7	－	0.7
介護予防短期入所療養介護（病院等）	32.2	－	32.2
特定診療費（再掲）	0.2	－	0.2
介護予防居宅療養管理指導	10.9	11.0	10.8
介護予防特定施設入居者生活介護	78.8	61.9	103.4
介護予防支援	4.6	4.6	4.6
地域密着型介護予防サービス	80.3	47.6	108.5
介護予防認知症対応型通所介護	49.0	36.5	67.1
介護予防小規模多機能型居宅介護（短期利用以外）	67.7	49.1	86.0
介護予防小規模多機能型居宅介護（短期利用）	22.6	9.8	35.4
介護予防認知症対応型共同生活介護（短期利用以外）	247.1	－	247.1
介護予防認知症対応型共同生活介護（短期利用）	－	－	－

注：１）受給者１人当たり費用額＝費用額／受給者数
　　２）総数には、月の途中で要支援から要介護に変更となった者を含む。

（80～84歳）

平成29年６月審査分
（単位：千円）

サービス種類	総数	要支援１	要支援２
総数	31.6	24.3	37.7
介護予防居宅サービス	26.8	19.9	32.7
訪問通所	25.2	18.3	31.0
介護予防訪問介護	19.8	17.3	22.0
介護予防訪問入浴介護	34.6	29.6	36.8
介護予防訪問看護	32.4	26.0	35.8
介護予防訪問リハビリテーション	30.9	25.5	33.2
介護予防通所介護	29.1	19.9	38.2
介護予防通所リハビリテーション	34.2	22.3	43.0
介護予防福祉用具貸与	6.0	5.3	6.4
短期入所	38.3	25.9	43.2
介護予防短期入所生活介護	37.6	25.6	42.6
介護予防短期入所療養介護（老健）	44.1	29.8	47.8
特定治療・特別療養費（再掲）	0.2	－	0.2
介護予防短期入所療養介護（病院等）	43.0	35.6	47.4
特定診療費（再掲）	3.2	3.7	2.9
介護予防居宅療養管理指導	10.9	11.0	10.8
介護予防特定施設入居者生活介護	80.0	62.4	103.9
介護予防支援	4.6	4.6	4.6
地域密着型介護予防サービス	79.5	48.3	104.5
介護予防認知症対応型通所介護	52.0	36.2	67.7
介護予防小規模多機能型居宅介護（短期利用以外）	69.0	49.5	86.8
介護予防小規模多機能型居宅介護（短期利用）	41.9	33.5	52.2
介護予防認知症対応型共同生活介護（短期利用以外）	241.3	－	243.0
介護予防認知症対応型共同生活介護（短期利用）	118.9	－	118.9

注：１）受給者１人当たり費用額＝費用額／受給者数
　　２）総数には、月の途中で要支援から要介護に変更となった者を含む。

統計表第４表　介護予防サービス受給者１人当たり費用額，月・年齢階級・サービス種類・要支援状態区分別(60－９)

（85～89歳）

平成29年６月審査分
（単位：千円）

サービス種類	総数	要支援１	要支援２
総数	33.8	25.7	40.0
介護予防居宅サービス	28.9	21.4	34.7
訪問通所	25.9	18.5	31.4
介護予防訪問介護	19.9	17.3	22.0
介護予防訪問入浴介護	38.1	30.3	39.9
介護予防訪問看護	32.2	25.4	35.5
介護予防訪問リハビリテーション	30.8	25.7	32.8
介護予防通所介護	29.7	19.6	38.0
介護予防通所リハビリテーション	34.6	22.3	42.8
介護予防福祉用具貸与	5.8	5.2	6.1
短期入所	38.1	26.5	42.8
介護予防短期入所生活介護	37.5	26.1	42.3
介護予防短期入所療養介護（老健）	44.0	31.9	47.5
特定治療・特別療養費（再掲）	0.3	-	0.3
介護予防短期入所療養介護（病院等）	39.1	49.2	38.4
特定診療費（再掲）	4.9	-	4.9
介護予防居宅療養管理指導	11.1	11.4	11.0
介護予防特定施設入居者生活介護	82.9	63.5	105.5
介護予防支援	4.5	4.5	4.5
地域密着型介護予防サービス	82.3	48.5	105.2
介護予防認知症対応型通所介護	53.1	37.8	66.2
介護予防小規模多機能型居宅介護（短期利用以外）	70.4	49.4	86.8
介護予防小規模多機能型居宅介護（短期利用）	52.5	-	52.5
介護予防認知症対応型共同生活介護（短期利用以外）	242.7	-	243.7
介護予防認知症対応型共同生活介護（短期利用）	47.7	-	47.7

注：１）受給者１人当たり費用額＝費用額／受給者数
　　２）総数には、月の途中で要支援から要介護に変更となった者を含む。

（90～94歳）

平成29年６月審査分
（単位：千円）

サービス種類	総数	要支援１	要支援２
総数	36.5	27.6	42.3
介護予防居宅サービス	31.6	23.3	36.8
訪問通所	26.6	18.4	31.6
介護予防訪問介護	20.7	17.6	22.9
介護予防訪問入浴介護	39.0	30.6	40.1
介護予防訪問看護	32.0	25.3	34.9
介護予防訪問リハビリテーション	29.8	24.3	31.6
介護予防通所介護	30.5	19.3	37.6
介護予防通所リハビリテーション	35.4	22.2	42.6
介護予防福祉用具貸与	5.7	5.2	6.0
短期入所	37.8	25.8	41.6
介護予防短期入所生活介護	36.7	25.7	40.5
介護予防短期入所療養介護（老健）	46.7	27.8	50.7
特定治療・特別療養費（再掲）	0.4	-	0.4
介護予防短期入所療養介護（病院等）	38.4	36.4	38.6
特定診療費（再掲）	5.8	0.5	6.4
介護予防居宅療養管理指導	11.0	11.3	10.8
介護予防特定施設入居者生活介護	83.9	63.9	105.4
介護予防支援	4.5	4.5	4.5
地域密着型介護予防サービス	84.2	48.3	106.3
介護予防認知症対応型通所介護	53.1	40.4	62.6
介護予防小規模多機能型居宅介護（短期利用以外）	70.8	49.1	86.3
介護予防小規模多機能型居宅介護（短期利用）	15.1	15.6	14.3
介護予防認知症対応型共同生活介護（短期利用以外）	239.6	-	243.1
介護予防認知症対応型共同生活介護（短期利用）	-	-	-

注：１）受給者１人当たり費用額＝費用額／受給者数
　　２）総数には、月の途中で要支援から要介護に変更となった者を含む。

統計表第４表　介護予防サービス受給者１人当たり費用額，月・年齢階級・サービス種類・要支援状態区分別(60－10)

(95歳以上)

平成29年６月審査分
(単位：千円)

サービス種類	総数	要支援１	要支援２
総数	39.0	29.5	44.1
介護予防居宅サービス	34.0	25.5	38.5
訪問通所	26.4	17.9	30.5
介護予防訪問介護	21.7	18.5	23.5
介護予防訪問入浴介護	43.7	32.0	44.3
介護予防訪問看護	30.8	25.3	32.8
介護予防訪問リハビリテーション	30.9	24.4	32.9
介護予防通所介護	31.2	19.1	37.3
介護予防通所リハビリテーション	36.2	22.0	42.4
介護予防福祉用具貸与	5.6	5.3	5.8
短期入所	38.7	27.5	42.3
介護予防短期入所生活介護	38.3	27.5	41.9
介護予防短期入所療養介護（老健）	42.9	28.2	46.8
特定治療・特別療養費（再掲）	0.3	0.3	-
介護予防短期入所療養介護（病院等）	32.1	-	32.1
特定診療費（再掲）	6.9	-	6.9
介護予防居宅療養管理指導	10.7	10.9	10.6
介護予防特定施設入居者生活介護	87.0	64.7	107.0
介護予防支援	4.5	4.5	4.5
地域密着型介護予防サービス	87.5	48.1	106.4
介護予防認知症対応型通所介護	54.9	32.9	62.9
介護予防小規模多機能型居宅介護（短期利用以外）	73.4	48.9	87.3
介護予防小規模多機能型居宅介護（短期利用）	21.4	34.5	14.8
介護予防認知症対応型共同生活介護（短期利用以外）	240.6	-	244.5
介護予防認知症対応型共同生活介護（短期利用）	-	-	-

注：１）受給者１人当たり費用額＝費用額／受給者数
　　２）総数には、月の途中で要支援から要介護に変更となった者を含む。

統計表第４表　介護予防サービス受給者１人当たり費用額，月・年齢階級・サービス種類・要支援状態区分別(60－11)

（総　数）

平成29年７月審査分
（単位：千円）

サービス種類	総数	要支援１	要支援２
総数	32.7	24.9	38.5
介護予防居宅サービス	27.9	20.5	33.4
訪問通所	25.5	18.3	30.8
介護予防訪問介護	20.3	17.6	22.6
介護予防訪問入浴介護	39.0	29.8	40.7
介護予防訪問看護	33.6	26.7	37.1
介護予防訪問リハビリテーション	33.0	27.3	35.3
介護予防通所介護	29.6	19.8	38.0
介護予防通所リハビリテーション	34.6	22.3	42.9
介護予防福祉用具貸与	6.2	5.4	6.6
短期入所	37.9	26.2	42.2
介護予防短期入所生活介護	37.1	26.1	41.4
介護予防短期入所療養介護（老健）	44.8	27.4	48.8
特定治療・特別療養費（再掲）	0.3	0.2	0.3
介護予防短期入所療養介護（病院等）	46.0	32.5	49.7
特定診療費（再掲）	4.2	3.6	4.3
介護予防居宅療養管理指導	11.1	11.4	11.0
介護予防特定施設入居者生活介護	80.3	61.6	102.1
介護予防支援	4.6	4.6	4.6
地域密着型介護予防サービス	81.5	48.2	105.0
介護予防認知症対応型通所介護	50.7	37.2	64.6
介護予防小規模多機能型居宅介護（短期利用以外）	70.0	49.3	86.5
介護予防小規模多機能型居宅介護（短期利用）	26.1	16.2	28.6
介護予防認知症対応型共同生活介護（短期利用以外）	236.9	－	238.2
介護予防認知症対応型共同生活介護（短期利用）	46.3	－	46.3

注：1）受給者１人当たり費用額＝費用額／受給者数
　　2）総数には、月の途中で要支援から要介護に変更となった者を含む。

（40～64歳）

平成29年７月審査分
（単位：千円）

サービス種類	総数	要支援１	要支援２
総数	35.7	25.6	40.4
介護予防居宅サービス	31.3	21.3	36.0
訪問通所	30.9	21.0	35.5
介護予防訪問介護	22.9	18.9	25.0
介護予防訪問入浴介護	49.5	36.0	50.3
介護予防訪問看護	38.0	28.6	41.8
介護予防訪問リハビリテーション	35.9	27.8	38.6
介護予防通所介護	32.1	20.1	38.3
介護予防通所リハビリテーション	36.2	22.4	42.9
介護予防福祉用具貸与	9.5	7.4	10.2
短期入所	40.5	35.5	41.9
介護予防短期入所生活介護	39.9	36.5	41.0
介護予防短期入所療養介護（老健）	46.2	22.1	49.2
特定治療・特別療養費（再掲）	－	－	－
介護予防短期入所療養介護（病院等）	－	－	－
特定診療費（再掲）	－	－	－
介護予防居宅療養管理指導	10.9	9.9	11.4
介護予防特定施設入居者生活介護	84.4	60.6	99.5
介護予防支援	4.6	4.6	4.6
地域密着型介護予防サービス	82.2	48.2	104.0
介護予防認知症対応型通所介護	39.0	33.9	60.7
介護予防小規模多機能型居宅介護（短期利用以外）	72.0	50.8	85.3
介護予防小規模多機能型居宅介護（短期利用）	－	－	－
介護予防認知症対応型共同生活介護（短期利用以外）	251.6	－	251.6
介護予防認知症対応型共同生活介護（短期利用）	－	－	－

注：1）受給者１人当たり費用額＝費用額／受給者数
　　2）総数には、月の途中で要支援から要介護に変更となった者を含む。

統計表第４表　介護予防サービス受給者１人当たり費用額，月・年齢階級・サービス種類・要支援状態区分別(60−12)

(65～69歳)

平成29年７月審査分
(単位：千円)

サービス種類	総数	要支援１	要支援２
総数	33.1	25.0	38.5
介護予防居宅サービス	28.6	20.6	33.8
訪問通所	27.8	19.8	33.0
介護予防訪問介護	22.6	19.2	25.3
介護予防訪問入浴介護	41.6	−	41.8
介護予防訪問看護	35.3	27.9	39.1
介護予防訪問リハビリテーション	34.5	28.6	36.7
介護予防通所介護	30.2	19.9	38.3
介護予防通所リハビリテーション	35.4	22.4	43.1
介護予防福祉用具貸与	7.7	6.2	8.4
短期入所	40.0	29.0	46.1
介護予防短期入所生活介護	40.1	29.4	46.4
介護予防短期入所療養介護（老健）	39.8	24.7	44.6
特定治療・特別療養費（再掲）	−	−	−
介護予防短期入所療養介護（病院等）	−	−	−
特定診療費（再掲）	−	−	−
介護予防居宅療養管理指導	11.1	11.2	11.1
介護予防特定施設入居者生活介護	78.6	60.3	99.9
介護予防支援	4.6	4.6	4.6
地域密着型介護予防サービス	79.9	47.3	110.4
介護予防認知症対応型通所介護	43.3	36.9	78.3
介護予防小規模多機能型居宅介護（短期利用以外）	67.0	48.5	86.3
介護予防小規模多機能型居宅介護（短期利用）	12.9	−	12.9
介護予防認知症対応型共同生活介護（短期利用以外）	230.0	−	236.3
介護予防認知症対応型共同生活介護（短期利用）	−	−	−

注：1）受給者１人当たり費用額＝費用額／受給者数
　　2）総数には、月の途中で要支援から要介護に変更となった者を含む。

(70～74歳)

平成29年７月審査分
(単位：千円)

サービス種類	総数	要支援１	要支援２
総数	31.6	24.2	37.2
介護予防居宅サービス	27.1	19.8	32.5
訪問通所	26.2	18.9	31.5
介護予防訪問介護	21.3	18.4	23.7
介護予防訪問入浴介護	41.0	15.3	42.5
介護予防訪問看護	34.1	27.1	38.2
介護予防訪問リハビリテーション	33.9	28.1	36.3
介護予防通所介護	29.6	20.0	38.4
介護予防通所リハビリテーション	34.7	22.4	43.1
介護予防福祉用具貸与	7.0	5.8	7.7
短期入所	37.3	26.3	42.2
介護予防短期入所生活介護	36.4	26.2	41.3
介護予防短期入所療養介護（老健）	45.8	27.6	51.7
特定治療・特別療養費（再掲）	−	−	−
介護予防短期入所療養介護（病院等）	14.2	−	14.2
特定診療費（再掲）	0.1	−	0.1
介護予防居宅療養管理指導	11.1	11.1	11.2
介護予防特定施設入居者生活介護	76.3	60.0	99.0
介護予防支援	4.6	4.6	4.6
地域密着型介護予防サービス	78.7	47.7	105.1
介護予防認知症対応型通所介護	45.9	40.0	57.3
介護予防小規模多機能型居宅介護（短期利用以外）	68.3	49.0	86.1
介護予防小規模多機能型居宅介護（短期利用）	17.3	−	17.3
介護予防認知症対応型共同生活介護（短期利用以外）	244.2	−	244.2
介護予防認知症対応型共同生活介護（短期利用）	94.2	−	94.2

注：1）受給者１人当たり費用額＝費用額／受給者数
　　2）総数には、月の途中で要支援から要介護に変更となった者を含む。

統計表第４表　介護予防サービス受給者１人当たり費用額，月・年齢階級・サービス種類・要支援状態区分別(60－13)

（75～79歳）

平成29年７月審査分
（単位：千円）

サ　ー　ビ　ス　種　類	総数	要支援１	要支援２
総数	30.5	23.5	36.4
介護予防居宅サービス	25.8	19.1	31.5
訪問通所	24.8	18.1	30.4
介護予防訪問介護	20.2	17.7	22.5
介護予防訪問入浴介護	34.8	23.7	39.1
介護予防訪問看護	33.6	27.3	37.2
介護予防訪問リハビリテーション	33.3	28.0	35.7
介護予防通所介護	29.0	20.0	38.3
介護予防通所リハビリテーション	34.1	22.4	43.1
介護予防福祉用具貸与	6.4	5.4	7.0
短期入所	38.1	25.7	42.7
介護予防短期入所生活介護	36.9	25.6	41.2
介護予防短期入所療養介護（老健）	47.0	27.1	52.5
特定治療・特別療養費（再掲）	－	－	－
介護予防短期入所療養介護（病院等）	19.3	－	19.3
特定診療費（再掲）	0.2	－	0.2
介護予防居宅療養管理指導	11.0	11.1	10.9
介護予防特定施設入居者生活介護	76.4	60.3	100.3
介護予防支援	4.6	4.6	4.6
地域密着型介護予防サービス	79.2	47.3	107.3
介護予防認知症対応型通所介護	48.9	36.8	67.6
介護予防小規模多機能型居宅介護（短期利用以外）	67.3	48.8	85.7
介護予防小規模多機能型居宅介護（短期利用）	30.5	9.6	51.3
介護予防認知症対応型共同生活介護（短期利用以外）	238.4	－	238.4
介護予防認知症対応型共同生活介護（短期利用）	－	－	－

注：1）受給者１人当たり費用額＝費用額／受給者数
　　2）総数には、月の途中で要支援から要介護に変更となった者を含む。

（80～84歳）

平成29年７月審査分
（単位：千円）

サ　ー　ビ　ス　種　類	総数	要支援１	要支援２
総数	31.1	24.0	37.0
介護予防居宅サービス	26.3	19.6	31.9
訪問通所	24.7	18.1	30.2
介護予防訪問介護	19.7	17.3	21.9
介護予防訪問入浴介護	37.9	31.0	39.0
介護予防訪問看護	33.2	26.7	36.8
介護予防訪問リハビリテーション	32.4	27.1	34.7
介護予防通所介護	29.1	19.9	38.2
介護予防通所リハビリテーション	34.1	22.3	42.9
介護予防福祉用具貸与	6.0	5.3	6.4
短期入所	37.8	26.2	42.8
介護予防短期入所生活介護	37.4	25.9	42.5
介護予防短期入所療養介護（老健）	42.1	29.2	44.6
特定治療・特別療養費（再掲）	－	－	－
介護予防短期入所療養介護（病院等）	39.7	27.5	51.9
特定診療費（再掲）	2.1	3.3	0.9
介護予防居宅療養管理指導	11.1	11.3	11.1
介護予防特定施設入居者生活介護	77.9	60.9	100.6
介護予防支援	4.6	4.6	4.6
地域密着型介護予防サービス	79.9	48.2	104.7
介護予防認知症対応型通所介護	51.6	36.6	65.4
介護予防小規模多機能型居宅介護（短期利用以外）	69.4	49.3	87.3
介護予防小規模多機能型居宅介護（短期利用）	41.9	18.9	44.4
介護予防認知症対応型共同生活介護（短期利用以外）	238.1	－	240.5
介護予防認知症対応型共同生活介護（短期利用）	－	－	－

注：1）受給者１人当たり費用額＝費用額／受給者数
　　2）総数には、月の途中で要支援から要介護に変更となった者を含む。

統計表第４表　介護予防サービス受給者１人当たり費用額，月・年齢階級・サービス種類・要支援状態区分別(60－14)

(85～89歳)

平成29年７月審査分
(単位：千円)

サービス種類	総数	要支援１	要支援２
総数	33.2	25.4	39.1
介護予防居宅サービス	28.3	21.0	33.8
訪問通所	25.3	18.2	30.6
介護予防訪問介護	19.9	17.3	22.1
介護予防訪問入浴介護	37.1	38.1	37.2
介護予防訪問看護	32.8	26.0	36.3
介護予防訪問リハビリテーション	32.1	26.6	34.3
介護予防通所介護	29.6	19.7	37.9
介護予防通所リハビリテーション	34.6	22.2	42.8
介護予防福祉用具貸与	5.8	5.2	6.1
短期入所	37.5	26.2	41.9
介護予防短期入所生活介護	36.8	26.0	41.2
介護予防短期入所療養介護（老健）	44.3	28.8	47.1
特定治療・特別療養費（再掲）	0.4	-	0.4
介護予防短期入所療養介護（病院等）	53.6	49.2	54.1
特定診療費（再掲）	5.2	-	5.2
介護予防居宅療養管理指導	11.2	11.6	11.0
介護予防特定施設入居者生活介護	80.5	61.7	102.7
介護予防支援	4.5	4.5	4.5
地域密着型介護予防サービス	81.6	48.5	104.0
介護予防認知症対応型通所介護	52.3	36.8	66.9
介護予防小規模多機能型居宅介護（短期利用以外）	70.5	49.6	86.6
介護予防小規模多機能型居宅介護（短期利用）	26.3	14.3	30.3
介護予防認知症対応型共同生活介護（短期利用以外）	232.4	-	233.0
介護予防認知症対応型共同生活介護（短期利用）	-	-	-

注：１）受給者１人当たり費用額＝費用額／受給者数
　　２）総数には、月の途中で要支援から要介護に変更となった者を含む。

(90～94歳)

平成29年７月審査分
(単位：千円)

サービス種類	総数	要支援１	要支援２
総数	36.0	27.3	41.4
介護予防居宅サービス	31.0	23.1	36.0
訪問通所	25.9	18.0	30.7
介護予防訪問介護	20.7	17.5	22.8
介護予防訪問入浴介護	39.9	31.0	42.7
介護予防訪問看護	32.4	25.4	35.5
介護予防訪問リハビリテーション	31.1	25.4	32.9
介護予防通所介護	30.4	19.3	37.6
介護予防通所リハビリテーション	35.5	22.2	42.6
介護予防福祉用具貸与	5.8	5.2	6.0
短期入所	37.7	25.8	41.5
介護予防短期入所生活介護	36.6	25.8	40.3
介護予防短期入所療養介護（老健）	47.4	25.9	52.6
特定治療・特別療養費（再掲）	0.3	-	0.3
介護予防短期入所療養介護（病院等）	44.9	37.1	46.6
特定診療費（再掲）	7.4	5.8	7.8
介護予防居宅療養管理指導	11.2	11.6	11.0
介護予防特定施設入居者生活介護	82.1	62.5	102.8
介護予防支援	4.5	4.5	4.5
地域密着型介護予防サービス	84.2	48.6	104.9
介護予防認知症対応型通所介護	50.9	38.2	59.7
介護予防小規模多機能型居宅介護（短期利用以外）	71.5	49.5	86.4
介護予防小規模多機能型居宅介護（短期利用）	15.6	17.7	13.4
介護予防認知症対応型共同生活介護（短期利用以外）	240.0	-	240.6
介護予防認知症対応型共同生活介護（短期利用）	22.3	-	22.3

注：１）受給者１人当たり費用額＝費用額／受給者数
　　２）総数には、月の途中で要支援から要介護に変更となった者を含む。

統計表第４表　介護予防サービス受給者１人当たり費用額，月・年齢階級・サービス種類・要支援状態区分別(60−15)

(95歳以上)

平成29年７月審査分
(単位：千円)

サービス種類	総数	要支援１	要支援２
総数	38.6	29.3	43.4
介護予防居宅サービス	33.5	25.2	37.8
訪問通所	25.9	17.7	29.8
介護予防訪問介護	21.8	18.7	23.6
介護予防訪問入浴介護	41.6	26.3	42.9
介護予防訪問看護	31.6	25.6	33.8
介護予防訪問リハビリテーション	32.1	24.8	34.6
介護予防通所介護	31.3	19.1	37.3
介護予防通所リハビリテーション	36.2	22.0	42.3
介護予防福祉用具貸与	5.7	5.3	5.8
短期入所	38.9	26.0	43.2
介護予防短期入所生活介護	38.5	26.0	42.7
介護予防短期入所療養介護（老健）	41.8	25.7	46.7
特定治療・特別療養費（再掲）	0.2	0.2	−
介護予防短期入所療養介護（病院等）	59.2	26.5	67.4
特定診療費（再掲）	0.2	0.2	0.2
介護予防居宅療養管理指導	10.8	10.8	10.9
介護予防特定施設入居者生活介護	84.2	62.3	104.0
介護予防支援	4.5	4.5	4.5
地域密着型介護予防サービス	87.5	48.4	105.1
介護予防認知症対応型通所介護	58.7	34.1	66.1
介護予防小規模多機能型居宅介護（短期利用以外）	73.1	49.0	86.1
介護予防小規模多機能型居宅介護（短期利用）	18.7	−	18.7
介護予防認知症対応型共同生活介護（短期利用以外）	239.1	−	243.6
介護予防認知症対応型共同生活介護（短期利用）	−	−	−

注：１）受給者１人当たり費用額＝費用額／受給者数
　　２）総数には、月の途中で要支援から要介護に変更となった者を含む。

統計表第４表　介護予防サービス受給者１人当たり費用額，月・年齢階級・サービス種類・要支援状態区分別(60−16)

（総　　数）

平成29年８月審査分
（単位：千円）

サ ー ビ ス 種 類	総数	要支援１	要支援２
総数	32.1	24.6	37.6
介護予防居宅サービス	27.2	20.2	32.4
訪問通所	24.6	17.7	29.6
介護予防訪問介護	20.3	17.6	22.6
介護予防訪問入浴介護	38.7	27.7	41.0
介護予防訪問看護	32.2	25.8	35.4
介護予防訪問リハビリテーション	31.3	26.2	33.3
介護予防通所介護	29.6	19.8	38.0
介護予防通所リハビリテーション	34.6	22.3	42.9
介護予防福祉用具貸与	6.2	5.4	6.7
短期入所	38.4	26.5	42.7
介護予防短期入所生活介護	37.7	26.3	42.0
介護予防短期入所療養介護（老健）	44.3	29.6	47.9
特定治療・特別療養費（再掲）	0.4	−	0.4
介護予防短期入所療養介護（病院等）	37.5	24.9	44.3
特定診療費（再掲）	5.3	2.8	6.4
介護予防居宅療養管理指導	11.0	11.3	10.9
介護予防特定施設入居者生活介護	82.9	63.6	105.2
介護予防支援	4.6	4.6	4.5
地域密着型介護予防サービス	82.0	48.0	106.3
介護予防認知症対応型通所介護	48.7	35.6	63.0
介護予防小規模多機能型居宅介護（短期利用以外）	70.1	49.3	86.8
介護予防小規模多機能型居宅介護（短期利用）	29.5	28.8	31.0
介護予防認知症対応型共同生活介護（短期利用以外）	242.9	−	245.9
介護予防認知症対応型共同生活介護（短期利用）	41.1	−	41.1

注：１）受給者１人当たり費用額＝費用額／受給者数
　　２）総数には、月の途中で要支援から要介護に変更となった者を含む。

（40～64歳）

平成29年８月審査分
（単位：千円）

サ ー ビ ス 種 類	総数	要支援１	要支援２
総数	35.0	25.2	39.5
介護予防居宅サービス	30.6	20.9	35.0
訪問通所	30.1	20.5	34.5
介護予防訪問介護	23.0	19.0	25.1
介護予防訪問入浴介護	43.6	22.6	45.8
介護予防訪問看護	36.7	28.1	40.1
介護予防訪問リハビリテーション	33.9	27.3	36.2
介護予防通所介護	31.8	20.0	38.3
介護予防通所リハビリテーション	36.2	22.4	42.9
介護予防福祉用具貸与	9.5	7.4	10.2
短期入所	39.0	27.4	41.1
介護予防短期入所生活介護	38.5	26.5	40.8
介護予防短期入所療養介護（老健）	43.6	39.0	44.4
特定治療・特別療養費（再掲）	−	−	−
介護予防短期入所療養介護（病院等）	−	−	−
特定診療費（再掲）	−	−	−
介護予防居宅療養管理指導	11.0	10.8	11.1
介護予防特定施設入居者生活介護	86.6	61.4	102.2
介護予防支援	4.6	4.6	4.6
地域密着型介護予防サービス	81.3	47.8	98.6
介護予防認知症対応型通所介護	43.7	35.6	62.0
介護予防小規模多機能型居宅介護（短期利用以外）	72.6	50.3	83.6
介護予防小規模多機能型居宅介護（短期利用）	−	−	−
介護予防認知症対応型共同生活介護（短期利用以外）	266.8	−	266.8
介護予防認知症対応型共同生活介護（短期利用）	−	−	−

注：１）受給者１人当たり費用額＝費用額／受給者数
　　２）総数には、月の途中で要支援から要介護に変更となった者を含む。

統計表第４表　介護予防サービス受給者１人当たり費用額，月・年齢階級・サービス種類・要支援状態区分別(60－17)

（65～69歳）

平成29年８月審査分
（単位：千円）

サービス種類	総数	要支援１	要支援２
総数	32.4	24.6	37.5
介護予防居宅サービス	27.8	20.2	32.6
訪問通所	26.9	19.3	31.7
介護予防訪問介護	22.6	19.3	25.2
介護予防訪問入浴介護	42.1	－	42.1
介護予防訪問看護	33.5	26.7	36.8
介護予防訪問リハビリテーション	32.3	27.5	34.2
介護予防通所介護	30.1	20.0	38.2
介護予防通所リハビリテーション	35.5	22.4	43.1
介護予防福祉用具貸与	7.8	6.3	8.5
短期入所	38.8	29.2	43.8
介護予防短期入所生活介護	38.1	29.2	43.0
介護予防短期入所療養介護（老健）	45.8	30.8	49.9
特定治療・特別療養費（再掲）	－	－	－
介護予防短期入所療養介護（病院等）	－	－	－
特定診療費（再掲）	－	－	－
介護予防居宅療養管理指導	11.2	11.3	11.2
介護予防特定施設入居者生活介護	80.4	61.1	102.4
介護予防支援	4.6	4.6	4.6
地域密着型介護予防サービス	81.1	47.1	113.8
介護予防認知症対応型通所介護	36.2	33.6	57.0
介護予防小規模多機能型居宅介護（短期利用以外）	67.9	48.9	87.7
介護予防小規模多機能型居宅介護（短期利用）	－	－	－
介護予防認知症対応型共同生活介護（短期利用以外）	252.9	－	258.8
介護予防認知症対応型共同生活介護（短期利用）	－	－	－

注：１）受給者１人当たり費用額＝費用額／受給者数
　　２）総数には、月の途中で要支援から要介護に変更となった者を含む。

（70～74歳）

平成29年８月審査分
（単位：千円）

サービス種類	総数	要支援１	要支援２
総数	31.0	23.8	36.3
介護予防居宅サービス	26.3	19.4	31.4
訪問通所	25.3	18.3	30.3
介護予防訪問介護	21.4	18.4	23.8
介護予防訪問入浴介護	40.9	12.8	43.3
介護予防訪問看護	32.6	26.1	36.4
介護予防訪問リハビリテーション	32.4	26.9	34.7
介護予防通所介護	29.7	20.0	38.4
介護予防通所リハビリテーション	34.7	22.4	43.1
介護予防福祉用具貸与	7.0	5.8	7.7
短期入所	38.8	26.9	43.5
介護予防短期入所生活介護	38.2	26.7	43.2
介護予防短期入所療養介護（老健）	44.4	29.2	46.6
特定治療・特別療養費（再掲）	－	－	－
介護予防短期入所療養介護（病院等）	29.0	－	29.0
特定診療費（再掲）	0.8	－	0.8
介護予防居宅療養管理指導	10.9	11.0	10.8
介護予防特定施設入居者生活介護	78.9	61.5	102.0
介護予防支援	4.6	4.6	4.6
地域密着型介護予防サービス	80.1	47.3	110.5
介護予防認知症対応型通所介護	46.5	38.2	64.6
介護予防小規模多機能型居宅介護（短期利用以外）	67.9	48.8	87.3
介護予防小規模多機能型居宅介護（短期利用）	19.4	19.4	－
介護予防認知症対応型共同生活介護（短期利用以外）	251.6	－	255.0
介護予防認知症対応型共同生活介護（短期利用）	－	－	－

注：１）受給者１人当たり費用額＝費用額／受給者数
　　２）総数には、月の途中で要支援から要介護に変更となった者を含む。

統計表第４表　介護予防サービス受給者１人当たり費用額，月・年齢階級・サービス種類・要支援状態区分別(60−18)

(75～79歳)

平成29年８月審査分
(単位：千円)

サービス種類	総数	要支援１	要支援２
総数	29.8	23.2	35.3
介護予防居宅サービス	25.1	18.7	30.4
訪問通所	24.0	17.6	29.2
介護予防訪問介護	20.2	17.6	22.5
介護予防訪問入浴介護	32.8	26.2	34.3
介護予防訪問看護	32.4	26.1	35.8
介護予防訪問リハビリテーション	31.4	26.9	33.4
介護予防通所介護	29.1	20.0	38.3
介護予防通所リハビリテーション	34.0	22.4	43.1
介護予防福祉用具貸与	6.4	5.4	7.0
短期入所	38.2	28.2	42.3
介護予防短期入所生活介護	37.3	28.3	41.3
介護予防短期入所療養介護（老健）	46.8	27.5	50.2
特定治療・特別療養費（再掲）	−	−	−
介護予防短期入所療養介護（病院等）	26.0	18.8	28.4
特定診療費（再掲）	1.4	1.4	1.5
介護予防居宅療養管理指導	10.8	11.0	10.7
介護予防特定施設入居者生活介護	78.8	62.5	103.1
介護予防支援	4.6	4.6	4.6
地域密着型介護予防サービス	79.0	47.4	107.2
介護予防認知症対応型通所介護	46.5	35.1	64.7
介護予防小規模多機能型居宅介護（短期利用以外）	68.1	49.2	86.9
介護予防小規模多機能型居宅介護（短期利用）	29.0	27.3	31.5
介護予防認知症対応型共同生活介護（短期利用以外）	243.4	−	243.4
介護予防認知症対応型共同生活介護（短期利用）	−	−	−

注：１）受給者１人当たり費用額＝費用額／受給者数
　　２）総数には、月の途中で要支援から要介護に変更となった者を含む。

(80～84歳)

平成29年８月審査分
(単位：千円)

サービス種類	総数	要支援１	要支援２
総数	30.5	23.6	36.1
介護予防居宅サービス	25.6	19.1	30.9
訪問通所	23.9	17.5	29.0
介護予防訪問介護	19.7	17.2	21.9
介護予防訪問入浴介護	33.6	28.6	35.6
介護予防訪問看護	31.8	25.7	35.1
介護予防訪問リハビリテーション	30.7	25.9	32.7
介護予防通所介護	29.1	19.9	38.2
介護予防通所リハビリテーション	34.2	22.3	43.0
介護予防福祉用具貸与	6.0	5.3	6.4
短期入所	37.9	26.2	42.6
介護予防短期入所生活介護	37.3	25.8	42.1
介護予防短期入所療養介護（老健）	42.3	31.5	44.7
特定治療・特別療養費（再掲）	−	−	−
介護予防短期入所療養介護（病院等）	38.6	26.8	50.3
特定診療費（再掲）	3.8	3.5	4.0
介護予防居宅療養管理指導	11.0	11.1	11.0
介護予防特定施設入居者生活介護	80.7	63.1	104.1
介護予防支援	4.6	4.6	4.6
地域密着型介護予防サービス	80.6	48.1	105.3
介護予防認知症対応型通所介護	49.0	36.5	62.1
介護予防小規模多機能型居宅介護（短期利用以外）	69.8	49.3	87.3
介護予防小規模多機能型居宅介護（短期利用）	28.3	51.0	24.7
介護予防認知症対応型共同生活介護（短期利用以外）	248.0	−	251.4
介護予防認知症対応型共同生活介護（短期利用）	41.1	−	41.1

注：１）受給者１人当たり費用額＝費用額／受給者数
　　２）総数には、月の途中で要支援から要介護に変更となった者を含む。

統計表第４表　介護予防サービス受給者１人当たり費用額，月・年齢階級・サービス種類・要支援状態区分別(60－19)

（85～89歳）

平成29年８月審査分
（単位：千円）

サ ー ビ ス 種 類	総数	要支援１	要支援２
総数	32.7	25.2	38.2
介護予防居宅サービス	27.7	20.8	32.8
訪問通所	24.4	17.6	29.3
介護予防訪問介護	19.8	17.3	22.0
介護予防訪問入浴介護	38.1	30.1	40.1
介護予防訪問看護	31.6	25.3	34.8
介護予防訪問リハビリテーション	30.6	25.4	32.7
介護予防通所介護	29.6	19.7	37.9
介護予防通所リハビリテーション	34.6	22.3	42.8
介護予防福祉用具貸与	5.8	5.3	6.2
短期入所	38.5	26.5	43.1
介護予防短期入所生活介護	37.9	26.1	42.5
介護予防短期入所療養介護（老健）	44.5	31.6	47.4
特定治療・特別療養費（再掲）	0.5	－	0.5
介護予防短期入所療養介護（病院等）	40.4	24.7	53.8
特定診療費（再掲）	6.0	3.3	8.7
介護予防居宅療養管理指導	11.1	11.5	10.9
介護予防特定施設入居者生活介護	83.0	63.7	105.8
介護予防支援	4.5	4.5	4.5
地域密着型介護予防サービス	82.4	48.2	105.7
介護予防認知症対応型通所介護	49.4	34.0	65.4
介護予防小規模多機能型居宅介護（短期利用以外）	70.7	49.6	86.9
介護予防小規模多機能型居宅介護（短期利用）	37.6	27.8	47.3
介護予防認知症対応型共同生活介護（短期利用以外）	239.5	－	242.0
介護予防認知症対応型共同生活介護（短期利用）	－	－	－

注：１）受給者１人当たり費用額＝費用額／受給者数
　　２）総数には、月の途中で要支援から要介護に変更となった者を含む。

（90～94歳）

平成29年８月審査分
（単位：千円）

サ ー ビ ス 種 類	総数	要支援１	要支援２
総数	35.5	27.2	40.7
介護予防居宅サービス	30.5	22.9	35.1
訪問通所	25.0	17.5	29.4
介護予防訪問介護	20.6	17.5	22.8
介護予防訪問入浴介護	41.9	28.1	45.9
介護予防訪問看護	30.9	24.9	33.6
介護予防訪問リハビリテーション	29.5	24.6	31.1
介護予防通所介護	30.5	19.3	37.6
介護予防通所リハビリテーション	35.5	22.2	42.6
介護予防福祉用具貸与	5.8	5.3	6.0
短期入所	37.8	25.5	41.9
介護予防短期入所生活介護	37.1	25.3	41.1
介護予防短期入所療養介護（老健）	43.8	27.2	48.9
特定治療・特別療養費（再掲）	0.4	－	0.4
介護予防短期入所療養介護（病院等）	37.7	18.3	43.3
特定診療費（再掲）	6.8	0.2	8.1
介護予防居宅療養管理指導	11.1	11.5	10.9
介護予防特定施設入居者生活介護	84.7	64.4	105.7
介護予防支援	4.5	4.5	4.5
地域密着型介護予防サービス	84.5	48.4	106.0
介護予防認知症対応型通所介護	52.6	37.9	61.3
介護予防小規模多機能型居宅介護（短期利用以外）	71.0	49.2	86.2
介護予防小規模多機能型居宅介護（短期利用）	28.8	15.2	37.8
介護予防認知症対応型共同生活介護（短期利用以外）	240.4	－	243.2
介護予防認知症対応型共同生活介護（短期利用）	－	－	－

注：１）受給者１人当たり費用額＝費用額／受給者数
　　２）総数には、月の途中で要支援から要介護に変更となった者を含む。

統計表第４表　介護予防サービス受給者１人当たり費用額，月・年齢階級・サービス種類・要支援状態区分別(60－20)

(95歳以上)

平成29年８月審査分
（単位：千円）

サービス種類	総数	要支援１	要支援２
総数	38.4	29.4	43.0
介護予防居宅サービス	33.2	25.4	37.3
訪問通所	24.9	17.1	28.6
介護予防訪問介護	21.7	18.6	23.5
介護予防訪問入浴介護	43.8	36.4	44.9
介護予防訪問看護	30.4	25.0	32.2
介護予防訪問リハビリテーション	30.9	23.1	33.2
介護予防通所介護	31.2	19.1	37.3
介護予防通所リハビリテーション	36.2	22.0	42.5
介護予防福祉用具貸与	5.7	5.3	5.8
短期入所	40.6	28.2	44.1
介護予防短期入所生活介護	39.8	28.1	43.2
介護予防短期入所療養介護（老健）	47.2	29.2	51.4
特定治療・特別療養費（再掲）	0.2	-	-
介護予防短期入所療養介護（病院等）	40.3	35.9	41.4
特定診療費（再掲）	16.1	-	16.1
介護予防居宅療養管理指導	10.7	10.9	10.6
介護予防特定施設入居者生活介護	86.7	64.6	106.1
介護予防支援	4.5	4.5	4.5
地域密着型介護予防サービス	88.1	47.4	107.3
介護予防認知症対応型通所介護	46.5	28.9	54.5
介護予防小規模多機能型居宅介護（短期利用以外）	72.9	48.5	86.5
介護予防小規模多機能型居宅介護（短期利用）	11.6	-	11.6
介護予防認知症対応型共同生活介護（短期利用以外）	233.1	-	242.6
介護予防認知症対応型共同生活介護（短期利用）	-	-	-

注：1）受給者１人当たり費用額＝費用額／受給者数
　　2）総数には、月の途中で要支援から要介護に変更となった者を含む。

統計表第４表　介護予防サービス受給者１人当たり費用額，月・年齢階級・サービス種類・要支援状態区分別(60－21)

（総　　数）

平成29年９月審査分
（単位：千円）

サ ー ビ ス 種 類	総数	要支援１	要支援２
総数	31.5	24.2	36.8
介護予防居宅サービス	26.7	19.9	31.6
訪問通所	24.0	17.3	28.6
介護予防訪問介護	20.3	17.6	22.5
介護予防訪問入浴介護	40.7	34.0	41.9
介護予防訪問看護	33.4	26.8	36.9
介護予防訪問リハビリテーション	31.9	26.6	34.0
介護予防通所介護	29.6	19.7	38.0
介護予防通所リハビリテーション	34.7	22.3	42.9
介護予防福祉用具貸与	6.2	5.4	6.7
短期入所	38.6	26.8	42.8
介護予防短期入所生活介護	37.8	26.6	41.9
介護予防短期入所療養介護（老健）	45.4	29.3	49.5
特定治療・特別療養費（再掲）	0.3	0.2	0.3
介護予防短期入所療養介護（病院等）	45.4	29.8	50.2
特定診療費（再掲）	6.0	3.4	6.9
介護予防居宅療養管理指導	11.1	11.4	10.9
介護予防特定施設入居者生活介護	82.8	63.5	105.1
介護予防支援	4.5	4.5	4.5
地域密着型介護予防サービス	82.2	48.3	106.2
介護予防認知症対応型通所介護	51.1	37.3	65.6
介護予防小規模多機能型居宅介護（短期利用以外）	70.3	49.5	87.0
介護予防小規模多機能型居宅介護（短期利用）	23.4	19.8	25.9
介護予防認知症対応型共同生活介護（短期利用以外）	245.3	－	246.1
介護予防認知症対応型共同生活介護（短期利用）	36.0	－	37.8

注：１）受給者１人当たり費用額＝費用額／受給者数
　　２）総数には、月の途中で要支援から要介護に変更となった者を含む。

（40～64歳）

平成29年９月審査分
（単位：千円）

サ ー ビ ス 種 類	総数	要支援１	要支援２
総数	34.6	25.1	38.9
介護予防居宅サービス	30.1	20.7	34.4
訪問通所	29.6	20.3	33.9
介護予防訪問介護	22.8	18.9	24.8
介護予防訪問入浴介護	51.4	45.0	51.8
介護予防訪問看護	37.6	28.7	41.4
介護予防訪問リハビリテーション	34.2	27.1	36.7
介護予防通所介護	31.9	20.0	38.3
介護予防通所リハビリテーション	36.3	22.4	42.9
介護予防福祉用具貸与	9.6	7.5	10.3
短期入所	43.6	24.4	46.3
介護予防短期入所生活介護	42.9	25.2	45.1
介護予防短期入所療養介護（老健）	50.0	20.6	57.4
特定治療・特別療養費（再掲）	－	－	－
介護予防短期入所療養介護（病院等）	－	－	－
特定診療費（再掲）	－	－	－
介護予防居宅療養管理指導	10.9	10.3	11.2
介護予防特定施設入居者生活介護	86.0	58.1	105.2
介護予防支援	4.6	4.6	4.6
地域密着型介護予防サービス	83.2	47.5	103.1
介護予防認知症対応型通所介護	43.1	38.3	71.9
介護予防小規模多機能型居宅介護（短期利用以外）	73.5	50.6	84.9
介護予防小規模多機能型居宅介護（短期利用）	14.3	14.3	－
介護予防認知症対応型共同生活介護（短期利用以外）	268.4	－	268.4
介護予防認知症対応型共同生活介護（短期利用）	－	－	－

注：１）受給者１人当たり費用額＝費用額／受給者数
　　２）総数には、月の途中で要支援から要介護に変更となった者を含む。

統計表第４表　介護予防サービス受給者１人当たり費用額，月・年齢階級・サービス種類・要支援状態区分別(60－22)

（65～69歳）

平成29年９月審査分
（単位：千円）

サービス種類	総数	要支援１	要支援２
総数	32.0	24.4	36.8
介護予防居宅サービス	27.4	20.0	32.0
訪問通所	26.5	19.1	31.0
介護予防訪問介護	22.5	19.2	25.2
介護予防訪問入浴介護	42.4	－	42.4
介護予防訪問看護	34.4	27.7	37.6
介護予防訪問リハビリテーション	33.0	27.3	35.2
介護予防通所介護	30.0	20.0	38.2
介護予防通所リハビリテーション	35.5	22.4	43.0
介護予防福祉用具貸与	7.8	6.3	8.4
短期入所	39.1	28.2	45.2
介護予防短期入所生活介護	38.8	28.5	44.7
介護予防短期入所療養介護（老健）	42.1	24.5	49.3
特定治療・特別療養費（再掲）	－	－	－
介護予防短期入所療養介護（病院等）	－	－	－
特定診療費（再掲）	－	－	－
介護予防居宅療養管理指導	11.2	11.3	11.1
介護予防特定施設入居者生活介護	81.0	61.7	103.0
介護予防支援	4.6	4.6	4.6
地域密着型介護予防サービス	84.6	47.6	116.5
介護予防認知症対応型通所介護	41.7	37.4	89.4
介護予防小規模多機能型居宅介護（短期利用以外）	68.2	48.9	86.7
介護予防小規模多機能型居宅介護（短期利用）	－	－	－
介護予防認知症対応型共同生活介護（短期利用以外）	248.2	－	248.2
介護予防認知症対応型共同生活介護（短期利用）	－	－	－

注：1）受給者１人当たり費用額＝費用額／受給者数
　　2）総数には、月の途中で要支援から要介護に変更となった者を含む。

（70～74歳）

平成29年９月審査分
（単位：千円）

サービス種類	総数	要支援１	要支援２
総数	30.5	23.5	35.5
介護予防居宅サービス	25.9	19.1	30.7
訪問通所	24.8	18.0	29.6
介護予防訪問介護	21.3	18.4	23.8
介護予防訪問入浴介護	40.3	26.2	41.4
介護予防訪問看護	34.1	27.3	38.0
介護予防訪問リハビリテーション	33.3	27.0	35.9
介護予防通所介護	29.6	20.0	38.4
介護予防通所リハビリテーション	34.7	22.4	43.1
介護予防福祉用具貸与	7.1	5.8	7.7
短期入所	37.0	25.9	42.2
介護予防短期入所生活介護	36.2	25.8	41.4
介護予防短期入所療養介護（老健）	47.0	29.4	51.6
特定治療・特別療養費（再掲）	－	－	－
介護予防短期入所療養介護（病院等）	21.1	18.3	22.6
特定診療費（再掲）	1.0	0.2	1.4
介護予防居宅療養管理指導	11.1	11.3	11.1
介護予防特定施設入居者生活介護	78.8	61.2	102.4
介護予防支援	4.6	4.6	4.6
地域密着型介護予防サービス	78.6	46.6	106.8
介護予防認知症対応型通所介護	44.2	38.6	56.6
介護予防小規模多機能型居宅介護（短期利用以外）	67.6	47.8	86.6
介護予防小規模多機能型居宅介護（短期利用）	33.9	33.9	－
介護予防認知症対応型共同生活介護（短期利用以外）	249.4	－	250.8
介護予防認知症対応型共同生活介護（短期利用）	－	－	－

注：1）受給者１人当たり費用額＝費用額／受給者数
　　2）総数には、月の途中で要支援から要介護に変更となった者を含む。

統計表第４表　介護予防サービス受給者１人当たり費用額，月・年齢階級・サービス種類・要支援状態区分別(60－23)

(75～79歳)

平成29年９月審査分
(単位：千円)

サービス種類	総数	要支援１	要支援２
総数	29.3	22.8	34.5
介護予防居宅サービス	24.6	18.4	29.6
訪問通所	23.4	17.2	28.4
介護予防訪問介護	20.2	17.6	22.5
介護予防訪問入浴介護	39.9	32.2	41.7
介護予防訪問看護	33.5	27.0	37.1
介護予防訪問リハビリテーション	32.1	27.2	34.3
介護予防通所介護	29.0	20.0	38.3
介護予防通所リハビリテーション	34.0	22.4	43.1
介護予防福祉用具貸与	6.4	5.5	7.0
短期入所	37.6	27.5	41.9
介護予防短期入所生活介護	36.5	27.3	40.7
介護予防短期入所療養介護（老健）	47.9	29.4	51.4
特定治療・特別療養費（再掲）	0.1	－	0.1
介護予防短期入所療養介護（病院等）	29.8	－	29.8
特定診療費（再掲）	1.5	－	1.5
介護予防居宅療養管理指導	10.9	11.2	10.7
介護予防特定施設入居者生活介護	79.1	62.4	104.0
介護予防支援	4.6	4.6	4.6
地域密着型介護予防サービス	78.9	47.7	105.8
介護予防認知症対応型通所介護	49.7	36.9	67.9
介護予防小規模多機能型居宅介護（短期利用以外）	68.2	49.3	86.5
介護予防小規模多機能型居宅介護（短期利用）	24.6	23.9	25.3
介護予防認知症対応型共同生活介護（短期利用以外）	245.3	－	247.6
介護予防認知症対応型共同生活介護（短期利用）	37.8	－	37.8

注：1）受給者１人当たり費用額＝費用額／受給者数
　　2）総数には、月の途中で要支援から要介護に変更となった者を含む。

(80～84歳)

平成29年９月審査分
(単位：千円)

サービス種類	総数	要支援１	要支援２
総数	29.8	23.2	35.1
介護予防居宅サービス	25.0	18.8	30.0
訪問通所	23.2	17.0	28.1
介護予防訪問介護	19.7	17.3	21.9
介護予防訪問入浴介護	35.8	37.4	36.2
介護予防訪問看護	33.0	26.8	36.5
介護予防訪問リハビリテーション	31.4	26.2	33.6
介護予防通所介護	29.1	19.8	38.1
介護予防通所リハビリテーション	34.1	22.3	42.9
介護予防福祉用具貸与	6.0	5.3	6.4
短期入所	37.8	26.9	41.9
介護予防短期入所生活介護	37.1	26.7	41.2
介護予防短期入所療養介護（老健）	43.5	27.9	47.8
特定治療・特別療養費（再掲）	0.3	－	0.5
介護予防短期入所療養介護（病院等）	36.7	33.3	45.9
特定診療費（再掲）	5.3	3.6	9.4
介護予防居宅療養管理指導	11.0	11.2	10.9
介護予防特定施設入居者生活介護	80.6	62.9	103.9
介護予防支援	4.6	4.6	4.6
地域密着型介護予防サービス	79.8	48.3	104.7
介護予防認知症対応型通所介護	48.9	34.7	64.4
介護予防小規模多機能型居宅介護（短期利用以外）	69.6	49.7	87.3
介護予防小規模多機能型居宅介護（短期利用）	42.5	－	42.5
介護予防認知症対応型共同生活介護（短期利用以外）	243.5	－	243.5
介護予防認知症対応型共同生活介護（短期利用）	－	－	－

注：1）受給者１人当たり費用額＝費用額／受給者数
　　2）総数には、月の途中で要支援から要介護に変更となった者を含む。

統計表第４表　介護予防サービス受給者１人当たり費用額，月・年齢階級・サービス種類・要支援状態区分別（60－24）

（85～89歳）

平成29年９月審査分
（単位：千円）

サービス種類	総数	要支援１	要支援２
総数	32.0	24.7	37.2
介護予防居宅サービス	27.1	20.4	31.9
訪問通所	23.7	17.1	28.2
介護予防訪問介護	19.8	17.2	21.9
介護予防訪問入浴介護	41.1	42.3	41.5
介護予防訪問看護	33.0	26.1	36.4
介護予防訪問リハビリテーション	31.0	26.2	32.9
介護予防通所介護	29.6	19.6	37.9
介護予防通所リハビリテーション	34.6	22.3	42.8
介護予防福祉用具貸与	5.8	5.2	6.2
短期入所	38.6	26.4	42.9
介護予防短期入所生活介護	37.6	26.1	41.8
介護予防短期入所療養介護（老健）	46.4	31.4	50.0
特定治療・特別療養費（再掲）	0.2	0.2	-
介護予防短期入所療養介護（病院等）	67.4	27.6	73.1
特定診療費（再掲）	7.8	6.2	8.1
介護予防居宅療養管理指導	11.2	11.5	10.9
介護予防特定施設入居者生活介護	82.8	63.8	105.5
介護予防支援	4.5	4.5	4.5
地域密着型介護予防サービス	82.5	48.7	105.8
介護予防認知症対応型通所介護	52.5	38.6	66.2
介護予防小規模多機能型居宅介護（短期利用以外）	70.7	49.6	87.2
介護予防小規模多機能型居宅介護（短期利用）	28.6	15.8	41.4
介護予防認知症対応型共同生活介護（短期利用以外）	245.4	-	245.9
介護予防認知症対応型共同生活介護（短期利用）	34.3	-	-

注：1）受給者１人当たり費用額＝費用額／受給者数
　　2）総数には、月の途中で要支援から要介護に変更となった者を含む。

（90～94歳）

平成29年９月審査分
（単位：千円）

サービス種類	総数	要支援１	要支援２
総数	35.0	26.9	40.0
介護予防居宅サービス	30.0	22.7	34.4
訪問通所	24.2	17.0	28.3
介護予防訪問介護	20.5	17.5	22.7
介護予防訪問入浴介護	41.8	29.2	44.7
介護予防訪問看護	32.3	25.7	35.2
介護予防訪問リハビリテーション	29.8	25.3	31.4
介護予防通所介護	30.4	19.4	37.5
介護予防通所リハビリテーション	35.6	22.2	42.6
介護予防福祉用具貸与	5.8	5.3	6.0
短期入所	38.7	26.6	42.9
介護予防短期入所生活介護	38.1	26.4	42.3
介護予防短期入所療養介護（老健）	44.3	29.5	48.4
特定治療・特別療養費（再掲）	0.4	-	0.4
介護予防短期入所療養介護（病院等）	46.7	-	46.7
特定診療費（再掲）	8.6	-	8.6
介護予防居宅療養管理指導	11.2	11.6	10.9
介護予防特定施設入居者生活介護	84.7	64.2	105.9
介護予防支援	4.5	4.5	4.5
地域密着型介護予防サービス	86.0	48.8	107.6
介護予防認知症対応型通所介護	56.0	38.5	66.2
介護予防小規模多機能型居宅介護（短期利用以外）	71.9	49.7	87.1
介護予防小規模多機能型居宅介護（短期利用）	18.4	16.8	19.6
介護予防認知症対応型共同生活介護（短期利用以外）	245.9	-	246.7
介護予防認知症対応型共同生活介護（短期利用）	-	-	-

注：1）受給者１人当たり費用額＝費用額／受給者数
　　2）総数には、月の途中で要支援から要介護に変更となった者を含む。

統計表第４表　介護予防サービス受給者１人当たり費用額，月・年齢階級・サービス種類・要支援状態区分別(60－25)

(95歳以上)

平成29年９月審査分
（単位：千円）

サービス種類	総数	要支援１	要支援２
総数	38.0	29.4	42.4
介護予防居宅サービス	32.9	25.4	36.7
訪問通所	24.1	16.8	27.5
介護予防訪問介護	21.6	18.4	23.4
介護予防訪問入浴介護	42.4	27.1	43.0
介護予防訪問看護	32.1	25.8	34.6
介護予防訪問リハビリテーション	32.3	25.9	34.3
介護予防通所介護	31.0	19.1	37.1
介護予防通所リハビリテーション	36.2	22.1	42.4
介護予防福祉用具貸与	5.7	5.3	5.9
短期入所	40.0	28.5	43.4
介護予防短期入所生活介護	39.3	28.6	42.5
介護予防短期入所療養介護（老健）	46.3	26.4	51.6
特定治療・特別療養費（再掲）	-	-	-
介護予防短期入所療養介護（病院等）	51.5	-	51.5
特定診療費（再掲）	6.6	-	6.6
介護予防居宅療養管理指導	10.8	10.8	10.8
介護予防特定施設入居者生活介護	86.1	64.0	105.8
介護予防支援	4.5	4.5	4.5
地域密着型介護予防サービス	87.3	48.6	105.2
介護予防認知症対応型通所介護	58.4	39.2	65.1
介護予防小規模多機能型居宅介護（短期利用以外）	73.1	49.0	86.3
介護予防小規模多機能型居宅介護（短期利用）	14.8	-	14.8
介護予防認知症対応型共同生活介護（短期利用以外）	238.4	-	242.7
介護予防認知症対応型共同生活介護（短期利用）	-	-	-

注：１）受給者１人当たり費用額＝費用額／受給者数
　　２）総数には、月の途中で要支援から要介護に変更となった者を含む。

統計表第４表　介護予防サービス受給者１人当たり費用額，月・年齢階級・サービス種類・要支援状態区分別(60−26)

（総　　数）

平成29年10月審査分
（単位：千円）

サービス種類	総数	要支援１	要支援２
総数	30.8	23.8	35.7
介護予防居宅サービス	25.9	19.4	30.4
訪問通所	23.1	16.8	27.5
介護予防訪問介護	20.2	17.5	22.4
介護予防訪問入浴介護	40.4	30.5	41.8
介護予防訪問看護	32.2	25.8	35.5
介護予防訪問リハビリテーション	31.2	26.1	33.3
介護予防通所介護	29.5	19.7	37.9
介護予防通所リハビリテーション	34.6	22.3	42.9
介護予防福祉用具貸与	6.3	5.5	6.7
短期入所	37.5	26.4	41.6
介護予防短期入所生活介護	36.8	26.1	40.8
介護予防短期入所療養介護（老健）	43.8	29.5	47.3
特定治療・特別療養費（再掲）	0.3	0.2	0.3
介護予防短期入所療養介護（病院等）	43.3	28.3	48.3
特定診療費（再掲）	5.8	3.5	6.4
介護予防居宅療養管理指導	11.1	11.4	11.0
介護予防特定施設入居者生活介護	80.4	61.6	102.4
介護予防支援	4.6	4.6	4.6
地域密着型介護予防サービス	81.0	48.1	104.6
介護予防認知症対応型通所介護	50.0	35.4	66.0
介護予防小規模多機能型居宅介護（短期利用以外）	70.2	49.4	86.9
介護予防小規模多機能型居宅介護（短期利用）	29.3	11.1	37.9
介護予防認知症対応型共同生活介護（短期利用以外）	237.4	−	238.1
介護予防認知症対応型共同生活介護（短期利用）	86.9	−	86.9

注：１）受給者１人当たり費用額＝費用額／受給者数
　　２）総数には、月の途中で要支援から要介護に変更となった者を含む。

（40〜64歳）

平成29年10月審査分
（単位：千円）

サービス種類	総数	要支援１	要支援２
総数	34.3	24.9	38.5
介護予防居宅サービス	29.9	20.6	34.0
訪問通所	29.4	20.1	33.4
介護予防訪問介護	22.6	19.0	24.4
介護予防訪問入浴介護	51.1	36.0	51.9
介護予防訪問看護	37.0	28.3	40.5
介護予防訪問リハビリテーション	33.9	26.6	36.5
介護予防通所介護	32.0	19.9	38.4
介護予防通所リハビリテーション	36.4	22.4	43.0
介護予防福祉用具貸与	9.6	7.5	10.2
短期入所	39.1	24.4	40.4
介護予防短期入所生活介護	37.3	24.4	39.5
介護予防短期入所療養介護（老健）	54.4	−	47.9
特定治療・特別療養費（再掲）	−	−	−
介護予防短期入所療養介護（病院等）	−	−	−
特定診療費（再掲）	−	−	−
介護予防居宅療養管理指導	11.0	10.8	11.2
介護予防特定施設入居者生活介護	84.9	58.4	104.2
介護予防支援	4.6	4.6	4.6
地域密着型介護予防サービス	82.8	49.6	100.2
介護予防認知症対応型通所介護	37.2	34.1	49.8
介護予防小規模多機能型居宅介護（短期利用以外）	74.9	52.2	86.3
介護予防小規模多機能型居宅介護（短期利用）	−	−	−
介護予防認知症対応型共同生活介護（短期利用以外）	260.0	−	260.0
介護予防認知症対応型共同生活介護（短期利用）	−	−	−

注：１）受給者１人当たり費用額＝費用額／受給者数
　　２）総数には、月の途中で要支援から要介護に変更となった者を含む。

統計表第４表　介護予防サービス受給者１人当たり費用額，月・年齢階級・サービス種類・要支援状態区分別(60－27)

（65～69歳）

平成29年10月審査分
（単位：千円）

サービス種類	総数	要支援１	要支援２
総数	31.3	23.9	35.9
介護予防居宅サービス	26.6	19.5	31.0
訪問通所	25.7	18.5	30.1
介護予防訪問介護	22.5	19.1	25.2
介護予防訪問入浴介護	40.8	9.6	43.2
介護予防訪問看護	33.3	26.8	36.4
介護予防訪問リハビリテーション	32.6	27.6	34.4
介護予防通所介護	30.0	20.0	38.3
介護予防通所リハビリテーション	35.4	22.4	43.0
介護予防福祉用具貸与	7.8	6.4	8.4
短期入所	39.1	27.9	44.4
介護予防短期入所生活介護	38.5	28.1	44.7
介護予防短期入所療養介護（老健）	44.5	22.3	42.7
特定治療・特別療養費（再掲）	−	−	−
介護予防短期入所療養介護（病院等）	−	−	−
特定診療費（再掲）	−	−	−
介護予防居宅療養管理指導	11.1	11.2	11.1
介護予防特定施設入居者生活介護	78.4	59.3	101.7
介護予防支援	4.6	4.6	4.6
地域密着型介護予防サービス	83.7	47.4	115.2
介護予防認知症対応型通所介護	37.4	35.9	49.2
介護予防小規模多機能型居宅介護（短期利用以外）	68.2	48.7	87.4
介護予防小規模多機能型居宅介護（短期利用）	−	−	−
介護予防認知症対応型共同生活介護（短期利用以外）	252.2	−	252.1
介護予防認知症対応型共同生活介護（短期利用）	−	−	−

注：１）受給者１人当たり費用額＝費用額／受給者数
　　２）総数には、月の途中で要支援から要介護に変更となった者を含む。

（70～74歳）

平成29年10月審査分
（単位：千円）

サービス種類	総数	要支援１	要支援２
総数	29.9	23.1	34.7
介護予防居宅サービス	25.2	18.6	29.8
訪問通所	24.1	17.5	28.7
介護予防訪問介護	21.3	18.4	23.7
介護予防訪問入浴介護	39.8	21.9	41.9
介護予防訪問看護	33.1	26.5	36.8
介護予防訪問リハビリテーション	32.4	26.7	34.8
介護予防通所介護	29.6	19.9	38.4
介護予防通所リハビリテーション	34.7	22.5	43.2
介護予防福祉用具貸与	7.1	5.9	7.7
短期入所	37.3	26.3	41.0
介護予防短期入所生活介護	36.4	25.5	40.1
介護予防短期入所療養介護（老健）	46.9	39.4	49.3
特定治療・特別療養費（再掲）	−	−	−
介護予防短期入所療養介護（病院等）	19.3	−	19.3
特定診療費（再掲）	−	−	−
介護予防居宅療養管理指導	11.1	11.0	11.1
介護予防特定施設入居者生活介護	78.3	60.4	101.5
介護予防支援	4.6	4.6	4.6
地域密着型介護予防サービス	77.2	46.8	104.7
介護予防認知症対応型通所介護	42.7	34.8	60.9
介護予防小規模多機能型居宅介護（短期利用以外）	67.5	48.8	85.7
介護予防小規模多機能型居宅介護（短期利用）	16.7	14.4	19.0
介護予防認知症対応型共同生活介護（短期利用以外）	239.9	−	239.9
介護予防認知症対応型共同生活介護（短期利用）	−	−	−

注：１）受給者１人当たり費用額＝費用額／受給者数
　　２）総数には、月の途中で要支援から要介護に変更となった者を含む。

統計表第４表　介護予防サービス受給者１人当たり費用額，月・年齢階級・サービス種類・要支援状態区分別(60−28)

（75〜79歳）

平成29年10月審査分
（単位：千円）

サービス種類	総数	要支援１	要支援２
総数	28.6	22.3	33.6
介護予防居宅サービス	23.8	17.8	28.6
訪問通所	22.7	16.6	27.4
介護予防訪問介護	20.1	17.6	22.5
介護予防訪問入浴介護	40.9	32.3	42.2
介護予防訪問看護	32.3	25.9	35.9
介護予防訪問リハビリテーション	31.5	26.6	33.6
介護予防通所介護	28.9	20.0	38.2
介護予防通所リハビリテーション	34.0	22.4	43.1
介護予防福祉用具貸与	6.4	5.5	7.0
短期入所	36.8	27.2	40.9
介護予防短期入所生活介護	36.0	26.7	39.9
介護予防短期入所療養介護（老健）	43.4	30.8	48.6
特定治療・特別療養費（再掲）	−	−	−
介護予防短期入所療養介護（病院等）	29.9	27.2	35.1
特定診療費（再掲）	2.3	2.1	2.9
介護予防居宅療養管理指導	11.0	11.2	10.9
介護予防特定施設入居者生活介護	76.1	60.4	100.6
介護予防支援	4.6	4.6	4.6
地域密着型介護予防サービス	76.6	47.2	105.0
介護予防認知症対応型通所介護	46.3	35.2	67.6
介護予防小規模多機能型居宅介護（短期利用以外）	67.6	49.0	87.1
介護予防小規模多機能型居宅介護（短期利用）	11.7	−	11.7
介護予防認知症対応型共同生活介護（短期利用以外）	238.6	−	240.7
介護予防認知症対応型共同生活介護（短期利用）	−	−	−

注：１）受給者１人当たり費用額＝費用額／受給者数
　　２）総数には、月の途中で要支援から要介護に変更となった者を含む。

（80〜84歳）

平成29年10月審査分
（単位：千円）

サービス種類	総数	要支援１	要支援２
総数	29.1	22.8	34.1
介護予防居宅サービス	24.2	18.3	28.8
訪問通所	22.3	16.5	26.9
介護予防訪問介護	19.5	17.2	21.7
介護予防訪問入浴介護	34.4	32.8	34.7
介護予防訪問看護	31.8	25.9	35.1
介護予防訪問リハビリテーション	31.0	26.1	33.0
介護予防通所介護	29.0	19.8	38.1
介護予防通所リハビリテーション	34.1	22.3	43.0
介護予防福祉用具貸与	6.0	5.3	6.4
短期入所	37.1	27.1	40.9
介護予防短期入所生活介護	36.8	27.0	40.5
介護予防短期入所療養介護（老健）	39.7	27.6	44.0
特定治療・特別療養費（再掲）	0.3	0.3	−
介護予防短期入所療養介護（病院等）	30.2	26.3	34.1
特定診療費（再掲）	2.1	3.4	1.3
介護予防居宅療養管理指導	11.0	11.2	10.9
介護予防特定施設入居者生活介護	78.3	61.1	101.4
介護予防支援	4.6	4.6	4.6
地域密着型介護予防サービス	79.2	48.0	103.2
介護予防認知症対応型通所介護	49.4	34.7	64.9
介護予防小規模多機能型居宅介護（短期利用以外）	69.7	49.3	87.3
介護予防小規模多機能型居宅介護（短期利用）	35.7	−	35.7
介護予防認知症対応型共同生活介護（短期利用以外）	234.6	−	235.6
介護予防認知症対応型共同生活介護（短期利用）	−	−	−

注：１）受給者１人当たり費用額＝費用額／受給者数
　　２）総数には、月の途中で要支援から要介護に変更となった者を含む。

統計表第４表　介護予防サービス受給者１人当たり費用額，月・年齢階級・サービス種類・要支援状態区分別(60−29)

（85～89歳）

平成29年10月審査分
（単位：千円）

サ ー ビ ス 種 類	総数	要支援１	要支援２
総数	31.2	24.4	36.1
介護予防居宅サービス	26.2	19.9	30.7
訪問通所	22.7	16.6	27.0
介護予防訪問介護	19.7	17.2	21.9
介護予防訪問入浴介護	41.4	33.7	42.4
介護予防訪問看護	31.5	25.2	34.7
介護予防訪問リハビリテーション	30.2	25.5	32.1
介護予防通所介護	29.5	19.6	37.8
介護予防通所リハビリテーション	34.6	22.3	42.8
介護予防福祉用具貸与	5.9	5.3	6.2
短期入所	37.6	26.4	42.0
介護予防短期入所生活介護	36.7	25.9	41.0
介護予防短期入所療養介護（老健）	45.0	32.1	48.6
特定治療・特別療養費（再掲）	0.2	0.2	0.3
介護予防短期入所療養介護（病院等）	59.4	22.6	67.6
特定診療費（再掲）	9.1	0.3	10.0
介護予防居宅療養管理指導	11.3	11.7	11.0
介護予防特定施設入居者生活介護	80.4	61.7	102.3
介護予防支援	4.5	4.5	4.5
地域密着型介護予防サービス	81.0	48.6	103.5
介護予防認知症対応型通所介護	52.0	36.0	66.3
介護予防小規模多機能型居宅介護（短期利用以外）	70.5	49.8	86.9
介護予防小規模多機能型居宅介護（短期利用）	40.5	7.5	60.0
介護予防認知症対応型共同生活介護（短期利用以外）	235.2	−	236.0
介護予防認知症対応型共同生活介護（短期利用）	−	−	−

注：1）受給者１人当たり費用額＝費用額／受給者数
　　2）総数には、月の途中で要支援から要介護に変更となった者を含む。

（90～94歳）

平成29年10月審査分
（単位：千円）

サ ー ビ ス 種 類	総数	要支援１	要支援２
総数	34.2	26.5	38.8
介護予防居宅サービス	29.1	22.3	33.1
訪問通所	23.2	16.5	27.1
介護予防訪問介護	20.5	17.5	22.7
介護予防訪問入浴介護	40.5	32.0	42.9
介護予防訪問看護	31.1	24.7	33.9
介護予防訪問リハビリテーション	29.4	24.4	31.1
介護予防通所介護	30.3	19.3	37.5
介護予防通所リハビリテーション	35.6	22.2	42.6
介護予防福祉用具貸与	5.8	5.3	6.1
短期入所	37.5	25.5	41.5
介護予防短期入所生活介護	36.7	25.3	40.7
介護予防短期入所療養介護（老健）	44.0	27.2	47.8
特定治療・特別療養費（再掲）	0.4	−	0.4
介護予防短期入所療養介護（病院等）	48.0	41.2	49.1
特定診療費（再掲）	6.1	6.7	6.0
介護予防居宅療養管理指導	11.2	11.5	11.0
介護予防特定施設入居者生活介護	82.2	62.2	103.0
介護予防支援	4.5	4.5	4.5
地域密着型介護予防サービス	84.5	48.3	105.7
介護予防認知症対応型通所介護	54.8	36.1	67.9
介護予防小規模多機能型居宅介護（短期利用以外）	71.6	49.4	86.8
介護予防小規模多機能型居宅介護（短期利用）	25.0	12.3	47.7
介護予防認知症対応型共同生活介護（短期利用以外）	236.5	−	236.4
介護予防認知症対応型共同生活介護（短期利用）	86.9	−	86.9

注：1）受給者１人当たり費用額＝費用額／受給者数
　　2）総数には、月の途中で要支援から要介護に変更となった者を含む。

統計表第４表　介護予防サービス受給者１人当たり費用額，月・年齢階級・サービス種類・要支援状態区分別(60−30)

(95歳以上)

平成29年10月審査分
（単位：千円）

サービス種類	総数	要支援１	要支援２
総数	36.9	29.0	40.9
介護予防居宅サービス	31.7	24.9	35.0
訪問通所	22.9	16.2	25.9
介護予防訪問介護	21.3	18.1	23.1
介護予防訪問入浴介護	43.1	23.0	44.1
介護予防訪問看護	30.0	24.1	32.1
介護予防訪問リハビリテーション	30.9	24.6	32.9
介護予防通所介護	30.9	19.0	37.1
介護予防通所リハビリテーション	36.1	22.1	42.3
介護予防福祉用具貸与	5.8	5.3	5.9
短期入所	38.3	26.4	42.0
介護予防短期入所生活介護	37.7	26.5	41.4
介護予防短期入所療養介護（老健）	44.2	24.1	46.8
特定治療・特別療養費（再掲）	-	-	-
介護予防短期入所療養介護（病院等）	39.1	-	39.1
特定診療費（再掲）	8.2	-	8.2
介護予防居宅療養管理指導	10.8	10.9	10.7
介護予防特定施設入居者生活介護	84.3	62.4	103.5
介護予防支援	4.5	4.5	4.5
地域密着型介護予防サービス	88.6	48.1	106.2
介護予防認知症対応型通所介護	57.6	36.5	67.1
介護予防小規模多機能型居宅介護（短期利用以外）	73.8	48.8	86.5
介護予防小規模多機能型居宅介護（短期利用）	20.7	-	20.7
介護予防認知症対応型共同生活介護（短期利用以外）	245.7	-	245.7
介護予防認知症対応型共同生活介護（短期利用）	-	-	-

注：１）受給者１人当たり費用額＝費用額／受給者数
　　２）総数には、月の途中で要支援から要介護に変更となった者を含む。

統計表第４表　介護予防サービス受給者１人当たり費用額，月・年齢階級・サービス種類・要支援状態区分別(60－31)

（総　　数）

平成29年11月審査分
（単位：千円）

サービス種類	総数	要支援１	要支援２
総数	30.4	23.6	35.1
介護予防居宅サービス	25.5	19.2	29.8
訪問通所	22.5	16.3	26.7
介護予防訪問介護	20.2	17.5	22.4
介護予防訪問入浴介護	38.8	31.6	40.0
介護予防訪問看護	33.1	26.5	36.5
介護予防訪問リハビリテーション	32.2	27.0	34.3
介護予防通所介護	29.4	19.7	37.8
介護予防通所リハビリテーション	34.7	22.3	42.9
介護予防福祉用具貸与	6.2	5.4	6.7
短期入所	37.5	26.1	41.8
介護予防短期入所生活介護	36.7	25.8	41.1
介護予防短期入所療養介護（老健）	43.9	29.4	47.4
特定治療・特別療養費（再掲）	0.3	－	0.3
介護予防短期入所療養介護（病院等）	43.5	27.8	48.9
特定診療費（再掲）	5.3	4.0	5.9
介護予防居宅療養管理指導	11.1	11.5	10.9
介護予防特定施設入居者生活介護	83.0	63.5	105.7
介護予防支援	4.6	4.6	4.6
地域密着型介護予防サービス	81.2	48.3	105.2
介護予防認知症対応型通所介護	50.9	36.1	65.9
介護予防小規模多機能型居宅介護（短期利用以外）	70.1	49.5	86.9
介護予防小規模多機能型居宅介護（短期利用）	18.6	14.9	21.7
介護予防認知症対応型共同生活介護（短期利用以外）	244.4	－	248.5
介護予防認知症対応型共同生活介護（短期利用）	39.1	－	39.1

注：１）受給者１人当たり費用額＝費用額／受給者数
　　２）総数には、月の途中で要支援から要介護に変更となった者を含む。

（40～64歳）

平成29年11月審査分
（単位：千円）

サービス種類	総数	要支援１	要支援２
総数	34.1	24.7	38.3
介護予防居宅サービス	29.8	20.4	33.9
訪問通所	29.2	19.9	33.3
介護予防訪問介護	22.5	19.0	24.1
介護予防訪問入浴介護	46.1	30.6	48.6
介護予防訪問看護	37.5	28.5	41.1
介護予防訪問リハビリテーション	34.5	27.3	37.0
介護予防通所介護	31.9	19.8	38.2
介護予防通所リハビリテーション	36.4	22.4	42.9
介護予防福祉用具貸与	9.6	7.5	10.3
短期入所	38.8	23.6	43.2
介護予防短期入所生活介護	36.7	23.6	40.9
介護予防短期入所療養介護（老健）	63.3	－	63.3
特定治療・特別療養費（再掲）	－	－	－
介護予防短期入所療養介護（病院等）	－	－	－
特定診療費（再掲）	－	－	－
介護予防居宅療養管理指導	10.8	10.2	11.1
介護予防特定施設入居者生活介護	85.9	59.7	104.4
介護予防支援	4.6	4.6	4.6
地域密着型介護予防サービス	80.3	50.1	100.5
介護予防認知症対応型通所介護	38.3	40.8	－
介護予防小規模多機能型居宅介護（短期利用以外）	72.0	51.3	84.9
介護予防小規模多機能型居宅介護（短期利用）	－	－	－
介護予防認知症対応型共同生活介護（短期利用以外）	267.0	－	267.0
介護予防認知症対応型共同生活介護（短期利用）	－	－	－

注：１）受給者１人当たり費用額＝費用額／受給者数
　　２）総数には、月の途中で要支援から要介護に変更となった者を含む。

統計表第４表　介護予防サービス受給者１人当たり費用額，月・年齢階級・サービス種類・要支援状態区分別(60－32)

（65～69歳）

平成29年11月審査分
（単位：千円）

サービス種類	総数	要支援１	要支援２
総数	30.9	23.7	35.4
介護予防居宅サービス	26.3	19.3	30.6
訪問通所	25.4	18.2	29.6
介護予防訪問介護	22.4	19.0	25.2
介護予防訪問入浴介護	42.2	9.4	45.4
介護予防訪問看護	34.5	27.5	37.9
介護予防訪問リハビリテーション	33.1	28.9	34.8
介護予防通所介護	29.7	19.9	38.0
介護予防通所リハビリテーション	35.5	22.4	43.0
介護予防福祉用具貸与	7.8	6.3	8.4
短期入所	37.7	26.9	44.0
介護予防短期入所生活介護	38.0	26.9	45.0
介護予防短期入所療養介護（老健）	34.9	27.0	37.3
特定治療・特別療養費（再掲）	-	-	-
介護予防短期入所療養介護（病院等）	-	-	-
特定診療費（再掲）	-	-	-
介護予防居宅療養管理指導	10.9	11.2	10.8
介護予防特定施設入居者生活介護	81.7	61.3	104.2
介護予防支援	4.6	4.6	4.6
地域密着型介護予防サービス	81.7	47.4	111.9
介護予防認知症対応型通所介護	47.4	40.6	81.8
介護予防小規模多機能型居宅介護（短期利用以外）	68.0	48.6	86.1
介護予防小規模多機能型居宅介護（短期利用）	15.0	9.3	17.8
介護予防認知症対応型共同生活介護（短期利用以外）	260.2	-	260.2
介護予防認知症対応型共同生活介護（短期利用）	-	-	-

注：１）受給者１人当たり費用額＝費用額／受給者数
　　２）総数には、月の途中で要支援から要介護に変更となった者を含む。

（70～74歳）

平成29年11月審査分
（単位：千円）

サービス種類	総数	要支援１	要支援２
総数	29.4	22.8	34.0
介護予防居宅サービス	24.7	18.3	29.1
訪問通所	23.6	17.2	27.9
介護予防訪問介護	21.2	18.3	23.6
介護予防訪問入浴介護	40.8	24.2	41.8
介護予防訪問看護	33.7	26.8	37.8
介護予防訪問リハビリテーション	33.3	27.1	36.1
介護予防通所介護	29.4	19.9	38.2
介護予防通所リハビリテーション	34.6	22.4	43.2
介護予防福祉用具貸与	7.0	5.8	7.7
短期入所	39.0	26.3	44.1
介護予防短期入所生活介護	38.2	25.5	43.5
介護予防短期入所療養介護（老健）	47.0	37.4	50.8
特定治療・特別療養費（再掲）	-	-	-
介護予防短期入所療養介護（病院等）	57.7	-	57.7
特定診療費（再掲）	14.7	-	14.7
介護予防居宅療養管理指導	11.2	11.2	11.1
介護予防特定施設入居者生活介護	80.0	62.0	103.9
介護予防支援	4.6	4.6	4.6
地域密着型介護予防サービス	77.6	47.5	106.8
介護予防認知症対応型通所介護	42.9	34.9	59.3
介護予防小規模多機能型居宅介護（短期利用以外）	68.0	49.4	87.3
介護予防小規模多機能型居宅介護（短期利用）	-	-	-
介護予防認知症対応型共同生活介護（短期利用以外）	252.2	-	256.0
介護予防認知症対応型共同生活介護（短期利用）	-	-	-

注：１）受給者１人当たり費用額＝費用額／受給者数
　　２）総数には、月の途中で要支援から要介護に変更となった者を含む。

統計表第４表　介護予防サービス受給者１人当たり費用額，月・年齢階級・サービス種類・要支援状態区分別(60－33)

（75～79歳）

平成29年11月審査分
（単位：千円）

サービス種類	総数	要支援１	要支援２
総数	28.1	22.0	32.9
介護予防居宅サービス	23.3	17.5	27.9
訪問通所	22.1	16.2	26.6
介護予防訪問介護	20.1	17.5	22.4
介護予防訪問入浴介護	37.8	26.3	40.0
介護予防訪問看護	33.1	26.5	36.9
介護予防訪問リハビリテーション	32.7	27.8	34.8
介護予防通所介護	28.9	20.0	38.2
介護予防通所リハビリテーション	34.0	22.4	43.1
介護予防福祉用具貸与	6.4	5.5	7.0
短期入所	36.4	26.2	40.8
介護予防短期入所生活介護	35.6	26.0	40.1
介護予防短期入所療養介護（老健）	43.5	28.8	47.7
特定治療・特別療養費（再掲）	－	－	－
介護予防短期入所療養介護（病院等）	22.7	21.7	23.2
特定診療費（再掲）	1.2	2.2	0.3
介護予防居宅療養管理指導	10.9	11.3	10.7
介護予防特定施設入居者生活介護	78.7	61.8	104.2
介護予防支援	4.6	4.6	4.6
地域密着型介護予防サービス	78.0	46.7	107.1
介護予防認知症対応型通所介護	47.3	31.8	69.3
介護予防小規模多機能型居宅介護（短期利用以外）	67.3	48.7	86.8
介護予防小規模多機能型居宅介護（短期利用）	29.4	－	29.4
介護予防認知症対応型共同生活介護（短期利用以外）	242.6	－	246.5
介護予防認知症対応型共同生活介護（短期利用）	－	－	－

注：1）受給者１人当たり費用額＝費用額／受給者数
　　2）総数には、月の途中で要支援から要介護に変更となった者を含む。

（80～84歳）

平成29年11月審査分
（単位：千円）

サービス種類	総数	要支援１	要支援２
総数	28.6	22.5	33.4
介護予防居宅サービス	23.7	18.0	28.2
訪問通所	21.7	16.0	26.1
介護予防訪問介護	19.5	17.2	21.6
介護予防訪問入浴介護	34.4	36.6	34.0
介護予防訪問看護	32.8	26.5	36.2
介護予防訪問リハビリテーション	31.9	26.9	34.1
介護予防通所介護	28.9	19.8	38.0
介護予防通所リハビリテーション	34.1	22.3	43.0
介護予防福祉用具貸与	6.0	5.3	6.4
短期入所	37.0	26.2	41.4
介護予防短期入所生活介護	36.2	26.0	40.5
介護予防短期入所療養介護（老健）	43.5	27.1	47.7
特定治療・特別療養費（再掲）	0.1	－	0.1
介護予防短期入所療養介護（病院等）	50.1	31.2	59.5
特定診療費（再掲）	3.4	4.4	2.7
介護予防居宅療養管理指導	11.0	11.2	11.0
介護予防特定施設入居者生活介護	80.8	63.1	104.3
介護予防支援	4.6	4.6	4.6
地域密着型介護予防サービス	79.4	48.5	103.9
介護予防認知症対応型通所介護	51.2	36.8	64.0
介護予防小規模多機能型居宅介護（短期利用以外）	69.4	49.6	87.1
介護予防小規模多機能型居宅介護（短期利用）	19.3	14.5	24.2
介護予防認知症対応型共同生活介護（短期利用以外）	245.8	－	248.8
介護予防認知症対応型共同生活介護（短期利用）	－	－	－

注：1）受給者１人当たり費用額＝費用額／受給者数
　　2）総数には、月の途中で要支援から要介護に変更となった者を含む。

統計表第４表　介護予防サービス受給者１人当たり費用額，月・年齢階級・サービス種類・要支援状態区分別(60－34)

(85～89歳)

平成29年11月審査分
(単位：千円)

サービス種類	総数	要支援１	要支援２
総数	30.7	24.2	35.4
介護予防居宅サービス	25.8	19.8	30.0
訪問通所	22.0	16.1	26.1
介護予防訪問介護	19.7	17.3	21.8
介護予防訪問入浴介護	40.0	33.2	41.5
介護予防訪問看護	32.4	26.0	35.7
介護予防訪問リハビリテーション	31.1	26.4	33.0
介護予防通所介護	29.4	19.6	37.8
介護予防通所リハビリテーション	34.6	22.3	42.8
介護予防福祉用具貸与	5.8	5.3	6.2
短期入所	36.7	25.9	41.2
介護予防短期入所生活介護	35.9	25.5	40.4
介護予防短期入所療養介護（老健）	44.3	31.6	47.8
特定治療・特別療養費（再掲）	-	-	-
介護予防短期入所療養介護（病院等）	35.2	18.6	39.0
特定診療費（再掲）	3.6	0.3	4.5
介護予防居宅療養管理指導	11.2	11.7	11.0
介護予防特定施設入居者生活介護	83.0	63.6	106.0
介護予防支援	4.5	4.5	4.5
地域密着型介護予防サービス	81.1	48.7	104.4
介護予防認知症対応型通所介護	52.6	37.5	66.0
介護予防小規模多機能型居宅介護（短期利用以外）	70.3	49.8	87.0
介護予防小規模多機能型居宅介護（短期利用）	18.9	18.8	19.0
介護予防認知症対応型共同生活介護（短期利用以外）	241.4	-	246.2
介護予防認知症対応型共同生活介護（短期利用）	-	-	-

注：1）受給者１人当たり費用額＝費用額／受給者数
　　2）総数には、月の途中で要支援から要介護に変更となった者を含む。

(90～94歳)

平成29年11月審査分
(単位：千円)

サービス種類	総数	要支援１	要支援２
総数	33.9	26.6	38.3
介護予防居宅サービス	28.8	22.4	32.6
訪問通所	22.5	16.0	26.1
介護予防訪問介護	20.5	17.5	22.7
介護予防訪問入浴介護	38.7	32.7	39.4
介護予防訪問看護	31.8	25.4	34.6
介護予防訪問リハビリテーション	30.6	25.0	32.4
介護予防通所介護	30.3	19.3	37.4
介護予防通所リハビリテーション	35.6	22.2	42.7
介護予防福祉用具貸与	5.8	5.3	6.1
短期入所	37.9	25.9	42.0
介護予防短期入所生活介護	37.0	25.6	41.2
介護予防短期入所療養介護（老健）	43.7	28.7	46.8
特定治療・特別療養費（再掲）	0.3	-	0.3
介護予防短期入所療養介護（病院等）	45.2	34.8	49.9
特定診療費（再掲）	6.2	6.3	6.2
介護予防居宅療養管理指導	11.3	11.7	11.0
介護予防特定施設入居者生活介護	84.8	64.3	106.4
介護予防支援	4.5	4.5	4.5
地域密着型介護予防サービス	84.7	48.4	105.7
介護予防認知症対応型通所介護	53.9	36.0	66.4
介護予防小規模多機能型居宅介護（短期利用以外）	71.9	49.6	86.6
介護予防小規模多機能型居宅介護（短期利用）	16.9	9.5	24.4
介護予防認知症対応型共同生活介護（短期利用以外）	243.0	-	249.2
介護予防認知症対応型共同生活介護（短期利用）	16.5	-	16.5

注：1）受給者１人当たり費用額＝費用額／受給者数
　　2）総数には、月の途中で要支援から要介護に変更となった者を含む。

統計表第４表　介護予防サービス受給者１人当たり費用額，月・年齢階級・サービス種類・要支援状態区分別(60－35)

（95歳以上）

平成29年11月審査分
（単位：千円）

サ ー ビ ス 種 類	総数	要支援１	要支援２
総数	37.1	29.5	40.9
介護予防居宅サービス	31.7	25.5	34.8
訪問通所	22.0	15.7	24.8
介護予防訪問介護	21.6	18.6	23.4
介護予防訪問入浴介護	39.3	36.0	40.0
介護予防訪問看護	31.1	25.1	33.5
介護予防訪問リハビリテーション	32.5	27.5	34.1
介護予防通所介護	30.9	19.1	37.0
介護予防通所リハビリテーション	36.3	22.1	42.4
介護予防福祉用具貸与	5.7	5.3	5.9
短期入所	39.4	27.0	43.4
介護予防短期入所生活介護	38.8	27.0	42.6
介護予防短期入所療養介護（老健）	44.3	27.6	47.8
特定治療・特別療養費（再掲）	－	－	－
介護予防短期入所療養介護（病院等）	59.5	16.1	68.1
特定診療費（再掲）	11.4	－	11.4
介護予防居宅療養管理指導	10.8	11.1	10.7
介護予防特定施設入居者生活介護	86.9	64.6	106.9
介護予防支援	4.5	4.5	4.5
地域密着型介護予防サービス	88.7	49.1	105.4
介護予防認知症対応型通所介護	58.0	38.7	67.2
介護予防小規模多機能型居宅介護（短期利用以外）	74.5	49.8	86.7
介護予防小規模多機能型居宅介護（短期利用）	19.3	－	19.3
介護予防認知症対応型共同生活介護（短期利用以外）	244.1	－	244.1
介護予防認知症対応型共同生活介護（短期利用）	61.7	－	61.7

注：1）受給者１人当たり費用額＝費用額／受給者数
　　2）総数には、月の途中で要支援から要介護に変更となった者を含む。

統計表第４表　介護予防サービス受給者１人当たり費用額，月・年齢階級・サービス種類・要支援状態区分別(60−36)

（総　　数）

平成29年12月審査分
（単位：千円）

サービス種類	総数	要支援１	要支援２
総数	29.6	23.1	34.0
介護予防居宅サービス	24.6	18.6	28.6
訪問通所	21.6	15.7	25.5
介護予防訪問介護	20.1	17.4	22.4
介護予防訪問入浴介護	39.3	31.3	40.5
介護予防訪問看護	32.7	26.3	35.9
介護予防訪問リハビリテーション	31.4	26.2	33.5
介護予防通所介護	29.3	19.6	37.8
介護予防通所リハビリテーション	34.6	22.3	42.9
介護予防福祉用具貸与	6.3	5.5	6.7
短期入所	37.7	26.2	42.1
介護予防短期入所生活介護	36.9	26.0	41.3
介護予防短期入所療養介護（老健）	44.3	29.1	48.0
特定治療・特別療養費（再掲）	0.3	-	0.3
介護予防短期入所療養介護（病院等）	42.4	30.2	44.1
特定診療費（再掲）	4.9	3.1	5.5
介護予防居宅療養管理指導	11.1	11.3	10.9
介護予防特定施設入居者生活介護	80.4	61.6	102.1
介護予防支援	4.6	4.6	4.6
地域密着型介護予防サービス	80.6	48.7	103.7
介護予防認知症対応型通所介護	50.7	36.7	63.3
介護予防小規模多機能型居宅介護（短期利用以外）	70.1	49.8	86.8
介護予防小規模多機能型居宅介護（短期利用）	23.1	19.0	24.0
介護予防認知症対応型共同生活介護（短期利用以外）	237.8	-	238.7
介護予防認知症対応型共同生活介護（短期利用）	-	-	-

注：１）受給者１人当たり費用額＝費用額／受給者数
　　２）総数には、月の途中で要支援から要介護に変更となった者を含む。

（40〜64歳）

平成29年12月審査分
（単位：千円）

サービス種類	総数	要支援１	要支援２
総数	33.6	24.5	37.6
介護予防居宅サービス	29.1	20.1	33.0
訪問通所	28.6	19.6	32.4
介護予防訪問介護	22.4	19.2	24.0
介護予防訪問入浴介護	48.9	31.8	52.4
介護予防訪問看護	36.8	27.6	40.5
介護予防訪問リハビリテーション	33.9	27.0	36.1
介護予防通所介護	31.9	20.0	38.2
介護予防通所リハビリテーション	36.4	22.4	43.0
介護予防福祉用具貸与	9.6	7.5	10.3
短期入所	40.0	24.0	42.7
介護予防短期入所生活介護	37.8	22.2	41.6
介護予防短期入所療養介護（老健）	51.8	35.7	49.2
特定治療・特別療養費（再掲）	-	-	-
介護予防短期入所療養介護（病院等）	-	-	-
特定診療費（再掲）	-	-	-
介護予防居宅療養管理指導	10.7	10.5	10.9
介護予防特定施設入居者生活介護	82.7	59.0	99.7
介護予防支援	4.6	4.6	4.6
地域密着型介護予防サービス	78.1	49.5	93.4
介護予防認知症対応型通所介護	49.2	43.6	55.8
介護予防小規模多機能型居宅介護（短期利用以外）	71.3	50.2	83.0
介護予防小規模多機能型居宅介護（短期利用）	28.4	-	28.4
介護予防認知症対応型共同生活介護（短期利用以外）	246.3	-	246.3
介護予防認知症対応型共同生活介護（短期利用）	-	-	-

注：１）受給者１人当たり費用額＝費用額／受給者数
　　２）総数には、月の途中で要支援から要介護に変更となった者を含む。

統計表第４表　介護予防サービス受給者１人当たり費用額，月・年齢階級・サービス種類・要支援状態区分別(60−37)

（65～69歳）

平成29年12月審査分
（単位：千円）

サービス種類	総数	要支援１	要支援２
総数	30.3	23.2	34.6
介護予防居宅サービス	25.6	18.7	29.7
訪問通所	24.6	17.6	28.7
介護予防訪問介護	22.4	18.6	25.5
介護予防訪問入浴介護	37.4	26.5	38.0
介護予防訪問看護	33.9	27.2	37.2
介護予防訪問リハビリテーション	32.7	27.8	34.5
介護予防通所介護	29.6	19.8	37.8
介護予防通所リハビリテーション	35.5	22.4	43.0
介護予防福祉用具貸与	7.8	6.4	8.5
短期入所	39.8	28.4	46.2
介護予防短期入所生活介護	39.1	28.1	45.8
介護予防短期入所療養介護（老健）	43.5	28.3	48.6
特定治療・特別療養費（再掲）	−	−	−
介護予防短期入所療養介護（病院等）	−	−	−
特定診療費（再掲）	−	−	−
介護予防居宅療養管理指導	10.8	11.0	10.7
介護予防特定施設入居者生活介護	78.1	59.5	100.1
介護予防支援	4.6	4.6	4.6
地域密着型介護予防サービス	79.8	47.1	109.9
介護予防認知症対応型通所介護	44.0	36.0	88.3
介護予防小規模多機能型居宅介護（短期利用以外）	67.8	48.5	86.9
介護予防小規模多機能型居宅介護（短期利用）	−	−	−
介護予防認知症対応型共同生活介護（短期利用以外）	251.1	−	251.1
介護予防認知症対応型共同生活介護（短期利用）	−	−	−

注：１）受給者１人当たり費用額＝費用額／受給者数
　　２）総数には、月の途中で要支援から要介護に変更となった者を含む。

（70～74歳）

平成29年12月審査分
（単位：千円）

サービス種類	総数	要支援１	要支援２
総数	28.6	22.3	32.9
介護予防居宅サービス	23.9	17.8	27.9
訪問通所	22.8	16.6	26.8
介護予防訪問介護	21.1	18.2	23.4
介護予防訪問入浴介護	37.1	20.1	38.6
介護予防訪問看護	33.2	26.6	37.0
介護予防訪問リハビリテーション	32.4	26.5	35.0
介護予防通所介護	29.4	19.8	38.1
介護予防通所リハビリテーション	34.7	22.4	43.1
介護予防福祉用具貸与	7.1	5.9	7.7
短期入所	36.7	27.4	40.8
介護予防短期入所生活介護	36.5	27.0	40.7
介護予防短期入所療養介護（老健）	40.8	32.3	44.3
特定治療・特別療養費（再掲）	−	−	−
介護予防短期入所療養介護（病院等）	24.6	−	24.6
特定診療費（再掲）	0.2	−	0.2
介護予防居宅療養管理指導	11.0	11.2	10.9
介護予防特定施設入居者生活介護	76.4	59.1	100.4
介護予防支援	4.6	4.6	4.6
地域密着型介護予防サービス	78.1	47.5	106.9
介護予防認知症対応型通所介護	45.4	37.3	61.6
介護予防小規模多機能型居宅介護（短期利用以外）	67.3	49.0	86.1
介護予防小規模多機能型居宅介護（短期利用）	−	−	−
介護予防認知症対応型共同生活介護（短期利用以外）	233.7	−	233.7
介護予防認知症対応型共同生活介護（短期利用）	−	−	−

注：１）受給者１人当たり費用額＝費用額／受給者数
　　２）総数には、月の途中で要支援から要介護に変更となった者を含む。

統計表第４表　介護予防サービス受給者１人当たり費用額，月・年齢階級・サービス種類・要支援状態区分別(60－38)

(75～79歳)

平成29年12月審査分
(単位：千円)

サービス種類	総数	要支援１	要支援２
総数	27.3	21.5	31.8
介護予防居宅サービス	22.5	16.9	26.8
訪問通所	21.2	15.6	25.5
介護予防訪問介護	20.0	17.5	22.3
介護予防訪問入浴介護	40.1	27.2	41.6
介護予防訪問看護	32.9	26.5	36.4
介護予防訪問リハビリテーション	31.4	26.3	33.7
介護予防通所介護	28.7	19.9	38.1
介護予防通所リハビリテーション	34.0	22.3	43.1
介護予防福祉用具貸与	6.5	5.5	7.1
短期入所	39.0	27.8	44.3
介護予防短期入所生活介護	38.2	27.2	43.6
介護予防短期入所療養介護（老健）	45.6	33.1	49.8
特定治療・特別療養費（再掲）	0.2	－	0.2
介護予防短期入所療養介護（病院等）	21.5	－	21.5
特定診療費（再掲）	－	－	－
介護予防居宅療養管理指導	10.9	11.0	10.8
介護予防特定施設入居者生活介護	76.9	60.3	100.8
介護予防支援	4.6	4.6	4.6
地域密着型介護予防サービス	76.6	47.9	102.4
介護予防認知症対応型通所介護	48.4	35.8	65.0
介護予防小規模多機能型居宅介護（短期利用以外）	68.2	49.4	86.8
介護予防小規模多機能型居宅介護（短期利用）	30.1	－	30.1
介護予防認知症対応型共同生活介護（短期利用以外）	238.8	－	240.5
介護予防認知症対応型共同生活介護（短期利用）	－	－	－

注：１）受給者１人当たり費用額＝費用額／受給者数
　　２）総数には、月の途中で要支援から要介護に変更となった者を含む。

(80～84歳)

平成29年12月審査分
(単位：千円)

サービス種類	総数	要支援１	要支援２
総数	27.8	21.9	32.3
介護予防居宅サービス	22.9	17.4	27.0
訪問通所	20.8	15.4	24.9
介護予防訪問介護	19.4	17.1	21.6
介護予防訪問入浴介護	37.3	34.9	38.4
介護予防訪問看護	32.3	26.4	35.6
介護予防訪問リハビリテーション	31.2	26.2	33.3
介護予防通所介護	28.8	19.8	37.9
介護予防通所リハビリテーション	34.1	22.3	43.0
介護予防福祉用具貸与	6.0	5.3	6.5
短期入所	38.7	26.6	43.4
介護予防短期入所生活介護	37.8	26.4	42.6
介護予防短期入所療養介護（老健）	46.9	28.2	50.6
特定治療・特別療養費（再掲）	0.3	－	0.3
介護予防短期入所療養介護（病院等）	42.0	61.9	38.0
特定診療費（再掲）	4.3	11.6	1.9
介護予防居宅療養管理指導	11.1	11.2	11.0
介護予防特定施設入居者生活介護	78.7	61.2	101.5
介護予防支援	4.6	4.6	4.6
地域密着型介護予防サービス	78.7	49.1	102.1
介護予防認知症対応型通所介護	50.8	37.0	61.5
介護予防小規模多機能型居宅介護（短期利用以外）	69.5	50.1	87.2
介護予防小規模多機能型居宅介護（短期利用）	24.1	－	24.1
介護予防認知症対応型共同生活介護（短期利用以外）	238.3	－	238.5
介護予防認知症対応型共同生活介護（短期利用）	－	－	－

注：１）受給者１人当たり費用額＝費用額／受給者数
　　２）総数には、月の途中で要支援から要介護に変更となった者を含む。

統計表第４表　介護予防サービス受給者１人当たり費用額，月・年齢階級・サービス種類・要支援状態区分別(60−39)

(85〜89歳)

平成29年12月審査分
（単位：千円）

サービス種類	総数	要支援１	要支援２
総数	29.9	23.7	34.3
介護予防居宅サービス	24.9	19.2	28.8
訪問通所	21.1	15.5	24.9
介護予防訪問介護	19.8	17.2	21.9
介護予防訪問入浴介護	37.6	34.2	38.0
介護予防訪問看護	32.1	25.9	35.3
介護予防訪問リハビリテーション	30.5	26.0	32.3
介護予防通所介護	29.4	19.5	37.8
介護予防通所リハビリテーション	34.6	22.2	42.8
介護予防福祉用具貸与	5.9	5.3	6.2
短期入所	36.8	25.8	41.2
介護予防短期入所生活介護	36.0	25.5	40.4
介護予防短期入所療養介護（老健）	44.2	30.3	48.0
特定治療・特別療養費（再掲）	−	−	−
介護予防短期入所療養介護（病院等）	37.1	23.9	39.7
特定診療費（再掲）	3.7	0.3	4.7
介護予防居宅療養管理指導	11.2	11.6	10.9
介護予防特定施設入居者生活介護	80.2	61.9	101.8
介護予防支援	4.5	4.5	4.5
地域密着型介護予防サービス	81.0	48.9	103.8
介護予防認知症対応型通所介護	51.5	37.1	64.0
介護予防小規模多機能型居宅介護（短期利用以外）	70.3	49.9	86.9
介護予防小規模多機能型居宅介護（短期利用）	12.0	−	18.0
介護予防認知症対応型共同生活介護（短期利用以外）	235.9	−	236.3
介護予防認知症対応型共同生活介護（短期利用）	−	−	−

注：1）受給者１人当たり費用額＝費用額／受給者数
　　2）総数には、月の途中で要支援から要介護に変更となった者を含む。

(90〜94歳)

平成29年12月審査分
（単位：千円）

サービス種類	総数	要支援１	要支援２
総数	33.0	26.1	37.0
介護予防居宅サービス	27.7	21.7	31.2
訪問通所	21.4	15.3	24.7
介護予防訪問介護	20.4	17.5	22.6
介護予防訪問入浴介護	40.5	27.8	42.4
介護予防訪問看護	31.6	25.2	34.3
介護予防訪問リハビリテーション	29.9	24.6	31.8
介護予防通所介護	30.1	19.2	37.3
介護予防通所リハビリテーション	35.6	22.2	42.6
介護予防福祉用具貸与	5.8	5.3	6.1
短期入所	37.1	25.5	41.2
介護予防短期入所生活介護	36.2	25.4	40.4
介護予防短期入所療養介護（老健）	44.1	27.0	47.9
特定治療・特別療養費（再掲）	0.4	−	0.4
介護予防短期入所療養介護（病院等）	45.8	24.2	49.9
特定診療費（再掲）	5.9	2.2	7.2
介護予防居宅療養管理指導	11.2	11.6	10.9
介護予防特定施設入居者生活介護	82.0	62.2	102.8
介護予防支援	4.5	4.5	4.5
地域密着型介護予防サービス	84.1	48.9	104.5
介護予防認知症対応型通所介護	53.9	35.3	64.5
介護予防小規模多機能型居宅介護（短期利用以外）	71.9	49.9	86.7
介護予防小規模多機能型居宅介護（短期利用）	23.6	28.5	20.4
介護予防認知症対応型共同生活介護（短期利用以外）	239.8	−	242.2
介護予防認知症対応型共同生活介護（短期利用）	−	−	−

注：1）受給者１人当たり費用額＝費用額／受給者数
　　2）総数には、月の途中で要支援から要介護に変更となった者を含む。

統計表第４表　介護予防サービス受給者１人当たり費用額，月・年齢階級・サービス種類・要支援状態区分別(60－40)

(95歳以上)

平成29年12月審査分
（単位：千円）

サービス種類	総数	要支援１	要支援２
総数	36.1	28.8	39.7
介護予防居宅サービス	30.8	24.7	33.8
訪問通所	21.1	15.0	23.7
介護予防訪問介護	21.7	18.6	23.5
介護予防訪問入浴介護	42.1	33.0	42.8
介護予防訪問看護	30.7	24.5	32.9
介護予防訪問リハビリテーション	30.3	24.0	32.7
介護予防通所介護	31.0	19.0	37.1
介護予防通所リハビリテーション	36.2	22.0	42.4
介護予防福祉用具貸与	5.8	5.4	6.0
短期入所	39.4	27.3	43.2
介護予防短期入所生活介護	39.2	27.3	42.9
介護予防短期入所療養介護（老健）	40.2	26.7	43.5
特定治療・特別療養費（再掲）	-	-	-
介護予防短期入所療養介護（病院等）	57.6	41.7	60.2
特定診療費（再掲）	8.6	6.5	9.1
介護予防居宅療養管理指導	10.7	11.1	10.6
介護予防特定施設入居者生活介護	84.4	62.2	104.0
介護予防支援	4.5	4.5	4.5
地域密着型介護予防サービス	87.6	48.7	105.1
介護予防認知症対応型通所介護	53.3	38.5	58.4
介護予防小規模多機能型居宅介護（短期利用以外）	73.7	49.2	86.8
介護予防小規模多機能型居宅介護（短期利用）	-	-	-
介護予防認知症対応型共同生活介護（短期利用以外）	233.6	-	233.6
介護予防認知症対応型共同生活介護（短期利用）	-	-	-

注：１）受給者１人当たり費用額＝費用額／受給者数
　　２）総数には、月の途中で要支援から要介護に変更となった者を含む。

統計表第４表　介護予防サービス受給者１人当たり費用額，月・年齢階級・サービス種類・要支援状態区分別(60－41)

（総　　数）

平成30年１月審査分
（単位：千円）

サ ー ビ ス 種 類	総数	要支援１	要支援２
総数	29.1	22.8	33.4
介護予防居宅サービス	24.1	18.3	27.9
訪問通所	20.8	15.1	24.5
介護予防訪問介護	20.0	17.3	22.2
介護予防訪問入浴介護	36.9	31.2	38.2
介護予防訪問看護	32.1	25.7	35.4
介護予防訪問リハビリテーション	31.0	25.9	33.1
介護予防通所介護	29.2	19.6	37.7
介護予防通所リハビリテーション	34.7	22.3	42.9
介護予防福祉用具貸与	6.3	5.4	6.7
短期入所	38.3	25.8	42.7
介護予防短期入所生活介護	37.6	25.6	41.9
介護予防短期入所療養介護（老健）	44.2	27.8	48.1
特定治療・特別療養費（再掲）	0.4	－	0.4
介護予防短期入所療養介護（病院等）	46.2	31.8	50.0
特定診療費（再掲）	6.9	4.2	7.7
介護予防居宅療養管理指導	11.2	11.5	11.0
介護予防特定施設入居者生活介護	82.9	63.4	105.3
介護予防支援	4.6	4.6	4.6
地域密着型介護予防サービス	81.8	48.3	105.6
介護予防認知症対応型通所介護	49.9	35.4	63.9
介護予防小規模多機能型居宅介護（短期利用以外）	70.2	49.5	86.8
介護予防小規模多機能型居宅介護（短期利用）	18.9	8.5	23.6
介護予防認知症対応型共同生活介護（短期利用以外）	244.4	－	245.7
介護予防認知症対応型共同生活介護（短期利用）	44.2	－	44.2

注：1）受給者１人当たり費用額＝費用額／受給者数
　　2）総数には、月の途中で要支援から要介護に変更となった者を含む。

（40～64歳）

平成30年１月審査分
（単位：千円）

サ ー ビ ス 種 類	総数	要支援１	要支援２
総数	33.1	24.1	37.0
介護予防居宅サービス	28.7	19.8	32.4
訪問通所	28.1	19.2	31.8
介護予防訪問介護	22.1	18.5	23.9
介護予防訪問入浴介護	49.1	27.1	52.5
介護予防訪問看護	36.2	27.3	39.7
介護予防訪問リハビリテーション	33.5	26.7	35.8
介護予防通所介護	31.6	20.0	37.8
介護予防通所リハビリテーション	36.4	22.4	42.9
介護予防福祉用具貸与	9.6	7.5	10.2
短期入所	40.6	27.8	42.8
介護予防短期入所生活介護	39.4	27.8	41.7
介護予防短期入所療養介護（老健）	49.3	－	49.3
特定治療・特別療養費（再掲）	－	－	－
介護予防短期入所療養介護（病院等）	－	－	－
特定診療費（再掲）	－	－	－
介護予防居宅療養管理指導	10.8	10.2	11.1
介護予防特定施設入居者生活介護	83.4	62.0	99.2
介護予防支援	4.6	4.6	4.6
地域密着型介護予防サービス	81.8	48.9	101.0
介護予防認知症対応型通所介護	45.7	39.0	65.9
介護予防小規模多機能型居宅介護（短期利用以外）	72.4	50.0	85.6
介護予防小規模多機能型居宅介護（短期利用）	－	－	－
介護予防認知症対応型共同生活介護（短期利用以外）	223.8	－	240.3
介護予防認知症対応型共同生活介護（短期利用）	－	－	－

注：1）受給者１人当たり費用額＝費用額／受給者数
　　2）総数には、月の途中で要支援から要介護に変更となった者を含む。

統計表第４表　介護予防サービス受給者１人当たり費用額，月・年齢階級・サービス種類・要支援状態区分別(60−42)

（65～69歳）

平成30年１月審査分
（単位：千円）

サービス種類	総数	要支援１	要支援２
総数	29.9	22.8	34.0
介護予防居宅サービス	25.1	18.4	29.1
訪問通所	24.1	17.2	28.0
介護予防訪問介護	22.2	18.6	25.2
介護予防訪問入浴介護	36.8	20.6	40.0
介護予防訪問看護	33.6	26.7	37.0
介護予防訪問リハビリテーション	31.8	27.3	33.5
介護予防通所介護	29.7	19.6	37.9
介護予防通所リハビリテーション	35.5	22.4	43.0
介護予防福祉用具貸与	7.8	6.3	8.4
短期入所	35.6	25.9	42.0
介護予防短期入所生活介護	35.4	25.8	41.7
介護予防短期入所療養介護（老健）	36.3	26.0	41.4
特定治療・特別療養費（再掲）	−	−	−
介護予防短期入所療養介護（病院等）	29.6	29.6	−
特定診療費（再掲）	0.3	0.3	−
介護予防居宅療養管理指導	11.1	11.1	11.1
介護予防特定施設入居者生活介護	80.0	60.4	103.0
介護予防支援	4.6	4.6	4.6
地域密着型介護予防サービス	81.4	46.9	110.6
介護予防認知症対応型通所介護	37.9	33.9	66.9
介護予防小規模多機能型居宅介護（短期利用以外）	69.3	48.8	87.3
介護予防小規模多機能型居宅介護（短期利用）	9.9	9.9	−
介護予防認知症対応型共同生活介護（短期利用以外）	246.5	−	253.7
介護予防認知症対応型共同生活介護（短期利用）	−	−	−

注：１）受給者１人当たり費用額＝費用額／受給者数
　　２）総数には、月の途中で要支援から要介護に変更となった者を含む。

（70～74歳）

平成30年１月審査分
（単位：千円）

サービス種類	総数	要支援１	要支援２
総数	28.1	22.0	32.2
介護予防居宅サービス	23.3	17.4	27.2
訪問通所	22.1	16.1	26.0
介護予防訪問介護	21.0	18.1	23.4
介護予防訪問入浴介護	37.9	18.5	39.2
介護予防訪問看護	32.7	26.1	36.4
介護予防訪問リハビリテーション	32.1	26.2	34.7
介護予防通所介護	29.1	19.8	37.7
介護予防通所リハビリテーション	34.7	22.4	43.1
介護予防福祉用具貸与	7.1	5.8	7.7
短期入所	35.4	24.6	40.7
介護予防短期入所生活介護	34.9	24.5	40.2
介護予防短期入所療養介護（老健）	43.8	29.1	46.1
特定治療・特別療養費（再掲）	−	−	−
介護予防短期入所療養介護（病院等）	−	−	−
特定診療費（再掲）	−	−	−
介護予防居宅療養管理指導	11.2	11.3	11.1
介護予防特定施設入居者生活介護	79.6	61.9	103.1
介護予防支援	4.6	4.6	4.6
地域密着型介護予防サービス	78.6	47.6	107.6
介護予防認知症対応型通所介護	44.4	38.2	57.3
介護予防小規模多機能型居宅介護（短期利用以外）	68.1	49.1	87.3
介護予防小規模多機能型居宅介護（短期利用）	−	−	−
介護予防認知症対応型共同生活介護（短期利用以外）	249.1	−	249.1
介護予防認知症対応型共同生活介護（短期利用）	18.2	−	18.2

注：１）受給者１人当たり費用額＝費用額／受給者数
　　２）総数には、月の途中で要支援から要介護に変更となった者を含む。

統計表第４表　介護予防サービス受給者１人当たり費用額，月・年齢階級・サービス種類・要支援状態区分別(60−43)

（75〜79歳）

平成30年１月審査分
（単位：千円）

サービス種類	総数	要支援１	要支援２
総数	26.8	21.0	31.2
介護予防居宅サービス	21.9	16.5	26.0
訪問通所	20.6	15.1	24.6
介護予防訪問介護	19.8	17.2	22.1
介護予防訪問入浴介護	36.7	31.6	38.5
介護予防訪問看護	32.3	26.0	35.8
介護予防訪問リハビリテーション	31.5	26.0	34.0
介護予防通所介護	28.8	19.8	38.0
介護予防通所リハビリテーション	34.0	22.4	43.1
介護予防福祉用具貸与	6.5	5.5	7.1
短期入所	36.5	24.9	41.2
介護予防短期入所生活介護	35.6	24.8	40.4
介護予防短期入所療養介護（老健）	43.9	26.3	47.6
特定治療・特別療養費（再掲）	−	−	−
介護予防短期入所療養介護（病院等）	26.4	26.4	−
特定診療費（再掲）	0.2	0.2	−
介護予防居宅療養管理指導	11.0	11.1	11.0
介護予防特定施設入居者生活介護	79.1	62.1	103.2
介護予防支援	4.6	4.6	4.6
地域密着型介護予防サービス	77.9	47.2	105.9
介護予防認知症対応型通所介護	47.9	33.4	69.3
介護予防小規模多機能型居宅介護（短期利用以外）	67.3	49.0	86.0
介護予防小規模多機能型居宅介護（短期利用）	−	−	−
介護予防認知症対応型共同生活介護（短期利用以外）	244.7	−	246.0
介護予防認知症対応型共同生活介護（短期利用）	−	−	−

注：1）受給者１人当たり費用額＝費用額／受給者数
　　2）総数には、月の途中で要支援から要介護に変更となった者を含む。

（80〜84歳）

平成30年１月審査分
（単位：千円）

サービス種類	総数	要支援１	要支援２
総数	27.3	21.6	31.5
介護予防居宅サービス	22.3	17.0	26.2
訪問通所	20.0	14.8	23.9
介護予防訪問介護	19.3	17.0	21.5
介護予防訪問入浴介護	34.6	30.4	35.8
介護予防訪問看護	31.7	25.7	35.0
介護予防訪問リハビリテーション	31.0	26.0	33.1
介護予防通所介護	28.7	19.7	37.8
介護予防通所リハビリテーション	34.1	22.3	43.0
介護予防福祉用具貸与	6.0	5.3	6.4
短期入所	38.8	26.9	43.0
介護予防短期入所生活介護	38.1	27.1	42.2
介護予防短期入所療養介護（老健）	45.5	24.4	49.5
特定治療・特別療養費（再掲）	−	−	−
介護予防短期入所療養介護（病院等）	42.2	28.9	52.3
特定診療費（再掲）	6.4	6.5	6.3
介護予防居宅療養管理指導	11.2	11.5	10.9
介護予防特定施設入居者生活介護	81.0	63.1	104.2
介護予防支援	4.6	4.6	4.6
地域密着型介護予防サービス	79.5	48.5	104.0
介護予防認知症対応型通所介護	50.7	34.3	63.8
介護予防小規模多機能型居宅介護（短期利用以外）	69.3	49.7	87.0
介護予防小規模多機能型居宅介護（短期利用）	10.8	9.2	12.3
介護予防認知症対応型共同生活介護（短期利用以外）	244.7	−	247.8
介護予防認知症対応型共同生活介護（短期利用）	−	−	−

注：1）受給者１人当たり費用額＝費用額／受給者数
　　2）総数には、月の途中で要支援から要介護に変更となった者を含む。

統計表第４表　介護予防サービス受給者１人当たり費用額，月・年齢階級・サービス種類・要支援状態区分別(60−44)

(85〜89歳)

平成30年１月審査分
(単位：千円)

サービス種類	総数	要支援１	要支援２
総数	29.4	23.3	33.6
介護予防居宅サービス	24.2	18.8	27.9
訪問通所	20.2	14.8	23.7
介護予防訪問介護	19.6	17.1	21.7
介護予防訪問入浴介護	35.7	34.2	36.8
介護予防訪問看護	31.5	25.3	34.7
介護予防訪問リハビリテーション	29.9	25.3	31.8
介護予防通所介護	29.2	19.5	37.6
介護予防通所リハビリテーション	34.6	22.2	42.8
介護予防福祉用具貸与	5.9	5.3	6.2
短期入所	37.6	25.5	41.8
介護予防短期入所生活介護	37.0	25.0	41.4
介護予防短期入所療養介護（老健）	43.1	32.2	45.5
特定治療・特別療養費（再掲）	-	-	-
介護予防短期入所療養介護（病院等）	37.8	27.6	38.9
特定診療費（再掲）	5.1	6.2	4.9
介護予防居宅療養管理指導	11.3	11.7	11.1
介護予防特定施設入居者生活介護	82.7	63.5	105.6
介護予防支援	4.5	4.5	4.5
地域密着型介護予防サービス	82.0	48.8	105.0
介護予防認知症対応型通所介護	50.8	36.6	63.6
介護予防小規模多機能型居宅介護（短期利用以外）	70.6	49.8	86.9
介護予防小規模多機能型居宅介護（短期利用）	22.2	4.6	23.7
介護予防認知症対応型共同生活介護（短期利用以外）	244.2	-	244.2
介護予防認知症対応型共同生活介護（短期利用）	-	-	-

注：1）受給者１人当たり費用額＝費用額／受給者数
　　2）総数には、月の途中で要支援から要介護に変更となった者を含む。

(90〜94歳)

平成30年１月審査分
(単位：千円)

サービス種類	総数	要支援１	要支援２
総数	32.7	26.0	36.6
介護予防居宅サービス	27.4	21.8	30.6
訪問通所	20.5	14.7	23.6
介護予防訪問介護	20.4	17.5	22.5
介護予防訪問入浴介護	37.7	33.6	38.8
介護予防訪問看護	30.9	25.0	33.6
介護予防訪問リハビリテーション	29.4	24.8	31.0
介護予防通所介護	30.0	19.2	37.2
介護予防通所リハビリテーション	35.6	22.2	42.7
介護予防福祉用具貸与	5.8	5.3	6.1
短期入所	39.1	25.9	43.5
介護予防短期入所生活介護	38.3	25.8	42.5
介護予防短期入所療養介護（老健）	45.4	26.6	50.3
特定治療・特別療養費（再掲）	0.4	-	0.4
介護予防短期入所療養介護（病院等）	51.5	42.2	52.8
特定診療費（再掲）	7.3	5.0	7.8
介護予防居宅療養管理指導	11.3	11.7	11.0
介護予防特定施設入居者生活介護	84.5	64.0	106.0
介護予防支援	4.5	4.5	4.5
地域密着型介護予防サービス	85.8	48.4	106.6
介護予防認知症対応型通所介護	53.1	34.9	65.0
介護予防小規模多機能型居宅介護（短期利用以外）	72.2	49.6	86.9
介護予防小規模多機能型居宅介護（短期利用）	11.7	10.3	13.0
介護予防認知症対応型共同生活介護（短期利用以外）	243.8	-	244.5
介護予防認知症対応型共同生活介護（短期利用）	70.1	-	70.1

注：1）受給者１人当たり費用額＝費用額／受給者数
　　2）総数には、月の途中で要支援から要介護に変更となった者を含む。

統計表第４表　介護予防サービス受給者１人当たり費用額，月・年齢階級・サービス種類・要支援状態区分別(60−45)

(95歳以上)

平成30年１月審査分
(単位：千円)

サービス種類	総数	要支援１	要支援２
総数	35.9	29.0	39.3
介護予防居宅サービス	30.4	24.9	33.1
訪問通所	20.0	14.4	22.4
介護予防訪問介護	21.6	18.5	23.4
介護予防訪問入浴介護	37.3	32.2	38.0
介護予防訪問看護	29.9	24.0	32.1
介護予防訪問リハビリテーション	29.6	24.2	31.5
介護予防通所介護	30.7	18.9	37.1
介護予防通所リハビリテーション	36.4	22.1	42.4
介護予防福祉用具貸与	5.8	5.3	6.0
短期入所	39.7	25.8	44.0
介護予防短期入所生活介護	39.1	25.7	43.2
介護予防短期入所療養介護（老健）	43.2	25.6	49.2
特定治療・特別療養費（再掲）	−	−	−
介護予防短期入所療養介護（病院等）	67.7	−	67.7
特定診療費（再掲）	19.5	−	19.5
介護予防居宅療養管理指導	10.7	10.9	10.6
介護予防特定施設入居者生活介護	87.0	64.2	106.9
介護予防支援	4.5	4.5	4.5
地域密着型介護予防サービス	88.8	48.9	106.9
介護予防認知症対応型通所介護	50.3	37.3	54.5
介護予防小規模多機能型居宅介護（短期利用以外）	73.5	49.4	86.5
介護予防小規模多機能型居宅介護（短期利用）	45.4	−	45.4
介護予防認知症対応型共同生活介護（短期利用以外）	244.3	−	244.3
介護予防認知症対応型共同生活介護（短期利用）	−	−	−

注：１）受給者１人当たり費用額＝費用額／受給者数
　　２）総数には、月の途中で要支援から要介護に変更となった者を含む。

統計表第４表　介護予防サービス受給者１人当たり費用額，月・年齢階級・サービス種類・要支援状態区分別(60－46)

（総　　数）

平成30年２月審査分
（単位：千円）

サービス種類	総数	要支援１	要支援２
総数	28.3	22.3	32.3
介護予防居宅サービス	23.2	17.8	26.7
訪問通所	19.8	14.4	23.2
介護予防訪問介護	19.9	17.3	22.1
介護予防訪問入浴介護	34.6	27.9	36.0
介護予防訪問看護	30.9	25.0	33.8
介護予防訪問リハビリテーション	29.3	24.9	31.1
介護予防通所介護	29.0	19.4	37.5
介護予防通所リハビリテーション	34.7	22.3	42.9
介護予防福祉用具貸与	6.2	5.4	6.7
短期入所	39.5	26.6	44.2
介護予防短期入所生活介護	38.8	26.4	43.4
介護予防短期入所療養介護（老健）	45.5	29.8	49.4
特定治療・特別療養費（再掲）	0.3	－	0.3
介護予防短期入所療養介護（病院等）	53.6	30.3	58.9
特定診療費（再掲）	7.1	4.2	7.8
介護予防居宅療養管理指導	10.8	11.1	10.7
介護予防特定施設入居者生活介護	82.7	63.4	104.9
介護予防支援	4.6	4.6	4.6
地域密着型介護予防サービス	81.5	48.1	105.6
介護予防認知症対応型通所介護	46.0	33.1	58.3
介護予防小規模多機能型居宅介護（短期利用以外）	69.9	49.5	86.7
介護予防小規模多機能型居宅介護（短期利用）	27.9	20.4	39.3
介護予防認知症対応型共同生活介護（短期利用以外）	244.9	－	245.8
介護予防認知症対応型共同生活介護（短期利用）	45.6	－	45.6

注：1）受給者１人当たり費用額＝費用額／受給者数
　　2）総数には、月の途中で要支援から要介護に変更となった者を含む。

（40～64歳）

平成30年２月審査分
（単位：千円）

サービス種類	総数	要支援１	要支援２
総数	32.2	23.6	35.8
介護予防居宅サービス	27.7	19.3	31.2
訪問通所	27.1	18.7	30.5
介護予防訪問介護	21.9	18.9	23.5
介護予防訪問入浴介護	44.4	36.0	46.7
介護予防訪問看護	34.5	27.0	37.4
介護予防訪問リハビリテーション	31.4	24.9	33.6
介護予防通所介護	31.8	19.6	37.7
介護予防通所リハビリテーション	36.5	22.5	43.0
介護予防福祉用具貸与	9.6	7.4	10.2
短期入所	38.7	25.9	42.5
介護予防短期入所生活介護	36.4	25.9	40.1
介護予防短期入所療養介護（老健）	57.7	－	57.7
特定治療・特別療養費（再掲）	－	－	－
介護予防短期入所療養介護（病院等）	－	－	－
特定診療費（再掲）	－	－	－
介護予防居宅療養管理指導	10.6	10.0	10.8
介護予防特定施設入居者生活介護	85.3	62.0	102.9
介護予防支援	4.6	4.6	4.6
地域密着型介護予防サービス	81.4	49.6	102.3
介護予防認知症対応型通所介護	44.8	36.6	69.5
介護予防小規模多機能型居宅介護（短期利用以外）	71.3	51.0	85.4
介護予防小規模多機能型居宅介護（短期利用）	－	－	－
介護予防認知症対応型共同生活介護（短期利用以外）	256.1	－	256.1
介護予防認知症対応型共同生活介護（短期利用）	－	－	－

注：1）受給者１人当たり費用額＝費用額／受給者数
　　2）総数には、月の途中で要支援から要介護に変更となった者を含む。

統計表第４表　介護予防サービス受給者１人当たり費用額，月・年齢階級・サービス種類・要支援状態区分別(60－47)

（65～69歳）

平成30年２月審査分
（単位：千円）

サ ー ビ ス 種 類	総数	要支援１	要支援２
総数	29.0	22.2	32.8
介護予防居宅サービス	24.2	17.8	27.8
訪問通所	23.1	16.5	26.7
介護予防訪問介護	22.2	18.7	25.0
介護予防訪問入浴介護	39.0	35.3	40.7
介護予防訪問看護	31.8	25.6	35.0
介護予防訪問リハビリテーション	30.2	25.7	32.0
介護予防通所介護	29.1	19.2	37.2
介護予防通所リハビリテーション	35.5	22.4	43.0
介護予防福祉用具貸与	7.8	6.3	8.5
短期入所	35.0	28.1	38.8
介護予防短期入所生活介護	34.7	28.3	38.3
介護予防短期入所療養介護（老健）	37.9	25.2	43.0
特定治療・特別療養費（再掲）	-	-	-
介護予防短期入所療養介護（病院等）	-	-	-
特定診療費（再掲）	-	-	-
介護予防居宅療養管理指導	10.7	10.9	10.6
介護予防特定施設入居者生活介護	80.3	61.7	102.1
介護予防支援	4.6	4.6	4.6
地域密着型介護予防サービス	86.8	48.0	116.6
介護予防認知症対応型通所介護	41.3	35.9	70.0
介護予防小規模多機能型居宅介護（短期利用以外）	68.9	49.2	86.2
介護予防小規模多機能型居宅介護（短期利用）	-	-	-
介護予防認知症対応型共同生活介護（短期利用以外）	245.8	-	245.8
介護予防認知症対応型共同生活介護（短期利用）	-	-	-

注：１）受給者１人当たり費用額＝費用額／受給者数
　　２）総数には、月の途中で要支援から要介護に変更となった者を含む。

（70～74歳）

平成30年２月審査分
（単位：千円）

サ ー ビ ス 種 類	総数	要支援１	要支援２
総数	27.4	21.4	31.3
介護予防居宅サービス	22.5	16.9	26.2
訪問通所	21.3	15.5	24.9
介護予防訪問介護	21.0	18.1	23.5
介護予防訪問入浴介護	36.7	18.0	37.1
介護予防訪問看護	31.4	25.4	34.9
介護予防訪問リハビリテーション	30.0	25.1	32.1
介護予防通所介護	29.0	19.7	37.9
介護予防通所リハビリテーション	34.7	22.4	43.1
介護予防福祉用具貸与	7.1	5.9	7.7
短期入所	36.3	26.3	40.9
介護予防短期入所生活介護	35.3	25.4	40.1
介護予防短期入所療養介護（老健）	48.8	47.8	49.3
特定治療・特別療養費（再掲）	-	-	-
介護予防短期入所療養介護（病院等）	69.1	-	69.1
特定診療費（再掲）	8.5	-	8.5
介護予防居宅療養管理指導	10.8	11.0	10.8
介護予防特定施設入居者生活介護	79.4	61.7	102.7
介護予防支援	4.6	4.6	4.6
地域密着型介護予防サービス	79.8	47.0	108.4
介護予防認知症対応型通所介護	41.6	34.3	58.0
介護予防小規模多機能型居宅介護（短期利用以外）	67.9	48.8	86.3
介護予防小規模多機能型居宅介護（短期利用）	-	-	-
介護予防認知症対応型共同生活介護（短期利用以外）	250.2	-	250.2
介護予防認知症対応型共同生活介護（短期利用）	27.3	-	27.3

注：１）受給者１人当たり費用額＝費用額／受給者数
　　２）総数には、月の途中で要支援から要介護に変更となった者を含む。

統計表第４表　介護予防サービス受給者１人当たり費用額，月・年齢階級・サービス種類・要支援状態区分別(60−48)

(75～79歳)

平成30年２月審査分
(単位：千円)

サービス種類	総数	要支援１	要支援２
総数	25.9	20.5	30.0
介護予防居宅サービス	21.0	15.9	24.8
訪問通所	19.6	14.4	23.4
介護予防訪問介護	19.7	17.3	21.9
介護予防訪問入浴介護	30.2	25.7	31.7
介護予防訪問看護	31.2	25.2	34.5
介護予防訪問リハビリテーション	29.7	25.4	31.6
介護予防通所介護	28.4	19.7	37.9
介護予防通所リハビリテーション	34.0	22.4	43.1
介護予防福祉用具貸与	6.4	5.5	7.0
短期入所	37.7	26.1	42.3
介護予防短期入所生活介護	36.8	26.0	41.3
介護予防短期入所療養介護（老健）	43.3	27.1	49.1
特定治療・特別療養費（再掲）	−	−	−
介護予防短期入所療養介護（病院等）	50.0	−	50.0
特定診療費（再掲）	0.4	−	0.4
介護予防居宅療養管理指導	10.6	10.7	10.6
介護予防特定施設入居者生活介護	79.3	62.1	104.3
介護予防支援	4.6	4.6	4.6
地域密着型介護予防サービス	78.0	47.5	106.1
介護予防認知症対応型通所介護	46.8	32.9	65.7
介護予防小規模多機能型居宅介護（短期利用以外）	67.3	49.2	86.3
介護予防小規模多機能型居宅介護（短期利用）	−	−	−
介護予防認知症対応型共同生活介護（短期利用以外）	238.8	−	239.6
介護予防認知症対応型共同生活介護（短期利用）	−	−	−

注：１）受給者１人当たり費用額＝費用額／受給者数
　　２）総数には、月の途中で要支援から要介護に変更となった者を含む。

(80～84歳)

平成30年２月審査分
(単位：千円)

サービス種類	総数	要支援１	要支援２
総数	26.4	21.0	30.3
介護予防居宅サービス	21.3	16.4	24.9
訪問通所	19.1	14.1	22.6
介護予防訪問介護	19.2	17.0	21.3
介護予防訪問入浴介護	33.9	26.1	37.1
介護予防訪問看護	30.5	25.1	33.5
介護予防訪問リハビリテーション	29.3	25.0	31.1
介護予防通所介護	28.5	19.5	37.5
介護予防通所リハビリテーション	34.1	22.3	43.0
介護予防福祉用具貸与	6.0	5.4	6.4
短期入所	39.2	27.7	43.7
介護予防短期入所生活介護	38.6	27.5	43.1
介護予防短期入所療養介護（老健）	44.4	31.4	46.7
特定治療・特別療養費（再掲）	−	−	−
介護予防短期入所療養介護（病院等）	42.2	24.1	69.3
特定診療費（再掲）	3.5	3.3	4.1
介護予防居宅療養管理指導	10.8	11.1	10.7
介護予防特定施設入居者生活介護	80.8	63.0	104.1
介護予防支援	4.6	4.6	4.6
地域密着型介護予防サービス	79.0	48.7	103.4
介護予防認知症対応型通所介護	44.4	33.2	55.0
介護予防小規模多機能型居宅介護（短期利用以外）	69.1	49.9	86.7
介護予防小規模多機能型居宅介護（短期利用）	42.5	42.5	−
介護予防認知症対応型共同生活介護（短期利用以外）	247.1	−	247.1
介護予防認知症対応型共同生活介護（短期利用）	83.3	−	83.3

注：１）受給者１人当たり費用額＝費用額／受給者数
　　２）総数には、月の途中で要支援から要介護に変更となった者を含む。

統計表第４表　介護予防サービス受給者１人当たり費用額，月・年齢階級・サービス種類・要支援状態区分別(60－49)

（85～89歳）

平成30年２月審査分
（単位：千円）

サービス種類	総数	要支援１	要支援２
総数	28.6	22.8	32.5
介護予防居宅サービス	23.4	18.2	26.8
訪問通所	19.1	14.0	22.4
介護予防訪問介護	19.4	16.9	21.6
介護予防訪問入浴介護	32.2	25.2	33.5
介護予防訪問看護	30.3	24.5	33.2
介護予防訪問リハビリテーション	28.2	24.3	29.8
介護予防通所介護	29.0	19.4	37.5
介護予防通所リハビリテーション	34.6	22.3	42.8
介護予防福祉用具貸与	5.9	5.3	6.2
短期入所	39.4	26.0	44.2
介護予防短期入所生活介護	38.9	25.6	43.8
介護予防短期入所療養介護（老健）	44.1	31.9	47.5
特定治療・特別療養費（再掲）	－	－	－
介護予防短期入所療養介護（病院等）	61.3	－	61.3
特定診療費（再掲）	9.2	－	9.2
介護予防居宅療養管理指導	11.0	11.3	10.8
介護予防特定施設入居者生活介護	82.8	63.7	105.1
介護予防支援	4.5	4.5	4.5
地域密着型介護予防サービス	80.9	48.1	104.7
介護予防認知症対応型通所介護	47.2	32.7	59.4
介護予防小規模多機能型居宅介護（短期利用以外）	70.2	49.5	87.3
介護予防小規模多機能型居宅介護（短期利用）	16.4	15.9	17.5
介護予防認知症対応型共同生活介護（短期利用以外）	244.0	－	246.0
介護予防認知症対応型共同生活介護（短期利用）	26.3	－	26.3

注：１）受給者１人当たり費用額＝費用額／受給者数
　　２）総数には、月の途中で要支援から要介護に変更となった者を含む。

（90～94歳）

平成30年２月審査分
（単位：千円）

サービス種類	総数	要支援１	要支援２
総数	31.9	25.6	35.5
介護予防居宅サービス	26.5	21.3	29.5
訪問通所	19.3	14.0	22.2
介護予防訪問介護	20.1	17.4	22.3
介護予防訪問入浴介護	35.7	32.2	36.2
介護予防訪問看護	29.9	24.3	32.3
介護予防訪問リハビリテーション	28.0	23.6	29.5
介護予防通所介護	29.7	18.9	37.1
介護予防通所リハビリテーション	35.6	22.2	42.7
介護予防福祉用具貸与	5.8	5.3	6.0
短期入所	39.9	26.5	44.4
介護予防短期入所生活介護	39.0	26.3	43.4
介護予防短期入所療養介護（老健）	46.6	27.7	51.0
特定治療・特別療養費（再掲）	0.3	－	0.3
介護予防短期入所療養介護（病院等）	51.2	36.6	54.2
特定診療費（再掲）	6.9	5.0	7.3
介護予防居宅療養管理指導	11.0	11.3	10.7
介護予防特定施設入居者生活介護	84.1	64.0	105.4
介護予防支援	4.5	4.5	4.5
地域密着型介護予防サービス	85.3	48.1	106.5
介護予防認知症対応型通所介護	47.0	32.1	57.6
介護予防小規模多機能型居宅介護（短期利用以外）	71.7	49.5	86.4
介護予防小規模多機能型居宅介護（短期利用）	34.5	－	34.5
介護予防認知症対応型共同生活介護（短期利用以外）	247.0	－	247.8
介護予防認知症対応型共同生活介護（短期利用）	－	－	－

注：１）受給者１人当たり費用額＝費用額／受給者数
　　２）総数には、月の途中で要支援から要介護に変更となった者を含む。

統計表第４表　介護予防サービス受給者１人当たり費用額，月・年齢階級・サービス種類・要支援状態区分別(60－50)

(95歳以上)

平成30年２月審査分
(単位：千円)

サービス種類	総数	要支援１	要支援２
総数	35.3	29.0	38.4
介護予防居宅サービス	29.8	24.9	32.1
訪問通所	18.9	13.8	21.0
介護予防訪問介護	21.4	18.5	23.2
介護予防訪問入浴介護	37.0	38.6	36.9
介護予防訪問看護	28.9	23.8	30.9
介護予防訪問リハビリテーション	28.8	24.1	30.3
介護予防通所介護	30.9	18.8	37.1
介護予防通所リハビリテーション	36.3	22.1	42.5
介護予防福祉用具貸与	5.8	5.4	6.0
短期入所	43.0	27.1	47.7
介護予防短期入所生活介護	42.2	27.1	46.7
介護予防短期入所療養介護（老健）	48.9	27.8	53.9
特定治療・特別療養費（再掲）	0.1	-	0.1
介護予防短期入所療養介護（病院等）	73.5	-	73.5
特定診療費（再掲）	13.9	-	13.9
介護予防居宅療養管理指導	10.4	10.6	10.3
介護予防特定施設入居者生活介護	85.8	63.7	105.7
介護予防支援	4.5	4.5	4.5
地域密着型介護予防サービス	88.2	48.8	107.1
介護予防認知症対応型通所介護	48.1	34.6	51.8
介護予防小規模多機能型居宅介護（短期利用以外）	72.4	49.3	86.0
介護予防小規模多機能型居宅介護（短期利用）	87.5	-	87.5
介護予防認知症対応型共同生活介護（短期利用以外）	237.7	-	237.7
介護予防認知症対応型共同生活介護（短期利用）	-	-	-

注：１）受給者１人当たり費用額＝費用額／受給者数
　　２）総数には、月の途中で要支援から要介護に変更となった者を含む。

統計表第４表　介護予防サービス受給者１人当たり費用額，月・年齢階級・サービス種類・要支援状態区分別(60－51)

（総　数）

平成30年３月審査分
（単位：千円）

サービス種類	総数	要支援１	要支援２
総数	27.3	21.6	31.1
介護予防居宅サービス	22.2	17.0	25.6
訪問通所	19.0	13.8	22.2
介護予防訪問介護	19.4	16.9	21.5
介護予防訪問入浴介護	34.6	26.6	36.6
介護予防訪問看護	30.8	25.0	33.8
介護予防訪問リハビリテーション	29.5	25.0	31.3
介護予防通所介護	28.5	19.2	36.8
介護予防通所リハビリテーション	34.6	22.3	42.9
介護予防福祉用具貸与	6.3	5.4	6.7
短期入所	40.4	26.6	45.2
介護予防短期入所生活介護	39.7	26.3	44.5
介護予防短期入所療養介護（老健）	47.1	30.2	50.5
特定治療・特別療養費（再掲）	0.4	－	0.4
介護予防短期入所療養介護（病院等）	52.1	34.0	56.7
特定診療費（再掲）	8.0	1.9	9.7
介護予防居宅療養管理指導	10.9	11.3	10.8
介護予防特定施設入居者生活介護	75.5	57.7	95.9
介護予防支援	4.6	4.6	4.6
地域密着型介護予防サービス	79.6	48.3	102.1
介護予防認知症対応型通所介護	46.4	33.5	59.6
介護予防小規模多機能型居宅介護（短期利用以外）	69.9	49.6	86.5
介護予防小規模多機能型居宅介護（短期利用）	21.4	24.7	23.3
介護予防認知症対応型共同生活介護（短期利用以外）	222.2	－	222.8
介護予防認知症対応型共同生活介護（短期利用）	65.0	－	65.0

注：1）受給者１人当たり費用額＝費用額／受給者数
　　2）総数には、月の途中で要支援から要介護に変更となった者を含む。

（40～64歳）

平成30年３月審査分
（単位：千円）

サービス種類	総数	要支援１	要支援２
総数	31.9	23.6	35.4
介護予防居宅サービス	27.4	19.1	30.8
訪問通所	26.8	18.5	30.2
介護予防訪問介護	20.2	18.0	21.4
介護予防訪問入浴介護	46.8	36.0	47.5
介護予防訪問看護	34.8	26.6	37.9
介護予防訪問リハビリテーション	31.9	26.1	33.9
介護予防通所介護	31.0	19.1	36.9
介護予防通所リハビリテーション	36.4	22.4	42.9
介護予防福祉用具貸与	9.6	7.5	10.3
短期入所	43.1	28.2	44.0
介護予防短期入所生活介護	41.1	28.2	41.8
介護予防短期入所療養介護（老健）	51.7	－	51.7
特定治療・特別療養費（再掲）	－	－	－
介護予防短期入所療養介護（病院等）	－	－	－
特定診療費（再掲）	－	－	－
介護予防居宅療養管理指導	10.6	10.5	10.7
介護予防特定施設入居者生活介護	77.3	56.6	94.5
介護予防支援	4.6	4.6	4.6
地域密着型介護予防サービス	82.0	49.2	102.5
介護予防認知症対応型通所介護	42.6	36.8	65.9
介護予防小規模多機能型居宅介護（短期利用以外）	73.0	51.0	86.9
介護予防小規模多機能型居宅介護（短期利用）	－	－	－
介護予防認知症対応型共同生活介護（短期利用以外）	222.2	－	222.2
介護予防認知症対応型共同生活介護（短期利用）	－	－	－

注：1）受給者１人当たり費用額＝費用額／受給者数
　　2）総数には、月の途中で要支援から要介護に変更となった者を含む。

統計表第４表　介護予防サービス受給者１人当たり費用額，月・年齢階級・サービス種類・要支援状態区分別(60－52)

(65～69歳)

平成30年３月審査分
(単位：千円)

サービス種類	総数	要支援１	要支援２
総数	28.5	21.8	32.3
介護予防居宅サービス	23.7	17.3	27.3
訪問通所	22.6	16.1	26.2
介護予防訪問介護	21.1	17.7	24.0
介護予防訪問入浴介護	44.1	23.6	48.3
介護予防訪問看護	32.1	25.7	35.3
介護予防訪問リハビリテーション	30.5	26.0	32.2
介護予防通所介護	28.7	19.4	36.5
介護予防通所リハビリテーション	35.4	22.4	43.0
介護予防福祉用具貸与	7.8	6.3	8.5
短期入所	37.0	25.9	43.5
介護予防短期入所生活介護	36.9	26.1	44.6
介護予防短期入所療養介護（老健）	37.3	22.8	37.4
特定治療・特別療養費（再掲）	-	-	-
介護予防短期入所療養介護（病院等）	-	-	-
特定診療費（再掲）	-	-	-
介護予防居宅療養管理指導	10.7	10.7	10.8
介護予防特定施設入居者生活介護	73.1	54.6	94.2
介護予防支援	4.6	4.6	4.6
地域密着型介護予防サービス	79.9	48.0	106.6
介護予防認知症対応型通所介護	41.1	36.1	58.7
介護予防小規模多機能型居宅介護（短期利用以外）	68.0	48.9	85.7
介護予防小規模多機能型居宅介護（短期利用）	-	-	-
介護予防認知症対応型共同生活介護（短期利用以外）	232.1	-	232.1
介護予防認知症対応型共同生活介護（短期利用）	-	-	-

注：１）受給者１人当たり費用額＝費用額／受給者数
　　２）総数には、月の途中で要支援から要介護に変更となった者を含む。

(70～74歳)

平成30年３月審査分
(単位：千円)

サービス種類	総数	要支援１	要支援２
総数	26.8	20.9	30.5
介護予防居宅サービス	21.8	16.3	25.4
訪問通所	20.7	15.0	24.2
介護予防訪問介護	20.7	18.1	22.7
介護予防訪問入浴介護	36.4	24.2	38.8
介護予防訪問看護	31.5	25.4	35.0
介護予防訪問リハビリテーション	30.4	25.0	32.7
介護予防通所介護	28.5	19.3	37.3
介護予防通所リハビリテーション	34.8	22.4	43.1
介護予防福祉用具貸与	7.1	5.9	7.7
短期入所	39.0	28.4	44.5
介護予防短期入所生活介護	38.7	27.9	44.2
介護予防短期入所療養介護（老健）	40.7	32.6	45.8
特定治療・特別療養費（再掲）	-	-	-
介護予防短期入所療養介護（病院等）	-	-	-
特定診療費（再掲）	-	-	-
介護予防居宅療養管理指導	10.9	11.0	10.9
介護予防特定施設入居者生活介護	72.0	55.3	94.6
介護予防支援	4.6	4.6	4.6
地域密着型介護予防サービス	77.4	47.2	104.0
介護予防認知症対応型通所介護	41.5	36.1	55.2
介護予防小規模多機能型居宅介護（短期利用以外）	67.3	48.7	85.4
介護予防小規模多機能型居宅介護（短期利用）	-	-	-
介護予防認知症対応型共同生活介護（短期利用以外）	220.0	-	220.0
介護予防認知症対応型共同生活介護（短期利用）	-	-	-

注：１）受給者１人当たり費用額＝費用額／受給者数
　　２）総数には、月の途中で要支援から要介護に変更となった者を含む。

統計表第４表　介護予防サービス受給者１人当たり費用額，月・年齢階級・サービス種類・要支援状態区分別(60－53)

（75～79歳）

平成30年３月審査分
（単位：千円）

サービス種類	総数	要支援１	要支援２
総数	25.3	19.9	29.2
介護予防居宅サービス	20.4	15.3	24.0
訪問通所	19.0	13.9	22.6
介護予防訪問介護	19.2	16.9	21.4
介護予防訪問入浴介護	31.9	23.0	33.0
介護予防訪問看護	31.1	25.1	34.4
介護予防訪問リハビリテーション	29.9	25.3	31.9
介護予防通所介護	27.9	19.4	37.1
介護予防通所リハビリテーション	34.0	22.3	43.0
介護予防福祉用具貸与	6.4	5.5	7.1
短期入所	37.9	27.9	42.1
介護予防短期入所生活介護	36.8	27.2	40.9
介護予防短期入所療養介護（老健）	46.9	33.7	52.0
特定治療・特別療養費（再掲）	－	－	－
介護予防短期入所療養介護（病院等）	45.5	21.4	53.6
特定診療費（再掲）	4.9	0.3	6.5
介護予防居宅療養管理指導	10.6	10.7	10.5
介護予防特定施設入居者生活介護	72.5	56.2	95.3
介護予防支援	4.6	4.6	4.6
地域密着型介護予防サービス	76.5	47.3	103.0
介護予防認知症対応型通所介護	42.9	31.4	65.0
介護予防小規模多機能型居宅介護（短期利用以外）	67.9	49.2	86.4
介護予防小規模多機能型居宅介護（短期利用）	25.8	34.1	17.6
介護予防認知症対応型共同生活介護（短期利用以外）	226.6	－	226.6
介護予防認知症対応型共同生活介護（短期利用）	19.2	－	19.2

注：1）受給者１人当たり費用額＝費用額／受給者数
　　2）総数には、月の途中で要支援から要介護に変更となった者を含む。

（80～84歳）

平成30年３月審査分
（単位：千円）

サービス種類	総数	要支援１	要支援２
総数	25.5	20.2	29.2
介護予防居宅サービス	20.4	15.6	23.8
訪問通所	18.2	13.4	21.6
介護予防訪問介護	18.7	16.3	20.9
介護予防訪問入浴介護	31.2	25.5	33.7
介護予防訪問看護	30.5	25.1	33.4
介護予防訪問リハビリテーション	29.4	24.9	31.4
介護予防通所介護	28.0	19.3	36.9
介護予防通所リハビリテーション	34.1	22.3	42.9
介護予防福祉用具貸与	6.0	5.3	6.4
短期入所	41.4	27.6	46.4
介護予防短期入所生活介護	41.0	27.6	46.1
介護予防短期入所療養介護（老健）	44.9	27.0	48.7
特定治療・特別療養費（再掲）	－	－	－
介護予防短期入所療養介護（病院等）	48.3	35.0	61.6
特定診療費（再掲）	2.2	0.4	4.1
介護予防居宅療養管理指導	10.9	11.2	10.8
介護予防特定施設入居者生活介護	73.7	57.3	94.8
介護予防支援	4.6	4.6	4.6
地域密着型介護予防サービス	77.2	48.6	101.0
介護予防認知症対応型通所介護	44.1	32.6	56.6
介護予防小規模多機能型居宅介護（短期利用以外）	68.9	50.0	86.7
介護予防小規模多機能型居宅介護（短期利用）	19.9	19.9	－
介護予防認知症対応型共同生活介護（短期利用以外）	222.8	－	223.7
介護予防認知症対応型共同生活介護（短期利用）	53.4	－	53.4

注：1）受給者１人当たり費用額＝費用額／受給者数
　　2）総数には、月の途中で要支援から要介護に変更となった者を含む。

統計表第４表　介護予防サービス受給者１人当たり費用額，月・年齢階級・サービス種類・要支援状態区分別(60−54)

(85～89歳)

平成30年３月審査分
(単位：千円)

サービス種類	総数	要支援１	要支援２
総数	27.4	21.9	31.1
介護予防居宅サービス	22.2	17.3	25.4
訪問通所	18.2	13.3	21.2
介護予防訪問介護	19.0	16.7	21.1
介護予防訪問入浴介護	34.6	27.6	36.3
介護予防訪問看護	30.1	24.6	33.0
介護予防訪問リハビリテーション	28.2	24.5	29.8
介護予防通所介護	28.5	19.1	36.8
介護予防通所リハビリテーション	34.6	22.2	42.7
介護予防福祉用具貸与	5.9	5.2	6.2
短期入所	40.0	25.8	44.9
介護予防短期入所生活介護	39.2	25.5	44.2
介護予防短期入所療養介護（老健）	47.6	32.3	50.3
特定治療・特別療養費（再掲）	0.2	−	0.2
介護予防短期入所療養介護（病院等）	53.9	−	53.9
特定診療費（再掲）	14.4	−	14.4
介護予防居宅療養管理指導	11.1	11.5	10.9
介護予防特定施設入居者生活介護	75.8	58.1	96.2
介護予防支援	4.5	4.5	4.5
地域密着型介護予防サービス	79.6	48.6	101.7
介護予防認知症対応型通所介護	47.6	33.5	60.6
介護予防小規模多機能型居宅介護（短期利用以外）	70.2	49.7	86.8
介護予防小規模多機能型居宅介護（短期利用）	6.3	−	12.5
介護予防認知症対応型共同生活介護（短期利用以外）	221.5	−	222.2
介護予防認知症対応型共同生活介護（短期利用）	93.6	−	93.6

注：1）受給者１人当たり費用額＝費用額／受給者数
　　2）総数には、月の途中で要支援から要介護に変更となった者を含む。

(90～94歳)

平成30年３月審査分
(単位：千円)

サービス種類	総数	要支援１	要支援２
総数	30.5	24.6	33.8
介護予防居宅サービス	25.1	20.3	27.7
訪問通所	18.2	13.2	20.8
介護予防訪問介護	19.8	17.0	21.9
介護予防訪問入浴介護	33.9	29.6	35.3
介護予防訪問看護	29.7	24.1	32.2
介護予防訪問リハビリテーション	28.2	24.0	29.7
介護予防通所介護	29.1	18.6	36.5
介護予防通所リハビリテーション	35.5	22.2	42.6
介護予防福祉用具貸与	5.8	5.3	6.1
短期入所	40.6	26.1	45.1
介護予防短期入所生活介護	39.8	25.7	44.3
介護予防短期入所療養介護（老健）	48.4	30.4	51.8
特定治療・特別療養費（再掲）	0.5	−	0.5
介護予防短期入所療養介護（病院等）	44.9	35.9	47.9
特定診療費（再掲）	5.9	2.5	7.4
介護予防居宅療養管理指導	11.1	11.5	10.8
介護予防特定施設入居者生活介護	76.6	58.3	96.3
介護予防支援	4.5	4.5	4.5
地域密着型介護予防サービス	83.1	48.5	102.0
介護予防認知症対応型通所介護	51.1	34.8	60.4
介護予防小規模多機能型居宅介護（短期利用以外）	72.0	49.6	86.2
介護予防小規模多機能型居宅介護（短期利用）	29.0	−	29.0
介護予防認知症対応型共同生活介護（短期利用以外）	221.2	−	222.1
介護予防認知症対応型共同生活介護（短期利用）	−	−	−

注：1）受給者１人当たり費用額＝費用額／受給者数
　　2）総数には、月の途中で要支援から要介護に変更となった者を含む。

統計表第４表　介護予防サービス受給者１人当たり費用額，月・年齢階級・サービス種類・要支援状態区分別(60−55)

(95歳以上)

平成30年３月審査分
（単位：千円）

サ ー ビ ス 種 類	総数	要支援１	要支援２
総数	33.8	27.7	36.8
介護予防居宅サービス	28.3	23.6	30.5
訪問通所	17.8	12.9	19.8
介護予防訪問介護	21.0	18.2	22.7
介護予防訪問入浴介護	32.8	25.5	34.6
介護予防訪問看護	28.9	24.0	30.5
介護予防訪問リハビリテーション	28.1	24.4	29.1
介護予防通所介護	30.0	18.4	36.2
介護予防通所リハビリテーション	36.2	22.0	42.3
介護予防福祉用具貸与	5.8	5.3	6.0
短期入所	42.5	27.1	46.5
介護予防短期入所生活介護	41.6	27.1	45.5
介護予防短期入所療養介護（老健）	49.1	26.5	52.8
特定治療・特別療養費（再掲）	−	−	−
介護予防短期入所療養介護（病院等）	87.3	−	87.3
特定診療費（再掲）	13.1	−	13.1
介護予防居宅療養管理指導	10.6	10.9	10.5
介護予防特定施設入居者生活介護	78.6	58.2	96.5
介護予防支援	4.5	4.5	4.5
地域密着型介護予防サービス	85.9	48.0	103.0
介護予防認知症対応型通所介護	50.1	33.7	56.3
介護予防小規模多機能型居宅介護（短期利用以外）	73.0	48.9	86.1
介護予防小規模多機能型居宅介護（短期利用）	22.5	−	22.5
介護予防認知症対応型共同生活介護（短期利用以外）	217.6	−	217.6
介護予防認知症対応型共同生活介護（短期利用）	−	−	−

注：1）受給者１人当たり費用額＝費用額／受給者数
　　2）総数には、月の途中で要支援から要介護に変更となった者を含む。

統計表第４表　介護予防サービス受給者１人当たり費用額，月・年齢階級・サービス種類・要支援状態区分別(60－56)

(総　　数)

平成30年４月審査分
(単位：千円)

サービス種類	総数	要支援１	要支援２
総数	27.5	21.7	31.2
介護予防居宅サービス	22.3	17.1	25.6
訪問通所	18.5	13.3	21.7
介護予防訪問介護	15.6	14.2	16.9
介護予防訪問入浴介護	38.8	31.0	40.3
介護予防訪問看護	33.3	26.5	36.8
介護予防訪問リハビリテーション	32.4	26.7	34.8
介護予防通所介護	24.5	17.4	31.7
介護予防通所リハビリテーション	34.7	22.3	42.9
介護予防福祉用具貸与	6.3	5.5	6.7
短期入所	39.6	26.8	44.2
介護予防短期入所生活介護	39.0	26.4	43.6
介護予防短期入所療養介護（老健）	45.4	30.6	48.7
特定治療・特別療養費（再掲）	0.2	-	0.2
介護予防短期入所療養介護（病院等）	42.6	30.5	45.6
特定診療費（再掲）	5.1	5.0	5.1
介護予防居宅療養管理指導	11.2	11.5	11.0
介護予防特定施設入居者生活介護	83.2	63.6	105.6
介護予防支援	4.6	4.6	4.6
地域密着型介護予防サービス	81.9	48.5	105.6
介護予防認知症対応型通所介護	51.0	36.2	65.7
介護予防小規模多機能型居宅介護（短期利用以外）	70.1	49.6	86.5
介護予防小規模多機能型居宅介護（短期利用）	34.2	23.6	39.0
介護予防認知症対応型共同生活介護（短期利用以外）	245.2	-	246.8
介護予防認知症対応型共同生活介護（短期利用）	16.8	-	16.8

注：1）受給者１人当たり費用額＝費用額／受給者数
　　2）総数には、月の途中で要支援から要介護に変更となった者を含む。

(40～64歳)

平成30年４月審査分
(単位：千円)

サービス種類	総数	要支援１	要支援２
総数	32.6	23.9	36.2
介護予防居宅サービス	28.0	19.5	31.6
訪問通所	27.4	18.8	30.9
介護予防訪問介護	19.1	15.9	20.6
介護予防訪問入浴介護	61.6	36.0	63.8
介護予防訪問看護	37.9	28.7	41.4
介護予防訪問リハビリテーション	35.7	28.0	38.4
介護予防通所介護	25.3	18.7	27.9
介護予防通所リハビリテーション	36.4	22.4	42.9
介護予防福祉用具貸与	9.6	7.6	10.2
短期入所	38.5	23.2	41.5
介護予防短期入所生活介護	38.7	23.6	41.9
介護予防短期入所療養介護（老健）	34.5	17.6	36.0
特定治療・特別療養費（再掲）	-	-	-
介護予防短期入所療養介護（病院等）	-	-	-
特定診療費（再掲）	-	-	-
介護予防居宅療養管理指導	10.8	10.9	10.8
介護予防特定施設入居者生活介護	86.0	62.2	103.9
介護予防支援	4.6	4.6	4.6
地域密着型介護予防サービス	82.2	50.0	103.6
介護予防認知症対応型通所介護	46.7	44.2	71.0
介護予防小規模多機能型居宅介護（短期利用以外）	72.7	50.9	86.8
介護予防小規模多機能型居宅介護（短期利用）	-	-	-
介護予防認知症対応型共同生活介護（短期利用以外）	261.0	-	261.0
介護予防認知症対応型共同生活介護（短期利用）	-	-	-

注：1）受給者１人当たり費用額＝費用額／受給者数
　　2）総数には、月の途中で要支援から要介護に変更となった者を含む。

統計表第４表　介護予防サービス受給者１人当たり費用額，月・年齢階級・サービス種類・要支援状態区分別(60－57)

（65～69歳）

平成30年４月審査分
（単位：千円）

サービス種類	総数	要支援１	要支援２
総数	28.7	21.9	32.5
介護予防居宅サービス	23.9	17.4	27.4
訪問通所	22.8	16.0	26.3
介護予防訪問介護	17.2	14.4	20.1
介護予防訪問入浴介護	44.4	31.8	46.2
介護予防訪問看護	34.8	27.3	38.6
介護予防訪問リハビリテーション	33.9	27.9	36.0
介護予防通所介護	24.1	17.2	29.6
介護予防通所リハビリテーション	35.5	22.4	43.0
介護予防福祉用具貸与	7.8	6.3	8.5
短期入所	36.7	28.3	42.1
介護予防短期入所生活介護	36.3	28.3	42.0
介護予防短期入所療養介護（老健）	37.5	28.2	40.8
特定治療・特別療養費（再掲）	0.1	－	0.1
介護予防短期入所療養介護（病院等）	－	－	－
特定診療費（再掲）	－	－	－
介護予防居宅療養管理指導	10.7	11.1	10.5
介護予防特定施設入居者生活介護	82.1	62.0	104.9
介護予防支援	4.6	4.6	4.6
地域密着型介護予防サービス	83.9	48.7	113.4
介護予防認知症対応型通所介護	46.3	38.6	66.6
介護予防小規模多機能型居宅介護（短期利用以外）	68.4	49.5	86.8
介護予防小規模多機能型居宅介護（短期利用）	－	－	－
介護予防認知症対応型共同生活介護（短期利用以外）	254.3	－	255.1
介護予防認知症対応型共同生活介護（短期利用）	－	－	－

注：１）受給者１人当たり費用額＝費用額／受給者数
　　２）総数には、月の途中で要支援から要介護に変更となった者を含む。

（70～74歳）

平成30年４月審査分
（単位：千円）

サービス種類	総数	要支援１	要支援２
総数	26.9	21.0	30.7
介護予防居宅サービス	22.0	16.4	25.4
訪問通所	20.6	14.8	24.1
介護予防訪問介護	15.7	15.9	15.8
介護予防訪問入浴介護	42.8	30.0	43.7
介護予防訪問看護	33.7	26.7	37.7
介護予防訪問リハビリテーション	33.6	26.5	36.7
介護予防通所介護	24.3	18.0	32.6
介護予防通所リハビリテーション	34.8	22.4	43.1
介護予防福祉用具貸与	7.1	6.0	7.7
短期入所	39.6	29.7	44.6
介護予防短期入所生活介護	39.5	29.8	44.4
介護予防短期入所療養介護（老健）	39.6	28.6	44.2
特定治療・特別療養費（再掲）	－	－	－
介護予防短期入所療養介護（病院等）	67.3	－	101.4
特定診療費（再掲）	8.5	－	8.5
介護予防居宅療養管理指導	11.2	11.2	11.3
介護予防特定施設入居者生活介護	78.3	60.9	103.3
介護予防支援	4.6	4.6	4.6
地域密着型介護予防サービス	80.9	47.6	111.2
介護予防認知症対応型通所介護	45.4	37.9	65.5
介護予防小規模多機能型居宅介護（短期利用以外）	67.0	49.0	85.4
介護予防小規模多機能型居宅介護（短期利用）	15.4	15.4	－
介護予防認知症対応型共同生活介護（短期利用以外）	242.0	－	245.0
介護予防認知症対応型共同生活介護（短期利用）	－	－	－

注：１）受給者１人当たり費用額＝費用額／受給者数
　　２）総数には、月の途中で要支援から要介護に変更となった者を含む。

統計表第４表　介護予防サービス受給者１人当たり費用額，月・年齢階級・サービス種類・要支援状態区分別(60－58)

(75～79歳)

平成30年４月審査分
(単位：千円)

サービス種類	総数	要支援１	要支援２
総数	25.3	19.8	29.1
介護予防居宅サービス	20.3	15.2	23.9
訪問通所	18.8	13.5	22.4
介護予防訪問介護	15.4	13.9	17.0
介護予防訪問入浴介護	38.8	25.6	40.0
介護予防訪問看護	33.5	26.7	37.3
介護予防訪問リハビリテーション	32.9	27.0	35.4
介護予防通所介護	23.5	17.1	31.0
介護予防通所リハビリテーション	34.1	22.4	43.1
介護予防福祉用具貸与	6.5	5.5	7.1
短期入所	38.7	27.2	43.8
介護予防短期入所生活介護	37.5	26.8	42.6
介護予防短期入所療養介護（老健）	50.6	32.4	55.0
特定治療・特別療養費（再掲）	0.4	－	0.4
介護予防短期入所療養介護（病院等）	39.5	－	39.5
特定診療費（再掲）	5.3	－	5.3
介護予防居宅療養管理指導	10.9	11.1	10.8
介護予防特定施設入居者生活介護	79.4	62.4	103.1
介護予防支援	4.6	4.6	4.6
地域密着型介護予防サービス	77.1	47.2	104.2
介護予防認知症対応型通所介護	46.3	33.6	64.0
介護予防小規模多機能型居宅介護（短期利用以外）	67.5	48.9	86.3
介護予防小規模多機能型居宅介護（短期利用）	35.4	－	35.4
介護予防認知症対応型共同生活介護（短期利用以外）	247.7	－	247.7
介護予防認知症対応型共同生活介護（短期利用）	－	－	－

注：１）受給者１人当たり費用額＝費用額／受給者数
　　２）総数には、月の途中で要支援から要介護に変更となった者を含む。

(80～84歳)

平成30年４月審査分
(単位：千円)

サービス種類	総数	要支援１	要支援２
総数	25.4	20.1	29.1
介護予防居宅サービス	20.3	15.5	23.6
訪問通所	17.7	12.9	21.0
介護予防訪問介護	14.5	13.2	16.0
介護予防訪問入浴介護	37.2	31.7	38.3
介護予防訪問看護	33.0	26.6	36.5
介護予防訪問リハビリテーション	32.2	26.8	34.5
介護予防通所介護	24.2	17.7	32.2
介護予防通所リハビリテーション	34.1	22.3	43.0
介護予防福祉用具貸与	6.0	5.4	6.4
短期入所	39.4	27.1	44.0
介護予防短期入所生活介護	38.8	26.8	43.5
介護予防短期入所療養介護（老健）	45.2	30.8	48.8
特定治療・特別療養費（再掲）	0.2	－	0.2
介護予防短期入所療養介護（病院等）	40.9	－	40.9
特定診療費（再掲）	0.5	－	0.5
介護予防居宅療養管理指導	11.2	11.5	11.0
介護予防特定施設入居者生活介護	81.1	63.2	104.1
介護予防支援	4.6	4.6	4.6
地域密着型介護予防サービス	80.2	48.6	105.5
介護予防認知症対応型通所介護	49.5	36.0	64.7
介護予防小規模多機能型居宅介護（短期利用以外）	69.2	49.6	87.0
介護予防小規模多機能型居宅介護（短期利用）	37.4	28.2	55.8
介護予防認知症対応型共同生活介護（短期利用以外）	248.0	－	249.2
介護予防認知症対応型共同生活介護（短期利用）	－	－	－

注：１）受給者１人当たり費用額＝費用額／受給者数
　　２）総数には、月の途中で要支援から要介護に変更となった者を含む。

統計表第４表　介護予防サービス受給者１人当たり費用額，月・年齢階級・サービス種類・要支援状態区分別(60−59)

（85〜89歳）

平成30年４月審査分
（単位：千円）

サービス種類	総数	要支援１	要支援２
総数	27.5	22.0	31.1
介護予防居宅サービス	22.3	17.5	25.3
訪問通所	17.6	12.7	20.5
介護予防訪問介護	15.9	15.0	16.7
介護予防訪問入浴介護	35.5	32.5	36.8
介護予防訪問看護	32.7	26.0	36.1
介護予防訪問リハビリテーション	31.0	26.0	33.2
介護予防通所介護	25.1	17.4	32.6
介護予防通所リハビリテーション	34.6	22.3	42.8
介護予防福祉用具貸与	5.9	5.3	6.2
短期入所	39.4	26.8	43.9
介護予防短期入所生活介護	38.8	26.4	43.4
介護予防短期入所療養介護（老健）	45.1	31.7	47.4
特定治療・特別療養費（再掲）	−	−	−
介護予防短期入所療養介護（病院等）	43.8	22.6	51.5
特定診療費（再掲）	4.4	1.1	5.7
介護予防居宅療養管理指導	11.4	11.7	11.1
介護予防特定施設入居者生活介護	83.4	63.8	106.0
介護予防支援	4.6	4.6	4.6
地域密着型介護予防サービス	81.4	48.7	104.2
介護予防認知症対応型通所介護	51.4	35.6	65.1
介護予防小規模多機能型居宅介護（短期利用以外）	70.5	49.8	86.9
介護予防小規模多機能型居宅介護（短期利用）	35.8	22.5	39.1
介護予防認知症対応型共同生活介護（短期利用以外）	244.2	−	245.5
介護予防認知症対応型共同生活介護（短期利用）	16.8	−	16.8

注：１）受給者１人当たり費用額＝費用額／受給者数
　　２）総数には、月の途中で要支援から要介護に変更となった者を含む。

（90〜94歳）

平成30年４月審査分
（単位：千円）

サービス種類	総数	要支援１	要支援２
総数	30.9	25.3	34.1
介護予防居宅サービス	25.5	20.9	28.0
訪問通所	17.5	12.5	20.0
介護予防訪問介護	15.3	13.7	16.5
介護予防訪問入浴介護	37.6	32.1	38.4
介護予防訪問看護	31.9	25.4	34.8
介護予防訪問リハビリテーション	30.7	25.8	32.4
介護予防通所介護	24.9	16.6	31.3
介護予防通所リハビリテーション	35.6	22.2	42.6
介護予防福祉用具貸与	5.8	5.3	6.1
短期入所	40.0	26.0	44.5
介護予防短期入所生活介護	39.2	25.6	43.8
介護予防短期入所療養介護（老健）	46.6	30.3	49.9
特定治療・特別療養費（再掲）	0.3	−	0.4
介護予防短期入所療養介護（病院等）	39.6	41.4	39.2
特定診療費（再掲）	6.4	10.5	5.1
介護予防居宅療養管理指導	11.3	11.6	11.1
介護予防特定施設入居者生活介護	84.7	64.3	106.5
介護予防支援	4.5	4.5	4.5
地域密着型介護予防サービス	85.3	48.9	105.1
介護予防認知症対応型通所介護	56.4	37.8	68.8
介護予防小規模多機能型居宅介護（短期利用以外）	72.2	49.9	86.1
介護予防小規模多機能型居宅介護（短期利用）	61.9	−	61.9
介護予防認知症対応型共同生活介護（短期利用以外）	244.9	−	245.8
介護予防認知症対応型共同生活介護（短期利用）	−	−	−

注：１）受給者１人当たり費用額＝費用額／受給者数
　　２）総数には、月の途中で要支援から要介護に変更となった者を含む。

統計表第４表　介護予防サービス受給者１人当たり費用額，月・年齢階級・サービス種類・要支援状態区分別(60－60)

(95歳以上)

平成30年４月審査分
(単位：千円)

サービス種類	総数	要支援１	要支援２
総数	34.9	28.8	37.8
介護予防居宅サービス	29.2	24.8	31.3
訪問通所	17.0	12.3	19.0
介護予防訪問介護	16.7	15.7	17.3
介護予防訪問入浴介護	37.7	26.0	41.1
介護予防訪問看護	30.9	25.4	32.9
介護予防訪問リハビリテーション	30.7	25.3	32.8
介護予防通所介護	23.9	16.6	29.5
介護予防通所リハビリテーション	36.5	22.1	42.5
介護予防福祉用具貸与	5.8	5.3	6.0
短期入所	41.1	26.8	45.0
介護予防短期入所生活介護	40.5	26.6	44.3
介護予防短期入所療養介護（老健）	45.2	28.6	50.7
特定治療・特別療養費（再掲）	0.2	-	0.2
介護予防短期入所療養介護（病院等）	43.5	18.5	47.6
特定診療費（再掲）	5.0	0.2	6.0
介護予防居宅療養管理指導	11.0	11.3	10.8
介護予防特定施設入居者生活介護	86.8	63.9	106.6
介護予防支援	4.5	4.5	4.5
地域密着型介護予防サービス	90.7	49.0	109.3
介護予防認知症対応型通所介護	57.8	35.8	63.9
介護予防小規模多機能型居宅介護（短期利用以外）	72.6	49.6	85.5
介護予防小規模多機能型居宅介護（短期利用）	5.9	-	5.9
介護予防認知症対応型共同生活介護（短期利用以外）	236.0	-	241.9
介護予防認知症対応型共同生活介護（短期利用）	-	-	-

注：１）受給者１人当たり費用額＝費用額／受給者数
２）総数には、月の途中で要支援から要介護に変更となった者を含む。

統計表第５表　介護サービス受給者１人当たり費用額，月・年齢階級・サービス種類・要介護状態区分別（60－１）

（総　　数）

平成29年５月審査分
（単位：千円）

サービス種類	総数	要介護１	要介護２	要介護３	要介護４	要介護５
総数	186.9	107.2	145.3	215.1	255.9	292.0
居宅サービス	116.5	73.7	97.4	138.6	171.5	212.7
訪問通所	101.4	65.2	87.1	120.6	150.4	198.7
訪問介護	72.7	37.4	52.4	88.4	120.7	160.2
訪問入浴介護	64.3	53.1	57.7	59.1	61.5	68.6
訪問看護	45.4	37.2	41.6	43.8	48.3	60.3
訪問リハビリテーション	36.5	35.3	36.2	37.1	36.7	37.2
通所介護	87.5	65.8	83.6	106.8	119.6	131.2
通所リハビリテーション	79.7	61.9	76.5	93.7	104.6	113.4
福祉用具貸与	14.6	7.5	13.0	15.9	19.6	24.2
短期入所	103.9	61.6	78.4	115.2	133.0	136.2
短期入所生活介護	104.4	61.1	78.4	116.8	135.0	137.1
短期入所療養介護（老健）	92.7	63.6	74.2	95.8	108.7	119.1
特定治療・特別療養費（再掲）	2.3	0.6	0.7	0.8	1.7	5.1
短期入所療養介護（病院等）	112.0	65.2	78.3	103.0	133.7	142.2
特定診療費（再掲）	8.7	6.4	7.1	8.1	9.8	10.2
居宅療養管理指導	12.4	12.1	12.2	12.5	12.5	12.7
特定施設入居者生活介護（短期利用以外）	210.7	174.7	195.0	217.1	236.6	258.3
特定施設入居者生活介護（短期利用）	71.0	54.8	67.8	78.4	85.6	78.4
居宅介護支援	14.2	13.0	13.0	16.2	16.2	16.2
地域密着型サービス	161.0	99.9	136.9	194.5	223.0	249.2
定期巡回・随時対応型訪問介護看護	166.8	79.4	126.5	194.5	238.3	288.4
夜間対応型訪問介護	37.4	23.3	23.3	34.2	47.6	63.1
地域密着型通所介護	80.2	56.2	73.0	105.7	124.9	146.4
認知症対応型通所介護	123.9	90.2	110.8	137.9	150.7	160.0
小規模多機能型居宅介護（短期利用以外）	212.8	133.9	188.7	260.8	282.8	311.9
小規模多機能型居宅介護（短期利用）	36.6	26.9	35.8	36.5	45.3	55.3
認知症対応型共同生活介護（短期利用以外）	273.1	256.5	269.4	276.9	281.0	287.3
認知症対応型共同生活介護（短期利用）	84.1	60.5	70.9	98.4	114.6	102.5
地域密着型特定施設入居者生活介護（短期利用以外）	211.1	173.5	192.8	214.1	233.3	252.9
地域密着型特定施設入居者生活介護（短期利用）	55.8	61.2	52.4	55.5	59.9	40.8
地域密着型介護老人福祉施設入所者生活介護	283.2	224.3	246.6	263.6	284.5	306.7
複合型サービス(看護小規模多機能型居宅介護・短期利用以外)	262.1	150.5	206.9	276.2	306.3	353.2
複合型サービス(看護小規模多機能型居宅介護・短期利用)	40.9	27.5	26.6	41.9	67.2	50.9
施設サービス	285.5	243.3	258.1	269.6	289.8	311.8
介護福祉施設サービス	271.3	214.0	235.7	252.8	272.5	292.3
介護保健施設サービス	289.6	250.2	266.9	287.1	303.4	321.2
特定治療・特別療養費（再掲）	8.1	4.4	5.3	5.9	8.2	9.7
介護療養施設サービス	378.8	232.7	269.0	335.2	371.9	399.1
特定診療費（再掲）	18.9	20.0	20.9	20.9	19.1	18.3

注：１）受給者１人当たり費用額＝費用額／受給者数
　　２）総数には、月の途中で要介護から要支援に変更となった者を含む。

（40～64歳）

平成29年５月審査分
（単位：千円）

サービス種類	総数	要介護１	要介護２	要介護３	要介護４	要介護５
総数	163.0	92.9	115.7	178.5	222.3	275.6
居宅サービス	116.4	66.1	85.8	127.4	162.3	217.8
訪問通所	109.4	63.5	82.7	120.5	151.2	206.5
訪問介護	78.9	41.2	52.9	81.4	107.9	148.6
訪問入浴介護	80.9	54.9	63.3	69.3	75.3	85.8
訪問看護	53.0	43.4	47.8	51.4	56.6	70.1
訪問リハビリテーション	41.0	40.1	40.1	41.7	41.7	42.0
通所介護	85.9	58.2	71.1	96.5	117.0	127.8
通所リハビリテーション	78.4	54.7	69.7	92.3	104.8	114.2
福祉用具貸与	20.0	11.8	17.4	20.3	24.2	29.9
短期入所	100.7	60.2	70.1	99.5	112.6	120.4
短期入所生活介護	100.6	58.6	70.3	102.7	113.2	119.5
短期入所療養介護（老健）	92.3	65.4	64.6	81.4	100.2	111.1
特定治療・特別療養費（再掲）	4.3	－	－	－	2.4	5.6
短期入所療養介護（病院等）	103.8	52.7	88.2	81.2	105.5	116.8
特定診療費（再掲）	11.7	9.2	6.0	13.8	13.8	11.7
居宅療養管理指導	12.6	12.0	12.1	12.2	12.5	13.3
特定施設入居者生活介護（短期利用以外）	218.9	174.3	197.1	219.3	236.3	256.3
特定施設入居者生活介護（短期利用）	87.7	52.5	37.2	75.0	103.5	108.7
居宅介護支援	14.5	13.1	13.1	16.4	16.3	16.4
地域密着型サービス	118.8	74.6	85.0	140.1	171.3	209.1
定期巡回・随時対応型訪問介護看護	186.1	79.1	127.2	193.7	231.0	270.5
夜間対応型訪問介護	39.4	21.6	25.2	30.5	49.9	59.9
地域密着型通所介護	69.1	47.3	56.1	85.2	102.3	129.0
認知症対応型通所介護	142.6	92.6	114.2	148.1	164.0	177.9
小規模多機能型居宅介護（短期利用以外）	228.0	132.0	187.3	267.0	284.3	319.6
小規模多機能型居宅介護（短期利用）	36.2	－	－	20.7	9.0	94.6
認知症対応型共同生活介護（短期利用以外）	294.4	281.5	287.6	297.4	302.1	311.8
認知症対応型共同生活介護（短期利用）	151.1	－	151.1	－	－	－
地域密着型特定施設入居者生活介護（短期利用以外）	212.8	166.4	186.6	209.5	224.5	264.9
地域密着型特定施設入居者生活介護（短期利用）	－	－	－	－	－	－
地域密着型介護老人福祉施設入所者生活介護	289.8	227.9	237.1	266.8	287.0	310.4
複合型サービス(看護小規模多機能型居宅介護・短期利用以外)	286.6	148.6	206.5	266.2	295.2	362.4
複合型サービス(看護小規模多機能型居宅介護・短期利用)	38.7	－	7.3	－	33.1	81.4
施設サービス	296.5	248.0	263.3	277.6	300.5	325.2
介護福祉施設サービス	275.0	212.5	237.1	252.7	274.1	296.6
介護保健施設サービス	293.3	253.9	269.1	289.0	304.6	319.6
特定治療・特別療養費（再掲）	9.4	8.3	3.8	6.3	7.7	11.8
介護療養施設サービス	394.1	238.7	289.6	356.2	382.5	411.4
特定診療費（再掲）	25.7	20.5	29.0	33.0	23.7	25.8

注：１）受給者１人当たり費用額＝費用額／受給者数
　　２）総数には、月の途中で要介護から要支援に変更となった者を含む。

統計表第５表　介護サービス受給者１人当たり費用額，月・年齢階級・サービス種類・要介護状態区分別（60－2）

（65～69歳）

平成29年５月審査分
（単位：千円）

サービス種類	総数	要介護１	要介護２	要介護３	要介護４	要介護５
総数	165.1	94.9	122.9	187.8	229.3	278.2
居宅サービス	115.6	66.9	90.0	133.4	167.0	216.9
訪問通所	107.8	63.4	85.9	125.0	154.6	204.8
訪問介護	78.6	43.0	57.9	91.5	117.5	155.9
訪問入浴介護	73.0	59.9	59.4	63.1	68.1	78.3
訪問看護	49.2	39.2	44.9	47.7	53.9	64.4
訪問リハビリテーション	39.1	37.8	38.0	39.3	39.8	40.8
通所介護	83.8	59.5	72.5	98.1	112.9	123.5
通所リハビリテーション	79.5	57.0	71.3	91.0	107.0	113.7
福祉用具貸与	17.7	9.9	15.4	18.6	21.9	26.7
短期入所	96.4	59.9	69.8	100.7	109.3	113.9
短期入所生活介護	97.5	59.4	70.6	103.5	112.1	114.1
短期入所療養介護（老健）	84.3	59.2	64.0	83.6	89.7	98.3
特定治療・特別療養費（再掲）	3.1	－	3.1	0.2	0.7	3.9
短期入所療養介護（病院等）	111.5	60.5	72.2	63.2	105.2	145.0
特定診療費（再掲）	11.5	5.7	13.4	8.0	9.2	14.2
居宅療養管理指導	12.6	12.4	12.4	12.7	12.4	12.9
特定施設入居者生活介護（短期利用以外）	207.9	167.9	191.9	211.8	233.3	252.4
特定施設入居者生活介護（短期利用）	70.6	54.6	89.3	88.7	78.8	38.4
居宅介護支援	14.4	13.0	13.1	16.3	16.4	16.4
地域密着型サービス	123.4	82.9	96.8	147.8	176.1	207.8
定期巡回・随時対応型訪問介護看護	174.6	78.7	122.6	186.6	243.2	288.0
夜間対応型訪問介護	41.7	22.1	31.3	33.5	56.5	54.0
地域密着型通所介護	70.6	50.2	60.7	87.7	106.0	125.2
認知症対応型通所介護	132.9	89.5	112.2	140.0	155.0	174.7
小規模多機能型居宅介護（短期利用以外）	217.7	132.7	187.1	261.4	285.0	313.5
小規模多機能型居宅介護（短期利用）	44.9	27.5	56.6	38.7	－	139.7
認知症対応型共同生活介護（短期利用以外）	270.8	256.2	268.3	275.1	281.4	288.8
認知症対応型共同生活介護（短期利用）	64.9	60.8	20.3	163.6	19.0	－
地域密着型特定施設入居者生活介護（短期利用以外）	211.7	170.0	194.2	218.1	245.5	246.9
地域密着型特定施設入居者生活介護（短期利用）	52.6	52.6	－	－	－	－
地域密着型介護老人福祉施設入所者生活介護	280.5	216.6	241.5	261.3	278.6	305.0
複合型サービス(看護小規模多機能型居宅介護・短期利用以外)	262.2	153.1	204.1	272.1	311.8	340.9
複合型サービス(看護小規模多機能型居宅介護・短期利用)	22.8	－	14.2	23.5	－	30.7
施設サービス	289.3	244.5	258.4	272.0	293.1	317.2
介護福祉施設サービス	270.6	212.2	233.6	252.0	270.8	292.0
介護保健施設サービス	291.7	251.9	267.4	287.8	303.3	323.0
特定治療・特別療養費（再掲）	10.4	5.3	5.9	6.5	10.8	12.1
介護療養施設サービス	384.9	241.2	290.4	350.7	374.0	401.2
特定診療費（再掲）	21.4	22.9	18.4	25.5	21.1	21.2

注：１）受給者１人当たり費用額＝費用額／受給者数
　　２）総数には、月の途中で要介護から要支援に変更となった者を含む。

（70～74歳）

平成29年５月審査分
（単位：千円）

サービス種類	総数	要介護１	要介護２	要介護３	要介護４	要介護５
総数	166.8	96.3	124.8	192.0	235.3	282.3
居宅サービス	112.2	66.8	88.7	131.6	165.5	215.6
訪問通所	103.2	62.6	83.9	121.3	150.7	201.1
訪問介護	73.3	40.0	53.5	86.9	113.0	150.5
訪問入浴介護	69.4	50.8	63.7	63.8	64.6	73.8
訪問看護	47.5	37.9	43.7	46.2	51.0	62.8
訪問リハビリテーション	38.5	36.5	38.2	39.6	38.5	39.4
通所介護	83.7	61.1	75.5	99.3	113.7	124.5
通所リハビリテーション	79.8	58.1	72.4	91.5	105.8	116.0
福祉用具貸与	16.8	8.9	14.6	17.9	21.5	26.5
短期入所	97.8	60.1	70.8	100.9	116.6	118.5
短期入所生活介護	98.3	59.9	71.1	103.4	118.8	119.0
短期入所療養介護（老健）	89.0	59.7	65.8	82.7	100.6	106.9
特定治療・特別療養費（再掲）	2.8	0.4	6.8	0.6	2.0	4.0
短期入所療養介護（病院等）	106.4	66.7	86.6	92.3	108.7	121.0
特定診療費（再掲）	10.0	12.7	6.6	9.8	11.2	10.1
居宅療養管理指導	12.5	12.2	12.2	12.6	12.6	12.9
特定施設入居者生活介護（短期利用以外）	205.3	168.0	188.6	212.3	231.3	257.9
特定施設入居者生活介護（短期利用）	73.0	68.6	69.5	62.6	81.5	100.9
居宅介護支援	14.3	13.0	13.1	16.3	16.3	16.3
地域密着型サービス	127.9	86.4	104.2	157.2	184.7	214.3
定期巡回・随時対応型訪問介護看護	170.3	79.6	127.1	197.0	231.4	290.3
夜間対応型訪問介護	40.5	25.0	21.7	42.7	37.6	66.4
地域密着型通所介護	71.4	51.5	62.3	91.5	109.0	131.7
認知症対応型通所介護	125.4	90.0	108.7	139.7	154.1	158.4
小規模多機能型居宅介護（短期利用以外）	211.3	134.5	189.1	261.2	282.8	314.5
小規模多機能型居宅介護（短期利用）	28.7	8.3	39.0	36.2	33.6	18.4
認知症対応型共同生活介護（短期利用以外）	271.6	257.3	269.8	276.5	280.4	289.9
認知症対応型共同生活介護（短期利用）	98.9	107.5	－	95.3	－	－
地域密着型特定施設入居者生活介護（短期利用以外）	209.7	164.7	188.5	217.1	222.5	264.8
地域密着型特定施設入居者生活介護（短期利用）	82.1	42.2	－	－	131.1	72.9
地域密着型介護老人福祉施設入所者生活介護	282.7	218.1	244.3	265.4	285.3	303.4
複合型サービス(看護小規模多機能型居宅介護・短期利用以外)	272.8	146.0	209.2	270.0	318.7	351.5
複合型サービス(看護小規模多機能型居宅介護・短期利用)	40.6	6.5	22.1	43.0	124.8	20.4
施設サービス	288.6	242.2	258.9	270.8	292.1	316.5
介護福祉施設サービス	270.9	213.0	233.1	252.7	272.5	292.4
介護保健施設サービス	292.8	250.1	270.0	288.5	303.0	324.3
特定治療・特別療養費（再掲）	10.2	4.8	7.5	6.0	10.4	11.5
介護療養施設サービス	385.9	253.9	273.8	338.8	378.3	405.0
特定診療費（再掲）	20.5	19.8	18.6	23.8	21.4	19.6

注：１）受給者１人当たり費用額＝費用額／受給者数
　　２）総数には、月の途中で要介護から要支援に変更となった者を含む。

統計表第５表　介護サービス受給者１人当たり費用額，月・年齢階級・サービス種類・要介護状態区分別（60－３）

（75～79歳）

平成29年５月審査分
（単位：千円）

サービス種類	総数	要介護１	要介護２	要介護３	要介護４	要介護５
総数	169.7	98.4	130.8	199.6	243.0	287.1
居宅サービス	108.8	67.2	89.7	131.0	165.6	212.5
訪問通所	98.7	62.6	84.0	118.9	149.1	196.6
訪問介護	68.5	37.3	50.8	82.9	112.6	149.3
訪問入浴介護	66.0	52.3	58.8	59.3	63.4	70.4
訪問看護	46.2	37.8	42.4	45.2	50.1	61.9
訪問リハビリテーション	37.2	35.7	36.7	38.0	37.8	38.0
通所介護	83.6	62.7	78.7	103.0	114.5	127.5
通所リハビリテーション	79.8	59.9	74.5	93.6	106.3	113.9
福祉用具貸与	15.4	7.9	13.7	16.7	20.5	25.1
短期入所	102.5	61.9	75.7	108.8	124.9	130.3
短期入所生活介護	103.3	61.8	76.5	111.0	127.5	130.3
短期入所療養介護（老健）	90.5	60.7	67.1	87.3	101.5	118.9
特定治療・特別療養費（再掲）	3.8	0.2	0.4	0.2	0.2	7.3
短期入所療養介護（病院等）	112.0	64.8	77.3	91.2	143.8	128.8
特定診療費（再掲）	10.2	4.4	8.6	8.8	16.3	9.8
居宅療養管理指導	12.6	12.1	12.5	12.7	12.7	13.0
特定施設入居者生活介護（短期利用以外）	206.8	170.2	191.0	213.0	232.3	257.3
特定施設入居者生活介護（短期利用）	73.6	40.6	75.0	85.1	81.6	93.9
居宅介護支援	14.2	13.1	13.1	16.3	16.3	16.3
地域密着型サービス	138.3	90.9	118.7	174.9	201.9	230.8
定期巡回・随時対応型訪問介護看護	161.2	78.4	124.9	190.9	234.5	280.7
夜間対応型訪問介護	31.9	21.6	22.1	26.8	35.5	54.9
地域密着型通所介護	73.1	52.8	66.7	98.0	116.1	137.6
認知症対応型通所介護	122.0	88.4	110.9	138.1	154.7	160.4
小規模多機能型居宅介護（短期利用以外）	207.9	133.9	188.6	260.6	284.6	312.9
小規模多機能型居宅介護（短期利用）	35.9	28.9	26.7	37.8	35.1	63.1
認知症対応型共同生活介護（短期利用以外）	271.4	256.1	269.3	276.9	280.6	287.9
認知症対応型共同生活介護（短期利用）	67.2	83.6	61.6	51.3	104.9	45.6
地域密着型特定施設入居者生活介護（短期利用以外）	211.6	172.8	194.9	213.6	229.9	255.2
地域密着型特定施設入居者生活介護（短期利用）	161.3	161.3	-	-	-	-
地域密着型介護老人福祉施設入所者生活介護	284.4	218.6	245.6	263.8	283.6	308.4
複合型サービス（看護小規模多機能型居宅介護・短期利用以外）	255.8	150.3	207.5	281.6	301.2	340.7
複合型サービス（看護小規模多機能型居宅介護・短期利用）	41.7	35.4	-	35.3	70.5	20.7
施設サービス	286.9	243.5	257.6	270.3	290.5	313.6
介護福祉施設サービス	271.1	212.4	234.2	252.8	272.0	292.3
介護保健施設サービス	291.7	252.5	267.5	288.1	304.0	321.9
特定治療・特別療養費（再掲）	8.3	4.9	5.2	5.4	7.8	10.0
介護療養施設サービス	383.6	222.3	278.2	335.1	375.4	402.6
特定診療費（再掲）	20.5	20.8	22.8	21.2	21.0	20.0

注：１）受給者１人当たり費用額＝費用額／受給者数
　　２）総数には、月の途中で要介護から要支援に変更となった者を含む。

（80～84歳）

平成29年５月審査分
（単位：千円）

サービス種類	総数	要介護１	要介護２	要介護３	要介護４	要介護５
総数	177.0	102.9	141.1	212.4	254.2	293.8
居宅サービス	109.3	70.2	94.1	135.4	168.7	212.7
訪問通所	97.0	64.0	86.3	120.3	149.7	200.1
訪問介護	66.2	35.5	49.8	84.0	115.8	158.4
訪問入浴介護	62.5	51.7	56.3	57.8	60.7	66.4
訪問看護	44.6	36.7	41.3	44.0	48.8	60.5
訪問リハビリテーション	36.0	34.7	36.1	36.4	36.7	36.6
通所介護	85.2	64.9	83.3	107.1	119.9	133.4
通所リハビリテーション	78.3	61.4	76.4	93.9	104.0	114.6
福祉用具貸与	13.9	7.3	12.7	15.6	19.1	23.8
短期入所	105.1	61.0	78.2	116.9	135.8	140.2
短期入所生活介護	106.0	60.6	78.4	118.9	137.7	141.9
短期入所療養介護（老健）	92.2	61.5	73.7	94.3	111.2	120.0
特定治療・特別療養費（再掲）	2.4	0.4	0.3	0.9	2.1	4.6
短期入所療養介護（病院等）	116.4	62.4	74.5	116.0	147.1	143.0
特定診療費（再掲）	10.6	8.1	7.9	10.1	11.5	12.5
居宅療養管理指導	12.7	12.2	12.5	12.9	12.8	13.2
特定施設入居者生活介護（短期利用以外）	208.8	173.8	193.4	216.0	235.6	259.6
特定施設入居者生活介護（短期利用）	73.1	62.8	77.8	77.8	78.3	69.6
居宅介護支援	14.1	13.0	13.0	16.3	16.3	16.2
地域密着型サービス	152.1	96.5	134.4	192.5	218.3	248.9
定期巡回・随時対応型訪問介護看護	158.7	79.3	125.6	191.8	235.1	290.2
夜間対応型訪問介護	33.5	24.2	22.1	32.2	40.2	56.9
地域密着型通所介護	76.5	54.8	72.2	105.4	123.8	147.5
認知症対応型通所介護	120.8	89.6	111.1	141.2	149.7	155.8
小規模多機能型居宅介護（短期利用以外）	207.6	134.7	189.6	261.2	283.9	314.7
小規模多機能型居宅介護（短期利用）	40.4	22.0	35.2	37.1	43.7	82.5
認知症対応型共同生活介護（短期利用以外）	272.1	256.0	269.0	277.1	280.8	288.3
認知症対応型共同生活介護（短期利用）	93.0	52.4	77.0	129.0	116.5	86.5
地域密着型特定施設入居者生活介護（短期利用以外）	209.7	174.4	192.7	215.2	231.6	253.9
地域密着型特定施設入居者生活介護（短期利用）	72.3	-	142.2	33.7	73.1	8.6
地域密着型介護老人福祉施設入所者生活介護	282.2	227.0	244.7	262.2	282.8	304.7
複合型サービス（看護小規模多機能型居宅介護・短期利用以外）	257.4	152.7	206.1	278.2	304.6	358.4
複合型サービス（看護小規模多機能型居宅介護・短期利用）	38.3	22.8	26.2	33.9	103.5	83.5
施設サービス	286.2	244.1	258.9	270.0	290.8	312.6
介護福祉施設サービス	271.6	214.1	235.5	252.5	272.8	292.9
介護保健施設サービス	290.1	251.1	267.4	287.6	304.4	321.4
特定治療・特別療養費（再掲）	8.3	4.7	5.1	5.8	8.0	10.3
介護療養施設サービス	381.4	235.2	279.0	337.6	373.7	400.9
特定診療費（再掲）	19.6	20.9	24.3	21.2	20.0	18.8

注：１）受給者１人当たり費用額＝費用額／受給者数
　　２）総数には、月の途中で要介護から要支援に変更となった者を含む。

統計表第５表　介護サービス受給者１人当たり費用額，月・年齢階級・サービス種類・要介護状態区分別（60－4）

（85～89歳）

平成29年５月審査分
（単位：千円）

サービス種類	総数	要介護１	要介護２	要介護３	要介護４	要介護５
総数	188.8	110.6	152.2	222.5	262.0	296.8
居宅サービス	116.3	76.3	101.0	142.2	174.9	214.0
訪問通所	100.1	66.7	89.5	123.1	153.2	202.3
訪問介護	70.3	36.2	51.6	89.7	124.7	167.8
訪問入浴介護	60.8	52.9	55.2	57.5	59.9	64.0
訪問看護	44.0	36.9	40.6	42.7	47.1	59.6
訪問リハビリテーション	34.7	34.1	34.5	35.5	35.0	34.6
通所介護	88.3	67.2	86.6	110.7	123.1	136.6
通所リハビリテーション	79.2	63.6	79.2	94.9	103.7	111.7
福祉用具貸与	13.2	7.0	12.1	14.8	18.5	22.8
短期入所	104.3	61.7	79.3	119.3	138.9	143.5
短期入所生活介護	104.9	61.2	79.3	120.6	141.1	144.0
短期入所療養介護（老健）	92.6	63.8	75.7	99.7	110.7	126.2
特定治療・特別療養費（再掲）	2.0	0.9	0.3	1.4	0.8	5.2
短期入所療養介護（病院等）	105.2	62.9	75.9	98.8	120.8	147.2
特定診療費（再掲）	7.1	6.9	6.4	7.9	7.0	7.0
居宅療養管理指導	12.6	12.2	12.4	12.7	12.7	13.0
特定施設入居者生活介護（短期利用以外）	209.6	175.7	195.6	217.7	236.5	258.0
特定施設入居者生活介護（短期利用）	68.0	55.9	65.6	77.9	82.5	61.2
居宅介護支援	14.0	13.0	13.0	16.2	16.2	16.1
地域密着型サービス	166.9	104.4	146.2	204.3	230.6	257.9
定期巡回・随時対応型訪問介護看護	163.8	78.5	126.7	194.9	238.1	290.9
夜間対応型訪問介護	36.0	23.2	23.1	33.0	55.3	60.7
地域密着型通所介護	82.8	57.9	77.5	113.6	131.4	154.5
認知症対応型通所介護	123.0	91.2	111.0	138.6	150.6	164.4
小規模多機能型居宅介護（短期利用以外）	209.9	133.6	188.7	261.0	282.0	309.3
小規模多機能型居宅介護（短期利用）	36.2	31.6	45.5	34.2	44.7	10.3
認知症対応型共同生活介護（短期利用以外）	272.8	256.3	269.6	277.0	281.1	287.0
認知症対応型共同生活介護（短期利用）	88.9	58.2	72.7	99.8	213.5	36.9
地域密着型特定施設入居者生活介護（短期利用以外）	207.9	173.7	192.0	212.0	231.9	249.8
地域密着型特定施設入居者生活介護（短期利用）	49.8	76.3	33.7	58.6	-	-
地域密着型介護老人福祉施設入所者生活介護	282.6	224.3	247.7	264.3	283.0	306.0
複合型サービス(看護小規模多機能型居宅介護・短期利用以外)	259.5	149.2	207.0	273.1	309.6	355.8
複合型サービス(看護小規模多機能型居宅介護・短期利用)	33.3	45.1	26.5	33.4	25.7	53.4
施設サービス	284.7	243.4	258.3	269.7	289.8	311.1
介護福祉施設サービス	271.2	214.2	235.9	252.9	272.7	292.2
介護保健施設サービス	288.0	249.6	266.5	286.6	302.5	320.7
特定治療・特別療養費（再掲）	8.2	4.4	5.3	6.5	8.7	9.4
介護療養施設サービス	376.5	230.7	263.8	334.4	370.3	397.6
特定診療費（再掲）	18.9	18.4	20.3	20.5	19.0	18.4

注：１）受給者１人当たり費用額＝費用額／受給者数
２）総数には、月の途中で要介護から要支援に変更となった者を含む。

（90～94歳）

平成29年５月審査分
（単位：千円）

サービス種類	総数	要介護１	要介護２	要介護３	要介護４	要介護５
総数	202.6	117.5	159.9	226.7	264.2	295.2
居宅サービス	124.4	81.3	105.6	145.0	176.2	210.8
訪問通所	103.4	67.8	89.7	120.1	150.4	195.0
訪問介護	78.2	38.1	54.5	94.0	129.1	168.8
訪問入浴介護	60.3	51.3	58.0	57.7	59.2	62.8
訪問看護	43.9	35.8	39.6	41.2	45.8	57.9
訪問リハビリテーション	33.8	33.4	33.9	34.3	33.8	33.5
通所介護	91.1	68.9	87.5	110.1	122.2	132.8
通所リハビリテーション	81.2	65.6	80.4	95.3	103.2	110.9
福祉用具貸与	13.6	6.8	11.9	14.8	18.6	22.7
短期入所	103.1	61.3	79.1	117.1	136.7	141.7
短期入所生活介護	103.4	60.6	79.0	117.9	137.8	141.6
短期入所療養介護（老健）	94.1	65.0	76.4	101.2	115.6	127.6
特定治療・特別療養費（再掲）	1.7	0.3	0.5	0.6	1.2	5.4
短期入所療養介護（病院等）	114.4	71.8	82.4	107.0	138.8	163.2
特定診療費（再掲）	7.7	5.1	6.8	5.8	9.2	10.7
居宅療養管理指導	12.1	11.8	12.0	12.1	12.4	12.2
特定施設入居者生活介護（短期利用以外）	211.6	175.9	196.3	218.4	237.6	258.9
特定施設入居者生活介護（短期利用）	71.8	51.3	64.9	73.9	98.2	109.4
居宅介護支援	14.1	12.9	12.9	16.2	16.1	16.2
地域密着型サービス	181.5	112.0	154.5	207.9	235.6	260.5
定期巡回・随時対応型訪問介護看護	170.0	81.2	128.0	196.6	241.3	288.9
夜間対応型訪問介護	41.2	23.3	23.6	37.9	53.4	79.2
地域密着型通所介護	89.7	61.9	81.3	112.8	134.6	156.4
認知症対応型通所介護	125.0	91.3	111.2	134.9	147.0	154.7
小規模多機能型居宅介護（短期利用以外）	216.5	133.6	188.2	259.6	283.0	310.0
小規模多機能型居宅介護（短期利用）	35.6	22.5	28.1	39.3	70.2	58.4
認知症対応型共同生活介護（短期利用以外）	273.7	256.3	269.5	276.6	280.6	286.1
認知症対応型共同生活介護（短期利用）	77.3	58.6	64.1	93.6	79.4	133.3
地域密着型特定施設入居者生活介護（短期利用以外）	211.9	174.5	194.3	213.6	234.9	255.1
地域密着型特定施設入居者生活介護（短期利用）	37.9	21.8	30.0	67.9	31.8	-
地域密着型介護老人福祉施設入所者生活介護	283.5	224.1	247.9	263.0	286.5	308.3
複合型サービス(看護小規模多機能型居宅介護・短期利用以外)	261.8	149.9	208.2	278.3	303.6	354.7
複合型サービス(看護小規模多機能型居宅介護・短期利用)	39.8	18.7	22.0	63.2	43.1	39.9
施設サービス	283.9	242.4	257.8	268.9	288.7	310.1
介護福祉施設サービス	270.8	214.1	236.2	252.7	272.4	292.0
介護保健施設サービス	288.1	248.8	266.2	286.6	303.2	320.0
特定治療・特別療養費（再掲）	7.6	3.3	5.1	5.4	7.7	9.3
介護療養施設サービス	375.7	232.6	262.7	331.0	371.0	397.2
特定診療費（再掲）	17.8	21.2	19.9	19.6	18.3	16.9

注：１）受給者１人当たり費用額＝費用額／受給者数
２）総数には、月の途中で要介護から要支援に変更となった者を含む。

統計表第５表　介護サービス受給者１人当たり費用額，月・年齢階級・サービス種類・要介護状態区分別（60－5）

（95歳以上）

平成29年５月審査分
（単位：千円）

サービス種類	総数	要介護１	要介護２	要介護３	要介護４	要介護５
総数	222.7	125.3	165.4	227.8	264.5	292.2
居宅サービス	136.1	84.6	107.4	144.0	175.1	206.5
訪問通所	109.6	66.7	86.9	113.7	143.8	187.0
訪問介護	93.6	40.5	57.9	96.5	130.3	165.9
訪問入浴介護	59.7	56.7	56.5	57.9	57.8	62.2
訪問看護	44.3	35.4	37.6	39.3	44.0	55.7
訪問リハビリテーション	33.2	33.3	32.9	33.7	33.2	33.1
通所介護	94.4	68.6	86.2	105.5	119.9	129.2
通所リハビリテーション	84.8	66.7	82.3	93.9	101.8	109.2
福祉用具貸与	15.1	6.9	12.3	15.3	19.1	22.8
短期入所	108.6	64.5	81.1	116.0	135.6	140.9
短期入所生活介護	108.6	63.7	80.6	116.2	136.2	141.3
短期入所療養介護（老健）	100.1	69.6	81.0	104.4	117.2	124.3
特定治療・特別療養費（再掲）	1.7	0.3	0.6	0.7	2.2	5.9
短期入所療養介護（病院等）	118.8	61.2	73.9	114.1	151.0	150.0
特定診療費（再掲）	6.5	4.7	6.4	5.9	5.5	8.3
居宅療養管理指導	11.2	11.1	11.1	11.2	11.4	11.2
特定施設入居者生活介護（短期利用以外）	217.7	176.1	196.9	218.5	238.9	258.5
特定施設入居者生活介護（短期利用）	68.7	48.7	54.8	87.7	87.0	49.4
居宅介護支援	14.6	12.9	13.0	16.2	16.2	16.2
地域密着型サービス	200.3	119.0	159.3	211.2	239.8	261.2
定期巡回・随時対応型訪問介護看護	186.3	79.4	127.6	199.8	245.5	292.2
夜間対応型訪問介護	48.2	24.1	23.2	42.7	56.4	80.3
地域密着型通所介護	98.1	63.4	82.6	112.3	133.1	154.1
認知症対応型通所介護	129.4	90.1	107.0	128.6	149.6	155.0
小規模多機能型居宅介護（短期利用以外）	231.8	132.9	188.5	260.3	280.1	311.8
小規模多機能型居宅介護（短期利用）	37.2	35.4	23.2	35.4	42.4	55.7
認知症対応型共同生活介護（短期利用以外）	275.6	256.9	268.3	276.1	281.4	286.2
認知症対応型共同生活介護（短期利用）	78.9	56.2	72.7	72.2	70.1	143.7
地域密着型特定施設入居者生活介護（短期利用以外）	217.9	172.3	191.4	217.6	236.9	250.3
地域密着型特定施設入居者生活介護（短期利用）	-	-	-	-	-	-
地域密着型介護老人福祉施設入所者生活介護	284.3	227.8	246.8	264.8	285.6	307.5
複合型サービス（看護小規模多機能型居宅介護・短期利用以外）	278.1	151.7	204.5	277.3	306.0	354.3
複合型サービス（看護小規模多機能型居宅介護・短期利用）	71.5	-	55.1	15.9	89.0	-
施設サービス	285.3	242.7	256.7	268.5	288.2	309.4
介護福祉施設サービス	272.1	215.3	237.0	253.3	272.8	292.1
介護保健施設サービス	291.8	250.6	266.3	286.9	303.8	321.8
特定治療・特別療養費（再掲）	7.1	4.6	5.4	5.9	7.2	7.7
介護療養施設サービス	374.9	227.5	262.3	334.3	368.3	394.9
特定診療費（再掲）	16.6	17.8	18.1	19.8	16.5	15.9

注：１）受給者１人当たり費用額＝費用額／受給者数
２）総数には、月の途中で要介護から要支援に変更となった者を含む。

統計表第５表　介護サービス受給者１人当たり費用額，月・年齢階級・サービス種類・要介護状態区分別（60－6）

（総　数）

平成29年６月審査分
（単位：千円）

サ ー ビ ス 種 類	総数	要介護１	要介護２	要介護３	要介護４	要介護５
総数	193.1	111.6	150.5	222.4	263.6	300.8
居宅サービス	121.1	77.4	101.6	144.1	177.1	219.0
訪問通所	106.0	68.9	91.3	126.1	156.4	206.0
訪問介護	75.4	39.5	54.9	91.3	124.0	164.0
訪問入浴介護	69.1	57.6	62.4	64.5	66.1	73.4
訪問看護	47.5	39.0	43.6	45.8	50.5	63.1
訪問リハビリテーション	38.1	37.2	37.7	38.6	38.2	38.8
通所介護	92.7	70.0	88.4	113.1	126.1	137.9
通所リハビリテーション	83.5	64.9	80.1	98.3	109.7	118.9
福祉用具貸与	14.6	7.5	13.0	15.9	19.6	24.1
短期入所	105.4	61.8	78.9	117.7	135.8	139.5
短期入所生活介護	105.8	61.0	78.8	119.2	137.7	140.3
短期入所療養介護（老健）	94.8	65.2	75.6	98.0	112.3	122.5
特定治療・特別療養費（再掲）	2.3	0.8	0.4	0.7	2.0	5.4
短期入所療養介護（病院等）	112.7	64.5	81.4	108.8	127.8	142.3
特定診療費（再掲）	8.9	7.1	7.3	9.0	9.3	10.0
居宅療養管理指導	12.3	12.0	12.2	12.4	12.4	12.6
特定施設入居者生活介護（短期利用以外）	217.0	180.2	201.1	223.6	243.9	265.5
特定施設入居者生活介護（短期利用）	71.8	60.8	63.0	77.5	87.4	85.5
居宅介護支援	14.1	13.0	13.0	16.2	16.2	16.2
地域密着型サービス	166.7	104.3	142.0	200.9	229.8	256.6
定期巡回・随時対応型訪問介護看護	166.4	79.2	126.2	193.8	236.0	285.5
夜間対応型訪問介護	38.1	23.3	23.7	34.3	48.5	65.5
地域密着型通所介護	84.9	60.0	77.3	111.5	131.6	153.4
認知症対応型通所介護	130.7	95.3	116.7	145.7	158.1	169.4
小規模多機能型居宅介護（短期利用以外）	213.2	134.4	189.2	261.5	283.0	312.3
小規模多機能型居宅介護（短期利用）	37.8	32.1	35.1	35.7	48.3	53.0
認知症対応型共同生活介護（短期利用以外）	282.0	265.1	278.3	286.1	289.8	295.9
認知症対応型共同生活介護（短期利用）	80.2	57.4	80.0	82.4	100.3	89.3
地域密着型特定施設入居者生活介護（短期利用以外）	217.9	180.1	199.4	220.1	239.8	260.3
地域密着型特定施設入居者生活介護（短期利用）	68.1	74.8	73.4	46.2	83.7	50.1
地域密着型介護老人福祉施設入所者生活介護	292.0	232.4	255.8	271.5	293.3	315.8
複合型サービス(看護小規模多機能型居宅介護・短期利用以外)	262.2	150.9	206.0	277.8	307.9	351.7
複合型サービス(看護小規模多機能型居宅介護・短期利用)	40.3	30.7	30.5	32.9	45.7	62.5
施設サービス	294.7	251.5	266.7	278.3	299.0	321.6
介護福祉施設サービス	279.8	220.8	243.5	260.9	280.9	301.3
介護保健施設サービス	299.6	258.7	275.8	296.8	313.9	331.7
特定治療・特別療養費（再掲）	8.4	4.8	5.5	6.1	8.3	10.1
介護療養施設サービス	391.7	241.6	277.5	347.7	384.3	412.9
特定診療費（再掲）	20.0	20.5	22.2	22.2	19.9	19.5

注：1）受給者１人当たり費用額＝費用額／受給者数
　　2）総数には、月の途中で要介護から要支援に変更となった者を含む。

（40～64歳）

平成29年６月審査分
（単位：千円）

サ ー ビ ス 種 類	総数	要介護１	要介護２	要介護３	要介護４	要介護５
総数	167.9	95.1	119.3	184.5	229.2	284.5
居宅サービス	120.1	68.1	89.2	132.1	167.4	224.3
訪問通所	113.5	65.8	86.2	125.5	157.3	214.3
訪問介護	81.6	43.5	55.3	84.2	110.6	153.0
訪問入浴介護	87.0	70.0	64.7	78.4	80.5	92.2
訪問看護	54.9	44.8	49.8	52.9	58.9	73.0
訪問リハビリテーション	43.1	42.6	42.2	43.7	42.7	44.5
通所介護	90.4	61.2	74.2	102.4	124.6	134.6
通所リハビリテーション	81.8	56.9	72.7	96.0	111.4	119.0
福祉用具貸与	19.9	11.7	17.5	20.2	24.3	29.8
短期入所	100.6	57.6	71.1	101.7	112.6	119.1
短期入所生活介護	100.4	55.3	71.2	104.2	113.8	118.0
短期入所療養介護（老健）	93.9	67.3	65.8	86.6	100.0	111.9
特定治療・特別療養費（再掲）	4.5	–	–	2.6	2.1	5.9
短期入所療養介護（病院等）	102.8	73.2	85.9	79.1	106.0	113.1
特定診療費（再掲）	11.9	17.0	7.6	13.5	13.2	11.3
居宅療養管理指導	12.5	11.9	12.2	12.3	12.4	13.3
特定施設入居者生活介護（短期利用以外）	222.9	176.8	200.6	215.5	245.5	261.0
特定施設入居者生活介護（短期利用）	53.3	25.7	62.8	27.7	56.1	83.0
居宅介護支援	14.5	13.1	13.1	16.4	16.3	16.4
地域密着型サービス	123.5	77.8	88.6	144.7	177.3	216.7
定期巡回・随時対応型訪問介護看護	184.8	78.3	116.0	188.9	230.8	278.7
夜間対応型訪問介護	40.2	22.9	22.7	29.1	46.7	69.5
地域密着型通所介護	72.9	50.1	59.4	89.1	108.1	133.5
認知症対応型通所介護	152.2	97.9	124.8	156.3	174.7	193.0
小規模多機能型居宅介護（短期利用以外）	230.5	134.2	189.7	263.2	286.3	322.6
小規模多機能型居宅介護（短期利用）	45.8	–	57.5	30.9	25.8	51.6
認知症対応型共同生活介護（短期利用以外）	302.8	285.8	297.2	308.3	307.1	322.9
認知症対応型共同生活介護（短期利用）	117.7	–	–	117.7	–	–
地域密着型特定施設入居者生活介護（短期利用以外）	219.4	184.4	180.1	191.7	248.9	266.4
地域密着型特定施設入居者生活介護（短期利用）	–	–	–	–	–	–
地域密着型介護老人福祉施設入所者生活介護	300.6	229.3	252.2	268.8	307.7	318.1
複合型サービス(看護小規模多機能型居宅介護・短期利用以外)	293.8	152.5	209.4	269.7	305.4	359.6
複合型サービス(看護小規模多機能型居宅介護・短期利用)	48.1	–	14.7	–	–	81.4
施設サービス	307.9	257.7	273.2	286.5	310.9	339.5
介護福祉施設サービス	284.9	218.4	242.1	264.2	283.8	306.1
介護保健施設サービス	304.5	263.8	279.6	296.0	315.4	336.4
特定治療・特別療養費（再掲）	9.4	14.2	4.4	6.8	6.7	12.1
介護療養施設サービス	412.6	277.7	322.6	363.2	398.2	431.6
特定診療費（再掲）	27.9	28.0	33.2	35.1	25.8	27.9

注：1）受給者１人当たり費用額＝費用額／受給者数
　　2）総数には、月の途中で要介護から要支援に変更となった者を含む。

統計表第５表　介護サービス受給者１人当たり費用額，月・年齢階級・サービス種類・要介護状態区分別（60－7）

（65～69歳）

平成29年６月審査分
（単位：千円）

サービス種類	総数	要介護１	要介護２	要介護３	要介護４	要介護５
総数	170.6	99.1	126.9	194.1	236.1	286.2
居宅サービス	120.0	70.2	93.5	138.9	172.5	223.6
訪問通所	112.5	66.9	89.8	130.3	161.2	211.8
訪問介護	82.0	45.7	60.9	95.7	121.6	159.5
訪問入浴介護	78.1	61.5	66.1	68.2	73.4	83.3
訪問看護	51.3	41.2	46.8	49.6	55.9	67.1
訪問リハビリテーション	40.5	40.0	39.1	40.8	41.5	41.6
通所介護	88.6	63.4	77.0	102.8	119.6	129.4
通所リハビリテーション	83.4	59.9	74.4	95.9	112.4	117.6
福祉用具貸与	17.7	9.8	15.4	18.7	21.9	26.7
短期入所	97.3	59.4	67.4	101.4	111.5	118.0
短期入所生活介護	98.3	57.4	68.3	104.5	115.0	117.5
短期入所療養介護（老健）	85.8	68.7	61.6	82.7	89.1	104.6
特定治療・特別療養費（再掲）	3.4	11.1	0.5	－	1.3	5.0
短期入所療養介護（病院等）	119.3	70.4	59.1	74.4	112.5	154.1
特定診療費（再掲）	11.9	16.2	8.9	10.1	8.9	14.2
居宅療養管理指導	12.5	12.2	12.2	12.8	12.2	12.9
特定施設入居者生活介護（短期利用以外）	213.9	173.0	196.8	216.3	240.6	263.3
特定施設入居者生活介護（短期利用）	52.1	46.3	41.6	40.6	89.7	36.4
居宅介護支援	14.4	13.0	13.1	16.3	16.4	16.4
地域密着型サービス	128.1	87.0	99.7	153.2	182.3	215.6
定期巡回・随時対応型訪問介護看護	168.7	77.7	122.4	183.4	228.8	264.2
夜間対応型訪問介護	42.1	20.2	31.0	32.8	54.7	60.2
地域密着型通所介護	74.9	53.8	63.8	93.2	111.9	134.2
認知症対応型通所介護	139.3	92.4	120.3	145.2	163.1	184.2
小規模多機能型居宅介護（短期利用以外）	219.1	134.9	188.2	264.5	287.4	316.8
小規模多機能型居宅介護（短期利用）	37.0	48.6	35.4	39.7	17.2	－
認知症対応型共同生活介護（短期利用以外）	278.7	263.0	276.3	282.5	289.2	299.5
認知症対応型共同生活介護（短期利用）	61.6	18.3	－	94.8	35.1	－
地域密着型特定施設入居者生活介護（短期利用以外）	221.5	181.2	195.0	226.5	254.8	265.6
地域密着型特定施設入居者生活介護（短期利用）	96.8	175.4	－	－	－	18.2
地域密着型介護老人福祉施設入所者生活介護	289.1	226.1	250.0	270.6	289.8	310.2
複合型サービス(看護小規模多機能型居宅介護・短期利用以外)	263.4	152.8	204.5	276.3	313.8	344.2
複合型サービス(看護小規模多機能型居宅介護・短期利用)	31.5	－	－	21.4	－	46.5
施設サービス	298.4	252.2	267.8	280.6	302.7	326.6
介護福祉施設サービス	278.8	218.4	239.4	260.7	278.5	301.1
介護保健施設サービス	301.5	259.9	278.6	296.8	315.2	331.4
特定治療・特別療養費（再掲）	10.5	5.3	5.9	7.1	11.8	11.4
介護療養施設サービス	397.4	252.7	298.4	336.7	387.7	418.3
特定診療費（再掲）	22.6	26.7	19.1	22.5	22.1	23.0

注：1）受給者１人当たり費用額＝費用額／受給者数
　　2）総数には、月の途中で要介護から要支援に変更となった者を含む。

（70～74歳）

平成29年６月審査分
（単位：千円）

サービス種類	総数	要介護１	要介護２	要介護３	要介護４	要介護５
総数	172.1	99.9	129.1	198.4	241.4	290.3
居宅サービス	116.3	70.0	92.3	136.8	170.3	221.2
訪問通所	107.6	65.8	87.8	126.6	156.3	207.1
訪問介護	76.2	42.3	56.4	90.0	115.9	154.5
訪問入浴介護	74.0	56.8	65.6	67.5	69.5	78.6
訪問看護	49.6	39.6	45.6	48.3	53.7	65.5
訪問リハビリテーション	39.9	38.5	39.3	40.4	40.5	41.1
通所介護	88.5	64.8	79.9	104.8	119.3	130.9
通所リハビリテーション	83.7	60.8	75.9	96.2	110.7	122.0
福祉用具貸与	16.8	8.9	14.6	18.0	21.4	26.4
短期入所	98.5	60.2	70.4	104.8	116.3	119.1
短期入所生活介護	99.0	59.3	70.7	107.6	118.4	118.9
短期入所療養介護（老健）	89.4	62.9	63.9	84.7	98.5	110.1
特定治療・特別療養費（再掲）	2.7	0.4	1.7	0.5	3.3	3.4
短期入所療養介護（病院等）	105.0	54.8	85.0	95.2	91.8	126.3
特定診療費（再掲）	9.4	8.7	5.0	9.4	11.5	9.8
居宅療養管理指導	12.5	12.1	12.2	12.6	12.6	12.8
特定施設入居者生活介護（短期利用以外）	209.7	172.4	194.4	219.7	234.5	259.7
特定施設入居者生活介護（短期利用）	66.7	73.1	44.4	63.0	85.1	94.8
居宅介護支援	14.3	13.0	13.1	16.3	16.3	16.4
地域密着型サービス	133.2	90.1	108.8	164.1	190.5	220.9
定期巡回・随時対応型訪問介護看護	169.6	79.7	126.1	191.9	230.2	286.5
夜間対応型訪問介護	41.2	24.1	23.7	42.5	40.7	68.6
地域密着型通所介護	75.6	55.1	66.2	96.9	113.7	135.2
認知症対応型通所介護	133.6	94.4	117.0	148.0	165.5	171.1
小規模多機能型居宅介護（短期利用以外）	212.5	134.8	189.2	262.6	281.9	318.7
小規模多機能型居宅介護（短期利用）	42.1	36.2	52.5	30.0	51.9	28.8
認知症対応型共同生活介護（短期利用以外）	280.0	263.8	277.2	288.2	289.3	295.5
認知症対応型共同生活介護（短期利用）	101.2	35.6	－	105.3	125.9	－
地域密着型特定施設入居者生活介護（短期利用以外）	217.2	175.0	197.2	228.1	239.0	253.6
地域密着型特定施設入居者生活介護（短期利用）	86.0	88.0	－	－	－	82.0
地域密着型介護老人福祉施設入所者生活介護	290.7	225.7	255.4	269.0	291.7	316.0
複合型サービス(看護小規模多機能型居宅介護・短期利用以外)	267.7	149.2	202.6	279.5	304.2	342.7
複合型サービス(看護小規模多機能型居宅介護・短期利用)	26.0	22.3	7.3	19.8	41.3	18.6
施設サービス	297.2	249.3	265.8	279.7	300.7	325.5
介護福祉施設サービス	279.0	218.8	241.4	261.2	279.5	300.8
介護保健施設サービス	301.8	257.6	276.4	298.2	314.3	332.0
特定治療・特別療養費（再掲）	10.9	5.2	8.1	6.7	10.8	12.4
介護療養施設サービス	401.4	262.1	285.8	364.0	393.4	420.2
特定診療費（再掲）	22.0	22.0	24.3	26.1	22.0	21.3

注：1）受給者１人当たり費用額＝費用額／受給者数
　　2）総数には、月の途中で要介護から要支援に変更となった者を含む。

統計表第５表　介護サービス受給者１人当たり費用額，月・年齢階級・サービス種類・要介護状態区分別（60－8）

（75～79歳）

平成29年６月審査分
（単位：千円）

サービス種類	総数	要介護１	要介護２	要介護３	要介護４	要介護５
総数	175.4	102.3	135.4	206.7	250.4	295.9
居宅サービス	113.0	70.3	93.6	136.4	171.2	219.3
訪問通所	103.1	66.0	87.9	124.1	155.3	204.6
訪問介護	71.0	39.2	53.5	85.3	115.5	153.1
訪問入浴介護	70.7	55.4	63.9	65.1	67.4	75.3
訪問看護	48.5	39.8	44.5	47.6	52.6	64.6
訪問リハビリテーション	38.8	37.4	38.2	38.9	40.0	39.6
通所介護	88.5	66.7	83.1	108.8	120.9	134.7
通所リハビリテーション	83.4	62.4	77.9	98.4	111.6	120.0
福祉用具貸与	15.3	7.9	13.7	16.7	20.4	25.0
短期入所	103.5	61.1	76.0	110.9	126.1	132.7
短期入所生活介護	104.3	60.4	76.6	112.9	128.7	133.8
短期入所療養介護（老健）	92.2	64.7	69.1	90.4	104.0	117.9
特定治療・特別療養費（再掲）	2.7	0.2	0.3	0.6	0.4	9.0
短期入所療養介護（病院等）	105.6	68.8	70.8	94.4	128.2	120.7
特定診療費（再掲）	9.2	7.1	5.5	11.2	11.3	9.2
居宅療養管理指導	12.5	12.0	12.4	12.7	12.7	12.9
特定施設入居者生活介護（短期利用以外）	213.3	175.5	197.3	221.1	239.6	263.1
特定施設入居者生活介護（短期利用）	72.6	72.1	75.2	73.2	67.7	73.5
居宅介護支援	14.2	13.1	13.1	16.3	16.3	16.3
地域密着型サービス	143.6	95.2	123.4	180.5	207.9	237.6
定期巡回・随時対応型訪問介護看護	161.8	79.8	125.1	192.6	234.9	281.1
夜間対応型訪問介護	32.6	23.1	21.5	26.1	37.6	56.4
地域密着型通所介護	77.4	56.3	70.6	103.0	120.1	146.3
認知症対応型通所介護	128.7	93.2	116.3	146.3	163.5	170.8
小規模多機能型居宅介護（短期利用以外）	208.6	135.0	189.3	261.6	284.6	311.6
小規模多機能型居宅介護（短期利用）	38.7	27.3	50.8	34.8	43.6	40.5
認知症対応型共同生活介護（短期利用以外）	280.4	264.8	278.4	286.1	290.4	295.8
認知症対応型共同生活介護（短期利用）	82.2	105.4	102.8	30.5	58.7	97.4
地域密着型特定施設入居者生活介護（短期利用以外）	217.9	183.1	199.2	218.8	241.2	254.0
地域密着型特定施設入居者生活介護（短期利用）	21.2	18.3	-	22.6	-	-
地域密着型介護老人福祉施設入所者生活介護	291.3	227.1	256.5	270.2	290.6	314.8
複合型サービス（看護小規模多機能型居宅介護・短期利用以外）	256.9	152.3	206.7	280.1	303.6	347.3
複合型サービス（看護小規模多機能型居宅介護・短期利用）	42.1	57.0	7.0	39.9	46.6	68.8
施設サービス	296.3	252.3	266.6	279.2	299.6	323.2
介護福祉施設サービス	279.6	220.7	243.2	261.2	279.9	301.0
介護保健施設サービス	301.7	261.4	276.7	297.8	314.0	332.7
特定治療・特別療養費（再掲）	8.4	5.4	5.2	5.6	7.9	10.3
介護療養施設サービス	396.9	235.5	282.1	355.4	385.9	417.2
特定診療費（再掲）	21.6	19.4	23.9	23.4	22.4	21.0

注：１）受給者１人当たり費用額＝費用額／受給者数
　　２）総数には、月の途中で要介護から要支援に変更となった者を含む。

（80～84歳）

平成29年６月審査分
（単位：千円）

サービス種類	総数	要介護１	要介護２	要介護３	要介護４	要介護５
総数	183.0	107.3	146.3	219.6	261.9	302.1
居宅サービス	113.8	73.9	98.2	140.8	174.2	218.6
訪問通所	101.6	67.7	90.4	125.9	156.0	207.0
訪問介護	68.8	37.6	52.1	86.8	119.4	161.9
訪問入浴介護	67.3	54.5	60.6	63.1	65.7	71.0
訪問看護	46.6	38.4	43.2	46.0	51.2	63.3
訪問リハビリテーション	37.6	36.4	37.4	38.3	38.1	37.8
通所介護	90.3	69.1	88.0	113.7	126.7	139.5
通所リハビリテーション	82.2	64.3	80.3	98.5	109.1	121.4
福祉用具貸与	13.9	7.3	12.7	15.6	19.1	23.7
短期入所	106.5	61.0	78.4	119.4	138.2	142.8
短期入所生活介護	107.1	60.4	78.4	121.2	140.3	143.7
短期入所療養介護（老健）	94.9	63.3	74.9	98.1	114.6	124.1
特定治療・特別療養費（再掲）	2.6	0.3	0.4	1.0	2.6	5.2
短期入所療養介護（病院等）	119.7	61.6	77.9	115.8	136.9	153.9
特定診療費（再掲）	10.5	6.2	9.6	10.4	11.0	12.1
居宅療養管理指導	12.6	12.1	12.4	12.8	12.7	13.1
特定施設入居者生活介護（短期利用以外）	214.5	179.4	199.4	222.2	242.6	264.0
特定施設入居者生活介護（短期利用）	76.6	75.4	64.8	82.9	88.1	89.5
居宅介護支援	14.0	13.0	13.0	16.3	16.3	16.3
地域密着型サービス	157.7	101.1	139.6	199.0	225.6	255.3
定期巡回・随時対応型訪問介護看護	160.1	78.9	125.8	193.1	236.2	287.1
夜間対応型訪問介護	34.9	24.6	22.5	32.6	41.5	59.7
地域密着型通所介護	81.2	58.7	76.5	111.3	132.0	151.7
認知症対応型通所介護	128.1	95.4	117.2	149.4	158.0	165.1
小規模多機能型居宅介護（短期利用以外）	207.4	134.9	190.0	261.4	283.4	311.8
小規模多機能型居宅介護（短期利用）	41.7	35.5	31.4	35.8	69.4	58.6
認知症対応型共同生活介護（短期利用以外）	281.4	265.4	278.0	286.7	290.0	297.1
認知症対応型共同生活介護（短期利用）	94.5	53.2	90.1	121.1	95.6	136.9
地域密着型特定施設入居者生活介護（短期利用以外）	215.1	180.0	197.4	220.6	234.1	257.2
地域密着型特定施設入居者生活介護（短期利用）	119.0	126.9	100.7	100.3	203.0	-
地域密着型介護老人福祉施設入所者生活介護	292.0	234.4	255.2	272.4	291.2	315.6
複合型サービス（看護小規模多機能型居宅介護・短期利用以外）	257.8	153.2	206.2	279.6	308.9	353.8
複合型サービス（看護小規模多機能型居宅介護・短期利用）	39.7	39.2	19.8	26.6	56.7	73.1
施設サービス	295.3	252.5	267.7	278.4	300.0	322.1
介護福祉施設サービス	279.8	220.5	243.6	260.0	281.4	301.3
介護保健施設サービス	300.2	260.1	276.7	297.7	314.7	332.1
特定治療・特別療養費（再掲）	8.6	5.2	5.7	6.1	8.2	10.7
介護療養施設サービス	394.3	240.7	279.2	350.9	386.3	415.0
特定診療費（再掲）	20.7	22.6	23.1	22.8	20.7	20.2

注：１）受給者１人当たり費用額＝費用額／受給者数
　　２）総数には、月の途中で要介護から要支援に変更となった者を含む。

統計表第５表　介護サービス受給者１人当たり費用額，月・年齢階級・サービス種類・要介護状態区分別（60－９）

（85～89歳）

平成29年６月審査分
（単位：千円）

サービス種類	総数	要介護１	要介護２	要介護３	要介護４	要介護５
総数	195.1	115.1	157.5	229.8	269.6	306.1
居宅サービス	120.9	80.1	105.3	147.7	180.5	220.7
訪問通所	104.7	70.5	93.9	128.7	159.3	209.6
訪問介護	72.7	38.3	53.8	92.7	128.0	171.2
訪問入浴介護	65.5	57.2	60.3	63.0	64.3	68.6
訪問看護	46.1	38.6	42.7	44.7	49.1	62.5
訪問リハビリテーション	36.3	36.0	36.2	37.1	36.2	36.2
通所介護	93.5	71.5	91.6	117.0	129.9	143.6
通所リハビリテーション	83.0	66.8	82.9	99.7	108.5	117.5
福祉用具貸与	13.2	7.0	12.1	14.8	18.5	22.8
短期入所	105.6	61.9	79.8	121.0	142.1	147.9
短期入所生活介護	106.2	61.3	79.8	122.6	144.1	148.2
短期入所療養介護（老健）	93.9	64.3	76.4	99.6	115.4	131.3
特定治療・特別療養費（再掲）	2.2	0.8	0.3	0.7	1.1	6.5
短期入所療養介護（病院等）	103.5	66.1	79.7	110.9	110.9	135.6
特定診療費（再掲）	6.7	6.7	6.7	7.4	6.6	6.5
居宅療養管理指導	12.5	12.2	12.4	12.6	12.7	12.9
特定施設入居者生活介護（短期利用以外）	215.8	180.7	201.8	224.1	244.1	266.4
特定施設入居者生活介護（短期利用）	69.6	51.9	66.8	77.5	89.6	75.8
居宅介護支援	14.0	12.9	13.0	16.2	16.2	16.1
地域密着型サービス	172.5	108.6	151.3	210.6	236.9	265.7
定期巡回・随時対応型訪問介護看護	162.8	78.6	126.1	194.9	235.7	285.1
夜間対応型訪問介護	36.6	22.6	23.7	33.2	56.9	62.2
地域密着型通所介護	87.5	61.8	81.7	119.4	137.9	162.9
認知症対応型通所介護	129.1	95.5	116.3	146.3	158.7	171.3
小規模多機能型居宅介護（短期利用以外）	210.4	134.3	189.2	261.2	282.3	312.7
小規模多機能型居宅介護（短期利用）	34.6	33.4	34.6	32.4	40.0	47.1
認知症対応型共同生活介護（短期利用以外）	281.7	265.2	278.4	285.9	289.9	295.4
認知症対応型共同生活介護（短期利用）	75.0	62.3	69.5	71.9	110.7	143.7
地域密着型特定施設入居者生活介護（短期利用以外）	215.2	179.9	198.5	218.9	238.2	260.7
地域密着型特定施設入居者生活介護（短期利用）	50.8	53.7	37.2	58.6	-	-
地域密着型介護老人福祉施設入所者生活介護	292.1	234.1	256.8	271.7	292.4	316.8
複合型サービス（看護小規模多機能型居宅介護・短期利用以外）	259.7	150.5	207.1	275.6	309.2	355.7
複合型サービス（看護小規模多機能型居宅介護・短期利用）	45.6	26.0	68.0	41.5	35.2	62.2
施設サービス	294.1	251.6	267.4	278.2	299.1	321.1
介護福祉施設サービス	279.8	221.8	243.8	261.0	281.1	301.3
介護保健施設サービス	298.0	257.8	276.1	295.8	313.8	331.0
特定治療・特別療養費（再掲）	8.6	5.0	6.0	6.4	8.8	10.0
介護療養施設サービス	391.0	237.6	278.6	347.9	383.9	413.0
特定診療費（再掲）	20.1	18.5	22.0	22.2	20.0	19.6

注：１）受給者１人当たり費用額＝費用額／受給者数
　　２）総数には、月の途中で要介護から要支援に変更となった者を含む。

（90～94歳）

平成29年６月審査分
（単位：千円）

サービス種類	総数	要介護１	要介護２	要介護３	要介護４	要介護５
総数	209.4	122.4	165.6	234.3	272.1	303.8
居宅サービス	129.5	85.4	110.2	150.8	182.3	217.1
訪問通所	108.3	71.8	94.1	125.6	156.2	202.7
訪問介護	81.1	40.3	57.2	96.6	132.4	173.4
訪問入浴介護	64.8	58.5	62.7	62.0	63.3	67.4
訪問看護	45.9	37.6	41.3	43.1	47.9	60.5
訪問リハビリテーション	35.3	34.6	35.5	36.2	34.9	35.1
通所介護	96.5	73.3	92.6	116.7	128.4	139.7
通所リハビリテーション	85.1	69.0	84.1	99.6	108.6	114.0
福祉用具貸与	13.6	6.8	11.9	14.8	18.5	22.6
短期入所	105.2	61.6	80.4	120.0	140.3	146.2
短期入所生活介護	105.3	60.7	80.0	120.7	141.2	146.1
短期入所療養介護（老健）	97.1	66.8	79.4	104.2	120.3	131.5
特定治療・特別療養費（再掲）	1.7	0.3	0.5	0.6	3.4	4.0
短期入所療養介護（病院等）	116.7	61.6	85.8	117.4	141.4	166.8
特定診療費（再掲）	8.0	4.8	6.5	7.5	9.5	11.1
居宅療養管理指導	12.1	11.8	11.9	12.1	12.3	12.1
特定施設入居者生活介護（短期利用以外）	218.3	182.1	202.7	224.9	245.1	266.2
特定施設入居者生活介護（短期利用）	72.3	55.8	59.1	83.4	88.2	108.3
居宅介護支援	14.1	12.9	12.9	16.2	16.1	16.2
地域密着型サービス	187.5	116.7	160.0	214.8	242.5	268.2
定期巡回・随時対応型訪問介護看護	169.9	80.5	128.1	195.8	239.1	289.6
夜間対応型訪問介護	41.5	24.4	24.3	39.4	53.8	78.5
地域密着型通所介護	94.9	66.0	86.3	119.2	142.3	163.2
認知症対応型通所介護	132.1	97.7	117.1	142.4	151.9	166.5
小規模多機能型居宅介護（短期利用以外）	216.8	133.7	188.9	261.1	283.2	309.3
小規模多機能型居宅介護（短期利用）	36.6	27.1	28.0	37.7	54.3	68.9
認知症対応型共同生活介護（短期利用以外）	282.2	264.4	278.4	285.3	288.7	294.7
認知症対応型共同生活介護（短期利用）	75.5	52.6	74.8	66.8	138.3	60.2
地域密着型特定施設入居者生活介護（短期利用以外）	219.6	180.1	202.4	221.9	241.0	264.3
地域密着型特定施設入居者生活介護（短期利用）	53.6	36.6	78.9	-	24.0	-
地域密着型介護老人福祉施設入所者生活介護	291.3	232.5	254.9	271.5	294.4	315.0
複合型サービス（看護小規模多機能型居宅介護・短期利用以外）	260.4	146.8	204.2	278.6	307.9	353.7
複合型サービス（看護小規模多機能型居宅介護・短期利用）	39.1	12.9	20.5	37.0	45.6	64.4
施設サービス	292.9	250.5	265.9	277.5	297.7	319.9
介護福祉施設サービス	279.4	219.8	243.9	260.9	280.7	301.5
介護保健施設サービス	297.8	257.4	274.6	296.5	313.0	330.9
特定治療・特別療養費（再掲）	7.9	3.4	4.9	5.7	8.0	9.7
介護療養施設サービス	386.6	241.7	268.4	341.6	382.2	408.1
特定診療費（再掲）	18.6	20.7	21.0	20.9	18.9	17.8

注：１）受給者１人当たり費用額＝費用額／受給者数
　　２）総数には、月の途中で要介護から要支援に変更となった者を含む。

統計表第５表　介護サービス受給者１人当たり費用額，月・年齢階級・サービス種類・要介護状態区分別 (60－10)

（95歳以上）

平成29年６月審査分

（単位：千円）

サービス種類	総数	要介護１	要介護２	要介護３	要介護４	要介護５
総数	230.2	130.5	171.4	235.9	272.9	301.2
居宅サービス	141.6	89.0	112.1	150.6	180.9	213.0
訪問通所	114.8	70.8	91.4	119.4	149.5	194.2
訪問介護	96.3	42.6	60.2	99.6	133.3	169.9
訪問入浴介護	64.7	59.8	62.2	64.1	62.8	66.8
訪問看護	46.4	37.2	39.5	41.4	46.1	58.5
訪問リハビリテーション	34.8	35.3	34.9	35.2	34.5	34.6
通所介護	100.0	73.2	91.4	112.1	125.9	135.6
通所リハビリテーション	89.1	70.2	86.1	99.1	106.4	117.0
福祉用具貸与	15.1	6.9	12.2	15.2	19.1	22.7
短期入所	110.9	65.4	81.8	119.0	139.4	145.1
短期入所生活介護	110.7	64.6	81.1	119.2	139.4	145.3
短期入所療養介護（老健）	103.5	69.5	82.4	107.2	125.2	128.8
特定治療・特別療養費（再掲）	1.7	0.3	0.2	0.7	0.8	6.8
短期入所療養介護（病院等）	123.8	69.6	86.8	114.3	145.4	154.8
特定診療費（再掲）	8.8	10.5	9.8	8.9	7.8	8.3
居宅療養管理指導	11.2	11.1	11.2	11.2	11.3	11.2
特定施設入居者生活介護（短期利用以外）	224.5	181.7	202.9	225.0	246.4	267.7
特定施設入居者生活介護（短期利用）	78.1	55.7	63.0	84.8	101.2	86.4
居宅介護支援	14.6	12.9	13.0	16.2	16.2	16.2
地域密着型サービス	207.0	123.8	165.4	217.5	247.5	269.7
定期巡回・随時対応型訪問介護看護	184.7	79.3	128.9	195.4	238.8	292.5
夜間対応型訪問介護	47.5	21.4	25.3	40.8	55.9	82.6
地域密着型通所介護	104.1	68.1	87.9	118.6	140.1	165.6
認知症対応型通所介護	135.1	95.6	112.3	136.0	154.2	159.2
小規模多機能型居宅介護（短期利用以外）	231.9	133.8	187.5	261.7	281.1	311.3
小規模多機能型居宅介護（短期利用）	40.5	23.8	29.0	46.2	40.7	70.7
認知症対応型共同生活介護（短期利用以外）	284.7	264.5	277.7	285.6	290.2	295.6
認知症対応型共同生活介護（短期利用）	67.4	55.5	74.8	55.6	90.4	43.4
地域密着型特定施設入居者生活介護（短期利用以外）	223.6	179.7	200.8	217.9	242.5	259.4
地域密着型特定施設入居者生活介護（短期利用）	17.4	-	20.1	14.6	-	-
地域密着型介護老人福祉施設入所者生活介護	293.4	232.1	257.1	271.5	295.8	316.6
複合型サービス（看護小規模多機能型居宅介護・短期利用以外）	277.5	151.1	207.8	277.7	309.5	346.2
複合型サービス（看護小規模多機能型居宅介護・短期利用）	43.0	-	-	8.0	60.6	-
施設サービス	294.5	250.8	264.8	277.6	297.3	319.2
介護福祉施設サービス	280.8	222.8	243.7	261.6	281.2	301.4
介護保健施設サービス	301.8	258.7	274.6	297.5	314.2	332.6
特定治療・特別療養費（再掲）	7.1	4.6	5.3	5.9	7.3	7.9
介護療養施設サービス	386.4	237.9	274.0	344.9	379.5	406.9
特定診療費（再掲）	17.4	17.6	20.5	20.4	17.0	17.0

注：１）受給者１人当たり費用額＝費用額／受給者数
　　２）総数には、月の途中で要介護から要支援に変更となった者を含む。

統計表第５表　介護サービス受給者１人当たり費用額，月・年齢階級・サービス種類・要介護状態区分別（60－11）

（総　　数）

平成29年７月審査分
（単位：千円）

サービス種類	総数	要介護１	要介護２	要介護３	要介護４	要介護５
総数	190.3	110.5	148.8	219.1	259.0	295.3
居宅サービス	120.1	76.7	100.9	142.8	175.7	217.6
訪問通所	105.5	68.5	91.0	125.4	155.9	204.9
訪問介護	74.3	38.9	54.0	89.7	122.5	162.6
訪問入浴介護	67.8	56.5	62.0	63.6	64.7	72.0
訪問看護	48.6	40.0	44.8	47.0	51.8	64.1
訪問リハビリテーション	39.6	38.6	39.3	40.1	39.7	40.5
通所介護	91.1	68.9	87.0	111.2	123.9	135.3
通所リハビリテーション	83.9	65.4	80.6	98.8	109.9	118.8
福祉用具貸与	14.6	7.5	13.0	15.9	19.6	24.2
短期入所	103.9	60.8	78.1	115.6	133.4	136.9
短期入所生活介護	104.3	60.1	78.1	117.0	135.3	137.6
短期入所療養介護（老健）	93.7	63.4	74.5	97.2	110.9	120.9
特定治療・特別療養費（再掲）	2.7	2.3	0.5	0.6	1.8	6.0
短期入所療養介護（病院等）	113.3	67.9	78.7	108.0	127.8	143.4
特定診療費（再掲）	9.0	6.6	7.4	8.6	10.2	10.2
居宅療養管理指導	12.6	12.2	12.4	12.7	12.7	12.9
特定施設入居者生活介護（短期利用以外）	211.0	175.3	195.4	217.1	237.0	258.0
特定施設入居者生活介護（短期利用）	68.9	57.1	63.3	73.6	79.7	87.0
居宅介護支援	14.2	13.0	13.0	16.2	16.2	16.3
地域密着型サービス	163.3	102.4	138.9	196.8	225.3	251.0
定期巡回・随時対応型訪問介護看護	166.9	79.4	126.3	194.1	236.7	286.4
夜間対応型訪問介護	37.6	23.8	23.4	33.8	47.2	64.5
地域密着型通所介護	83.9	59.4	76.6	110.3	129.5	150.8
認知症対応型通所介護	128.5	94.1	114.3	142.6	156.3	167.4
小規模多機能型居宅介護（短期利用以外）	213.3	134.6	189.3	262.0	283.6	312.2
小規模多機能型居宅介護（短期利用）	34.7	27.1	31.7	32.3	45.6	50.2
認知症対応型共同生活介護（短期利用以外）	273.9	257.5	269.9	277.9	281.6	287.9
認知症対応型共同生活介護（短期利用）	74.0	50.2	70.9	82.3	97.2	86.9
地域密着型特定施設入居者生活介護（短期利用以外）	211.0	172.9	194.0	214.7	231.8	252.1
地域密着型特定施設入居者生活介護（短期利用）	67.8	58.2	79.4	54.3	80.4	45.6
地域密着型介護老人福祉施設入所者生活介護	283.8	225.5	246.5	264.4	284.9	307.0
複合型サービス（看護小規模多機能型居宅介護・短期利用以外）	261.7	148.7	204.5	276.9	310.8	350.7
複合型サービス（看護小規模多機能型居宅介護・短期利用）	39.5	34.4	29.3	28.5	41.9	55.2
施設サービス	286.6	245.0	259.4	270.8	290.8	312.5
介護福祉施設サービス	272.0	213.6	236.0	253.8	273.2	292.7
介護保健施設サービス	291.7	252.4	268.4	289.1	305.4	322.8
特定治療・特別療養費（再掲）	8.1	4.9	5.5	5.9	8.0	9.6
介護療養施設サービス	382.2	235.5	274.5	340.2	375.2	402.4
特定診療費（再掲）	20.8	20.6	23.5	23.3	20.9	20.2

注：1）受給者１人当たり費用額＝費用額／受給者数
　　2）総数には、月の途中で要介護から要支援に変更となった者を含む。

（40～64歳）

平成29年７月審査分
（単位：千円）

サービス種類	総数	要介護１	要介護２	要介護３	要介護４	要介護５
総数	167.3	95.5	119.8	184.2	226.6	281.3
居宅サービス	120.4	68.7	89.7	132.8	166.5	223.1
訪問通所	113.8	66.3	86.9	126.1	156.9	212.6
訪問介護	81.0	43.3	54.4	83.6	110.8	150.7
訪問入浴介護	85.1	59.4	65.4	79.0	79.2	89.8
訪問看護	56.9	46.4	51.8	55.4	61.4	74.3
訪問リハビリテーション	45.0	43.8	44.4	45.3	45.9	46.2
通所介護	89.2	60.3	73.4	101.8	121.8	131.7
通所リハビリテーション	82.4	57.5	73.4	96.6	110.8	118.3
福祉用具貸与	19.9	11.8	17.5	20.2	24.1	29.7
短期入所	99.4	56.7	69.3	100.0	109.4	118.9
短期入所生活介護	100.3	54.4	70.1	102.9	112.4	119.9
短期入所療養介護（老健）	90.2	66.1	62.1	83.4	92.7	108.0
特定治療・特別療養費（再掲）	3.9	-	-	0.3	2.9	4.7
短期入所療養介護（病院等）	93.1	39.5	83.0	83.5	104.2	100.3
特定診療費（再掲）	9.8	5.2	2.5	12.1	16.5	8.6
居宅療養管理指導	12.8	12.3	12.5	12.5	12.7	13.5
特定施設入居者生活介護（短期利用以外）	218.6	174.7	196.3	213.6	236.1	256.8
特定施設入居者生活介護（短期利用）	58.4	6.4	40.3	88.5	45.9	71.1
居宅介護支援	14.5	13.1	13.1	16.4	16.3	16.5
地域密着型サービス	121.9	77.2	88.2	144.4	172.7	211.0
定期巡回・随時対応型訪問介護看護	183.6	78.5	126.1	189.9	229.6	258.9
夜間対応型訪問介護	39.2	22.5	23.8	30.8	40.3	67.5
地域密着型通所介護	72.6	50.2	59.3	89.6	106.0	131.6
認知症対応型通所介護	149.8	95.0	119.8	157.8	173.1	187.7
小規模多機能型居宅介護（短期利用以外）	231.9	135.8	191.3	267.5	289.5	318.5
小規模多機能型居宅介護（短期利用）	59.2	-	21.5	30.9	-	111.1
認知症対応型共同生活介護（短期利用以外）	292.7	277.5	285.4	299.9	291.5	316.9
認知症対応型共同生活介護（短期利用）	161.7	-	-	161.7	-	-
地域密着型特定施設入居者生活介護（短期利用以外）	214.0	182.6	190.6	223.9	220.0	250.2
地域密着型特定施設入居者生活介護（短期利用）	-	-	-	-	-	-
地域密着型介護老人福祉施設入所者生活介護	290.3	232.6	240.6	265.5	287.2	310.6
複合型サービス（看護小規模多機能型居宅介護・短期利用以外）	284.2	146.5	202.2	267.7	306.1	346.3
複合型サービス（看護小規模多機能型居宅介護・短期利用）	40.2	-	-	-	-	40.2
施設サービス	300.5	247.4	265.4	282.4	303.5	330.3
介護福祉施設サービス	276.8	208.8	234.8	256.8	276.3	297.3
介護保健施設サービス	298.0	253.7	272.5	294.3	306.9	328.5
特定治療・特別療養費（再掲）	9.4	14.2	4.3	6.7	7.1	11.9
介護療養施設サービス	401.4	253.7	296.0	353.7	396.8	417.2
特定診療費（再掲）	28.6	32.4	27.6	42.3	26.1	28.2

注：1）受給者１人当たり費用額＝費用額／受給者数
　　2）総数には、月の途中で要介護から要支援に変更となった者を含む。

統計表第５表　介護サービス受給者１人当たり費用額，月・年齢階級・サービス種類・要介護状態区分別（60−12）

（65～69歳）

平成29年７月審査分
（単位：千円）

サービス種類	総数	要介護１	要介護２	要介護３	要介護４	要介護５
総数	169.2	98.2	126.4	192.5	233.9	283.1
居宅サービス	119.8	69.8	93.5	138.1	172.3	223.3
訪問通所	112.5	66.6	89.7	130.2	161.2	211.4
訪問介護	81.0	44.8	59.8	94.6	119.7	159.0
訪問入浴介護	77.3	63.5	64.2	69.6	72.3	81.8
訪問看護	52.9	42.1	48.2	51.9	57.3	69.5
訪問リハビリテーション	42.2	41.0	41.3	42.3	42.5	44.0
通所介護	87.2	62.5	75.6	101.1	117.0	129.1
通所リハビリテーション	83.6	60.0	74.9	95.7	112.9	118.7
福祉用具貸与	17.8	9.9	15.4	18.7	22.0	26.7
短期入所	95.6	58.6	67.8	99.0	108.7	116.1
短期入所生活介護	96.7	57.7	68.1	102.5	111.9	116.1
短期入所療養介護（老健）	84.7	61.6	65.7	79.4	87.9	104.0
特定治療・特別療養費（再掲）	6.0	39.1	0.5	0.8	0.6	6.6
短期入所療養介護（病院等）	110.6	76.9	39.3	70.1	104.4	143.7
特定診療費（再掲）	11.7	6.8	3.0	7.9	12.8	14.4
居宅療養管理指導	12.8	12.6	12.6	12.8	12.4	13.2
特定施設入居者生活介護（短期利用以外）	207.1	169.1	187.6	212.3	232.8	254.4
特定施設入居者生活介護（短期利用）	53.1	17.8	57.2	52.6	68.9	36.0
居宅介護支援	14.4	13.1	13.1	16.3	16.4	16.4
地域密着型サービス	126.3	85.2	98.6	151.8	179.1	212.5
定期巡回・随時対応型訪問介護看護	176.7	80.5	126.1	189.3	239.3	282.7
夜間対応型訪問介護	41.4	20.4	30.4	32.7	50.5	62.0
地域密着型通所介護	74.7	53.2	63.7	93.2	111.6	134.3
認知症対応型通所介護	136.4	91.1	120.4	141.2	159.1	179.1
小規模多機能型居宅介護（短期利用以外）	217.3	133.9	188.2	262.8	286.0	314.0
小規模多機能型居宅介護（短期利用）	27.1	19.4	10.9	31.0	37.9	18.9
認知症対応型共同生活介護（短期利用以外）	272.0	259.1	270.8	275.5	279.5	287.7
認知症対応型共同生活介護（短期利用）	26.0	27.3	28.0	20.8	-	-
地域密着型特定施設入居者生活介護（短期利用以外）	209.2	171.9	191.3	204.6	229.9	257.7
地域密着型特定施設入居者生活介護（短期利用）	29.6	40.9	-	-	-	18.2
地域密着型介護老人福祉施設入所者生活介護	282.7	220.7	239.5	263.4	284.0	303.8
複合型サービス（看護小規模多機能型居宅介護・短期利用以外）	260.9	147.6	198.3	276.6	315.7	339.7
複合型サービス（看護小規模多機能型居宅介護・短期利用）	46.5	-	-	-	-	46.5
施設サービス	289.9	247.7	258.4	272.7	293.6	317.6
介護福祉施設サービス	270.8	210.7	232.8	252.3	271.6	291.8
介護保健施設サービス	292.6	256.3	268.1	288.6	303.4	323.3
特定治療・特別療養費（再掲）	10.5	5.1	3.3	7.0	11.4	11.8
介護療養施設サービス	388.9	222.4	269.1	347.2	379.3	408.9
特定診療費（再掲）	23.5	19.0	21.2	27.0	22.5	23.8

注：１）受給者１人当たり費用額＝費用額／受給者数
　　２）総数には、月の途中で要介護から要支援に変更となった者を含む。

（70～74歳）

平成29年７月審査分
（単位：千円）

サービス種類	総数	要介護１	要介護２	要介護３	要介護４	要介護５
総数	170.1	99.3	128.3	195.5	238.8	285.7
居宅サービス	115.6	69.6	92.1	135.6	170.0	219.1
訪問通所	107.1	65.6	87.7	125.7	156.0	205.6
訪問介護	75.0	41.4	55.5	87.9	115.1	153.1
訪問入浴介護	72.6	57.8	65.1	66.9	66.4	77.6
訪問看護	50.9	40.8	46.9	49.5	55.2	66.8
訪問リハビリテーション	41.9	40.7	41.1	42.1	42.8	43.3
通所介護	86.7	64.0	78.5	102.2	116.6	127.4
通所リハビリテーション	84.1	61.3	76.7	96.4	110.7	121.4
福祉用具貸与	16.9	8.9	14.7	18.0	21.4	26.5
短期入所	97.5	61.5	70.0	101.7	114.7	118.0
短期入所生活介護	97.5	61.2	69.7	104.2	115.5	117.8
短期入所療養介護（老健）	90.1	60.3	67.0	83.3	102.0	108.3
特定治療・特別療養費（再掲）	3.5	0.4	3.5	0.3	3.1	4.5
短期入所療養介護（病院等）	106.7	64.7	77.9	103.9	96.6	125.6
特定診療費（再掲）	10.1	10.7	8.7	8.3	11.3	10.4
居宅療養管理指導	12.7	12.3	12.5	12.8	12.8	13.1
特定施設入居者生活介護（短期利用以外）	204.9	166.9	187.8	214.4	233.9	256.2
特定施設入居者生活介護（短期利用）	48.1	35.7	57.8	44.6	97.0	43.4
居宅介護支援	14.3	13.1	13.1	16.3	16.4	16.4
地域密着型サービス	130.6	89.0	106.3	160.8	186.7	217.5
定期巡回・随時対応型訪問介護看護	170.2	78.6	124.1	192.7	235.4	286.7
夜間対応型訪問介護	41.6	25.6	21.8	39.3	43.4	69.3
地域密着型通所介護	74.6	54.5	65.3	96.6	110.8	134.9
認知症対応型通所介護	131.1	94.5	114.7	144.3	163.5	166.1
小規模多機能型居宅介護（短期利用以外）	211.9	134.6	188.8	261.2	284.4	312.7
小規模多機能型居宅介護（短期利用）	29.6	37.1	14.6	26.7	36.2	28.5
認知症対応型共同生活介護（短期利用以外）	270.8	257.9	268.3	275.0	279.1	288.8
認知症対応型共同生活介護（短期利用）	61.5	87.9	75.2	42.4	53.6	26.2
地域密着型特定施設入居者生活介護（短期利用以外）	209.0	175.5	192.7	221.0	222.9	241.9
地域密着型特定施設入居者生活介護（短期利用）	50.9	28.8	-	-	-	72.9
地域密着型介護老人福祉施設入所者生活介護	282.5	217.8	246.6	260.6	283.4	308.2
複合型サービス（看護小規模多機能型居宅介護・短期利用以外）	267.0	149.5	208.1	272.8	309.8	340.7
複合型サービス（看護小規模多機能型居宅介護・短期利用）	36.2	31.4	22.7	31.9	35.3	56.1
施設サービス	289.3	245.9	257.7	271.0	292.9	317.2
介護福祉施設サービス	270.9	212.3	231.9	252.1	272.3	292.7
介護保健施設サービス	295.0	255.2	269.1	289.3	306.7	326.1
特定治療・特別療養費（再掲）	9.9	5.4	9.0	6.3	9.3	11.3
介護療養施設サービス	390.9	255.0	267.5	349.7	385.4	409.2
特定診療費（再掲）	22.9	21.3	23.4	25.4	23.9	22.0

注：１）受給者１人当たり費用額＝費用額／受給者数
　　２）総数には、月の途中で要介護から要支援に変更となった者を含む。

統計表第５表　介護サービス受給者１人当たり費用額，月・年齢階級・サービス種類・要介護状態区分別（60－13）

（75～79歳）

平成29年７月審査分
（単位：千円）

サービス種類	総数	要介護１	要介護２	要介護３	要介護４	要介護５
総数	173.1	101.5	134.5	203.9	246.0	290.3
居宅サービス	112.3	69.9	93.2	135.5	169.5	216.8
訪問通所	102.6	65.7	87.7	123.8	154.0	201.9
訪問介護	69.9	38.6	52.7	84.3	113.3	150.6
訪問入浴介護	69.4	56.5	63.5	62.8	66.4	73.8
訪問看護	49.5	40.6	45.8	48.8	54.1	65.0
訪問リハビリテーション	40.2	38.9	39.6	40.7	41.3	40.9
通所介護	86.9	65.6	81.8	106.9	118.9	131.0
通所リハビリテーション	83.7	63.0	78.4	98.6	111.3	119.1
福祉用具貸与	15.4	7.9	13.7	16.7	20.5	25.1
短期入所	102.3	59.6	74.9	109.4	124.4	131.1
短期入所生活介護	103.2	59.1	75.7	111.8	127.1	131.2
短期入所療養介護（老健）	90.4	61.0	67.7	87.1	101.5	118.1
特定治療・特別療養費（再掲）	3.6	0.2	0.5	0.5	1.3	9.5
短期入所療養介護（病院等）	114.5	73.9	74.5	95.3	139.6	128.6
特定診療費（再掲）	9.9	5.6	5.2	9.6	14.6	9.9
居宅療養管理指導	12.8	12.3	12.7	13.0	12.9	13.2
特定施設入居者生活介護（短期利用以外）	206.6	171.6	190.6	212.2	232.0	254.9
特定施設入居者生活介護（短期利用）	71.9	83.8	66.0	71.2	57.8	78.3
居宅介護支援	14.2	13.1	13.1	16.3	16.3	16.4
地域密着型サービス	140.5	93.1	120.6	176.4	203.9	233.1
定期巡回・随時対応型訪問介護看護	163.1	80.0	126.1	189.5	228.8	283.6
夜間対応型訪問介護	32.8	23.6	20.9	26.7	38.9	56.9
地域密着型通所介護	76.3	55.6	69.8	101.3	118.7	143.2
認知症対応型通所介護	126.8	92.9	114.1	142.4	161.2	170.4
小規模多機能型居宅介護（短期利用以外）	209.5	135.3	189.9	263.9	283.9	311.9
小規模多機能型居宅介護（短期利用）	35.6	31.3	33.3	33.5	34.8	61.6
認知症対応型共同生活介護（短期利用以外）	272.8	258.5	270.2	278.1	282.3	288.2
認知症対応型共同生活介護（短期利用）	61.8	39.3	106.5	38.6	100.8	28.5
地域密着型特定施設入居者生活介護（短期利用以外）	208.5	169.8	194.3	209.6	232.4	247.9
地域密着型特定施設入居者生活介護（短期利用）	67.0	-	123.4	48.1	-	-
地域密着型介護老人福祉施設入所者生活介護	282.6	221.2	244.0	261.3	283.1	305.4
複合型サービス(看護小規模多機能型居宅介護・短期利用以外)	258.6	147.5	208.8	280.7	312.6	350.3
複合型サービス(看護小規模多機能型居宅介護・短期利用)	39.3	51.7	22.0	28.7	38.3	54.7
施設サービス	287.9	245.2	259.6	270.9	291.0	314.4
介護福祉施設サービス	271.7	212.6	235.2	253.0	272.6	293.0
介護保健施設サービス	293.1	254.4	270.2	289.9	303.8	323.0
特定治療・特別療養費（再掲）	8.3	5.3	6.1	5.2	7.7	10.1
介護療養施設サービス	389.1	238.8	282.5	344.6	380.0	408.1
特定診療費（再掲）	22.8	18.3	26.6	24.5	23.3	22.1

注：１）受給者１人当たり費用額＝費用額／受給者数
　　２）総数には、月の途中で要介護から要支援に変更となった者を含む。

（80～84歳）

平成29年７月審査分
（単位：千円）

サービス種類	総数	要介護１	要介護２	要介護３	要介護４	要介護５
総数	180.3	106.2	144.8	216.5	256.9	296.9
居宅サービス	112.8	73.2	97.6	139.1	172.6	218.1
訪問通所	101.0	67.3	90.1	124.9	155.0	206.4
訪問介護	67.9	37.0	51.3	85.2	117.6	161.3
訪問入浴介護	65.7	54.4	60.3	60.9	64.4	69.2
訪問看護	47.7	39.6	44.5	47.0	52.4	64.2
訪問リハビリテーション	39.1	38.0	38.9	39.9	39.4	39.4
通所介護	88.8	68.1	86.8	111.7	123.4	137.4
通所リハビリテーション	82.5	64.7	80.6	98.9	109.8	121.0
福祉用具貸与	13.9	7.3	12.7	15.6	19.2	23.8
短期入所	105.1	60.1	78.1	117.0	136.4	139.7
短期入所生活介護	105.8	59.6	78.3	118.6	138.4	140.9
短期入所療養介護（老健）	93.2	61.4	73.2	97.8	112.1	120.9
特定治療・特別療養費（再掲）	2.2	0.3	0.4	0.5	2.3	4.8
短期入所療養介護（病院等）	124.9	68.9	79.0	116.9	150.9	160.0
特定診療費（再掲）	11.1	6.4	11.0	10.1	11.5	13.1
居宅療養管理指導	12.9	12.4	12.7	13.0	13.0	13.4
特定施設入居者生活介護（短期利用以外）	208.6	174.3	193.6	216.0	235.6	257.6
特定施設入居者生活介護（短期利用）	78.5	61.5	70.4	90.7	88.6	111.1
居宅介護支援	14.1	13.0	13.0	16.3	16.3	16.2
地域密着型サービス	154.4	99.2	136.6	194.6	220.8	250.0
定期巡回・随時対応型訪問介護看護	159.5	79.0	125.2	192.1	237.4	287.4
夜間対応型訪問介護	33.9	24.9	22.5	31.7	39.8	56.8
地域密着型通所介護	80.3	58.0	75.9	110.2	128.7	150.4
認知症対応型通所介護	125.5	94.0	113.7	145.5	156.6	163.0
小規模多機能型居宅介護（短期利用以外）	207.5	135.2	189.6	260.9	283.4	312.9
小規模多機能型居宅介護（短期利用）	41.0	23.0	40.7	47.1	51.5	57.3
認知症対応型共同生活介護（短期利用以外）	273.0	257.4	269.6	278.2	281.5	288.4
認知症対応型共同生活介護（短期利用）	82.3	40.0	68.4	111.8	85.9	119.4
地域密着型特定施設入居者生活介護（短期利用以外）	206.7	170.1	191.3	212.9	224.6	249.7
地域密着型特定施設入居者生活介護（短期利用）	70.3	-	67.8	76.0	67.2	-
地域密着型介護老人福祉施設入所者生活介護	283.7	225.3	245.2	263.9	283.7	307.2
複合型サービス(看護小規模多機能型居宅介護・短期利用以外)	255.6	149.1	204.0	280.3	306.0	349.1
複合型サービス(看護小規模多機能型居宅介護・短期利用)	35.8	29.5	27.3	30.6	45.0	49.5
施設サービス	287.3	244.9	260.9	271.8	291.7	312.7
介護福祉施設サービス	272.2	213.4	236.1	254.1	273.3	292.7
介護保健施設サービス	292.0	252.5	270.2	290.2	305.7	321.4
特定治療・特別療養費（再掲）	8.4	5.5	5.9	6.1	8.3	10.0
介護療養施設サービス	383.8	235.2	267.5	343.3	375.6	404.4
特定診療費（再掲）	21.5	23.6	23.0	24.4	22.0	20.6

注：１）受給者１人当たり費用額＝費用額／受給者数
　　２）総数には、月の途中で要介護から要支援に変更となった者を含む。

統計表第５表　介護サービス受給者１人当たり費用額，月・年齢階級・サービス種類・要介護状態区分別（60−14）

（85～89歳）

平成29年７月審査分
（単位：千円）

サ ー ビ ス 種 類	総数	要介護１	要介護２	要介護３	要介護４	要介護５
総数	192.1	113.9	155.7	226.3	264.8	299.8
居宅サービス	119.8	79.4	104.4	146.3	179.1	218.4
訪問通所	104.2	70.1	93.4	128.2	159.2	208.4
訪問介護	71.8	37.7	53.1	91.0	127.1	169.6
訪問入浴介護	64.3	55.0	59.9	62.8	62.2	67.5
訪問看護	47.1	39.5	43.8	45.9	50.2	63.4
訪問リハビリテーション	37.7	37.1	37.5	38.4	37.8	37.7
通所介護	92.1	70.5	90.2	115.2	128.2	140.2
通所リハビリテーション	83.5	67.4	83.3	100.4	108.5	117.7
福祉用具貸与	13.2	7.0	12.1	14.8	18.5	22.9
短期入所	104.0	60.7	79.1	119.1	139.2	144.4
短期入所生活介護	104.7	60.2	79.1	120.6	141.3	145.2
短期入所療養介護（老健）	92.4	62.9	75.0	98.4	113.6	128.1
特定治療・特別療養費（再掲）	2.3	1.9	0.3	0.7	0.8	5.9
短期入所療養介護（病院等）	105.8	67.4	83.6	106.4	116.3	137.5
特定診療費（再掲）	7.5	6.6	7.4	8.2	7.8	7.4
居宅療養管理指導	12.8	12.4	12.6	12.9	13.0	13.2
特定施設入居者生活介護（短期利用以外）	210.0	176.2	196.5	217.4	237.5	257.7
特定施設入居者生活介護（短期利用）	72.5	57.5	74.9	77.1	83.8	82.2
居宅介護支援	14.0	13.0	13.0	16.2	16.2	16.2
地域密着型サービス	169.0	106.8	148.3	206.1	233.1	259.2
定期巡回・随時対応型訪問介護看護	163.1	78.7	126.2	194.2	236.1	286.4
夜間対応型訪問介護	36.4	22.8	23.5	32.1	57.6	62.9
地域密着型通所介護	86.5	61.3	80.9	117.4	136.7	157.7
認知症対応型通所介護	127.0	94.3	114.1	143.0	156.0	171.3
小規模多機能型居宅介護（短期利用以外）	210.7	134.6	189.5	261.9	283.8	311.7
小規模多機能型居宅介護（短期利用）	32.3	29.7	30.8	31.9	46.6	35.8
認知症対応型共同生活介護（短期利用以外）	273.7	257.4	270.1	278.1	281.8	288.0
認知症対応型共同生活介護（短期利用）	77.6	58.1	59.8	95.0	140.8	68.7
地域密着型特定施設入居者生活介護（短期利用以外）	210.5	174.7	195.1	215.9	233.3	250.6
地域密着型特定施設入居者生活介護（短期利用）	67.4	62.2	65.3	29.6	98.4	-
地域密着型介護老人福祉施設入所者生活介護	284.2	227.9	247.9	265.2	285.2	306.8
複合型サービス（看護小規模多機能型居宅介護・短期利用以外）	259.1	150.4	202.9	279.1	313.0	354.1
複合型サービス（看護小規模多機能型居宅介護・短期利用）	42.1	6.5	28.7	29.3	37.1	65.9
施設サービス	286.0	245.3	259.8	271.0	290.7	311.9
介護福祉施設サービス	271.8	213.5	236.4	253.7	273.1	292.5
介護保健施設サービス	290.5	251.8	268.0	289.2	305.0	322.7
特定治療・特別療養費（再掲）	8.3	5.0	5.5	6.2	8.2	9.8
介護療養施設サービス	381.2	243.3	275.4	344.1	374.7	400.9
特定診療費（再掲）	20.9	20.7	22.6	23.2	21.1	20.2

注：１）受給者１人当たり費用額＝費用額／受給者数
　　２）総数には、月の途中で要介護から要支援に変更となった者を含む。

（90～94歳）

平成29年７月審査分
（単位：千円）

サ ー ビ ス 種 類	総数	要介護１	要介護２	要介護３	要介護４	要介護５
総数	206.0	121.1	163.2	230.5	267.0	298.4
居宅サービス	128.2	84.5	109.2	149.1	180.3	215.9
訪問通所	107.6	71.3	93.5	124.9	155.5	202.2
訪問介護	79.8	39.6	56.1	95.2	130.6	171.2
訪問入浴介護	63.9	55.8	62.1	61.8	62.7	66.1
訪問看護	46.8	38.7	42.5	43.8	48.8	61.3
訪問リハビリテーション	36.7	36.1	36.6	37.4	36.1	37.4
通所介護	95.0	72.1	91.1	114.9	126.2	138.5
通所リハビリテーション	85.5	69.3	84.6	100.3	108.3	114.3
福祉用具貸与	13.6	6.8	12.0	14.8	18.6	22.6
短期入所	103.6	60.8	79.1	117.8	138.4	143.2
短期入所生活介護	103.6	59.8	78.9	118.3	139.1	143.1
短期入所療養介護（老健）	96.5	66.1	77.9	104.2	121.5	129.4
特定治療・特別療養費（再掲）	1.9	0.3	0.4	0.6	1.2	6.8
短期入所療養介護（病院等）	111.6	66.1	79.2	112.7	128.6	156.2
特定診療費（再掲）	7.7	5.2	6.4	6.5	8.5	10.6
居宅療養管理指導	12.3	12.0	12.1	12.3	12.6	12.4
特定施設入居者生活介護（短期利用以外）	212.1	176.9	197.2	218.6	237.8	259.4
特定施設入居者生活介護（短期利用）	62.4	50.6	48.5	65.6	90.2	94.3
居宅介護支援	14.1	12.9	12.9	16.2	16.1	16.2
地域密着型サービス	183.6	114.3	156.3	210.7	237.4	262.5
定期巡回・随時対応型訪問介護看護	170.3	80.6	127.2	196.6	241.1	291.2
夜間対応型訪問介護	40.6	25.3	24.8	39.1	49.6	75.8
地域密着型通所介護	93.7	65.4	85.3	117.9	139.7	161.2
認知症対応型通所介護	130.2	95.7	115.0	140.4	152.1	162.3
小規模多機能型居宅介護（短期利用以外）	216.8	133.7	189.0	262.1	282.8	311.4
小規模多機能型居宅介護（短期利用）	30.8	25.2	30.3	28.2	50.5	37.2
認知症対応型共同生活介護（短期利用以外）	274.4	256.3	270.0	277.5	281.7	286.8
認知症対応型共同生活介護（短期利用）	73.2	41.2	88.6	74.6	111.1	80.2
地域密着型特定施設入居者生活介護（短期利用以外）	211.8	174.0	194.2	214.9	233.1	253.0
地域密着型特定施設入居者生活介護（短期利用）	32.4	11.4	94.1	-	12.0	-
地域密着型介護老人福祉施設入所者生活介護	283.7	225.5	247.3	264.9	285.7	307.7
複合型サービス（看護小規模多機能型居宅介護・短期利用以外）	260.6	145.3	206.3	270.9	305.3	356.7
複合型サービス（看護小規模多機能型居宅介護・短期利用）	41.8	51.5	33.8	25.9	51.5	52.7
施設サービス	284.8	244.1	258.7	269.4	289.5	310.9
介護福祉施設サービス	271.6	214.1	237.0	253.6	273.0	292.6
介護保健施設サービス	289.8	251.0	267.0	287.5	304.8	322.4
特定治療・特別療養費（再掲）	7.6	3.5	5.0	5.6	7.8	9.2
介護療養施設サービス	377.6	225.0	273.4	333.8	372.1	398.6
特定診療費（再掲）	19.4	19.3	23.5	21.2	19.8	18.7

注：１）受給者１人当たり費用額＝費用額／受給者数
　　２）総数には、月の途中で要介護から要支援に変更となった者を含む。

統計表第５表　介護サービス受給者１人当たり費用額，月・年齢階級・サービス種類・要介護状態区分別（60－15）

（95歳以上）

平成29年７月審査分

（単位：千円）

サービス種類	総数	要介護１	要介護２	要介護３	要介護４	要介護５
総数	226.1	128.7	168.6	231.6	267.8	295.6
居宅サービス	140.2	88.0	111.0	148.6	179.6	212.2
訪問通所	114.2	70.4	90.8	118.1	149.4	194.3
訪問介護	95.2	41.8	59.5	97.6	132.0	169.6
訪問入浴介護	63.5	58.4	62.3	63.1	61.4	65.4
訪問看護	47.5	38.4	40.4	42.1	47.2	59.6
訪問リハビリテーション	35.9	36.5	36.5	36.1	35.3	35.2
通所介護	98.3	72.0	89.5	109.9	125.1	132.2
通所リハビリテーション	89.8	70.4	86.8	99.7	108.3	117.4
福祉用具貸与	15.1	6.9	12.3	15.3	19.2	22.8
短期入所	109.1	64.1	81.1	117.5	136.1	142.1
短期入所生活介護	108.7	63.5	80.5	117.4	136.1	140.9
短期入所療養介護（老健）	103.5	66.2	81.7	109.3	121.8	134.5
特定治療・特別療養費（再掲）	1.6	0.3	0.6	0.8	0.9	8.0
短期入所療養介護（病院等）	124.2	69.0	75.3	119.0	142.3	163.2
特定診療費（再掲）	8.1	8.8	8.2	9.8	7.7	6.9
居宅療養管理指導	11.4	11.4	11.3	11.4	11.5	11.4
特定施設入居者生活介護（短期利用以外）	217.8	175.8	196.8	219.0	239.2	259.1
特定施設入居者生活介護（短期利用）	68.3	52.8	56.9	77.4	72.2	94.0
居宅介護支援	14.6	12.9	13.0	16.2	16.2	16.2
地域密着型サービス	202.1	121.8	161.0	212.7	242.0	262.4
定期巡回・随時対応型訪問介護看護	185.2	80.4	128.9	200.6	237.2	291.7
夜間対応型訪問介護	47.1	22.3	23.2	44.8	54.5	75.6
地域密着型通所介護	102.8	67.6	86.9	117.0	138.3	160.2
認知症対応型通所介護	133.6	94.6	110.4	133.7	151.6	160.0
小規模多機能型居宅介護（短期利用以外）	232.0	133.4	188.2	261.8	282.7	311.3
小規模多機能型居宅介護（短期利用）	39.6	21.2	28.2	33.4	55.9	68.1
認知症対応型共同生活介護（短期利用以外）	276.0	256.1	268.2	277.7	281.0	287.2
認知症対応型共同生活介護（短期利用）	68.6	49.6	62.9	77.9	72.0	104.4
地域密着型特定施設入居者生活介護（短期利用以外）	217.8	169.8	195.0	214.8	235.9	258.9
地域密着型特定施設入居者生活介護（短期利用）	149.2	140.0	100.5	-	207.3	-
地域密着型介護老人福祉施設入所者生活介護	284.2	225.7	246.3	265.1	285.5	306.9
複合型サービス（看護小規模多機能型居宅介護・短期利用以外）	282.7	153.6	200.3	276.8	324.9	352.7
複合型サービス（看護小規模多機能型居宅介護・短期利用）	38.9	30.6	-	15.9	86.8	-
施設サービス	286.6	244.2	257.6	270.2	289.8	310.0
介護福祉施設サービス	273.2	215.2	236.3	254.6	274.0	292.6
介護保健施設サービス	294.0	252.6	267.1	289.3	307.3	322.8
特定治療・特別療養費（再掲）	6.9	5.1	5.0	5.9	7.0	7.6
介護療養施設サービス	377.1	224.8	278.8	331.6	371.2	396.8
特定診療費（再掲）	18.0	16.0	23.4	21.2	17.8	17.4

注：１）受給者１人当たり費用額＝費用額／受給者数
　　２）総数には、月の途中で要介護から要支援に変更となった者を含む。

統計表第５表　介護サービス受給者１人当たり費用額，月・年齢階級・サービス種類・要介護状態区分別（60－16）

（総　　数）

平成29年８月審査分
（単位：千円）

サ ー ビ ス 種 類	総数	要介護１	要介護２	要介護３	要介護４	要介護５
総数	193.3	111.1	150.1	222.9	264.9	302.0
居宅サービス	120.6	76.8	100.9	143.7	177.5	219.4
訪問通所	105.1	68.0	90.4	125.2	156.0	205.3
訪問介護	75.1	38.9	54.3	91.0	124.9	165.4
訪問入浴介護	68.9	57.5	62.8	63.6	65.8	73.3
訪問看護	46.7	38.3	42.9	45.0	49.9	61.9
訪問リハビリテーション	37.6	36.5	37.4	38.2	37.9	38.3
通所介護	91.7	69.1	87.4	112.1	125.1	137.0
通所リハビリテーション	82.6	64.2	79.3	97.3	108.8	117.4
福祉用具貸与	14.6	7.6	13.1	15.9	19.6	24.2
短期入所	106.0	61.7	79.0	118.9	137.3	140.9
短期入所生活介護	106.8	61.2	79.2	120.7	139.6	142.0
短期入所療養介護（老健）	93.3	63.0	74.1	97.1	110.5	121.2
特定治療・特別療養費（再掲）	2.9	0.5	0.8	0.6	1.7	7.3
短期入所療養介護（病院等）	116.1	65.0	83.5	108.2	133.6	148.8
特定診療費（再掲）	9.4	6.9	8.1	8.5	10.3	10.7
居宅療養管理指導	12.5	12.1	12.3	12.6	12.6	12.8
特定施設入居者生活介護（短期利用以外）	217.7	180.8	201.4	223.9	244.6	267.0
特定施設入居者生活介護（短期利用）	74.0	62.5	66.9	80.4	85.6	88.3
居宅介護支援	14.1	13.0	13.0	16.2	16.2	16.3
地域密着型サービス	166.1	103.4	141.1	200.5	230.2	256.7
定期巡回・随時対応型訪問介護看護	166.9	79.2	126.9	194.3	237.9	287.2
夜間対応型訪問介護	38.4	24.3	23.9	35.1	47.4	65.7
地域密着型通所介護	83.4	58.7	76.1	110.1	129.6	151.1
認知症対応型通所介護	128.5	93.6	114.9	142.3	156.6	167.2
小規模多機能型居宅介護（短期利用以外）	213.6	134.6	189.9	262.8	283.8	312.8
小規模多機能型居宅介護（短期利用）	36.5	34.6	34.2	33.4	42.7	48.4
認知症対応型共同生活介護（短期利用以外）	282.7	265.6	278.8	286.9	290.7	297.0
認知症対応型共同生活介護（短期利用）	88.1	71.3	78.7	103.9	97.9	96.5
地域密着型特定施設入居者生活介護（短期利用以外）	218.2	178.3	199.6	221.3	240.3	262.4
地域密着型特定施設入居者生活介護（短期利用）	72.4	63.8	84.1	64.5	72.1	67.2
地域密着型介護老人福祉施設入所者生活介護	294.2	234.1	255.0	274.1	295.6	317.8
複合型サービス（看護小規模多機能型居宅介護・短期利用以外）	263.4	150.7	206.6	277.1	310.5	353.4
複合型サービス（看護小規模多機能型居宅介護・短期利用）	40.2	35.7	28.7	37.2	53.1	42.6
施設サービス	296.1	253.3	268.4	279.6	300.4	322.8
介護福祉施設サービス	281.3	221.1	243.8	262.4	282.6	302.7
介護保健施設サービス	301.5	260.7	277.8	298.5	315.8	333.7
特定治療・特別療養費（再掲）	8.2	4.6	5.3	5.9	8.2	9.8
介護療養施設サービス	393.7	243.4	278.5	348.4	387.2	414.4
特定診療費（再掲）	20.1	20.4	23.2	21.8	20.2	19.6

注：１）受給者１人当たり費用額＝費用額／受給者数
　　２）総数には、月の途中で要介護から要支援に変更となった者を含む。

（40～64歳）

平成29年８月審査分
（単位：千円）

サ ー ビ ス 種 類	総数	要介護１	要介護２	要介護３	要介護４	要介護５
総数	167.5	95.2	118.9	184.1	227.8	283.3
居宅サービス	119.6	68.1	88.6	131.3	165.5	223.1
訪問通所	112.5	65.7	85.3	124.0	154.6	212.7
訪問介護	81.4	43.5	54.8	83.6	111.3	152.4
訪問入浴介護	87.0	57.9	68.3	76.9	79.1	92.7
訪問看護	54.5	44.4	49.1	53.1	58.7	72.5
訪問リハビリテーション	42.5	41.6	41.7	43.4	42.1	44.0
通所介護	89.2	60.4	72.8	101.9	121.0	134.0
通所リハビリテーション	81.0	56.5	72.3	94.5	109.4	117.5
福祉用具貸与	20.0	11.8	17.5	20.2	24.1	29.8
短期入所	101.5	57.1	69.2	103.3	114.6	120.5
短期入所生活介護	102.1	56.1	69.8	105.7	117.5	119.6
短期入所療養介護（老健）	91.1	58.7	63.5	85.8	95.2	110.6
特定治療・特別療養費（再掲）	4.3	－	－	0.6	5.4	5.5
短期入所療養介護（病院等）	105.4	70.4	93.8	91.6	126.8	107.7
特定診療費（再掲）	11.3	5.5	8.1	14.0	17.2	9.2
居宅療養管理指導	12.7	12.1	12.3	12.5	12.5	13.6
特定施設入居者生活介護（短期利用以外）	224.8	179.9	203.0	221.1	243.4	262.5
特定施設入居者生活介護（短期利用）	72.2	－	43.2	72.8	113.6	59.2
居宅介護支援	14.5	13.1	13.1	16.4	16.4	16.4
地域密着型サービス	122.1	77.6	87.4	144.8	171.2	215.4
定期巡回・随時対応型訪問介護看護	186.5	79.4	125.2	185.9	221.7	293.2
夜間対応型訪問介護	37.8	22.2	25.1	27.1	41.8	62.1
地域密着型通所介護	71.4	49.6	58.0	88.3	102.1	132.7
認知症対応型通所介護	147.9	98.0	119.8	152.7	168.9	185.0
小規模多機能型居宅介護（短期利用以外）	228.0	134.2	190.4	262.0	287.8	319.0
小規模多機能型居宅介護（短期利用）	34.7	－	21.6	30.9	48.2	38.2
認知症対応型共同生活介護（短期利用以外）	305.6	289.4	303.4	308.1	306.5	326.9
認知症対応型共同生活介護（短期利用）	62.0	－	70.7	47.1	－	59.5
地域密着型特定施設入居者生活介護（短期利用以外）	225.2	187.0	194.1	230.5	249.8	272.2
地域密着型特定施設入居者生活介護（短期利用）	－	－	－	－	－	－
地域密着型介護老人福祉施設入所者生活介護	298.6	240.4	234.8	267.3	302.7	321.5
複合型サービス（看護小規模多機能型居宅介護・短期利用以外）	279.7	141.9	199.8	243.8	313.6	348.9
複合型サービス（看護小規模多機能型居宅介護・短期利用）	37.9	－	－	30.9	－	39.7
施設サービス	309.5	256.8	273.6	290.6	312.9	339.4
介護福祉施設サービス	285.5	215.0	244.4	264.7	285.7	305.7
介護保健施設サービス	307.2	263.6	279.8	302.4	316.9	338.3
特定治療・特別療養費（再掲）	9.2	14.3	3.7	7.5	7.3	11.2
介護療養施設サービス	413.3	255.6	308.6	373.3	402.2	429.6
特定診療費（再掲）	28.0	34.1	32.3	40.0	25.5	27.5

注：１）受給者１人当たり費用額＝費用額／受給者数
　　２）総数には、月の途中で要介護から要支援に変更となった者を含む。

統計表第５表　介護サービス受給者１人当たり費用額，月・年齢階級・サービス種類・要介護状態区分別（60－17）

（65～69歳）

平成29年８月審査分
（単位：千円）

サービス種類	総数	要介護１	要介護２	要介護３	要介護４	要介護５
総数	170.2	97.9	126.2	193.6	237.4	285.9
居宅サービス	119.4	69.3	92.9	137.4	172.8	223.2
訪問通所	111.6	65.9	88.8	128.9	161.2	211.1
訪問介護	81.7	44.9	60.4	94.9	122.3	161.8
訪問入浴介護	78.4	61.9	65.1	70.1	72.9	83.3
訪問看護	50.4	40.2	46.0	49.4	54.7	65.9
訪問リハビリテーション	40.2	38.3	39.8	40.5	40.3	42.0
通所介護	87.8	62.4	75.6	102.2	118.5	131.3
通所リハビリテーション	82.2	58.5	73.5	94.1	111.9	117.1
福祉用具貸与	17.8	9.9	15.4	18.7	22.1	26.8
短期入所	98.8	59.6	69.9	103.5	112.9	118.1
短期入所生活介護	99.7	59.0	70.3	106.9	116.0	117.4
短期入所療養介護（老健）	87.8	61.7	65.3	84.3	91.4	107.4
特定治療・特別療養費（再掲）	5.8	-	4.9	0.6	0.5	8.0
短期入所療養介護（病院等）	123.8	110.2	67.2	60.8	133.9	149.2
特定診療費（再掲）	13.9	13.6	12.4	10.0	14.4	15.2
居宅療養管理指導	12.7	12.4	12.4	12.9	12.6	13.0
特定施設入居者生活介護（短期利用以外）	213.6	174.3	194.3	217.0	239.1	264.3
特定施設入居者生活介護（短期利用）	56.7	30.6	57.0	55.4	77.9	45.7
居宅介護支援	14.4	13.0	13.1	16.3	16.3	16.4
地域密着型サービス	127.9	85.5	99.6	152.9	183.4	214.2
定期巡回・随時対応型訪問介護看護	175.0	78.2	122.0	189.7	236.8	270.1
夜間対応型訪問介護	44.2	20.6	32.3	38.4	53.4	60.9
地域密着型通所介護	73.9	52.5	63.0	91.5	112.4	130.9
認知症対応型通所介護	136.0	91.1	117.4	141.1	162.1	176.4
小規模多機能型居宅介護（短期利用以外）	218.3	133.1	189.6	263.9	288.1	318.1
小規模多機能型居宅介護（短期利用）	38.4	29.2	46.6	31.1	51.9	-
認知症対応型共同生活介護（短期利用以外）	280.3	265.3	277.6	284.8	291.6	296.7
認知症対応型共同生活介護（短期利用）	30.6	27.3	36.4	18.3	28.6	-
地域密着型特定施設入居者生活介護（短期利用以外）	216.3	160.9	203.1	213.6	246.6	264.8
地域密着型特定施設入居者生活介護（短期利用）	-	-	-	-	-	-
地域密着型介護老人福祉施設入所者生活介護	295.1	234.3	248.7	271.7	293.3	321.4
複合型サービス（看護小規模多機能型居宅介護・短期利用以外）	265.4	150.1	196.3	280.2	316.8	356.2
複合型サービス（看護小規模多機能型居宅介護・短期利用）	28.1	-	7.2	-	24.8	41.9
施設サービス	299.0	250.7	269.5	281.0	303.8	327.0
介護福祉施設サービス	279.6	218.0	242.0	261.0	280.7	300.5
介護保健施設サービス	302.1	257.6	280.0	297.4	314.3	334.6
特定治療・特別療養費（再掲）	10.7	5.1	4.3	7.1	13.0	11.5
介護療養施設サービス	401.7	253.1	281.4	359.0	394.5	419.5
特定診療費（再掲）	23.0	18.7	19.5	29.5	21.8	23.0

注：1）受給者１人当たり費用額＝費用額／受給者数
　　2）総数には、月の途中で要介護から要支援に変更となった者を含む。

（70～74歳）

平成29年８月審査分
（単位：千円）

サービス種類	総数	要介護１	要介護２	要介護３	要介護４	要介護５
総数	171.5	99.1	128.3	197.6	242.5	290.1
居宅サービス	115.3	69.3	91.4	135.5	170.4	219.7
訪問通所	106.3	64.9	86.6	124.9	155.5	205.6
訪問介護	75.7	41.7	55.9	88.8	115.9	155.1
訪問入浴介護	74.5	57.8	67.1	68.4	70.7	78.5
訪問看護	48.7	38.9	44.7	47.7	53.4	63.6
訪問リハビリテーション	39.8	38.1	39.3	39.9	40.8	40.9
通所介護	87.2	63.9	78.4	103.3	118.2	130.1
通所リハビリテーション	82.6	60.2	74.9	95.3	109.2	120.3
福祉用具貸与	16.9	9.0	14.7	18.1	21.4	26.4
短期入所	99.7	60.8	70.7	105.8	118.8	120.7
短期入所生活介護	100.2	60.6	71.1	108.8	119.9	120.7
短期入所療養介護（老健）	89.5	60.4	64.8	84.4	101.9	109.8
特定治療・特別療養費（再掲）	6.1	0.3	0.3	0.3	3.1	11.8
短期入所療養介護（病院等）	105.8	51.1	91.3	75.2	108.4	129.1
特定診療費（再掲）	10.0	7.0	10.1	6.1	11.5	11.1
居宅療養管理指導	12.7	12.4	12.4	12.7	12.8	13.0
特定施設入居者生活介護（短期利用以外）	210.8	171.6	194.2	219.1	240.1	262.5
特定施設入居者生活介護（短期利用）	60.0	46.5	48.1	59.8	94.4	81.3
居宅介護支援	14.3	13.0	13.1	16.3	16.3	16.4
地域密着型サービス	132.1	88.8	107.6	162.8	190.4	220.7
定期巡回・随時対応型訪問介護看護	169.7	78.9	125.3	196.1	239.1	275.6
夜間対応型訪問介護	41.2	24.7	22.5	36.6	44.5	69.3
地域密着型通所介護	74.0	53.7	64.9	95.6	111.6	133.4
認知症対応型通所介護	129.1	91.9	111.2	141.8	162.5	167.2
小規模多機能型居宅介護（短期利用以外）	213.6	135.5	190.4	263.0	284.1	316.8
小規模多機能型居宅介護（短期利用）	36.5	13.0	61.7	38.9	26.8	28.6
認知症対応型共同生活介護（短期利用以外）	280.2	264.3	278.4	285.6	290.6	298.2
認知症対応型共同生活介護（短期利用）	56.0	72.5	28.0	51.5	70.2	40.5
地域密着型特定施設入居者生活介護（短期利用以外）	216.0	170.1	195.5	224.6	243.8	260.7
地域密着型特定施設入居者生活介護（短期利用）	72.9	-	-	-	-	72.9
地域密着型介護老人福祉施設入所者生活介護	292.4	228.1	253.0	272.9	291.3	318.3
複合型サービス（看護小規模多機能型居宅介護・短期利用以外）	274.9	153.4	211.7	278.1	312.0	360.6
複合型サービス（看護小規模多機能型居宅介護・短期利用）	30.3	22.0	37.9	23.8	25.0	40.0
施設サービス	298.8	252.3	267.6	280.2	302.6	327.1
介護福祉施設サービス	280.5	221.1	240.7	261.4	282.4	302.5
介護保健施設サービス	303.9	260.9	279.7	299.0	315.0	334.8
特定治療・特別療養費（再掲）	10.3	5.5	7.9	6.9	10.0	11.5
介護療養施設サービス	403.3	266.9	283.5	357.1	395.2	422.8
特定診療費（再掲）	22.4	19.4	24.4	22.5	23.8	21.5

注：1）受給者１人当たり費用額＝費用額／受給者数
　　2）総数には、月の途中で要介護から要支援に変更となった者を含む。

統計表第５表　介護サービス受給者１人当たり費用額，月・年齢階級・サービス種類・要介護状態区分別（60－18）

（75～79歳）

平成29年８月審査分
（単位：千円）

サービス種類	総数	要介護１	要介護２	要介護３	要介護４	要介護５
総数	175.1	101.5	134.7	206.8	251.2	296.7
居宅サービス	112.3	69.6	92.7	135.6	170.6	218.8
訪問通所	102.0	65.0	86.8	123.2	153.9	202.8
訪問介護	70.7	38.5	52.8	85.6	115.9	153.4
訪問入浴介護	70.7	57.4	63.8	62.2	67.6	75.5
訪問看護	47.6	39.1	43.6	46.7	52.3	63.3
訪問リハビリテーション	38.2	36.8	37.5	38.6	39.8	38.9
通所介護	87.2	65.6	82.2	107.5	119.6	131.9
通所リハビリテーション	82.3	61.8	76.8	96.9	110.2	119.1
福祉用具貸与	15.4	8.0	13.8	16.7	20.5	25.1
短期入所	104.5	61.0	76.6	112.3	127.4	135.1
短期入所生活介護	105.6	60.5	77.4	115.1	130.3	136.5
短期入所療養介護（老健）	91.4	61.5	68.3	89.8	104.0	117.4
特定治療・特別療養費（再掲）	3.2	0.3	1.6	0.3	0.9	7.3
短期入所療養介護（病院等）	113.5	73.4	77.5	101.7	139.4	127.5
特定診療費（再掲）	10.2	8.3	4.2	10.0	15.3	9.8
居宅療養管理指導	12.7	12.2	12.5	12.9	12.7	13.1
特定施設入居者生活介護（短期利用以外）	212.9	175.5	196.5	218.3	240.4	263.4
特定施設入居者生活介護（短期利用）	87.6	96.5	74.9	85.3	90.1	103.8
居宅介護支援	14.2	13.1	13.1	16.3	16.3	16.4
地域密着型サービス	142.7	93.9	121.8	179.4	208.6	237.6
定期巡回・随時対応型訪問介護看護	165.1	80.8	126.3	191.7	236.2	284.1
夜間対応型訪問介護	33.1	23.7	20.5	29.6	37.6	53.8
地域密着型通所介護	76.0	55.1	69.3	101.2	119.3	143.3
認知症対応型通所介護	127.0	92.1	114.8	142.1	159.3	172.6
小規模多機能型居宅介護（短期利用以外）	209.6	135.3	190.3	264.7	282.7	314.1
小規模多機能型居宅介護（短期利用）	39.9	38.6	29.0	51.1	41.8	58.2
認知症対応型共同生活介護（短期利用以外）	281.8	267.2	278.6	287.9	291.3	296.5
認知症対応型共同生活介護（短期利用）	86.7	96.1	87.7	102.5	39.9	102.6
地域密着型特定施設入居者生活介護（短期利用以外）	218.8	181.4	195.2	218.6	244.8	267.9
地域密着型特定施設入居者生活介護（短期利用）	118.4	-	205.7	-	31.0	-
地域密着型介護老人福祉施設入所者生活介護	294.7	231.7	256.6	275.9	294.8	315.7
複合型サービス（看護小規模多機能型居宅介護・短期利用以外）	261.2	150.5	210.7	278.2	313.2	348.8
複合型サービス（看護小規模多機能型居宅介護・短期利用）	48.3	174.4	41.3	27.1	48.8	37.0
施設サービス	297.5	253.0	268.1	280.4	301.5	324.3
介護福祉施設サービス	280.9	220.9	242.1	262.3	281.8	302.6
介護保健施設サービス	303.6	262.1	279.3	299.8	316.9	333.9
特定治療・特別療養費（再掲）	8.8	4.7	5.5	4.8	8.4	10.9
介護療養施設サービス	398.3	225.6	282.4	356.0	391.0	417.0
特定診療費（再掲）	21.7	15.3	24.2	23.3	22.2	21.2

注：１）受給者１人当たり費用額＝費用額／受給者数
　　２）総数には、月の途中で要介護から要支援に変更となった者を含む。

（80～84歳）

平成29年８月審査分
（単位：千円）

サービス種類	総数	要介護１	要介護２	要介護３	要介護４	要介護５
総数	182.8	106.5	145.6	219.9	262.4	303.8
居宅サービス	113.2	73.0	97.5	140.2	173.9	219.8
訪問通所	100.7	66.8	89.5	124.9	155.0	206.9
訪問介護	68.6	37.0	51.5	86.5	119.6	163.8
訪問入浴介護	67.0	55.3	60.6	62.2	65.2	70.7
訪問看護	45.9	37.8	42.8	45.1	50.1	62.5
訪問リハビリテーション	37.1	35.9	37.2	37.7	37.6	37.1
通所介護	89.2	68.0	87.1	112.5	124.9	138.7
通所リハビリテーション	81.1	63.4	79.4	97.2	108.4	118.8
福祉用具貸与	13.9	7.3	12.7	15.6	19.2	23.7
短期入所	107.1	60.9	78.8	120.4	139.9	143.5
短期入所生活介護	108.1	60.5	79.1	122.6	142.5	145.1
短期入所療養介護（老健）	92.5	61.5	72.8	95.6	112.7	121.3
特定治療・特別療養費（再掲）	2.5	0.3	0.4	0.5	2.0	6.5
短期入所療養介護（病院等）	116.3	57.5	76.1	116.2	131.9	152.4
特定診療費（再掲）	11.0	4.8	10.9	10.5	9.7	14.4
居宅療養管理指導	12.8	12.2	12.6	13.0	13.0	13.3
特定施設入居者生活介護（短期利用以外）	215.3	179.8	199.8	222.5	242.8	268.4
特定施設入居者生活介護（短期利用）	68.2	66.0	58.3	78.3	59.9	85.2
居宅介護支援	14.1	13.0	13.0	16.3	16.3	16.3
地域密着型サービス	157.0	100.1	138.6	198.1	225.4	255.7
定期巡回・随時対応型訪問介護看護	159.3	78.9	126.8	192.8	233.6	288.9
夜間対応型訪問介護	35.9	26.3	22.4	35.4	41.4	62.0
地域密着型通所介護	79.7	57.2	75.3	109.6	128.9	151.1
認知症対応型通所介護	125.5	92.9	114.7	146.0	157.6	162.3
小規模多機能型居宅介護（短期利用以外）	208.4	135.3	190.9	262.2	284.9	312.0
小規模多機能型居宅介護（短期利用）	40.1	41.0	30.2	44.8	40.8	46.7
認知症対応型共同生活介護（短期利用以外）	281.7	265.3	278.5	287.2	291.5	296.4
認知症対応型共同生活介護（短期利用）	90.4	79.0	82.4	91.9	126.1	89.7
地域密着型特定施設入居者生活介護（短期利用以外）	215.8	178.8	200.2	218.9	234.7	260.0
地域密着型特定施設入居者生活介護（短期利用）	71.4	-	53.6	76.0	-	78.1
地域密着型介護老人福祉施設入所者生活介護	294.1	233.4	256.8	272.4	294.0	318.5
複合型サービス（看護小規模多機能型居宅介護・短期利用以外）	259.3	152.6	205.4	281.5	308.9	351.1
複合型サービス（看護小規模多機能型居宅介護・短期利用）	38.7	34.8	25.9	42.3	37.8	74.9
施設サービス	296.7	254.2	269.4	279.8	301.2	323.4
介護福祉施設サービス	281.6	219.7	243.5	262.0	283.0	303.2
介護保健施設サービス	301.9	262.1	278.8	299.1	316.3	333.5
特定治療・特別療養費（再掲）	8.5	4.9	6.1	6.2	8.1	10.2
介護療養施設サービス	395.7	250.5	291.2	348.5	386.6	416.7
特定診療費（再掲）	20.6	22.5	25.6	22.7	20.7	19.9

注：１）受給者１人当たり費用額＝費用額／受給者数
　　２）総数には、月の途中で要介護から要支援に変更となった者を含む。

統計表第５表　介護サービス受給者１人当たり費用額，月・年齢階級・サービス種類・要介護状態区分別（60－19）

（85～89歳）

平成29年８月審査分
（単位：千円）

サービス種類	総数	要介護１	要介護２	要介護３	要介護４	要介護５
総数	195.3	114.7	157.3	230.7	271.3	307.2
居宅サービス	120.5	79.5	104.7	147.6	181.4	220.8
訪問通所	104.0	69.7	93.1	128.3	159.5	208.7
訪問介護	72.4	37.7	53.2	92.2	129.3	172.0
訪問入浴介護	65.1	56.0	59.9	61.6	63.8	68.5
訪問看護	45.2	37.8	42.0	43.8	48.5	60.8
訪問リハビリテーション	35.9	35.4	35.7	36.8	36.4	35.1
通所介護	92.5	70.7	90.6	116.1	129.4	141.6
通所リハビリテーション	82.3	66.2	82.1	99.1	107.9	115.6
福祉用具貸与	13.2	7.0	12.1	14.9	18.5	22.8
短期入所	106.0	61.6	79.7	122.1	143.8	148.7
短期入所生活介護	106.9	61.3	79.8	123.7	146.5	149.9
短期入所療養介護（老健）	92.3	62.1	75.4	99.0	112.9	126.8
特定治療・特別療養費（再掲）	2.2	1.2	0.5	0.6	1.1	5.8
短期入所療養介護（病院等）	112.0	64.1	82.6	109.4	131.8	150.5
特定診療費（再掲）	7.8	7.7	7.6	7.8	8.4	7.5
居宅療養管理指導	12.7	12.3	12.5	12.8	13.0	13.1
特定施設入居者生活介護（短期利用以外）	216.5	181.8	202.1	224.8	244.9	266.4
特定施設入居者生活介護（短期利用）	76.6	60.7	73.5	89.7	91.5	79.8
居宅介護支援	14.0	13.0	13.0	16.2	16.2	16.2
地域密着型サービス	171.8	107.7	150.6	210.0	237.5	265.7
定期巡回・随時対応型訪問介護看護	163.0	78.3	127.4	195.1	239.5	286.4
夜間対応型訪問介護	37.2	24.1	23.7	33.7	55.2	67.4
地域密着型通所介護	85.9	60.4	80.5	117.6	135.9	159.2
認知症対応型通所介護	127.4	94.0	115.4	143.2	156.8	171.5
小規模多機能型居宅介護（短期利用以外）	210.2	134.6	189.5	263.2	283.1	312.1
小規模多機能型居宅介護（短期利用）	36.0	36.0	41.1	27.4	36.6	44.1
認知症対応型共同生活介護（短期利用以外）	282.3	265.4	279.6	286.6	290.1	296.6
認知症対応型共同生活介護（短期利用）	92.0	71.0	68.2	115.1	139.8	113.8
地域密着型特定施設入居者生活介護（短期利用以外）	216.0	179.6	201.0	218.5	239.5	261.7
地域密着型特定施設入居者生活介護（短期利用）	76.1	75.5	79.3	29.6	104.6	18.2
地域密着型介護老人福祉施設入所者生活介護	294.0	235.7	254.7	273.6	295.4	317.6
複合型サービス(看護小規模多機能型居宅介護・短期利用以外)	259.1	149.9	207.1	274.4	309.6	355.7
複合型サービス(看護小規模多機能型居宅介護・短期利用)	48.0	28.9	29.0	45.9	102.9	31.9
施設サービス	295.4	253.1	268.8	279.5	300.4	322.2
介護福祉施設サービス	281.1	221.3	244.0	262.3	282.5	302.6
介護保健施設サービス	300.2	259.5	277.7	298.2	315.8	333.1
特定治療・特別療養費（再掲）	8.2	4.6	5.2	6.2	8.3	9.6
介護療養施設サービス	393.2	239.5	275.8	347.8	388.6	414.6
特定診療費（再掲）	20.2	20.3	22.1	20.5	20.8	19.6

注：1）受給者１人当たり費用額＝費用額／受給者数
　　2）総数には、月の途中で要介護から要支援に変更となった者を含む。

（90～94歳）

平成29年８月審査分
（単位：千円）

サービス種類	総数	要介護１	要介護２	要介護３	要介護４	要介護５
総数	210.1	122.4	165.4	235.5	273.9	306.0
居宅サービス	129.3	85.0	109.6	150.8	183.1	218.4
訪問通所	107.5	71.0	93.2	124.9	156.2	203.0
訪問介護	80.8	39.6	56.4	96.8	134.0	175.6
訪問入浴介護	64.5	56.8	63.6	62.2	62.5	67.0
訪問看護	45.0	36.9	40.9	42.0	47.3	59.4
訪問リハビリテーション	34.9	34.4	34.9	35.8	34.4	34.8
通所介護	95.6	72.5	91.7	115.7	127.6	140.0
通所リハビリテーション	84.5	68.4	83.5	99.1	107.6	113.9
福祉用具貸与	13.6	6.9	12.0	14.8	18.6	22.7
短期入所	105.8	61.9	80.3	121.0	142.0	148.2
短期入所生活介護	106.2	61.1	80.1	121.9	143.6	148.6
短期入所療養介護（老健）	95.3	66.2	77.0	104.5	116.8	129.4
特定治療・特別療養費（再掲）	2.3	0.3	0.5	0.7	1.0	7.7
短期入所療養介護（病院等）	116.8	62.9	87.1	116.2	130.4	174.8
特定診療費（再掲）	7.5	4.9	6.7	6.4	6.2	11.8
居宅療養管理指導	12.2	12.0	12.1	12.2	12.5	12.4
特定施設入居者生活介護（短期利用以外）	219.0	182.6	203.4	225.6	245.7	267.9
特定施設入居者生活介護（短期利用）	74.2	56.6	65.0	78.6	89.6	108.8
居宅介護支援	14.1	12.9	12.9	16.2	16.1	16.2
地域密着型サービス	187.2	115.7	158.9	215.3	243.2	268.6
定期巡回・随時対応型訪問介護看護	169.2	80.2	127.0	195.8	239.2	290.8
夜間対応型訪問介護	41.0	24.0	26.2	39.1	49.7	78.0
地域密着型通所介護	93.3	64.5	84.7	118.3	140.5	161.6
認知症対応型通所介護	129.8	96.5	114.9	138.7	152.3	162.0
小規模多機能型居宅介護（短期利用以外）	217.2	133.8	189.4	262.5	283.1	312.5
小規模多機能型居宅介護（短期利用）	31.3	28.4	26.6	28.2	57.7	54.5
認知症対応型共同生活介護（短期利用以外）	283.2	265.0	278.1	286.7	290.5	296.7
認知症対応型共同生活介護（短期利用）	100.7	62.4	107.8	118.7	123.1	101.5
地域密着型特定施設入居者生活介護（短期利用以外）	218.6	177.8	199.4	223.5	242.5	259.3
地域密着型特定施設入居者生活介護（短期利用）	56.4	44.2	71.0	104.5	16.0	-
地域密着型介護老人福祉施設入所者生活介護	293.9	233.6	255.2	274.9	296.2	318.2
複合型サービス(看護小規模多機能型居宅介護・短期利用以外)	261.9	150.0	205.7	278.2	305.7	351.2
複合型サービス(看護小規模多機能型居宅介護・短期利用)	36.9	22.6	32.1	33.8	38.5	51.1
施設サービス	294.5	253.8	267.8	279.0	299.2	320.9
介護福祉施設サービス	281.0	222.0	244.7	262.8	282.6	302.5
介護保健施設サービス	299.7	260.8	276.5	297.7	315.1	332.3
特定治療・特別療養費（再掲）	7.7	3.7	4.9	5.5	8.1	9.2
介護療養施設サービス	387.9	240.7	269.7	342.0	382.9	409.9
特定診療費（再掲）	18.8	21.2	22.3	20.3	18.9	18.1

注：1）受給者１人当たり費用額＝費用額／受給者数
　　2）総数には、月の途中で要介護から要支援に変更となった者を含む。

統計表第５表　介護サービス受給者１人当たり費用額，月・年齢階級・サービス種類・要介護状態区分別（60－20）

（95歳以上）

平成29年８月審査分
（単位：千円）

サ ー ビ ス 種 類	総数	要介護１	要介護２	要介護３	要介護４	要介護５
総数	231.0	130.0	171.5	236.7	274.8	303.0
居宅サービス	141.5	88.4	112.0	150.2	182.4	214.1
訪問通所	114.2	70.1	90.7	118.3	150.2	194.3
訪問介護	96.6	41.9	59.7	100.0	135.1	172.5
訪問入浴介護	64.1	61.6	62.8	62.2	62.3	66.0
訪問看護	45.6	36.4	38.7	40.3	45.5	57.6
訪問リハビリテーション	34.4	34.9	34.9	34.2	34.0	34.2
通所介護	99.4	72.5	90.7	111.1	126.5	135.3
通所リハビリテーション	88.4	69.4	85.2	99.1	106.4	114.2
福祉用具貸与	15.1	6.9	12.3	15.2	19.2	22.7
短期入所	111.4	64.6	81.8	121.3	139.7	146.8
短期入所生活介護	111.5	64.2	81.5	122.3	140.0	145.9
短期入所療養介護（老健）	100.8	64.2	80.1	103.6	122.0	134.4
特定治療・特別療養費（再掲）	2.2	0.6	0.8	0.8	1.5	7.2
短期入所療養介護（病院等）	128.4	76.7	86.5	117.4	151.0	161.9
特定診療費（再掲）	8.9	11.2	9.0	8.6	10.7	6.8
居宅療養管理指導	11.3	11.2	11.3	11.3	11.4	11.4
特定施設入居者生活介護（短期利用以外）	225.1	182.2	203.4	225.5	247.2	269.0
特定施設入居者生活介護（短期利用）	76.5	64.2	72.5	81.0	98.5	72.0
居宅介護支援	14.6	12.9	13.0	16.2	16.2	16.2
地域密着型サービス	207.0	123.5	164.6	217.5	248.4	269.6
定期巡回・随時対応型訪問介護看護	185.7	80.0	128.8	197.1	244.8	297.6
夜間対応型訪問介護	48.3	24.2	24.4	42.7	59.6	77.3
地域密着型通所介護	102.7	66.9	86.9	117.2	138.7	161.6
認知症対応型通所介護	134.7	93.3	114.0	135.1	152.6	158.6
小規模多機能型居宅介護（短期利用以外）	232.4	132.4	189.2	261.7	284.1	309.5
小規模多機能型居宅介護（短期利用）	37.9	24.5	42.6	26.9	42.4	82.6
認知症対応型共同生活介護（短期利用以外）	285.1	265.1	277.1	286.3	290.4	297.2
認知症対応型共同生活介護（短期利用）	74.5	52.3	68.5	94.6	55.4	116.4
地域密着型特定施設入居者生活介護（短期利用以外）	225.1	177.2	199.0	227.0	239.0	268.4
地域密着型特定施設入居者生活介護（短期利用）	36.5	-	-	36.5	-	-
地域密着型介護老人福祉施設入所者生活介護	295.3	235.9	255.4	275.1	297.6	316.9
複合型サービス(看護小規模多機能型居宅介護・短期利用以外)	281.2	149.2	205.6	279.8	320.1	358.9
複合型サービス(看護小規模多機能型居宅介護・短期利用)	32.2	30.7	14.2	28.3	49.3	22.6
施設サービス	296.0	252.6	266.7	278.7	298.8	320.8
介護福祉施設サービス	282.2	222.7	244.3	263.1	282.7	302.7
介護保健施設サービス	303.8	260.9	277.0	298.2	316.3	335.7
特定治療・特別療養費（再掲）	7.1	4.8	5.0	6.0	7.2	7.9
介護療養施設サービス	390.1	246.3	276.4	347.0	384.6	409.2
特定診療費（再掲）	17.7	18.5	22.6	20.6	17.6	17.1

注：１）受給者１人当たり費用額＝費用額／受給者数
　　２）総数には、月の途中で要介護から要支援に変更となった者を含む。

統計表第５表　介護サービス受給者１人当たり費用額，月・年齢階級・サービス種類・要介護状態区分別（60－21）

（総　　数）

平成29年９月審査分
（単位：千円）

サービス種類	総数	要介護１	要介護２	要介護３	要介護４	要介護５
総数	193.4	111.3	150.2	223.2	265.1	302.6
居宅サービス	121.3	77.3	101.6	144.6	178.5	220.7
訪問通所	105.9	68.6	91.0	126.3	157.6	207.4
訪問介護	75.4	39.3	54.7	91.5	125.2	165.7
訪問入浴介護	70.8	58.6	64.6	66.3	68.0	74.9
訪問看護	48.4	40.1	44.6	46.8	51.5	63.6
訪問リハビリテーション	38.5	37.2	38.2	39.2	38.9	39.5
通所介護	92.5	69.7	88.0	113.2	126.8	138.6
通所リハビリテーション	82.9	64.3	79.5	98.0	109.9	119.1
福祉用具貸与	14.6	7.6	13.1	15.9	19.7	24.2
短期入所	105.8	62.1	79.4	118.7	137.1	141.0
短期入所生活介護	106.6	61.6	79.7	120.4	139.5	141.9
短期入所療養介護（老健）	93.1	64.0	73.5	96.9	110.0	122.6
特定治療・特別療養費（再掲）	3.0	0.5	0.6	0.7	2.0	7.2
短期入所療養介護（病院等）	114.0	66.8	79.5	107.9	133.3	146.8
特定診療費（再掲）	9.2	6.5	7.9	8.8	10.0	10.6
居宅療養管理指導	12.4	12.1	12.2	12.5	12.5	12.7
特定施設入居者生活介護（短期利用以外）	217.7	180.8	201.5	224.2	244.7	266.4
特定施設入居者生活介護（短期利用）	75.1	63.4	67.4	82.3	84.1	97.8
居宅介護支援	14.1	13.0	13.0	16.2	16.2	16.2
地域密着型サービス	166.8	103.9	141.4	201.1	231.3	257.9
定期巡回・随時対応型訪問介護看護	167.1	79.2	126.6	193.9	239.4	288.6
夜間対応型訪問介護	38.7	24.8	24.0	34.3	48.5	66.1
地域密着型通所介護	84.0	59.1	76.4	110.9	131.1	152.7
認知症対応型通所介護	130.0	95.2	115.7	144.0	158.4	169.9
小規模多機能型居宅介護（短期利用以外）	213.6	134.9	190.0	262.4	284.4	313.0
小規模多機能型居宅介護（短期利用）	39.8	34.6	38.9	39.2	48.8	41.8
認知症対応型共同生活介護（短期利用以外）	282.6	265.3	278.4	286.8	291.0	297.0
認知症対応型共同生活介護（短期利用）	79.8	64.5	68.5	88.1	108.3	94.8
地域密着型特定施設入居者生活介護（短期利用以外）	219.0	178.0	200.8	220.7	242.8	263.2
地域密着型特定施設入居者生活介護（短期利用）	62.3	49.8	78.8	72.3	27.5	52.8
地域密着型介護老人福祉施設入所者生活介護	294.2	232.3	255.3	273.8	295.4	318.0
複合型サービス(看護小規模多機能型居宅介護・短期利用以外)	264.7	151.2	206.4	279.5	310.7	354.5
複合型サービス(看護小規模多機能型居宅介護・短期利用)	40.2	29.2	27.8	36.8	48.0	67.3
施設サービス	296.8	254.9	270.2	280.6	300.7	322.9
介護福祉施設サービス	281.4	221.3	243.7	262.4	282.5	302.7
介護保健施設サービス	303.2	262.4	280.2	300.8	317.1	334.6
特定治療・特別療養費（再掲）	8.3	4.6	5.5	6.0	8.5	9.8
介護療養施設サービス	393.5	241.8	281.7	350.9	386.7	413.8
特定診療費（再掲）	20.6	21.5	24.0	22.8	20.7	20.0

注：１）受給者１人当たり費用額＝費用額／受給者数
　　２）総数には、月の途中で要介護から要支援に変更となった者を含む。

（40～64歳）

平成29年９月審査分
（単位：千円）

サービス種類	総数	要介護１	要介護２	要介護３	要介護４	要介護５
総数	168.2	95.4	119.6	184.8	229.7	285.5
居宅サービス	120.4	68.7	89.2	132.3	167.6	224.6
訪問通所	113.4	66.2	85.9	125.4	156.8	214.3
訪問介護	81.8	43.6	54.9	85.2	113.1	151.8
訪問入浴介護	87.7	57.5	68.2	77.3	81.1	93.0
訪問看護	55.7	45.9	50.5	54.2	60.1	73.1
訪問リハビリテーション	43.8	42.5	42.8	45.0	44.4	45.3
通所介護	90.3	61.1	73.5	103.6	124.0	133.5
通所リハビリテーション	81.2	56.5	71.9	95.3	110.9	117.9
福祉用具貸与	20.0	11.8	17.6	20.2	24.1	29.7
短期入所	101.2	57.6	67.5	103.3	115.6	119.7
短期入所生活介護	101.8	56.7	67.7	107.3	118.9	117.8
短期入所療養介護（老健）	91.9	59.9	64.0	82.2	95.5	114.4
特定治療・特別療養費（再掲）	3.0	-	0.2	0.3	2.2	5.0
短期入所療養介護（病院等）	104.0	53.8	71.9	85.5	107.0	123.5
特定診療費（再掲）	11.4	6.6	6.5	11.3	14.6	12.4
居宅療養管理指導	12.6	11.8	12.3	12.3	12.5	13.4
特定施設入居者生活介護（短期利用以外）	224.8	175.0	200.4	224.7	245.3	266.1
特定施設入居者生活介護（短期利用）	61.1	50.9	50.6	125.5	59.4	47.8
居宅介護支援	14.5	13.1	13.1	16.4	16.3	16.4
地域密着型サービス	122.5	75.9	88.0	145.8	176.5	214.9
定期巡回・随時対応型訪問介護看護	187.7	76.8	123.4	187.4	238.4	282.7
夜間対応型訪問介護	37.7	21.2	25.5	30.3	41.6	58.8
地域密着型通所介護	71.4	48.6	58.6	88.3	106.9	129.4
認知症対応型通所介護	147.8	93.4	114.2	155.1	179.0	186.4
小規模多機能型居宅介護（短期利用以外）	231.5	135.4	192.6	266.4	290.4	325.1
小規模多機能型居宅介護（短期利用）	33.1	-	38.9	27.4	-	-
認知症対応型共同生活介護（短期利用以外）	305.2	286.1	299.6	307.7	311.3	332.0
認知症対応型共同生活介護（短期利用）	134.1	150.2	-	56.9	-	195.3
地域密着型特定施設入居者生活介護（短期利用以外）	213.5	187.1	199.1	193.6	218.2	250.7
地域密着型特定施設入居者生活介護（短期利用）	-	-	-	-	-	-
地域密着型介護老人福祉施設入所者生活介護	301.8	246.5	254.9	273.2	296.2	328.2
複合型サービス(看護小規模多機能型居宅介護・短期利用以外)	286.8	146.0	208.5	276.1	303.4	344.6
複合型サービス(看護小規模多機能型居宅介護・短期利用)	41.2	26.3	-	15.9	-	81.4
施設サービス	309.9	257.8	274.5	290.0	313.1	340.3
介護福祉施設サービス	285.3	211.1	244.1	262.7	283.4	308.4
介護保健施設サービス	308.0	265.5	281.3	300.2	319.7	338.7
特定治療・特別療養費（再掲）	9.1	10.0	3.7	7.2	7.2	11.2
介護療養施設サービス	416.0	274.1	316.3	394.5	404.4	429.1
特定診療費（再掲）	29.4	35.3	39.5	45.3	26.6	28.4

注：１）受給者１人当たり費用額＝費用額／受給者数
　　２）総数には、月の途中で要介護から要支援に変更となった者を含む。

統計表第５表　介護サービス受給者１人当たり費用額，月・年齢階級・サービス種類・要介護状態区分別（60−22）

（65～69歳）

平成29年９月審査分
（単位：千円）

サービス種類	総数	要介護１	要介護２	要介護３	要介護４	要介護５
総数	170.7	98.3	127.0	194.5	237.1	288.1
居宅サービス	120.5	70.0	94.0	139.1	174.3	225.9
訪問通所	112.7	66.5	89.8	130.4	162.6	213.6
訪問介護	82.1	45.5	61.1	95.1	122.9	161.4
訪問入浴介護	79.2	62.3	65.7	72.7	73.6	84.2
訪問看護	51.8	41.6	47.4	51.1	55.8	67.5
訪問リハビリテーション	40.7	38.3	39.7	41.7	41.6	42.4
通所介護	88.3	63.0	76.0	103.2	118.5	131.9
通所リハビリテーション	82.6	58.7	73.6	95.1	112.6	118.7
福祉用具貸与	17.8	9.8	15.5	18.7	22.1	26.6
短期入所	98.4	60.7	68.3	101.8	113.9	119.8
短期入所生活介護	99.5	60.1	69.1	104.5	117.7	120.1
短期入所療養介護（老健）	86.8	61.5	62.3	85.8	90.1	105.0
特定治療・特別療養費（再掲）	5.6	−	0.5	4.8	0.5	11.0
短期入所療養介護（病院等）	122.4	92.5	67.0	86.5	142.5	144.2
特定診療費（再掲）	14.5	13.9	10.6	12.7	14.2	16.5
居宅療養管理指導	12.6	12.4	12.4	12.7	12.5	12.9
特定施設入居者生活介護（短期利用以外）	214.4	172.5	198.4	218.7	238.7	264.0
特定施設入居者生活介護（短期利用）	68.6	68.1	49.5	51.3	128.3	75.5
居宅介護支援	14.4	13.0	13.1	16.3	16.4	16.3
地域密着型サービス	128.6	86.3	99.7	154.1	183.2	218.7
定期巡回・随時対応型訪問介護看護	173.6	78.9	122.5	186.9	238.7	295.3
夜間対応型訪問介護	41.8	23.4	26.7	37.2	47.8	62.8
地域密着型通所介護	74.3	52.7	62.4	93.7	113.4	135.3
認知症対応型通所介護	137.7	95.1	118.7	141.0	161.9	181.1
小規模多機能型居宅介護（短期利用以外）	218.3	134.3	188.2	265.8	287.7	317.3
小規模多機能型居宅介護（短期利用）	55.2	19.4	62.5	28.7	68.3	29.1
認知症対応型共同生活介護（短期利用以外）	278.7	265.9	276.8	281.3	287.1	296.8
認知症対応型共同生活介護（短期利用）	62.6	27.3	65.9	83.0	9.5	−
地域密着型特定施設入居者生活介護（短期利用以外）	220.2	182.2	206.9	216.5	231.9	273.8
地域密着型特定施設入居者生活介護（短期利用）	27.3	−	−	−	−	27.3
地域密着型介護老人福祉施設入所者生活介護	293.7	230.3	247.0	268.9	293.3	319.2
複合型サービス（看護小規模多機能型居宅介護・短期利用以外）	265.0	150.7	200.3	275.2	297.5	341.6
複合型サービス（看護小規模多機能型居宅介護・短期利用）	35.3	−	15.7	17.3	48.6	46.5
施設サービス	300.0	255.4	269.8	283.7	302.9	327.3
介護福祉施設サービス	280.1	219.8	239.7	263.7	279.9	300.3
介護保健施設サービス	304.8	263.2	280.9	300.9	316.1	336.6
特定治療・特別療養費（再掲）	11.2	5.5	6.0	6.9	13.3	12.1
介護療養施設サービス	398.2	217.6	275.1	354.6	390.5	417.6
特定診療費（再掲）	23.5	13.5	21.8	29.6	22.6	23.4

注：１）受給者１人当たり費用額＝費用額／受給者数
２）総数には、月の途中で要介護から要支援に変更となった者を含む。

（70～74歳）

平成29年９月審査分
（単位：千円）

サービス種類	総数	要介護１	要介護２	要介護３	要介護４	要介護５
総数	172.1	99.8	128.8	198.6	243.8	291.9
居宅サービス	116.5	69.9	92.3	137.2	172.7	222.7
訪問通所	107.5	65.6	87.4	126.8	157.6	208.3
訪問介護	76.3	41.8	56.5	89.9	116.5	156.5
訪問入浴介護	75.9	57.5	68.3	70.8	72.8	79.6
訪問看護	50.5	40.7	46.6	50.0	54.8	65.5
訪問リハビリテーション	40.8	39.1	40.3	41.0	41.4	42.3
通所介護	88.1	64.5	79.1	104.6	120.0	130.9
通所リハビリテーション	83.1	60.4	75.3	95.7	110.2	122.8
福祉用具貸与	16.9	9.0	14.8	18.1	21.5	26.4
短期入所	99.3	60.0	71.2	104.0	119.3	121.6
短期入所生活介護	99.9	59.6	72.2	106.1	121.0	121.9
短期入所療養介護（老健）	89.2	61.0	63.2	86.1	101.7	109.4
特定治療・特別療養費（再掲）	7.0	0.4	0.4	0.3	2.7	12.2
短期入所療養介護（病院等）	104.4	61.7	84.8	83.6	99.8	123.8
特定診療費（再掲）	8.5	7.3	9.3	3.6	9.0	9.6
居宅療養管理指導	12.6	12.4	12.4	12.6	12.7	13.0
特定施設入居者生活介護（短期利用以外）	211.6	172.9	194.8	221.0	237.0	265.0
特定施設入居者生活介護（短期利用）	74.7	54.9	64.3	96.6	131.2	64.2
居宅介護支援	14.3	13.1	13.1	16.3	16.3	16.4
地域密着型サービス	132.7	89.9	108.3	162.3	191.3	221.9
定期巡回・随時対応型訪問介護看護	168.9	79.3	126.1	189.5	236.4	278.6
夜間対応型訪問介護	43.1	24.9	28.2	40.0	44.4	67.1
地域密着型通所介護	74.5	54.3	65.3	95.2	112.2	136.6
認知症対応型通所介護	131.8	94.1	113.4	143.0	167.0	171.2
小規模多機能型居宅介護（短期利用以外）	212.6	135.4	188.8	260.8	285.3	313.8
小規模多機能型居宅介護（短期利用）	39.5	44.1	29.9	28.4	64.8	21.9
認知症対応型共同生活介護（短期利用以外）	280.0	263.9	279.3	285.5	289.7	297.8
認知症対応型共同生活介護（短期利用）	74.3	70.7	94.1	49.6	89.8	20.3
地域密着型特定施設入居者生活介護（短期利用以外）	222.5	179.2	202.4	222.1	250.1	277.0
地域密着型特定施設入居者生活介護（短期利用）	118.5	−	−	−	−	118.5
地域密着型介護老人福祉施設入所者生活介護	292.9	220.4	253.2	273.8	293.8	317.1
複合型サービス（看護小規模多機能型居宅介護・短期利用以外）	270.2	154.1	209.2	266.4	314.3	347.8
複合型サービス（看護小規模多機能型居宅介護・短期利用）	65.7	−	14.5	87.6	−	94.8
施設サービス	300.1	254.7	268.9	282.2	304.0	327.6
介護福祉施設サービス	280.6	220.3	241.6	261.7	281.7	303.0
介護保健施設サービス	306.9	264.2	280.9	303.1	319.7	336.0
特定治療・特別療養費（再掲）	10.6	5.4	5.8	6.4	10.3	12.4
介護療養施設サービス	403.6	251.0	306.3	359.2	393.9	422.6
特定診療費（再掲）	22.6	19.4	26.9	23.4	23.7	21.8

注：１）受給者１人当たり費用額＝費用額／受給者数
２）総数には、月の途中で要介護から要支援に変更となった者を含む。

統計表第５表　介護サービス受給者１人当たり費用額，月・年齢階級・サービス種類・要介護状態区分別（60－23）

（75～79歳）

平成29年９月審査分
（単位：千円）

サービス種類	総数	要介護１	要介護２	要介護３	要介護４	要介護５
総数	175.4	101.9	135.0	207.5	251.4	298.2
居宅サービス	113.2	70.3	93.4	137.1	171.9	222.0
訪問通所	103.0	65.7	87.5	124.7	155.9	206.1
訪問介護	71.1	38.9	53.2	86.3	116.9	154.3
訪問入浴介護	72.1	57.2	65.2	65.0	68.2	77.3
訪問看護	49.4	40.9	45.4	48.4	53.9	65.4
訪問リハビリテーション	39.1	37.6	38.3	39.3	40.7	40.2
通所介護	88.2	66.2	82.8	109.0	121.8	134.2
通所リハビリテーション	82.8	62.0	77.1	97.3	112.0	121.2
福祉用具貸与	15.4	8.0	13.8	16.8	20.5	25.2
短期入所	103.9	61.0	76.7	112.7	126.8	134.2
短期入所生活介護	104.9	60.8	77.8	115.2	129.8	135.5
短期入所療養介護（老健）	90.6	60.2	67.1	91.1	101.7	117.1
特定治療・特別療養費（再掲）	2.5	0.4	2.0	0.5	2.1	4.8
短期入所療養介護（病院等）	111.1	67.0	77.4	87.9	128.7	135.3
特定診療費（再掲）	8.9	5.3	5.8	9.2	10.6	9.7
居宅療養管理指導	12.6	12.2	12.4	12.8	12.6	13.1
特定施設入居者生活介護（短期利用以外）	213.1	176.0	196.3	218.9	240.8	263.8
特定施設入居者生活介護（短期利用）	78.1	79.9	69.2	76.3	81.8	120.6
居宅介護支援	14.2	13.1	13.1	16.3	16.3	16.3
地域密着型サービス	143.1	94.4	121.9	179.5	209.3	239.6
定期巡回・随時対応型訪問介護看護	164.6	79.7	125.3	191.6	239.3	284.8
夜間対応型訪問介護	33.1	23.0	20.8	30.1	37.6	55.7
地域密着型通所介護	76.3	55.3	69.5	102.2	119.4	145.8
認知症対応型通所介護	127.3	94.1	114.8	142.1	160.9	170.3
小規模多機能型居宅介護（短期利用以外）	209.6	135.1	190.5	264.0	284.2	310.8
小規模多機能型居宅介護（短期利用）	37.7	41.9	41.1	47.6	28.2	32.2
認知症対応型共同生活介護（短期利用以外）	281.5	266.3	278.6	286.7	292.4	297.8
認知症対応型共同生活介護（短期利用）	64.4	49.6	75.4	71.2	41.0	100.2
地域密着型特定施設入居者生活介護（短期利用以外）	220.8	181.0	202.8	220.9	246.0	265.3
地域密着型特定施設入居者生活介護（短期利用）	90.0	-	-	90.0	-	-
地域密着型介護老人福祉施設入所者生活介護	294.9	224.5	254.0	274.3	294.9	317.5
複合型サービス（看護小規模多機能型居宅介護・短期利用以外）	263.7	150.9	208.1	280.3	316.9	355.3
複合型サービス（看護小規模多機能型居宅介護・短期利用）	31.9	29.5	14.3	24.4	42.1	66.2
施設サービス	298.3	254.4	270.1	281.7	301.3	325.2
介護福祉施設サービス	281.0	221.3	242.2	262.3	281.7	302.8
介護保健施設サービス	305.8	263.2	281.8	302.9	318.4	336.4
特定治療・特別療養費（再掲）	8.9	4.7	6.5	5.7	8.7	10.6
介護療養施設サービス	400.8	241.4	299.0	367.6	389.6	419.7
特定診療費（再掲）	22.2	18.2	25.2	24.2	22.8	21.6

注：１）受給者１人当たり費用額＝費用額／受給者数
　　２）総数には、月の途中で要介護から要支援に変更となった者を含む。

（80～84歳）

平成29年９月審査分
（単位：千円）

サービス種類	総数	要介護１	要介護２	要介護３	要介護４	要介護５
総数	182.8	106.8	145.8	220.2	262.5	303.7
居宅サービス	113.8	73.6	98.1	141.2	174.8	219.7
訪問通所	101.4	67.3	90.1	126.1	156.1	208.1
訪問介護	68.8	37.5	51.7	86.9	119.5	163.7
訪問入浴介護	69.1	56.2	62.0	65.2	67.9	72.4
訪問看護	47.5	39.6	44.4	47.0	51.9	64.3
訪問リハビリテーション	38.0	36.5	38.0	39.2	38.5	38.0
通所介護	89.9	68.6	87.5	113.7	126.3	140.1
通所リハビリテーション	81.5	63.6	79.4	97.9	109.5	120.2
福祉用具貸与	13.9	7.4	12.7	15.6	19.2	23.8
短期入所	106.2	61.1	79.3	118.9	139.1	143.4
短期入所生活介護	107.0	60.5	79.6	120.9	141.9	144.3
短期入所療養介護（老健）	92.9	63.5	73.9	95.1	111.5	124.2
特定治療・特別療養費（再掲）	2.3	0.4	0.4	0.6	2.3	5.2
短期入所療養介護（病院等）	115.8	59.5	72.9	118.5	140.8	147.4
特定診療費（再掲）	9.8	3.4	8.0	11.9	10.1	11.8
居宅療養管理指導	12.7	12.2	12.5	12.9	12.9	13.2
特定施設入居者生活介護（短期利用以外）	215.8	180.3	200.3	223.0	243.9	265.8
特定施設入居者生活介護（短期利用）	75.0	54.9	74.0	81.1	77.0	111.1
居宅介護支援	14.1	13.0	13.0	16.3	16.3	16.2
地域密着型サービス	157.4	100.4	138.8	198.9	226.1	257.0
定期巡回・随時対応型訪問介護看護	160.1	79.2	127.1	193.3	235.7	287.9
夜間対応型訪問介護	36.2	26.5	23.6	33.7	40.3	65.1
地域密着型通所介護	80.1	57.6	75.3	110.2	129.9	152.9
認知症対応型通所介護	127.3	94.3	116.4	148.3	158.4	168.5
小規模多機能型居宅介護（短期利用以外）	208.0	135.1	190.6	262.5	285.0	312.0
小規模多機能型居宅介護（短期利用）	41.1	42.8	30.4	46.5	41.1	40.9
認知症対応型共同生活介護（短期利用以外）	281.7	265.2	278.3	287.1	291.6	296.5
認知症対応型共同生活介護（短期利用）	79.0	72.3	67.3	82.3	112.4	88.8
地域密着型特定施設入居者生活介護（短期利用以外）	216.0	176.2	202.1	220.7	238.2	258.5
地域密着型特定施設入居者生活介護（短期利用）	77.5	-	89.3	73.1	-	50.1
地域密着型介護老人福祉施設入所者生活介護	294.8	232.6	254.9	273.3	295.6	318.2
複合型サービス（看護小規模多機能型居宅介護・短期利用以外）	259.8	152.2	205.1	279.3	310.9	359.8
複合型サービス（看護小規模多機能型居宅介護・短期利用）	42.9	30.6	37.4	29.5	45.1	72.0
施設サービス	297.2	256.2	271.8	280.5	301.2	323.4
介護福祉施設サービス	281.6	220.7	244.0	261.9	282.8	303.3
介護保健施設サービス	303.3	264.2	281.9	301.2	316.0	334.3
特定治療・特別療養費（再掲）	8.7	5.3	6.6	5.9	8.7	10.4
介護療養施設サービス	394.7	252.9	280.1	349.7	388.0	414.2
特定診療費（再掲）	21.3	28.3	25.1	23.7	21.5	20.5

注：１）受給者１人当たり費用額＝費用額／受給者数
　　２）総数には、月の途中で要介護から要支援に変更となった者を含む。

統計表第５表　介護サービス受給者１人当たり費用額，月・年齢階級・サービス種類・要介護状態区分別（60－24）

（85～89歳）

平成29年９月審査分
（単位：千円）

サービス種類	総数	要介護１	要介護２	要介護３	要介護４	要介護５
総数	195.2	114.8	157.1	230.7	271.3	307.4
居宅サービス	120.9	80.0	105.2	148.2	182.1	221.4
訪問通所	104.6	70.3	93.6	128.8	160.9	210.2
訪問介護	72.6	38.0	53.5	92.7	129.0	172.4
訪問入浴介護	67.1	57.7	63.2	64.7	65.5	70.1
訪問看護	46.9	39.7	43.9	45.3	50.4	62.5
訪問リハビリテーション	36.6	36.1	36.3	37.5	36.8	36.5
通所介護	93.3	71.2	91.2	117.0	131.2	143.7
通所リハビリテーション	82.5	66.4	82.3	99.5	109.2	116.2
福祉用具貸与	13.2	7.1	12.1	14.8	18.5	22.8
短期入所	106.1	62.3	80.0	122.4	143.4	149.1
短期入所生活介護	106.9	61.8	80.2	124.0	145.6	149.6
短期入所療養介護（老健）	93.0	64.4	75.0	99.7	114.1	130.7
特定治療・特別療養費（再掲）	2.1	1.0	0.3	0.6	0.9	5.4
短期入所療養介護（病院等）	107.6	66.5	79.2	103.2	132.8	150.7
特定診療費（再掲）	8.2	8.1	8.5	7.5	8.2	8.5
居宅療養管理指導	12.6	12.2	12.4	12.8	12.8	13.0
特定施設入居者生活介護（短期利用以外）	216.5	181.6	202.5	224.8	245.2	266.4
特定施設入居者生活介護（短期利用）	76.6	66.9	70.8	85.2	83.1	101.9
居宅介護支援	14.0	13.0	13.0	16.2	16.2	16.1
地域密着型サービス	172.6	108.5	151.2	211.1	238.2	266.4
定期巡回・随時対応型訪問介護看護	163.3	78.6	127.3	194.7	238.8	289.0
夜間対応型訪問介護	37.6	24.0	23.2	33.4	58.9	66.0
地域密着型通所介護	86.6	60.9	80.9	118.2	138.1	160.6
認知症対応型通所介護	129.1	96.5	116.1	144.9	158.5	172.7
小規模多機能型居宅介護（短期利用以外）	210.8	135.2	190.1	262.5	283.5	312.9
小規模多機能型居宅介護（短期利用）	33.4	31.1	38.6	28.2	34.9	33.5
認知症対応型共同生活介護（短期利用以外）	282.2	265.4	278.5	286.9	290.8	296.8
認知症対応型共同生活介護（短期利用）	87.1	56.7	70.2	105.7	170.0	87.6
地域密着型特定施設入居者生活介護（短期利用以外）	216.8	174.8	201.3	220.7	243.1	263.8
地域密着型特定施設入居者生活介護（短期利用）	49.0	43.0	58.9	58.1	33.2	18.2
地域密着型介護老人福祉施設入所者生活介護	293.0	236.0	254.6	273.5	293.1	317.2
複合型サービス（看護小規模多機能型居宅介護・短期利用以外）	260.5	151.3	206.4	281.4	310.6	356.6
複合型サービス（看護小規模多機能型居宅介護・短期利用）	39.4	30.0	27.9	38.1	51.2	63.1
施設サービス	296.1	255.1	269.7	280.5	300.9	322.3
介護福祉施設サービス	281.2	221.5	243.7	262.4	282.5	302.5
介護保健施設サービス	301.8	261.8	278.8	300.4	317.2	334.3
特定治療・特別療養費（再掲）	8.3	4.8	5.5	6.3	8.5	9.6
介護療養施設サービス	392.9	245.1	279.8	352.7	386.9	413.4
特定診療費（再掲）	20.6	21.0	23.2	22.0	21.0	19.9

注：１）受給者１人当たり費用額＝費用額／受給者数
　　２）総数には、月の途中で要介護から要支援に変更となった者を含む。

（90～94歳）

平成29年９月審査分
（単位：千円）

サービス種類	総数	要介護１	要介護２	要介護３	要介護４	要介護５
総数	210.0	122.4	165.4	235.3	273.7	306.4
居宅サービス	129.8	85.4	110.1	151.3	183.7	219.7
訪問通所	108.4	71.7	93.8	125.8	158.0	205.3
訪問介護	81.1	40.0	56.8	96.4	134.6	175.9
訪問入浴介護	66.9	57.7	65.3	64.3	65.3	69.7
訪問看護	46.8	38.8	42.4	44.1	48.9	61.1
訪問リハビリテーション	35.9	35.2	35.8	36.1	36.1	36.5
通所介護	96.4	73.2	92.3	116.7	129.1	141.9
通所リハビリテーション	84.8	68.4	83.6	100.2	108.1	116.0
福祉用具貸与	13.6	6.9	12.0	14.8	18.7	22.7
短期入所	105.8	62.5	80.8	120.9	141.7	148.8
短期入所生活介護	106.2	61.8	80.9	121.8	143.3	148.7
短期入所療養介護（老健）	94.5	66.0	76.1	102.8	115.5	133.4
特定治療・特別療養費（再掲）	2.6	0.3	0.4	0.6	2.9	7.8
短期入所療養介護（病院等）	116.2	69.7	85.3	117.8	131.6	169.8
特定診療費（再掲）	7.8	6.4	6.5	7.0	7.4	11.2
居宅療養管理指導	12.2	11.8	12.0	12.2	12.4	12.3
特定施設入居者生活介護（短期利用以外）	218.7	182.7	202.8	225.5	245.5	266.5
特定施設入居者生活介護（短期利用）	74.2	57.4	64.3	79.4	90.7	115.2
居宅介護支援	14.1	12.9	12.9	16.2	16.1	16.2
地域密着型サービス	187.8	116.3	159.1	215.7	244.4	269.2
定期巡回・随時対応型訪問介護看護	169.4	80.4	125.8	196.6	240.8	290.2
夜間対応型訪問介護	41.5	26.2	24.9	33.9	54.1	79.2
地域密着型通所介護	94.1	65.2	85.3	119.4	141.9	161.3
認知症対応型通所介護	131.7	97.0	116.1	141.9	153.3	167.6
小規模多機能型居宅介護（短期利用以外）	217.0	134.0	189.7	261.9	284.2	312.0
小規模多機能型居宅介護（短期利用）	42.1	33.2	41.8	40.3	64.1	38.9
認知症対応型共同生活介護（短期利用以外）	283.0	264.7	277.8	286.6	290.8	296.5
認知症対応型共同生活介護（短期利用）	79.5	54.0	53.9	90.2	138.8	95.8
地域密着型特定施設入居者生活介護（短期利用以外）	218.9	180.1	198.9	221.0	243.5	261.1
地域密着型特定施設入居者生活介護（短期利用）	57.4	34.1	145.6	80.4	16.0	-
地域密着型介護老人福祉施設入所者生活介護	294.1	230.0	256.3	273.9	296.4	318.8
複合型サービス（看護小規模多機能型居宅介護・短期利用以外）	264.7	150.6	208.2	280.7	308.2	351.9
複合型サービス（看護小規模多機能型居宅介護・短期利用）	30.5	20.6	22.9	34.8	22.7	52.8
施設サービス	295.2	254.4	270.1	280.0	299.4	321.3
介護福祉施設サービス	281.1	221.6	244.1	262.8	282.5	302.4
介護保健施設サービス	301.6	261.4	279.8	300.0	316.3	333.5
特定治療・特別療養費（再掲）	7.8	3.7	5.0	5.6	8.2	9.3
介護療養施設サービス	388.2	234.7	276.4	343.5	382.4	410.4
特定診療費（再掲）	19.2	20.2	22.4	20.8	19.3	18.6

注：１）受給者１人当たり費用額＝費用額／受給者数
　　２）総数には、月の途中で要介護から要支援に変更となった者を含む。

統計表第５表　介護サービス受給者１人当たり費用額，月・年齢階級・サービス種類・要介護状態区分別（60－25）

（95歳以上）

平成29年９月審査分
（単位：千円）

サービス種類	総数	要介護１	要介護２	要介護３	要介護４	要介護５
総数	231.4	130.2	171.5	237.2	275.5	303.5
居宅サービス	142.3	89.0	112.4	151.2	183.6	215.4
訪問通所	115.2	70.4	91.4	119.7	152.0	196.3
訪問介護	97.1	42.3	60.4	101.0	135.9	172.6
訪問入浴介護	66.8	64.8	64.7	66.0	65.9	68.1
訪問看護	47.3	37.9	40.5	42.2	47.2	59.3
訪問リハビリテーション	35.3	35.0	35.3	36.0	34.6	35.6
通所介護	100.3	73.0	91.1	112.3	128.0	138.0
通所リハビリテーション	88.9	69.3	86.0	99.7	106.2	117.8
福祉用具貸与	15.1	6.9	12.3	15.2	19.2	22.8
短期入所	111.8	65.2	82.4	121.6	140.7	146.4
短期入所生活介護	112.1	64.9	82.5	122.4	141.0	146.3
短期入所療養介護（老健）	100.4	64.7	78.9	103.7	123.1	130.1
特定治療・特別療養費（再掲）	2.7	0.3	0.5	0.8	2.0	11.4
短期入所療養介護（病院等）	125.5	68.7	78.6	121.2	153.5	152.6
特定診療費（再掲）	9.7	8.0	10.9	10.1	12.0	7.9
居宅療養管理指導	11.3	11.3	11.2	11.3	11.4	11.3
特定施設入居者生活介護（短期利用以外）	225.0	181.5	202.8	225.6	246.8	269.3
特定施設入居者生活介護（短期利用）	74.7	79.5	62.2	86.5	77.5	59.0
居宅介護支援	14.5	12.9	13.0	16.2	16.2	16.2
地域密着型サービス	207.6	124.0	164.5	217.5	250.1	270.6
定期巡回・随時対応型訪問介護看護	186.2	79.0	129.1	196.5	246.9	295.7
夜間対応型訪問介護	48.7	25.0	25.0	43.9	64.2	74.5
地域密着型通所介護	103.9	67.6	87.4	119.0	141.7	163.9
認知症対応型通所介護	134.9	93.7	112.3	135.4	156.2	157.6
小規模多機能型居宅介護（短期利用以外）	232.6	133.6	188.7	259.9	283.8	313.4
小規模多機能型居宅介護（短期利用）	47.0	32.5	32.1	59.1	52.5	62.7
認知症対応型共同生活介護（短期利用以外）	285.2	264.5	278.7	286.2	290.3	296.6
認知症対応型共同生活介護（短期利用）	77.2	88.3	73.0	84.5	55.7	-
地域密着型特定施設入居者生活介護（短期利用以外）	226.1	181.9	200.0	221.6	246.1	267.3
地域密着型特定施設入居者生活介護（短期利用）	77.0	74.7	-	80.4	-	-
地域密着型介護老人福祉施設入所者生活介護	295.8	236.4	257.4	275.1	297.6	317.9
複合型サービス(看護小規模多機能型居宅介護・短期利用以外)	280.5	147.8	199.9	282.1	313.8	361.3
複合型サービス(看護小規模多機能型居宅介護・短期利用)	50.1	37.9	28.5	-	76.4	51.1
施設サービス	296.6	253.2	269.1	279.3	299.5	320.4
介護福祉施設サービス	282.5	223.2	244.9	262.7	283.1	302.8
介護保健施設サービス	305.0	261.3	279.8	300.4	317.6	334.1
特定治療・特別療養費（再掲）	7.0	4.3	4.9	6.1	7.2	7.7
介護療養施設サービス	388.5	227.4	276.0	342.8	385.0	407.8
特定診療費（再掲）	18.3	18.7	24.2	21.0	18.3	17.4

注：1）受給者１人当たり費用額＝費用額／受給者数
　　2）総数には、月の途中で要介護から要支援に変更となった者を含む。

統計表第５表　介護サービス受給者１人当たり費用額，月・年齢階級・サービス種類・要介護状態区分別（60−26）

（総　　数）

平成29年10月審査分
（単位：千円）

サービス種類	総数	要介護１	要介護２	要介護３	要介護４	要介護５
総数	189.4	109.4	147.7	218.3	258.7	294.7
居宅サービス	118.9	75.8	99.9	141.8	175.0	215.8
訪問通所	104.1	67.4	89.7	124.2	154.6	203.5
訪問介護	73.9	38.3	53.4	89.4	122.8	163.2
訪問入浴介護	68.9	57.0	61.9	64.2	65.9	73.2
訪問看護	46.4	38.1	42.8	44.9	49.6	61.7
訪問リハビリテーション	37.5	36.6	37.1	37.9	37.8	38.2
通所介護	91.0	68.6	86.8	111.4	124.5	135.9
通所リハビリテーション	81.7	63.5	78.5	96.7	107.8	116.8
福祉用具貸与	14.6	7.6	13.1	16.0	19.7	24.3
短期入所	104.0	60.9	78.2	116.3	134.1	138.2
短期入所生活介護	104.7	60.4	78.4	117.9	136.0	139.4
短期入所療養介護（老健）	92.2	62.9	73.3	95.4	109.6	119.3
特定治療・特別療養費（再掲）	3.1	0.6	0.5	0.7	1.8	6.9
短期入所療養介護（病院等）	114.9	64.2	81.9	110.5	135.9	143.1
特定診療費（再掲）	9.4	6.6	8.2	8.9	10.7	10.4
居宅療養管理指導	12.5	12.2	12.3	12.6	12.6	12.9
特定施設入居者生活介護（短期利用以外）	210.9	175.1	195.2	217.1	237.3	258.0
特定施設入居者生活介護（短期利用）	73.1	60.0	65.7	80.9	89.5	81.9
居宅介護支援	14.1	13.0	13.0	16.2	16.2	16.2
地域密着型サービス	163.4	102.0	138.7	197.0	225.9	252.1
定期巡回・随時対応型訪問介護看護	166.5	79.1	126.5	194.4	238.1	290.5
夜間対応型訪問介護	38.3	24.2	24.1	33.4	48.1	65.0
地域密着型通所介護	82.9	58.4	75.6	109.3	128.3	149.8
認知症対応型通所介護	127.9	92.9	114.5	142.2	155.6	166.3
小規模多機能型居宅介護（短期利用以外）	213.6	135.0	189.8	262.5	284.5	313.7
小規模多機能型居宅介護（短期利用）	34.2	31.0	30.1	36.9	40.0	38.2
認知症対応型共同生活介護（短期利用以外）	274.1	257.6	270.4	278.2	281.9	287.7
認知症対応型共同生活介護（短期利用）	77.6	59.1	61.9	99.9	98.4	95.5
地域密着型特定施設入居者生活介護（短期利用以外）	212.4	173.1	193.7	215.7	233.5	256.5
地域密着型特定施設入居者生活介護（短期利用）	50.3	57.5	50.6	43.2	63.4	45.7
地域密着型介護老人福祉施設入所者生活介護	285.4	224.5	247.2	265.5	286.6	308.1
複合型サービス（看護小規模多機能型居宅介護・短期利用以外）	264.6	153.7	207.6	280.1	309.5	350.0
複合型サービス（看護小規模多機能型居宅介護・短期利用）	38.4	37.0	29.5	37.8	41.8	47.1
施設サービス	287.3	246.2	261.3	271.5	291.1	312.6
介護福祉施設サービス	272.8	214.1	236.4	254.5	273.7	293.4
介護保健施設サービス	293.0	253.2	270.6	290.4	306.8	323.4
特定治療・特別療養費（再掲）	8.1	4.5	5.3	5.8	8.2	9.6
介護療養施設サービス	382.2	239.5	274.8	340.1	375.1	402.2
特定診療費（再掲）	19.6	19.3	23.0	21.8	19.8	19.0

注：1）受給者１人当たり費用額＝費用額／受給者数
　　2）総数には、月の途中で要介護から要支援に変更となった者を含む。

（40〜64歳）

平成29年10月審査分
（単位：千円）

サービス種類	総数	要介護１	要介護２	要介護３	要介護４	要介護５
総数	165.9	94.1	118.3	182.0	227.6	280.3
居宅サービス	118.8	67.7	88.3	129.9	166.6	221.7
訪問通所	111.8	65.3	85.1	123.0	154.8	211.6
訪問介護	80.4	42.9	54.1	82.0	111.8	149.8
訪問入浴介護	86.6	53.7	65.9	77.7	80.3	91.6
訪問看護	54.1	44.4	48.8	52.2	58.6	71.6
訪問リハビリテーション	42.8	42.9	41.9	43.9	42.3	43.3
通所介護	88.3	59.9	72.3	101.1	120.1	132.2
通所リハビリテーション	80.3	56.1	71.6	93.8	108.6	117.8
福祉用具貸与	20.0	11.9	17.6	20.3	24.2	29.8
短期入所	100.7	59.1	67.6	99.3	114.7	120.0
短期入所生活介護	101.2	58.3	67.8	102.6	116.1	119.7
短期入所療養介護（老健）	91.4	62.5	63.3	80.9	98.5	111.5
特定治療・特別療養費（再掲）	3.6	−	−	0.3	4.1	3.9
短期入所療養介護（病院等）	101.7	32.9	74.5	96.4	132.5	108.9
特定診療費（再掲）	12.4	2.2	6.3	16.3	20.9	11.8
居宅療養管理指導	12.8	12.2	12.2	12.7	12.7	13.7
特定施設入居者生活介護（短期利用以外）	216.8	173.5	195.1	214.1	233.9	255.5
特定施設入居者生活介護（短期利用）	67.8	12.0	60.7	115.8	81.8	48.0
居宅介護支援	14.5	13.1	13.1	16.4	16.3	16.4
地域密着型サービス	121.5	76.5	87.2	142.6	174.7	212.5
定期巡回・随時対応型訪問介護看護	186.8	78.7	123.5	195.3	240.5	289.4
夜間対応型訪問介護	36.3	22.2	25.3	27.8	38.8	58.3
地域密着型通所介護	70.9	49.0	58.4	85.9	103.8	131.1
認知症対応型通所介護	149.3	96.5	112.6	158.4	180.1	184.9
小規模多機能型居宅介護（短期利用以外）	229.4	134.5	191.7	264.6	287.2	319.9
小規模多機能型居宅介護（短期利用）	24.1	−	31.8	23.5	−	19.4
認知症対応型共同生活介護（短期利用以外）	295.4	280.9	289.8	299.2	304.4	308.8
認知症対応型共同生活介護（短期利用）	137.2	−	69.2	320.7	21.6	−
地域密着型特定施設入居者生活介護（短期利用以外）	210.2	179.6	183.9	201.6	233.5	239.4
地域密着型特定施設入居者生活介護（短期利用）	−	−	−	−	−	−
地域密着型介護老人福祉施設入所者生活介護	293.2	237.8	238.1	267.7	293.6	314.0
複合型サービス（看護小規模多機能型居宅介護・短期利用以外）	288.0	157.4	207.2	272.7	311.3	346.8
複合型サービス（看護小規模多機能型居宅介護・短期利用）	62.4	−	−	−	−	62.4
施設サービス	300.7	248.1	268.6	283.2	303.0	329.2
介護福祉施設サービス	278.2	211.1	238.5	257.8	276.6	299.0
介護保健施設サービス	299.0	253.0	275.7	294.8	306.7	329.1
特定治療・特別療養費（再掲）	8.8	9.3	3.7	7.1	7.6	10.6
介護療養施設サービス	404.1	259.5	310.0	374.4	395.3	418.0
特定診療費（再掲）	27.1	38.0	34.8	42.4	24.5	26.0

注：1）受給者１人当たり費用額＝費用額／受給者数
　　2）総数には、月の途中で要介護から要支援に変更となった者を含む。

統計表第５表　介護サービス受給者１人当たり費用額，月・年齢階級・サービス種類・要介護状態区分別（60－27）

（65～69歳）

平成29年10月審査分
（単位：千円）

サ ー ビ ス 種 類	総数	要介護１	要介護２	要介護３	要介護４	要介護５
総数	168.0	96.7	125.4	190.9	233.0	281.4
居宅サービス	118.3	68.4	92.5	136.1	171.2	221.0
訪問通所	110.7	65.2	88.4	128.0	159.4	209.1
訪問介護	80.7	44.3	59.6	93.7	120.9	159.7
訪問入浴介護	78.2	63.3	63.8	71.6	72.3	83.3
訪問看護	50.1	40.4	45.8	49.5	53.6	65.8
訪問リハビリテーション	39.7	38.1	38.7	39.9	40.1	41.8
通所介護	87.0	62.1	75.0	101.3	117.6	128.4
通所リハビリテーション	81.4	57.9	72.9	93.4	110.1	115.9
福祉用具貸与	17.8	9.9	15.5	18.7	22.1	26.8
短期入所	96.2	58.0	68.5	99.1	109.8	117.1
短期入所生活介護	97.0	57.8	69.4	101.7	112.0	116.7
短期入所療養介護（老健）	86.0	58.3	61.9	82.1	91.9	105.0
特定治療・特別療養費（再掲）	8.3	-	0.4	1.3	0.6	12.9
短期入所療養介護（病院等）	116.6	55.2	54.1	73.3	128.8	155.1
特定診療費（再掲）	14.1	3.1	4.9	10.4	15.9	17.7
居宅療養管理指導	12.7	12.4	12.5	12.7	12.6	13.0
特定施設入居者生活介護（短期利用以外）	207.4	167.3	191.0	210.9	233.3	254.8
特定施設入居者生活介護（短期利用）	70.9	59.6	56.5	40.6	139.5	73.5
居宅介護支援	14.4	13.0	13.1	16.3	16.4	16.4
地域密着型サービス	127.1	85.5	98.9	151.8	178.6	213.8
定期巡回・随時対応型訪問介護看護	173.1	77.3	126.4	189.4	234.9	287.4
夜間対応型訪問介護	43.0	25.6	27.5	34.2	44.5	68.8
地域密着型通所介護	73.7	52.7	62.1	92.8	109.6	131.1
認知症対応型通所介護	135.0	89.0	114.8	141.8	164.4	176.0
小規模多機能型居宅介護（短期利用以外）	218.2	134.4	188.4	262.2	285.5	316.4
小規模多機能型居宅介護（短期利用）	26.5	25.8	25.3	29.3	34.4	10.0
認知症対応型共同生活介護（短期利用以外）	271.4	256.5	271.2	277.5	277.8	285.8
認知症対応型共同生活介護（短期利用）	23.8	27.3	22.9	20.6	28.6	-
地域密着型特定施設入居者生活介護（短期利用以外）	220.2	173.4	199.1	225.2	239.9	267.7
地域密着型特定施設入居者生活介護（短期利用）	27.3	-	-	-	-	27.3
地域密着型介護老人福祉施設入所者生活介護	286.1	224.0	243.0	265.8	284.1	310.1
複合型サービス（看護小規模多機能型居宅介護・短期利用以外）	270.9	158.5	202.7	277.4	303.1	357.7
複合型サービス（看護小規模多機能型居宅介護・短期利用）	42.0	-	11.1	-	76.1	55.8
施設サービス	290.9	247.1	262.2	274.0	293.8	318.3
介護福祉施設サービス	271.4	210.0	231.9	254.3	271.4	292.0
介護保健施設サービス	294.8	255.2	273.0	290.0	305.9	325.8
特定治療・特別療養費（再掲）	10.0	4.9	5.4	6.3	11.1	11.0
介護療養施設サービス	389.7	237.4	285.7	351.6	373.5	411.8
特定診療費（再掲）	22.9	11.3	21.4	30.0	21.4	23.1

注：１）受給者１人当たり費用額＝費用額／受給者数
　　２）総数には、月の途中で要介護から要支援に変更となった者を含む。

（70～74歳）

平成29年10月審査分
（単位：千円）

サ ー ビ ス 種 類	総数	要介護１	要介護２	要介護３	要介護４	要介護５
総数	169.0	98.4	127.1	194.5	238.0	283.8
居宅サービス	114.2	68.6	90.8	133.8	169.1	216.6
訪問通所	105.4	64.4	86.1	123.4	154.3	203.7
訪問介護	74.4	40.8	55.2	87.0	114.5	151.9
訪問入浴介護	74.0	50.8	65.8	69.2	69.8	78.2
訪問看護	48.5	38.7	44.9	47.7	52.8	63.9
訪問リハビリテーション	39.7	38.3	39.1	40.1	40.2	40.9
通所介護	86.6	63.4	78.0	102.9	117.0	128.9
通所リハビリテーション	81.7	59.5	74.4	93.5	108.1	120.5
福祉用具貸与	16.9	9.0	14.7	18.1	21.5	26.5
短期入所	98.2	59.9	70.5	102.7	116.2	120.8
短期入所生活介護	98.9	59.7	70.7	105.6	117.7	122.3
短期入所療養介護（老健）	88.2	57.9	67.5	80.7	100.0	106.9
特定治療・特別療養費（再掲）	6.3	0.3	0.3	0.3	3.2	10.3
短期入所療養介護（病院等）	113.0	76.0	88.7	121.2	113.0	122.6
特定診療費（再掲）	11.2	6.6	14.2	9.7	16.7	10.0
居宅療養管理指導	12.7	12.4	12.4	12.7	12.8	13.1
特定施設入居者生活介護（短期利用以外）	205.1	167.3	187.8	212.1	235.3	255.9
特定施設入居者生活介護（短期利用）	72.0	39.2	66.0	98.7	48.4	80.5
居宅介護支援	14.3	13.1	13.1	16.3	16.3	16.4
地域密着型サービス	130.5	88.3	106.3	159.8	187.2	217.2
定期巡回・随時対応型訪問介護看護	169.1	78.7	125.2	185.5	235.3	280.7
夜間対応型訪問介護	41.4	23.4	25.5	37.2	43.0	66.0
地域密着型通所介護	73.6	53.3	64.4	94.4	110.4	134.2
認知症対応型通所介護	129.9	90.9	113.7	142.2	163.2	167.3
小規模多機能型居宅介護（短期利用以外）	213.5	135.0	189.9	263.2	287.1	317.1
小規模多機能型居宅介護（短期利用）	39.8	23.0	7.4	39.3	46.3	48.8
認知症対応型共同生活介護（短期利用以外）	272.7	259.2	270.6	279.0	281.1	287.1
認知症対応型共同生活介護（短期利用）	64.8	62.8	51.2	74.5	-	40.5
地域密着型特定施設入居者生活介護（短期利用以外）	213.8	177.9	196.7	219.1	234.5	258.4
地域密着型特定施設入居者生活介護（短期利用）	72.9	-	-	-	-	72.9
地域密着型介護老人福祉施設入所者生活介護	283.4	219.5	243.8	266.8	282.5	306.6
複合型サービス（看護小規模多機能型居宅介護・短期利用以外）	271.7	149.3	211.8	277.6	306.4	347.9
複合型サービス（看護小規模多機能型居宅介護・短期利用）	43.4	-	14.2	39.4	61.8	43.4
施設サービス	289.8	247.6	261.3	273.0	293.6	315.3
介護福祉施設サービス	271.4	212.6	233.1	254.5	272.0	292.6
介護保健施設サービス	296.1	257.1	273.1	291.7	309.1	322.2
特定治療・特別療養費（再掲）	10.2	5.7	6.3	6.5	9.7	11.7
介護療養施設サービス	390.6	224.1	304.6	349.8	379.7	409.9
特定診療費（再掲）	21.5	16.9	25.7	22.1	22.2	20.9

注：１）受給者１人当たり費用額＝費用額／受給者数
　　２）総数には、月の途中で要介護から要支援に変更となった者を含む。

統計表第５表　介護サービス受給者１人当たり費用額，月・年齢階級・サービス種類・要介護状態区分別（60−28）

（75～79歳）

平成29年10月審査分
（単位：千円）

サービス種類	総数	要介護１	要介護２	要介護３	要介護４	要介護５
総数	172.0	100.1	132.9	203.5	245.6	289.8
居宅サービス	111.1	68.8	91.8	134.9	168.5	215.6
訪問通所	101.1	64.4	86.0	123.0	152.5	201.2
訪問介護	69.8	37.9	52.0	84.6	114.2	152.0
訪問入浴介護	70.1	57.4	61.3	61.3	67.2	74.9
訪問看護	47.4	38.7	43.8	46.5	51.8	63.0
訪問リハビリテーション	38.1	37.0	37.3	38.6	39.1	39.0
通所介護	86.7	65.1	81.5	107.2	119.6	131.3
通所リハビリテーション	81.3	61.1	75.8	96.2	109.2	117.2
福祉用具貸与	15.4	8.0	13.8	16.8	20.6	25.2
短期入所	103.0	60.9	76.0	110.6	124.1	132.4
短期入所生活介護	104.0	60.5	76.6	113.2	126.4	133.8
短期入所療養介護（老健）	90.3	61.9	69.2	88.0	101.2	115.4
特定治療・特別療養費（再掲）	3.4	0.8	1.1	0.3	1.8	6.3
短期入所療養介護（病院等）	111.2	58.8	76.3	81.2	141.8	131.1
特定診療費（再掲）	9.1	3.5	8.9	8.1	11.6	9.7
居宅療養管理指導	12.7	12.1	12.6	12.8	12.7	13.3
特定施設入居者生活介護（短期利用以外）	207.0	170.4	191.7	212.2	233.9	255.5
特定施設入居者生活介護（短期利用）	89.0	85.8	82.4	88.1	106.8	84.6
居宅介護支援	14.2	13.1	13.1	16.3	16.3	16.3
地域密着型サービス	140.6	92.6	120.1	176.8	203.8	234.8
定期巡回・随時対応型訪問介護看護	163.2	79.1	126.2	193.6	230.9	291.9
夜間対応型訪問介護	32.9	21.1	21.8	29.2	37.7	53.8
地域密着型通所介護	75.4	54.7	68.7	100.6	116.9	142.8
認知症対応型通所介護	125.7	91.5	113.6	141.9	156.9	170.8
小規模多機能型居宅介護（短期利用以外）	209.2	135.9	190.3	263.4	284.3	314.2
小規模多機能型居宅介護（短期利用）	34.6	43.2	23.1	40.4	36.6	36.3
認知症対応型共同生活介護（短期利用以外）	272.8	256.7	270.2	278.6	284.0	288.3
認知症対応型共同生活介護（短期利用）	60.8	53.1	34.8	76.7	34.0	126.5
地域密着型特定施設入居者生活介護（短期利用以外）	214.1	174.9	193.0	213.1	237.9	259.7
地域密着型特定施設入居者生活介護（短期利用）	35.1	-	-	35.1	-	-
地域密着型介護老人福祉施設入所者生活介護	285.0	221.7	247.7	263.7	286.1	306.4
複合型サービス(看護小規模多機能型居宅介護・短期利用以外)	260.5	150.4	210.8	282.8	311.9	340.8
複合型サービス(看護小規模多機能型居宅介護・短期利用)	36.7	25.9	18.9	40.8	27.3	94.6
施設サービス	288.6	247.0	260.7	272.2	291.7	314.6
介護福祉施設サービス	272.5	214.2	235.6	254.9	273.2	293.0
介護保健施設サービス	294.8	255.4	270.8	291.1	306.3	325.7
特定治療・特別療養費（再掲）	8.3	4.3	6.1	4.8	8.4	9.7
介護療養施設サービス	389.4	237.2	286.6	351.4	379.1	409.2
特定診療費（再掲）	21.6	16.3	27.6	23.4	22.6	20.6

注：1）受給者１人当たり費用額＝費用額／受給者数
　　2）総数には、月の途中で要介護から要支援に変更となった者を含む。

（80～84歳）

平成29年10月審査分
（単位：千円）

サービス種類	総数	要介護１	要介護２	要介護３	要介護４	要介護５
総数	179.1	104.9	143.3	215.5	256.5	296.2
居宅サービス	111.6	72.0	96.3	138.3	171.9	215.9
訪問通所	99.6	66.0	88.7	123.9	154.0	204.8
訪問介護	67.4	36.4	50.5	85.3	117.2	162.2
訪問入浴介護	67.4	54.8	58.9	62.8	65.8	71.4
訪問看護	45.7	37.7	42.3	45.3	50.4	62.7
訪問リハビリテーション	36.9	35.7	37.0	37.4	37.8	36.8
通所介護	88.5	67.5	86.3	112.0	124.7	137.3
通所リハビリテーション	80.3	62.7	78.3	96.6	107.9	117.8
福祉用具貸与	13.9	7.4	12.8	15.6	19.2	23.9
短期入所	104.8	60.2	78.2	117.5	136.7	139.6
短期入所生活介護	105.7	59.7	78.7	119.4	138.8	141.0
短期入所療養介護（老健）	91.6	61.3	71.6	94.0	112.2	120.2
特定治療・特別療養費（再掲）	2.1	0.5	0.4	0.6	2.3	3.6
短期入所療養介護（病院等）	116.6	65.4	76.9	109.2	144.7	147.1
特定診療費（再掲）	10.5	6.2	8.1	10.5	11.2	12.7
居宅療養管理指導	12.8	12.3	12.6	13.0	13.0	13.3
特定施設入居者生活介護（短期利用以外）	208.1	173.9	192.9	215.0	236.0	256.4
特定施設入居者生活介護（短期利用）	73.2	53.1	74.2	76.4	83.3	91.2
居宅介護支援	14.0	13.0	13.0	16.3	16.3	16.2
地域密着型サービス	154.2	98.7	136.0	194.8	221.2	251.1
定期巡回・随時対応型訪問介護看護	159.8	79.2	125.6	196.0	236.5	291.9
夜間対応型訪問介護	35.5	26.5	23.7	31.2	41.9	59.3
地域密着型通所介護	79.1	56.8	74.5	109.4	127.5	150.1
認知症対応型通所介護	125.1	92.4	116.8	145.0	154.8	162.6
小規模多機能型居宅介護（短期利用以外）	208.2	135.5	190.6	262.5	284.5	313.1
小規模多機能型居宅介護（短期利用）	27.0	21.0	29.6	20.0	37.9	31.3
認知症対応型共同生活介護（短期利用以外）	273.4	257.7	271.1	278.7	281.4	287.3
認知症対応型共同生活介護（短期利用）	72.0	52.3	63.5	92.9	99.3	108.3
地域密着型特定施設入居者生活介護（短期利用以外）	210.9	174.5	193.6	216.4	228.3	258.8
地域密着型特定施設入居者生活介護（短期利用）	37.1	42.7	32.8	36.5	41.0	-
地域密着型介護老人福祉施設入所者生活介護	285.6	222.5	248.7	265.7	284.5	308.8
複合型サービス(看護小規模多機能型居宅介護・短期利用以外)	257.8	155.9	207.1	277.0	313.0	345.7
複合型サービス(看護小規模多機能型居宅介護・短期利用)	41.6	49.1	24.6	34.3	48.7	141.7
施設サービス	288.0	246.4	262.7	272.1	292.0	313.5
介護福祉施設サービス	273.1	213.4	236.5	254.2	274.0	294.2
介護保健施設サービス	293.6	253.8	272.3	291.7	307.2	323.3
特定治療・特別療養費（再掲）	8.5	5.1	6.4	5.7	8.3	10.4
介護療養施設サービス	383.3	239.6	272.4	343.3	376.1	402.3
特定診療費（再掲）	20.3	21.0	24.4	23.5	20.6	19.4

注：1）受給者１人当たり費用額＝費用額／受給者数
　　2）総数には、月の途中で要介護から要支援に変更となった者を含む。

統計表第５表　介護サービス受給者１人当たり費用額，月・年齢階級・サービス種類・要介護状態区分別（60−29）

（85～89歳）

平成29年10月審査分
（単位：千円）

サービス種類	総数	要介護１	要介護２	要介護３	要介護４	要介護５
総数	191.0	112.8	154.5	225.4	264.4	299.6
居宅サービス	118.6	78.4	103.6	145.3	178.0	217.1
訪問通所	102.9	69.1	92.5	126.8	157.7	206.6
訪問介護	71.0	37.1	52.4	90.7	126.0	170.1
訪問入浴介護	65.2	57.1	60.6	63.5	63.7	67.9
訪問看護	45.0	37.5	42.1	43.6	48.2	61.2
訪問リハビリテーション	35.6	35.2	35.2	36.0	36.4	35.3
通所介護	91.9	70.2	90.1	114.9	128.7	141.3
通所リハビリテーション	81.4	65.4	81.3	98.7	107.1	114.8
福祉用具貸与	13.2	7.1	12.2	14.9	18.5	22.8
短期入所	104.3	60.9	78.9	119.9	140.2	146.9
短期入所生活介護	104.9	60.3	78.9	121.2	142.4	147.8
短期入所療養介護（老健）	91.8	63.8	74.7	99.2	111.6	126.6
特定治療・特別療養費（再掲）	2.3	1.0	0.3	0.6	0.9	6.3
短期入所療養介護（病院等）	109.6	59.6	86.8	113.2	124.3	148.5
特定診療費（再掲）	8.0	7.6	8.2	9.6	6.7	8.1
居宅療養管理指導	12.7	12.3	12.5	12.8	13.0	13.1
特定施設入居者生活介護（短期利用以外）	209.8	176.1	196.0	218.1	236.9	258.3
特定施設入居者生活介護（短期利用）	71.5	62.0	60.8	87.3	88.1	68.8
居宅介護支援	14.0	13.0	13.0	16.2	16.2	16.1
地域密着型サービス	168.8	106.3	147.7	206.3	233.1	260.0
定期巡回・随時対応型訪問介護看護	162.6	78.6	126.8	194.8	237.6	293.7
夜間対応型訪問介護	37.1	23.2	23.0	33.9	57.5	68.1
地域密着型通所介護	85.0	60.2	79.6	116.4	134.3	155.8
認知症対応型通所介護	126.3	93.5	113.5	143.0	156.5	167.4
小規模多機能型居宅介護（短期利用以外）	210.5	135.1	189.9	262.8	284.4	312.1
小規模多機能型居宅介護（短期利用）	38.5	42.3	33.8	40.9	39.3	26.8
認知症対応型共同生活介護（短期利用以外）	273.7	257.4	270.4	278.1	281.7	288.0
認知症対応型共同生活介護（短期利用）	90.2	81.0	57.2	107.8	184.0	156.1
地域密着型特定施設入居者生活介護（短期利用以外）	210.0	172.7	194.4	213.5	232.0	254.9
地域密着型特定施設入居者生活介護（短期利用）	44.5	83.0	29.6	26.3	100.3	−
地域密着型介護老人福祉施設入所者生活介護	284.6	225.7	247.2	264.1	286.5	307.0
複合型サービス（看護小規模多機能型居宅介護・短期利用以外）	262.3	154.0	206.4	282.2	310.8	353.1
複合型サービス（看護小規模多機能型居宅介護・短期利用）	35.5	36.7	42.2	26.8	35.1	41.7
施設サービス	286.7	246.6	261.3	271.6	291.0	312.4
介護福祉施設サービス	272.6	213.9	236.6	254.7	273.4	293.4
介護保健施設サービス	291.7	252.8	269.8	290.3	306.4	323.8
特定治療・特別療養費（再掲）	8.2	4.7	4.8	6.3	8.5	9.6
介護療養施設サービス	381.4	246.6	269.9	339.6	375.6	401.5
特定診療費（再掲）	19.6	19.2	20.7	20.7	19.8	19.2

注：１）受給者１人当たり費用額＝費用額／受給者数
　　２）総数には、月の途中で要介護から要支援に変更となった者を含む。

（90～94歳）

平成29年10月審査分
（単位：千円）

サービス種類	総数	要介護１	要介護２	要介護３	要介護４	要介護５
総数	205.2	120.1	162.3	229.7	266.9	298.2
居宅サービス	127.2	83.8	108.2	148.5	180.1	214.4
訪問通所	106.6	70.4	92.6	123.9	155.0	201.5
訪問介護	79.4	39.1	55.6	94.4	132.2	172.9
訪問入浴介護	64.4	56.9	61.7	61.7	62.9	67.1
訪問看護	44.7	36.9	40.7	42.0	47.0	58.7
訪問リハビリテーション	34.8	34.4	34.6	35.2	34.8	35.4
通所介護	95.0	72.0	91.1	115.0	127.1	139.1
通所リハビリテーション	83.7	67.5	82.8	98.9	105.8	113.7
福祉用具貸与	13.6	6.9	12.0	14.8	18.7	22.7
短期入所	103.6	60.7	79.2	118.7	138.4	144.7
短期入所生活介護	103.9	60.0	79.1	119.4	139.6	145.3
短期入所療養介護（老健）	93.7	63.8	75.6	103.0	116.6	127.6
特定治療・特別療養費（再掲）	2.2	0.3	0.3	0.8	1.5	8.0
短期入所療養介護（病院等）	118.2	70.1	86.5	124.6	140.7	155.6
特定診療費（再掲）	8.3	7.6	7.3	6.9	9.9	9.7
居宅療養管理指導	12.3	11.9	12.1	12.3	12.5	12.5
特定施設入居者生活介護（短期利用以外）	212.2	177.0	197.0	218.7	238.4	259.0
特定施設入居者生活介護（短期利用）	70.3	53.9	64.9	73.7	93.6	84.7
居宅介護支援	14.1	12.9	12.9	16.2	16.1	16.2
地域密着型サービス	183.7	113.9	156.1	210.6	238.3	263.7
定期巡回・随時対応型訪問介護看護	168.5	80.3	126.8	194.7	239.9	285.8
夜間対応型訪問介護	41.3	26.1	25.6	34.9	54.3	76.9
地域密着型通所介護	92.9	64.4	84.8	117.0	139.5	160.2
認知症対応型通所介護	130.4	95.7	114.8	140.0	150.8	167.5
小規模多機能型居宅介護（短期利用以外）	216.8	134.1	189.0	261.8	284.1	312.8
小規模多機能型居宅介護（短期利用）	33.0	23.4	30.5	41.1	44.8	45.5
認知症対応型共同生活介護（短期利用以外）	274.6	257.3	269.8	277.4	282.3	287.1
認知症対応型共同生活介護（短期利用）	77.6	53.2	67.0	107.3	92.3	73.5
地域密着型特定施設入居者生活介護（短期利用以外）	211.9	172.0	192.1	215.3	234.9	255.2
地域密着型特定施設入居者生活介護（短期利用）	73.6	39.5	96.2	109.6	56.1	36.9
地域密着型介護老人福祉施設入所者生活介護	285.1	226.1	246.5	265.9	286.6	309.4
複合型サービス（看護小規模多機能型居宅介護・短期利用以外）	264.8	152.7	207.6	282.1	308.5	354.4
複合型サービス（看護小規模多機能型居宅介護・短期利用）	39.7	36.3	42.3	61.3	35.2	25.3
施設サービス	285.6	245.3	260.7	270.6	290.0	310.6
介護福祉施設サービス	272.4	215.0	236.8	254.5	273.8	292.8
介護保健施設サービス	291.1	251.5	269.5	289.5	306.2	321.6
特定治療・特別療養費（再掲）	7.5	3.6	5.1	5.4	7.8	9.0
介護療養施設サービス	378.1	235.4	270.5	334.1	372.2	399.2
特定診療費（再掲）	18.3	18.5	21.3	19.4	18.6	17.7

注：１）受給者１人当たり費用額＝費用額／受給者数
　　２）総数には、月の途中で要介護から要支援に変更となった者を含む。

統計表第５表　介護サービス受給者１人当たり費用額，月・年齢階級・サービス種類・要介護状態区分別（60−30）

（95歳以上）

平成29年10月審査分

（単位：千円）

サービス種類	総数	要介護１	要介護２	要介護３	要介護４	要介護５
総数	225.4	127.6	167.7	231.0	267.8	294.9
居宅サービス	139.1	87.4	110.2	148.0	178.9	210.0
訪問通所	113.0	69.4	89.7	118.0	148.3	192.5
訪問介護	94.6	41.2	58.4	97.4	132.9	170.0
訪問入浴介護	64.6	60.6	63.7	63.3	62.7	66.5
訪問看護	45.3	36.0	38.6	40.7	45.0	57.2
訪問リハビリテーション	34.3	34.1	35.0	34.7	33.7	33.9
通所介護	98.4	71.7	89.4	110.5	125.0	134.6
通所リハビリテーション	87.7	69.0	84.7	98.1	105.1	115.2
福祉用具貸与	15.1	6.9	12.3	15.3	19.2	22.9
短期入所	109.0	64.1	81.1	117.5	137.6	142.2
短期入所生活介護	109.2	63.7	80.9	118.4	138.0	142.2
短期入所療養介護（老健）	99.1	65.3	79.0	100.5	120.9	127.6
特定治療・特別療養費（再掲）	2.5	−	0.7	0.7	0.4	6.6
短期入所療養介護（病院等）	122.3	66.8	75.8	113.6	145.6	153.1
特定診療費（再掲）	7.8	7.6	8.7	7.4	8.5	7.2
居宅療養管理指導	11.4	11.4	11.3	11.4	11.5	11.4
特定施設入居者生活介護（短期利用以外）	217.9	176.0	197.3	218.7	239.3	260.2
特定施設入居者生活介護（短期利用）	72.6	74.0	49.4	80.2	68.8	113.9
居宅介護支援	14.5	12.9	13.0	16.2	16.2	16.2
地域密着型サービス	202.9	121.1	160.6	213.6	243.6	264.0
定期巡回・随時対応型訪問介護看護	186.8	78.6	129.0	197.3	248.1	297.7
夜間対応型訪問介護	48.3	21.0	26.1	45.0	60.7	72.4
地域密着型通所介護	102.2	66.7	86.5	116.9	138.8	161.0
認知症対応型通所介護	131.4	91.5	112.6	132.2	150.9	151.5
小規模多機能型居宅介護（短期利用以外）	233.9	133.2	188.9	261.4	284.0	315.5
小規模多機能型居宅介護（短期利用）	38.5	25.3	29.0	45.9	36.1	72.6
認知症対応型共同生活介護（短期利用以外）	276.5	257.6	269.5	277.8	281.3	287.2
認知症対応型共同生活介護（短期利用）	81.1	51.8	83.1	99.5	63.3	−
地域密着型特定施設入居者生活介護（短期利用以外）	218.9	171.7	194.8	219.9	235.4	257.8
地域密着型特定施設入居者生活介護（短期利用）	20.4	−	33.5	7.3	−	−
地域密着型介護老人福祉施設入所者生活介護	287.2	223.8	248.9	267.5	289.3	308.1
複合型サービス（看護小規模多機能型居宅介護・短期利用以外）	279.0	152.8	206.0	277.2	302.5	356.1
複合型サービス（看護小規模多機能型居宅介護・短期利用）	29.8	27.3	21.2	15.7	41.9	18.9
施設サービス	287.0	244.9	260.2	269.7	290.0	310.0
介護福祉施設サービス	273.7	215.2	237.3	254.2	274.5	293.5
介護保健施設サービス	294.7	252.9	270.3	289.5	307.3	322.7
特定治療・特別療養費（再掲）	7.1	4.3	5.2	6.1	7.2	7.8
介護療養施設サービス	376.1	234.8	269.5	331.0	371.7	394.8
特定診療費（再掲）	17.3	20.6	23.0	20.4	17.3	16.4

注：1）受給者１人当たり費用額＝費用額／受給者数

　　2）総数には、月の途中で要介護から要支援に変更となった者を含む。

統計表第５表　介護サービス受給者１人当たり費用額，月・年齢階級・サービス種類・要介護状態区分別（60－31）

（総　　数）

平成29年11月審査分
（単位：千円）

サービス種類	総数	要介護１	要介護２	要介護３	要介護４	要介護５
総数	193.2	111.0	150.0	223.0	264.8	301.9
居宅サービス	120.8	76.9	101.3	144.4	177.8	219.5
訪問通所	105.4	68.2	90.8	125.9	156.7	205.9
訪問介護	75.3	39.0	54.4	91.3	125.1	166.2
訪問入浴介護	68.2	57.0	61.4	63.4	65.5	72.3
訪問看護	47.8	39.3	44.1	46.3	51.0	63.2
訪問リハビリテーション	38.7	37.6	38.4	39.4	39.0	39.3
通所介護	91.3	68.8	87.0	111.9	124.9	136.4
通所リハビリテーション	82.1	63.9	78.9	97.0	108.2	116.7
福祉用具貸与	14.6	7.5	13.0	15.9	19.6	24.2
短期入所	104.7	60.9	77.9	117.6	135.5	140.4
短期入所生活介護	105.2	60.2	77.7	119.1	137.7	141.0
短期入所療養介護（老健）	94.3	64.0	74.7	98.0	110.6	124.3
特定治療・特別療養費（再掲）	2.7	0.5	0.7	0.6	2.1	6.0
短期入所療養介護（病院等）	117.2	64.4	85.4	108.1	141.3	148.3
特定診療費（再掲）	9.6	6.4	8.8	9.5	10.3	10.8
居宅療養管理指導	12.6	12.3	12.4	12.7	12.8	13.0
特定施設入居者生活介護（短期利用以外）	217.7	180.8	201.8	224.4	244.5	266.0
特定施設入居者生活介護（短期利用）	71.4	55.4	66.1	74.6	99.4	77.2
居宅介護支援	14.2	13.0	13.0	16.3	16.2	16.3
地域密着型サービス	166.2	103.4	140.8	200.2	230.6	257.4
定期巡回・随時対応型訪問介護看護	167.4	79.3	126.8	194.4	239.5	287.6
夜間対応型訪問介護	38.8	24.5	24.2	33.7	49.5	65.4
地域密着型通所介護	83.3	58.8	76.1	109.8	129.3	151.1
認知症対応型通所介護	128.6	93.5	114.7	143.1	156.7	167.9
小規模多機能型居宅介護（短期利用以外）	213.5	134.9	189.9	262.4	284.0	313.1
小規模多機能型居宅介護（短期利用）	35.4	29.6	36.4	32.2	41.7	44.6
認知症対応型共同生活介護（短期利用以外）	282.6	265.9	278.9	286.7	290.4	296.1
認知症対応型共同生活介護（短期利用）	78.9	66.8	82.4	85.8	71.1	85.7
地域密着型特定施設入居者生活介護（短期利用以外）	217.8	178.8	198.8	219.3	239.9	262.2
地域密着型特定施設入居者生活介護（短期利用）	75.8	64.1	96.4	74.6	36.2	156.2
地域密着型介護老人福祉施設入所者生活介護	294.4	234.4	255.2	273.6	295.6	317.6
複合型サービス(看護小規模多機能型居宅介護・短期利用以外)	265.3	152.4	208.1	280.1	313.1	351.0
複合型サービス(看護小規模多機能型居宅介護・短期利用)	40.7	23.4	33.5	31.0	50.1	69.4
施設サービス	295.5	252.7	267.5	279.1	299.7	321.8
介護福祉施設サービス	281.1	221.2	243.6	262.2	282.1	302.2
介護保健施設サービス	300.7	259.6	276.4	297.8	315.4	332.6
特定治療・特別療養費（再掲）	8.4	4.8	5.5	6.1	8.5	9.9
介護療養施設サービス	392.7	243.9	282.0	348.6	385.5	413.4
特定診療費（再掲）	20.3	19.5	23.1	22.5	20.3	19.7

注：1）受給者１人当たり費用額＝費用額／受給者数
　　2）総数には、月の途中で要介護から要支援に変更となった者を含む。

（40～64歳）

平成29年11月審査分
（単位：千円）

サービス種類	総数	要介護１	要介護２	要介護３	要介護４	要介護５
総数	167.8	95.3	119.0	184.5	228.8	284.9
居宅サービス	120.2	68.8	89.0	132.3	166.2	224.3
訪問通所	112.9	66.2	85.7	125.1	155.1	212.3
訪問介護	81.8	43.9	54.7	84.8	112.9	151.9
訪問入浴介護	86.1	60.8	67.3	75.0	80.7	90.9
訪問看護	55.5	45.5	50.1	53.7	60.7	72.8
訪問リハビリテーション	44.2	43.7	43.2	45.4	44.9	44.5
通所介護	88.8	59.9	72.8	102.2	120.5	131.3
通所リハビリテーション	80.6	56.6	71.4	94.2	108.6	118.2
福祉用具貸与	19.9	11.8	17.5	20.3	24.0	29.8
短期入所	103.0	57.7	67.9	103.9	116.4	123.9
短期入所生活介護	103.0	56.9	68.0	106.4	118.1	122.4
短期入所療養介護（老健）	94.9	59.0	65.4	87.9	100.7	115.2
特定治療・特別療養費（再掲）	2.7	-	0.2	0.4	6.1	3.1
短期入所療養介護（病院等）	107.8	68.9	52.6	80.8	139.2	115.3
特定診療費（再掲）	12.2	15.9	9.9	13.5	16.0	9.3
居宅療養管理指導	12.8	12.2	12.3	12.7	12.7	13.6
特定施設入居者生活介護（短期利用以外）	224.1	179.9	201.2	221.4	240.9	265.2
特定施設入居者生活介護（短期利用）	63.7	-	41.8	168.6	64.6	45.7
居宅介護支援	14.5	13.1	13.1	16.4	16.4	16.4
地域密着型サービス	123.1	77.8	88.7	143.4	174.7	217.7
定期巡回・随時対応型訪問介護看護	189.5	80.7	122.6	191.2	238.8	273.9
夜間対応型訪問介護	37.8	22.4	24.2	30.1	38.6	63.1
地域密着型通所介護	71.7	49.2	58.1	87.8	106.0	132.6
認知症対応型通所介護	145.8	95.2	119.0	154.2	169.4	179.2
小規模多機能型居宅介護（短期利用以外）	228.3	134.0	189.3	265.2	286.2	321.5
小規模多機能型居宅介護（短期利用）	46.5	-	45.4	51.0	-	-
認知症対応型共同生活介護（短期利用以外）	306.1	290.8	301.7	309.9	312.8	324.4
認知症対応型共同生活介護（短期利用）	163.3	-	159.9	320.7	9.3	-
地域密着型特定施設入居者生活介護（短期利用以外）	221.6	187.6	199.0	214.1	225.2	258.9
地域密着型特定施設入居者生活介護（短期利用）	-	-	-	-	-	-
地域密着型介護老人福祉施設入所者生活介護	301.6	253.8	246.2	276.1	296.6	325.8
複合型サービス(看護小規模多機能型居宅介護・短期利用以外)	286.3	143.4	205.8	276.4	297.5	350.6
複合型サービス(看護小規模多機能型居宅介護・短期利用)	64.3	-	-	16.8	-	88.1
施設サービス	308.5	256.7	271.4	289.6	312.1	338.3
介護福祉施設サービス	286.7	218.8	244.9	264.3	286.2	308.8
介護保健施設サービス	306.0	263.0	277.8	301.3	315.6	335.8
特定治療・特別療養費（再掲）	9.2	7.1	5.5	7.2	8.1	10.7
介護療養施設サービス	412.3	237.6	293.2	399.4	401.1	424.7
特定診療費（再掲）	28.1	36.9	33.9	47.1	26.0	26.7

注：1）受給者１人当たり費用額＝費用額／受給者数
　　2）総数には、月の途中で要介護から要支援に変更となった者を含む。

統計表第５表　介護サービス受給者１人当たり費用額，月・年齢階級・サービス種類・要介護状態区分別（60−32）

（65〜69歳）

平成29年11月審査分
（単位：千円）

サービス種類	総数	要介護１	要介護２	要介護３	要介護４	要介護５
総数	170.6	98.2	126.7	194.4	237.3	286.0
居宅サービス	120.1	69.4	93.6	139.1	174.1	223.1
訪問通所	112.3	66.0	89.5	130.6	162.1	210.8
訪問介護	82.4	45.3	60.5	96.3	124.3	161.3
訪問入浴介護	76.5	60.4	61.7	70.2	71.7	81.1
訪問看護	51.5	41.1	47.2	51.3	54.7	67.5
訪問リハビリテーション	41.1	39.4	40.0	41.7	41.9	42.7
通所介護	87.3	61.9	75.4	101.0	118.5	129.3
通所リハビリテーション	81.9	58.7	73.2	93.8	110.3	117.5
福祉用具貸与	17.7	9.9	15.5	18.7	22.1	26.7
短期入所	96.0	57.3	66.6	100.6	110.5	116.3
短期入所生活介護	97.3	57.2	67.1	104.0	114.7	116.2
短期入所療養介護（老健）	83.9	56.9	60.8	79.3	87.4	104.9
特定治療・特別療養費（再掲）	3.7	−	2.9	0.7	0.5	5.4
短期入所療養介護（病院等）	111.4	57.3	74.7	81.6	109.9	143.6
特定診療費（再掲）	11.4	4.6	6.4	12.8	11.0	13.2
居宅療養管理指導	12.8	12.4	12.7	12.9	12.7	13.1
特定施設入居者生活介護（短期利用以外）	215.9	175.5	198.3	217.9	242.4	264.4
特定施設入居者生活介護（短期利用）	55.6	49.2	37.5	57.0	103.3	36.4
居宅介護支援	14.4	13.0	13.1	16.3	16.3	16.4
地域密着型サービス	128.5	87.2	99.8	153.5	182.5	216.5
定期巡回・随時対応型訪問介護看護	171.3	79.3	121.8	192.4	228.8	287.2
夜間対応型訪問介護	42.3	25.0	30.5	34.3	39.5	69.4
地域密着型通所介護	74.0	53.3	62.9	92.7	110.8	129.7
認知症対応型通所介護	137.6	90.9	115.8	146.7	167.6	180.1
小規模多機能型居宅介護（短期利用以外）	218.2	134.2	189.4	260.1	287.8	314.8
小規模多機能型居宅介護（短期利用）	35.3	24.8	31.0	15.4	17.2	79.8
認知症対応型共同生活介護（短期利用以外）	279.6	264.8	275.4	286.6	289.2	298.5
認知症対応型共同生活介護（短期利用）	58.1	22.8	183.3	39.9	−	−
地域密着型特定施設入居者生活介護（短期利用以外）	222.2	176.5	208.2	224.5	238.8	266.6
地域密着型特定施設入居者生活介護（短期利用）	−	−	−	−	−	−
地域密着型介護老人福祉施設入所者生活介護	293.3	234.9	237.2	273.3	294.9	316.4
複合型サービス(看護小規模多機能型居宅介護・短期利用以外)	272.6	150.1	214.3	283.8	304.9	356.8
複合型サービス(看護小規模多機能型居宅介護・短期利用)	49.0	−	−	−	51.5	46.5
施設サービス	298.8	256.1	266.5	281.2	302.5	326.5
介護福祉施設サービス	279.8	218.9	239.6	262.0	279.2	301.2
介護保健施設サービス	301.8	263.7	276.4	297.1	314.3	332.7
特定治療・特別療養費（再掲）	10.9	7.4	6.3	7.3	12.1	11.5
介護療養施設サービス	402.8	259.0	281.4	362.0	395.8	420.8
特定診療費（再掲）	23.2	12.8	18.7	28.3	22.9	23.0

注：1）受給者１人当たり費用額＝費用額／受給者数
　　2）総数には、月の途中で要介護から要支援に変更となった者を含む。

（70〜74歳）

平成29年11月審査分
（単位：千円）

サービス種類	総数	要介護１	要介護２	要介護３	要介護４	要介護５
総数	171.7	99.4	129.0	198.2	242.5	289.3
居宅サービス	115.9	69.3	92.3	136.2	171.2	219.1
訪問通所	106.7	65.1	87.3	125.4	156.0	205.2
訪問介護	75.7	41.5	56.4	88.7	115.9	154.4
訪問入浴介護	74.1	52.1	67.7	69.9	70.2	77.9
訪問看護	50.2	40.0	46.4	49.8	54.9	65.5
訪問リハビリテーション	41.0	39.1	40.5	41.8	41.1	42.7
通所介護	86.9	63.5	78.2	103.7	117.3	128.8
通所リハビリテーション	82.2	59.7	74.8	94.7	108.6	121.0
福祉用具貸与	16.8	9.0	14.7	18.1	21.4	26.4
短期入所	98.6	59.7	71.1	104.2	116.3	120.9
短期入所生活介護	99.3	59.0	71.1	107.2	118.3	122.0
短期入所療養介護（老健）	88.6	61.4	67.4	82.5	99.0	107.3
特定治療・特別療養費（再掲）	5.9	0.3	0.3	1.0	3.1	9.4
短期入所療養介護（病院等）	107.2	55.8	94.5	84.8	112.7	123.8
特定診療費（再掲）	11.5	7.3	12.3	6.1	15.0	11.6
居宅療養管理指導	12.8	12.5	12.5	12.9	13.0	13.1
特定施設入居者生活介護（短期利用以外）	213.3	173.6	195.6	221.8	241.9	265.4
特定施設入居者生活介護（短期利用）	67.0	45.1	64.7	83.0	36.5	79.8
居宅介護支援	14.3	13.1	13.1	16.3	16.3	16.4
地域密着型サービス	132.7	89.5	107.8	162.0	191.2	223.3
定期巡回・随時対応型訪問介護看護	171.2	79.5	125.8	188.3	243.8	284.1
夜間対応型訪問介護	44.3	24.8	26.3	37.3	48.8	71.8
地域密着型通所介護	74.4	53.6	65.5	95.2	112.6	137.2
認知症対応型通所介護	131.2	92.8	112.8	143.8	163.5	169.5
小規模多機能型居宅介護（短期利用以外）	212.9	135.3	190.1	260.5	286.9	316.8
小規模多機能型居宅介護（短期利用）	39.5	33.7	23.2	36.2	40.6	56.0
認知症対応型共同生活介護（短期利用以外）	280.8	266.5	278.4	285.7	291.8	297.1
認知症対応型共同生活介護（短期利用）	44.7	36.9	27.2	67.4	30.8	50.7
地域密着型特定施設入居者生活介護（短期利用以外）	216.5	181.6	194.0	222.5	244.9	256.1
地域密着型特定施設入居者生活介護（短期利用）	156.5	−	−	212.8	−	100.2
地域密着型介護老人福祉施設入所者生活介護	293.6	224.5	253.9	272.6	294.0	319.2
複合型サービス(看護小規模多機能型居宅介護・短期利用以外)	270.8	154.7	216.0	279.8	308.0	343.3
複合型サービス(看護小規模多機能型居宅介護・短期利用)	41.8	17.8	15.2	51.4	61.2	52.5
施設サービス	298.2	252.9	266.9	280.7	302.1	325.8
介護福祉施設サービス	280.4	217.8	240.2	262.8	281.1	302.6
介護保健施設サービス	303.5	262.9	278.4	299.6	316.0	332.3
特定治療・特別療養費（再掲）	10.9	5.2	7.5	7.7	10.8	12.3
介護療養施設サービス	399.8	234.1	290.0	355.7	388.9	421.0
特定診療費（再掲）	21.6	13.6	23.0	22.2	22.1	21.3

注：1）受給者１人当たり費用額＝費用額／受給者数
　　2）総数には、月の途中で要介護から要支援に変更となった者を含む。

統計表第５表　介護サービス受給者１人当たり費用額，月・年齢階級・サービス種類・要介護状態区分別（60－33）

（75～79歳）

平成29年11月審査分
（単位：千円）

サービス種類	総数	要介護１	要介護２	要介護３	要介護４	要介護５
総数	175.1	101.4	134.7	207.4	250.9	296.1
居宅サービス	112.6	69.7	92.9	137.2	170.7	218.9
訪問通所	102.4	65.2	87.1	124.7	154.3	203.3
訪問介護	71.2	38.6	52.9	87.3	115.8	155.3
訪問入浴介護	69.6	56.0	62.1	62.1	66.5	74.2
訪問看護	48.7	39.9	44.9	48.1	53.3	64.7
訪問リハビリテーション	39.2	37.9	38.8	39.8	39.8	39.7
通所介護	87.2	65.4	81.8	108.0	119.7	132.5
通所リハビリテーション	81.8	61.7	76.4	96.2	109.4	117.6
福祉用具貸与	15.3	8.0	13.7	16.7	20.5	25.1
短期入所	103.6	60.5	75.2	111.8	125.7	134.4
短期入所生活介護	104.2	60.1	75.5	114.2	128.2	134.4
短期入所療養介護（老健）	92.6	61.7	69.8	89.6	102.7	123.1
特定治療・特別療養費（再掲）	4.4	0.3	2.7	0.4	2.1	7.9
短期入所療養介護（病院等）	118.9	51.9	81.0	102.4	146.3	139.6
特定診療費（再掲）	11.2	4.5	9.4	13.4	12.7	11.2
居宅療養管理指導	12.8	12.3	12.6	13.0	12.9	13.4
特定施設入居者生活介護（短期利用以外）	213.6	176.3	198.4	219.7	239.2	263.7
特定施設入居者生活介護（短期利用）	85.0	79.1	94.4	52.5	102.2	94.3
居宅介護支援	14.2	13.1	13.1	16.3	16.3	16.4
地域密着型サービス	142.5	93.6	121.5	179.5	207.7	238.3
定期巡回・随時対応型訪問介護看護	163.2	78.2	126.9	192.8	235.5	281.8
夜間対応型訪問介護	32.6	22.0	20.7	26.5	41.2	52.4
地域密着型通所介護	75.8	55.0	69.3	101.7	117.9	142.6
認知症対応型通所介護	126.5	91.0	114.6	142.7	158.9	171.5
小規模多機能型居宅介護（短期利用以外）	209.4	136.0	190.6	263.0	285.6	314.3
小規模多機能型居宅介護（短期利用）	32.6	38.8	31.9	23.5	33.2	30.7
認知症対応型共同生活介護（短期利用以外）	281.1	266.0	279.2	286.3	291.1	295.7
認知症対応型共同生活介護（短期利用）	82.1	77.8	91.9	71.9	92.5	91.2
地域密着型特定施設入居者生活介護（短期利用以外）	218.9	174.6	203.0	219.1	239.7	262.9
地域密着型特定施設入居者生活介護（短期利用）	44.9	12.3	85.1	66.0	16.0	-
地域密着型介護老人福祉施設入所者生活介護	294.5	229.2	252.2	272.5	293.4	318.9
複合型サービス（看護小規模多機能型居宅介護・短期利用以外）	264.9	154.6	207.2	286.9	318.6	350.4
複合型サービス（看護小規模多機能型居宅介護・短期利用）	43.9	22.6	36.0	25.8	50.1	135.2
施設サービス	296.9	254.3	267.2	279.5	300.9	322.9
介護福祉施設サービス	280.7	221.3	242.7	261.8	281.6	302.0
介護保健施設サービス	302.7	262.8	277.4	299.1	316.2	331.6
特定治療・特別療養費（再掲）	8.7	5.8	5.3	5.5	8.5	10.2
介護療養施設サービス	396.5	248.1	277.5	344.0	391.2	415.0
特定診療費（再掲）	21.5	15.7	22.2	22.6	23.1	20.5

注：１）受給者１人当たり費用額＝費用額／受給者数
２）総数には、月の途中で要介護から要支援に変更となった者を含む。

（80～84歳）

平成29年11月審査分
（単位：千円）

サービス種類	総数	要介護１	要介護２	要介護３	要介護４	要介護５
総数	182.5	106.5	145.4	219.9	262.2	302.8
居宅サービス	113.3	73.1	97.7	140.8	174.5	219.0
訪問通所	101.0	66.9	89.8	125.6	155.9	207.1
訪問介護	68.7	37.1	51.6	86.6	119.9	164.0
訪問入浴介護	66.9	57.2	59.4	62.8	65.0	70.7
訪問看護	47.1	39.0	43.8	46.4	51.9	64.4
訪問リハビリテーション	38.1	37.0	38.2	38.7	39.1	37.8
通所介護	88.9	67.8	86.5	112.3	125.2	138.3
通所リハビリテーション	80.7	63.1	78.7	97.0	108.1	117.7
福祉用具貸与	13.9	7.3	12.7	15.6	19.2	23.7
短期入所	105.7	60.2	78.1	119.1	137.9	142.2
短期入所生活介護	106.4	59.7	78.2	120.8	140.7	142.9
短期入所療養介護（老健）	93.6	61.7	73.2	98.1	109.9	124.4
特定治療・特別療養費（再掲）	2.4	0.3	0.4	0.7	2.7	5.1
短期入所療養介護（病院等）	120.8	56.3	87.3	105.1	147.9	157.3
特定診療費（再掲）	11.3	5.2	12.0	9.4	10.3	14.4
居宅療養管理指導	12.9	12.4	12.7	13.1	13.1	13.5
特定施設入居者生活介護（短期利用以外）	215.2	179.3	200.3	222.9	243.4	265.7
特定施設入居者生活介護（短期利用）	69.2	44.7	64.9	75.1	97.2	92.8
居宅介護支援	14.1	13.0	13.1	16.3	16.3	16.3
地域密着型サービス	156.7	100.1	138.0	198.0	225.6	255.3
定期巡回・随時対応型訪問介護看護	160.6	79.8	125.8	192.4	239.2	285.4
夜間対応型訪問介護	35.1	26.0	23.4	30.5	42.2	59.1
地域密着型通所介護	79.7	57.5	74.9	110.2	128.4	150.2
認知症対応型通所介護	125.7	93.2	116.2	145.2	158.1	163.9
小規模多機能型居宅介護（短期利用以外）	207.8	135.1	190.7	262.9	282.6	313.4
小規模多機能型居宅介護（短期利用）	30.8	15.5	39.6	21.2	43.7	43.9
認知症対応型共同生活介護（短期利用以外）	281.9	266.1	279.5	287.4	289.7	295.6
認知症対応型共同生活介護（短期利用）	80.2	56.9	89.1	98.6	69.6	64.5
地域密着型特定施設入居者生活介護（短期利用以外）	214.0	178.2	199.3	212.9	234.8	260.4
地域密着型特定施設入居者生活介護（短期利用）	72.4	159.9	114.5	41.2	45.1	-
地域密着型介護老人福祉施設入所者生活介護	294.5	235.5	255.1	272.3	295.2	317.6
複合型サービス（看護小規模多機能型居宅介護・短期利用以外）	260.1	154.1	207.5	279.6	313.4	351.4
複合型サービス（看護小規模多機能型居宅介護・短期利用）	35.1	25.0	17.4	48.5	34.2	73.9
施設サービス	296.0	253.3	268.6	280.0	300.3	321.9
介護福祉施設サービス	281.4	219.5	243.8	262.2	282.6	302.4
介護保健施設サービス	301.0	260.8	277.7	299.2	315.0	331.2
特定治療・特別療養費（再掲）	8.7	4.9	6.4	5.9	8.2	10.7
介護療養施設サービス	395.2	253.5	284.4	356.7	387.2	414.2
特定診療費（再掲）	21.2	22.2	25.0	25.0	21.3	20.4

注：１）受給者１人当たり費用額＝費用額／受給者数
２）総数には、月の途中で要介護から要支援に変更となった者を含む。

統計表第５表　介護サービス受給者１人当たり費用額，月・年齢階級・サービス種類・要介護状態区分別（60－34）

（85～89歳）

平成29年11月審査分
（単位：千円）

サービス種類	総数	要介護１	要介護２	要介護３	要介護４	要介護５
総数	195.0	114.4	157.1	230.5	270.9	307.5
居宅サービス	120.4	79.5	105.0	147.9	180.9	221.5
訪問通所	104.1	69.7	93.6	128.5	159.8	210.0
訪問介護	72.4	37.7	53.4	92.6	128.7	174.2
訪問入浴介護	64.2	54.9	59.4	61.9	62.9	67.1
訪問看護	46.2	38.8	43.3	44.8	49.7	62.1
訪問リハビリテーション	36.8	36.4	36.9	37.4	37.3	36.1
通所介護	92.1	70.3	90.4	115.7	129.1	141.3
通所リハビリテーション	81.8	65.8	81.8	99.0	107.3	114.4
福祉用具貸与	13.2	7.0	12.1	14.8	18.5	22.8
短期入所	104.9	61.2	78.5	121.1	141.0	149.1
短期入所生活介護	105.3	60.4	78.2	122.5	143.1	149.5
短期入所療養介護（老健）	94.0	65.2	75.6	100.3	115.0	131.8
特定治療・特別療養費（再掲）	1.7	1.5	0.3	0.7	0.9	4.1
短期入所療養介護（病院等）	112.2	58.0	85.5	107.4	133.6	161.8
特定診療費（再掲）	8.0	5.3	8.6	9.1	7.2	8.9
居宅療養管理指導	12.9	12.5	12.6	13.0	13.2	13.2
特定施設入居者生活介護（短期利用以外）	216.6	181.9	202.4	224.9	244.7	266.8
特定施設入居者生活介護（短期利用）	71.3	58.8	67.6	86.2	89.3	53.4
居宅介護支援	14.0	13.0	13.0	16.2	16.2	16.2
地域密着型サービス	171.7	107.8	150.0	209.5	237.8	266.1
定期巡回・随時対応型訪問介護看護	163.6	78.8	127.7	196.2	239.4	288.1
夜間対応型訪問介護	37.7	23.6	23.2	34.8	58.9	67.4
地域密着型通所介護	85.6	60.5	80.2	116.0	136.0	158.8
認知症対応型通所介護	127.2	94.8	114.4	143.6	156.3	169.9
小規模多機能型居宅介護（短期利用以外）	210.5	135.1	189.8	262.5	283.6	312.7
小規模多機能型居宅介護（短期利用）	38.2	34.6	39.1	33.4	48.4	30.7
認知症対応型共同生活介護（短期利用以外）	282.0	265.7	278.6	286.4	289.8	296.3
認知症対応型共同生活介護（短期利用）	83.6	96.0	78.0	80.4	68.2	115.8
地域密着型特定施設入居者生活介護（短期利用以外）	217.1	178.3	198.3	221.3	241.6	263.5
地域密着型特定施設入居者生活介護（短期利用）	16.4	6.1	13.8	22.9	-	-
地域密着型介護老人福祉施設入所者生活介護	293.8	235.2	255.1	273.8	294.5	316.8
複合型サービス（看護小規模多機能型居宅介護・短期利用以外）	261.7	149.1	208.8	279.6	316.3	355.9
複合型サービス（看護小規模多機能型居宅介護・短期利用）	33.4	21.3	38.1	24.6	47.1	45.3
施設サービス	294.9	252.9	268.0	279.0	299.7	321.6
介護福祉施設サービス	281.0	222.0	243.8	262.5	282.0	302.1
介護保健施設サービス	299.6	258.9	276.1	297.4	315.5	333.3
特定治療・特別療養費（再掲）	8.5	5.1	5.2	6.2	8.8	9.8
介護療養施設サービス	391.6	244.7	288.2	348.6	384.9	412.2
特定診療費（再掲）	20.3	19.2	22.9	22.0	20.3	19.9

注：1）受給者１人当たり費用額＝費用額／受給者数
　　2）総数には、月の途中で要介護から要支援に変更となった者を含む。

（90～94歳）

平成29年11月審査分
（単位：千円）

サービス種類	総数	要介護１	要介護２	要介護３	要介護４	要介護５
総数	209.7	122.0	165.0	235.1	273.7	306.2
居宅サービス	129.4	85.1	109.7	151.4	183.8	218.6
訪問通所	107.8	71.2	93.5	125.5	157.5	203.9
訪問介護	80.8	39.9	56.5	96.3	134.4	175.9
訪問入浴介護	63.8	58.0	60.5	61.1	62.7	66.2
訪問看護	46.2	38.2	42.0	43.6	48.1	60.7
訪問リハビリテーション	35.8	35.3	35.3	36.8	35.8	36.2
通所介護	95.1	72.2	91.1	115.2	127.4	139.6
通所リハビリテーション	84.0	67.7	83.1	99.1	107.5	112.6
福祉用具貸与	13.5	6.8	11.9	14.8	18.7	22.6
短期入所	104.4	61.0	79.1	119.9	140.7	147.9
短期入所生活介護	104.5	60.0	78.7	120.6	142.0	147.6
短期入所療養介護（老健）	96.3	66.2	77.6	104.8	118.3	135.4
特定治療・特別療養費（再掲）	2.3	0.3	0.4	0.5	2.5	7.8
短期入所療養介護（病院等）	119.7	79.7	88.8	122.5	144.4	156.7
特定診療費（再掲）	8.2	7.8	7.5	7.6	7.8	10.1
居宅療養管理指導	12.4	12.1	12.2	12.4	12.6	12.6
特定施設入居者生活介護（短期利用以外）	218.8	182.4	203.3	226.0	245.4	265.8
特定施設入居者生活介護（短期利用）	69.8	52.6	61.8	72.2	110.4	90.5
居宅介護支援	14.1	12.9	13.0	16.2	16.1	16.2
地域密着型サービス	186.9	115.5	158.2	214.6	243.5	269.1
定期巡回・随時対応型訪問介護看護	169.3	79.8	127.1	195.2	240.1	290.2
夜間対応型訪問介護	43.2	26.0	26.7	36.5	58.3	75.8
地域密着型通所介護	93.0	64.5	84.8	117.7	139.3	161.5
認知症対応型通所介護	130.7	96.0	113.9	141.4	152.2	167.8
小規模多機能型居宅介護（短期利用以外）	216.9	134.2	189.5	262.0	283.8	312.5
小規模多機能型居宅介護（短期利用）	32.9	27.6	34.6	37.6	38.7	21.1
認知症対応型共同生活介護（短期利用以外）	283.2	265.2	278.6	286.4	291.0	295.4
認知症対応型共同生活介護（短期利用）	76.1	54.5	69.9	94.2	87.8	87.2
地域密着型特定施設入居者生活介護（短期利用以外）	217.5	179.9	199.0	218.0	240.0	261.8
地域密着型特定施設入居者生活介護（短期利用）	109.3	71.1	164.1	95.0	28.3	212.1
地域密着型介護老人福祉施設入所者生活介護	293.8	234.9	257.2	273.4	296.0	317.2
複合型サービス（看護小規模多機能型居宅介護・短期利用以外）	264.8	154.7	205.3	280.4	313.7	349.3
複合型サービス（看護小規模多機能型居宅介護・短期利用）	40.2	24.1	46.6	34.2	35.9	56.0
施設サービス	293.9	251.2	267.3	278.0	298.4	320.7
介護福祉施設サービス	280.6	222.7	244.1	262.0	281.7	302.1
介護保健施設サービス	299.2	257.1	275.8	296.7	315.2	333.0
特定治療・特別療養費（再掲）	7.8	4.0	5.3	5.7	8.1	9.5
介護療養施設サービス	387.9	237.8	275.4	339.9	380.1	411.9
特定診療費（再掲）	18.8	20.0	21.1	19.6	18.9	18.5

注：1）受給者１人当たり費用額＝費用額／受給者数
　　2）総数には、月の途中で要介護から要支援に変更となった者を含む。

統計表第５表　介護サービス受給者１人当たり費用額，月・年齢階級・サービス種類・要介護状態区分別（60－35）

（95歳以上）

平成29年11月審査分
（単位：千円）

サービス種類	総数	要介護１	要介護２	要介護３	要介護４	要介護５
総数	230.7	129.5	170.3	236.3	275.0	302.9
居宅サービス	141.5	88.6	111.6	150.6	182.5	214.6
訪問通所	114.3	70.0	90.6	118.9	150.4	195.8
訪問介護	96.3	41.9	59.2	99.4	135.8	173.9
訪問入浴介護	63.8	59.8	62.1	61.4	62.7	65.6
訪問看護	46.6	37.2	40.3	41.6	46.3	58.6
訪問リハビリテーション	35.5	35.7	35.8	36.1	34.7	35.5
通所介護	98.6	72.0	89.8	110.5	125.0	134.1
通所リハビリテーション	87.7	69.3	84.7	97.9	105.3	113.1
福祉用具貸与	15.0	6.9	12.3	15.3	19.1	22.8
短期入所	109.6	63.2	80.2	118.4	139.4	144.6
短期入所生活介護	109.5	62.8	79.7	118.6	139.6	144.4
短期入所療養介護（老健）	102.6	64.0	80.8	106.9	125.0	134.0
特定治療・特別療養費（再掲）	2.0	-	0.5	0.7	0.7	5.2
短期入所療養介護（病院等）	124.5	62.3	80.3	113.3	161.6	149.9
特定診療費（再掲）	8.4	5.8	7.0	9.9	11.2	6.5
居宅療養管理指導	11.5	11.6	11.4	11.5	11.6	11.4
特定施設入居者生活介護（短期利用以外）	224.6	181.9	203.0	225.9	246.8	266.6
特定施設入居者生活介護（短期利用）	74.3	65.3	61.4	63.6	108.2	91.4
居宅介護支援	14.6	13.0	13.0	16.2	16.2	16.2
地域密着型サービス	206.7	122.6	163.1	217.2	248.7	270.0
定期巡回・随時対応型訪問介護看護	188.0	79.7	129.0	198.0	244.6	300.5
夜間対応型訪問介護	47.3	23.4	25.0	46.3	59.7	69.7
地域密着型通所介護	102.3	66.8	86.6	117.0	138.4	161.8
認知症対応型通所介護	132.8	89.8	113.0	135.1	151.7	155.6
小規模多機能型居宅介護（短期利用以外）	232.7	132.9	188.2	262.1	283.4	309.0
小規模多機能型居宅介護（短期利用）	39.5	36.7	33.7	32.4	31.3	62.9
認知症対応型共同生活介護（短期利用以外）	284.9	264.8	277.7	286.1	289.8	295.8
認知症対応型共同生活介護（短期利用）	75.1	60.7	96.2	69.4	74.7	-
地域密着型特定施設入居者生活介護（短期利用以外）	223.5	180.0	196.3	223.6	241.3	262.8
地域密着型特定施設入居者生活介護（短期利用）	23.7	-	23.7	-	-	-
地域密着型介護老人福祉施設入所者生活介護	296.3	235.6	257.1	275.8	297.9	317.9
複合型サービス（看護小規模多機能型居宅介護・短期利用以外）	276.7	153.6	209.2	272.7	309.2	344.5
複合型サービス（看護小規模多機能型居宅介護・短期利用）	57.0	38.7	38.1	15.9	96.4	83.9
施設サービス	295.3	251.5	265.5	277.6	298.6	319.4
介護福祉施設サービス	282.2	221.8	244.7	262.4	283.0	302.2
介護保健施設サービス	302.4	259.5	274.7	296.6	315.6	333.1
特定治療・特別療養費（再掲）	7.3	4.3	5.3	6.6	7.4	8.1
介護療養施設サービス	389.3	238.2	279.8	345.7	385.0	408.9
特定診療費（再掲）	18.1	20.6	25.4	21.3	18.1	17.2

注：1）受給者１人当たり費用額＝費用額／受給者数
　　2）総数には、月の途中で要介護から要支援に変更となった者を含む。

統計表第５表　介護サービス受給者１人当たり費用額，月・年齢階級・サービス種類・要介護状態区分別（60−36）

（総　　数）

平成29年12月審査分
（単位：千円）

サービス種類	総数	要介護１	要介護２	要介護３	要介護４	要介護５
総数	188.3	109.1	146.8	217.1	257.6	293.3
居宅サービス	118.3	75.4	99.3	141.0	173.9	214.2
訪問通所	103.4	67.0	89.0	123.2	153.4	201.6
訪問介護	73.9	38.2	53.3	89.6	122.9	163.3
訪問入浴介護	66.8	55.1	59.5	62.0	64.2	70.9
訪問看護	46.8	38.7	43.1	45.4	50.0	61.9
訪問リハビリテーション	37.7	36.6	37.5	38.1	37.9	38.5
通所介護	90.1	67.9	85.9	110.4	123.6	135.1
通所リハビリテーション	80.8	62.7	77.6	95.6	106.8	115.6
福祉用具貸与	14.7	7.6	13.1	16.0	19.8	24.3
短期入所	103.0	60.4	77.6	115.2	133.1	137.1
短期入所生活介護	103.2	59.6	77.5	116.4	134.8	137.3
短期入所療養介護（老健）	94.4	63.9	75.1	97.7	111.9	123.2
特定治療・特別療養費（再掲）	2.7	0.7	0.5	0.6	1.9	6.4
短期入所療養介護（病院等）	112.5	63.6	80.0	106.8	134.0	141.4
特定診療費（再掲）	8.8	5.6	7.6	9.2	9.8	10.0
居宅療養管理指導	12.5	12.2	12.3	12.6	12.7	12.9
特定施設入居者生活介護（短期利用以外）	210.9	175.3	195.0	217.3	236.9	257.8
特定施設入居者生活介護（短期利用）	69.6	52.8	65.9	77.6	83.5	82.4
居宅介護支援	14.2	13.0	13.0	16.2	16.2	16.3
地域密着型サービス	162.9	101.6	138.2	196.3	225.7	252.2
定期巡回・随時対応型訪問介護看護	165.8	78.9	126.3	194.2	238.1	287.1
夜間対応型訪問介護	39.1	24.6	24.8	34.2	49.8	65.8
地域密着型通所介護	82.3	58.0	75.1	108.7	127.2	150.5
認知症対応型通所介護	126.8	92.4	113.3	140.7	154.4	166.1
小規模多機能型居宅介護（短期利用以外）	213.4	135.0	190.1	262.7	284.5	311.9
小規模多機能型居宅介護（短期利用）	37.2	29.9	32.9	38.4	44.5	56.2
認知症対応型共同生活介護（短期利用以外）	273.9	257.5	270.1	277.7	281.5	288.2
認知症対応型共同生活介護（短期利用）	79.5	62.0	83.2	79.1	103.7	91.6
地域密着型特定施設入居者生活介護（短期利用以外）	211.5	172.9	194.3	212.6	232.5	255.8
地域密着型特定施設入居者生活介護（短期利用）	99.1	66.7	108.2	94.5	178.5	69.6
地域密着型介護老人福祉施設入所者生活介護	284.8	223.9	246.7	264.7	286.2	306.8
複合型サービス(看護小規模多機能型居宅介護・短期利用以外)	264.2	150.7	207.0	280.2	310.4	353.2
複合型サービス(看護小規模多機能型居宅介護・短期利用)	39.1	28.8	27.9	36.4	43.1	63.4
施設サービス	286.3	245.2	260.0	270.5	290.3	311.6
介護福祉施設サービス	272.1	213.6	235.8	254.0	273.0	292.4
介護保健施設サービス	291.9	252.1	268.8	289.0	305.9	322.9
特定治療・特別療養費（再掲）	8.0	4.7	5.2	6.0	8.2	9.3
介護療養施設サービス	380.3	232.3	270.4	336.5	374.4	400.2
特定診療費（再掲）	19.6	19.4	22.0	21.7	19.7	19.1

注：１）受給者１人当たり費用額＝費用額／受給者数
　　２）総数には、月の途中で要介護から要支援に変更となった者を含む。

（40～64歳）

平成29年12月審査分
（単位：千円）

サービス種類	総数	要介護１	要介護２	要介護３	要介護４	要介護５
総数	164.0	93.7	116.9	181.2	222.0	275.9
居宅サービス	117.6	67.0	87.6	130.1	161.2	217.9
訪問通所	110.7	64.6	84.4	123.2	150.5	207.7
訪問介護	80.7	43.0	53.8	83.9	109.6	150.4
訪問入浴介護	83.1	60.7	65.3	72.7	76.5	88.1
訪問看護	54.5	44.8	49.2	53.2	59.5	71.4
訪問リハビリテーション	42.8	42.2	42.1	43.7	43.6	43.4
通所介護	88.1	59.0	72.2	101.8	120.1	130.5
通所リハビリテーション	79.8	55.6	70.9	93.6	107.5	117.4
福祉用具貸与	20.1	11.9	17.7	20.6	24.3	29.8
短期入所	99.4	56.2	67.7	99.5	111.8	120.3
短期入所生活介護	99.4	55.8	67.3	102.4	115.2	117.4
短期入所療養介護（老健）	91.7	57.1	64.8	81.9	91.3	116.9
特定治療・特別療養費（再掲）	3.7	-	-	0.3	4.3	4.0
短期入所療養介護（病院等）	105.5	36.6	91.4	82.3	126.7	109.8
特定診療費（再掲）	11.1	3.3	13.0	14.5	15.6	8.4
居宅療養管理指導	12.8	12.2	12.4	12.7	12.6	13.4
特定施設入居者生活介護（短期利用以外）	216.2	174.0	195.1	211.1	234.3	254.7
特定施設入居者生活介護（短期利用）	55.1	25.0	91.7	47.8	53.0	59.0
居宅介護支援	14.5	13.1	13.1	16.4	16.4	16.4
地域密着型サービス	121.6	76.2	87.1	142.7	173.6	215.3
定期巡回・随時対応型訪問介護看護	185.9	81.5	123.4	193.8	230.6	282.8
夜間対応型訪問介護	36.6	25.3	23.9	30.3	40.9	55.5
地域密着型通所介護	71.0	48.7	57.4	86.1	107.3	131.1
認知症対応型通所介護	147.0	95.1	117.3	151.9	171.7	186.1
小規模多機能型居宅介護（短期利用以外）	230.3	135.8	191.2	264.7	289.0	321.1
小規模多機能型居宅介護（短期利用）	33.9	-	46.0	23.8	-	19.8
認知症対応型共同生活介護（短期利用以外）	297.7	279.9	291.0	302.9	307.4	316.6
認知症対応型共同生活介護（短期利用）	77.5	-	-	96.3	58.7	-
地域密着型特定施設入居者生活介護（短期利用以外）	219.6	181.5	201.9	225.2	228.5	247.6
地域密着型特定施設入居者生活介護（短期利用）	-	-	-	-	-	-
地域密着型介護老人福祉施設入所者生活介護	296.7	248.4	242.1	271.8	290.9	319.7
複合型サービス(看護小規模多機能型居宅介護・短期利用以外)	287.6	153.3	207.0	284.4	298.0	358.3
複合型サービス(看護小規模多機能型居宅介護・短期利用)	49.2	-	-	16.8	28.9	101.8
施設サービス	298.9	246.2	265.1	281.9	303.3	326.2
介護福祉施設サービス	276.6	207.4	239.9	258.2	275.8	295.7
介護保健施設サービス	297.9	251.6	271.6	293.4	309.2	325.9
特定治療・特別療養費（再掲）	9.1	8.5	5.5	7.6	7.0	11.3
介護療養施設サービス	400.1	277.6	267.8	371.0	389.2	414.4
特定診療費（再掲）	27.1	44.4	29.1	40.6	26.4	25.6

注：１）受給者１人当たり費用額＝費用額／受給者数
　　２）総数には、月の途中で要介護から要支援に変更となった者を含む。

統計表第５表　介護サービス受給者１人当たり費用額，月・年齢階級・サービス種類・要介護状態区分別（60－37）

（65～69歳）

平成29年12月審査分
（単位：千円）

サービス種類	総数	要介護１	要介護２	要介護３	要介護４	要介護５
総数	167.2	97.0	124.2	189.6	232.5	280.6
居宅サービス	118.2	68.5	91.7	135.7	172.0	221.5
訪問通所	110.6	65.3	87.6	127.7	160.1	209.1
訪問介護	81.4	44.4	59.4	93.3	124.0	161.4
訪問入浴介護	75.3	57.3	58.8	66.6	70.5	80.7
訪問看護	50.5	40.5	45.8	49.6	54.4	66.8
訪問リハビリテーション	40.0	38.3	39.1	40.6	40.3	41.8
通所介護	86.8	61.8	74.9	100.7	117.5	129.2
通所リハビリテーション	80.9	57.6	72.3	93.0	108.9	116.0
福祉用具貸与	17.9	9.9	15.6	18.8	22.2	26.8
短期入所	96.1	59.0	67.7	98.4	112.1	115.6
短期入所生活介護	96.6	58.5	68.2	99.9	115.4	115.6
短期入所療養介護（老健）	86.5	60.4	62.0	84.7	92.5	104.1
特定治療・特別療養費（再掲）	4.8	－	0.8	1.2	0.6	7.0
短期入所療養介護（病院等）	113.2	45.2	82.6	80.7	113.9	138.3
特定診療費（再掲）	11.9	3.0	7.7	13.2	12.6	13.3
居宅療養管理指導	12.7	12.3	12.5	12.8	12.5	13.1
特定施設入居者生活介護（短期利用以外）	208.5	168.4	190.2	212.7	234.0	256.8
特定施設入居者生活介護（短期利用）	71.6	52.2	55.1	76.9	82.2	116.4
居宅介護支援	14.4	13.0	13.1	16.3	16.3	16.4
地域密着型サービス	126.4	85.8	98.9	150.6	178.3	212.9
定期巡回・随時対応型訪問介護看護	171.4	79.7	122.3	187.0	236.0	279.5
夜間対応型訪問介護	43.4	23.5	30.9	34.8	45.4	67.2
地域密着型通所介護	73.2	52.4	62.6	91.2	107.8	129.8
認知症対応型通所介護	133.7	89.2	115.0	143.7	158.2	174.5
小規模多機能型居宅介護（短期利用以外）	215.8	134.1	186.4	260.1	283.6	316.9
小規模多機能型居宅介護（短期利用）	51.4	－	47.5	64.5	28.6	49.9
認知症対応型共同生活介護（短期利用以外）	271.0	257.5	268.1	276.7	278.9	288.0
認知症対応型共同生活介護（短期利用）	64.2	36.4	28.9	60.3	19.2	144.5
地域密着型特定施設入居者生活介護（短期利用以外）	215.9	172.4	194.7	225.9	232.9	261.9
地域密着型特定施設入居者生活介護（短期利用）	36.4	－	－	－	－	36.4
地域密着型介護老人福祉施設入所者生活介護	283.1	220.1	233.7	260.2	285.8	307.7
複合型サービス（看護小規模多機能型居宅介護・短期利用以外）	278.5	155.9	208.4	272.0	322.1	355.5
複合型サービス（看護小規模多機能型居宅介護・短期利用）	27.2	－	－	－	7.9	46.5
施設サービス	289.4	247.7	260.1	271.9	293.1	316.5
介護福祉施設サービス	270.8	207.7	234.3	251.9	270.6	292.2
介護保健施設サービス	293.0	255.5	269.7	288.9	305.4	322.1
特定治療・特別療養費（再掲）	10.3	7.0	7.3	6.5	11.6	10.8
介護療養施設サービス	390.3	240.0	267.6	349.1	383.4	410.0
特定診療費（再掲）	22.5	10.1	17.6	26.8	22.0	22.8

注：1）受給者１人当たり費用額＝費用額／受給者数
　　2）総数には、月の途中で要介護から要支援に変更となった者を含む。

（70～74歳）

平成29年12月審査分
（単位：千円）

サービス種類	総数	要介護１	要介護２	要介護３	要介護４	要介護５
総数	167.8	97.7	126.5	193.4	236.2	281.9
居宅サービス	113.5	68.2	90.4	133.4	167.5	213.8
訪問通所	104.7	64.0	85.7	123.0	152.7	200.2
訪問介護	74.4	40.6	55.6	86.8	114.0	152.1
訪問入浴介護	71.7	48.4	63.2	67.5	68.7	75.7
訪問看護	48.9	39.2	45.4	48.4	53.0	63.8
訪問リハビリテーション	40.0	38.5	39.5	40.5	40.6	41.3
通所介護	85.9	62.7	77.3	102.3	116.1	127.7
通所リハビリテーション	81.3	58.8	73.9	93.8	108.0	118.1
福祉用具貸与	17.0	9.1	14.8	18.2	21.7	26.5
短期入所	97.6	59.3	71.2	101.8	116.0	118.4
短期入所生活介護	97.7	58.9	70.8	104.5	116.8	118.5
短期入所療養介護（老健）	90.3	59.5	69.0	81.5	103.6	108.7
特定治療・特別療養費（再掲）	5.5	0.3	0.3	0.3	3.1	9.0
短期入所療養介護（病院等）	106.1	63.9	95.7	85.8	119.8	112.9
特定診療費（再掲）	11.5	11.8	10.7	8.4	17.6	10.4
居宅療養管理指導	12.7	12.3	12.4	12.6	13.0	13.2
特定施設入居者生活介護（短期利用以外）	204.8	167.4	186.6	213.9	231.7	257.6
特定施設入居者生活介護（短期利用）	51.1	29.6	47.6	65.5	38.0	64.1
居宅介護支援	14.3	13.1	13.1	16.3	16.4	16.4
地域密着型サービス	130.5	87.6	106.8	159.1	187.4	219.0
定期巡回・随時対応型訪問介護看護	168.2	79.2	123.5	189.7	235.3	286.2
夜間対応型訪問介護	43.5	25.1	25.7	36.4	49.3	68.7
地域密着型通所介護	73.5	52.8	64.7	94.4	110.2	135.4
認知症対応型通所介護	130.5	91.6	113.8	141.4	160.7	171.1
小規模多機能型居宅介護（短期利用以外）	212.1	135.4	189.4	262.7	286.2	313.9
小規模多機能型居宅介護（短期利用）	31.6	36.6	23.3	24.9	39.5	40.6
認知症対応型共同生活介護（短期利用以外）	271.9	258.6	269.8	276.4	279.8	289.2
認知症対応型共同生活介護（短期利用）	75.8	79.2	86.5	75.7	76.5	30.4
地域密着型特定施設入居者生活介護（短期利用以外）	208.7	166.1	191.0	211.3	238.4	249.4
地域密着型特定施設入居者生活介護（短期利用）	154.9	－	－	－	－	154.9
地域密着型介護老人福祉施設入所者生活介護	283.5	226.0	245.9	263.2	283.8	307.8
複合型サービス（看護小規模多機能型居宅介護・短期利用以外）	267.1	148.8	205.6	281.4	298.0	358.9
複合型サービス（看護小規模多機能型居宅介護・短期利用）	51.6	45.2	28.8	46.0	59.2	60.7
施設サービス	288.9	244.7	261.0	271.7	292.2	315.5
介護福祉施設サービス	270.9	211.2	232.9	253.1	271.8	292.4
介護保健施設サービス	295.2	254.2	272.8	291.4	305.8	324.5
特定治療・特別療養費（再掲）	10.1	5.1	6.5	8.5	9.6	11.4
介護療養施設サービス	388.6	219.4	289.2	345.4	381.0	407.1
特定診療費（再掲）	21.0	12.3	25.8	21.5	21.9	20.4

注：1）受給者１人当たり費用額＝費用額／受給者数
　　2）総数には、月の途中で要介護から要支援に変更となった者を含む。

統計表第５表　介護サービス受給者１人当たり費用額，月・年齢階級・サービス種類・要介護状態区分別（60−38）

（75～79歳）

平成29年12月審査分
（単位：千円）

サービス種類	総数	要介護１	要介護２	要介護３	要介護４	要介護５
総数	171.0	99.9	132.0	202.0	244.6	288.5
居宅サービス	110.4	68.7	91.0	133.8	167.7	214.1
訪問通所	100.5	64.2	85.4	122.0	151.4	199.2
訪問介護	69.7	37.9	51.6	84.9	114.2	152.0
訪問入浴介護	68.1	56.0	58.9	61.8	64.7	72.9
訪問看護	47.8	39.3	44.2	47.2	52.3	63.0
訪問リハビリテーション	38.4	36.9	37.9	38.6	39.2	39.8
通所介護	86.1	64.7	80.8	106.1	118.4	131.9
通所リハビリテーション	80.7	60.8	75.3	95.1	108.2	116.7
福祉用具貸与	15.5	8.0	13.8	16.9	20.7	25.3
短期入所	102.0	59.9	74.5	109.9	124.4	131.3
短期入所生活介護	102.9	59.6	75.1	112.1	127.5	131.4
短期入所療養介護（老健）	90.6	59.5	67.8	89.1	102.1	119.0
特定治療・特別療養費（再掲）	2.8	0.4	2.1	0.2	1.0	6.8
短期入所療養介護（病院等）	112.8	57.2	72.0	94.5	126.5	140.3
特定診療費（再掲）	8.8	3.1	8.0	11.1	8.9	9.2
居宅療養管理指導	12.7	12.2	12.5	12.9	12.7	13.3
特定施設入居者生活介護（短期利用以外）	207.6	171.3	192.6	213.6	234.5	254.1
特定施設入居者生活介護（短期利用）	75.9	68.8	80.7	61.1	68.8	105.6
居宅介護支援	14.2	13.1	13.1	16.3	16.3	16.4
地域密着型サービス	140.1	92.3	119.8	176.7	202.7	235.6
定期巡回・随時対応型訪問介護看護	164.1	78.3	127.8	192.5	243.1	288.3
夜間対応型訪問介護	31.9	20.4	21.6	26.8	39.9	52.4
地域密着型通所介護	74.8	54.6	68.2	100.8	115.4	140.8
認知症対応型通所介護	124.6	90.2	112.2	141.0	154.8	169.6
小規模多機能型居宅介護（短期利用以外）	209.5	135.9	191.2	263.5	285.4	316.4
小規模多機能型居宅介護（短期利用）	30.1	20.2	26.9	44.7	33.1	42.0
認知症対応型共同生活介護（短期利用以外）	272.6	257.4	270.5	277.7	282.1	288.9
認知症対応型共同生活介護（短期利用）	84.7	34.5	51.3	70.2	136.7	133.0
地域密着型特定施設入居者生活介護（短期利用以外）	212.2	174.8	196.3	213.5	227.8	257.6
地域密着型特定施設入居者生活介護（短期利用）	75.1	12.3	111.3	101.6	-	-
地域密着型介護老人福祉施設入所者生活介護	284.8	220.0	246.1	265.4	283.6	306.5
複合型サービス（看護小規模多機能型居宅介護・短期利用以外）	260.4	151.1	209.6	278.4	311.7	353.3
複合型サービス（看護小規模多機能型居宅介護・短期利用）	49.9	23.9	-	36.6	47.3	241.3
施設サービス	287.9	245.8	261.3	270.8	291.5	313.2
介護福祉施設サービス	271.8	213.2	234.2	252.8	272.9	292.4
介護保健施設サービス	294.3	254.2	272.6	290.4	305.9	323.7
特定治療・特別療養費（再掲）	8.7	6.6	5.0	5.7	8.9	9.8
介護療養施設サービス	385.5	227.7	267.1	348.0	379.8	402.3
特定診療費（再掲）	21.2	18.3	19.7	24.2	22.4	20.1

注：１）受給者１人当たり費用額＝費用額／受給者数
　　２）総数には、月の途中で要介護から要支援に変更となった者を含む。

（80～84歳）

平成29年12月審査分
（単位：千円）

サービス種類	総数	要介護１	要介護２	要介護３	要介護４	要介護５
総数	178.2	104.8	142.5	214.3	255.4	294.3
居宅サービス	111.0	71.9	95.9	137.4	170.7	213.6
訪問通所	99.1	65.8	88.2	122.9	152.6	202.4
訪問介護	67.5	36.3	50.6	85.4	117.6	160.9
訪問入浴介護	65.7	55.5	58.7	60.2	64.8	69.3
訪問看護	46.1	38.3	42.9	45.7	50.6	62.9
訪問リハビリテーション	37.0	35.9	37.0	37.6	37.7	36.6
通所介護	87.7	67.0	85.4	110.9	123.9	136.2
通所リハビリテーション	79.4	61.8	77.4	95.5	107.3	116.0
福祉用具貸与	14.0	7.4	12.8	15.7	19.3	23.9
短期入所	104.1	60.2	78.0	116.4	135.7	140.1
短期入所生活介護	104.6	59.6	78.0	118.0	137.9	139.9
短期入所療養介護（老健）	93.5	62.1	74.5	95.6	110.7	126.5
特定治療・特別療養費（再掲）	2.6	0.4	0.4	0.5	2.4	6.3
短期入所療養介護（病院等）	114.2	54.0	65.0	118.5	136.3	149.7
特定診療費（再掲）	9.9	4.0	6.3	11.9	9.6	12.5
居宅療養管理指導	12.8	12.3	12.5	13.0	13.0	13.4
特定施設入居者生活介護（短期利用以外）	208.3	174.4	193.3	216.2	235.2	256.1
特定施設入居者生活介護（短期利用）	71.7	49.3	69.2	74.5	91.4	82.3
居宅介護支援	14.1	13.0	13.1	16.3	16.3	16.2
地域密着型サービス	153.5	98.2	135.4	194.0	221.7	250.3
定期巡回・随時対応型訪問介護看護	159.9	79.3	126.2	193.6	237.4	284.8
夜間対応型訪問介護	35.1	24.5	24.6	30.4	43.2	58.2
地域密着型通所介護	78.6	56.6	74.1	108.6	126.3	149.4
認知症対応型通所介護	124.2	92.2	115.8	142.5	156.3	160.4
小規模多機能型居宅介護（短期利用以外）	207.9	135.5	190.6	263.0	284.0	312.7
小規模多機能型居宅介護（短期利用）	39.6	29.5	39.5	40.1	52.0	34.0
認知症対応型共同生活介護（短期利用以外）	273.3	257.4	270.6	278.0	282.5	289.0
認知症対応型共同生活介護（短期利用）	83.9	74.3	77.7	89.9	125.7	101.4
地域密着型特定施設入居者生活介護（短期利用以外）	209.2	170.4	196.2	211.8	231.3	255.2
地域密着型特定施設入居者生活介護（短期利用）	133.0	171.8	55.7	207.8	174.1	-
地域密着型介護老人福祉施設入所者生活介護	285.4	227.2	246.8	264.0	287.0	306.9
複合型サービス（看護小規模多機能型居宅介護・短期利用以外）	258.3	151.2	206.4	283.8	306.2	349.1
複合型サービス（看護小規模多機能型居宅介護・短期利用）	33.3	15.3	24.9	28.1	53.9	9.7
施設サービス	287.0	246.1	261.0	271.2	290.9	312.3
介護福祉施設サービス	272.4	211.8	236.4	253.9	273.0	293.1
介護保健施設サービス	292.5	253.8	269.7	290.0	306.7	322.9
特定治療・特別療養費（再掲）	8.2	4.3	5.8	5.7	8.3	9.8
介護療養施設サービス	382.5	227.4	281.1	336.9	375.2	402.6
特定診療費（再掲）	20.5	21.4	24.6	23.1	20.4	19.9

注：１）受給者１人当たり費用額＝費用額／受給者数
　　２）総数には、月の途中で要介護から要支援に変更となった者を含む。

統計表第５表　介護サービス受給者１人当たり費用額，月・年齢階級・サービス種類・要介護状態区分別（60－39）

（85～89歳）

平成29年12月審査分
（単位：千円）

サ ー ビ ス 種 類	総数	要介護１	要介護２	要介護３	要介護４	要介護５
総数	190.2	112.4	153.9	224.6	263.6	298.4
居宅サービス	117.9	78.0	103.0	144.6	176.9	215.3
訪問通所	102.1	68.5	91.9	125.9	156.2	205.2
訪問介護	70.9	36.9	52.3	90.9	125.9	170.4
訪問入浴介護	63.2	52.3	58.3	61.1	61.9	66.3
訪問看護	45.3	38.1	42.2	43.9	49.0	61.1
訪問リハビリテーション	36.0	35.3	36.2	36.3	36.2	35.7
通所介護	90.9	69.3	89.2	114.2	127.8	139.9
通所リハビリテーション	80.2	64.5	80.2	96.9	105.7	113.7
福祉用具貸与	13.3	7.1	12.2	14.9	18.6	22.9
短期入所	103.1	60.2	78.2	118.5	139.1	145.7
短期入所生活介護	103.3	59.4	78.1	119.6	140.3	146.0
短期入所療養介護（老健）	94.5	64.4	75.6	100.9	118.8	129.4
特定治療・特別療養費（再掲）	2.1	1.8	0.3	0.9	0.9	5.9
短期入所療養介護（病院等）	105.6	63.5	77.8	94.1	134.3	147.7
特定診療費（再掲）	7.0	5.8	7.6	5.6	7.5	8.1
居宅療養管理指導	12.8	12.4	12.5	12.9	13.1	13.1
特定施設入居者生活介護（短期利用以外）	209.9	176.4	196.0	218.0	237.3	258.5
特定施設入居者生活介護（短期利用）	68.6	51.8	66.4	83.6	90.3	62.4
居宅介護支援	14.0	13.0	13.0	16.2	16.2	16.2
地域密着型サービス	168.4	105.7	147.3	205.6	233.4	260.7
定期巡回・随時対応型訪問介護看護	161.6	78.0	126.5	195.1	237.6	285.0
夜間対応型訪問介護	39.6	24.8	23.8	37.7	59.9	73.7
地域密着型通所介護	84.5	59.7	79.4	115.0	133.8	158.9
認知症対応型通所介護	125.8	93.4	112.7	142.2	156.5	169.2
小規模多機能型居宅介護（短期利用以外）	210.7	135.2	190.1	263.5	284.6	310.7
小規模多機能型居宅介護（短期利用）	38.0	33.2	32.3	38.1	50.3	65.6
認知症対応型共同生活介護（短期利用以外）	273.6	257.7	270.2	277.9	280.7	288.1
認知症対応型共同生活介護（短期利用）	82.8	63.4	101.8	80.4	71.4	96.0
地域密着型特定施設入居者生活介護（短期利用以外）	210.6	173.4	194.1	212.0	232.2	257.4
地域密着型特定施設入居者生活介護（短期利用）	36.3	62.4	20.6	15.3	-	-
地域密着型介護老人福祉施設入所者生活介護	284.2	223.1	246.8	264.5	285.8	305.9
複合型サービス(看護小規模多機能型居宅介護・短期利用以外)	260.8	149.0	205.2	278.6	316.4	352.8
複合型サービス(看護小規模多機能型居宅介護・短期利用)	35.9	20.6	32.6	46.9	35.1	43.8
施設サービス	285.7	245.9	260.3	270.6	290.2	311.1
介護福祉施設サービス	271.9	214.4	236.1	254.2	272.9	292.2
介護保健施設サービス	290.5	251.9	268.4	288.8	305.0	322.7
特定治療・特別療養費（再掲）	8.0	4.9	5.5	6.1	8.2	9.2
介護療養施設サービス	379.5	234.4	270.7	339.3	375.0	398.8
特定診療費（再掲）	19.7	18.9	22.1	21.4	19.7	19.4

注：1）受給者１人当たり費用額＝費用額／受給者数
　　2）総数には、月の途中で要介護から要支援に変更となった者を含む。

（90～94歳）

平成29年12月審査分
（単位：千円）

サ ー ビ ス 種 類	総数	要介護１	要介護２	要介護３	要介護４	要介護５
総数	204.1	119.7	161.3	228.5	266.1	297.1
居宅サービス	126.4	83.3	107.4	147.6	179.1	213.2
訪問通所	105.7	69.9	91.5	122.9	154.0	199.8
訪問介護	79.5	39.1	55.4	94.6	132.0	173.5
訪問入浴介護	62.5	56.7	59.2	60.4	61.1	65.1
訪問看護	45.2	37.6	41.1	42.6	47.0	59.3
訪問リハビリテーション	34.9	34.7	34.5	35.6	35.0	35.2
通所介護	93.8	71.1	89.8	113.5	125.8	137.8
通所リハビリテーション	82.6	66.8	81.5	97.3	105.3	112.3
福祉用具貸与	13.6	6.9	12.0	14.9	18.8	22.7
短期入所	102.3	60.4	78.7	117.8	136.5	142.5
短期入所生活介護	102.2	59.3	78.2	118.1	137.5	142.0
短期入所療養介護（老健）	96.1	65.9	78.9	105.5	116.5	131.5
特定治療・特別療養費（再掲）	2.1	0.3	0.4	0.6	2.9	6.1
短期入所療養介護（病院等）	113.6	68.9	87.1	117.1	133.7	153.4
特定診療費（再掲）	7.6	5.8	6.3	6.8	8.6	10.3
居宅療養管理指導	12.3	12.0	12.1	12.3	12.6	12.5
特定施設入居者生活介護（短期利用以外）	211.8	176.7	196.2	218.2	237.9	258.2
特定施設入居者生活介護（短期利用）	70.4	51.6	62.5	83.0	86.1	103.9
居宅介護支援	14.1	12.9	13.0	16.2	16.1	16.2
地域密着型サービス	182.9	113.7	154.9	210.2	237.8	262.7
定期巡回・随時対応型訪問介護看護	167.9	80.0	126.2	196.4	237.8	294.9
夜間対応型訪問介護	42.6	26.5	27.4	34.3	56.1	77.0
地域密着型通所介護	91.9	63.9	83.3	116.7	137.3	161.2
認知症対応型通所介護	128.2	94.4	112.5	138.1	149.9	163.2
小規模多機能型居宅介護（短期利用以外）	216.6	134.0	189.9	261.9	283.9	308.4
小規模多機能型居宅介護（短期利用）	32.4	28.5	30.6	32.9	30.6	48.5
認知症対応型共同生活介護（短期利用以外）	274.2	256.7	269.5	277.4	281.3	287.3
認知症対応型共同生活介護（短期利用）	67.1	39.5	65.4	79.4	106.5	69.6
地域密着型特定施設入居者生活介護（短期利用以外）	211.4	174.0	193.9	210.6	235.4	254.7
地域密着型特定施設入居者生活介護（短期利用）	94.0	24.4	96.7	117.3	183.0	17.5
地域密着型介護老人福祉施設入所者生活介護	284.3	222.9	247.6	264.7	286.5	306.7
複合型サービス(看護小規模多機能型居宅介護・短期利用以外)	264.6	153.2	208.5	282.8	308.4	355.0
複合型サービス(看護小規模多機能型居宅介護・短期利用)	34.0	36.6	22.5	34.0	25.4	43.8
施設サービス	284.8	244.3	259.2	269.7	289.4	310.2
介護福祉施設サービス	271.9	215.1	236.3	254.5	272.9	292.3
介護保健施設サービス	290.1	250.1	267.3	287.6	306.1	322.0
特定治療・特別療養費（再掲）	7.4	3.7	4.6	5.5	7.8	8.7
介護療養施設サービス	375.6	235.6	265.4	325.9	370.2	398.1
特定診療費（再掲）	18.3	20.3	20.8	19.0	18.6	17.7

注：1）受給者１人当たり費用額＝費用額／受給者数
　　2）総数には、月の途中で要介護から要支援に変更となった者を含む。

統計表第５表　介護サービス受給者１人当たり費用額，月・年齢階級・サービス種類・要介護状態区分別（60－40）

（95歳以上）

平成29年12月審査分
（単位：千円）

サービス種類	総数	要介護１	要介護２	要介護３	要介護４	要介護５
総数	224.0	126.6	166.0	229.6	266.7	293.8
居宅サービス	138.1	86.4	109.3	146.6	177.9	209.2
訪問通所	111.8	68.4	88.7	116.2	147.4	192.0
訪問介護	94.6	40.9	58.3	97.1	133.9	169.7
訪問入浴介護	62.3	57.3	59.5	60.5	61.5	64.0
訪問看護	45.4	36.9	38.8	40.6	45.3	57.1
訪問リハビリテーション	34.3	35.4	34.1	34.2	33.4	35.0
通所介護	97.3	70.7	88.4	109.0	124.3	133.7
通所リハビリテーション	86.3	68.1	83.1	97.4	102.6	112.8
福祉用具貸与	15.1	6.9	12.4	15.4	19.2	22.9
短期入所	107.6	62.8	80.0	115.8	136.8	141.2
短期入所生活介護	107.2	61.8	79.4	115.9	136.3	140.6
短期入所療養介護（老健）	103.3	68.3	81.1	105.6	128.0	133.4
特定治療・特別療養費（再掲）	1.9	1.1	0.3	0.6	0.5	5.1
短期入所療養介護（病院等）	124.8	75.2	82.2	122.6	150.0	146.3
特定診療費（再掲）	8.8	7.7	9.2	11.7	9.3	7.1
居宅療養管理指導	11.4	11.5	11.2	11.4	11.5	11.3
特定施設入居者生活介護（短期利用以外）	217.8	176.4	196.6	218.7	238.6	260.1
特定施設入居者生活介護（短期利用）	71.0	65.6	62.7	73.1	73.8	95.9
居宅介護支援	14.6	13.0	13.0	16.2	16.2	16.3
地域密着型サービス	201.8	119.4	160.0	212.2	242.2	264.2
定期巡回・随時対応型訪問介護看護	183.3	78.8	128.9	195.0	240.8	286.4
夜間対応型訪問介護	48.1	26.8	24.8	49.5	54.5	74.9
地域密着型通所介護	101.1	65.5	85.4	116.2	136.5	162.8
認知症対応型通所介護	129.6	90.8	108.4	130.7	145.8	156.2
小規模多機能型居宅介護（短期利用以外）	232.6	132.3	189.2	260.8	284.6	311.0
小規模多機能型居宅介護（短期利用）	44.2	21.5	37.8	41.5	47.4	85.0
認知症対応型共同生活介護（短期利用以外）	276.0	256.3	268.8	276.4	281.6	287.1
認知症対応型共同生活介護（短期利用）	92.0	102.5	88.8	65.1	142.8	-
地域密着型特定施設入居者生活介護（短期利用以外）	215.9	172.3	192.6	216.4	229.8	256.0
地域密着型特定施設入居者生活介護（短期利用）	152.7	-	189.0	7.7	-	-
地域密着型介護老人福祉施設入所者生活介護	285.8	224.5	247.2	266.1	287.0	307.2
複合型サービス（看護小規模多機能型居宅介護・短期利用以外）	279.3	144.9	207.1	275.1	314.5	350.8
複合型サービス（看護小規模多機能型居宅介護・短期利用）	32.4	-	28.4	22.7	38.2	-
施設サービス	285.8	242.9	257.5	268.9	288.8	309.0
介護福祉施設サービス	272.8	215.9	235.3	253.8	273.6	292.1
介護保健施設サービス	293.4	250.1	267.2	288.2	306.1	323.4
特定治療・特別療養費（再掲）	7.1	4.3	5.1	6.2	7.2	7.9
介護療養施設サービス	374.9	230.4	264.4	332.4	370.5	394.2
特定診療費（再掲）	17.3	19.3	22.4	20.3	17.2	16.5

注：１）受給者１人当たり費用額＝費用額／受給者数
　　２）総数には、月の途中で要介護から要支援に変更となった者を含む。

統計表第５表　介護サービス受給者１人当たり費用額，月・年齢階級・サービス種類・要介護状態区分別（60−41）

（総　　数）

平成30年１月審査分
（単位：千円）

サービス種類	総数	要介護１	要介護２	要介護３	要介護４	要介護５
総数	192.2	109.9	148.8	222.1	264.3	301.7
居宅サービス	119.4	75.5	99.9	142.8	176.7	219.2
訪問通所	103.8	66.7	89.1	123.9	155.1	205.2
訪問介護	74.7	38.2	53.7	90.8	124.8	166.5
訪問入浴介護	67.0	55.1	59.2	61.4	64.1	71.8
訪問看護	46.7	38.3	42.9	45.1	50.1	62.6
訪問リハビリテーション	37.5	36.4	37.2	38.1	37.8	38.4
通所介護	89.5	67.2	85.2	109.8	122.9	135.2
通所リハビリテーション	80.3	62.3	77.3	94.9	106.4	115.4
福祉用具貸与	14.6	7.6	13.1	16.0	19.7	24.3
短期入所	105.4	61.6	78.8	118.2	136.3	139.7
短期入所生活介護	106.0	61.0	79.0	119.9	138.5	140.5
短期入所療養介護（老健）	93.7	63.5	74.3	96.7	111.7	122.3
特定治療・特別療養費（再掲）	2.9	0.6	0.7	0.7	1.5	6.8
短期入所療養介護（病院等）	114.0	64.3	83.5	105.2	128.2	147.8
特定診療費（再掲）	9.2	6.7	8.8	9.1	9.4	10.2
居宅療養管理指導	12.6	12.3	12.4	12.7	12.8	13.0
特定施設入居者生活介護（短期利用以外）	217.4	180.8	201.2	224.0	244.1	266.4
特定施設入居者生活介護（短期利用）	66.2	55.2	56.9	69.7	84.7	85.3
居宅介護支援	14.2	13.0	13.0	16.3	16.2	16.3
地域密着型サービス	165.2	102.3	139.8	199.3	229.7	257.5
定期巡回・随時対応型訪問介護看護	164.7	78.4	125.4	193.0	235.8	285.1
夜間対応型訪問介護	39.0	24.3	24.1	34.3	50.4	65.7
地域密着型通所介護	81.0	56.8	73.9	107.1	125.8	149.9
認知症対応型通所介護	125.9	91.8	112.5	140.1	153.0	164.7
小規模多機能型居宅介護（短期利用以外）	213.2	134.9	190.0	262.4	283.7	312.1
小規模多機能型居宅介護（短期利用）	37.2	28.3	34.2	41.4	42.3	55.6
認知症対応型共同生活介護（短期利用以外）	282.5	265.5	278.7	286.7	290.4	296.9
認知症対応型共同生活介護（短期利用）	66.3	57.7	64.6	73.6	67.3	78.4
地域密着型特定施設入居者生活介護（短期利用以外）	217.5	178.1	198.6	219.9	240.5	262.6
地域密着型特定施設入居者生活介護（短期利用）	89.5	56.9	128.3	101.4	16.6	82.0
地域密着型介護老人福祉施設入所者生活介護	294.3	232.2	254.3	273.8	295.4	317.5
複合型サービス(看護小規模多機能型居宅介護・短期利用以外)	265.2	151.8	207.5	281.3	311.2	352.1
複合型サービス(看護小規模多機能型居宅介護・短期利用)	38.8	31.5	30.6	38.2	47.8	47.9
施設サービス	295.2	253.2	268.2	278.9	299.3	321.4
介護福祉施設サービス	280.9	220.7	243.8	262.0	282.0	301.9
介護保健施設サービス	300.5	260.0	276.8	297.5	314.9	332.9
特定治療・特別療養費（再掲）	8.2	4.6	5.3	5.9	8.3	9.6
介護療養施設サービス	391.2	244.1	276.8	348.3	384.5	411.6
特定診療費（再掲）	19.7	19.7	21.2	21.9	19.9	19.1

注：１）受給者１人当たり費用額＝費用額／受給者数
　　２）総数には、月の途中で要介護から要支援に変更となった者を含む。

（40～64歳）

平成30年１月審査分
（単位：千円）

サービス種類	総数	要介護１	要介護２	要介護３	要介護４	要介護５
総数	166.6	93.8	117.9	183.1	227.3	283.9
居宅サービス	119.0	67.2	88.1	131.0	164.2	224.1
訪問通所	111.6	64.6	84.5	124.0	152.5	212.2
訪問介護	81.0	42.7	54.0	83.9	110.6	151.4
訪問入浴介護	84.0	62.1	63.5	69.8	77.6	89.9
訪問看護	54.4	44.3	49.0	52.5	59.1	72.8
訪問リハビリテーション	42.7	41.8	41.8	43.9	43.1	43.5
通所介護	87.2	58.3	71.2	100.5	118.9	130.6
通所リハビリテーション	79.1	55.2	70.7	92.1	107.3	116.4
福祉用具貸与	20.1	11.9	17.6	20.6	24.2	29.9
短期入所	99.8	55.6	67.1	100.0	112.8	121.9
短期入所生活介護	99.5	54.0	66.3	102.0	114.1	121.8
短期入所療養介護（老健）	93.1	60.4	67.6	84.6	100.3	111.6
特定治療・特別療養費（再掲）	4.3	−	−	0.3	3.8	5.1
短期入所療養介護（病院等）	106.3	82.0	70.1	119.6	124.7	110.1
特定診療費（再掲）	12.5	23.7	13.2	17.9	14.0	8.2
居宅療養管理指導	12.8	12.1	12.4	12.6	12.8	13.6
特定施設入居者生活介護（短期利用以外）	223.3	177.0	199.9	220.0	244.6	262.8
特定施設入居者生活介護（短期利用）	58.4	12.7	78.6	159.1	58.8	48.8
居宅介護支援	14.5	13.1	13.1	16.4	16.3	16.5
地域密着型サービス	122.0	76.2	86.9	143.4	173.5	216.7
定期巡回・随時対応型訪問介護看護	187.0	80.8	125.9	188.6	233.9	281.9
夜間対応型訪問介護	36.5	23.0	25.4	29.1	39.0	57.4
地域密着型通所介護	69.5	47.6	56.4	83.1	105.3	131.1
認知症対応型通所介護	146.9	93.2	116.7	156.5	169.8	185.3
小規模多機能型居宅介護（短期利用以外）	229.7	134.7	191.0	265.1	287.5	311.7
小規模多機能型居宅介護（短期利用）	21.0	18.7	24.7	14.9	34.1	−
認知症対応型共同生活介護（短期利用以外）	306.0	290.8	296.7	310.9	320.1	323.2
認知症対応型共同生活介護（短期利用）	75.4	−	−	−	75.4	−
地域密着型特定施設入居者生活介護（短期利用以外）	217.9	186.9	179.7	228.5	241.7	250.2
地域密着型特定施設入居者生活介護（短期利用）	−	−	−	−	−	−
地域密着型介護老人福祉施設入所者生活介護	302.1	242.3	249.0	284.3	296.4	322.2
複合型サービス(看護小規模多機能型居宅介護・短期利用以外)	288.2	152.4	208.7	287.3	290.8	355.6
複合型サービス(看護小規模多機能型居宅介護・短期利用)	58.1	−	−	−	36.3	101.8
施設サービス	308.4	258.3	272.1	288.4	313.1	336.6
介護福祉施設サービス	284.9	219.3	247.9	265.1	285.1	303.0
介護保健施設サービス	307.9	264.6	278.3	299.9	319.1	339.3
特定治療・特別療養費（再掲）	8.9	7.7	4.3	5.5	7.1	11.7
介護療養施設サービス	407.6	254.2	262.7	378.6	396.1	423.4
特定診療費（再掲）	27.3	38.3	30.3	40.1	25.8	26.3

注：１）受給者１人当たり費用額＝費用額／受給者数
　　２）総数には、月の途中で要介護から要支援に変更となった者を含む。

統計表第５表　介護サービス受給者１人当たり費用額，月・年齢階級・サービス種類・要介護状態区分別（60－42）

（65～69歳）

平成30年１月審査分
（単位：千円）

サービス種類	総数	要介護１	要介護２	要介護３	要介護４	要介護５
総数	170.2	97.1	126.0	194.3	238.6	286.4
居宅サービス	119.5	68.4	92.9	138.2	175.0	224.1
訪問通所	111.4	64.9	88.4	129.1	162.2	211.3
訪問介護	82.0	44.4	60.1	95.1	123.8	162.9
訪問入浴介護	77.3	58.0	60.5	68.5	73.0	82.6
訪問看護	50.6	40.5	45.7	49.6	54.2	67.3
訪問リハビリテーション	39.9	38.0	39.0	40.6	40.3	42.0
通所介護	86.1	60.8	74.3	100.4	116.7	129.2
通所リハビリテーション	80.6	57.2	72.1	92.5	108.6	115.7
福祉用具貸与	17.8	9.9	15.6	18.8	22.1	26.6
短期入所	96.7	59.2	66.7	100.9	112.5	116.9
短期入所生活介護	97.7	59.8	67.5	103.3	114.6	117.9
短期入所療養介護（老健）	85.0	55.1	60.5	83.1	94.7	100.6
特定治療・特別療養費（再掲）	5.5	-	3.7	0.5	0.6	8.1
短期入所療養介護（病院等）	109.1	49.1	68.2	64.3	115.7	139.6
特定診療費（再掲）	11.5	3.0	11.5	10.6	11.7	12.9
居宅療養管理指導	12.8	12.3	12.7	13.0	12.7	13.3
特定施設入居者生活介護（短期利用以外）	215.0	173.3	196.4	220.6	240.8	268.9
特定施設入居者生活介護（短期利用）	64.3	32.7	54.7	99.3	61.0	113.5
居宅介護支援	14.4	13.0	13.1	16.3	16.4	16.4
地域密着型サービス	127.1	85.2	98.4	152.4	180.2	215.8
定期巡回・随時対応型訪問介護看護	171.6	78.2	122.8	193.4	231.3	282.6
夜間対応型訪問介護	42.0	23.5	31.8	29.1	45.6	65.8
地域密着型通所介護	71.6	50.7	61.4	90.3	106.6	127.0
認知症対応型通所介護	134.1	90.4	112.9	146.5	158.8	172.1
小規模多機能型居宅介護（短期利用以外）	218.8	133.4	187.8	261.3	288.0	318.2
小規模多機能型居宅介護（短期利用）	38.2	13.6	24.2	44.6	56.4	49.9
認知症対応型共同生活介護（短期利用以外）	280.3	263.9	278.6	287.8	288.1	299.2
認知症対応型共同生活介護（短期利用）	77.5	37.4	-	-	117.5	-
地域密着型特定施設入居者生活介護（短期利用以外）	222.4	183.3	204.4	222.7	242.7	265.8
地域密着型特定施設入居者生活介護（短期利用）	36.4	-	-	-	-	36.4
地域密着型介護老人福祉施設入所者生活介護	293.2	226.2	247.0	274.6	290.8	317.8
複合型サービス（看護小規模多機能型居宅介護・短期利用以外）	279.0	149.1	206.6	287.4	308.4	366.3
複合型サービス（看護小規模多機能型居宅介護・短期利用）	43.5	85.0	6.3	54.0	17.8	47.2
施設サービス	298.7	251.8	269.1	281.8	303.0	325.5
介護福祉施設サービス	280.3	217.9	242.2	262.1	280.6	300.4
介護保健施設サービス	301.8	258.6	278.7	297.9	313.8	334.4
特定治療・特別療養費（再掲）	9.8	6.4	4.3	6.3	11.2	10.4
介護療養施設サービス	400.1	253.2	288.6	367.3	390.0	418.9
特定診療費（再掲）	22.3	12.4	18.1	29.1	21.8	22.1

注：１）受給者１人当たり費用額＝費用額／受給者数
　　２）総数には、月の途中で要介護から要支援に変更となった者を含む。

（70～74歳）

平成30年１月審査分
（単位：千円）

サービス種類	総数	要介護１	要介護２	要介護３	要介護４	要介護５
総数	170.7	98.2	127.8	196.7	241.0	290.7
居宅サービス	114.8	68.2	91.1	134.9	169.7	220.5
訪問通所	105.6	63.8	86.2	124.3	154.6	205.0
訪問介護	75.3	40.5	56.2	87.9	116.6	155.2
訪問入浴介護	71.9	50.7	65.4	65.7	67.4	76.6
訪問看護	48.9	39.3	45.3	48.0	53.5	64.1
訪問リハビリテーション	39.6	37.8	38.9	40.0	40.0	41.5
通所介護	85.5	62.1	76.7	101.7	116.2	128.5
通所リハビリテーション	80.9	58.1	73.7	93.7	107.1	118.6
福祉用具貸与	17.0	9.0	14.8	18.2	21.6	26.5
短期入所	98.1	59.2	70.3	102.9	117.8	120.5
短期入所生活介護	98.1	58.8	70.8	105.1	118.9	119.7
短期入所療養介護（老健）	91.6	59.4	65.4	84.0	105.2	113.1
特定治療・特別療養費（再掲）	4.2	0.5	0.4	0.6	2.7	7.5
短期入所療養介護（病院等）	99.9	61.4	89.9	90.6	98.7	110.0
特定診療費（再掲）	10.0	9.9	10.9	5.7	12.2	10.4
居宅療養管理指導	12.8	12.3	12.6	12.7	12.9	13.3
特定施設入居者生活介護（短期利用以外）	212.0	173.1	195.5	217.6	240.8	264.5
特定施設入居者生活介護（短期利用）	54.3	48.5	35.0	44.9	81.5	77.9
居宅介護支援	14.3	13.1	13.1	16.3	16.4	16.4
地域密着型サービス	131.5	87.6	107.5	161.3	187.7	222.6
定期巡回・随時対応型訪問介護看護	165.7	77.1	122.7	191.0	232.1	278.9
夜間対応型訪問介護	44.0	26.0	24.8	38.7	50.4	66.1
地域密着型通所介護	72.5	51.7	63.8	93.2	108.4	136.9
認知症対応型通所介護	129.2	90.3	111.1	144.6	157.1	166.9
小規模多機能型居宅介護（短期利用以外）	212.3	134.9	190.7	265.4	282.8	314.8
小規模多機能型居宅介護（短期利用）	48.3	26.7	27.7	46.9	31.7	107.3
認知症対応型共同生活介護（短期利用以外）	280.5	265.2	277.0	287.3	290.7	298.2
認知症対応型共同生活介護（短期利用）	38.0	52.8	58.7	32.7	28.6	31.6
地域密着型特定施設入居者生活介護（短期利用以外）	217.1	186.8	199.5	222.3	235.1	255.3
地域密着型特定施設入居者生活介護（短期利用）	75.2	-	-	22.8	-	127.6
地域密着型介護老人福祉施設入所者生活介護	293.5	227.9	256.4	273.3	293.9	317.9
複合型サービス（看護小規模多機能型居宅介護・短期利用以外）	272.7	154.0	202.3	291.1	317.0	354.3
複合型サービス（看護小規模多機能型居宅介護・短期利用）	51.9	31.5	18.1	43.2	143.7	71.8
施設サービス	297.8	253.5	267.0	279.8	302.4	324.5
介護福祉施設サービス	279.5	219.4	240.3	260.6	280.8	301.1
介護保健施設サービス	303.5	262.0	277.6	299.0	316.9	333.7
特定治療・特別療養費（再掲）	10.1	4.4	7.1	6.3	9.2	12.1
介護療養施設サービス	402.4	263.0	313.2	362.5	394.2	419.3
特定診療費（再掲）	21.6	19.4	27.2	22.9	22.6	20.7

注：１）受給者１人当たり費用額＝費用額／受給者数
　　２）総数には、月の途中で要介護から要支援に変更となった者を含む。

統計表第５表　介護サービス受給者１人当たり費用額，月・年齢階級・サービス種類・要介護状態区分別（60－43）

（75～79歳）

平成30年１月審査分
（単位：千円）

サービス種類	総数	要介護１	要介護２	要介護３	要介護４	要介護５
総数	173.9	100.4	133.2	205.8	250.3	297.0
居宅サービス	111.3	68.6	91.5	135.1	170.3	219.9
訪問通所	100.9	63.9	85.5	122.6	153.4	203.2
訪問介護	70.6	38.1	52.2	86.4	115.3	155.3
訪問入浴介護	68.3	56.8	59.3	59.8	65.5	73.3
訪問看護	47.5	38.7	43.9	46.6	52.4	63.6
訪問リハビリテーション	38.2	37.0	37.4	38.5	38.9	39.8
通所介護	85.5	63.9	80.1	106.0	117.8	131.9
通所リハビリテーション	80.2	60.4	74.8	94.6	107.7	116.9
福祉用具貸与	15.4	8.0	13.8	16.8	20.6	25.3
短期入所	103.0	59.9	74.7	112.2	126.1	132.6
短期入所生活介護	103.9	59.2	75.1	114.8	129.1	133.1
短期入所療養介護（老健）	90.7	63.1	68.6	87.2	102.6	118.6
特定治療・特別療養費（再掲）	3.4	0.3	2.0	1.6	1.0	8.7
短期入所療養介護（病院等）	115.4	55.3	81.7	95.3	132.2	140.5
特定診療費（再掲）	9.1	6.4	6.5	9.9	10.0	9.8
居宅療養管理指導	12.8	12.3	12.5	12.9	12.8	13.5
特定施設入居者生活介護（短期利用以外）	214.0	176.9	197.0	221.5	239.5	265.2
特定施設入居者生活介護（短期利用）	73.4	62.8	67.1	45.3	95.2	125.7
居宅介護支援	14.2	13.1	13.1	16.3	16.3	16.4
地域密着型サービス	141.3	92.7	120.3	178.0	205.5	239.6
定期巡回・随時対応型訪問介護看護	163.0	78.5	124.9	190.9	233.3	286.4
夜間対応型訪問介護	34.8	21.4	21.6	27.5	43.3	60.5
地域密着型通所介護	73.6	53.4	67.1	99.0	114.9	141.3
認知症対応型通所介護	123.2	89.9	111.0	138.5	153.0	168.1
小規模多機能型居宅介護（短期利用以外）	209.9	136.0	191.1	263.0	286.6	312.1
小規模多機能型居宅介護（短期利用）	50.1	35.0	43.2	79.7	47.6	55.1
認知症対応型共同生活介護（短期利用以外）	280.8	264.8	278.0	287.0	291.0	299.1
認知症対応型共同生活介護（短期利用）	70.3	54.8	64.6	103.0	31.2	155.4
地域密着型特定施設入居者生活介護（短期利用以外）	216.1	181.2	196.0	216.9	237.1	261.1
地域密着型特定施設入居者生活介護（短期利用）	97.7	-	196.5	91.9	16.6	-
地域密着型介護老人福祉施設入所者生活介護	293.9	223.3	253.1	273.2	293.6	316.4
複合型サービス（看護小規模多機能型居宅介護・短期利用以外）	262.3	150.6	210.0	281.9	316.3	347.7
複合型サービス（看護小規模多機能型居宅介護・短期利用）	28.3	27.7	19.9	15.8	39.7	30.3
施設サービス	296.8	253.1	268.9	279.1	300.3	323.6
介護福祉施設サービス	280.6	219.1	241.7	261.2	281.4	302.4
介護保健施設サービス	303.0	261.8	279.6	298.9	315.6	334.0
特定治療・特別療養費（再掲）	8.7	5.0	6.0	5.6	8.9	10.0
介護療養施設サービス	395.2	234.3	292.4	349.4	386.7	414.1
特定診療費（再掲）	21.1	17.8	23.1	22.8	22.7	19.9

注：１）受給者１人当たり費用額＝費用額／受給者数
　　２）総数には、月の途中で要介護から要支援に変更となった者を含む。

（80～84歳）

平成30年１月審査分
（単位：千円）

サービス種類	総数	要介護１	要介護２	要介護３	要介護４	要介護５
総数	181.4	105.4	144.0	218.9	261.7	303.2
居宅サービス	111.9	71.9	96.2	139.0	173.4	219.4
訪問通所	99.3	65.5	88.0	123.4	154.0	206.7
訪問介護	68.2	36.4	50.8	86.0	119.6	165.0
訪問入浴介護	65.5	52.0	56.9	61.5	64.0	69.6
訪問看護	46.0	38.0	42.8	45.3	50.4	63.5
訪問リハビリテーション	37.0	35.7	37.4	37.4	37.8	36.8
通所介護	87.0	66.3	84.6	110.1	122.9	136.5
通所リハビリテーション	78.9	61.5	76.8	95.1	107.0	116.2
福祉用具貸与	13.9	7.4	12.8	15.7	19.2	23.8
短期入所	105.7	61.3	78.0	118.6	139.4	141.6
短期入所生活介護	106.6	60.7	78.2	120.5	142.1	142.4
短期入所療養介護（老健）	92.2	63.6	72.8	95.1	110.6	121.8
特定治療・特別療養費（再掲）	2.8	0.4	0.4	0.7	0.8	7.3
短期入所療養介護（病院等）	121.5	54.6	79.7	109.9	141.7	165.0
特定診療費（再掲）	10.4	5.7	9.5	12.0	9.4	12.0
居宅療養管理指導	12.9	12.3	12.7	13.1	13.1	13.5
特定施設入居者生活介護（短期利用以外）	215.1	179.4	200.2	222.8	243.2	265.6
特定施設入居者生活介護（短期利用）	62.9	45.5	56.7	79.5	77.5	78.4
居宅介護支援	14.1	13.0	13.1	16.3	16.3	16.2
地域密着型サービス	155.2	98.7	136.3	196.8	225.1	255.6
定期巡回・随時対応型訪問介護看護	157.8	78.8	125.2	192.5	234.0	281.0
夜間対応型訪問介護	34.1	23.3	23.5	29.6	42.2	57.5
地域密着型通所介護	77.0	55.3	72.4	106.7	124.2	148.7
認知症対応型通所介護	123.5	92.0	114.3	143.0	155.1	161.1
小規模多機能型居宅介護（短期利用以外）	207.8	135.5	190.6	263.7	283.4	313.7
小規模多機能型居宅介護（短期利用）	30.5	20.9	36.2	22.6	40.7	34.4
認知症対応型共同生活介護（短期利用以外）	281.7	265.0	279.2	287.1	290.4	297.2
認知症対応型共同生活介護（短期利用）	68.3	56.4	61.4	75.4	102.0	133.1
地域密着型特定施設入居者生活介護（短期利用以外）	217.9	179.1	199.9	221.1	239.7	271.5
地域密着型特定施設入居者生活介護（短期利用）	126.9	177.7	91.3	119.4	-	-
地域密着型介護老人福祉施設入所者生活介護	294.7	232.7	253.8	272.4	296.0	317.5
複合型サービス（看護小規模多機能型居宅介護・短期利用以外）	259.6	152.8	208.4	281.6	307.3	352.7
複合型サービス（看護小規模多機能型居宅介護・短期利用）	38.6	35.2	32.7	38.3	61.8	-
施設サービス	295.9	254.4	269.4	279.7	299.9	322.1
介護福祉施設サービス	281.3	219.6	244.3	261.7	282.1	302.6
介護保健施設サービス	301.3	261.5	278.1	298.9	315.0	333.7
特定治療・特別療養費（再掲）	8.5	4.9	5.9	5.7	8.5	10.5
介護療養施設サービス	393.1	251.6	278.9	345.2	385.8	414.0
特定診療費（再掲）	20.5	21.1	21.5	23.5	20.7	19.7

注：１）受給者１人当たり費用額＝費用額／受給者数
　　２）総数には、月の途中で要介護から要支援に変更となった者を含む。

統計表第５表　介護サービス受給者１人当たり費用額，月・年齢階級・サービス種類・要介護状態区分別（60－44）

（85～89歳）

平成30年１月審査分
（単位：千円）

サービス種類	総数	要介護１	要介護２	要介護３	要介護４	要介護５
総数	193.8	113.2	155.7	229.7	270.3	306.9
居宅サービス	118.8	78.0	103.5	146.3	179.7	219.8
訪問通所	102.2	68.1	91.7	126.4	157.8	208.0
訪問介護	71.5	36.9	52.5	91.9	128.0	173.6
訪問入浴介護	63.2	54.7	57.3	60.9	61.1	66.8
訪問看護	45.2	37.7	42.0	43.6	49.1	61.4
訪問リハビリテーション	35.8	35.2	35.7	36.7	35.9	35.5
通所介護	90.2	68.6	88.4	113.6	126.9	139.7
通所リハビリテーション	79.6	64.1	79.8	95.9	104.8	113.2
福祉用具貸与	13.2	7.1	12.2	14.9	18.6	22.9
短期入所	106.0	61.7	79.9	122.2	142.4	148.8
短期入所生活介護	106.7	61.2	80.1	123.9	144.6	149.3
短期入所療養介護（老健）	93.2	63.5	74.8	99.0	115.8	130.1
特定治療・特別療養費（再掲）	2.6	1.4	0.3	0.7	0.7	7.9
短期入所療養介護（病院等）	110.6	63.2	91.8	103.1	117.1	162.8
特定診療費（再掲）	8.7	4.8	10.7	10.0	8.3	8.8
居宅療養管理指導	12.9	12.5	12.7	13.0	13.2	13.3
特定施設入居者生活介護（短期利用以外）	216.3	181.9	202.0	224.5	243.8	267.4
特定施設入居者生活介護（短期利用）	64.3	63.0	53.5	73.1	77.4	70.7
居宅介護支援	14.0	13.0	13.0	16.2	16.2	16.2
地域密着型サービス	170.7	106.7	149.0	208.4	237.4	265.9
定期巡回・随時対応型訪問介護看護	160.8	77.6	125.5	193.9	237.3	285.6
夜間対応型訪問介護	39.3	24.0	23.1	37.1	61.2	73.2
地域密着型通所介護	83.1	58.5	77.9	113.2	133.0	157.1
認知症対応型通所介護	124.7	92.9	112.6	141.0	154.1	163.3
小規模多機能型居宅介護（短期利用以外）	209.9	135.1	189.7	262.3	283.2	310.1
小規模多機能型居宅介護（短期利用）	37.2	31.3	35.5	39.4	43.2	53.3
認知症対応型共同生活介護（短期利用以外）	282.2	265.8	279.1	286.6	289.8	296.7
認知症対応型共同生活介護（短期利用）	64.1	54.4	62.6	65.7	109.1	66.5
地域密着型特定施設入居者生活介護（短期利用以外）	216.2	178.2	200.3	219.7	239.7	260.4
地域密着型特定施設入居者生活介護（短期利用）	53.4	33.6	20.6	97.4	-	-
地域密着型介護老人福祉施設入所者生活介護	294.1	234.6	252.7	274.0	294.3	318.2
複合型サービス(看護小規模多機能型居宅介護・短期利用以外)	261.5	153.0	207.0	279.2	312.7	349.7
複合型サービス(看護小規模多機能型居宅介護・短期利用)	31.2	29.0	37.2	23.2	36.2	26.8
施設サービス	294.6	253.1	268.5	278.8	299.4	321.2
介護福祉施設サービス	281.0	221.2	244.1	262.4	282.0	301.9
介護保健施設サービス	298.8	259.1	276.4	296.6	314.3	332.0
特定治療・特別療養費（再掲）	8.2	4.8	5.0	6.2	8.5	9.7
介護療養施設サービス	390.7	244.5	276.6	350.1	384.2	411.5
特定診療費（再掲）	19.8	17.9	21.1	21.5	19.7	19.6

注：１）受給者１人当たり費用額＝費用額／受給者数
　　２）総数には、月の途中で要介護から要支援に変更となった者を含む。

（90～94歳）

平成30年１月審査分
（単位：千円）

サービス種類	総数	要介護１	要介護２	要介護３	要介護４	要介護５
総数	208.6	121.0	164.0	234.2	273.3	305.3
居宅サービス	127.8	83.5	108.1	149.6	182.6	218.1
訪問通所	106.0	69.4	91.6	123.5	156.1	203.3
訪問介護	80.3	38.9	55.6	96.2	134.4	176.9
訪問入浴介護	62.4	54.6	59.0	58.6	60.9	65.7
訪問看護	45.2	37.1	40.9	42.5	47.4	60.4
訪問リハビリテーション	34.6	34.4	33.9	35.6	34.8	34.7
通所介護	93.1	70.5	89.2	112.9	125.3	137.8
通所リハビリテーション	82.1	66.2	81.4	96.2	105.2	111.8
福祉用具貸与	13.6	6.9	12.0	14.9	18.7	22.7
短期入所	105.9	61.8	80.8	121.5	141.1	147.1
短期入所生活介護	106.2	61.2	80.6	122.3	142.5	147.3
短期入所療養介護（老健）	96.7	64.2	79.1	105.8	119.5	132.5
特定治療・特別療養費（再掲）	1.7	0.3	0.4	0.5	2.1	4.5
短期入所療養介護（病院等）	113.3	69.1	84.7	110.7	133.6	159.1
特定診療費（再掲）	7.4	6.7	6.1	5.8	8.0	10.2
居宅療養管理指導	12.4	12.1	12.2	12.4	12.7	12.7
特定施設入居者生活介護（短期利用以外）	218.4	182.3	202.7	225.5	245.1	266.6
特定施設入居者生活介護（短期利用）	69.7	50.8	60.7	73.9	100.8	82.7
居宅介護支援	14.1	12.9	13.0	16.2	16.2	16.2
地域密着型サービス	186.0	114.8	157.5	213.6	242.8	268.7
定期巡回・随時対応型訪問介護看護	166.6	79.0	126.3	193.1	238.5	289.4
夜間対応型訪問介護	41.9	27.4	24.7	36.7	54.8	72.5
地域密着型通所介護	90.9	62.7	82.6	115.3	136.2	161.9
認知症対応型通所介護	127.2	92.9	111.4	136.6	150.2	163.4
小規模多機能型居宅介護（短期利用以外）	216.0	133.9	189.8	260.7	283.1	310.4
小規模多機能型居宅介護（短期利用）	34.6	29.6	31.9	39.0	48.0	9.3
認知症対応型共同生活介護（短期利用以外）	282.7	265.6	278.0	286.0	289.6	295.8
認知症対応型共同生活介護（短期利用）	67.1	70.7	66.1	63.5	72.4	58.1
地域密着型特定施設入居者生活介護（短期利用以外）	216.9	176.3	196.8	221.4	241.8	263.3
地域密着型特定施設入居者生活介護（短期利用）	98.7	54.9	134.0	124.8	-	-
地域密着型介護老人福祉施設入所者生活介護	293.5	232.2	255.9	273.6	295.7	316.7
複合型サービス(看護小規模多機能型居宅介護・短期利用以外)	264.6	150.1	208.3	279.7	310.5	351.6
複合型サービス(看護小規模多機能型居宅介護・短期利用)	53.3	26.9	42.9	53.3	77.6	64.0
施設サービス	293.5	253.2	267.5	277.9	298.3	319.7
介護福祉施設サービス	280.5	221.5	244.3	261.8	282.0	301.6
介護保健施設サービス	298.7	259.6	275.6	296.5	314.5	331.9
特定治療・特別療養費（再掲）	7.5	3.7	5.0	5.6	8.0	8.8
介護療養施設サービス	386.5	233.5	269.1	343.1	381.8	407.8
特定診療費（再掲）	18.4	20.2	19.6	19.6	18.9	17.7

注：１）受給者１人当たり費用額＝費用額／受給者数
　　２）総数には、月の途中で要介護から要支援に変更となった者を含む。

統計表第５表　介護サービス受給者１人当たり費用額，月・年齢階級・サービス種類・要介護状態区分別（60－45）

（95歳以上）

平成30年１月審査分

（単位：千円）

サ ー ビ ス 種 類	総数	要介護１	要介護２	要介護３	要介護４	要介護５
総数	229.6	128.5	169.6	235.7	273.9	302.1
居宅サービス	139.7	86.9	110.1	148.7	180.9	213.4
訪問通所	112.5	68.5	89.0	117.1	148.8	194.8
訪問介護	95.8	41.1	59.1	99.2	135.6	173.0
訪問入浴介護	62.7	58.9	59.8	59.8	61.6	65.0
訪問看護	45.5	36.3	38.8	40.8	45.2	58.1
訪問リハビリテーション	34.4	34.2	34.3	34.3	34.7	34.5
通所介護	96.9	70.4	87.9	108.9	123.7	133.9
通所リハビリテーション	85.6	67.3	82.7	96.4	102.6	111.4
福祉用具貸与	15.1	6.9	12.3	15.4	19.2	22.8
短期入所	110.7	64.3	81.8	119.2	139.4	144.6
短期入所生活介護	110.9	63.6	81.7	120.0	140.2	144.1
短期入所療養介護（老健）	100.5	66.5	79.2	102.3	120.3	133.4
特定治療・特別療養費（再掲）	1.4	-	0.3	0.5	0.9	3.8
短期入所療養介護（病院等）	122.4	80.7	73.4	121.2	136.7	152.6
特定診療費（再掲）	9.3	9.8	10.3	9.3	9.3	8.6
居宅療養管理指導	11.5	11.5	11.3	11.6	11.7	11.5
特定施設入居者生活介護（短期利用以外）	223.8	181.5	202.3	224.3	246.4	266.0
特定施設入居者生活介護（短期利用）	68.8	66.7	53.8	57.5	76.2	103.0
居宅介護支援	14.6	13.0	13.0	16.2	16.2	16.2
地域密着型サービス	205.8	121.2	163.2	216.4	247.6	270.4
定期巡回・随時対応型訪問介護看護	182.6	79.9	126.0	195.1	236.0	287.1
夜間対応型訪問介護	47.7	25.2	26.3	50.6	57.8	73.6
地域密着型通所介護	99.6	64.3	84.5	115.4	134.0	159.3
認知症対応型通所介護	130.2	88.8	110.8	130.8	145.0	160.7
小規模多機能型居宅介護（短期利用以外）	232.4	133.3	188.5	261.1	282.9	313.9
小規模多機能型居宅介護（短期利用）	38.4	31.0	30.6	43.9	34.2	65.4
認知症対応型共同生活介護（短期利用以外）	285.1	265.2	277.8	285.4	291.6	295.8
認知症対応型共同生活介護（短期利用）	75.1	53.2	78.6	92.2	51.6	54.8
地域密着型特定施設入居者生活介護（短期利用以外）	221.0	175.3	199.5	215.8	242.2	259.7
地域密着型特定施設入居者生活介護（短期利用）	145.9	-	199.0	119.3	-	-
地域密着型介護老人福祉施設入所者生活介護	295.7	233.4	256.3	274.9	297.4	317.6
複合型サービス（看護小規模多機能型居宅介護・短期利用以外）	277.5	148.4	203.8	280.8	313.9	351.7
複合型サービス（看護小規模多機能型居宅介護・短期利用）	35.0	19.4	17.5	53.9	45.8	30.7
施設サービス	294.8	251.2	266.5	278.1	297.4	318.9
介護福祉施設サービス	281.7	222.4	244.0	262.4	282.1	301.7
介護保健施設サービス	302.2	258.5	276.1	297.8	315.0	332.6
特定治療・特別療養費（再掲）	7.1	4.3	5.3	5.9	7.5	7.8
介護療養施設サービス	386.3	248.2	267.0	345.4	380.7	406.5
特定診療費（再掲）	17.2	21.6	20.7	20.2	17.1	16.6

注：１）受給者１人当たり費用額＝費用額／受給者数
　　２）総数には、月の途中で要介護から要支援に変更となった者を含む。

統計表第５表　介護サービス受給者１人当たり費用額，月・年齢階級・サービス種類・要介護状態区分別（60－46）

（総　　数）

平成30年２月審査分
（単位：千円）

サービス種類	総数	要介護１	要介護２	要介護３	要介護４	要介護５
総数	187.8	106.1	144.0	217.2	260.2	297.6
居宅サービス	114.5	71.9	95.2	137.1	170.9	212.4
訪問通所	98.8	62.7	84.2	118.1	149.6	199.5
訪問介護	73.7	37.0	52.3	89.8	124.8	166.5
訪問入浴介護	63.9	51.7	55.9	58.5	61.6	68.4
訪問看護	45.1	36.8	41.0	43.5	48.5	60.9
訪問リハビリテーション	35.2	34.1	34.9	35.8	35.5	36.2
通所介護	84.0	62.8	79.8	103.2	116.5	128.8
通所リハビリテーション	74.3	57.7	71.4	87.7	98.6	107.4
福祉用具貸与	14.6	7.6	13.1	16.0	19.7	24.3
短期入所	106.9	63.8	81.2	120.0	137.5	140.2
短期入所生活介護	107.8	63.4	81.5	121.7	139.8	141.4
短期入所療養介護（老健）	93.0	64.7	74.4	96.3	110.1	120.2
特定治療・特別療養費（再掲）	2.6	0.5	0.4	0.7	2.1	6.3
短期入所療養介護（病院等）	114.2	62.5	82.4	107.9	129.5	148.6
特定診療費（再掲）	9.1	6.1	7.4	9.5	9.8	10.5
居宅療養管理指導	12.3	12.0	12.1	12.4	12.4	12.6
特定施設入居者生活介護（短期利用以外）	217.2	180.4	200.8	223.6	244.5	266.8
特定施設入居者生活介護（短期利用）	69.1	61.0	62.6	74.4	80.9	79.7
居宅介護支援	14.1	13.0	13.0	16.2	16.2	16.2
地域密着型サービス	163.0	100.1	137.5	197.0	227.9	255.3
定期巡回・随時対応型訪問介護看護	165.3	78.3	125.4	194.2	236.5	287.6
夜間対応型訪問介護	38.9	23.9	24.8	33.8	51.3	65.2
地域密着型通所介護	76.3	53.3	69.4	101.5	120.0	142.3
認知症対応型通所介護	118.8	86.2	106.2	132.4	144.4	156.2
小規模多機能型居宅介護（短期利用以外）	212.8	134.5	189.7	262.0	283.8	311.3
小規模多機能型居宅介護（短期利用）	39.1	29.8	37.4	41.0	43.0	60.6
認知症対応型共同生活介護（短期利用以外）	281.6	264.2	278.1	285.7	289.9	295.8
認知症対応型共同生活介護（短期利用）	73.5	63.4	71.0	78.9	82.1	90.0
地域密着型特定施設入居者生活介護（短期利用以外）	217.4	177.6	199.1	221.4	241.3	259.3
地域密着型特定施設入居者生活介護（短期利用）	85.0	79.1	118.7	98.0	49.5	66.2
地域密着型介護老人福祉施設入所者生活介護	293.2	232.6	254.5	272.9	293.9	316.1
複合型サービス（看護小規模多機能型居宅介護・短期利用以外）	264.7	151.2	207.6	279.8	310.9	354.6
複合型サービス（看護小規模多機能型居宅介護・短期利用）	39.7	33.2	34.3	39.6	41.6	53.5
施設サービス	295.1	254.3	269.1	279.0	298.9	321.2
介護福祉施設サービス	280.1	219.9	243.0	261.1	281.0	301.5
介護保健施設サービス	302.0	261.4	278.5	299.6	316.4	334.6
特定治療・特別療養費（再掲）	8.0	4.4	5.2	5.8	8.3	9.3
介護療養施設サービス	389.5	241.1	271.1	344.7	383.2	410.9
特定診療費（再掲）	18.6	20.1	19.1	20.5	18.7	18.2

注：１）受給者１人当たり費用額＝費用額／受給者数
　　２）総数には、月の途中で要介護から要支援に変更となった者を含む。

（40～64歳）

平成30年２月審査分
（単位：千円）

サービス種類	総数	要介護１	要介護２	要介護３	要介護４	要介護５
総数	161.5	89.7	113.2	177.7	222.4	276.3
居宅サービス	113.8	63.6	83.7	125.2	158.9	214.8
訪問通所	106.9	61.0	80.4	118.0	147.8	205.1
訪問介護	80.3	41.8	52.4	82.7	110.6	151.8
訪問入浴介護	80.7	53.3	64.3	68.9	76.7	85.2
訪問看護	51.8	42.0	46.1	50.8	56.6	69.5
訪問リハビリテーション	40.0	39.2	39.0	40.9	40.7	41.0
通所介護	82.5	55.1	67.5	94.4	112.1	123.9
通所リハビリテーション	73.5	51.4	65.7	84.5	100.9	108.6
福祉用具貸与	20.1	11.9	17.7	20.7	24.3	29.8
短期入所	100.4	59.5	67.5	100.7	114.6	120.9
短期入所生活介護	101.2	60.0	68.1	103.9	117.4	120.5
短期入所療養介護（老健）	90.0	55.5	61.9	80.6	96.3	111.9
特定治療・特別療養費（再掲）	4.5	－	－	0.3	3.3	5.6
短期入所療養介護（病院等）	110.9	36.6	67.8	116.5	115.3	121.3
特定診療費（再掲）	12.4	2.2	9.3	14.5	10.2	14.7
居宅療養管理指導	12.3	11.8	12.1	12.2	12.4	12.8
特定施設入居者生活介護（短期利用以外）	226.1	179.3	202.2	224.6	244.6	265.2
特定施設入居者生活介護（短期利用）	54.1	12.7	13.4	76.3	51.2	57.2
居宅介護支援	14.5	13.1	13.1	16.4	16.3	16.4
地域密着型サービス	118.6	72.7	83.9	139.8	172.8	211.2
定期巡回・随時対応型訪問介護看護	187.4	77.9	122.4	189.6	243.1	276.1
夜間対応型訪問介護	36.5	21.4	25.2	27.5	45.6	53.7
地域密着型通所介護	64.9	43.8	52.9	78.7	99.8	121.5
認知症対応型通所介護	134.3	83.5	108.8	148.0	157.0	167.1
小規模多機能型居宅介護（短期利用以外）	229.9	134.6	190.0	263.7	282.8	319.5
小規模多機能型居宅介護（短期利用）	19.5	18.7	14.4	25.5	－	－
認知症対応型共同生活介護（短期利用以外）	302.1	286.2	300.5	305.3	308.0	317.5
認知症対応型共同生活介護（短期利用）	35.5	－	－	－	34.1	36.9
地域密着型特定施設入居者生活介護（短期利用以外）	224.5	186.9	206.6	228.3	237.3	251.1
地域密着型特定施設入居者生活介護（短期利用）	－	－	－	－	－	－
地域密着型介護老人福祉施設入所者生活介護	301.6	251.8	249.8	276.4	299.6	322.4
複合型サービス（看護小規模多機能型居宅介護・短期利用以外）	294.0	162.5	205.9	279.8	309.1	361.1
複合型サービス（看護小規模多機能型居宅介護・短期利用）	40.1	－	12.6	30.1	26.1	101.8
施設サービス	309.1	260.8	273.1	289.8	313.0	337.0
介護福祉施設サービス	285.0	219.9	245.5	262.0	284.3	306.2
介護保健施設サービス	309.5	266.9	280.6	304.5	319.1	338.2
特定治療・特別療養費（再掲）	9.4	7.6	4.1	4.9	7.6	12.4
介護療養施設サービス	411.2	255.1	259.8	375.6	405.5	426.7
特定診療費（再掲）	25.9	32.0	24.4	36.7	25.1	24.9

注：１）受給者１人当たり費用額＝費用額／受給者数
　　２）総数には、月の途中で要介護から要支援に変更となった者を含む。

統計表第５表　介護サービス受給者１人当たり費用額，月・年齢階級・サービス種類・要介護状態区分別（60－47）

（65～69歳）

平成30年２月審査分
（単位：千円）

サービス種類	総数	要介護１	要介護２	要介護３	要介護４	要介護５
総数	165.5	93.8	121.6	188.1	233.0	281.9
居宅サービス	114.6	65.3	88.7	131.6	168.3	217.9
訪問通所	106.8	61.7	84.3	123.2	156.2	206.2
訪問介護	80.9	43.1	58.6	94.6	123.7	163.0
訪問入浴介護	72.9	53.8	58.7	62.8	68.3	78.4
訪問看護	48.8	38.7	43.5	47.8	53.0	66.2
訪問リハビリテーション	37.4	35.8	36.9	37.9	37.5	39.0
通所介護	81.3	56.9	70.2	94.7	111.0	124.2
通所リハビリテーション	74.7	53.0	66.9	86.2	100.1	107.2
福祉用具貸与	17.8	9.9	15.6	18.8	22.1	26.7
短期入所	98.2	60.8	68.9	100.5	115.1	120.3
短期入所生活介護	99.4	60.7	70.3	104.0	117.4	120.3
短期入所療養介護（老健）	86.2	59.6	60.8	78.8	95.3	108.7
特定治療・特別療養費（再掲）	1.8	－	0.4	0.6	1.3	3.5
短期入所療養介護（病院等）	107.9	68.1	78.3	59.5	102.0	149.1
特定診療費（再掲）	10.7	6.2	6.8	9.6	10.3	13.7
居宅療養管理指導	12.4	11.9	12.4	12.7	12.3	12.7
特定施設入居者生活介護（短期利用以外）	214.9	172.4	195.5	220.4	242.7	270.0
特定施設入居者生活介護（短期利用）	53.9	46.8	63.9	38.4	61.2	63.4
居宅介護支援	14.4	13.0	13.1	16.3	16.3	16.4
地域密着型サービス	124.5	82.6	96.5	149.3	177.2	213.1
定期巡回・随時対応型訪問介護看護	173.1	76.6	124.5	197.5	229.0	288.0
夜間対応型訪問介護	41.5	22.2	31.6	26.6	48.3	64.3
地域密着型通所介護	67.5	47.6	58.0	84.9	101.3	119.9
認知症対応型通所介護	127.5	85.0	112.3	136.3	147.1	168.6
小規模多機能型居宅介護（短期利用以外）	219.3	133.3	187.8	263.1	285.3	315.0
小規模多機能型居宅介護（短期利用）	50.7	38.2	34.3	16.3	73.3	79.1
認知症対応型共同生活介護（短期利用以外）	280.6	265.7	277.7	287.1	290.3	297.1
認知症対応型共同生活介護（短期利用）	18.6	－	－	－	18.6	－
地域密着型特定施設入居者生活介護（短期利用以外）	218.3	169.7	200.9	228.3	251.0	257.9
地域密着型特定施設入居者生活介護（短期利用）	36.4	－	－	－	－	36.4
地域密着型介護老人福祉施設入所者生活介護	292.8	228.7	242.0	274.3	289.0	319.3
複合型サービス（看護小規模多機能型居宅介護・短期利用以外）	267.2	148.2	203.7	284.7	318.8	343.8
複合型サービス（看護小規模多機能型居宅介護・短期利用）	32.7	－	6.5	36.8	－	46.5
施設サービス	299.4	256.3	271.3	281.8	302.3	327.1
介護福祉施設サービス	279.9	216.3	242.9	261.1	279.0	301.6
介護保健施設サービス	304.6	264.8	281.7	299.4	316.0	337.6
特定治療・特別療養費（再掲）	10.1	6.9	4.5	6.4	12.3	10.4
介護療養施設サービス	398.7	217.2	285.8	363.9	387.0	420.7
特定診療費（再掲）	21.2	13.5	18.9	27.9	20.0	21.3

注：１）受給者１人当たり費用額＝費用額／受給者数
　　２）総数には、月の途中で要介護から要支援に変更となった者を含む。

（70～74歳）

平成30年２月審査分
（単位：千円）

サービス種類	総数	要介護１	要介護２	要介護３	要介護４	要介護５
総数	165.9	95.0	123.0	191.4	235.8	283.6
居宅サービス	109.9	65.1	86.7	129.0	163.8	211.1
訪問通所	100.8	60.5	81.7	118.3	149.0	197.4
訪問介護	74.3	39.5	54.6	87.2	116.4	154.8
訪問入浴介護	68.7	47.1	59.2	62.5	65.5	73.2
訪問看護	47.0	37.7	43.0	46.2	51.4	62.3
訪問リハビリテーション	37.2	35.4	36.6	38.1	37.3	38.7
通所介護	80.7	58.6	72.0	95.9	110.8	121.5
通所リハビリテーション	74.8	53.8	67.8	86.1	99.9	111.6
福祉用具貸与	16.9	9.0	14.8	18.1	21.6	26.5
短期入所	100.4	62.6	73.6	106.2	118.9	121.4
短期入所生活介護	101.2	62.3	73.9	108.7	121.8	121.9
短期入所療養介護（老健）	89.8	61.4	68.1	86.0	99.6	107.3
特定治療・特別療養費（再掲）	5.1	0.4	0.4	0.7	2.6	9.8
短期入所療養介護（病院等）	100.0	66.2	92.9	83.6	89.2	117.5
特定診療費（再掲）	9.1	12.6	6.8	4.8	9.9	10.4
居宅療養管理指導	12.4	12.2	12.2	12.4	12.5	12.7
特定施設入居者生活介護（短期利用以外）	212.5	174.3	194.7	220.9	238.9	265.6
特定施設入居者生活介護（短期利用）	56.5	60.1	29.5	52.6	109.7	67.7
居宅介護支援	14.3	13.1	13.1	16.3	16.3	16.4
地域密着型サービス	129.0	85.8	104.5	157.9	184.9	222.4
定期巡回・随時対応型訪問介護看護	166.7	77.0	120.8	192.8	233.6	284.9
夜間対応型訪問介護	44.1	27.8	25.1	38.8	48.0	69.6
地域密着型通所介護	68.0	48.7	59.6	87.2	103.6	129.6
認知症対応型通所介護	122.6	85.7	107.2	136.9	146.8	160.0
小規模多機能型居宅介護（短期利用以外）	212.4	134.9	190.1	263.5	287.0	317.3
小規模多機能型居宅介護（短期利用）	31.3	18.7	21.3	40.7	21.8	79.1
認知症対応型共同生活介護（短期利用以外）	279.1	264.7	276.8	285.6	287.5	295.4
認知症対応型共同生活介護（短期利用）	50.8	86.7	18.2	30.5	36.6	－
地域密着型特定施設入居者生活介護（短期利用以外）	218.7	179.9	200.9	222.6	243.6	256.5
地域密着型特定施設入居者生活介護（短期利用）	75.5	－	20.3	63.5	90.8	127.6
地域密着型介護老人福祉施設入所者生活介護	292.4	232.6	256.1	272.2	292.3	315.3
複合型サービス（看護小規模多機能型居宅介護・短期利用以外）	273.2	155.4	206.3	275.2	298.3	363.9
複合型サービス（看護小規模多機能型居宅介護・短期利用）	55.5	－	15.7	40.1	65.1	64.0
施設サービス	298.0	254.4	267.9	280.7	301.9	324.6
介護福祉施設サービス	278.9	219.0	240.2	260.5	280.0	300.3
介護保健施設サービス	305.4	263.2	279.6	301.5	318.7	336.2
特定治療・特別療養費（再掲）	10.0	5.1	6.7	6.8	9.7	11.4
介護療養施設サービス	398.1	277.0	292.4	352.2	386.9	417.5
特定診療費（再掲）	20.2	17.2	21.0	21.6	20.4	19.8

注：１）受給者１人当たり費用額＝費用額／受給者数
　　２）総数には、月の途中で要介護から要支援に変更となった者を含む。

統計表第５表　介護サービス受給者１人当たり費用額，月・年齢階級・サービス種類・要介護状態区分別（60－48）

(75～79歳)

平成30年２月審査分
(単位：千円)

サービス種類	総数	要介護１	要介護２	要介護３	要介護４	要介護５
総数	169.3	96.8	128.5	200.7	245.5	290.9
居宅サービス	106.5	65.2	87.1	129.7	163.4	211.1
訪問通所	96.1	60.3	80.9	117.0	146.8	196.1
訪問介護	69.5	36.8	50.7	85.4	115.0	154.3
訪問入浴介護	65.0	52.6	56.7	56.3	62.4	69.7
訪問看護	45.7	37.2	42.0	44.9	50.2	61.7
訪問リハビリテーション	36.0	34.9	35.2	36.4	36.5	37.3
通所介護	80.3	60.0	75.1	100.0	110.6	124.3
通所リハビリテーション	74.3	56.0	69.2	87.7	100.2	108.9
福祉用具貸与	15.4	8.0	13.8	16.8	20.6	25.3
短期入所	104.4	62.6	77.5	114.0	126.7	133.1
短期入所生活介護	105.4	62.2	77.6	116.4	129.3	134.5
短期入所療養介護（老健）	91.0	63.1	72.5	90.1	102.3	114.8
特定治療・特別療養費（再掲）	2.0	0.4	0.5	1.5	0.4	6.2
短期入所療養介護（病院等）	118.7	59.0	86.1	101.9	142.1	142.0
特定診療費（再掲）	10.5	3.7	7.6	10.7	15.4	10.2
居宅療養管理指導	12.5	12.1	12.2	12.5	12.5	12.9
特定施設入居者生活介護（短期利用以外）	213.3	176.5	196.7	218.5	240.0	265.8
特定施設入居者生活介護（短期利用）	72.5	76.5	63.7	56.6	80.3	95.1
居宅介護支援	14.2	13.1	13.1	16.3	16.3	16.3
地域密着型サービス	138.8	90.3	117.8	175.4	204.2	236.3
定期巡回・随時対応型訪問介護看護	163.1	79.3	123.5	190.6	240.5	288.2
夜間対応型訪問介護	34.5	21.3	21.9	27.2	45.4	57.2
地域密着型通所介護	69.3	50.1	63.1	93.7	109.8	132.9
認知症対応型通所介護	116.6	84.6	105.7	131.2	146.4	159.0
小規模多機能型居宅介護（短期利用以外）	209.5	135.8	190.0	263.0	287.1	310.1
小規模多機能型居宅介護（短期利用）	40.5	31.1	33.3	40.2	51.3	63.4
認知症対応型共同生活介護（短期利用以外）	280.7	264.9	278.6	286.2	291.5	297.1
認知症対応型共同生活介護（短期利用）	64.2	60.5	53.7	93.6	27.5	95.0
地域密着型特定施設入居者生活介護（短期利用以外）	216.9	173.8	196.2	218.9	240.9	273.4
地域密着型特定施設入居者生活介護（短期利用）	72.1	-	108.6	54.7	16.6	-
地域密着型介護老人福祉施設入所者生活介護	293.3	230.7	252.8	271.9	294.1	315.0
複合型サービス(看護小規模多機能型居宅介護・短期利用以外)	265.1	151.0	211.6	280.8	321.8	349.3
複合型サービス(看護小規模多機能型居宅介護・短期利用)	40.1	33.1	20.1	57.6	37.8	43.6
施設サービス	297.0	256.4	269.0	279.6	300.4	323.3
介護福祉施設サービス	280.4	220.4	241.9	261.5	280.7	302.0
介護保健施設サービス	304.4	265.3	279.7	300.3	317.4	335.7
特定治療・特別療養費（再掲）	8.5	5.0	6.2	5.6	8.5	9.8
介護療養施設サービス	393.8	237.4	277.3	346.2	387.5	413.0
特定診療費（再掲）	19.6	16.1	18.9	20.7	20.7	18.9

注：１）受給者１人当たり費用額＝費用額／受給者数
　　２）総数には、月の途中で要介護から要支援に変更となった者を含む。

(80～84歳)

平成30年２月審査分
(単位：千円)

サービス種類	総数	要介護１	要介護２	要介護３	要介護４	要介護５
総数	177.0	101.6	139.1	213.9	257.6	299.0
居宅サービス	107.1	68.1	91.5	133.4	167.9	211.9
訪問通所	94.4	61.5	83.1	117.4	148.9	200.5
訪問介護	67.2	35.1	49.4	84.8	119.9	164.9
訪問入浴介護	62.4	50.8	52.9	58.2	61.3	66.2
訪問看護	44.4	36.6	41.0	43.6	49.0	61.8
訪問リハビリテーション	34.8	33.5	35.1	35.2	35.6	35.0
通所介護	81.7	61.9	79.3	103.8	116.8	130.1
通所リハビリテーション	72.9	57.0	70.9	87.7	98.8	107.6
福祉用具貸与	13.9	7.4	12.8	15.7	19.3	23.7
短期入所	107.4	63.3	81.1	121.0	139.6	141.5
短期入所生活介護	108.3	62.6	81.6	122.9	142.3	142.6
短期入所療養介護（老健）	92.6	65.0	74.1	95.5	110.6	120.2
特定治療・特別療養費（再掲）	2.4	0.3	0.3	0.6	4.0	4.5
短期入所療養介護（病院等）	117.4	70.6	77.9	115.1	124.5	156.4
特定診療費（再掲）	10.2	9.0	5.2	11.3	9.8	13.1
居宅療養管理指導	12.6	12.0	12.3	12.8	12.7	13.1
特定施設入居者生活介護（短期利用以外）	215.4	179.2	200.7	223.1	243.8	266.5
特定施設入居者生活介護（短期利用）	70.5	65.5	64.0	83.2	75.6	73.7
居宅介護支援	14.0	13.0	13.0	16.3	16.2	16.3
地域密着型サービス	152.9	96.5	134.0	194.1	222.7	252.9
定期巡回・随時対応型訪問介護看護	158.0	78.3	125.4	190.0	233.5	278.1
夜間対応型訪問介護	34.3	22.6	25.2	28.0	44.6	58.5
地域密着型通所介護	72.7	52.0	68.3	101.3	118.3	142.0
認知症対応型通所介護	116.4	86.4	107.2	135.4	146.6	151.6
小規模多機能型居宅介護（短期利用以外）	207.6	135.1	190.2	263.8	285.2	311.6
小規模多機能型居宅介護（短期利用）	45.8	33.6	46.3	51.3	40.4	97.6
認知症対応型共同生活介護（短期利用以外）	280.9	264.1	278.6	286.6	289.7	296.3
認知症対応型共同生活介護（短期利用）	79.3	57.2	67.4	101.3	96.4	148.7
地域密着型特定施設入居者生活介護（短期利用以外）	215.9	178.0	201.0	218.5	236.4	262.8
地域密着型特定施設入居者生活介護（短期利用）	109.0	177.7	195.7	114.8	24.6	26.3
地域密着型介護老人福祉施設入所者生活介護	292.8	232.9	255.1	270.9	292.3	316.7
複合型サービス(看護小規模多機能型居宅介護・短期利用以外)	259.8	151.2	208.6	280.0	312.0	358.5
複合型サービス(看護小規模多機能型居宅介護・短期利用)	46.7	37.4	30.0	66.8	74.2	62.6
施設サービス	296.0	254.7	270.1	279.9	300.0	322.1
介護福祉施設サービス	280.4	218.7	242.4	260.9	281.2	302.0
介護保健施設サービス	303.0	262.1	279.9	300.6	317.9	335.0
特定治療・特別療養費（再掲）	8.2	4.2	5.3	5.8	8.6	9.7
介護療養施設サービス	392.9	247.4	276.3	347.9	383.9	415.2
特定診療費（再掲）	19.4	21.6	20.1	22.2	19.6	18.8

注：１）受給者１人当たり費用額＝費用額／受給者数
　　２）総数には、月の途中で要介護から要支援に変更となった者を含む。

統計表第５表　介護サービス受給者１人当たり費用額，月・年齢階級・サービス種類・要介護状態区分別（60－49）

（85～89歳）

平成30年２月審査分
（単位：千円）

サービス種類	総数	要介護１	要介護２	要介護３	要介護４	要介護５
総数	189.5	109.1	150.9	224.7	266.5	303.5
居宅サービス	114.0	74.1	98.6	140.7	174.2	214.2
訪問通所	97.2	64.0	86.5	120.5	152.3	203.2
訪問介護	70.4	35.8	51.1	90.7	127.5	174.4
訪問入浴介護	60.5	49.9	55.1	58.0	58.8	64.2
訪問看護	43.7	36.3	40.3	42.4	47.7	60.0
訪問リハビリテーション	33.6	32.8	33.6	34.0	33.9	33.8
通所介護	84.6	64.0	82.8	106.6	120.7	133.6
通所リハビリテーション	73.5	59.1	73.6	88.9	96.8	104.6
福祉用具貸与	13.2	7.0	12.2	14.9	18.6	22.9
短期入所	107.4	63.5	82.1	123.8	143.7	148.6
短期入所生活介護	108.3	63.2	82.4	125.4	145.9	149.7
短期入所療養介護（老健）	92.9	63.6	75.4	99.2	114.7	128.6
特定治療・特別療養費（再掲）	2.0	1.0	0.3	0.6	1.3	5.3
短期入所療養介護（病院等）	105.9	55.7	83.7	97.7	125.9	147.9
特定診療費（再掲）	7.7	5.8	7.9	10.4	6.9	7.2
居宅療養管理指導	12.5	12.2	12.3	12.7	12.8	12.9
特定施設入居者生活介護（短期利用以外）	215.9	181.0	201.1	224.0	244.8	267.7
特定施設入居者生活介護（短期利用）	68.1	57.8	59.3	82.5	81.7	80.1
居宅介護支援	14.0	13.0	13.0	16.2	16.2	16.1
地域密着型サービス	168.6	104.5	146.6	206.6	236.1	264.4
定期巡回・随時対応型訪問介護看護	161.6	78.0	125.7	195.9	236.5	287.3
夜間対応型訪問介護	38.5	23.3	23.3	37.1	61.0	68.2
地域密着型通所介護	78.3	54.9	73.1	107.5	127.6	151.0
認知症対応型通所介護	117.4	87.2	105.8	132.8	144.8	157.3
小規模多機能型居宅介護（短期利用以外）	209.7	134.6	190.0	261.8	283.7	312.9
小規模多機能型居宅介護（短期利用）	37.4	23.8	39.8	40.0	49.6	26.7
認知症対応型共同生活介護（短期利用以外）	281.2	263.7	278.3	285.6	289.6	296.2
認知症対応型共同生活介護（短期利用）	78.2	70.0	68.3	71.4	105.8	160.3
地域密着型特定施設入居者生活介護（短期利用以外）	216.4	176.8	198.3	221.6	244.7	261.1
地域密着型特定施設入居者生活介護（短期利用）	70.3	72.4	79.9	-	57.8	74.7
地域密着型介護老人福祉施設入所者生活介護	293.4	231.9	255.1	274.2	294.3	315.5
複合型サービス（看護小規模多機能型居宅介護・短期利用以外）	260.6	149.6	208.6	284.4	309.1	352.8
複合型サービス（看護小規模多機能型居宅介護・短期利用）	34.7	41.5	39.6	27.5	27.3	35.7
施設サービス	294.6	254.3	269.6	279.3	298.9	320.8
介護福祉施設サービス	280.2	219.8	243.4	261.4	281.2	301.6
介護保健施設サービス	300.7	260.8	278.3	299.8	315.4	334.4
特定治療・特別療養費（再掲）	8.1	4.5	5.1	5.9	8.4	9.5
介護療養施設サービス	388.2	239.6	270.9	346.5	382.6	409.6
特定診療費（再掲）	18.8	20.0	19.5	20.7	18.7	18.5

注：１）受給者１人当たり費用額＝費用額／受給者数
　　２）総数には、月の途中で要介護から要支援に変更となった者を含む。

（90～94歳）

平成30年２月審査分
（単位：千円）

サービス種類	総数	要介護１	要介護２	要介護３	要介護４	要介護５
総数	204.3	117.0	159.2	229.7	269.2	302.2
居宅サービス	122.9	79.7	103.2	144.0	177.0	213.0
訪問通所	101.0	65.1	86.4	118.0	150.7	199.3
訪問介護	79.6	37.7	54.5	95.7	134.8	177.2
訪問入浴介護	59.5	53.2	54.9	56.4	58.4	62.6
訪問看護	43.7	35.7	39.2	41.0	46.0	58.7
訪問リハビリテーション	32.7	32.3	31.8	33.5	33.1	33.1
通所介護	87.3	65.7	83.4	106.0	118.8	131.8
通所リハビリテーション	75.9	61.2	75.3	89.1	97.5	105.3
福祉用具貸与	13.5	6.9	12.0	14.8	18.7	22.7
短期入所	107.3	64.4	82.8	122.8	141.6	148.4
短期入所生活介護	107.9	63.9	83.0	123.8	142.9	149.0
短期入所療養介護（老健）	94.6	66.5	76.6	102.8	116.4	128.7
特定治療・特別療養費（再掲）	2.6	0.4	0.4	0.8	1.8	7.8
短期入所療養介護（病院等）	118.5	64.5	85.7	123.7	142.5	168.3
特定診療費（再掲）	7.7	5.5	6.9	6.9	8.5	10.3
居宅療養管理指導	12.1	11.9	11.8	12.1	12.4	12.4
特定施設入居者生活介護（短期利用以外）	217.9	182.1	201.8	224.7	245.7	265.9
特定施設入居者生活介護（短期利用）	71.0	59.9	63.9	75.9	95.3	84.8
居宅介護支援	14.1	12.9	13.0	16.2	16.1	16.2
地域密着型サービス	183.6	112.3	155.1	211.4	240.8	266.2
定期巡回・随時対応型訪問介護看護	166.8	78.5	125.2	196.5	238.8	295.2
夜間対応型訪問介護	42.7	26.4	25.6	37.6	56.3	75.7
地域密着型通所介護	85.4	58.3	77.4	109.8	128.9	151.5
認知症対応型通所介護	119.8	86.7	105.2	129.8	142.5	152.6
小規模多機能型居宅介護（短期利用以外）	214.9	133.3	189.1	260.7	281.0	307.4
小規模多機能型居宅介護（短期利用）	33.0	40.0	31.6	30.4	29.4	36.4
認知症対応型共同生活介護（短期利用以外）	282.0	263.6	277.5	285.0	290.0	295.3
認知症対応型共同生活介護（短期利用）	69.8	66.0	78.2	67.3	84.3	33.7
地域密着型特定施設入居者生活介護（短期利用以外）	217.4	180.5	199.3	221.8	241.8	255.1
地域密着型特定施設入居者生活介護（短期利用）	73.2	57.5	-	89.0	-	-
地域密着型介護老人福祉施設入所者生活介護	292.7	232.5	255.6	272.2	294.5	316.3
複合型サービス（看護小規模多機能型居宅介護・短期利用以外）	262.8	152.3	204.9	277.7	307.0	353.1
複合型サービス（看護小規模多機能型居宅介護・短期利用）	37.9	26.1	48.7	31.3	34.4	57.8
施設サービス	293.3	253.7	268.6	277.9	297.7	319.3
介護福祉施設サービス	279.6	221.0	243.7	261.1	280.7	301.2
介護保健施設サービス	299.7	260.0	277.2	298.0	315.8	332.9
特定治療・特別療養費（再掲）	7.5	3.9	5.0	5.5	8.1	8.6
介護療養施設サービス	385.0	230.7	266.4	338.5	381.0	407.1
特定診療費（再掲）	17.4	19.3	17.6	18.2	17.8	16.9

注：１）受給者１人当たり費用額＝費用額／受給者数
　　２）総数には、月の途中で要介護から要支援に変更となった者を含む。

統計表第５表　介護サービス受給者１人当たり費用額，月・年齢階級・サービス種類・要介護状態区分別（60－50）

（95歳以上）

平成30年２月審査分

（単位：千円）

サービス種類	総数	要介護１	要介護２	要介護３	要介護４	要介護５
総数	225.3	124.8	164.6	230.9	270.2	299.0
居宅サービス	134.2	83.3	104.9	142.7	174.9	206.7
訪問通所	107.0	64.3	83.4	111.1	143.1	188.9
訪問介護	94.5	39.9	57.2	97.7	135.3	172.0
訪問入浴介護	59.5	54.1	56.2	57.1	59.1	61.5
訪問看護	44.1	35.1	37.2	39.4	43.9	56.7
訪問リハビリテーション	32.0	31.9	32.3	32.0	31.6	32.2
通所介護	90.4	65.6	82.0	101.1	116.1	127.8
通所リハビリテーション	78.8	62.6	75.5	88.2	95.7	102.9
福祉用具貸与	15.0	6.9	12.3	15.3	19.2	22.8
短期入所	112.4	66.7	83.6	121.3	142.3	144.4
短期入所生活介護	112.8	66.1	83.8	122.0	143.1	144.7
短期入所療養介護（老健）	99.7	68.8	78.3	102.5	120.1	127.9
特定治療・特別療養費（再掲）	2.3	0.1	0.5	0.7	0.8	6.7
短期入所療養介護（病院等）	123.0	65.2	76.5	121.6	142.6	157.6
特定診療費（再掲）	9.2	4.9	11.0	10.8	10.7	7.6
居宅療養管理指導	11.2	11.2	11.1	11.3	11.4	11.2
特定施設入居者生活介護（短期利用以外）	223.7	181.4	202.9	224.2	245.9	267.4
特定施設入居者生活介護（短期利用）	74.1	61.4	80.5	74.5	70.6	86.9
居宅介護支援	14.5	12.9	13.0	16.2	16.2	16.2
地域密着型サービス	204.0	119.4	161.5	214.5	245.6	268.8
定期巡回・随時対応型訪問介護看護	184.7	79.7	131.2	197.0	236.2	297.2
夜間対応型訪問介護	46.8	27.1	28.0	50.8	54.3	73.9
地域密着型通所介護	94.1	60.4	79.6	108.8	127.9	152.0
認知症対応型通所介護	122.8	84.0	104.0	122.6	136.3	152.7
小規模多機能型居宅介護（短期利用以外）	231.5	132.7	188.7	259.9	282.9	308.9
小規模多機能型居宅介護（短期利用）	45.8	24.5	42.9	52.1	40.8	73.5
認知症対応型共同生活介護（短期利用以外）	283.5	264.3	275.9	284.4	289.8	293.7
認知症対応型共同生活介護（短期利用）	71.6	52.2	102.0	51.6	112.9	42.5
地域密着型特定施設入居者生活介護（短期利用以外）	220.4	172.5	198.6	222.9	238.0	257.3
地域密着型特定施設入居者生活介護（短期利用）	184.3	－	199.0	169.6	－	－
地域密着型介護老人福祉施設入所者生活介護	293.7	234.1	252.9	274.5	294.3	316.3
複合型サービス(看護小規模多機能型居宅介護･短期利用以外)	275.9	149.6	203.4	270.4	315.5	355.6
複合型サービス(看護小規模多機能型居宅介護･短期利用)	26.9	－	19.0	－	14.3	49.9
施設サービス	294.3	251.9	267.6	277.3	296.9	318.4
介護福祉施設サービス	280.5	221.0	243.5	260.6	281.1	300.9
介護保健施設サービス	303.4	259.4	277.9	299.0	316.0	334.3
特定治療・特別療養費（再掲）	6.9	4.2	4.9	5.8	7.0	7.8
介護療養施設サービス	384.1	247.2	262.9	337.7	380.0	405.1
特定診療費（再掲）	16.3	24.0	18.7	18.6	16.3	15.6

注：１）受給者１人当たり費用額＝費用額／受給者数

　　２）総数には、月の途中で要介護から要支援に変更となった者を含む。

統計表第５表　介護サービス受給者１人当たり費用額，月・年齢階級・サービス種類・要介護状態区分別（60－51）

（総　　数）

平成30年３月審査分
（単位：千円）

サ ー ビ ス 種 類	総数	要介護１	要介護２	要介護３	要介護４	要介護５
総数	177.9	103.2	139.1	205.2	242.9	276.5
居宅サービス	111.1	70.4	93.2	132.6	164.4	203.1
訪問通所	97.1	62.1	83.2	115.8	146.3	193.7
訪問介護	70.5	35.9	50.4	85.5	118.5	158.1
訪問入浴介護	62.1	51.6	55.2	57.1	59.6	66.4
訪問看護	44.5	36.5	40.8	43.1	47.8	59.7
訪問リハビリテーション	35.4	34.3	35.1	35.8	35.7	36.5
通所介護	82.9	62.3	79.0	101.4	114.2	126.1
通所リハビリテーション	74.4	57.8	71.4	88.2	99.1	107.1
福祉用具貸与	14.6	7.6	13.1	16.0	19.7	24.3
短期入所	103.8	64.0	80.8	115.4	131.9	133.4
短期入所生活介護	104.4	63.8	81.0	116.6	133.6	134.2
短期入所療養介護（老健）	91.7	63.5	74.4	95.5	108.6	116.4
特定治療・特別療養費（再掲）	2.8	0.5	0.5	0.8	1.6	6.9
短期入所療養介護（病院等）	110.7	69.3	86.3	105.4	123.2	139.2
特定診療費（再掲）	8.5	6.4	7.2	8.6	8.8	9.7
居宅療養管理指導	12.4	12.1	12.2	12.5	12.6	12.7
特定施設入居者生活介護（短期利用以外）	197.4	164.2	182.6	203.5	222.1	242.1
特定施設入居者生活介護（短期利用）	73.4	62.3	64.6	75.9	93.7	95.2
居宅介護支援	14.2	13.0	13.0	16.3	16.2	16.3
地域密着型サービス	155.1	96.6	131.8	186.7	215.1	240.2
定期巡回・随時対応型訪問介護看護	165.9	78.7	126.0	194.2	238.5	289.3
夜間対応型訪問介護	37.1	24.0	24.4	32.0	47.7	61.3
地域密着型通所介護	76.1	53.5	69.6	100.4	118.7	140.9
認知症対応型通所介護	117.3	85.4	105.1	130.7	142.2	154.3
小規模多機能型居宅介護（短期利用以外）	212.2	134.4	189.3	260.8	282.0	312.2
小規模多機能型居宅介護（短期利用）	39.3	34.1	38.7	35.3	41.8	63.8
認知症対応型共同生活介護（短期利用以外）	255.9	240.5	252.5	259.8	263.2	268.9
認知症対応型共同生活介護（短期利用）	81.4	75.0	73.4	83.1	94.6	93.2
地域密着型特定施設入居者生活介護（短期利用以外）	197.9	162.5	181.7	201.1	218.8	236.0
地域密着型特定施設入居者生活介護（短期利用）	89.2	60.6	119.3	115.7	102.2	87.1
地域密着型介護老人福祉施設入所者生活介護	266.3	210.2	229.8	248.0	266.9	287.6
複合型サービス(看護小規模多機能型居宅介護･短期利用以外)	263.6	150.2	207.7	279.3	313.5	351.2
複合型サービス(看護小規模多機能型居宅介護･短期利用)	41.5	31.5	38.9	33.4	44.6	58.3
施設サービス	268.6	232.8	246.2	254.0	271.8	292.0
介護福祉施設サービス	254.5	199.8	220.3	237.0	255.2	274.1
介護保健施設サービス	275.6	239.4	255.3	273.6	288.4	304.4
特定治療・特別療養費（再掲）	7.5	4.2	4.9	5.5	7.8	8.7
介護療養施設サービス	354.9	222.0	251.4	316.1	349.3	373.9
特定診療費（再掲）	17.9	19.3	19.6	19.9	17.9	17.4

注：1）受給者１人当たり費用額＝費用額／受給者数
　　2）総数には、月の途中で要介護から要支援に変更となった者を含む。

（40～64歳）

平成30年３月審査分
（単位：千円）

サ ー ビ ス 種 類	総数	要介護１	要介護２	要介護３	要介護４	要介護５
総数	156.6	88.9	111.7	172.6	213.5	261.6
居宅サービス	112.1	63.4	83.1	123.4	155.4	207.6
訪問通所	105.8	61.0	79.9	117.2	145.7	201.0
訪問介護	77.7	40.4	50.6	79.5	106.6	147.1
訪問入浴介護	78.3	61.2	62.6	67.9	74.8	82.0
訪問看護	51.9	42.2	46.7	50.6	56.2	69.7
訪問リハビリテーション	40.4	39.4	39.6	40.7	41.9	41.5
通所介護	81.8	54.8	67.2	94.1	111.2	120.2
通所リハビリテーション	73.6	51.5	65.3	86.1	100.9	109.3
福祉用具貸与	20.1	11.9	17.7	20.6	24.3	29.9
短期入所	98.7	58.6	71.1	96.6	111.7	117.0
短期入所生活介護	98.4	58.1	72.3	98.3	112.8	115.0
短期入所療養介護（老健）	90.9	58.8	62.5	82.5	95.2	111.5
特定治療・特別療養費（再掲）	3.1	－	－	0.3	0.6	4.1
短期入所療養介護（病院等）	112.9	44.9	67.0	107.7	163.1	112.4
特定診療費（再掲）	10.9	6.8	9.4	7.9	11.8	12.2
居宅療養管理指導	12.5	11.8	12.2	12.5	12.6	12.9
特定施設入居者生活介護（短期利用以外）	203.9	164.3	184.6	200.9	217.7	241.1
特定施設入居者生活介護（短期利用）	49.0	82.9	10.0	80.8	65.1	38.5
居宅介護支援	14.5	13.1	13.1	16.4	16.3	16.4
地域密着型サービス	115.8	71.3	82.7	136.2	169.9	205.1
定期巡回・随時対応型訪問介護看護	184.9	77.5	123.5	192.8	239.1	280.1
夜間対応型訪問介護	33.6	21.9	21.7	25.7	42.6	51.0
地域密着型通所介護	65.3	45.0	53.7	78.7	98.7	123.0
認知症対応型通所介護	134.7	87.6	103.5	144.1	163.2	166.3
小規模多機能型居宅介護（短期利用以外）	230.5	135.5	190.7	265.6	281.0	315.5
小規模多機能型居宅介護（短期利用）	32.5	50.7	14.4	－	－	－
認知症対応型共同生活介護（短期利用以外）	276.7	263.8	271.8	282.0	281.1	290.0
認知症対応型共同生活介護（短期利用）	122.4	－	－	207.5	122.9	36.9
地域密着型特定施設入居者生活介護（短期利用以外）	200.8	165.4	188.6	182.6	214.5	234.0
地域密着型特定施設入居者生活介護（短期利用）	－	－	－	－	－	－
地域密着型介護老人福祉施設入所者生活介護	275.7	226.1	226.1	251.6	273.2	296.0
複合型サービス(看護小規模多機能型居宅介護･短期利用以外)	296.8	151.8	212.7	290.9	321.9	354.3
複合型サービス(看護小規模多機能型居宅介護･短期利用)	58.8	－	12.6	－	－	74.2
施設サービス	282.3	233.7	251.8	265.5	285.9	307.3
介護福祉施設サービス	259.3	194.2	224.9	241.5	257.6	277.9
介護保健施設サービス	282.8	240.1	259.1	277.7	293.5	308.3
特定治療・特別療養費（再掲）	8.7	6.7	3.9	6.1	7.0	11.1
介護療養施設サービス	376.0	194.2	236.1	348.1	368.9	389.4
特定診療費（再掲）	24.3	20.3	30.8	33.2	24.3	23.2

注：1）受給者１人当たり費用額＝費用額／受給者数
　　2）総数には、月の途中で要介護から要支援に変更となった者を含む。

統計表第５表　介護サービス受給者１人当たり費用額，月・年齢階級・サービス種類・要介護状態区分別（60－52）

(65～69歳)

平成30年３月審査分
（単位：千円）

サービス種類	総数	要介護１	要介護２	要介護３	要介護４	要介護５
総数	158.9	91.8	118.5	180.2	222.2	265.4
居宅サービス	111.8	64.4	87.1	128.4	163.6	209.4
訪問通所	104.9	61.0	83.3	120.9	153.5	200.6
訪問介護	77.3	41.6	56.1	90.2	117.5	155.7
訪問入浴介護	71.4	48.3	63.4	62.7	66.4	76.1
訪問看護	48.4	38.6	43.7	47.3	52.5	64.5
訪問リハビリテーション	37.7	36.4	36.6	38.6	37.7	39.7
通所介護	80.3	56.8	69.9	93.3	109.0	119.6
通所リハビリテーション	75.1	53.6	67.1	86.6	101.3	108.3
福祉用具貸与	17.8	9.8	15.7	18.7	22.1	26.7
短期入所	97.1	63.1	71.3	98.8	112.6	115.2
短期入所生活介護	97.6	63.5	71.8	101.0	114.2	114.8
短期入所療養介護（老健）	87.1	60.4	65.7	81.6	96.8	102.5
特定治療・特別療養費（再掲）	3.5	-	0.6	1.1	1.1	5.5
短期入所療養介護（病院等）	117.0	45.3	60.6	83.7	111.4	159.8
特定診療費（再掲）	12.8	1.6	6.0	11.5	13.5	15.9
居宅療養管理指導	12.6	12.1	12.4	12.9	12.5	12.9
特定施設入居者生活介護（短期利用以外）	195.0	159.3	178.9	197.7	218.8	240.4
特定施設入居者生活介護（短期利用）	65.3	24.2	88.3	42.4	59.9	114.5
居宅介護支援	14.4	13.1	13.1	16.3	16.3	16.4
地域密着型サービス	120.4	80.4	93.7	143.2	172.0	205.0
定期巡回・随時対応型訪問介護看護	175.7	77.7	123.2	189.3	241.5	295.2
夜間対応型訪問介護	39.5	21.8	30.9	25.4	47.3	57.4
地域密着型通所介護	67.4	47.9	57.8	84.6	100.3	120.2
認知症対応型通所介護	123.6	82.6	105.3	132.8	144.0	162.0
小規模多機能型居宅介護（短期利用以外）	218.9	134.1	188.3	258.0	284.7	318.5
小規模多機能型居宅介護（短期利用）	36.5	48.8	29.9	37.2	40.0	12.9
認知症対応型共同生活介護（短期利用以外）	254.6	239.2	255.3	259.0	265.3	269.2
認知症対応型共同生活介護（短期利用）	52.7	27.3	65.4	-	-	-
地域密着型特定施設入居者生活介護（短期利用以外）	199.8	157.6	186.0	205.2	225.7	249.7
地域密着型特定施設入居者生活介護（短期利用）	-	-	-	-	-	-
地域密着型介護老人福祉施設入所者生活介護	265.8	209.2	222.8	246.7	265.8	286.1
複合型サービス（看護小規模多機能型居宅介護・短期利用以外）	273.4	154.0	203.9	283.5	325.0	344.2
複合型サービス（看護小規模多機能型居宅介護・短期利用）	23.4	25.8	20.9	-	-	-
施設サービス	272.3	230.5	245.0	256.9	276.4	296.8
介護福祉施設サービス	253.9	198.8	219.2	236.3	253.6	273.5
介護保健施設サービス	277.7	236.6	254.2	274.9	291.1	306.9
特定治療・特別療養費（再掲）	9.1	6.3	4.2	5.5	11.1	9.5
介護療養施設サービス	362.1	219.3	259.0	329.4	356.3	379.1
特定診療費（再掲）	20.2	14.4	20.1	24.8	19.5	20.1

注：１）受給者１人当たり費用額＝費用額／受給者数
　　２）総数には、月の途中で要介護から要支援に変更となった者を含む。

(70～74歳)

平成30年３月審査分
（単位：千円）

サービス種類	総数	要介護１	要介護２	要介護３	要介護４	要介護５
総数	159.2	92.9	119.8	183.7	224.1	267.0
居宅サービス	107.5	64.0	85.3	126.5	159.8	204.2
訪問通所	99.3	59.9	80.8	116.8	146.5	192.9
訪問介護	71.0	38.3	52.2	82.8	110.7	148.5
訪問入浴介護	67.6	51.6	61.9	61.6	64.2	71.5
訪問看護	46.5	37.3	42.7	46.0	50.6	62.0
訪問リハビリテーション	37.4	35.8	36.6	38.0	37.7	39.2
通所介護	79.6	58.1	71.2	94.9	108.0	119.4
通所リハビリテーション	75.3	54.3	68.3	87.0	100.4	110.7
福祉用具貸与	17.0	9.0	14.8	18.2	21.6	26.6
短期入所	98.1	62.7	73.4	102.9	113.5	118.6
短期入所生活介護	98.5	62.7	73.5	104.7	114.5	119.5
短期入所療養介護（老健）	89.5	60.1	69.3	86.1	100.2	106.5
特定治療・特別療養費（再掲）	4.3	0.2	0.2	1.0	3.1	6.8
短期入所療養介護（病院等）	93.0	52.8	88.3	65.1	98.1	111.3
特定診療費（再掲）	8.5	5.5	7.6	4.8	9.0	10.8
居宅療養管理指導	12.6	12.3	12.3	12.6	12.7	12.9
特定施設入居者生活介護（短期利用以外）	193.7	158.7	177.9	199.9	218.8	240.3
特定施設入居者生活介護（短期利用）	73.3	57.2	64.9	72.4	110.5	81.4
居宅介護支援	14.3	13.1	13.1	16.3	16.3	16.4
地域密着型サービス	124.6	83.5	101.6	153.0	177.9	211.3
定期巡回・随時対応型訪問介護看護	168.3	78.6	121.0	196.2	235.5	285.7
夜間対応型訪問介護	40.9	24.7	23.5	38.0	41.4	66.0
地域密着型通所介護	68.3	48.9	60.1	87.2	103.3	128.3
認知症対応型通所介護	120.9	84.2	106.0	135.4	143.9	161.0
小規模多機能型居宅介護（短期利用以外）	210.7	135.1	190.2	261.4	282.7	313.7
小規模多機能型居宅介護（短期利用）	41.5	80.4	34.3	17.7	47.0	130.2
認知症対応型共同生活介護（短期利用以外）	254.3	240.9	251.8	260.1	264.8	267.7
認知症対応型共同生活介護（短期利用）	52.2	69.4	45.8	46.7	37.0	-
地域密着型特定施設入居者生活介護（短期利用以外）	196.7	158.5	175.9	204.4	227.6	226.0
地域密着型特定施設入居者生活介護（短期利用）	86.6	-	-	-	-	86.6
地域密着型介護老人福祉施設入所者生活介護	265.5	207.3	228.9	248.6	266.5	285.5
複合型サービス（看護小規模多機能型居宅介護・短期利用以外）	270.0	152.8	203.0	288.0	306.8	355.2
複合型サービス（看護小規模多機能型居宅介護・短期利用）	48.0	33.3	15.7	44.2	62.4	56.3
施設サービス	271.3	231.3	245.4	255.6	274.5	295.6
介護福祉施設サービス	254.0	198.4	217.1	237.2	254.9	273.9
介護保健施設サービス	278.6	239.4	257.7	274.2	290.6	306.7
特定治療・特別療養費（再掲）	8.9	4.4	6.5	6.6	8.4	10.1
介護療養施設サービス	364.0	246.0	264.6	328.4	355.1	380.2
特定診療費（再掲）	19.5	16.1	24.6	21.2	19.7	19.1

注：１）受給者１人当たり費用額＝費用額／受給者数
　　２）総数には、月の途中で要介護から要支援に変更となった者を含む。

統計表第５表　介護サービス受給者１人当たり費用額，月・年齢階級・サービス種類・要介護状態区分別（60－53）

（75～79歳）

平成30年３月審査分
（単位：千円）

サービス種類	総数	要介護１	要介護２	要介護３	要介護４	要介護５
総数	161.5	94.4	125.1	190.8	230.1	272.6
居宅サービス	103.9	64.1	85.8	125.9	158.0	204.2
訪問通所	94.6	59.7	80.1	114.8	143.8	192.3
訪問介護	66.5	35.5	49.0	80.9	109.4	148.2
訪問入浴介護	63.3	49.4	55.3	56.7	59.8	68.2
訪問看護	45.4	37.0	41.8	44.7	50.0	61.3
訪問リハビリテーション	36.1	35.0	35.5	36.3	37.3	37.1
通所介護	79.3	59.6	74.2	97.8	109.2	122.7
通所リハビリテーション	74.6	56.2	69.6	87.8	100.8	108.7
福祉用具貸与	15.5	8.0	13.9	16.9	20.6	25.5
短期入所	101.5	63.2	77.4	109.4	123.3	125.0
短期入所生活介護	102.7	63.2	78.2	111.9	125.6	126.5
短期入所療養介護（老健）	87.7	60.7	69.1	86.0	100.8	108.3
特定治療・特別療養費（再掲）	1.7	0.5	1.3	1.8	0.3	4.2
短期入所療養介護（病院等）	111.8	53.6	79.4	97.6	115.8	136.5
特定診療費（再掲）	9.8	4.4	6.6	9.8	10.3	11.3
居宅療養管理指導	12.6	12.1	12.4	12.7	12.7	13.2
特定施設入居者生活介護（短期利用以外）	194.1	160.5	178.8	200.1	219.1	239.7
特定施設入居者生活介護（短期利用）	77.5	80.0	59.2	86.4	87.8	88.3
居宅介護支援	14.2	13.1	13.1	16.3	16.3	16.3
地域密着型サービス	133.1	87.3	114.3	166.8	193.7	224.7
定期巡回・随時対応型訪問介護看護	161.2	78.0	125.2	188.4	240.9	281.1
夜間対応型訪問介護	33.0	21.1	22.6	25.7	42.2	53.1
地域密着型通所介護	69.1	50.3	63.4	92.3	108.3	130.8
認知症対応型通所介護	115.5	83.9	105.5	129.9	144.6	156.6
小規模多機能型居宅介護（短期利用以外）	209.3	135.4	190.5	262.2	283.7	313.1
小規模多機能型居宅介護（短期利用）	43.7	33.1	36.5	44.1	53.8	61.7
認知症対応型共同生活介護（短期利用以外）	255.4	241.4	253.4	260.0	264.7	270.8
認知症対応型共同生活介護（短期利用）	86.6	63.4	46.1	99.9	114.3	71.6
地域密着型特定施設入居者生活介護（短期利用以外）	195.4	161.0	180.4	201.0	215.1	226.3
地域密着型特定施設入居者生活介護（短期利用）	88.1	66.6	98.8	-	-	-
地域密着型介護老人福祉施設入所者生活介護	265.4	204.6	230.0	246.1	264.3	287.2
複合型サービス(看護小規模多機能型居宅介護・短期利用以外)	259.7	147.4	210.8	275.1	311.1	350.1
複合型サービス(看護小規模多機能型居宅介護・短期利用)	42.4	-	53.7	55.6	36.4	30.7
施設サービス	270.2	234.9	246.5	253.9	272.9	293.7
介護福祉施設サービス	254.4	199.9	219.1	236.2	255.1	274.2
介護保健施設サービス	278.0	243.3	257.4	274.1	289.3	305.2
特定治療・特別療養費（再掲）	8.0	4.9	6.1	5.9	7.8	9.2
介護療養施設サービス	360.1	251.6	261.6	320.0	353.5	376.4
特定診療費（再掲）	19.0	17.7	19.6	20.8	20.1	18.0

注：1）受給者１人当たり費用額＝費用額／受給者数
　　2）総数には、月の途中で要介護から要支援に変更となった者を含む。

（80～84歳）

平成30年３月審査分
（単位：千円）

サービス種類	総数	要介護１	要介護２	要介護３	要介護４	要介護５
総数	168.0	99.0	134.5	202.1	241.1	277.2
居宅サービス	104.1	67.0	89.8	129.0	161.7	202.0
訪問通所	92.8	61.0	82.1	115.2	145.5	194.2
訪問介護	64.4	34.2	47.8	80.9	114.2	156.6
訪問入浴介護	60.7	49.8	53.2	56.5	59.8	64.2
訪問看護	43.7	36.3	40.6	43.3	48.1	59.9
訪問リハビリテーション	35.0	33.6	35.2	35.3	35.7	35.5
通所介護	80.7	61.6	78.5	101.9	114.8	126.7
通所リハビリテーション	73.0	57.1	71.1	88.2	98.6	107.9
福祉用具貸与	14.0	7.4	12.8	15.7	19.3	23.9
短期入所	104.5	64.3	80.7	115.9	134.9	133.7
短期入所生活介護	105.1	64.0	80.9	117.2	137.2	134.4
短期入所療養介護（老健）	91.7	64.8	74.8	95.4	107.7	116.0
特定治療・特別療養費（再掲）	5.0	0.4	0.3	0.8	3.3	11.0
短期入所療養介護（病院等）	113.7	69.4	83.9	114.5	137.0	141.0
特定診療費（再掲）	9.1	6.9	4.8	8.9	11.3	11.3
居宅療養管理指導	12.6	12.1	12.5	12.8	12.8	13.1
特定施設入居者生活介護（短期利用以外）	195.5	162.9	181.4	202.8	220.9	242.7
特定施設入居者生活介護（短期利用）	74.8	65.1	70.5	72.2	82.5	100.8
居宅介護支援	14.1	13.1	13.1	16.3	16.3	16.2
地域密着型サービス	145.7	93.5	128.0	183.8	211.0	238.2
定期巡回・随時対応型訪問介護看護	159.7	79.6	125.8	191.7	237.2	288.5
夜間対応型訪問介護	32.2	22.5	24.8	25.9	40.4	53.9
地域密着型通所介護	72.5	52.3	68.2	100.6	116.6	139.7
認知症対応型通所介護	115.2	86.4	106.1	134.0	143.7	151.1
小規模多機能型居宅介護（短期利用以外）	206.9	135.1	189.8	262.1	283.2	311.8
小規模多機能型居宅介護（短期利用）	42.3	43.1	40.2	31.6	40.9	129.5
認知症対応型共同生活介護（短期利用以外）	255.3	240.6	252.9	260.2	262.8	270.1
認知症対応型共同生活介護（短期利用）	87.7	85.1	77.2	89.2	74.6	128.5
地域密着型特定施設入居者生活介護（短期利用以外）	196.8	164.5	183.2	201.1	214.6	239.8
地域密着型特定施設入居者生活介護（短期利用）	124.2	159.9	-	193.5	57.4	105.0
地域密着型介護老人福祉施設入所者生活介護	266.8	214.3	230.5	245.9	267.5	288.3
複合型サービス(看護小規模多機能型居宅介護・短期利用以外)	256.3	150.7	207.4	280.7	314.6	345.1
複合型サービス(看護小規模多機能型居宅介護・短期利用)	37.9	39.1	38.5	31.2	42.0	37.9
施設サービス	269.4	234.1	246.9	254.9	273.1	292.4
介護福祉施設サービス	254.9	199.5	220.6	236.8	255.8	274.6
介護保健施設サービス	276.5	241.4	255.8	275.0	289.7	304.0
特定治療・特別療養費（再掲）	7.9	4.2	5.4	6.0	8.2	9.2
介護療養施設サービス	358.1	218.4	259.4	321.3	351.9	376.9
特定診療費（再掲）	18.9	20.2	21.7	21.1	19.2	18.1

注：1）受給者１人当たり費用額＝費用額／受給者数
　　2）総数には、月の途中で要介護から要支援に変更となった者を含む。

統計表第５表　介護サービス受給者１人当たり費用額，月・年齢階級・サービス種類・要介護状態区分別（60－54）

（85～89歳）

平成30年３月審査分
（単位：千円）

サービス種類	総数	要介護１	要介護２	要介護３	要介護４	要介護５
総数	179.2	105.9	145.4	212.1	248.2	281.3
居宅サービス	110.5	72.5	96.5	135.9	167.4	204.2
訪問通所	95.5	63.3	85.5	118.1	149.0	196.8
訪問介護	67.4	34.7	49.1	86.7	121.1	164.1
訪問入浴介護	58.9	49.8	52.9	56.1	57.8	62.3
訪問看護	43.0	35.8	40.1	41.8	46.9	58.8
訪問リハビリテーション	33.8	33.2	34.1	33.8	33.9	34.0
通所介護	83.5	63.4	82.1	104.9	118.0	131.0
通所リハビリテーション	73.6	59.2	73.6	89.0	97.9	104.9
福祉用具貸与	13.2	7.1	12.2	14.9	18.6	22.9
短期入所	104.4	63.9	82.2	118.7	137.5	141.9
短期入所生活介護	105.0	63.7	82.3	119.8	139.0	142.1
短期入所療養介護（老健）	91.9	63.0	76.3	97.2	113.9	126.6
特定治療・特別療養費（再掲）	2.2	0.9	0.4	0.8	0.6	7.6
短期入所療養介護（病院等）	101.9	61.8	88.6	99.4	113.8	133.6
特定診療費（再掲）	7.2	6.3	8.8	8.0	6.8	6.1
居宅療養管理指導	12.7	12.2	12.4	12.8	13.0	13.1
特定施設入居者生活介護（短期利用以外）	196.2	165.0	182.9	203.8	222.0	242.8
特定施設入居者生活介護（短期利用）	69.7	58.2	63.8	76.6	94.0	88.1
居宅介護支援	14.0	13.0	13.0	16.2	16.2	16.2
地域密着型サービス	159.8	100.6	139.9	195.4	221.8	247.2
定期巡回・随時対応型訪問介護看護	162.1	77.9	125.7	196.1	239.6	289.0
夜間対応型訪問介護	37.0	24.3	22.6	36.9	53.0	65.1
地域密着型通所介護	77.9	54.9	73.2	106.2	126.3	147.7
認知症対応型通所介護	116.1	85.4	104.9	132.1	142.5	155.2
小規模多機能型居宅介護（短期利用以外）	208.7	134.4	189.2	260.8	280.2	311.2
小規模多機能型居宅介護（短期利用）	40.2	25.3	42.1	34.6	52.6	67.8
認知症対応型共同生活介護（短期利用以外）	255.5	240.5	252.1	259.7	262.9	269.6
認知症対応型共同生活介護（短期利用）	79.9	71.9	74.9	67.8	110.3	97.4
地域密着型特定施設入居者生活介護（短期利用以外）	195.8	161.9	181.2	199.6	218.3	235.4
地域密着型特定施設入居者生活介護（短期利用）	86.4	30.7	－	－	124.7	121.4
地域密着型介護老人福祉施設入所者生活介護	266.2	211.7	230.4	249.1	265.9	287.4
複合型サービス（看護小規模多機能型居宅介護・短期利用以外）	260.1	149.1	209.5	276.6	316.5	352.2
複合型サービス（看護小規模多機能型居宅介護・短期利用）	42.2	30.2	39.9	28.5	49.1	84.4
施設サービス	268.2	232.9	246.8	254.2	271.7	291.9
介護福祉施設サービス	254.4	199.3	220.1	237.1	255.1	274.2
介護保健施設サービス	274.5	238.8	255.3	273.9	287.6	304.6
特定治療・特別療養費（再掲）	7.6	4.3	4.6	5.4	8.0	8.9
介護療養施設サービス	353.8	222.2	248.3	314.2	349.2	373.5
特定診療費（再掲）	18.0	19.4	18.9	20.3	17.8	17.6

注：１）受給者１人当たり費用額＝費用額／受給者数
　　２）総数には、月の途中で要介護から要支援に変更となった者を含む。

（90～94歳）

平成30年３月審査分
（単位：千円）

サービス種類	総数	要介護１	要介護２	要介護３	要介護４	要介護５
総数	192.0	113.0	152.6	215.4	250.0	279.3
居宅サービス	118.4	77.6	100.6	138.2	169.0	201.7
訪問通所	98.9	64.5	85.2	115.2	146.7	192.5
訪問介護	75.7	36.5	52.5	90.7	127.0	167.1
訪問入浴介護	57.4	53.4	53.5	55.5	56.0	60.1
訪問看護	43.0	35.4	38.8	40.5	45.1	57.3
訪問リハビリテーション	32.6	32.2	32.1	33.3	32.6	32.9
通所介護	86.0	65.2	82.3	103.9	116.2	129.8
通所リハビリテーション	75.6	61.1	74.9	89.3	97.3	101.6
福祉用具貸与	13.5	6.9	12.0	14.9	18.8	22.7
短期入所	103.6	63.8	81.9	117.9	135.4	139.7
短期入所生活介護	104.0	63.3	82.1	118.6	136.4	140.1
短期入所療養介護（老健）	92.2	64.1	76.3	101.9	112.9	122.7
特定治療・特別療養費（再掲）	2.3	0.3	0.4	0.5	2.4	7.7
短期入所療養介護（病院等）	115.8	84.0	87.6	118.4	127.6	156.4
特定診療費（再掲）	6.6	6.6	5.6	8.5	6.0	6.6
居宅療養管理指導	12.2	12.0	12.0	12.3	12.5	12.4
特定施設入居者生活介護（短期利用以外）	198.1	165.6	183.9	204.8	223.1	241.5
特定施設入居者生活介護（短期利用）	76.5	62.7	63.6	80.1	108.6	109.8
居宅介護支援	14.1	12.9	13.0	16.2	16.2	16.2
地域密着型サービス	173.7	107.6	148.5	199.4	225.8	249.2
定期巡回・随時対応型訪問介護看護	167.6	79.4	127.0	194.5	236.6	293.5
夜間対応型訪問介護	41.4	26.0	26.0	34.9	56.1	71.0
地域密着型通所介護	84.9	58.5	77.8	107.8	126.8	151.8
認知症対応型通所介護	117.9	86.0	104.3	126.7	139.5	149.9
小規模多機能型居宅介護（短期利用以外）	214.6	133.0	189.0	258.9	281.8	310.8
小規模多機能型居宅介護（短期利用）	35.4	32.0	41.1	37.7	26.5	40.9
認知症対応型共同生活介護（短期利用以外）	256.1	239.8	252.3	259.3	263.1	267.3
認知症対応型共同生活介護（短期利用）	85.1	66.8	70.1	104.5	101.3	85.1
地域密着型特定施設入居者生活介護（短期利用以外）	198.2	163.5	181.6	202.5	218.8	234.6
地域密着型特定施設入居者生活介護（短期利用）	54.9	45.4	100.5	37.9	－	－
地域密着型介護老人福祉施設入所者生活介護	265.7	206.2	229.3	247.7	267.3	287.2
複合型サービス（看護小規模多機能型居宅介護・短期利用以外）	264.0	150.7	207.0	280.7	310.5	353.8
複合型サービス（看護小規模多機能型居宅介護・短期利用）	42.1	31.9	49.8	44.5	24.9	53.6
施設サービス	266.8	231.9	245.9	253.1	270.5	290.4
介護福祉施設サービス	254.0	200.6	221.0	237.2	255.0	273.6
介護保健施設サービス	273.5	237.7	254.5	272.2	287.4	303.3
特定治療・特別療養費（再掲）	7.0	3.6	4.6	5.2	7.7	8.1
介護療養施設サービス	350.1	213.3	246.6	308.9	345.4	371.1
特定診療費（再掲）	16.9	19.9	17.9	18.0	16.9	16.5

注：１）受給者１人当たり費用額＝費用額／受給者数
　　２）総数には、月の途中で要介護から要支援に変更となった者を含む。

統計表第５表　介護サービス受給者１人当たり費用額，月・年齢階級・サービス種類・要介護状態区分別（60－55）

（95歳以上）

平成30年３月審査分

（単位：千円）

サービス種類	総数	要介護１	要介護２	要介護３	要介護４	要介護５
総数	210.6	119.8	157.3	216.2	250.2	276.6
居宅サービス	129.0	81.0	102.1	137.2	166.6	197.4
訪問通所	104.7	63.4	82.7	109.0	139.7	182.9
訪問介護	89.8	38.6	55.7	92.9	128.2	162.6
訪問入浴介護	57.6	55.1	55.2	54.7	56.2	59.9
訪問看護	43.6	34.9	37.4	39.3	43.4	55.5
訪問リハビリテーション	32.1	32.4	31.9	32.0	31.7	32.8
通所介護	89.0	64.5	81.3	99.6	114.2	124.6
通所リハビリテーション	78.9	62.0	75.3	89.1	97.6	104.4
福祉用具貸与	15.0	7.0	12.3	15.4	19.2	22.8
短期入所	108.1	66.6	81.8	116.9	134.2	139.0
短期入所生活介護	108.2	66.2	81.9	117.2	134.8	138.7
短期入所療養介護（老健）	98.9	67.0	76.1	104.1	118.7	127.5
特定治療・特別療養費（再掲）	1.1	0.2	0.3	0.6	0.9	2.6
短期入所療養介護（病院等）	118.7	71.0	94.3	116.7	128.7	150.0
特定診療費（再掲）	8.9	7.8	10.9	9.8	8.3	7.6
居宅療養管理指導	11.3	11.3	11.2	11.4	11.4	11.4
特定施設入居者生活介護（短期利用以外）	203.1	164.3	183.8	204.0	223.9	243.2
特定施設入居者生活介護（短期利用）	77.1	69.4	60.4	71.7	97.8	116.6
居宅介護支援	14.5	13.0	13.0	16.2	16.2	16.2
地域密着型サービス	192.5	114.1	153.7	202.7	230.9	252.2
定期巡回・随時対応型訪問介護看護	183.7	78.8	130.2	199.3	240.1	294.5
夜間対応型訪問介護	47.0	29.6	27.6	45.5	55.5	74.3
地域密着型通所介護	93.9	60.3	79.6	108.2	128.4	152.1
認知症対応型通所介護	121.0	83.3	102.8	121.0	136.3	150.6
小規模多機能型居宅介護（短期利用以外）	232.1	132.7	187.3	260.4	282.7	312.9
小規模多機能型居宅介護（短期利用）	37.2	40.4	33.1	36.7	33.8	49.8
認知症対応型共同生活介護（短期利用以外）	257.5	238.5	251.0	258.6	263.1	267.4
認知症対応型共同生活介護（短期利用）	76.2	106.5	93.6	53.0	83.0	40.5
地域密着型特定施設入居者生活介護（短期利用以外）	203.5	160.8	182.2	200.6	223.0	240.7
地域密着型特定施設入居者生活介護（短期利用）	98.7	-	179.1	-	-	18.2
地域密着型介護老人福祉施設入所者生活介護	267.4	213.3	229.6	249.5	268.1	288.1
複合型サービス(看護小規模多機能型居宅介護・短期利用以外)	278.2	154.6	202.8	278.2	310.8	355.4
複合型サービス(看護小規模多機能型居宅介護・短期利用)	25.0	12.7	19.9	8.0	-	44.8
施設サービス	267.8	231.5	244.0	252.5	269.9	289.4
介護福祉施設サービス	255.0	201.3	220.6	236.9	255.4	273.6
介護保健施設サービス	276.7	238.6	253.7	273.0	287.9	304.0
特定治療・特別療養費（再掲）	6.6	3.7	4.5	5.4	6.7	7.5
介護療養施設サービス	349.5	221.1	246.1	312.7	344.9	367.6
特定診療費（再掲）	15.5	19.6	18.9	17.4	15.5	15.0

注：１）受給者１人当たり費用額＝費用額／受給者数

２）総数には、月の途中で要介護から要支援に変更となった者を含む。

統計表第５表　介護サービス受給者１人当たり費用額，月・年齢階級・サービス種類・要介護状態区分別（60−56）

（総　　数）

平成30年４月審査分
（単位：千円）

サービス種類	総数	要介護１	要介護２	要介護３	要介護４	要介護５
総数	194.2	112.6	151.4	224.0	265.3	301.9
居宅サービス	121.6	77.8	102.1	145.1	178.7	219.8
訪問通所	106.4	69.0	91.5	126.9	158.3	208.3
訪問介護	76.1	39.2	54.8	92.3	126.7	167.5
訪問入浴介護	68.5	56.0	61.2	62.9	65.5	73.4
訪問看護	48.2	39.6	44.4	46.8	51.5	64.1
訪問リハビリテーション	39.0	37.8	38.7	39.5	39.3	40.3
通所介護	92.7	70.0	88.3	113.4	126.7	140.0
通所リハビリテーション	83.4	64.9	80.2	98.6	110.7	119.9
福祉用具貸与	14.6	7.6	13.1	16.0	19.6	24.2
短期入所	107.8	63.5	81.5	121.1	139.3	141.4
短期入所生活介護	108.7	63.1	82.1	122.9	141.7	142.8
短期入所療養介護（老健）	92.8	63.9	73.0	96.5	110.7	121.1
特定治療・特別療養費（再掲）	2.8	0.6	0.7	0.9	2.0	6.2
短期入所療養介護（病院等）	111.9	68.2	81.8	108.0	128.1	140.4
特定診療費（再掲）	8.4	6.6	7.6	8.3	8.2	9.7
居宅療養管理指導	12.6	12.3	12.4	12.8	12.8	13.0
特定施設入居者生活介護（短期利用以外）	216.9	180.6	200.8	223.7	243.3	265.9
特定施設入居者生活介護（短期利用）	76.7	66.0	69.7	78.5	98.4	87.2
居宅介護支援	14.2	13.0	13.1	16.3	16.3	16.3
地域密着型サービス	167.8	105.1	142.4	201.7	232.2	259.1
定期巡回・随時対応型訪問介護看護	165.2	78.3	125.8	193.4	238.4	289.0
夜間対応型訪問介護	38.8	24.3	24.5	33.5	49.6	66.5
地域密着型通所介護	83.8	59.5	76.6	110.3	129.5	152.6
認知症対応型通所介護	129.7	94.8	115.8	144.9	156.6	169.5
小規模多機能型居宅介護（短期利用以外）	212.6	134.6	189.5	261.1	282.7	311.5
小規模多機能型居宅介護（短期利用）	40.3	34.8	35.1	38.1	46.7	65.5
認知症対応型共同生活介護（短期利用以外）	282.2	265.3	278.5	286.5	290.2	296.5
認知症対応型共同生活介護（短期利用）	80.3	67.3	72.2	87.3	95.2	102.7
地域密着型特定施設入居者生活介護（短期利用以外）	217.3	178.8	199.4	219.4	240.2	261.7
地域密着型特定施設入居者生活介護（短期利用）	92.4	62.1	60.9	119.0	86.7	128.0
地域密着型介護老人福祉施設入所者生活介護	293.6	230.0	255.1	272.5	294.5	316.8
複合型サービス（看護小規模多機能型居宅介護・短期利用以外）	264.1	151.1	207.3	279.0	312.5	354.2
複合型サービス（看護小規模多機能型居宅介護・短期利用）	41.3	33.9	35.7	36.4	55.6	47.0
施設サービス	295.0	254.3	269.2	278.7	299.1	321.2
介護福祉施設サービス	280.9	220.6	243.4	261.5	281.9	302.3
介護保健施設サービス	300.5	260.8	278.0	298.0	314.4	333.0
特定治療・特別療養費（再掲）	8.1	4.6	5.2	6.1	8.3	9.5
介護療養施設サービス	389.0	249.4	273.9	343.1	383.0	410.6
特定診療費（再掲）	19.5	21.9	20.9	21.6	19.6	18.9

注：１）受給者１人当たり費用額＝費用額／受給者数
　　２）総数には、月の途中で要介護から要支援に変更となった者を含む。

（40〜64歳）

平成30年４月審査分
（単位：千円）

サービス種類	総数	要介護１	要介護２	要介護３	要介護４	要介護５
総数	168.6	96.2	120.1	186.4	230.0	281.9
居宅サービス	121.4	69.7	90.1	134.0	168.0	222.9
訪問通所	114.5	67.2	86.8	127.5	156.4	214.2
訪問介護	82.7	44.6	54.9	85.2	112.8	153.7
訪問入浴介護	86.1	50.5	70.1	74.1	80.7	91.2
訪問看護	56.2	45.9	50.8	55.4	60.3	74.5
訪問リハビリテーション	44.3	43.3	43.6	44.7	45.6	45.0
通所介護	90.9	61.5	74.4	104.5	123.2	132.8
通所リハビリテーション	82.1	57.5	72.9	95.9	112.3	121.5
福祉用具貸与	20.1	12.0	17.6	20.8	24.2	29.8
短期入所	102.0	61.9	69.9	100.0	115.7	122.8
短期入所生活介護	103.2	60.1	71.2	103.7	119.0	122.9
短期入所療養介護（老健）	89.5	67.1	62.4	77.6	92.5	113.3
特定治療・特別療養費（再掲）	4.1	-	-	-	0.3	4.6
短期入所療養介護（病院等）	89.1	36.6	64.4	93.6	110.0	92.0
特定診療費（再掲）	12.9	2.2	17.7	11.2	12.5	12.3
居宅療養管理指導	12.8	11.9	12.4	12.9	12.9	13.4
特定施設入居者生活介護（短期利用以外）	224.1	177.3	200.7	223.3	242.4	264.2
特定施設入居者生活介護（短期利用）	64.3	-	60.2	155.7	28.4	52.5
居宅介護支援	14.5	13.1	13.2	16.4	16.4	16.4
地域密着型サービス	124.0	77.3	89.2	145.0	179.9	218.2
定期巡回・随時対応型訪問介護看護	186.5	77.9	120.3	192.9	229.7	298.4
夜間対応型訪問介護	36.1	22.9	22.4	32.8	38.4	54.6
地域密着型通所介護	71.9	49.9	59.0	86.3	109.7	132.8
認知症対応型通所介護	147.5	94.8	115.6	155.7	182.6	182.3
小規模多機能型居宅介護（短期利用以外）	230.5	132.6	190.9	264.1	283.1	323.0
小規模多機能型居宅介護（短期利用）	34.6	5.9	26.7	28.7	33.8	99.2
認知症対応型共同生活介護（短期利用以外）	305.8	285.7	302.1	314.7	309.7	322.9
認知症対応型共同生活介護（短期利用）	62.6	31.8	-	93.4	-	-
地域密着型特定施設入居者生活介護（短期利用以外）	221.4	186.1	206.5	221.0	203.4	264.9
地域密着型特定施設入居者生活介護（短期利用）	-	-	-	-	-	-
地域密着型介護老人福祉施設入所者生活介護	300.8	250.2	227.5	271.3	302.8	323.0
複合型サービス（看護小規模多機能型居宅介護・短期利用以外）	285.2	156.8	201.2	255.3	316.4	351.7
複合型サービス（看護小規模多機能型居宅介護・短期利用）	19.0	-	19.0	-	-	-
施設サービス	308.5	258.1	272.2	290.0	311.7	337.4
介護福祉施設サービス	285.5	217.8	245.7	265.2	283.6	306.5
介護保健施設サービス	307.8	264.2	279.1	302.8	316.2	339.1
特定治療・特別療養費（再掲）	9.1	6.0	4.1	5.4	7.8	11.5
介護療養施設サービス	414.5	284.8	256.3	367.4	407.9	430.0
特定診療費（再掲）	26.7	36.6	31.2	36.9	26.6	25.3

注：１）受給者１人当たり費用額＝費用額／受給者数
　　２）総数には、月の途中で要介護から要支援に変更となった者を含む。

統計表第５表　介護サービス受給者１人当たり費用額，月・年齢階級・サービス種類・要介護状態区分別（60−57）

（65～69歳）

平成30年４月審査分
（単位：千円）

サービス種類	総数	要介護１	要介護２	要介護３	要介護４	要介護５
総数	172.2	99.2	128.7	195.6	239.9	287.4
居宅サービス	121.6	70.4	95.4	140.2	176.2	225.8
訪問通所	114.1	66.9	91.1	131.9	164.9	216.1
訪問介護	83.2	45.0	61.4	97.0	126.3	164.4
訪問入浴介護	78.5	53.0	67.2	65.9	73.0	84.5
訪問看護	52.4	42.2	47.3	51.7	56.7	69.3
訪問リハビリテーション	41.4	39.2	40.3	42.3	41.8	43.9
通所介護	89.6	63.4	77.9	104.6	120.3	133.8
通所リハビリテーション	83.9	59.2	75.1	96.6	113.4	122.7
福祉用具貸与	17.8	9.7	15.7	18.7	21.9	26.7
短期入所	99.8	62.1	72.1	102.5	116.1	119.5
短期入所生活介護	100.9	62.1	73.1	105.2	118.2	121.1
短期入所療養介護（老健）	87.4	60.3	64.2	82.5	98.4	102.9
特定治療・特別療養費（再掲）	5.4	−	3.3	1.5	1.2	6.9
短期入所療養介護（病院等）	113.3	59.1	76.9	77.8	117.6	143.6
特定診療費（再掲）	11.7	3.6	8.2	9.5	13.0	14.3
居宅療養管理指導	12.9	12.4	12.8	13.2	12.9	13.0
特定施設入居者生活介護（短期利用以外）	214.7	174.1	195.8	223.5	240.1	260.9
特定施設入居者生活介護（短期利用）	67.3	32.4	66.9	51.9	84.0	85.5
居宅介護支援	14.4	13.1	13.1	16.3	16.4	16.4
地域密着型サービス	129.0	86.6	100.6	153.5	184.8	217.7
定期巡回・随時対応型訪問介護看護	172.9	78.5	124.4	191.0	233.5	288.6
夜間対応型訪問介護	42.1	23.1	30.5	31.0	43.4	65.7
地域密着型通所介護	73.8	52.6	63.4	92.8	110.3	130.1
認知症対応型通所介護	137.9	90.9	119.5	147.0	162.3	180.3
小規模多機能型居宅介護（短期利用以外）	218.1	133.5	187.2	258.7	286.1	317.7
小規模多機能型居宅介護（短期利用）	30.7	−	28.0	24.2	40.4	19.8
認知症対応型共同生活介護（短期利用以外）	279.8	264.9	279.7	286.8	289.0	291.0
認知症対応型共同生活介護（短期利用）	34.1	22.9	41.6	−	−	−
地域密着型特定施設入居者生活介護（短期利用以外）	218.3	181.0	202.7	223.2	239.8	273.9
地域密着型特定施設入居者生活介護（短期利用）	−	−	−	−	−	−
地域密着型介護老人福祉施設入所者生活介護	291.6	223.0	246.9	274.2	286.1	316.0
複合型サービス（看護小規模多機能型居宅介護・短期利用以外）	277.7	149.6	212.8	281.0	319.7	345.9
複合型サービス（看護小規模多機能型居宅介護・短期利用）	25.6	−	−	14.9	29.1	−
施設サービス	298.0	252.5	267.4	280.8	302.6	325.2
介護福祉施設サービス	279.2	216.4	241.4	259.9	279.9	299.9
介護保健施設サービス	302.3	258.7	276.8	297.4	315.8	336.2
特定治療・特別療養費（再掲）	10.2	7.2	4.1	6.4	12.1	10.6
介護療養施設サービス	395.8	280.3	286.8	372.9	383.9	415.8
特定診療費（再掲）	22.0	21.9	22.9	31.3	20.7	21.3

注：1）受給者１人当たり費用額＝費用額／受給者数
　　2）総数には、月の途中で要介護から要支援に変更となった者を含む。

（70～74歳）

平成30年４月審査分
（単位：千円）

サービス種類	総数	要介護１	要介護２	要介護３	要介護４	要介護５
総数	173.1	100.9	130.0	199.5	244.3	290.7
居宅サービス	117.4	70.4	93.4	137.9	174.0	221.5
訪問通所	108.4	66.1	88.5	127.2	160.1	208.1
訪問介護	76.9	41.9	57.0	89.7	119.9	155.4
訪問入浴介護	74.5	52.0	65.2	67.8	70.5	79.7
訪問看護	50.4	40.6	46.5	50.0	54.8	66.4
訪問リハビリテーション	41.1	39.1	40.5	41.8	41.1	43.2
通所介護	88.9	65.2	79.5	105.4	120.9	133.1
通所リハビリテーション	84.1	60.8	76.4	96.5	112.1	124.6
福祉用具貸与	17.0	9.0	14.8	18.2	21.7	26.5
短期入所	101.3	60.5	75.4	106.3	118.0	124.9
短期入所生活介護	101.9	59.9	76.2	108.6	120.1	125.7
短期入所療養介護（老健）	91.1	62.1	67.7	85.3	101.7	111.3
特定治療・特別療養費（再掲）	4.8	−	0.4	0.8	2.9	8.2
短期入所療養介護（病院等）	91.9	55.9	73.0	84.6	92.8	111.5
特定診療費（再掲）	7.9	4.7	9.1	7.5	4.4	10.4
居宅療養管理指導	12.8	12.6	12.4	12.9	12.8	13.3
特定施設入居者生活介護（短期利用以外）	212.6	174.0	194.6	219.3	240.9	266.6
特定施設入居者生活介護（短期利用）	77.4	54.3	86.6	87.8	69.1	74.0
居宅介護支援	14.4	13.1	13.1	16.4	16.4	16.4
地域密着型サービス	134.3	90.4	109.1	165.1	191.3	227.3
定期巡回・随時対応型訪問介護看護	169.4	78.7	124.1	189.4	233.5	289.6
夜間対応型訪問介護	43.0	24.6	23.7	42.7	42.8	69.2
地域密着型通所介護	74.9	54.3	66.0	95.5	112.1	139.0
認知症対応型通所介護	133.2	93.8	114.9	147.5	159.9	177.9
小規模多機能型居宅介護（短期利用以外）	211.6	136.0	189.4	261.9	288.0	317.3
小規模多機能型居宅介護（短期利用）	40.8	35.1	13.9	33.5	44.2	92.3
認知症対応型共同生活介護（短期利用以外）	281.0	265.6	278.8	286.6	291.2	298.3
認知症対応型共同生活介護（短期利用）	63.0	63.9	31.5	72.3	71.9	−
地域密着型特定施設入居者生活介護（短期利用以外）	219.3	182.5	199.2	219.8	243.2	267.0
地域密着型特定施設入居者生活介護（短期利用）	81.9	−	13.4	−	−	150.3
地域密着型介護老人福祉施設入所者生活介護	293.6	229.1	251.4	272.8	294.8	317.9
複合型サービス（看護小規模多機能型居宅介護・短期利用以外）	276.4	150.1	211.5	291.0	312.9	359.9
複合型サービス（看護小規模多機能型居宅介護・短期利用）	61.9	19.4	−	34.3	84.6	64.2
施設サービス	297.1	254.6	267.4	278.7	301.2	324.4
介護福祉施設サービス	279.5	219.2	240.7	260.7	280.2	301.7
介護保健施設サービス	303.0	263.6	278.5	297.6	316.2	333.6
特定治療・特別療養費（再掲）	9.7	4.7	6.5	7.1	9.7	11.2
介護療養施設サービス	394.6	268.7	295.5	346.5	382.6	416.0
特定診療費（再掲）	21.1	16.1	24.5	21.6	21.5	20.7

注：1）受給者１人当たり費用額＝費用額／受給者数
　　2）総数には、月の途中で要介護から要支援に変更となった者を含む。

統計表第５表　介護サービス受給者１人当たり費用額，月・年齢階級・サービス種類・要介護状態区分別（60－58）

（75～79歳）

平成30年４月審査分
（単位：千円）

サービス種類	総数	要介護１	要介護２	要介護３	要介護４	要介護５
総数	176.0	102.6	135.8	207.7	251.6	297.4
居宅サービス	113.6	70.7	93.7	137.5	172.2	221.3
訪問通所	103.6	66.0	87.9	125.8	156.4	206.8
訪問介護	72.0	38.9	53.4	87.6	117.0	156.8
訪問入浴介護	69.3	55.3	61.2	60.9	65.4	74.8
訪問看護	49.0	40.1	45.2	48.4	53.8	65.4
訪問リハビリテーション	39.9	38.8	39.1	40.1	41.0	41.2
通所介護	88.6	66.6	83.1	109.3	121.5	136.1
通所リハビリテーション	83.4	62.9	77.8	98.3	111.8	121.6
福祉用具貸与	15.4	8.1	13.8	16.8	20.5	25.3
短期入所	105.3	62.4	77.9	114.0	128.9	133.8
短期入所生活介護	107.0	62.2	79.0	117.0	132.8	136.2
短期入所療養介護（老健）	88.7	61.9	67.6	87.3	98.7	113.8
特定治療・特別療養費（再掲）	2.7	0.4	1.9	2.7	1.7	4.9
短期入所療養介護（病院等）	113.6	53.6	78.0	108.3	118.1	141.0
特定診療費（再掲）	9.6	5.0	8.5	10.7	7.6	11.5
居宅療養管理指導	12.8	12.3	12.6	12.9	12.9	13.4
特定施設入居者生活介護（短期利用以外）	213.1	176.0	196.9	218.8	240.0	264.2
特定施設入居者生活介護（短期利用）	83.8	83.9	72.0	62.1	107.5	110.5
居宅介護支援	14.2	13.1	13.1	16.4	16.4	16.4
地域密着型サービス	143.7	94.7	123.4	180.5	207.9	241.0
定期巡回・随時対応型訪問介護看護	160.3	77.8	125.6	191.0	233.0	282.2
夜間対応型訪問介護	34.0	21.5	23.9	27.3	40.0	56.8
地域密着型通所介護	75.8	55.8	69.8	100.5	117.4	141.0
認知症対応型通所介護	127.9	93.1	115.1	145.8	159.3	173.7
小規模多機能型居宅介護（短期利用以外）	209.4	135.9	190.3	263.1	281.2	312.8
小規模多機能型居宅介護（短期利用）	49.9	55.5	43.4	36.2	61.3	49.1
認知症対応型共同生活介護（短期利用以外）	281.0	264.9	277.8	288.2	289.7	298.2
認知症対応型共同生活介護（短期利用）	98.5	89.8	107.2	89.4	124.2	218.6
地域密着型特定施設入居者生活介護（短期利用以外）	216.0	180.0	199.4	209.5	239.6	266.2
地域密着型特定施設入居者生活介護（短期利用）	112.3	-	112.3	-	-	-
地域密着型介護老人福祉施設入所者生活介護	294.2	231.1	253.3	273.9	294.2	315.7
複合型サービス（看護小規模多機能型居宅介護・短期利用以外）	258.9	150.3	205.4	272.8	310.9	357.9
複合型サービス（看護小規模多機能型居宅介護・短期利用）	38.8	34.8	41.0	19.3	36.6	63.6
施設サービス	296.7	255.0	269.4	278.6	300.3	323.2
介護福祉施設サービス	281.0	221.3	242.6	261.1	282.2	302.4
介護保健施設サービス	302.6	262.9	280.0	298.7	313.6	334.3
特定治療・特別療養費（再掲）	8.7	4.7	6.7	6.1	8.6	10.1
介護療養施設サービス	395.5	266.9	276.8	347.9	388.4	415.4
特定診療費（再掲）	20.9	17.4	20.6	22.4	22.2	20.0

注：1）受給者１人当たり費用額＝費用額／受給者数
　　2）総数には、月の途中で要介護から要支援に変更となった者を含む。

（80～84歳）

平成30年４月審査分
（単位：千円）

サービス種類	総数	要介護１	要介護２	要介護３	要介護４	要介護５
総数	183.2	108.0	146.0	220.4	263.1	302.7
居宅サービス	114.0	74.0	98.1	141.2	175.6	219.5
訪問通所	101.8	67.6	90.2	126.2	157.5	209.2
訪問介護	69.6	37.3	51.9	87.5	122.2	165.7
訪問入浴介護	67.2	55.0	59.6	63.0	65.4	71.1
訪問看護	47.4	39.4	44.1	47.1	52.1	64.7
訪問リハビリテーション	38.6	37.1	38.6	39.1	39.2	39.2
通所介護	90.2	69.0	87.5	113.8	127.2	141.5
通所リハビリテーション	81.9	64.1	80.0	98.4	110.7	119.9
福祉用具貸与	13.9	7.4	12.8	15.7	19.2	23.6
短期入所	108.8	63.7	81.9	122.3	142.1	142.5
短期入所生活介護	109.9	63.4	82.5	124.5	144.8	143.6
短期入所療養介護（老健）	92.3	62.4	72.8	94.2	112.1	122.8
特定治療・特別療養費（再掲）	2.6	0.3	0.4	0.7	3.0	5.4
短期入所療養介護（病院等）	114.3	61.3	81.2	121.3	129.9	148.9
特定診療費（再掲）	9.2	4.9	8.1	10.2	9.9	10.9
居宅療養管理指導	12.9	12.4	12.6	13.1	13.1	13.4
特定施設入居者生活介護（短期利用以外）	214.6	179.4	199.4	221.8	242.1	265.4
特定施設入居者生活介護（短期利用）	83.4	69.2	75.3	92.5	108.7	81.9
居宅介護支援	14.1	13.1	13.1	16.3	16.3	16.3
地域密着型サービス	157.6	101.7	138.3	198.6	227.8	256.4
定期巡回・随時対応型訪問介護看護	160.5	79.1	125.3	193.5	239.8	280.4
夜間対応型訪問介護	34.5	22.8	25.7	29.1	41.1	61.8
地域密着型通所介護	79.8	58.1	75.1	110.4	128.1	150.8
認知症対応型通所介護	127.3	96.3	117.9	145.8	158.3	166.7
小規模多機能型居宅介護（短期利用以外）	207.2	135.0	190.0	261.9	284.4	311.8
小規模多機能型居宅介護（短期利用）	43.5	31.1	30.3	44.6	52.2	95.8
認知症対応型共同生活介護（短期利用以外）	281.3	265.3	278.8	286.2	290.1	297.7
認知症対応型共同生活介護（短期利用）	77.9	68.1	76.7	97.4	30.8	88.6
地域密着型特定施設入居者生活介護（短期利用以外）	217.4	180.0	201.1	224.6	239.7	262.5
地域密着型特定施設入居者生活介護（短期利用）	151.6	177.7	-	215.0	-	136.7
地域密着型介護老人福祉施設入所者生活介護	293.2	227.5	255.8	271.5	294.0	315.8
複合型サービス（看護小規模多機能型居宅介護・短期利用以外）	256.9	150.9	207.3	284.1	314.3	356.1
複合型サービス（看護小規模多機能型居宅介護・短期利用）	42.5	42.6	29.4	44.3	63.9	38.3
施設サービス	295.7	255.1	269.8	279.4	300.3	321.5
介護福祉施設サービス	281.4	220.0	243.8	261.4	282.3	302.8
介護保健施設サービス	300.9	262.1	278.4	298.9	315.0	332.3
特定治療・特別療養費（再掲）	8.4	4.5	5.6	6.3	8.5	10.1
介護療養施設サービス	392.0	255.6	277.5	344.5	387.2	412.2
特定診療費（再掲）	20.3	23.6	21.6	21.9	21.0	19.4

注：1）受給者１人当たり費用額＝費用額／受給者数
　　2）総数には、月の途中で要介護から要支援に変更となった者を含む。

統計表第５表　介護サービス受給者１人当たり費用額，月・年齢階級・サービス種類・要介護状態区分別（60－59）

（85～89歳）

平成30年４月審査分
（単位：千円）

サービス種類	総数	要介護１	要介護２	要介護３	要介護４	要介護５
総数	195.7	115.7	158.2	231.5	271.1	307.1
居宅サービス	121.0	80.1	105.5	148.7	181.8	220.7
訪問通所	104.8	70.4	94.0	129.3	160.9	211.8
訪問介護	72.9	38.0	53.3	93.4	129.1	174.5
訪問入浴介護	64.7	56.2	59.4	61.9	63.0	68.3
訪問看護	46.6	38.8	43.6	45.4	50.5	63.2
訪問リハビリテーション	37.3	36.6	37.5	37.6	37.4	37.5
通所介護	93.3	71.3	91.4	117.0	130.4	144.4
通所リハビリテーション	82.6	66.6	82.6	99.4	108.9	117.8
福祉用具貸与	13.2	7.1	12.2	14.9	18.5	22.8
短期入所	108.2	63.2	82.3	125.0	146.0	149.9
短期入所生活介護	109.2	62.8	82.7	126.9	148.1	150.6
短期入所療養介護（老健）	92.9	63.9	74.3	99.6	116.0	129.5
特定治療・特別療養費（再掲）	2.5	1.4	0.4	0.6	1.3	6.6
短期入所療養介護（病院等）	107.9	69.8	83.6	96.0	136.4	136.5
特定診療費（再掲）	7.7	9.4	8.2	6.8	7.4	7.3
居宅療養管理指導	12.9	12.5	12.6	13.0	13.1	13.3
特定施設入居者生活介護（短期利用以外）	215.6	181.4	201.3	224.8	243.0	266.1
特定施設入居者生活介護（短期利用）	72.7	68.0	67.7	73.2	88.0	91.1
居宅介護支援	14.0	13.0	13.0	16.2	16.2	16.2
地域密着型サービス	172.9	109.6	151.2	210.5	239.0	267.2
定期巡回・随時対応型訪問介護看護	159.8	77.6	125.6	194.2	238.9	288.9
夜間対応型訪問介護	38.7	24.5	22.8	35.5	58.9	70.4
地域密着型通所介護	85.9	61.3	80.4	116.5	136.4	161.3
認知症対応型通所介護	127.9	94.7	116.3	146.1	156.1	167.9
小規模多機能型居宅介護（短期利用以外）	209.3	134.7	189.2	260.5	282.3	310.2
小規模多機能型居宅介護（短期利用）	39.0	35.0	33.8	36.6	46.8	92.7
認知症対応型共同生活介護（短期利用以外）	281.7	265.2	278.3	286.3	290.3	296.4
認知症対応型共同生活介護（短期利用）	82.3	58.5	75.7	91.5	109.5	118.3
地域密着型特定施設入居者生活介護（短期利用以外）	215.1	178.3	196.7	216.9	241.8	262.6
地域密着型特定施設入居者生活介護（短期利用）	77.9	39.6	78.6	22.9	86.7	134.2
地域密着型介護老人福祉施設入所者生活介護	292.9	232.2	255.9	272.6	293.0	316.4
複合型サービス（看護小規模多機能型居宅介護・短期利用以外）	261.6	151.5	207.8	280.4	311.1	356.8
複合型サービス（看護小規模多機能型居宅介護・短期利用）	37.0	36.7	34.4	33.1	44.0	39.0
施設サービス	294.5	254.1	269.6	279.0	299.0	320.9
介護福祉施設サービス	280.9	221.0	243.7	261.6	281.8	302.4
介護保健施設サービス	299.2	259.9	277.8	298.1	314.2	332.0
特定治療・特別療養費（再掲）	8.2	5.1	5.1	6.1	8.6	9.5
介護療養施設サービス	387.9	246.0	269.0	340.5	382.5	410.7
特定診療費（再掲）	19.4	23.2	20.1	21.5	19.3	19.0

注：1）受給者１人当たり費用額＝費用額／受給者数
　　2）総数には、月の途中で要介護から要支援に変更となった者を含む。

（90～94歳）

平成30年４月審査分
（単位：千円）

サービス種類	総数	要介護１	要介護２	要介護３	要介護４	要介護５
総数	210.3	123.9	166.7	235.7	273.5	305.7
居宅サービス	130.0	85.9	110.6	151.7	183.8	218.6
訪問通所	108.8	71.8	94.5	126.8	158.9	206.5
訪問介護	81.8	40.0	57.2	97.7	135.5	178.0
訪問入浴介護	63.6	56.9	59.6	61.8	62.1	66.5
訪問看護	46.4	38.3	42.2	44.0	48.5	61.5
訪問リハビリテーション	36.0	35.7	35.2	36.7	36.4	36.3
通所介護	96.5	73.2	92.5	116.5	129.0	144.1
通所リハビリテーション	85.4	68.9	84.6	100.8	109.1	114.9
福祉用具貸与	13.5	6.9	12.0	14.8	18.7	22.6
短期入所	107.6	63.7	82.5	123.5	143.4	148.9
短期入所生活介護	108.3	63.1	82.9	124.5	145.0	149.8
短期入所療養介護（老健）	94.3	65.7	75.7	103.8	116.0	129.9
特定治療・特別療養費（再掲）	2.2	0.3	0.5	0.4	2.6	6.7
短期入所療養介護（病院等）	118.3	83.9	87.7	120.6	142.9	150.9
特定診療費（再掲）	7.1	7.0	5.5	9.0	7.4	7.0
居宅療養管理指導	12.5	12.2	12.2	12.5	12.8	12.7
特定施設入居者生活介護（短期利用以外）	217.8	182.5	202.4	225.1	244.2	266.0
特定施設入居者生活介護（短期利用）	77.6	56.3	67.7	83.2	116.9	103.2
居宅介護支援	14.2	13.0	13.0	16.2	16.2	16.2
地域密着型サービス	188.0	117.0	160.2	215.4	244.8	269.8
定期巡回・随時対応型訪問介護看護	167.3	78.8	126.4	193.3	240.7	296.0
夜間対応型訪問介護	42.8	25.8	25.1	33.0	62.1	77.5
地域密着型通所介護	93.6	65.2	85.5	119.0	138.7	164.0
認知症対応型通所介護	130.9	95.1	114.0	142.5	152.9	166.8
小規模多機能型居宅介護（短期利用以外）	215.1	133.5	189.5	259.9	281.3	308.5
小規模多機能型居宅介護（短期利用）	37.9	32.2	44.2	35.8	44.1	28.3
認知症対応型共同生活介護（短期利用以外）	282.7	265.0	278.3	285.9	290.5	295.3
認知症対応型共同生活介護（短期利用）	83.2	72.8	59.1	95.5	102.1	103.9
地域密着型特定施設入居者生活介護（短期利用以外）	217.1	177.5	201.4	219.4	239.5	261.0
地域密着型特定施設入居者生活介護（短期利用）	29.6	38.6	13.2	－	－	18.7
地域密着型介護老人福祉施設入所者生活介護	293.5	228.2	254.7	272.3	295.8	316.9
複合型サービス（看護小規模多機能型居宅介護・短期利用以外）	262.8	151.1	208.7	277.4	311.9	350.3
複合型サービス（看護小規模多機能型居宅介護・短期利用）	41.4	27.1	46.8	41.7	62.4	41.3
施設サービス	293.4	254.2	269.0	278.0	297.7	319.8
介護福祉施設サービス	280.4	220.6	243.6	261.4	281.7	302.1
介護保健施設サービス	298.6	260.3	277.2	297.3	313.2	332.3
特定治療・特別療養費（再掲）	7.5	4.0	4.9	5.9	7.9	8.7
介護療養施設サービス	384.8	237.4	275.2	338.1	381.0	406.8
特定診療費（再掲）	18.6	22.4	20.5	19.8	18.7	18.1

注：1）受給者１人当たり費用額＝費用額／受給者数
　　2）総数には、月の途中で要介護から要支援に変更となった者を含む。

統計表第５表　介護サービス受給者１人当たり費用額，月・年齢階級・サービス種類・要介護状態区分別（60－60）

（95歳以上）

平成30年４月審査分

（単位：千円）

サービス種類	総数	要介護１	要介護２	要介護３	要介護４	要介護５
総数	230.8	131.4	172.4	237.0	274.2	302.6
居宅サービス	141.3	89.6	112.4	150.4	181.4	213.4
訪問通所	114.9	71.1	91.5	119.6	151.2	197.0
訪問介護	96.8	42.4	60.0	100.2	137.2	173.1
訪問入浴介護	64.1	60.2	61.6	60.7	62.8	66.7
訪問看護	46.9	37.8	40.3	42.4	46.6	59.4
訪問リハビリテーション	35.8	35.3	35.2	35.7	36.0	36.6
通所介護	100.1	73.2	91.4	112.4	126.8	138.0
通所リハビリテーション	89.1	70.6	85.0	100.9	109.4	113.7
福祉用具貸与	15.0	7.0	12.3	15.4	19.2	22.7
短期入所	112.9	65.5	83.7	122.9	142.9	146.4
短期入所生活介護	113.4	65.2	84.3	123.5	143.8	146.4
短期入所療養介護（老健）	100.0	65.4	75.4	105.6	122.7	130.9
特定治療・特別療養費（再掲）	1.9	0.5	0.4	0.9	0.6	5.1
短期入所療養介護（病院等）	118.3	57.2	78.8	109.7	126.3	166.9
特定診療費（再掲）	7.0	5.1	7.6	4.5	8.5	7.8
居宅療養管理指導	11.5	11.5	11.3	11.6	11.6	11.6
特定施設入居者生活介護（短期利用以外）	223.3	181.4	202.5	224.4	245.5	267.6
特定施設入居者生活介護（短期利用）	71.8	63.8	59.7	66.3	94.7	84.9
居宅介護支援	14.6	13.0	13.0	16.2	16.2	16.3
地域密着型サービス	208.8	125.1	166.5	220.0	249.3	272.7
定期巡回・随時対応型訪問介護看護	183.4	79.0	128.8	196.7	242.0	293.8
夜間対応型訪問介護	46.5	31.0	24.1	44.6	58.6	73.2
地域密着型通所介護	103.7	67.5	88.5	118.9	140.3	163.6
認知症対応型通所介護	134.1	96.6	110.7	136.8	151.4	162.3
小規模多機能型居宅介護（短期利用以外）	232.1	132.9	188.9	261.3	281.5	310.8
小規模多機能型居宅介護（短期利用）	37.0	30.1	31.0	42.6	29.2	60.3
認知症対応型共同生活介護（短期利用以外）	284.5	265.0	277.4	286.2	289.2	295.5
認知症対応型共同生活介護（短期利用）	71.4	44.6	86.2	62.0	80.0	18.5
地域密着型特定施設入居者生活介護（短期利用以外）	221.6	180.0	197.3	223.0	240.3	257.1
地域密着型特定施設入居者生活介護（短期利用）	65.5	-	65.5	-	-	-
地域密着型介護老人福祉施設入所者生活介護	294.7	231.5	258.0	273.0	295.3	318.4
複合型サービス（看護小規模多機能型居宅介護・短期利用以外）	278.6	152.1	200.3	276.4	312.1	347.5
複合型サービス（看護小規模多機能型居宅介護・短期利用）	46.1	19.4	51.4	23.5	79.0	38.9
施設サービス	294.8	252.4	268.6	277.5	297.6	319.1
介護福祉施設サービス	281.7	221.6	244.1	261.7	282.3	302.1
介護保健施設サービス	302.6	259.6	278.5	297.4	315.2	333.8
特定治療・特別療養費（再掲）	7.1	4.2	4.5	6.0	7.3	8.1
介護療養施設サービス	383.5	243.4	266.8	341.4	376.6	405.0
特定診療費（再掲）	17.1	19.7	20.4	19.8	17.1	16.3

注：１）受給者１人当たり費用額＝費用額／受給者数

２）総数には、月の途中で要介護から要支援に変更となった者を含む。

統計表第6表　年間継続受給者数，性・要介護（要支援）状態区分別

（総　　数）

（単位：千人）

要介護状態区分		平成30年3月							
		総数	要支援1	要支援2	要介護1	要介護2	要介護3	要介護4	要介護5
平成29年4月	総数	3 582.7	167.8	294.5	751.9	787.1	618.3	542.3	420.9
	要支援1	205.7	132.7	37.8	25.9	6.2	1.9	1.0	0.2
	要支援2	328.2	25.3	221.9	49.6	22.7	5.2	2.9	0.7
	要介護1	823.8	6.2	19.8	590.4	141.8	43.7	17.3	4.5
	要介護2	781.5	2.0	9.8	62.2	551.5	107.7	37.6	10.7
	要介護3	593.6	0.9	3.2	14.9	45.7	413.2	87.4	28.5
	要介護4	501.9	0.5	1.8	7.4	16.1	39.8	368.7	67.6
	要介護5	348.0	0.1	0.3	1.6	3.2	6.7	27.4	308.7

注：年間継続受給者とは、平成29年4月から平成30年3月の各サービス提供月について1年間継続して介護予防サービス又は介護サービスを受給した者をいう。

（男）

（単位：千人）

要介護状態区分		平成30年3月							
		総数	要支援1	要支援2	要介護1	要介護2	要介護3	要介護4	要介護5
平成29年4月	総数	1 018.6	42.9	73.6	224.5	255.3	191.0	137.8	93.5
	要支援1	54.6	33.3	9.3	8.7	2.2	0.7	0.3	0.1
	要支援2	82.6	6.1	53.6	13.2	7.0	1.6	0.9	0.2
	要介護1	245.6	2.1	6.1	174.7	43.0	13.6	4.8	1.3
	要介護2	249.7	0.7	3.0	19.8	179.5	33.1	10.6	3.0
	要介護3	179.2	0.3	1.0	5.0	16.3	126.9	22.9	6.9
	要介護4	127.9	0.2	0.6	2.5	5.8	12.5	91.1	15.1
	要介護5	79.0	0.1	0.1	0.6	1.4	2.6	7.3	67.0

注：年間継続受給者とは、平成29年4月から平成30年3月の各サービス提供月について1年間継続して介護予防サービス又は介護サービスを受給した者をいう。

（女）

（単位：千人）

要介護状態区分		平成30年3月							
		総数	要支援1	要支援2	要介護1	要介護2	要介護3	要介護4	要介護5
平成29年4月	総数	2 564.1	124.9	220.9	527.4	531.8	427.3	404.5	327.4
	要支援1	151.1	99.4	28.6	17.2	3.9	1.2	0.7	0.2
	要支援2	245.7	19.2	168.3	36.4	15.7	3.6	2.0	0.5
	要介護1	578.2	4.1	13.7	415.7	98.8	30.1	12.6	3.2
	要介護2	531.8	1.3	6.8	42.4	371.9	74.6	27.0	7.7
	要介護3	414.4	0.5	2.2	9.9	29.4	286.3	64.5	21.7
	要介護4	374.0	0.3	1.2	4.8	10.3	27.3	277.6	52.4
	要介護5	269.0	0.1	0.2	1.0	1.8	4.2	20.1	241.7

注：年間継続受給者とは、平成29年4月から平成30年3月の各サービス提供月について1年間継続して介護予防サービス又は介護サービスを受給した者をいう。

統計表第７表　介護予防サービス年間実受給者数,

	総　数	介護予防居宅サービス									
			訪問通所								短期入所
				介護予防訪問介護	介護予防訪問入浴介護	介護予防訪問看護	介護予防訪問リハビリテーション	介護予防通所介護	介護予防通所リハビリテーション	介護予防福祉用具貸与	
全　国	1 228.1	1 210.3	1 137.9	230.2	1.3	113.6	28.6	307.8	228.0	650.5	47.5
北海道	68.4	67.4	63.5	17.3	0.0	5.1	1.5	25.7	10.0	28.6	2.2
青森県	12.3	12.1	11.9	3.2	0.0	0.3	0.1	5.7	2.8	3.5	0.3
岩手県	13.7	13.4	13.0	2.6	0.0	0.8	0.6	5.8	2.9	4.9	0.8
宮城県	23.3	22.9	21.8	5.2	0.1	1.5	0.5	7.7	3.8	11.0	1.3
秋田県	10.7	10.4	9.7	2.8	0.0	0.4	0.1	3.6	1.1	4.5	0.8
山形県	10.2	9.9	9.2	1.1	0.0	0.9	0.2	2.7	2.3	4.8	0.9
福島県	14.7	14.4	13.4	1.3	0.0	1.1	0.3	2.3	3.7	7.9	1.1
茨城県	18.1	17.8	16.9	3.1	0.0	1.3	0.5	6.0	4.2	7.8	0.9
栃木県	16.6	16.2	15.2	3.2	0.0	1.1	0.2	5.3	2.9	8.1	1.2
群馬県	16.2	15.9	15.0	2.3	0.0	2.1	0.4	3.0	4.0	8.5	0.9
埼玉県	48.1	47.7	44.0	9.3	0.0	3.4	1.4	14.6	8.7	22.1	1.7
千葉県	36.6	36.2	32.9	5.3	0.1	2.8	0.9	6.9	6.7	19.9	1.4
東京都	83.2	82.5	71.5	5.6	0.1	13.3	1.9	7.6	8.3	50.8	2.1
神奈川県	53.0	52.2	45.4	3.5	0.1	7.8	1.0	4.3	5.4	33.1	1.9
新潟県	26.3	25.8	24.6	4.5	0.1	2.1	0.5	8.6	4.1	15.3	2.2
富山県	10.7	10.4	10.2	1.5	0.0	0.5	0.2	4.0	1.8	5.9	0.6
石川県	12.1	11.8	11.3	1.9	0.0	1.1	0.2	4.1	2.4	6.1	0.7
福井県	7.9	7.7	7.5	1.2	0.0	1.0	0.2	2.7	1.6	4.4	0.3
山梨県	4.2	4.2	4.0	0.5	0.0	0.4	0.2	0.8	0.9	2.5	0.2
長野県	21.5	21.2	20.3	1.9	0.0	1.8	1.5	4.2	4.3	13.9	1.2
岐阜県	15.9	15.7	14.7	0.4	0.0	1.8	0.4	0.9	2.9	11.6	1.0
静岡県	34.8	34.5	32.6	5.9	0.1	3.0	0.8	10.1	7.2	19.6	1.7
愛知県	68.2	67.5	63.4	9.2	0.1	6.9	1.3	15.0	14.3	40.9	3.0
三重県	17.9	17.7	17.0	3.5	0.0	1.2	0.6	6.5	2.6	9.2	0.8
滋賀県	11.9	11.7	11.5	2.1	0.0	1.2	0.4	3.5	1.9	7.2	0.3
京都府	29.3	28.9	28.1	9.0	0.0	2.2	0.7	8.9	3.5	15.6	0.6
大阪府	106.7	105.9	100.7	25.5	0.0	11.8	1.9	23.4	13.3	61.1	1.6
兵庫県	83.3	82.4	78.3	26.3	0.1	11.2	1.8	26.5	10.7	41.8	2.1
奈良県	12.7	12.5	11.4	0.8	0.0	1.5	0.6	1.0	2.7	7.6	0.5
和歌山県	16.5	16.4	15.9	6.5	0.0	1.8	0.4	4.8	2.5	7.2	0.4
鳥取県	7.0	6.8	6.6	0.9	0.0	0.6	0.3	1.6	2.1	3.9	0.4
島根県	10.6	10.3	9.9	2.2	0.0	0.9	0.5	3.8	1.4	5.9	0.5
岡山県	25.1	24.5	23.4	4.5	0.0	1.8	0.4	7.4	5.7	13.0	1.0
広島県	41.7	41.0	39.2	8.7	0.0	3.5	1.0	11.2	8.6	23.4	1.7
山口県	18.3	18.1	17.4	3.8	0.0	1.1	0.4	6.0	3.9	9.4	0.8
徳島県	8.0	7.8	7.6	0.1	0.0	0.7	0.5	0.1	3.1	4.8	0.3
香川県	11.3	11.2	10.7	1.7	0.0	0.3	0.2	2.5	3.4	6.7	0.5
愛媛県	18.7	18.4	17.2	2.5	0.0	1.8	0.2	3.0	3.5	11.5	0.8
高知県	6.9	6.8	6.5	1.0	–	0.5	0.3	1.1	1.3	4.6	0.2
福岡県	60.6	59.8	56.2	14.2	0.0	3.9	1.0	13.4	14.9	32.1	2.0
佐賀県	12.2	11.9	11.4	2.8	0.0	0.5	0.2	4.2	4.0	4.7	0.5
長崎県	21.2	20.6	19.7	5.7	0.0	1.0	0.3	7.0	6.7	6.0	1.0
熊本県	24.1	23.7	23.1	6.1	0.0	2.0	0.5	6.3	7.9	11.5	0.9
大分県	14.8	14.5	13.9	1.8	0.0	1.3	0.5	2.7	5.5	7.4	0.7
宮崎県	11.2	11.0	10.5	1.9	0.0	0.5	0.1	3.9	2.8	5.0	0.4
鹿児島県	21.8	21.3	20.7	4.8	0.0	1.3	0.5	5.9	7.1	10.0	0.9
沖縄県	9.4	9.2	8.9	0.9	–	0.5	0.3	1.8	2.9	5.4	0.3

注：平成29年４月から平成30年３月の各サービス提供月の介護予防サービス受給者について名寄せを行ったものであり、当該期間中に被保険者番号の変更があった場合には、別受給者として計上している。

都道府県・サービス種類別

（単位：千人）

介護予防短期入所生活介護	介護予防短期入所療養介護（老健）	介護予防短期入所療養介護（病院等）	介護予防居宅療養管理指導	介護予防特定施設入居者生活介護	介護予防支援	地域密着型介護予防サービス	介護予防認知症対応型通所介護	介護予防小規模多機能型居宅介護（短期利用以外）	介護予防小規模多機能型居宅介護（短期利用）	介護予防認知症対応型共同生活介護（短期利用以外）	介護予防認知症対応型共同生活介護（短期利用）	
42.4	5.4	0.2	82.3	43.7	1 145.7	22.9	2.0	18.7	0.2	2.1	0.0	全　国
1.9	0.3	0.0	2.9	2.9	63.7	1.4	0.1	1.2	0.0	0.1	-	北海道
0.2	0.1	0.0	0.2	0.1	11.9	0.2	0.0	0.2	-	0.0	-	青森県
0.8	0.1	0.0	0.3	0.1	13.2	0.3	0.0	0.3	0.0	0.0	0.0	岩手県
1.2	0.1	0.0	1.1	0.6	22.1	0.4	0.0	0.3	0.0	0.0	-	宮城県
0.8	0.0	-	0.1	0.3	9.9	0.4	0.0	0.3	-	0.0	-	秋田県
0.8	0.1	0.0	0.4	0.3	9.5	0.5	0.0	0.5	-	0.0	-	山形県
1.0	0.2	-	0.4	0.4	13.9	0.4	0.0	0.3	0.0	0.0	-	福島県
0.8	0.1	0.0	0.8	0.4	17.1	0.3	0.0	0.2	0.0	0.1	0.0	茨城県
1.1	0.0	-	0.7	0.6	15.4	0.5	0.1	0.4	0.0	0.0	0.0	栃木県
0.8	0.1	-	0.9	0.5	15.2	0.4	0.0	0.3	0.0	0.0	-	群馬県
1.5	0.2	0.0	4.2	2.6	44.4	0.5	0.1	0.3	0.0	0.1	-	埼玉県
1.2	0.2	0.0	3.6	1.9	33.3	0.4	0.0	0.3	0.0	0.0	-	千葉県
1.9	0.2	0.0	14.0	7.0	72.3	0.5	0.1	0.4	0.0	0.0	-	東京都
1.7	0.2	-	7.6	4.2	45.9	0.9	0.0	0.8	0.0	0.1	-	神奈川県
2.1	0.1	0.0	1.1	0.6	24.7	0.9	0.0	0.8	-	0.0	-	新潟県
0.5	0.0	0.0	0.2	0.0	10.3	0.3	0.0	0.2	-	0.0	-	富山県
0.6	0.1	0.0	0.6	0.3	11.4	0.5	0.1	0.4	0.0	0.0	0.0	石川県
0.3	0.0	0.0	0.2	0.1	7.5	0.3	0.0	0.3	0.0	0.0	-	福井県
0.2	0.0	-	0.1	0.0	4.0	0.1	0.0	0.1	-	0.0	-	山梨県
1.0	0.2	0.0	0.9	0.4	20.7	0.4	0.0	0.3	0.0	0.0	-	長野県
0.9	0.1	0.0	0.9	0.3	15.1	0.4	0.0	0.3	-	0.0	-	岐阜県
1.6	0.1	0.0	1.6	1.2	32.9	0.5	0.1	0.3	0.0	0.1	0.0	静岡県
2.7	0.3	0.0	5.7	2.4	63.8	0.9	0.1	0.7	0.0	0.1	0.0	愛知県
0.8	0.1	0.0	0.7	0.4	17.0	0.3	0.0	0.3	0.0	0.0	0.0	三重県
0.2	0.0	-	0.5	0.1	11.5	0.2	0.0	0.2	0.0	0.0	0.0	滋賀県
0.5	0.1	0.0	1.5	0.3	28.2	0.4	0.0	0.4	-	0.0	-	京都府
1.4	0.3	0.0	8.5	3.2	100.6	0.8	0.1	0.6	0.0	0.1	0.0	大阪府
1.9	0.3	0.0	6.1	3.0	78.4	1.1	0.2	0.9	0.0	0.1	-	兵庫県
0.4	0.1	0.0	0.9	0.6	11.6	0.2	0.0	0.2	0.0	0.0	0.0	奈良県
0.4	0.1	0.0	0.5	0.3	15.9	0.2	0.0	0.2	0.0	0.0	0.0	和歌山県
0.3	0.1	0.0	0.3	0.1	6.6	0.2	0.0	0.2	0.0	0.0	-	鳥取県
0.5	0.1	-	0.4	0.2	10.0	0.4	0.0	0.3	0.0	0.0	-	島根県
0.9	0.1	0.0	1.2	0.9	23.4	0.8	0.0	0.8	-	0.0	0.0	岡山県
1.5	0.2	0.0	2.7	1.2	39.3	1.2	0.1	1.0	0.0	0.1	0.0	広島県
0.7	0.1	0.0	0.6	0.3	17.5	0.3	0.0	0.3	0.0	0.0	-	山口県
0.2	0.0	0.0	0.3	0.0	7.6	0.2	0.0	0.1	0.0	0.0	0.0	徳島県
0.4	0.1	0.0	0.4	0.3	10.8	0.2	0.0	0.2	-	0.0	-	香川県
0.7	0.1	0.0	1.0	0.7	17.3	0.5	0.0	0.4	-	0.1	-	愛媛県
0.2	0.0	0.0	0.3	0.2	6.5	0.1	0.0	0.1	-	0.0	-	高知県
1.8	0.2	0.0	4.1	2.4	56.4	1.2	0.1	1.0	0.0	0.1	0.0	福岡県
0.4	0.1	0.0	0.5	0.3	11.5	0.5	0.1	0.3	0.0	0.2	-	佐賀県
0.9	0.1	0.0	0.6	0.5	19.9	0.8	0.1	0.6	0.0	0.1	-	長崎県
0.7	0.2	0.0	0.7	0.3	23.2	0.6	0.0	0.5	0.0	0.0	-	熊本県
0.6	0.1	0.0	0.4	0.3	14.1	0.3	0.0	0.2	0.0	0.0	0.0	大分県
0.4	0.1	0.0	0.3	0.4	10.5	0.3	0.0	0.2	-	0.1	-	宮崎県
0.7	0.1	0.0	0.9	0.3	20.7	0.7	0.0	0.6	-	0.1	-	鹿児島県
0.2	0.1	-	0.1	0.1	9.0	0.2	0.0	0.2	0.0	0.0	0.0	沖縄県

（注）「介護予防認知症対応型通所介護」以降の6列は「地域密着型介護予防サービス」の内訳。

統計表第８表　介護サービス年間実受給者数,

	総　数	居宅サービス										
			訪問通所								短期入所	
				訪問介護	訪問入浴介護	訪問看護	訪問リハビリテーション	通所介護	通所リハビリテーション	福祉用具貸与		短期入所生活介護
全　国	5 095.8	3 850.7	3 372.2	1 457.8	125.5	662.3	142.3	1 579.1	617.8	2 335.6	851.6	735.3
北海道	231.9	167.8	143.8	70.4	3.3	28.6	7.1	56.2	25.0	92.3	28.5	23.4
青森県	68.3	50.1	46.4	25.9	2.0	7.0	1.0	22.3	9.5	27.9	9.5	8.2
岩手県	64.7	45.8	42.7	15.9	1.8	6.2	2.9	22.8	8.3	27.1	13.6	11.9
宮城県	89.9	66.1	58.9	19.9	4.3	9.7	1.6	29.3	10.3	40.3	18.5	16.0
秋田県	62.3	44.8	35.0	14.4	1.7	3.6	0.7	16.5	4.0	21.8	19.0	18.5
山形県	57.9	40.8	36.9	10.5	1.6	5.4	0.6	21.0	6.8	23.7	13.0	12.0
福島県	90.8	66.4	60.5	23.0	3.5	10.2	1.7	30.2	11.4	40.5	19.4	15.7
茨城県	109.6	77.6	69.1	21.3	2.9	9.8	2.9	33.4	16.4	44.6	21.1	18.1
栃木県	71.9	52.4	47.4	14.8	1.4	6.6	1.0	26.2	8.0	33.1	15.8	14.9
群馬県	82.3	61.5	54.6	19.8	1.4	9.6	1.5	30.9	9.7	36.0	14.9	12.7
埼玉県	231.6	178.4	150.9	57.3	6.8	25.5	8.1	72.4	29.6	102.6	40.3	34.9
千葉県	211.7	163.2	141.2	63.1	8.2	23.6	6.5	60.2	24.6	97.7	34.6	30.2
東京都	461.5	372.8	310.7	161.5	17.9	87.2	12.4	133.8	35.1	223.8	58.9	51.7
神奈川県	314.0	248.1	207.7	98.3	12.6	54.4	6.6	85.5	27.0	150.7	45.7	39.5
新潟県	113.8	78.5	70.3	20.9	2.1	10.1	1.6	42.5	8.9	49.0	30.7	29.2
富山県	52.4	36.8	34.8	12.3	1.1	4.5	1.3	18.9	6.4	24.3	11.3	9.9
石川県	47.7	32.6	28.4	10.0	0.7	4.7	0.9	15.2	5.7	18.2	8.8	7.8
福井県	36.2	25.2	23.0	7.0	0.5	4.8	0.6	13.0	4.7	15.8	7.6	6.6
山梨県	37.2	27.2	24.5	8.5	1.0	3.9	1.8	12.8	4.1	17.1	8.7	8.2
長野県	97.5	72.1	65.0	23.1	2.9	14.7	5.6	32.5	11.9	49.4	21.7	17.1
岐阜県	84.0	63.6	56.4	20.7	2.1	11.2	1.8	30.8	9.0	39.9	18.3	16.3
静岡県	148.8	108.9	96.6	31.9	4.7	16.0	2.9	50.5	17.8	67.4	29.4	26.9
愛知県	233.2	179.0	157.1	63.7	6.5	32.7	5.6	74.3	30.5	111.0	40.6	35.2
三重県	80.2	60.1	53.9	22.9	1.6	8.1	2.9	28.2	9.0	37.4	15.8	14.1
滋賀県	51.0	39.5	36.6	14.1	1.7	8.1	2.2	18.9	5.5	27.3	10.7	9.1
京都府	115.6	88.8	81.2	35.7	2.9	18.6	6.0	38.3	13.2	59.3	18.0	15.3
大阪府	363.0	300.4	269.7	164.6	7.4	66.7	11.2	105.9	40.2	199.2	44.3	36.1
兵庫県	216.3	168.3	146.8	67.8	5.1	41.2	6.1	64.9	25.5	106.5	37.3	31.5
奈良県	57.0	43.9	38.5	21.0	1.1	7.9	2.6	17.3	7.5	26.3	9.7	7.4
和歌山県	51.5	39.0	35.7	21.1	0.8	7.8	1.5	15.2	5.9	23.8	7.8	6.5
鳥取県	27.6	19.3	17.3	5.0	0.3	3.0	1.0	8.9	4.4	11.7	4.5	3.4
島根県	40.2	28.5	25.2	9.6	0.4	4.6	1.6	11.8	3.7	18.7	7.4	6.1
岡山県	89.5	65.1	55.5	19.6	1.0	9.2	1.8	26.1	13.0	38.0	15.1	13.4
広島県	119.4	90.8	77.7	30.3	2.0	16.2	3.2	35.8	18.0	54.5	23.4	19.8
山口県	68.1	49.0	43.4	16.4	0.8	6.5	2.3	22.1	8.4	29.2	10.1	8.9
徳島県	39.3	28.8	25.4	13.7	0.5	3.5	2.4	11.5	6.7	16.4	5.7	5.0
香川県	46.8	34.7	30.0	12.3	0.8	3.4	1.1	14.0	7.5	20.7	8.7	7.9
愛媛県	71.7	53.9	46.5	20.3	1.1	7.3	1.1	21.4	9.4	32.4	11.9	10.1
高知県	37.2	25.0	22.1	9.3	0.2	2.7	1.2	9.6	4.9	14.9	5.5	4.4
福岡県	198.7	147.9	126.5	57.3	2.6	19.8	5.5	63.0	30.1	85.3	25.2	21.5
佐賀県	35.1	24.6	21.6	6.0	0.3	1.8	0.7	12.0	6.3	12.9	4.7	3.8
長崎県	68.1	49.0	42.4	16.6	0.5	6.1	2.1	18.3	13.3	24.6	11.8	10.6
熊本県	86.5	63.6	59.1	25.9	0.9	9.3	1.7	26.5	18.2	39.0	13.3	9.6
大分県	54.8	41.2	37.5	15.6	0.6	5.5	2.1	19.4	10.6	23.7	8.5	7.5
宮崎県	50.5	36.8	33.3	12.9	0.6	4.2	0.7	17.8	6.8	22.8	6.4	5.4
鹿児島県	80.6	55.9	49.5	17.3	0.8	7.7	3.4	18.6	17.0	32.8	11.7	9.4
沖縄県	48.3	36.7	34.6	8.5	0.3	2.8	1.3	22.3	7.7	23.4	4.6	3.4

注：平成29年４月から平成30年３月の各サービス提供月の介護サービス受給者について名寄せを行ったものであり、当該期間中に被保険者番号の変更があった場合には、別受給者として計上している。

都道府県・サービス種類別（２－１）

（単位：千人）

短期入所療養介護（老健）	短期入所療養介護（病院等）	居宅療養管理指導	特定施設入居者生活介護（短期利用以外）	特定施設入居者生活介護（短期利用）	居宅介護支援	地域密着型サービス	定期巡回・随時対応型訪問介護看護	夜間対応型訪問介護	地域密着型通所介護	認知症対応型通所介護	小規模多機能型居宅介護（短期利用以外）	
144.2	5.8	970.2	261.5	5.9	3 532.0	1 150.9	31.2	12.9	589.1	83.6	135.7	全国
6.3	0.2	36.4	12.8	0.1	149.0	65.6	4.9	0.5	27.7	3.3	8.3	北海道
1.5	0.0	6.4	0.7	0.0	49.2	14.3	0.1	－	4.6	1.0	1.2	青森県
2.2	0.2	5.1	1.1	0.0	44.9	13.9	0.1	0.0	6.4	0.8	2.0	岩手県
3.0	0.2	14.5	2.6	0.0	62.9	20.3	0.5	0.0	10.1	1.4	1.8	宮城県
0.7	0.0	2.8	2.2	0.0	43.1	11.9	0.1	－	5.2	0.7	1.7	秋田県
1.3	0.1	6.4	1.5	－	38.0	12.5	0.3	0.0	3.2	1.4	3.3	山形県
4.6	0.1	8.8	2.9	0.0	63.2	19.3	0.7	0.0	8.8	2.1	2.9	福島県
3.6	0.2	13.4	2.5	0.1	74.6	20.5	0.2	0.0	10.6	0.8	2.1	茨城県
1.1	0.0	7.7	2.6	0.0	50.1	15.9	0.2	－	7.4	0.9	2.5	栃木県
2.7	0.0	12.5	3.1	0.1	57.5	17.4	0.4	－	7.9	1.1	3.0	群馬県
6.9	0.1	51.9	18.0	0.6	160.9	42.3	1.1	0.1	26.9	2.2	3.0	埼玉県
5.5	0.1	48.9	11.7	0.2	151.2	46.8	1.1	0.3	30.3	1.9	3.2	千葉県
9.2	0.2	155.6	52.6	1.4	324.3	102.3	2.7	3.5	68.7	12.3	5.3	東京都
8.2	0.0	93.7	27.0	1.1	216.3	80.5	2.3	3.2	48.3	6.2	7.6	神奈川県
2.0	0.0	9.9	3.6	0.0	72.2	22.3	0.5	0.1	6.9	1.9	5.5	新潟県
1.7	0.1	4.2	0.3	－	36.0	13.2	0.4	0.0	5.9	1.4	2.2	富山県
1.1	0.1	7.5	1.5	0.0	29.6	11.5	0.1	0.0	3.8	0.8	2.0	石川県
1.2	0.1	2.3	1.0	0.0	23.6	8.1	0.2	－	2.1	1.3	2.0	福井県
0.5	0.2	3.0	0.4	0.0	27.3	10.1	0.1	－	6.1	0.4	0.6	山梨県
5.8	0.4	12.7	4.0	0.1	67.7	24.9	0.5	0.0	13.9	1.9	2.5	長野県
2.8	0.1	15.0	1.7	0.0	59.2	17.9	0.2	0.0	7.9	1.1	2.2	岐阜県
3.3	0.1	19.4	6.3	0.2	100.9	32.2	0.5	0.1	15.8	3.1	4.0	静岡県
6.6	0.3	54.8	10.9	0.2	165.4	49.5	1.2	0.5	26.4	3.4	4.4	愛知県
2.2	0.0	10.0	2.8	0.1	57.4	16.5	0.1	0.1	9.9	0.8	1.5	三重県
2.3	0.0	6.9	1.0	0.0	37.7	14.6	0.1	0.0	8.3	1.6	1.9	滋賀県
3.6	0.1	23.2	3.7	0.0	81.8	23.5	1.1	1.9	8.9	2.5	3.9	京都府
9.9	0.2	100.0	17.5	0.5	278.8	79.4	2.0	0.5	52.0	4.8	4.6	大阪府
7.4	0.2	44.9	12.2	0.3	152.8	46.8	1.2	0.0	25.8	3.7	6.1	兵庫県
2.7	0.0	10.1	2.9	0.2	40.5	11.1	0.9	－	6.3	0.6	1.0	奈良県
1.4	0.0	7.0	1.2	0.0	37.4	11.4	0.1	0.0	6.5	0.5	1.2	和歌山県
1.2	0.2	3.1	0.9	－	17.8	6.6	0.3	0.0	2.2	0.7	1.4	鳥取県
1.5	0.1	4.2	2.1	0.0	26.1	11.4	0.1	0.1	5.3	1.0	2.1	島根県
2.0	0.2	14.3	5.2	0.0	56.6	22.6	0.4	0.0	8.5	1.1	4.3	岡山県
4.2	0.6	22.5	5.9	0.1	80.3	26.2	0.9	0.2	9.9	1.4	5.2	広島県
1.5	0.1	8.3	2.7	0.0	46.3	18.3	1.2	0.2	8.9	1.6	2.1	山口県
0.7	0.1	5.4	0.3	0.0	27.2	7.5	0.0	0.0	2.8	0.5	1.0	徳島県
0.9	0.1	6.4	1.9	0.0	32.4	9.6	0.1	0.3	4.9	0.6	1.1	香川県
2.3	0.0	10.9	3.6	0.0	48.2	18.6	0.4	0.1	7.5	1.0	2.6	愛媛県
1.2	0.1	3.6	1.4	0.0	23.5	10.2	0.2	0.0	4.9	0.9	1.0	高知県
4.4	0.2	43.5	11.6	0.1	130.9	43.7	1.6	0.2	19.6	2.0	6.1	福岡県
0.9	0.1	4.4	1.1	0.0	23.4	8.3	0.0	－	3.5	0.7	1.2	佐賀県
1.5	0.1	7.3	2.7	0.0	45.1	18.6	0.7	0.1	6.5	1.6	3.1	長崎県
4.2	0.4	9.9	2.2	0.0	60.2	20.7	0.2	0.2	8.7	1.5	3.8	熊本県
1.3	0.1	8.8	1.7	0.0	39.2	10.1	0.4	0.2	3.4	1.2	1.1	大分県
1.2	0.0	5.9	2.4	0.0	34.6	10.9	0.1	0.0	5.8	0.3	1.4	宮崎県
2.6	0.1	11.9	2.1	0.0	51.4	23.1	0.8	0.0	9.5	1.2	3.4	鹿児島県
1.3	0.0	4.9	1.6	0.0	35.3	8.1	0.0	0.0	4.5	0.4	1.6	沖縄県

統計表第８表　介護サービス年間実受給者数，都道府県・サービス種類別（２－２）

（単位：千人）

									施設サービス			
	小規模多機能型居宅介護（短期利用）	認知症対応型共同生活介護（短期利用以外）	認知症対応型共同生活介護（短期利用）	地域密着型特定施設入居者生活介護（短期利用以外）	地域密着型特定施設入居者生活介護（短期利用）	地域密着型介護老人福祉施設入所者生活介護	複合型サービス（看護小規模多機能型居宅介護・短期利用以外）	複合型サービス（看護小規模多機能型居宅介護・短期利用）		介護福祉施設サービス	介護保健施設サービス	介護療養施設サービス
全国	2.1	249.2	1.9	9.6	0.2	70.4	13.1	0.7	1 266.2	672.6	559.1	84.1
北海道	0.1	18.8	0.1	0.9	0.0	3.2	1.2	0.0	56.4	29.7	24.6	3.8
青森県	0.0	6.2	0.0	0.1	－	1.4	0.1	－	15.1	6.8	7.3	1.3
岩手県	0.1	2.9	0.1	0.2	－	1.8	0.0	－	17.4	8.8	8.5	0.7
宮城県	0.0	5.2	0.0	0.1	－	1.6	0.3	0.0	23.1	11.4	12.1	0.3
秋田県	0.0	3.2	0.0	0.3	－	1.0	0.1	0.0	15.7	8.5	6.7	0.6
山形県	0.0	2.9	0.0	－	－	1.8	0.1	－	15.7	9.8	6.1	0.3
福島県	0.0	4.2	0.0	0.2	－	1.1	0.2	0.0	24.6	13.2	11.7	0.8
茨城県	0.0	5.7	0.1	0.0	0.0	1.3	0.2	0.0	33.1	17.5	15.7	1.1
栃木県	0.0	2.9	0.1	－	－	2.5	0.1	－	17.4	9.1	7.9	0.9
群馬県	0.0	3.8	0.0	0.1	0.0	1.7	0.3	0.0	22.7	12.5	10.5	0.7
埼玉県	0.0	8.2	0.0	0.3	0.0	1.4	0.3	0.0	59.8	35.5	24.5	2.2
千葉県	0.0	8.4	0.1	0.4	0.0	2.2	0.4	0.0	50.1	28.3	21.9	1.7
東京都	0.1	12.4	0.1	0.2	0.0	0.9	0.8	0.0	99.4	58.9	38.0	7.9
神奈川県	0.1	14.5	0.1	0.4	0.0	0.9	1.2	0.0	71.5	42.1	30.2	2.6
新潟県	0.0	4.5	0.0	0.2	－	3.3	0.3	0.0	34.0	18.6	14.3	2.5
富山県	0.0	3.0	0.0	－	－	0.8	0.1	0.0	15.4	6.7	6.6	2.9
石川県	0.0	3.6	0.0	0.0	－	1.3	0.2	0.0	13.8	7.4	5.7	1.1
福井県	0.0	1.5	0.0	－	－	1.1	0.3	－	10.3	5.6	4.5	0.5
山梨県	0.0	1.2	0.0	0.1	0.0	1.6	0.1	0.0	8.6	4.5	4.0	0.4
長野県	0.1	4.0	0.0	0.7	0.0	2.2	0.1	－	27.6	14.1	13.0	2.4
岐阜県	0.0	5.3	0.0	0.2	－	1.4	0.2	0.0	22.4	12.2	10.4	0.8
静岡県	0.0	7.4	0.0	0.6	0.0	1.5	0.6	0.0	40.8	21.3	17.9	3.1
愛知県	0.1	10.5	0.0	0.5	0.0	4.1	0.3	0.1	56.4	28.4	26.5	3.3
三重県	0.0	3.0	0.0	0.2	0.0	1.3	0.1	0.0	20.8	11.0	9.7	0.7
滋賀県	0.1	2.3	0.1	0.0	－	0.9	0.2	0.0	12.1	6.8	5.3	0.8
京都府	0.1	4.1	0.0	0.4	0.0	1.4	0.3	0.0	28.9	14.2	12.2	4.1
大阪府	0.2	12.6	0.2	0.3	0.0	3.9	1.0	0.1	71.0	38.3	32.1	3.2
兵庫県	0.2	8.1	0.1	0.2	0.0	2.8	0.6	0.0	52.7	29.0	23.0	2.6
奈良県	0.0	2.3	0.1	0.0	－	0.2	0.1	0.0	15.4	8.1	7.0	1.0
和歌山県	0.1	2.3	0.0	0.2	0.0	0.7	0.2	0.0	12.4	7.2	4.7	0.8
鳥取県	0.0	1.7	0.0	0.1	－	0.3	0.1	0.0	8.6	3.7	4.8	0.4
島根県	0.1	2.4	0.0	0.1	－	0.7	0.2	0.0	11.2	6.2	5.0	0.6
岡山県	0.0	6.4	0.0	0.2	0.0	2.3	0.2	0.0	23.0	12.3	10.4	1.0
広島県	0.1	7.2	0.1	0.0	－	2.0	0.5	0.0	30.0	14.0	13.5	3.7
山口県	0.1	3.3	0.1	0.2	0.0	1.7	0.1	0.0	17.5	8.3	7.5	2.4
徳島県	0.0	3.0	0.0	－	－	0.4	0.1	0.0	11.2	4.5	5.5	1.5
香川県	0.0	2.3	0.0	0.1	－	0.4	0.1	0.0	12.4	6.4	5.3	1.0
愛媛県	0.0	6.2	0.0	－	－	1.4	0.2	0.0	16.6	7.8	8.1	1.4
高知県	－	3.0	0.0	0.3	－	0.2	0.1	－	11.3	5.2	3.8	2.8
福岡県	0.1	11.9	0.1	0.5	－	2.6	0.5	0.0	50.9	25.9	21.9	5.0
佐賀県	0.0	2.7	0.0	0.1	－	0.2	0.1	0.0	9.2	4.4	4.0	1.1
長崎県	0.0	6.0	0.1	－	－	1.2	0.2	0.0	16.5	8.2	7.8	0.9
熊本県	0.1	4.0	0.1	0.3	0.0	2.6	0.2	0.0	22.1	9.5	10.6	3.2
大分県	0.0	2.4	0.0	0.3	0.0	1.3	0.3	0.0	13.8	6.2	7.2	0.8
宮崎県	0.0	3.0	0.0	－	－	0.3	0.2	0.0	12.8	7.0	5.0	1.1
鹿児島県	0.0	7.3	0.0	0.5	0.0	1.3	0.1	0.0	23.0	12.2	10.4	1.4
沖縄県	0.0	1.1	0.0	0.2	－	0.4	0.0	0.0	11.6	5.5	5.8	0.6

注：平成29年４月から平成30年３月の各サービス提供月の介護サービス受給者について名寄せを行ったものであり、当該期間中に被保険者番号の変更があった場合には、別受給者として計上している。

統計表第９表　介護予防サービス単位数・回数・日数・件数，サービス種類内容・要支援状態区分別（３－１）

平成29年５月審査分～平成30年４月審査分

	単位数（単位：千単位）			回数・日数・件数（単位：千回（日・件））		
	総数	要支援１	要支援２	総数	要支援１	要支援２
介護予防訪問介護**	2 446 902	944 320	1 496 577	1 228.6	548.5	675.1
介護予防訪問介護**	2 185 710	842 862	1 337 459	1 228.6	548.5	675.1
特別地域介護予防訪問介護加算**	8 334	3 170	5 144	32.1	13.9	18.0
中山間地域等における小規模事業所加算**	150	37	113	0.8	0.2	0.5
中山間地域等に居住する者へのサービス提供加算**	109	38	71	1.2	0.5	0.7
初回加算**	5 232	2 505	2 674	26.2	12.5	13.4
生活機能向上連携加算**	0	0	0	0.0	0.0	0.0
介護職員処遇改善加算（Ⅰ）**	194 585	75 497	118 772	799.5	358.9	438.5
介護職員処遇改善加算（Ⅱ）**	39 574	15 160	24 220	221.9	97.9	122.0
介護職員処遇改善加算（Ⅲ）**	11 970	4 562	7 380	119.2	52.6	66.1
介護職員処遇改善加算（Ⅳ）**	648	253	393	7.2	3.3	3.9
介護職員処遇改善加算（Ⅴ）**	588	237	349	7.5	3.5	3.9
介護予防訪問入浴介護	20 198	1 935	18 121	22.8	2.2	20.5
介護予防訪問入浴介護	18 975	1 823	17 017	22.8	2.2	20.5
特別地域介護予防訪問入浴介護加算	60	5	54	0.1	0.0	0.1
中山間地域等における小規模事業所加算	20	－	20	0.0	－	0.0
中山間地域等に居住する者へのサービス提供加算	7	1	6	0.1	0.0	0.0
サービス提供体制強化加算（Ⅰ）イ	137	12	125	3.8	0.3	3.5
サービス提供体制強化加算（Ⅰ）ロ	11	0	11	0.5	0.0	0.4
介護職員処遇改善加算（Ⅰ）	916	90	821	4.5	0.6	3.9
介護職員処遇改善加算（Ⅱ）	49	3	45	0.3	0.0	0.3
介護職員処遇改善加算（Ⅲ）	19	1	18	0.3	0.0	0.2
介護職員処遇改善加算（Ⅳ）	3	0	3	0.0	0.0	0.0
介護職員処遇改善加算（Ⅴ）	1	－	1	0.0	－	0.0
介護予防訪問看護	2 493 745	666 028	1 819 723	5 825.7	1 531.8	4 279.9
訪問看護ステーション	2 236 812	584 169	1 646 166	5 758.0	1 508.6	4 235.6
病院又は診療所	29 904	9 866	19 929	67.7	23.2	44.3
特別地域介護予防訪問看護加算	6 435	2 038	4 384	19.1	7.3	11.8
中山間地域等における小規模事業所加算	184	60	123	0.9	0.4	0.6
中山間地域等に居住する者へのサービス提供加算	1 004	343	659	7.1	2.7	4.4
緊急時介護予防訪問看護加算(ステーション)	153 618	50 601	102 043	284.5	93.7	189.0
緊急時介護予防訪問看護加算(医療機関)	2 164	750	1 400	7.5	2.6	4.8
特別管理加算（Ⅰ）	8 101	1 492	6 552	16.2	3.0	13.1
特別管理加算（Ⅱ）	16 635	4 538	11 995	66.5	18.2	48.0
初回加算	15 193	5 519	9 524	50.6	18.4	31.7
退院時共同指導加算	1 567	515	1 022	2.6	0.9	1.7
看護体制強化加算	4 674	1 478	3 167	15.6	4.9	10.6
サービス提供体制強化加算	17 456	4 658	12 759	2 909.4	776.4	2 126.5
介護予防訪問リハビリテーション	593 011	139 053	453 075	1 913.6	451.3	1 459.5
病院又は診療所	486 839	113 849	372 275	1 613.1	377.2	1 233.5
介護老人保健施設	90 705	22 386	68 182	300.6	74.2	225.9
中山間地域等に居住する者へのサービス提供加算	503	135	367	3.5	1.1	2.4
短期集中リハビリテーション実施加算*	4 751	290	4 444	23.8	1.5	22.2
訪問介護連携加算	9	3	6	0.0	0.0	0.0
サービス提供体制強化加算	10 204	2 390	7 801	1 700.8	398.3	1 300.1
介護予防通所介護**	4 755 189	1 454 075	3 293 425	1 626.7	745.9	876.2
介護予防通所介護**	4 180 848	1 226 833	2 947 456	1 626.7	745.9	876.2
中山間地域等に居住する者へのサービス提供加算**	508	157	350	4.0	1.9	2.1
若年性認知症利用者受入加算**	4	3	0	0.0	0.0	0.0
同一建物減算**	△ 18 626	△ 4 756	△ 13 784	31.1	12.7	18.3
生活機能向上グループ活動加算**	2 569	998	1 563	25.7	10.0	15.7
運動器機能向上加算**	240 749	115 509	124 691	1 070.0	513.4	554.2
栄養改善加算**	16	8	8	0.1	0.1	0.1
口腔機能向上加算**	2 220	1 068	1 143	14.8	7.1	7.6
選択的サービス複数実施加算（Ⅰ）**	12 018	5 200	6 802	25.0	10.8	14.2
選択的サービス複数実施加算（Ⅱ）**	274	99	174	0.4	0.1	0.2
事業所評価加算**	44 044	22 976	20 989	367.0	191.5	174.9
サービス提供体制強化加算（Ⅰ）イ**	57 932	16 192	41 572	515.0	224.9	288.7
サービス提供体制強化加算（Ⅰ）ロ**	9 303	2 602	6 671	124.1	54.2	69.5
サービス提供体制強化加算（Ⅱ）**	11 046	3 157	7 855	296.1	131.5	163.7
介護職員処遇改善加算（Ⅰ）**	172 430	51 859	120 382	1 037.5	469.5	566.1
介護職員処遇改善加算（Ⅱ）**	29 935	9 218	20 606	251.4	115.4	134.3
介護職員処遇改善加算（Ⅲ）**	8 848	2 653	6 180	139.0	63.1	75.6
介護職員処遇改善加算（Ⅳ）**	591	171	418	10.3	4.6	5.7
介護職員処遇改善加算（Ⅴ）**	479	130	349	9.4	4.0	5.4

注：１）事業所からの請求時点の数値を集計している。
２）太枠内は基本算定項目である。
３）回数、日数、件数の各サービスの計は、基本算定項目（太枠内）を計上した値である。
４）＊は日数、＊＊は件数を集計している。
５）介護予防短期入所療養介護には、「特定治療」「特別療養費」「特定診療費」を含まない。
６）総数には、月の途中で要支援から要介護に変更となった者を含む。

	単位数（単位：千単位）			回数・日数・件数（単位：千回（日・件））		
	総数	要支援１	要支援２	総数	要支援１	要支援２
介護予防通所リハビリテーション**	6 398 830	1 639 280	4 752 542	1 886.6	750.9	1 132.1
病院又は診療所**	3 205 401	862 083	2 340 622	1 109.4	476.1	631.5
介護老人保健施設**	2 352 181	497 302	1 851 965	777.3	274.8	500.6
中山間地域等に居住する者へのサービス提供加算**	1 083	262	820	7.3	2.9	4.4
若年性認知症利用者受入加算**	8	7	1	0.0	0.0	0.0
同一建物減算**	△ 5 556	△ 1 386	△ 4 154	9.2	3.7	5.5
運動器機能向上加算**	385 404	153 383	231 315	1 712.9	681.7	1 028.1
栄養改善加算**	126	68	57	0.8	0.5	0.4
口腔機能向上加算**	1 552	795	752	10.3	5.3	5.0
選択的サービス複数実施加算（Ⅰ）**	14 941	5 306	9 622	31.1	11.1	20.0
選択的サービス複数実施加算（Ⅱ）**	963	381	582	1.4	0.5	0.8
事業所評価加算**	81 271	34 131	47 009	677.3	284.4	391.7
サービス提供体制強化加算（Ⅰ）イ**	130 808	30 259	100 278	1 118.9	420.3	696.4
サービス提供体制強化加算（Ⅰ）ロ**	11 208	2 700	8 482	144.9	56.3	88.4
サービス提供体制強化加算（Ⅱ）**	14 344	3 880	10 438	379.8	161.7	217.5
介護職員処遇改善加算（Ⅰ）**	167 285	40 708	126 402	1 066.6	405.8	658.9
介護職員処遇改善加算（Ⅱ）**	24 869	6 135	18 689	220.7	85.0	135.1
介護職員処遇改善加算（Ⅲ）**	10 918	2 762	8 144	174.9	69.0	105.5
介護職員処遇改善加算（Ⅳ）**	1 059	254	804	18.8	7.1	11.6
介護職員処遇改善加算（Ⅴ）**	965	250	714	19.6	7.9	11.7
介護予防福祉用具貸与*	3 417 283	1 039 028	2 372 577	306 605.3	92 388.7	213 846.3
小計*	3 417 178	1 038 986	2 372 515	306 605.3	92 388.7	213 846.3
車いす*	581 519	180 576	400 055	12 793.6	3 245.0	9 529.5
車いす付属品*	18 097	3 912	14 145	4 161.7	1 050.5	3 106.3
特殊寝台*	315 333	67 982	246 676	10 707.9	2 355.4	8 336.7
特殊寝台付属品*	129 574	27 449	101 848	29 348.3	6 378.5	22 926.2
床ずれ防止用具*	13 129	2 426	10 627	683.0	122.5	558.2
体位変換器*	462	63	398	44.9	6.1	38.7
手すり*	1 463 021	483 767	976 888	144 103.3	47 295.9	96 635.7
スロープ*	37 727	8 654	28 991	11 854.9	3 094.8	8 746.4
歩行器*	751 569	238 434	512 032	73 980.4	23 510.2	50 392.6
歩行補助つえ*	70 429	20 341	49 979	18 052.3	5 187.6	12 844.3
認知症老人徘徊感知機器*	172	87	83	7.3	3.5	3.8
移動用リフト*	35 959	5 237	30 664	861.5	136.7	723.9
自動排泄処理装置*	189	59	129	6.3	2.2	4.1
特別地域福祉用具貸与加算* 小計*	102	41	61	1.0	0.4	0.6
車いす*	34	11	23	0.1	0.1	0.1
車いす付属品*	0	0	0	0.1	0.0	0.0
特殊寝台*	9	5	5	0.1	0.0	0.1
特殊寝台付属品*	3	1	1	0.1	0.0	0.1
床ずれ防止用具*	0	−	0	0.0	−	0.0
体位変換器*	−	−	−	−	−	−
手すり*	28	12	17	0.2	0.0	0.1
スロープ*	0	0	0	0.0	0.0	0.0
歩行器*	25	12	13	0.3	0.2	0.1
歩行補助つえ*	2	1	1	0.1	0.0	0.1
認知症老人徘徊感知機器*	−	−	−	−	−	−
移動用リフト*	0	−	0	0.0	−	0.0
自動排泄処理装置*	−	−	−	−	−	−
中山間地域等における小規模事業所加算*	−	−	−	−	−	−
中山間地域等に居住する者へのサービス提供加算*	2	1	1	0.0	0.0	0.0
介護予防短期入所生活介護*	473 548	92 751	375 469	691.7	157.3	526.1
単独型*	79 994	15 191	63 795	146.3	33.0	111.5
併設型*	137 987	25 874	110 597	267.7	59.3	205.4
単独型ユニット型*	54 235	11 634	41 934	86.7	21.6	64.1
併設型ユニット型*	115 030	22 029	91 571	190.9	43.4	145.1
機能訓練体制加算*	2 864	613	2 217	238.6	51.1	184.8
個別機能訓練加算*	813	185	619	14.5	3.3	11.1
認知症行動・心理症状緊急対応加算*	11	3	8	0.1	0.0	0.0
若年性認知症利用者受入加算*	1	−	1	0.0	−	0.0
送迎加算	43 598	9 810	33 562	237.0	53.3	182.4
療養食加算*	105	24	78	4.6	1.1	3.4
サービス提供体制強化加算（Ⅰ）イ*	4 755	979	3 727	264.2	54.4	207.0
サービス提供体制強化加算（Ⅰ）ロ*	1 064	226	825	88.7	18.9	68.8
サービス提供体制強化加算（Ⅱ）*	784	176	596	130.7	29.4	99.4
サービス提供体制強化加算（Ⅲ）*	378	78	295	63.0	12.9	49.2
介護職員処遇改善加算（Ⅰ）	28 211	5 245	22 691	100.5	26.6	72.7
介護職員処遇改善加算（Ⅱ）	3 021	566	2 384	14.9	4.1	10.5
介護職員処遇改善加算（Ⅲ）	614	104	502	5.1	1.3	3.8
介護職員処遇改善加算（Ⅳ）	34	5	28	0.3	0.1	0.2
介護職員処遇改善加算（Ⅴ）	48	9	38	0.5	0.1	0.3

サービス種類内容・要支援状態区分別（３－２）

平成29年５月審査分～平成30年４月審査分

		単位数（単位：千単位）			回数・日数・件数（単位：千回（日・件））		
		総数	要支援１	要支援２	総数	要支援１	要支援２
介護予防短期入所療養介護*		62 496	8 824	52 070	66.9	11.3	53.7
介護保健施設	（Ⅰ）従来型*	31 485	4 693	25 878	43.8	7.9	34.6
	（Ⅰ）在宅強化型*	10 691	1 322	9 087	13.9	2.1	11.4
	（Ⅱ）療養型*	212	26	182	0.3	0.0	0.2
	（Ⅱ）療養強化型*	171	3	168	0.2	0.0	0.2
	（Ⅲ）療養型*	22	5	12	0.0	0.0	0.0
	（Ⅲ）療養強化型*	－	－	－	－	－	－
ユニット型介護保健施設	（Ⅰ）従来型*	3 264	400	2 784	4.4	0.6	3.6
	（Ⅰ）在宅強化型*	1 138	133	965	1.4	0.2	1.2
	（Ⅱ）療養型*	10	－	10	0.0	－	0.0
	（Ⅱ）療養強化型*	－	－	－	－	－	－
	（Ⅲ）療養型*	－	－	－	－	－	－
	（Ⅲ）療養強化型*	－	－	－	－	－	－
	病院療養病床*	1 090	154	934	1.5	0.3	1.3
	病院療養病床経過型*	6	－	6	0.0	－	0.0
	ユニット型病院療養病床*	－	－	－	－	－	－
	ユニット型病院療養病床経過型*	－	－	－	－	－	－
	診療所*	843	134	692	1.3	0.3	1.0
	ユニット型診療所*	－	－	－	－	－	－
	認知症疾患型*	－	－	－	－	－	－
	認知症疾患型経過型*	－	－	－	－	－	－
	ユニット型認知症疾患型*	－	－	－	－	－	－
	病院療養病床療養環境減算（病院のみ）*	△ 4	0	△ 3	0.1	0.0	0.1
	病院療養病床療養環境減算（Ⅲ）（病院のみ）*	－	－	－	－	－	－
	医師配置減算（病院のみ）*	△ 1	0	△ 1	0.1	0.0	0.1
	診療所設備基準減算（診療所のみ）*	△ 11	△ 6	△ 5	0.2	0.1	0.1
	診療所療養病床療養環境減算（Ⅱ）（診療所のみ）*	－	－	－	－	－	－
	夜勤職員配置加算（老健のみ）*	1 367	232	1 096	57.0	9.7	45.7
	個別リハビリテーション実施加算（老健のみ）*	5 964	797	5 050	24.9	3.3	21.0
	認知症行動・心理症状緊急対応加算*	2	1	0	0.0	0.0	0.0
	若年性認知症利用者受入加算*	－	－	－	－	－	－
	送迎加算	3 294	529	2 738	17.9	2.9	14.9
	療養体制維持特別加算（老健のみ）*	9	0	8	0.3	0.0	0.3
	療養食加算*	194	27	161	8.4	1.2	7.0
	緊急時治療管理（老健のみ）*	5	2	3	0.0	0.0	0.0
	サービス提供体制強化加算（Ⅰ）イ*	803	126	658	44.6	7.0	36.6
	サービス提供体制強化加算（Ⅰ）ロ*	74	11	60	6.2	0.9	5.0
	サービス提供体制強化加算（Ⅱ）*	39	7	30	6.4	1.2	5.0
	サービス提供体制強化加算（Ⅲ）*	21	3	17	3.4	0.5	2.8
	介護職員処遇改善加算（Ⅰ）	1 505	179	1 291	9.1	1.7	7.2
	介護職員処遇改善加算（Ⅱ）	212	33	170	1.7	0.4	1.3
	介護職員処遇改善加算（Ⅲ）	75	9	64	1.1	0.2	0.9
	介護職員処遇改善加算（Ⅳ）	9	2	7	0.1	0.1	0.1
	介護職員処遇改善加算（Ⅴ）	10	2	7	0.2	0.1	0.1
介護予防居宅療養管理指導		615 386	260 415	352 691	1 733.8	747.5	980.1
医師	（Ⅰ）（一）	10 241	3 450	6 702	20.5	6.9	13.4
	（Ⅰ）（二）	6 813	3 312	3 473	15.1	7.3	7.7
	（Ⅱ）（一）	57 896	18 846	38 674	198.5	64.7	132.6
	（Ⅱ）（二）	97 931	48 267	49 411	373.8	184.2	188.6
	歯科医師（Ⅰ）	41 316	11 409	29 763	82.2	22.7	59.2
	歯科医師（Ⅱ）	64 345	30 567	33 611	142.4	67.6	74.4
薬剤師	（Ⅰ）医療機関（一）	1 386	630	751	2.5	1.1	1.4
	（Ⅰ）医療機関（一）・特別薬剤加算	34	6	27	0.1	0.0	0.0
	（Ⅰ）医療機関（二）	849	363	485	2.2	0.9	1.3
	（Ⅰ）医療機関（二）・特別薬剤加算	9	－	9	0.0	－	0.0
	（Ⅱ）薬局（一）	89 949	31 583	57 904	178.9	62.8	115.1
	（Ⅱ）薬局（一）・特別薬剤加算	1 927	794	995	3.2	1.3	1.7
	（Ⅱ）薬局（二）	154 379	74 930	79 071	438.6	212.9	224.6
	（Ⅱ）薬局（二）・特別薬剤加算	310	118	187	0.7	0.3	0.4
	管理栄養士（Ⅰ）	2 047	781	1 263	3.8	1.5	2.4
	管理栄養士（Ⅱ）	529	194	333	1.2	0.4	0.7
	歯科衛生士等（Ⅰ）	27 094	7 733	19 276	77.0	22.0	54.8
	歯科衛生士等（Ⅱ）	58 328	27 432	30 754	193.1	90.8	101.8
	看護職員（Ⅰ）	2	0	2	0.0	0.0	0.0
	看護職員（Ⅱ）	－	－	－	－	－	－
	看護職員（准看護師）（Ⅰ）	0	0	－	0.0	0.0	－
	看護職員（准看護師）（Ⅱ）	－	－	－	－	－	－

注：１）事業所からの請求時点の数値を集計している。
　　２）太枠内は基本算定項目である。
　　３）回数、日数、件数の各サービスの計は、基本算定項目（太枠内）を計上した値である。
　　４）＊は日数、＊＊は件数を集計している。
　　５）介護予防短期入所療養介護には、「特定治療」「特別療養費」「特定診療費」を含まない。
　　６）総数には、月の途中で要支援から要介護に変更となった者を含む。

統計表第９表　介護予防サービス単位数・回数・日数・件数，サービス種類内容・要支援状態区分別（３－３）

平成29年５月審査分～平成30年４月審査分

	単位数（単位：千単位）			回数・日数・件数（単位：千回（日・件））		
	総数	要支援１	要支援２	総数	要支援１	要支援２
介護予防特定施設入居者生活介護**	2 811 766	1 133 611	1 671 841	371.0	193.6	175.4
介護予防特定施設入居者生活介護**	2 448 503	971 905	1 471 066	350.5	184.9	163.7
外部サービス利用型介護予防特定施設入居者生活介護**	32 817	12 560	20 192	20.5	8.7	11.7
個別機能訓練加算**	30 961	16 111	14 786	91.5	47.4	43.7
医療機関連携加算**	19 403	10 273	9 082	242.5	128.4	113.5
障害者等支援加算**	199	126	73	0.3	0.2	0.1
認知症専門ケア加算（Ⅰ）	32	18	14	0.4	0.2	0.2
認知症専門ケア加算（Ⅱ）	－	－	－	－	－	－
サービス提供体制強化加算（Ⅰ）イ	37 819	19 558	18 188	71.7	36.9	34.4
サービス提供体制強化加算（Ⅰ）ロ	12 267	6 484	5 759	35.0	18.4	16.4
サービス提供体制強化加算（Ⅱ）	14 142	7 505	6 608	80.7	42.6	37.7
サービス提供体制強化加算（Ⅲ）	14 080	7 752	6 294	80.2	43.8	35.9
介護職員処遇改善加算（Ⅰ）**	186 350	75 181	110 792	310.6	163.8	145.2
介護職員処遇改善加算（Ⅱ）**	11 525	4 661	6 804	26.7	14.0	12.3
介護職員処遇改善加算（Ⅲ）**	3 346	1 332	2 009	14.0	7.3	6.7
介護職員処遇改善加算（Ⅳ）**	127	55	71	0.6	0.3	0.3
介護職員処遇改善加算（Ⅴ）**	194	90	104	1.1	0.6	0.4
介護予防支援	3 890 983	1 576 729	2 310 477	8 855.9	3 584.6	5 262.8
介護予防支援	3 808 013	1 541 366	2 262 987	8 855.9	3 584.6	5 262.8
初回加算	82 751	35 288	47 361	275.8	117.6	157.9
介護予防小規模多機能型居宅介護事業所連携加算	219	75	129	0.7	0.3	0.4
介護予防認知症対応型通所介護	57 555	20 736	36 618	65.8	25.7	39.8
介護予防認知症対応型通所介護（Ⅰ）	48 296	17 631	30 492	61.7	24.6	36.9
介護予防認知症対応型通所介護（Ⅱ）	1 779	486	1 289	4.0	1.1	2.9
入浴介助加算*	1 984	653	1 325	39.7	13.1	26.5
個別機能訓練加算*	534	222	311	19.8	8.2	11.5
若年性認知症利用者受入加算*	26	19	6	0.4	0.3	0.1
栄養改善加算	0	－	0	0.0	－	0.0
口腔機能向上加算	38	17	20	0.3	0.1	0.1
同一建物減算*	△　120	△　67	△　53	1.3	0.7	0.6
送迎減算	△　184	△　98	△　85	3.9	2.1	1.8
サービス提供体制強化加算（Ⅰ）イ	440	162	276	24.4	9.0	15.3
サービス提供体制強化加算（Ⅰ）ロ	69	24	44	5.7	2.0	3.7
サービス提供体制強化加算（Ⅱ）	80	30	49	13.3	5.1	8.2
介護職員処遇改善加算（Ⅰ）	3 878	1 391	2 474	8.4	4.1	4.2
介護職員処遇改善加算（Ⅱ）	507	183	322	1.5	0.8	0.8
介護職員処遇改善加算（Ⅲ）	189	65	123	1.0	0.4	0.5
介護職員処遇改善加算（Ⅳ）	17	9	7	0.1	0.1	0.0
介護職員処遇改善加算（Ⅴ）	24	7	17	0.1	0.1	0.1
介護予防小規模多機能型居宅介護**	947 661	293 181	651 789	137.7	60.2	76.6
介護予防小規模多機能型居宅介護**	704 398	196 596	506 007	137.4	60.1	76.4
介護予防短期利用居宅介護*	533	141	368	0.2	0.1	0.1
中山間地域等に居住する者へのサービス提供加算	84	20	64	0.3	0.1	0.2
初期加算**	6 419	3 134	3 235	12.5	6.1	6.2
総合マネジメント体制強化加算**	113 578	49 838	63 292	113.6	49.8	63.3
サービス提供体制強化加算（Ⅰ）イ**	22 213	9 428	12 703	34.7	14.7	19.9
サービス提供体制強化加算（Ⅰ）ロ**	5 674	2 610	3 041	11.4	5.2	6.1
サービス提供体制強化加算（Ⅱ）**	10 985	5 002	5 939	31.4	14.3	17.0
サービス提供体制強化加算（Ⅲ）**	4 283	1 797	2 474	12.3	5.1	7.1
介護職員処遇改善加算（Ⅰ）**	69 693	21 638	47 893	107.1	46.9	59.7
介護職員処遇改善加算（Ⅱ）**	7 263	2 213	5 008	15.8	6.8	8.8
介護職員処遇改善加算（Ⅲ）**	2 187	632	1 548	8.8	3.7	5.0
介護職員処遇改善加算（Ⅳ）**	132	54	77	0.6	0.3	0.3
介護職員処遇改善加算（Ⅴ）**	218	76	141	1.1	0.5	0.6
介護予防認知症対応型共同生活介護*	287 482	－	286 367	347.3	－	345.9
介護予防認知症対応型共同生活介護（Ⅰ）*	59 112	－	58 829	78.3	－	77.9
介護予防認知症対応型共同生活介護（Ⅱ）*	199 475	－	198 766	268.8	－	267.8
介護予防短期利用認知症対応型共同生活介護（Ⅰ）*	45	－	45	0.1	－	0.1
介護予防短期利用認知症対応型共同生活介護（Ⅱ）*	77	－	74	0.1	－	0.1
夜間支援体制加算（Ⅰ）*	185	－	182	3.7	－	3.6
夜間支援体制加算（Ⅱ）*	175	－	174	7.0	－	7.0
認知症行動・心理症状緊急対応加算*	－	－	－	－	－	－
若年性認知症利用者受入加算*	154	－	154	1.3	－	1.3
初期加算*	826	－	815	27.5	－	27.2
退居時相談援助加算	1	－	1	0.0	－	0.0
認知症専門ケア加算*	43	－	43	14.2	－	14.2
サービス提供体制強化加算（Ⅰ）イ*	769	－	766	42.7	－	42.6
サービス提供体制強化加算（Ⅰ）ロ*	291	－	290	24.2	－	24.1
サービス提供体制強化加算（Ⅱ）*	538	－	537	89.7	－	89.5
サービス提供体制強化加算（Ⅲ）*	508	－	506	84.7	－	84.4
介護職員処遇改善加算（Ⅰ）	21 557	－	21 478	9.0	－	8.9
介護職員処遇改善加算（Ⅱ）	2 458	－	2 441	1.4	－	1.4
介護職員処遇改善加算（Ⅲ）	1 067	－	1 065	1.1	－	1.1
介護職員処遇改善加算（Ⅳ）	111	－	111	0.1	－	0.1
介護職員処遇改善加算（Ⅴ）	91	－	91	0.1	－	0.1

注：１）事業所からの請求時点の数値を集計している。
２）太枠内は基本算定項目である。
３）回数、日数、件数の各サービスの計は、基本算定項目（太枠内）を計上した値である。
４）＊は日数、＊＊は件数を集計している。
５）介護予防短期入所療養介護には、「特定治療」「特別療養費」「特定診療費」を含まない。
６）総数には、月の途中で要支援から要介護に変更となった者を含む。

統計表第10表　介護サービス（居宅サービス等）単位数，サービス種類内容・要介護状態区分別（３－１）

平成29年５月審査分～平成30年４月審査分
（単位：千単位）

	総数	要介護１	要介護２	要介護３	要介護４	要介護５
訪問介護	86 213 699	14 175 791	18 286 512	17 186 640	17 923 754	18 640 775
身体介護	47 021 582	4 468 873	7 191 080	9 486 372	12 151 769	13 723 402
身体介護・生活援助	16 008 355	3 083 968	4 173 882	3 438 235	2 772 593	2 539 641
生活援助	13 364 184	4 915 230	4 706 157	2 325 159	1 030 648	386 914
通院等乗降介助	677 446	171 314	272 993	119 546	75 995	37 596
特別地域訪問介護加算	302 253	60 164	65 717	59 659	59 928	56 784
中山間地域等における小規模事業所加算	4 995	1 438	1 284	943	618	712
中山間地域等に居住する者へのサービス提供加算	3 439	733	942	622	512	630
緊急時訪問介護加算	5 362	502	861	994	1 568	1 438
初回加算	116 598	40 124	29 733	18 501	16 916	11 322
生活機能向上連携加算	160	31	32	31	34	32
介護職員処遇改善加算（Ⅰ）	7 132 957	1 159 857	1 501 037	1 420 750	1 495 681	1 555 613
介護職員処遇改善加算（Ⅱ）	1 136 350	197 340	247 384	228 569	227 997	235 058
介護職員処遇改善加算（Ⅲ）	389 699	67 685	85 079	77 263	78 717	80 954
介護職員処遇改善加算（Ⅳ）	28 802	4 763	5 695	5 436	6 378	6 529
介護職員処遇改善加算（Ⅴ）	21 517	3 770	4 637	4 560	4 399	4 151
訪問入浴介護	5 063 941	105 145	372 323	562 763	1 304 293	2 719 417
看護・介護職員	4 761 515	98 725	350 258	529 320	1 225 766	2 557 445
介護職員のみ	18 001	435	1 101	1 663	5 345	9 457
特別地域訪問入浴介護加算	10 384	316	1 017	1 386	3 111	4 553
中山間地域等における小規模事業所加算	151	6	28	10	23	83
中山間地域等に居住する者へのサービス提供加算	1 102	40	50	101	291	622
サービス提供体制強化加算（Ⅰ）イ	20 705	438	1 425	2 336	5 382	11 125
サービス提供体制強化加算（Ⅰ）ロ	3 241	50	216	346	823	1 806
介護職員処遇改善加算（Ⅰ）	230 949	4 724	16 923	25 615	58 586	125 100
介護職員処遇改善加算（Ⅱ）	13 434	323	960	1 505	3 741	6 906
介護職員処遇改善加算（Ⅲ）	3 697	79	293	398	1 014	1 914
介護職員処遇改善加算（Ⅳ）	542	9	37	53	147	297
介護職員処遇改善加算（Ⅴ）	221	1	16	30	65	109
訪問看護	22 672 891	4 201 723	5 396 890	3 854 928	4 114 948	5 104 346
訪問看護ステーション	19 736 358	3 673 263	4 763 091	3 382 452	3 553 812	4 363 695
病院又は診療所	397 358	67 077	77 042	55 823	73 930	123 484
定期巡回・随時対応型訪問介護看護事業所と連携	163 656	36 317	39 408	29 469	30 937	27 524
特別地域訪問看護加算	47 143	10 147	10 942	7 704	8 185	10 164
中山間地域等における小規模事業所加算	3 350	729	752	500	615	754
中山間地域等に居住する者へのサービス提供加算	4 393	864	1 158	780	749	842
緊急時訪問看護加算（ステーション）	1 507 572	301 286	347 071	256 600	279 745	322 864
緊急時訪問看護加算（医療機関）	25 358	4 751	5 408	4 124	5 045	6 031
特別管理加算（Ⅰ）	270 251	11 186	29 172	29 194	62 944	137 757
特別管理加算（Ⅱ）	98 753	19 832	29 938	17 585	16 711	14 687
ターミナルケア加算	33 200	1 236	3 060	4 528	9 004	15 372
訪問看護特別指示減算	△　1 877	△　97	△　216	△　257	△　527	△　780
初回加算	77 396	21 188	19 395	13 577	13 590	9 646
退院時共同指導加算	26 057	3 461	4 868	4 777	6 657	6 293
看護・介護連携強化加算	478	4	4	14	91	366
看護体制強化加算	158 115	26 306	33 781	25 825	31 626	40 577
サービス提供体制強化加算（Ⅰ）	124 560	24 021	31 832	22 080	21 674	24 953
サービス提供体制強化加算（Ⅱ）	770	153	184	154	161	117
訪問リハビリテーション	3 862 614	722 092	1 062 894	784 259	695 757	597 575
病院又は診療所	3 110 717	577 583	854 295	630 011	562 010	486 783
介護老人保健施設	510 184	100 202	145 765	102 704	86 481	75 031
中山間地域等に居住する者へのサービス提供加算	2 060	380	617	402	358	304
短期集中リハビリテーション実施加算	74 813	12 744	16 792	17 677	17 365	10 235
リハビリテーションマネジメント加算（Ⅰ）	54 618	10 518	15 213	10 962	9 768	8 155
リハビリテーションマネジメント加算（Ⅱ）	9 337	1 794	2 485	1 952	1 704	1 403
社会参加支援加算	36 820	6 897	10 054	7 541	6 669	5 658
サービス提供体制強化加算	64 066	11 974	17 674	13 010	11 401	10 007
通所介護	120 121 856	32 904 696	35 025 602	25 337 245	16 893 695	9 960 086
通常規模型事業所	85 690 191	22 873 263	24 780 802	18 308 002	12 343 423	7 384 295
大規模型事業所（Ⅰ）	9 604 937	2 497 661	2 782 090	2 058 835	1 429 763	836 560
大規模型事業所（Ⅱ）	9 445 996	2 583 922	2 674 108	1 969 091	1 417 131	801 719
中山間地域等に居住する者へのサービス提供加算	8 765	2 464	3 123	1 839	899	439
入浴介助加算	5 137 884	1 606 853	1 594 034	1 019 648	599 613	317 716
中重度者ケア体制加算	1 436 354	385 722	423 970	309 612	197 826	119 221
個別機能訓練加算（Ⅰ）	1 509 085	569 930	474 013	260 252	141 188	63 691
個別機能訓練加算（Ⅱ）	1 977 796	724 354	624 440	349 904	189 306	89 781
認知症加算	243 313	41 492	57 186	63 749	45 080	35 806
若年性認知症利用者受入加算	1 691	432	415	325	257	263
栄養改善加算	1 946	507	529	395	317	197
口腔機能向上加算	125 450	42 435	38 549	22 621	13 568	8 277
同一建物減算	△ 1 774 246	△　375 812	△　423 537	△　403 727	△　363 119	△　208 049
送迎減算	△　307 974	△　79 539	△　86 256	△　70 321	△　46 589	△　25 268
サービス提供体制強化加算（Ⅰ）イ	859 887	306 280	271 395	156 495	82 698	43 016
サービス提供体制強化加算（Ⅰ）ロ	165 019	56 270	51 362	30 913	17 224	9 250
サービス提供体制強化加算（Ⅱ）	184 308	63 237	56 974	34 268	19 438	10 391
介護職員処遇改善加算（Ⅰ）	4 957 324	1 376 389	1 458 674	1 042 677	680 322	399 241

注：1）事業所からの請求時点の数値を集計している。
　　2）太枠内は基本算定項目である。
　　3）短期入所療養介護には、「特定治療」「特別療養費」「特定診療費」を含まない。
　　4）総数には、月の途中で要介護から要支援に変更となった者を含む。

	総数	要介護１	要介護２	要介護３	要介護４	要介護５
介護職員処遇改善加算（Ⅱ）	598 833	163 853	173 439	126 905	85 121	49 511
介護職員処遇改善加算（Ⅲ）	205 308	52 181	56 875	44 245	32 535	19 471
介護職員処遇改善加算（Ⅳ）	14 082	3 567	3 824	3 065	2 212	1 414
介護職員処遇改善加算（Ⅴ）	14 262	3 922	3 765	3 142	2 252	1 181
通所リハビリテーション	41 488 518	10 821 471	13 135 424	8 852 891	5 814 505	2 863 761
通常規模型事業所（病院又は診療所）	9 552 272	2 732 317	3 079 347	1 936 864	1 200 261	603 397
通常規模型事業所（介護老人保健施設）	11 212 079	2 686 066	3 514 650	2 491 664	1 710 727	808 857
大規模型事業所（Ⅰ）（病院又は診療所）	1 820 383	486 998	574 848	370 614	255 332	132 569
大規模型事業所（Ⅰ）（介護老人保健施設）	3 493 027	834 028	1 092 816	784 533	528 580	253 048
大規模型事業所（Ⅱ）（病院又は診療所）	2 396 069	617 102	760 881	513 322	339 497	165 224
大規模型事業所（Ⅱ）（介護老人保健施設）	7 255 604	1 781 740	2 266 785	1 598 209	1 057 162	551 613
理学療法士等体制強化加算	39 971	16 085	15 098	5 543	2 483	761
中山間地域等に居住する者へのサービス提供加算	6 474	1 703	2 162	1 502	772	335
入浴介助加算	1 513 954	432 731	496 180	313 119	188 048	83 862
リハビリテーションマネジメント加算（Ⅰ）	1 006 168	332 106	332 663	183 683	107 873	49 827
リハビリテーションマネジメント加算（Ⅱ）	585 097	201 819	188 003	105 996	63 366	25 898
短期集中個別リハビリテーション実施加算	215 595	58 126	56 980	49 248	37 535	13 700
認知症集中リハビリテーション実施加算（Ⅰ）	10 521	5 162	2 422	1 612	967	359
認知症集中リハビリテーション実施加算（Ⅱ）	2 636	1 298	584	392	282	81
生活行為向上リハビリテーション実施加算	4 064	1 547	1 062	768	514	173
生活行為向上リハビリテーション実施後継続減算	6 230	1 893	1 931	1 335	860	211
若年性認知症利用者受入加算	587	202	124	87	71	104
栄養改善加算	2 713	745	729	503	433	303
口腔機能向上加算	50 854	12 734	14 692	10 405	7 623	5 399
重度療養管理加算	29 818	0	0	2 498	6 298	21 022
中重度者ケア体制加算	326 018	86 330	105 886	69 313	43 394	21 091
同一建物減算	△　51 110	△　14 673	△　12 689	△　9 920	△　8 717	△　5 110
送迎減算	△　172 140	△　53 674	△　59 292	△　32 131	△　18 200	△　8 841
社会参加支援加算	48 758	15 128	16 319	9 197	5 614	2 499
サービス提供体制強化加算（Ⅰ）イ	549 067	174 349	181 415	105 097	61 069	27 131
サービス提供体制強化加算（Ⅰ）ロ	41 668	13 368	13 673	8 007	4 644	1 974
サービス提供体制強化加算（Ⅱ）	39 256	13 566	12 992	7 198	3 874	1 625
介護職員処遇改善加算（Ⅰ）	1 249 393	314 589	395 371	270 972	178 818	89 627
介護職員処遇改善加算（Ⅱ）	170 305	44 787	53 644	35 889	24 176	11 807
介護職員処遇改善加算（Ⅲ）	70 032	19 303	22 032	14 723	9 471	4 502
介護職員処遇改善加算（Ⅳ）	6 668	2 115	2 012	1 345	865	332
介護職員処遇改善加算（Ⅴ）	5 744	1 678	1 866	1 187	688	325
福祉用具貸与	29 320 768	3 311 262	8 350 035	6 557 637	6 073 276	5 028 402
小計	29 319 626	3 311 131	8 349 768	6 557 371	6 072 972	5 028 227
車いす	4 838 483	426 070	1 171 478	1 065 355	1 159 154	1 016 412
車いす付属品	542 637	22 260	84 013	105 991	160 837	169 536
特殊寝台	9 125 379	502 998	2 904 646	2 221 396	1 954 704	1 541 589
特殊寝台付属品	3 909 030	218 944	1 262 781	1 016 520	868 033	542 731
床ずれ防止用具	1 806 983	33 081	174 512	240 895	511 188	847 305
体位変換器	135 064	940	5 456	9 878	34 747	84 043
手すり	4 686 410	1 391 500	1 623 335	983 922	528 748	158 855
スロープ	1 112 081	53 196	154 252	238 537	350 672	315 421
歩行器	1 716 715	552 874	645 261	329 173	151 490	37 899
歩行補助つえ	183 854	51 724	70 719	38 416	18 488	4 505
認知症老人徘徊感知機器	243 416	9 341	37 526	80 119	83 466	32 963
移動用リフト	1 008 541	47 868	214 316	224 890	248 281	273 185
自動排泄処理装置	11 032	335	1 471	2 280	3 164	3 782
特別地域福祉用具貸与加算　小計	1 131	127	265	265	301	174
車いす	165	25	34	39	41	27
車いす付属品	9	0	1	3	2	2
特殊寝台	383	21	109	94	103	57
特殊寝台付属品	137	9	33	39	38	18
床ずれ防止用具	137	4	13	19	55	47
体位変換器	7	−	0	0	5	2
手すり	135	40	36	30	23	5
スロープ	63	3	11	14	23	13
歩行器	66	23	19	16	7	1
歩行補助つえ	4	1	2	1	0	−
認知症老人徘徊感知機器	6	0	2	2	1	−
移動用リフト	16	2	4	7	2	1
自動排泄処理装置	0	−	0	−	−	−
中山間地域等における小規模事業所加算	0	−	−	−	0	0
中山間地域等に居住する者へのサービス提供加算	12	5	2	1	3	1

サービス種類内容・要介護状態区分別（３－２）

平成29年５月審査分～平成30年４月審査分
（単位：千単位）

	総数	要介護１	要介護２	要介護３	要介護４	要介護５
短期入所生活介護	40 883 281	3 972 300	7 684 228	12 721 523	10 353 792	6 151 369
単独型	7 292 848	691 574	1 334 194	2 201 845	1 943 999	1 121 223
併設型	14 502 157	1 280 201	2 668 956	4 559 432	3 712 381	2 281 178
単独型ユニット型	3 774 421	408 511	732 730	1 154 802	936 797	541 568
併設型ユニット型	9 580 305	907 002	1 740 277	3 089 770	2 449 646	1 393 583
機能訓練体制加算	198 845	21 405	38 813	62 987	48 309	27 330
個別機能訓練加算	61 452	6 358	11 468	19 450	15 888	8 288
看護体制加算（Ⅰ）	66 824	7 116	12 943	20 998	16 265	9 502
看護体制加算（Ⅱ）	138 578	14 979	26 886	43 565	33 806	19 342
医療連携強化加算	17 634	110	523	1 401	4 514	11 086
夜勤職員配置加算（Ⅰ）	228 940	23 931	45 215	72 837	55 252	31 705
夜勤職員配置加算（Ⅱ）	195 034	21 930	38 996	62 589	46 379	25 140
認知症行動・心理症状緊急対応加算	38	4	7	17	5	4
若年性認知症利用者受入加算	1 902	51	149	520	435	748
送迎加算	1 763 640	270 964	436 066	489 970	340 275	226 363
緊急短期入所受入加算	12 266	3 017	3 257	3 071	1 992	928
長期利用者減算	△ 341 934	△ 16 390	△ 42 846	△ 123 787	△ 107 223	△ 51 688
療養食加算	15 704	957	2 231	5 241	5 069	2 207
在宅中重度者受入加算	1 215	14	30	148	398	625
サービス提供体制強化加算（Ⅰ）イ	322 949	36 535	65 401	101 136	76 072	43 804
サービス提供体制強化加算（Ⅰ）ロ	73 235	7 878	14 536	23 357	17 664	9 800
サービス提供体制強化加算（Ⅱ）	56 682	6 164	11 081	18 169	13 916	7 353
サービス提供体制強化加算（Ⅲ）	29 968	3 245	6 125	9 515	7 181	3 902
介護職員処遇改善加算（Ⅰ）	2 568 150	245 305	476 136	805 428	652 099	389 178
介護職員処遇改善加算（Ⅱ）	255 476	25 180	48 837	77 938	65 399	38 121
介護職員処遇改善加算（Ⅲ）	58 606	5 473	10 769	18 593	15 046	8 725
介護職員処遇改善加算（Ⅳ）	4 569	398	688	1 389	1 220	875
介護職員処遇改善加算（Ⅴ）	3 776	386	760	1 143	1 009	479
短期入所療養介護	5 586 540	548 317	1 064 707	1 427 602	1 377 802	1 168 112
介護保健施設（Ⅰ）従来型	2 473 353	253 480	495 408	649 279	603 468	471 718
（Ⅰ）在宅強化型	1 378 018	122 240	245 780	359 645	358 320	292 034
（Ⅱ）療養型	12 076	714	2 607	3 115	2 411	3 229
（Ⅱ）療養強化型	16 194	769	1 694	3 202	3 179	7 349
（Ⅲ）療養型	4 694	197	540	690	1 357	1 910
（Ⅲ）療養強化型	284	5	82	6	28	161
ユニット型介護保健施設（Ⅰ）従来型	224 534	25 782	45 222	54 941	53 837	44 753
（Ⅰ）在宅強化型	101 984	9 790	19 979	25 203	26 174	20 839
（Ⅱ）療養型	789	44	192	95	188	270
（Ⅱ）療養強化型	1 125	6	53	34	142	891
（Ⅲ）療養型	129	10	3	51	65	–
（Ⅲ）療養強化型	–	–	–	–	–	–
特定介護老人保健施設	666	31	94	71	107	363
病院療養病床	111 026	7 198	13 441	16 426	24 199	49 762
病院療養病床経過型	–	–	–	–	–	–
ユニット型病院療養病床	105	16	–	31	27	31
ユニット型病院療養病床経過型	–	–	–	–	–	–
特定病院療養病床	2	–	–	1	1	–
診療所	136 744	10 092	19 328	26 555	34 283	46 487
ユニット型診療所	–	–	–	–	–	–
特定診療所	5	1	–	2	–	1
認知症疾患型	–	–	–	–	–	–
認知症疾患型経過型	–	–	–	–	–	–
ユニット型認知症疾患型	–	–	–	–	–	–
特定認知症対応型	–	–	–	–	–	–
病院療養病床療養環境減算（病院のみ）	△ 429	△ 29	△ 61	△ 71	△ 83	△ 185
病院療養病床療養環境減算（Ⅲ）（病院のみ）	△ 2	–	–	–	–	△ 2
医師配置減算（病院のみ）	△ 40	△ 7	△ 4	△ 6	△ 10	△ 12
診療所設備基準減算（診療所のみ）	△ 956	△ 124	△ 180	△ 207	△ 215	△ 229
診療所療養病床療養環境減算（Ⅱ）（診療所のみ）	–	–	–	–	–	–
夜勤職員配置加算（老健のみ）	97 065	10 930	19 976	25 376	23 020	17 763
個別リハビリテーション実施加算（老健のみ）	497 420	52 960	99 168	131 565	121 476	92 251
認知症ケア加算（老健のみ）	25 742	1 502	3 641	7 800	6 820	5 978
認知症行動・心理症状緊急対応加算	90	11	25	18	27	9
緊急短期入所受入加算	4 361	975	1 153	1 022	771	440
若年性認知症利用者受入加算	281	15	36	23	74	133
重度療養管理加算（老健のみ）	20 526	–	–	–	3 332	17 194
送迎加算	213 335	24 821	44 739	53 087	48 955	41 732
療養体制維持特別加算（老健のみ）	518	32	85	105	110	186
療養食加算	18 142	1 838	3 742	5 139	4 815	2 608
緊急時治療管理（老健のみ）	410	29	56	98	95	133
サービス提供体制強化加算（Ⅰ）イ	62 426	6 903	12 733	16 271	14 677	11 842
サービス提供体制強化加算（Ⅰ）ロ	5 564	640	1 128	1 462	1 337	997
サービス提供体制強化加算（Ⅱ）	2 311	265	473	572	572	429
サービス提供体制強化加算（Ⅲ）	1 353	155	281	329	317	270
介護職員処遇改善加算（Ⅰ）	152 498	14 419	28 388	39 494	37 914	32 284
介護職員処遇改善加算（Ⅱ）	17 312	1 799	3 545	4 418	4 358	3 192
介護職員処遇改善加算（Ⅲ）	5 707	642	1 115	1 446	1 401	1 102
介護職員処遇改善加算（Ⅳ）	474	74	107	127	101	65
介護職員処遇改善加算（Ⅴ）	633	81	127	170	128	127

注：１）事業所からの請求時点の数値を集計している。
２）太枠内は基本算定項目である。
３）短期入所療養介護には、「特定治療」「特別療養費」「特定診療費」を含まない。
４）総数には、月の途中で要介護から要支援に変更となった者を含む。

統計表第10表　介護サービス（居宅サービス等）単位数，サービス種類内容・要介護状態区分別（３－３）

平成29年５月審査分～平成30年４月審査分
（単位：千単位）

	総数	要介護１	要介護２	要介護３	要介護４	要介護５
居宅療養管理指導	9 909 356	1 820 817	2 185 351	2 036 251	2 004 171	1 862 578
医師（Ⅰ）（一）	156 838	21 452	31 642	29 826	34 458	39 457
医師（Ⅰ）（二）	112 204	22 638	25 204	23 899	22 986	17 476
医師（Ⅱ）（一）	1 052 017	147 824	213 592	198 442	223 204	268 951
医師（Ⅱ）（二）	1 602 181	319 533	353 649	341 001	330 214	257 736
歯科医師（Ⅰ）	640 834	96 177	149 655	129 966	124 296	140 736
歯科医師（Ⅱ）	1 247 493	227 944	268 367	271 028	263 162	216 960
薬剤師（Ⅰ）医療機関（一）	12 151	2 319	3 238	1 965	2 168	2 462
薬剤師（Ⅰ）医療機関（一）・特別薬剤加算	264	49	59	48	47	60
薬剤師（Ⅰ）医療機関（二）	18 510	3 736	4 552	4 098	3 819	2 305
薬剤師（Ⅰ）医療機関（二）・特別薬剤加算	31	20	1	5	5	－
薬剤師（Ⅱ）薬局（一）	851 286	197 697	209 083	143 223	131 158	170 122
薬剤師（Ⅱ）薬局（一）・特別薬剤加算	39 332	6 125	10 683	7 131	7 949	7 443
薬剤師（Ⅱ）薬局（二）	2 352 578	479 841	532 587	502 170	477 615	360 297
薬剤師（Ⅱ）薬局（二）・特別薬剤加算	5 936	684	1 119	1 077	1 581	1 475
管理栄養士（Ⅰ）	15 981	2 542	3 450	2 344	2 975	4 670
管理栄養士（Ⅱ）	17 799	2 446	3 462	3 812	4 190	3 890
歯科衛生士等（Ⅰ）	470 706	63 494	101 331	91 256	91 283	123 339
歯科衛生士等（Ⅱ）	1 313 202	226 292	273 673	284 958	283 060	245 196
看護職員（Ⅰ）	11	3	3	2	2	1
看護職員（Ⅱ）	1	1	－	－	－	－
看護職員（准看護師）（Ⅰ）	2	1	－	1	0	－
看護職員（准看護師）（Ⅱ）	－	－	－	－	－	－
特定施設入居者生活介護	48 331 484	10 517 194	9 807 056	9 333 322	10 602 187	8 067 827
特定施設入居者生活介護	42 015 861	9 099 953	8 447 289	8 056 112	9 289 548	7 119 442
外部サービス利用型特定施設入居者生活介護	1 437 972	304 849	351 186	341 853	276 287	163 798
短期利用特定施設入居者生活介護	100 273	19 424	26 866	23 915	18 056	12 011
個別機能訓練加算	219 689	55 168	46 866	41 247	44 710	31 684
夜間看護体制加算	464 269	121 747	99 522	85 562	91 116	66 280
医療機関連携加算	138 316	34 912	29 322	25 854	27 994	20 223
障害者等支援加算	10 509	2 428	2 627	2 563	1 836	1 056
看取り介護加算（死亡日以前４日以上）	17 379	878	1 303	2 221	4 693	8 284
看取り介護加算（死亡前日・前々日）	8 937	539	777	1 217	2 506	3 898
看取り介護加算（死亡日）	8 634	521	767	1 160	2 436	3 750
認知症専門ケア加算（Ⅰ）	750	104	133	174	188	151
認知症専門ケア加算（Ⅱ）	108	5	15	25	29	33
サービス提供体制強化加算（Ⅰ）イ	218 026	59 523	48 205	40 599	40 338	29 347
サービス提供体制強化加算（Ⅰ）ロ	74 007	19 578	16 174	14 032	14 070	10 145
サービス提供体制強化加算（Ⅱ）	90 398	24 133	19 628	16 771	17 875	11 981
サービス提供体制強化加算（Ⅲ）	91 027	22 972	18 973	16 781	18 247	14 046
介護職員処遇改善加算（Ⅰ）	3 189 330	693 280	645 851	615 955	700 017	533 984
介護職員処遇改善加算（Ⅱ）	181 238	43 153	38 677	34 577	37 841	26 962
介護職員処遇改善加算（Ⅲ）	57 081	12 549	11 354	11 201	12 549	9 423
介護職員処遇改善加算（Ⅳ）	4 001	709	698	827	993	775
介護職員処遇改善加算（Ⅴ）	3 681	768	824	678	858	553
居宅介護支援	43 106 563	13 579 831	12 037 113	8 471 277	5 539 318	3 478 878
居宅介護支援	36 275 016	11 231 489	9 971 950	7 305 733	4 770 044	2 995 681
特定事業所集中減算（再掲）	△　372 133	△　108 543	△　103 951	△　68 347	△　54 284	△　37 007
初回加算	358 992	144 109	86 146	54 164	47 712	26 855
特定事業所加算（Ⅰ）	482 365	112 748	138 065	102 627	74 572	54 353
特定事業所加算（Ⅱ）	4 471 225	1 580 259	1 380 187	746 124	472 905	291 736
特定事業所加算（Ⅲ）	1 352 760	474 704	417 355	228 083	143 605	89 010
入院時情報連携加算（Ⅰ）	75 595	19 253	21 353	14 894	11 798	8 295
入院時情報連携加算（Ⅱ）	9 320	2 417	2 694	1 806	1 402	1 001
退院・退所加算	77 739	13 819	18 310	17 142	16 820	11 649
小規模多機能型居宅介護事業所連携加算	2 360	804	724	470	254	108
看護小規模多機能型居宅介護事業所連携加算	340	80	90	74	53	42
緊急時等居宅カンファレンス加算	700	111	196	137	128	129

注：１）事業所からの請求時点の数値を集計している。
２）太枠内は基本算定項目である。
３）短期入所療養介護には、「特定治療」「特別療養費」「特定診療費」を含まない。
４）総数には、月の途中で要介護から要支援に変更となった者を含む。

統計表第11表　介護サービス（地域密着型サービス）単位数，サービス種類内容・要介護状態区分別（３－１）

平成29年５月審査分～平成30年４月審査分
（単位：千単位）

	総数	要介護１	要介護２	要介護３	要介護４	要介護５
定期巡回・随時対応型訪問介護看護	3 728 098	452 950	727 413	828 188	952 278	767 219
定期巡回・随時対応型訪問介護看護（Ⅰ）⑴看護なし	423 301	52 682	91 128	93 592	102 786	83 104
定期巡回・随時対応型訪問介護看護（Ⅰ）⑵看護あり	1 080 990	112 174	189 698	244 453	285 099	249 543
定期巡回・随時対応型訪問介護看護（Ⅱ）	1 736 101	193 898	337 412	397 988	459 190	347 606
通所利用減算 (1)看護なし	△ 149 405	△ 18 280	△ 31 367	△ 38 986	△ 37 890	△ 22 881
通所利用減算 (2)看護あり	△ 52 865	△ 5 782	△ 9 569	△ 13 673	△ 13 463	△ 10 378
同一建物減算	△ 60 173	△ 15 560	△ 15 760	△ 11 556	△ 10 690	△ 6 608
特別地域定期巡回・随時対応型訪問介護看護加算	3 609	475	741	1 060	696	638
中山間地域等における小規模事業所加算	242	8	36	38	115	47
中山間地域等に居住する者へのサービス提供加算	86	10	8	23	27	19
緊急時訪問看護加算	9 872	1 951	2 239	1 972	2 059	1 651
特別管理加算（Ⅰ）	1 792	30	159	112	547	945
特別管理加算（Ⅱ）	544	80	98	105	154	107
ターミナルケア加算	296	4	18	48	94	132
初期加算	12 679	3 556	2 956	2 231	2 405	1 531
退院時共同指導加算	188	18	34	41	50	46
総合マネジメント体制強化加算	215 716	55 461	55 707	40 921	38 168	25 454
サービス提供体制強化加算（Ⅰ）イ	65 812	17 117	16 728	12 175	11 706	8 086
サービス提供体制強化加算（Ⅰ）ロ	9 532	2 432	2 641	1 782	1 657	1 020
サービス提供体制強化加算（Ⅱ）	2 191	496	488	412	498	298
サービス提供体制強化加算（Ⅲ）	340	127	85	71	32	25
介護職員処遇改善加算（Ⅰ）	398 502	49 053	78 949	88 944	101 784	79 767
介護職員処遇改善加算（Ⅱ）	22 626	2 225	3 919	5 295	5 702	5 486
介護職員処遇改善加算（Ⅲ）	3 746	419	547	679	1 059	1 043
介護職員処遇改善加算（Ⅳ）	1 567	198	348	315	322	383
介護職員処遇改善加算（Ⅴ）	42	15	6	2	11	8
定期巡回・随時対応型訪問介護看護市町村独自加算	764	144	165	145	161	149
夜間対応型訪問介護	344 250	32 349	57 227	62 444	86 521	105 708
夜間対応型訪問介護（Ⅰ）(基本)	87 055	12 966	23 646	17 936	16 818	15 689
(定期巡回)	155 809	8 244	13 036	25 496	45 391	63 642
(随時訪問)	17 267	609	1 928	2 743	5 512	6 475
夜間対応型訪問介護（Ⅱ）	3 615	887	845	572	832	479
24時間通報対応加算	38 421	5 840	10 935	8 127	7 357	6 162
サービス提供体制強化加算（Ⅰ）イ	1 555	28	88	182	390	867
サービス提供体制強化加算（Ⅰ）ロ	1 366	38	137	242	481	467
サービス提供体制強化加算（Ⅱ）イ	－	－	－	－	－	－
サービス提供体制強化加算（Ⅱ）ロ	10	8	2	－	－	－
介護職員処遇改善加算（Ⅰ）	35 238	3 413	5 922	6 469	8 840	10 593
介護職員処遇改善加算（Ⅱ）	2 505	171	366	350	538	1 080
介護職員処遇改善加算（Ⅲ）	476	19	45	111	186	116
介護職員処遇改善加算（Ⅳ）	－	－	－	－	－	－
介護職員処遇改善加算（Ⅴ）	2	0	1	0	1	－
夜間対応型訪問介護（Ⅰ）市町村独自加算	930	126	276	216	175	137
夜間対応型訪問介護（Ⅱ）市町村独自加算	－	－	－	－	－	－
地域密着型通所介護	39 025 461	10 570 900	11 086 172	8 639 406	5 440 264	3 288 571
地域密着型通所介護	35 445 642	9 400 851	9 988 808	7 958 199	5 075 786	3 021 862
療養通所介護	99 267	1 438	3 921	6 330	15 586	71 992
中山間地域等に居住する者へのサービス提供加算	2 115	619	714	435	215	132
入浴介助加算	1 309 016	381 533	397 577	286 295	159 954	83 652
中重度者ケア体制加算	72 836	16 649	19 223	16 736	12 040	8 188
個別機能訓練加算（Ⅰ）	247 443	109 461	83 020	34 199	15 199	5 563
個別機能訓練加算（Ⅱ）	619 767	257 677	202 930	95 542	44 290	19 324
認知症加算	42 633	6 052	9 276	11 543	8 931	6 830
若年性認知症利用者受入加算	1 940	447	306	513	239	435
栄養改善加算	203	59	62	54	19	10
口腔機能向上加算	32 637	12 584	10 666	5 305	2 617	1 465
個別送迎体制強化加算	9 100	84	249	546	1 467	6 755
入浴介助体制強化加算	3 239	37	116	208	557	2 321
同一建物減算	△ 424 306	△ 88 838	△ 97 971	△ 98 264	△ 85 332	△ 53 897
送迎減算	△ 259 676	△ 40 988	△ 55 140	△ 75 098	△ 56 574	△ 31 876
サービス提供体制強化加算（Ⅰ）イ	151 047	56 703	46 820	26 877	13 539	7 107
サービス提供体制強化加算（Ⅰ）ロ	22 958	8 049	7 094	4 367	2 245	1 202
サービス提供体制強化加算（Ⅱ）	34 036	12 021	10 454	6 428	3 366	1 766
サービス提供体制強化加算（Ⅲ）	151	3	9	11	25	102
介護職員処遇改善加算（Ⅰ）	1 237 941	333 419	350 864	275 232	173 313	105 109
介護職員処遇改善加算（Ⅱ）	261 469	71 829	74 194	58 183	36 652	20 611
介護職員処遇改善加算（Ⅲ）	101 593	27 324	28 883	22 497	14 118	8 771
介護職員処遇改善加算（Ⅳ）	8 220	2 177	2 276	1 885	1 181	700
介護職員処遇改善加算（Ⅴ）	6 191	1 711	1 820	1 384	830	447

注：1）事業所からの請求時点の数値を集計している。
　　2）太枠内は基本算定項目である。
　　3）総数には、月の途中で要介護から要支援に変更となった者を含む。

統計表第11表　介護サービス（地域密着型サービス）単位数,

	総数	要介護１	要介護２	要介護３	要介護４	要介護５
認知症対応型通所介護	8 412 731	1 507 536	1 895 042	2 319 302	1 473 353	1 217 487
認知症対応型通所介護（Ⅰ）	7 212 227	1 277 602	1 600 771	1 987 050	1 280 921	1 065 875
認知症対応型通所介護（Ⅱ）	162 028	32 985	50 050	46 573	20 879	11 541
入浴介助加算	259 823	50 279	64 270	71 733	41 779	31 762
個別機能訓練加算	55 962	12 694	13 890	14 772	8 495	6 111
若年性認知症利用者受入加算	3 292	562	491	869	540	830
栄養改善加算	103	8	23	21	17	34
口腔機能向上加算	5 675	1 067	1 329	1 532	963	784
同一建物減算	△　33 207	△　4 131	△　5 502	△　8 368	△　9 106	△　6 101
送迎減算	△　29 031	△　4 176	△　5 530	△　8 854	△　5 871	△　4 601
サービス提供体制強化加算（Ⅰ）イ	54 457	11 971	13 369	14 599	8 165	6 352
サービス提供体制強化加算（Ⅰ）ロ	7 686	1 545	1 867	2 082	1 266	927
サービス提供体制強化加算（Ⅱ）	8 750	1 794	2 178	2 360	1 363	1 056
介護職員処遇改善加算（Ⅰ）	609 928	107 472	136 419	168 699	107 721	89 617
介護職員処遇改善加算（Ⅱ）	70 511	13 310	15 705	19 603	12 018	9 875
介護職員処遇改善加算（Ⅲ）	22 145	4 093	5 199	6 040	3 758	3 055
介護職員処遇改善加算（Ⅳ）	1 558	262	352	411	277	257
介護職員処遇改善加算（Ⅴ）	823	199	162	181	168	113
小規模多機能型居宅介護	23 510 817	4 249 622	5 717 851	6 163 908	4 494 841	2 883 734
小規模多機能型居宅介護	18 809 029	3 183 174	4 477 377	5 049 650	3 709 546	2 388 608
短期利用居宅介護	15 026	2 971	4 036	3 561	2 761	1 697
中山間地域等に居住する者へのサービス提供加算	2 403	427	660	768	383	165
初期加算	43 042	14 684	11 307	8 350	6 028	2 666
認知症加算（Ⅰ）	361 155	54 004	78 411	98 477	73 886	56 373
認知症加算（Ⅱ）	51 791	3	51 675	50	44	21
看護職員配置加算（Ⅰ）	264 628	72 659	71 740	57 042	39 202	23 974
看護職員配置加算（Ⅱ）	192 198	54 147	51 760	41 043	28 444	16 790
看護職員配置加算（Ⅲ）	37 311	10 866	10 017	8 025	5 199	3 204
看取り連携体制加算	371	9	31	39	117	176
訪問体制強化加算	383 291	105 778	103 868	83 897	55 826	33 902
総合マネジメント体制強化加算	962 381	276 730	263 233	205 030	137 111	80 234
サービス提供体制強化加算（Ⅰ）イ	201 886	59 206	56 408	42 678	27 964	15 621
サービス提供体制強化加算（Ⅰ）ロ	49 162	14 014	13 249	10 788	6 802	4 309
サービス提供体制強化加算（Ⅱ）	89 043	25 022	23 870	19 109	13 139	7 900
サービス提供体制強化加算（Ⅲ）	33 540	9 604	9 021	7 309	4 714	2 890
介護職員処遇改善加算（Ⅰ）	1 778 427	322 132	433 782	466 484	338 809	217 162
介護職員処遇改善加算（Ⅱ）	165 720	30 156	40 202	43 656	31 942	19 753
介護職員処遇改善加算（Ⅲ）	47 571	8 391	11 212	12 787	9 292	5 887
介護職員処遇改善加算（Ⅳ）	3 152	610	797	767	643	334
介護職員処遇改善加算（Ⅴ）	4 315	893	1 176	1 209	704	333
小規模多機能型居宅介護市町村独自加算	15 322	4 144	4 018	3 189	2 286	1 685
認知症対応型共同生活介護	64 803 864	11 552 645	16 129 541	17 436 271	11 622 446	8 062 822
認知症対応型共同生活介護（Ⅰ）	10 975 299	1 832 067	2 696 467	3 029 707	1 982 044	1 434 970
認知症対応型共同生活介護（Ⅱ）	44 947 278	8 116 961	11 220 339	12 026 311	8 060 829	5 522 764
短期利用認知症対応型共同生活介護（Ⅰ）	6 074	1 236	1 702	1 984	796	356
短期利用認知症対応型共同生活介護（Ⅱ）	20 765	4 218	5 018	6 771	3 245	1 512
夜間支援体制加算（Ⅰ）	28 794	4 226	7 236	8 362	5 327	3 642
夜間支援体制加算（Ⅱ）	53 925	9 008	13 082	14 997	9 495	7 343
認知症行動・心理症状緊急対応加算	30	8	14	6	2	1
若年性認知症利用者受入加算	34 040	7 631	7 212	9 180	4 290	5 727
看取り介護加算（死亡日以前４日以上）	13 219	464	1 020	2 038	3 418	6 279
看取り介護加算（死亡前日・前々日）	6 258	231	482	1 025	1 699	2 820
看取り介護加算（死亡日）	6 047	221	471	987	1 646	2 721
初期加算	51 543	15 981	15 671	12 213	5 741	1 936
医療連携体制加算	2 227 474	414 063	556 843	589 828	393 524	273 212
退居時相談援助加算	59	9	16	19	12	4
認知症専門ケア加算（Ⅰ）	35 561	3 959	7 469	10 454	7 638	6 041
認知症専門ケア加算（Ⅱ）	2 961	301	605	832	630	593
サービス提供体制強化加算（Ⅰ）イ	214 339	38 246	55 484	59 018	36 443	25 148
サービス提供体制強化加算（Ⅰ）ロ	82 461	15 283	21 303	21 720	14 012	10 143
サービス提供体制強化加算（Ⅱ）	103 954	19 859	26 226	27 446	18 413	12 009
サービス提供体制強化加算（Ⅲ）	98 875	18 537	24 214	26 047	17 469	12 608
介護職員処遇改善加算（Ⅰ）	5 202 268	927 026	1 299 692	1 401 634	928 268	645 637
介護職員処遇改善加算（Ⅱ）	479 280	84 629	116 162	128 369	89 171	60 946
介護職員処遇改善加算（Ⅲ）	182 330	32 773	45 435	48 949	32 268	22 904
介護職員処遇改善加算（Ⅳ）	14 296	2 586	3 158	3 914	2 776	1 862
介護職員処遇改善加算（Ⅴ）	16 729	3 123	4 215	4 461	3 289	1 641
地域密着型特定施設入居者生活介護	1 833 271	272 533	419 677	388 716	432 433	319 911
地域密着型特定施設入居者生活介護	1 659 557	245 263	378 930	352 275	392 585	290 504
短期利用地域密着型特定施設入居者生活介護	2 531	498	840	558	281	354
個別機能訓練加算	5 899	835	1 385	1 213	1 463	1 002
夜間看護体制加算	13 198	2 258	3 201	2 747	2 969	2 022
医療機関連携加算	4 222	736	1 023	856	943	665
看取り介護加算（死亡日以前４日以上）	465	7	72	61	138	186

サービス種類内容・要介護状態区分別（3－2）

平成29年５月審査分～平成30年４月審査分
（単位：千単位）

	総数	要介護１	要介護２	要介護３	要介護４	要介護５
看取り介護加算（死亡前日・前々日）	265	12	40	37	73	103
看取り介護加算（死亡日）	257	10	38	36	72	101
認知症専門ケア加算（Ⅰ）	203	23	32	39	49	60
認知症専門ケア加算（Ⅱ）	17	2	2	4	6	2
サービス提供体制強化加算（Ⅰ）イ	12 005	2 423	3 141	2 384	2 306	1 750
サービス提供体制強化加算（Ⅰ）ロ	3 125	602	800	678	617	428
サービス提供体制強化加算（Ⅱ）	3 112	520	783	679	708	421
サービス提供体制強化加算（Ⅲ）	2 037	363	489	397	464	324
介護職員処遇改善加算（Ⅰ）	110 141	17 057	25 219	23 252	25 697	18 916
介護職員処遇改善加算（Ⅱ）	12 026	1 404	2 751	2 539	3 027	2 303
介護職員処遇改善加算（Ⅲ）	3 863	456	834	890	973	709
介護職員処遇改善加算（Ⅳ）	171	44	49	22	23	33
介護職員処遇改善加算（Ⅴ）	177	18	46	46	39	28
地域密着型介護老人福祉施設入所者生活介護	18 732 255	223 017	762 201	4 306 680	7 060 886	6 379 470
地域密着型介護老人福祉施設入所者生活介護	1 159 592	9 574	35 936	228 251	451 293	434 538
ユニット型地域密着型介護老人福祉施設入所者生活介護	14 373 498	172 103	590 466	3 340 296	5 399 435	4 871 198
経過的地域密着型介護老人福祉施設入所者生活介護	59 281	59	2 430	9 594	26 308	20 891
旧措置入所者経過的地域密着型介護老人福祉施設入所者生活介護	–	–	–	–	–	–
ユニット型経過的地域密着型介護老人福祉施設入所者生活介護	38 753	1 106	928	11 557	15 049	10 113
ユニット型旧措置入所者経過的地域密着型介護老人福祉施設入所者生活介護	953	139	452	–	361	–
日常生活継続支援加算（Ⅰ）	35 408	343	1 203	6 849	13 947	13 066
日常生活継続支援加算（Ⅱ）	473 017	5 718	19 755	102 542	181 489	163 513
看護体制加算（Ⅰ）イ	159 860	2 439	7 446	38 909	60 246	50 820
看護体制加算（Ⅰ）ロ	241	6	9	54	102	70
看護体制加算（Ⅱ）イ	207 259	2 872	9 045	48 000	78 679	68 663
看護体制加算（Ⅱ）ロ	163	7	6	37	70	44
夜勤職員配置加算（Ⅰ）イ	22 150	233	832	4 275	8 597	8 214
夜勤職員配置加算（Ⅰ）ロ	346	1	25	35	164	121
夜勤職員配置加算（Ⅱ）イ	449 802	6 543	21 522	109 311	166 854	145 572
夜勤職員配置加算（Ⅱ）ロ	400	20	13	162	101	103
準ユニットケア加算	196	5	7	47	64	72
個別機能訓練加算	55 640	769	2 335	13 067	21 126	18 343
若年性認知症入所者受入加算	2 243	22	26	315	657	1 223
常勤医師配置加算	1 502	27	57	390	486	543
精神科医療養指導加算	11 056	187	541	2 670	4 132	3 526
障害者生活支援体制加算	377	–	19	73	184	101
身体拘束廃止未実施減算	△ 194	△ 1	△ 12	△ 44	△ 85	△ 52
外泊時費用	38 025	399	1 368	8 702	14 569	12 987
初期加算	17 319	87	274	5 293	7 174	4 491
退所前訪問相談援助加算	11	2	1	0	4	4
退所後訪問相談援助加算	6	0	–	1	2	2
退所時相談援助加算	10	1	1	2	4	2
退所前連携加算	20	3	1	2	8	7
栄養マネジメント加算	160 370	2 298	7 134	38 814	60 358	51 765
経口移行加算	194	–	–	4	38	152
経口維持加算（Ⅰ）	11 496	23	112	1 255	3 834	6 272
経口維持加算（Ⅱ）	1 619	5	16	183	555	860
口腔衛生管理体制加算	7 675	112	354	1 826	2 892	2 492
口腔衛生管理加算	3 967	36	142	855	1 490	1 445
療養食加算	28 264	499	1 587	7 176	10 961	8 040
看取り介護加算（死亡日以前４日以上）	6 493	18	57	709	2 020	3 688
看取り介護加算（死亡前日・前々日）	3 486	8	32	403	1 157	1 886
看取り介護加算（死亡日）	3 389	8	31	388	1 132	1 832
在宅復帰支援機能加算	–	–	–	–	–	–
在宅・入所相互利用加算	58	6	10	17	14	10
小規模拠点集合型施設加算	62	–	37	–	3	22
認知症専門ケア加算（Ⅰ）	2 769	18	85	576	1 003	1 087
認知症専門ケア加算（Ⅱ）	699	3	14	133	261	288
認知症行動・心理症状緊急対応加算	–	–	–	–	–	–
サービス提供体制強化加算（Ⅰ）イ	37 174	926	2 420	10 899	13 264	9 666
サービス提供体制強化加算（Ⅰ）ロ	10 200	182	638	2 878	3 733	2 768
サービス提供体制強化加算（Ⅱ）	12 519	285	842	3 461	4 523	3 408
サービス提供体制強化加算（Ⅲ）	1 951	43	146	568	643	551
介護職員処遇改善加算（Ⅰ）	1 166 724	13 982	46 974	267 880	439 415	398 472
介護職員処遇改善加算（Ⅱ）	137 431	1 510	5 423	31 575	51 636	47 287
介護職員処遇改善加算（Ⅲ）	24 032	319	1 233	5 674	8 962	7 843
介護職員処遇改善加算（Ⅳ）	1 380	24	87	288	493	489
介護職員処遇改善加算（Ⅴ）	3 370	46	145	726	1 480	973

注：１）事業所からの請求時点の数値を集計している。
２）太枠内は基本算定項目である。
３）総数には、月の途中で要介護から要支援に変更となった者を含む。

統計表第11表　介護サービス（地域密着型サービス）単位数，サービス種類内容・要介護状態区分別（３－３）

平成29年５月審査分～平成30年４月審査分
（単位：千単位）

	総数	要介護１	要介護２	要介護３	要介護４	要介護５
複合型サービス（看護小規模多機能型居宅介護）	2 422 806	230 220	415 146	524 826	586 249	666 365
看護小規模多機能型居宅介護	1 995 928	180 155	333 414	435 521	488 922	557 916
短期利用居宅介護	5 167	753	903	993	1 304	1 214
訪問看護体制減算	△ 5 483	△ 662	△ 973	△ 709	△ 1 444	△ 1 696
医療訪問看護減算	△ 8 505	△ 242	△ 536	△ 468	△ 1 961	△ 5 298
訪問看護特別指示減算	△ 1 794	△ 23	△ 69	△ 62	△ 340	△ 1 301
初期加算	5 922	1 122	1 245	1 110	1 293	1 152
認知症加算（Ⅰ）	32 105	2 469	4 374	6 982	7 741	10 540
認知症加算（Ⅱ）	3 253	-	3 243	1	5	4
退院時共同指導加算	561	50	89	97	152	172
事業開始時支援加算	4 807	873	1 009	884	1 066	976
緊急時訪問看護加算	21 921	3 174	4 419	4 270	4 648	5 410
特別管理加算（Ⅰ）	4 474	104	232	362	1 078	2 699
特別管理加算（Ⅱ）	1 314	139	269	240	283	385
ターミナルケア加算	764	32	82	126	174	350
訪問看護体制強化加算	44 155	4 388	7 508	7 630	10 188	14 443
総合マネジメント体制強化加算	85 122	13 781	18 534	17 557	17 410	17 840
サービス提供体制強化加算（Ⅰ）イ	21 242	3 531	4 516	4 243	4 285	4 666
サービス提供体制強化加算（Ⅰ）ロ	2 874	395	603	654	612	611
サービス提供体制強化加算（Ⅱ）	4 959	811	1 073	1 036	1 099	940
サービス提供体制強化加算（Ⅲ）	672	149	132	150	124	117
介護職員処遇改善加算（Ⅰ）	187 551	17 672	32 335	40 652	46 044	50 849
介護職員処遇改善加算（Ⅱ）	10 967	1 174	1 934	2 446	2 470	2 943
介護職員処遇改善加算（Ⅲ）	3 460	305	601	857	743	954
介護職員処遇改善加算（Ⅳ）	254	8	32	30	85	100
介護職員処遇改善加算（Ⅴ）	969	55	157	193	247	317
看護小規模多機能型居宅介護市町村独自加算	150	11	20	33	23	62

注：１）事業所からの請求時点の数値を集計している。
　　２）太枠内は基本算定項目である。
　　３）総数には、月の途中で要介護から要支援に変更となった者を含む。

統計表第12表　介護サービス（施設サービス）単位数，サービス種類内容・要介護状態区分別（２－１）

	総数	要介護１	要介護２	要介護３	要介護４	要介護５
介護福祉施設サービス	172 421 201	2 300 794	7 358 368	38 111 919	63 829 443	60 820 675
介護福祉施設	83 296 621	949 618	3 087 540	16 911 885	30 955 775	31 391 804
小規模介護福祉施設	2 034 517	21 348	66 760	417 177	771 438	757 793
ユニット型介護福祉施設	55 753 258	854 309	2 743 748	13 722 641	20 562 781	17 869 780
ユニット型小規模介護福祉施設	2 741 798	47 023	147 054	677 380	997 696	872 646
旧措置介護福祉施設	875 846	16 679	56 529	137 926	296 915	367 798
小規模旧措置介護福祉施設	18 614	676	830	2 198	6 901	8 009
ユニット型旧措置介護福祉施設	127 528	3 975	10 045	25 367	38 094	50 047
ユニット型小規模旧措置介護福祉施設	6 640	-	53	840	2 601	3 146
日常生活継続支援加算（Ⅰ）	3 154 454	41 368	124 946	656 711	1 180 821	1 150 609
日常生活継続支援加算（Ⅱ）	2 204 717	37 373	115 792	528 547	817 035	705 970
看護体制加算（Ⅰ）イ	192 074	2 676	7 808	41 613	72 377	67 599
看護体制加算（Ⅰ）ロ	526 438	9 310	27 306	127 126	192 803	169 892
看護体制加算（Ⅱ）イ	283 423	3 533	10 706	58 730	107 419	103 037
看護体制加算（Ⅱ）ロ	673 383	11 558	34 028	158 575	247 123	222 099
夜勤職員配置加算（Ⅰ）イ	458 808	5 737	17 417	93 757	173 456	168 441
夜勤職員配置加算（Ⅰ）ロ	1 000 261	16 152	46 352	224 692	368 816	344 249
夜勤職員配置加算（Ⅱ）イ	258 830	4 545	12 412	62 239	96 287	83 347
夜勤職員配置加算（Ⅱ）ロ	911 364	18 831	55 465	240 956	330 497	265 616
準ユニットケア加算	4 152	72	199	1 008	1 473	1 400
個別機能訓練加算	1 174 340	19 734	57 578	273 713	434 830	388 485
若年性認知症入所者受入加算	15 250	5	532	2 834	3 987	7 893
常勤医師配置加算	108 049	1 506	5 080	24 987	38 786	37 692
精神科医療養指導加算	285 211	4 920	14 328	66 972	103 868	95 124
障害者生活支援体制加算	25 389	358	1 049	5 740	9 265	8 978
身体拘束廃止未実施減算	△ 674	△ 14	△ 35	△ 168	△ 258	△ 200
外泊時費用	373 315	4 541	14 164	79 944	141 026	133 639
初期加算	139 571	983	2 627	38 322	57 392	40 246
退所前訪問相談援助加算	35	3	3	11	11	8
退所後訪問相談援助加算	21	2	1	4	7	6
退所時相談援助加算	36	3	2	12	10	8
退所前連携加算	83	5	7	27	26	18
栄養マネジメント加算	2 277 916	39 393	114 761	542 968	835 996	744 798
経口移行加算	2 142	-	9	29	472	1 631
経口維持加算（Ⅰ）	157 810	523	2 190	18 528	49 998	86 570
経口維持加算（Ⅱ）	23 454	94	371	2 920	7 676	12 395
口腔衛生管理体制加算	109 931	1 785	5 319	25 804	40 576	36 446
口腔衛生管理加算	41 663	542	1 727	8 706	15 414	15 273
療養食加算	326 179	6 995	20 367	86 427	127 273	85 115
看取り介護加算（死亡日以前４日以上）	75 002	226	881	7 372	24 466	42 058
看取り介護加算（死亡前日・前々日）	42 534	133	553	4 627	14 393	22 827
看取り介護加算（死亡日）	41 825	128	553	4 607	14 192	22 345
在宅復帰支援機能加算	214	6	7	46	97	58
在宅・入所相互利用加算	353	16	15	161	104	56
認知症専門ケア加算（Ⅰ）	11 844	66	290	2 201	4 344	4 943
認知症専門ケア加算（Ⅱ）	4 911	29	147	951	1 783	2 000
認知症行動・心理症状緊急対応加算	13	0	-	2	4	6
サービス提供体制強化加算（Ⅰ）イ	220 618	6 064	15 980	64 903	75 987	57 684
サービス提供体制強化加算（Ⅰ）ロ	76 015	2 158	5 806	21 384	26 687	19 980
サービス提供体制強化加算（Ⅱ）	87 320	2 272	5 839	24 698	31 405	23 106
サービス提供体制強化加算（Ⅲ）	49 260	1 108	3 133	12 973	17 618	14 428
介護職員処遇改善加算（Ⅰ）	10 823 532	143 137	457 976	2 385 804	4 015 045	3 821 570
介護職員処遇改善加算（Ⅱ）	1 100 522	14 738	48 736	247 055	404 440	385 553
介護職員処遇改善加算（Ⅲ）	266 775	3 997	11 889	59 778	98 397	92 714
介護職員処遇改善加算（Ⅳ）	18 411	258	667	4 230	6 842	6 414
介護職員処遇改善加算（Ⅴ）	19 607	296	825	3 979	6 978	7 529

注：１）事業所からの請求時点の数値を集計している。
　　２）太枠内は基本算定項目である。
　　３）介護保健施設サービス及び介護療養施設サービスには、「特定治療」「特別療養費」「特定診療費」を含まない。
　　４）総数には、月の途中で要介護から要支援に変更となった者を含む。

統計表第12表　介護サービス（施設サービス）単位数,

	総数	要介護１	要介護２	要介護３	要介護４	要介護５
介護保健施設サービス	125 474 512	12 513 090	21 735 823	30 296 363	35 427 560	25 501 390
介護保健施設（Ⅰ）従来型	83 463 995	8 443 688	14 691 180	20 529 368	23 364 473	16 435 128
介護保健施設（Ⅰ）在宅強化型	14 196 960	1 217 409	2 266 544	3 430 513	4 259 951	3 022 503
介護保健施設（Ⅱ）療養型	1 351 479	60 410	110 801	201 780	475 988	502 500
介護保健施設（Ⅱ）療養強化型	1 750 289	26 311	53 685	164 073	591 934	914 285
介護保健施設（Ⅲ）療養型	184 839	9 294	14 300	22 965	57 601	80 679
介護保健施設（Ⅲ）療養強化型	122 280	609	2 720	11 455	49 062	58 435
ユニット型介護保健施設（Ⅰ）従来型	6 548 918	827 100	1 366 872	1 575 207	1 678 711	1 101 028
ユニット型介護保健施設（Ⅰ）在宅強化型	940 491	91 975	162 218	222 431	276 421	187 445
ユニット型介護保健施設（Ⅱ）療養型	180 371	15 934	25 279	33 035	47 961	58 161
ユニット型介護保健施設（Ⅱ）療養強化型	65 710	3 029	4 709	7 958	15 370	34 643
ユニット型介護保健施設（Ⅲ）療養型	10 937	158	1 595	2 437	3 433	3 315
ユニット型介護保健施設（Ⅲ）療養強化型	-	-	-	-	-	-
夜勤職員配置加算	2 523 696	287 882	471 219	616 916	682 360	465 315
短期集中リハビリテーション実施加算	2 436 484	321 643	492 428	608 729	658 103	355 564
認知症短期集中リハビリテーション実施加算	517 258	74 501	112 817	135 882	135 075	58 976
認知症ケア加算	1 211 192	79 355	177 134	326 914	360 464	267 325
若年性認知症入所者受入加算	8 685	659	1 433	2 209	2 037	2 346
在宅復帰・在宅療養支援機能加算	803 150	92 197	152 992	199 757	219 298	138 904
身体拘束廃止未実施減算	△　1 026	△　95	△　147	△　242	△　280	△　262
外泊時費用	44 428	9 415	12 575	11 413	7 985	3 039
ターミナルケア加算（死亡日以前４日以上）	56 004	1 122	3 241	7 787	18 494	25 356
ターミナルケア加算（死亡前日・前々日）	32 559	850	2 154	4 927	10 882	13 745
ターミナルケア加算（死亡日）	34 279	937	2 327	5 234	11 491	14 290
療養体制維持特別加算	47 992	1 540	2 667	5 382	16 581	21 821
初期加算	218 641	30 118	44 772	53 529	56 984	33 237
入所前後訪問指導加算（Ⅰ）	5 867	1 018	1 430	1 513	1 338	567
入所前後訪問指導加算（Ⅱ）	5 184	864	1 227	1 319	1 237	537
退所前訪問指導加算	13 319	2 078	3 409	3 516	3 137	1 179
退所後訪問指導加算	7 767	1 311	2 045	1 978	1 671	732
退所時指導加算	35 562	5 975	9 229	9 064	7 798	3 494
退所時情報提供加算	46 968	8 002	12 140	11 898	10 340	4 586
退所前連携加算	43 056	7 118	11 204	11 016	9 460	4 256
老人訪問看護指示加算	956	77	170	207	276	225
栄養マネジメント加算	1 612 834	184 774	302 508	394 697	435 135	295 716
経口移行加算	5 827	26	42	256	1 525	3 978
経口維持加算（Ⅰ）	158 900	5 114	12 431	29 302	53 016	59 037
経口維持加算（Ⅱ）	27 755	1 004	2 380	5 339	9 372	9 660
口腔衛生管理体制加算	77 262	8 725	14 470	18 910	21 019	14 138
口腔衛生管理加算	39 692	3 890	6 479	9 115	11 380	8 828
療養食加算	586 017	70 795	118 521	155 072	159 696	81 932
在宅復帰支援機能加算	664	38	62	92	219	253
緊急時治療管理	15 615	857	1 675	3 135	4 961	4 987
所定疾患施設療養費	210 989	10 185	21 933	41 493	70 041	67 338
認知症専門ケア加算（Ⅰ）	4 932	312	662	1 095	1 530	1 333
認知症専門ケア加算（Ⅱ）	2 552	145	314	649	814	630
認知症行動・心理症状緊急対応加算	52	9	16	17	6	5
認知症情報提供加算	13	2	4	1	5	1
地域連携診療計画情報提供加算	158	11	22	42	53	29
サービス提供体制強化加算（Ⅰ）イ	1 435 431	163 236	269 254	350 467	385 083	267 388
サービス提供体制強化加算（Ⅰ）ロ	181 892	20 613	34 502	45 215	49 252	32 308
サービス提供体制強化加算（Ⅱ）	97 963	11 787	18 518	23 600	26 402	17 656
サービス提供体制強化加算（Ⅲ）	46 541	5 334	8 449	11 059	12 829	8 870
介護職員処遇改善加算（Ⅰ）	3 406 878	338 980	596 046	833 182	964 323	674 342
介護職員処遇改善加算（Ⅱ）	463 161	45 751	79 549	108 990	131 972	96 897
介護職員処遇改善加算（Ⅲ）	155 861	15 188	25 847	36 185	43 684	34 958
介護職員処遇改善加算（Ⅳ）	18 513	2 093	2 881	4 260	4 971	4 308
介護職員処遇改善加算（Ⅴ）	16 726	1 740	2 888	4 016	4 637	3 445

サービス種類内容・要介護状態区分別（2－2）

平成29年5月審査分～平成30年4月審査分
（単位：千単位）

	総数	要介護1	要介護2	要介護3	要介護4	要介護5
介護療養施設サービス	21 894 364	157 815	403 620	1 628 186	7 627 448	12 077 248
療養型	19 527 826	110 792	302 115	1 348 083	6 842 198	10 924 593
療養型経過型	32 115	91	1 164	1 054	14 503	15 304
ユニット型療養型	80 809	351	1 173	6 927	30 508	41 850
ユニット型療養型経過型	-	-	-	-	-	-
診療所型	592 777	16 542	32 865	63 982	190 264	289 124
ユニット型診療所型	-	-	-	-	-	-
認知症疾患型	836 203	21 986	46 232	135 192	257 011	375 781
認知症疾患型経過型	-	-	-	-	-	-
ユニット型認知症疾患型	26 016	52	964	3 185	8 991	12 826
病院療養病床療養環境減算（病院のみ）	△ 80 262	△ 427	△ 1 141	△ 4 666	△ 28 355	△ 45 674
病院療養病床療養環境減算（Ⅲ）（病院のみ）	△ 7 217	△ 186	△ 435	△ 922	△ 2 687	△ 2 987
医師配置減算（病院のみ）	△ 7 704	△ 87	△ 189	△ 499	△ 2 530	△ 4 399
診療所療養病床設備基準減算（診療所のみ）	△ 11 913	△ 438	△ 881	△ 1 376	△ 3 797	△ 5 421
診療所療養病床療養環境減算（Ⅱ）（診療所のみ）	-	-	-	-	-	-
若年性認知症患者受入加算	901	11	92	66	281	451
身体拘束廃止未実施減算	△ 279	△ 1	△ 2	△ 10	△ 84	△ 182
外泊時費用	1 073	113	166	261	298	235
療養経過型試行的退院サービス費	-	-	-	-	-	-
他科受診時費用	4 706	157	281	720	1 517	2 031
初期加算	17 552	470	874	2 157	6 193	7 857
退院前訪問指導加算	119	12	18	30	40	19
退院後訪問指導加算	26	2	3	6	8	6
退院時指導加算	386	29	47	84	134	93
退院時情報提供加算	736	29	51	118	285	253
退院前連携加算	410	31	53	81	144	102
老人訪問看護指示加算	46	2	3	5	14	22
栄養マネジメント加算	221 977	2 262	5 288	18 243	79 520	116 663
経口移行加算	2 514	0	1	49	620	1 844
経口維持加算（Ⅰ）	17 998	107	337	1 526	5 754	10 274
経口維持加算（Ⅱ）	2 810	17	56	241	902	1 593
口腔衛生管理体制加算	8 027	97	209	696	2 831	4 193
口腔衛生管理加算	4 748	39	91	363	1 677	2 578
療養食加算	76 068	1 256	2 770	8 358	28 695	34 989
在宅復帰支援機能加算	1 434	18	57	178	568	614
認知症専門ケア加算（Ⅰ）	627	5	16	60	241	305
認知症専門ケア加算（Ⅱ）	9	-	-	-	2	7
認知症行動・心理症状緊急対応加算	43	0	3	4	17	19
サービス提供体制強化加算（Ⅰ）イ	123 020	961	2 698	10 424	44 803	64 133
サービス提供体制強化加算（Ⅰ）ロ	29 623	375	847	2 785	10 205	15 410
サービス提供体制強化加算（Ⅱ）	27 839	383	713	2 267	10 023	14 453
サービス提供体制強化加算（Ⅲ）	17 995	219	517	1 315	6 129	9 814
介護職員処遇改善加算（Ⅰ）	253 520	1 771	4 590	19 727	88 791	138 639
介護職員処遇改善加算（Ⅱ）	56 607	582	1 346	4 985	19 573	30 122
介護職員処遇改善加算（Ⅲ）	28 046	138	466	1 881	9 786	15 776
介護職員処遇改善加算（Ⅳ）	2 235	5	26	105	772	1 326
介護職員処遇改善加算（Ⅴ）	4 891	47	133	504	1 600	2 607

注：1）事業所からの請求時点の数値を集計している。
2）太枠内は基本算定項目である。
3）介護保健施設サービス及び介護療養施設サービスには、「特定治療」「特別療養費」「特定診療費」を含まない。
4）総数には、月の途中で要介護から要支援に変更となった者を含む。

統計表第13表　介護サービス（居宅サービス等）回数・日数，

	総数	要介護１	要介護２	要介護３	要介護４	要介護５
訪問介護	281 101.1	47 101.1	60 336.7	57 025.3	59 298.3	57 339.0
身体介護	171 798.2	15 183.5	25 616.0	36 075.9	46 304.1	48 618.4
身体介護・生活援助	41 306.0	7 988.8	10 532.1	8 944.8	7 358.7	6 481.6
生活援助	61 212.4	22 210.0	21 460.0	10 805.9	4 873.5	1 862.7
通院等乗降介助	6 784.5	1 718.8	2 728.6	1 198.7	761.9	376.4
特別地域訪問介護加算	358.9	128.5	102.8	56.6	40.9	30.1
中山間地域等における小規模事業所加算	14.8	5.7	4.0	2.4	1.5	1.2
中山間地域等に居住する者へのサービス提供加算	15.4	5.0	4.9	2.5	1.5	1.5
緊急時訪問介護加算	53.6	5.0	8.6	9.9	15.7	14.4
初回加算	583.1	200.7	148.7	92.5	84.6	56.6
生活機能向上連携加算	1.6	0.3	0.3	0.3	0.3	0.3
介護職員処遇改善加算（Ⅰ）	8 682.6	2 660.3	2 529.8	1 441.6	1 111.7	939.1
介護職員処遇改善加算（Ⅱ）	1 985.9	628.4	585.3	328.8	244.2	199.1
介護職員処遇改善加算（Ⅲ）	1 280.6	405.1	375.4	212.6	160.3	127.2
介護職員処遇改善加算（Ⅳ）	92.9	30.2	26.5	15.2	12.1	8.9
介護職員処遇改善加算（Ⅴ）	80.8	26.3	23.5	13.2	10.0	7.7
訪問入浴介護	3 893.1	80.7	285.9	432.5	1 003.2	2 090.7
看護・介護職員	3 877.6	80.4	285.0	431.1	998.6	2 082.6
介護職員のみ	15.4	0.4	0.9	1.4	4.6	8.1
特別地域訪問入浴介護加算	13.3	0.5	1.3	1.9	4.0	5.6
中山間地域等における小規模事業所加算	0.3	0.0	0.1	0.0	0.1	0.1
中山間地域等に居住する者へのサービス提供加算	3.9	0.1	0.2	0.4	1.1	2.0
サービス提供体制強化加算（Ⅰ）イ	575.5	12.2	39.6	65.0	149.6	309.1
サービス提供体制強化加算（Ⅰ）ロ	135.5	2.1	9.1	14.5	34.4	75.5
介護職員処遇改善加算（Ⅰ）	655.8	16.0	53.0	77.9	173.0	335.9
介護職員処遇改善加算（Ⅱ）	55.4	1.6	4.4	6.7	15.9	26.9
介護職員処遇改善加算（Ⅲ）	27.7	0.7	2.3	3.3	7.7	13.6
介護職員処遇改善加算（Ⅳ）	3.9	0.1	0.3	0.4	1.0	2.0
介護職員処遇改善加算（Ⅴ）	2.2	0.0	0.2	0.3	0.7	1.0
訪問看護	44 146.0	8 495.3	11 119.5	7 771.8	7 840.0	8 919.3
訪問看護ステーション	43 060.3	8 310.6	10 912.6	7 616.6	7 629.3	8 591.1
病院又は診療所	923.4	154.8	173.2	126.0	172.8	296.6
定期巡回・随時対応型訪問介護看護事業所と連携	162.4	29.9	33.7	29.3	37.9	31.5
特別地域訪問看護加算	105.3	26.7	26.0	17.8	17.4	17.4
中山間地域等における小規模事業所加算	13.9	3.1	3.1	2.3	2.6	2.8
中山間地域等に居住する者へのサービス提供加算	23.9	5.0	6.8	4.4	3.9	3.8
緊急時訪問看護加算(ステーション)	2 791.8	557.9	642.7	475.2	518.1	597.9
緊急時訪問看護加算(医療機関)	87.4	16.4	18.6	14.2	17.4	20.8
特別管理加算（Ⅰ）	540.5	22.4	58.4	58.4	125.9	275.5
特別管理加算（Ⅱ）	395.0	79.3	119.8	70.3	66.8	58.7
ターミナルケア加算	16.6	0.6	1.5	2.3	4.5	7.7
訪問看護特別指示減算*	19.3	1.0	2.2	2.6	5.4	8.0
初回加算	258.0	70.6	64.7	45.3	45.3	32.2
退院時共同指導加算	43.4	5.8	8.1	8.0	11.1	10.5
看護・介護連携強化加算	1.9	0.0	0.0	0.1	0.4	1.5
看護体制強化加算	527.0	87.7	112.6	86.1	105.4	135.3
サービス提供体制強化加算（Ⅰ）	20 760.0	4 003.5	5 305.3	3 679.9	3 612.3	4 158.9
サービス提供体制強化加算（Ⅱ）	15.4	3.1	3.7	3.1	3.2	2.3
訪問リハビリテーション	12 018.1	2 248.2	3 316.3	2 431.1	2 154.3	1 868.1
病院又は診療所	10 325.3	1 915.8	2 833.0	2 090.4	1 867.2	1 618.9
介護老人保健施設	1 692.8	332.4	483.3	340.7	287.1	249.3
中山間地域等に居住する者へのサービス提供加算	12.7	2.5	3.7	2.6	2.2	1.7
短期集中リハビリテーション実施加算*	374.1	63.7	84.0	88.4	86.8	51.2
リハビリテーションマネジメント加算（Ⅰ）	910.3	175.3	253.6	182.7	162.8	135.9
リハビリテーションマネジメント加算（Ⅱ）	62.2	12.0	16.6	13.0	11.4	9.4
社会参加支援加算*	2 165.9	405.7	591.4	443.6	392.3	332.8
サービス提供体制強化加算	10 677.9	1 995.6	2 945.6	2 168.4	1 900.3	1 667.8
通所介護	141 376.7	46 874.2	42 774.1	26 904.2	16 190.6	8 633.0
通常規模型事業所	115 734.5	38 394.9	35 088.4	22 041.2	13 147.7	7 061.8
大規模型事業所（Ⅰ）	12 689.6	4 096.7	3 851.4	2 446.8	1 505.8	789.0
大規模型事業所（Ⅱ）	12 925.1	4 374.2	3 826.2	2 410.3	1 534.0	780.5
中山間地域等に居住する者へのサービス提供加算*	28.5	10.1	10.2	4.9	2.2	1.2
入浴介助加算*	102 757.8	32 137.1	31 880.7	20 393.0	11 992.3	6 354.3
中重度者ケア体制加算*	31 919.0	8 571.6	9 421.6	6 880.3	4 396.1	2 649.3
個別機能訓練加算（Ⅰ）*	32 806.3	12 389.8	10 304.7	5 657.7	3 069.3	1 384.6
個別機能訓練加算（Ⅱ）*	35 318.0	12 934.9	11 150.8	6 248.3	3 380.5	1 603.2
認知症加算*	4 055.2	691.5	953.1	1 062.5	751.3	596.8
若年性認知症利用者受入加算*	28.2	7.2	6.9	5.4	4.3	4.4
栄養改善加算	13.0	3.4	3.5	2.6	2.1	1.3
口腔機能向上加算	836.3	282.9	257.0	150.8	90.5	55.2
同一建物減算*	18 875.0	3 998.0	4 505.7	4 295.0	3 863.0	2 213.3
送迎減算	6 542.8	1 689.6	1 832.7	1 494.6	989.6	536.3
サービス提供体制強化加算（Ⅰ）イ	47 771.8	17 015.6	15 077.7	8 694.2	4 594.3	2 389.8
サービス提供体制強化加算（Ⅰ）ロ	13 751.7	4 689.2	4 280.2	2 576.1	1 435.3	770.9
サービス提供体制強化加算（Ⅱ）	30 718.1	10 539.5	9 495.7	5 711.3	3 239.6	1 731.9
介護職員処遇改善加算（Ⅰ）	10 699.3	3 852.1	3 285.1	1 870.6	1 096.5	594.9

サービス種類内容・要介護状態区分別（２－１）

平成29年５月審査分～平成30年４月審査分
（単位：千回（日））

	総数	要介護１	要介護２	要介護３	要介護４	要介護５
介護職員処遇改善加算（Ⅱ）	1 754.8	636.1	536.8	304.9	181.1	95.8
介護職員処遇改善加算（Ⅲ）	1 034.8	364.5	313.3	183.1	113.4	60.5
介護職員処遇改善加算（Ⅳ）	78.6	28.1	23.2	13.9	8.7	4.7
介護職員処遇改善加算（Ⅴ）	91.1	35.0	26.1	15.9	9.6	4.6
通所リハビリテーション	43 698.3	14 169.4	14 455.3	8 252.7	4 740.5	2 079.9
通常規模型事業所（病院又は診療所）	12 828.4	4 593.2	4 298.8	2 226.5	1 186.8	523.0
通常規模型事業所（介護老人保健施設）	12 911.9	3 919.7	4 249.9	2 561.6	1 533.4	647.2
大規模型事業所（Ⅰ）（病院又は診療所）	2 202.3	738.5	724.3	394.1	235.5	110.0
大規模型事業所（Ⅰ）（介護老人保健施設）	4 017.0	1 212.8	1 320.2	804.3	476.5	203.1
大規模型事業所（Ⅱ）（病院又は診療所）	3 048.7	1 001.6	1 013.5	568.4	324.8	140.4
大規模型事業所（Ⅱ）（介護老人保健施設）	8 680.9	2 701.1	2 845.7	1 696.4	982.0	455.6
理学療法士等体制強化加算*	1 332.4	536.2	503.3	184.8	82.8	25.4
中山間地域等に居住する者へのサービス提供加算*	18.9	6.5	6.4	3.7	1.7	0.7
入浴介助加算*	30 279.1	8 654.6	9 923.6	6 262.4	3 761.0	1 677.2
リハビリテーションマネジメント加算（Ⅰ）	4 374.6	1 443.9	1 446.4	798.6	469.0	216.6
リハビリテーションマネジメント加算（Ⅱ）	746.7	255.8	243.4	135.1	79.4	32.9
短期集中個別リハビリテーション実施加算*	1 960.0	528.4	518.0	447.7	341.2	124.5
認知症集中リハビリテーション実施加算（Ⅰ）*	43.8	21.5	10.1	6.7	4.0	1.5
認知症集中リハビリテーション実施加算（Ⅱ）*	1.4	0.7	0.3	0.2	0.1	0.0
生活行為向上リハビリテーション実施加算	2.6	1.0	0.7	0.5	0.3	0.1
生活行為向上リハビリテーション実施後継続減算	11.2	4.1	3.8	2.1	1.0	0.3
若年性認知症利用者受入加算*	9.8	3.4	2.1	1.4	1.2	1.7
栄養改善加算	18.1	5.0	4.9	3.4	2.9	2.0
口腔機能向上加算	339.0	84.9	97.9	69.4	50.8	36.0
重度療養管理加算*	298.2	0.0	0.0	25.0	63.0	210.2
中重度者ケア体制加算*	16 300.9	4 316.5	5 294.3	3 465.7	2 169.7	1 054.6
同一建物減算*	543.7	156.1	135.0	105.5	92.7	54.4
送迎減算	3 661.1	1 141.5	1 261.3	683.0	387.2	188.1
社会参加支援加算	4 063.1	1 260.7	1 359.9	766.4	467.8	208.2
サービス提供体制強化加算（Ⅰ）イ	30 503.8	9 686.1	10 078.6	5 838.7	3 392.8	1 507.3
サービス提供体制強化加算（Ⅰ）ロ	3 472.4	1 114.0	1 139.5	667.3	387.0	164.5
サービス提供体制強化加算（Ⅱ）	6 542.7	2 261.0	2 165.4	1 199.7	645.6	270.9
介護職員処遇改善加算（Ⅰ）	3 406.5	1 093.7	1 122.3	634.3	379.0	177.2
介護職員処遇改善加算（Ⅱ）	648.9	215.1	212.0	117.8	71.5	32.3
介護職員処遇改善加算（Ⅲ）	474.8	165.5	155.0	84.3	48.5	21.5
介護職員処遇改善加算（Ⅳ）	51.0	20.2	15.5	8.6	4.8	1.8
介護職員処遇改善加算（Ⅴ）	51.1	18.5	16.8	8.9	4.9	2.1
福祉用具貸与	2 342 681.8	303 843.1	721 116.2	540 595.3	454 990.6	322 123.6
小計*	2 342 681.8	303 843.1	721 116.2	540 595.3	454 990.6	322 123.6
車いす*	225 933.4	16 565.9	53 358.2	54 270.0	58 154.9	43 583.8
車いす付属品*	80 654.6	4 176.3	14 174.3	16 637.2	23 153.5	22 513.2
特殊寝台*	293 685.4	16 799.6	98 047.9	73 026.0	60 981.0	44 829.6
特殊寝台付属品*	858 452.7	47 745.0	278 835.7	218 221.4	186 047.9	127 598.7
床ずれ防止用具*	77 209.7	1 626.2	8 897.4	11 734.1	22 380.4	32 571.5
体位変換器*	13 013.8	75.1	518.4	886.0	3 188.4	8 345.9
手すり*	459 859.9	136 278.2	159 284.7	96 508.3	52 058.1	15 726.1
スロープ*	90 854.2	11 964.0	20 677.6	19 657.4	21 840.1	16 714.8
歩行器*	166 726.9	53 916.1	62 860.2	31 884.9	14 543.6	3 520.5
歩行補助つえ*	46 971.8	13 202.2	18 076.6	9 837.5	4 710.7	1 144.3
認知症老人徘徊感知機器*	10 768.8	399.4	1 657.5	3 571.5	3 709.1	1 431.4
移動用リフト*	18 206.7	1 084.1	4 681.6	4 290.7	4 123.3	4 026.9
自動排泄処理装置*	344.1	11.0	46.1	70.3	99.7	117.0
特別地域福祉用具貸与加算* 小計*	5.0	0.8	1.3	1.3	1.1	0.5
特別地域福祉用具貸与加算* 車いす*	0.8	0.1	0.2	0.2	0.2	0.1
特別地域福祉用具貸与加算* 車いす付属品*	0.2	0.0	0.0	0.1	0.0	0.0
特別地域福祉用具貸与加算* 特殊寝台*	0.8	0.0	0.3	0.2	0.2	0.1
特別地域福祉用具貸与加算* 特殊寝台付属品*	0.8	0.1	0.2	0.3	0.2	0.1
特別地域福祉用具貸与加算* 床ずれ防止用具*	0.5	0.0	0.0	0.0	0.2	0.1
特別地域福祉用具貸与加算* 体位変換器*	0.0	－	0.0	－	0.0	0.0
特別地域福祉用具貸与加算* 手すり*	0.8	0.2	0.3	0.2	0.1	0.0
特別地域福祉用具貸与加算* スロープ*	0.3	0.0	0.0	0.1	0.1	0.0
特別地域福祉用具貸与加算* 歩行器*	0.8	0.3	0.2	0.2	0.1	0.0
特別地域福祉用具貸与加算* 歩行補助つえ*	0.1	0.0	0.0	0.0	0.0	－
特別地域福祉用具貸与加算* 認知症老人徘徊感知機器*	0.0	0.0	0.0	0.0	0.0	－
特別地域福祉用具貸与加算* 移動用リフト*	0.0	0.0	0.0	0.0	0.0	0.0
特別地域福祉用具貸与加算* 自動排泄処理装置*	0.0	－	0.0	－	－	－
中山間地域等における小規模事業所加算	0.0	－	－	－	0.0	0.0
中山間地域等に居住する者へのサービス提供加算	0.1	0.0	0.0	0.0	0.0	0.0

注：１）事業所からの請求時点の数値を集計している。
２）太枠内は基本算定項目である。
３）各サービスの計は、基本算定項目（太枠内）を計上した値である。
４）*は日数を集計している。
５）短期入所療養介護には、「特定治療」「特別療養費」「特定診療費」を含まない。
６）特定施設入居者生活介護の外部サービス利用型特定施設入居者生活介護には、基本部分の日数を計上していない。
７）総数には、月の途中で要介護から要支援に変更となった者を含む。

	総数	要介護１	要介護２	要介護３	要介護４	要介護５
短期入所生活介護*	45 414.7	5 169.7	9 237.9	14 282.3	10 802.7	5 922.1
単独型*	9 475.3	1 100.2	1 916.3	2 876.2	2 334.1	1 248.5
併設型*	19 775.4	2 160.1	4 043.2	6 257.0	4 665.0	2 650.1
単独型ユニット型*	4 424.2	569.3	935.4	1 351.9	1 018.2	549.4
併設型ユニット型*	11 739.7	1 340.0	2 342.9	3 797.2	2 785.4	1 474.1
機能訓練体制加算*	16 570.7	1 783.8	3 234.5	5 249.0	4 025.9	2 277.5
個別機能訓練加算*	1 097.4	113.5	204.8	347.3	283.7	148.0
看護体制加算（Ⅰ）*	16 706.1	1 779.1	3 235.8	5 249.6	4 066.1	2 375.5
看護体制加算（Ⅱ）*	17 322.3	1 872.4	3 360.7	5 445.6	4 225.7	2 417.8
医療連携強化加算*	304.0	1.9	9.0	24.2	77.8	191.1
夜勤職員配置加算（Ⅰ）*	17 610.7	1 840.8	3 478.1	5 602.9	4 250.1	2 438.8
夜勤職員配置加算（Ⅱ）*	10 835.2	1 218.3	2 166.5	3 477.2	2 576.6	1 396.6
認知症行動・心理症状緊急対応加算*	0.2	0.0	0.0	0.1	0.0	0.0
若年性認知症利用者受入加算*	15.9	0.4	1.2	4.3	3.6	6.2
送迎加算	9 585.5	1 472.7	2 370.0	2 663.0	1 849.5	1 230.3
緊急短期入所受入加算*	136.3	33.5	36.2	34.1	22.1	10.3
長期利用者減算*	11 397.8	546.3	1 428.2	4 126.2	3 574.1	1 722.9
療養食加算*	682.8	41.6	97.0	227.9	220.4	96.0
在宅中重度者受入加算*	2.9	0.0	0.1	0.4	0.9	1.5
サービス提供体制強化加算（Ⅰ）イ*	17 942.4	2 029.9	3 633.5	5 618.9	4 226.4	2 433.6
サービス提供体制強化加算（Ⅰ）ロ*	6 102.9	656.5	1 211.3	1 946.4	1 472.0	816.7
サービス提供体制強化加算（Ⅱ）*	9 447.1	1 027.4	1 846.8	3 028.2	2 319.3	1 225.4
サービス提供体制強化加算（Ⅲ）*	4 994.6	540.8	1 020.8	1 585.9	1 196.8	650.4
介護職員処遇改善加算（Ⅰ）	3 368.5	547.0	825.5	939.3	662.7	394.0
介護職員処遇改善加算（Ⅱ）	456.5	75.6	113.6	126.4	90.1	50.8
介護職員処遇改善加算（Ⅲ）	180.0	28.4	44.2	51.0	35.9	20.5
介護職員処遇改善加算（Ⅳ）	13.7	2.1	2.9	3.9	2.9	1.9
介護職員処遇改善加算（Ⅴ）	14.1	2.3	3.7	3.8	2.9	1.4
短期入所療養介護*	4 710.7	527.1	967.1	1 212.9	1 113.1	890.4
介護保健施設（Ⅰ）従来型*	2 696.8	315.5	582.4	710.9	624.7	463.4
（Ⅰ）在宅強化型*	1 382.1	143.7	265.8	363.9	342.8	265.9
（Ⅱ）療養型*	11.7	0.9	2.8	3.0	2.2	2.8
（Ⅱ）療養強化型*	14.5	1.0	1.9	2.9	2.8	6.0
（Ⅲ）療養型*	4.4	0.2	0.6	0.7	1.2	1.7
（Ⅲ）療養強化型*	0.3	0.0	0.1	0.0	0.0	0.1
ユニット型介護保健施設（Ⅰ）従来型*	239.1	31.1	51.7	58.7	54.5	43.1
（Ⅰ）在宅強化型*	100.7	11.2	21.1	25.0	24.6	18.6
（Ⅱ）療養型*	0.7	0.0	0.2	0.1	0.2	0.2
（Ⅱ）療養強化型*	0.9	0.0	0.1	0.0	0.1	0.7
（Ⅲ）療養型*	0.1	0.0	0.0	0.0	0.1	−
（Ⅲ）療養強化型*	−	−	−	−	−	−
特定介護老人保健施設	0.6	0.0	0.1	0.1	0.1	0.3
病院療養病床*	96.4	9.1	15.0	14.7	19.8	37.8
病院療養病床経過型*	−	−	−	−	−	−
ユニット型病院療養病床*	0.1	0.0	−	0.0	0.0	0.0
ユニット型病院療養病床経過型*	−	−	−	−	−	−
特定病院療養病床	0.0	−	−	0.0	0.0	−
診療所*	160.1	13.9	25.0	32.3	39.2	49.6
ユニット型診療所*	−	−	−	−	−	−
特定診療所	0.0	0.0	−	0.0	−	0.0
認知症疾患型*	−	−	−	−	−	−
認知症疾患型経過型*	−	−	−	−	−	−
ユニット型認知症疾患型*	−	−	−	−	−	−
特定認知症対応型	−	−	−	−	−	−
病院療養病床療養環境減算（病院のみ）*	17.1	1.2	2.5	2.8	3.3	7.4
病院療養病床療養環境減算（Ⅲ）（病院のみ）*	0.0	−	−	−	−	0.0
医師配置減算（病院のみ）*	3.3	0.6	0.3	0.5	0.9	1.0
診療所設備基準減算（診療所のみ）*	15.9	2.1	3.0	3.5	3.6	3.8
診療所療養病床療養環境減算（Ⅱ）（診療所のみ）*	−	−	−	−	−	−
夜勤職員配置加算（老健のみ）*	4 044.4	455.4	832.4	1 057.3	959.2	740.1
個別リハビリテーション実施加算（老健のみ）*	2 072.6	220.7	413.2	548.2	506.2	384.4
認知症ケア加算（老健のみ）*	338.7	19.8	47.9	102.6	89.7	78.7
認知症行動・心理症状緊急対応加算*	0.5	0.1	0.1	0.1	0.1	0.0
緊急短期入所受入加算*	48.5	10.8	12.8	11.4	8.6	4.9
若年性認知症利用者受入加算*	2.3	0.1	0.3	0.2	0.6	1.1
重度療養管理加算（老健のみ）*	171.2	−	−	−	27.8	143.4
送迎加算	1 159.4	134.9	243.1	288.5	266.1	226.8
療養体制維持特別加算（老健のみ）*	19.2	1.2	3.1	3.9	4.1	6.9
療養食加算*	788.8	79.9	162.7	223.4	209.3	113.4
緊急時治療管理（老健のみ）*	0.8	0.1	0.1	0.2	0.2	0.3
サービス提供体制強化加算（Ⅰ）イ*	3 468.1	383.5	707.4	904.0	815.4	657.9
サービス提供体制強化加算（Ⅰ）ロ*	463.6	53.3	94.0	121.8	111.4	83.1
サービス提供体制強化加算（Ⅱ）*	385.2	44.2	78.8	95.3	95.4	71.5
サービス提供体制強化加算（Ⅲ）*	225.5	25.9	46.9	54.9	52.8	45.1
介護職員処遇改善加算（Ⅰ）	444.6	61.6	104.2	111.5	93.9	73.3
介護職員処遇改善加算（Ⅱ）	71.0	10.5	17.7	17.2	15.1	10.4
介護職員処遇改善加算（Ⅲ）	41.6	6.6	10.2	10.2	8.5	6.2
介護職員処遇改善加算（Ⅳ）	3.9	0.9	1.1	0.9	0.6	0.5
介護職員処遇改善加算（Ⅴ）	5.9	1.0	1.4	1.6	1.0	0.9

サービス種類内容・要介護状態区分別（２－２）

平成29年５月審査分～平成30年４月審査分
（単位：千回（日））

	総数	要介護１	要介護２	要介護３	要介護４	要介護５
居宅療養管理指導	28 603.4	5 238.1	6 268.9	5 909.2	5 835.4	5 351.3
医師（Ⅰ）（一）	315.6	43.4	63.8	60.0	69.3	79.1
医師（Ⅰ）（二）	248.6	50.1	55.8	52.9	50.9	38.7
医師（Ⅱ）（一）	3 607.3	507.0	732.5	680.6	765.3	921.9
医師（Ⅱ）（二）	6 115.3	1 219.6	1 349.8	1 301.5	1 260.4	983.7
歯科医師（Ⅰ）	1 274.3	191.3	297.6	258.4	247.2	279.8
歯科医師（Ⅱ）	2 760.0	504.3	593.7	599.6	582.2	480.0
薬剤師（Ⅰ）医療機関（一）	22.0	4.2	5.9	3.6	3.9	4.5
薬剤師（Ⅰ）医療機関（一）・特別薬剤加算	0.4	0.1	0.1	0.1	0.1	0.1
薬剤師（Ⅰ）医療機関（二）	47.8	9.7	11.8	10.6	9.9	6.0
薬剤師（Ⅰ）医療機関（二）・特別薬剤加算	0.1	0.0	0.0	0.0	0.0	-
薬剤師（Ⅱ）薬局（一）	1 694.7	393.5	416.3	285.2	261.2	338.5
薬剤師（Ⅱ）薬局（一）・特別薬剤加算	65.3	10.2	17.7	11.8	13.2	12.3
薬剤師（Ⅱ）薬局（二）	6 683.5	1 363.2	1 513.0	1 426.6	1 356.9	1 023.6
薬剤師（Ⅱ）薬局（二）・特別薬剤加算	13.2	1.5	2.5	2.4	3.5	3.3
管理栄養士（Ⅰ）	30.0	4.8	6.5	4.4	5.6	8.8
管理栄養士（Ⅱ）	39.4	5.4	7.7	8.4	9.3	8.6
歯科衛生士等（Ⅰ）	1 337.6	180.4	288.0	259.3	259.4	350.5
歯科衛生士等（Ⅱ）	4 348.5	749.3	906.2	943.6	937.3	811.9
看護職員（Ⅰ）	0.0	0.0	0.0	0.0	0.0	0.0
看護職員（Ⅱ）	0.0	0.0	-	-	-	-
看護職員（准看護師）（Ⅰ）	0.0	0.0	-	0.0	0.0	-
看護職員（准看護師）（Ⅱ）	-	-	-	-	-	-
特定施設入居者生活介護*	75 079.2	18 946.2	16 614.4	14 577.5	14 797.4	10 138.2
特定施設入居者生活介護*	65 001.8	17 077.5	14 153.3	12 101.6	12 734.2	8 929.6
外部サービス利用型特定施設入居者生活介護	9 920.2	1 832.3	2 416.1	2 440.0	2 038.4	1 193.5
短期利用特定施設入居者生活介護*	157.2	36.4	45.0	35.9	24.8	15.1
個別機能訓練加算*	18 307.4	4 597.3	3 905.5	3 437.3	3 725.9	2 640.3
夜間看護体制加算*	46 426.9	12 174.7	9 952.2	8 556.2	9 111.6	6 628.0
医療機関連携加算	1 729.0	436.4	366.5	323.2	349.9	252.8
障害者等支援加算*	525.5	121.4	131.4	128.1	91.8	52.8
看取り介護加算（死亡日以前4日以上）*	120.7	6.1	9.0	15.4	32.6	57.6
看取り介護加算（死亡前日・前々日）*	13.1	0.8	1.1	1.8	3.7	5.7
看取り介護加算（死亡日）*	6.7	0.4	0.6	0.9	1.9	2.9
認知症専門ケア加算（Ⅰ）*	250.0	34.8	44.3	57.9	62.7	50.4
認知症専門ケア加算（Ⅱ）*	26.9	1.3	3.7	6.3	7.4	8.3
サービス提供体制強化加算（Ⅰ）イ*	12 112.5	3 306.8	2 678.1	2 255.5	2 241.0	1 630.4
サービス提供体制強化加算（Ⅰ）ロ*	6 167.2	1 631.5	1 347.8	1 169.4	1 172.5	845.4
サービス提供体制強化加算（Ⅱ）*	15 066.3	4 022.2	3 271.3	2 795.2	2 979.2	1 996.9
サービス提供体制強化加算（Ⅲ）*	15 171.2	3 828.7	3 162.2	2 796.8	3 041.1	2 341.1
介護職員処遇改善加算（Ⅰ）	2 037.6	530.8	445.9	382.6	398.4	279.5
介護職員処遇改善加算（Ⅱ）	162.8	46.1	37.1	29.9	30.0	19.6
介護職員処遇改善加算（Ⅲ）	91.9	24.3	19.9	17.5	17.9	12.3
介護職員処遇改善加算（Ⅳ）	7.1	1.5	1.4	1.4	1.6	1.1
介護職員処遇改善加算（Ⅴ）	7.3	1.8	1.8	1.3	1.5	0.9
居宅介護支援	31 657.3	10 828.8	9 621.2	5 423.6	3 550.7	2 232.8
居宅介護支援	31 656.3	10 828.6	9 621.0	5 423.4	3 550.6	2 232.7
特定事業所集中減算（再掲）	1 860.7	542.7	519.8	341.7	271.4	185.0
初回加算	1 196.7	480.4	287.2	180.6	159.0	89.5
特定事業所加算（Ⅰ）	964.7	225.5	276.1	205.3	149.1	108.7
特定事業所加算（Ⅱ）	11 178.2	3 950.7	3 450.5	1 865.4	1 182.3	729.3
特定事業所加算（Ⅲ）	4 509.2	1 582.3	1 391.2	760.3	478.7	296.7
入院時情報連携加算（Ⅰ）	378.0	96.3	106.8	74.5	59.0	41.5
入院時情報連携加算（Ⅱ）	93.2	24.2	26.9	18.1	14.0	10.0
退院・退所加算	259.1	46.1	61.0	57.1	56.1	38.8
小規模多機能型居宅介護事業所連携加算	7.9	2.7	2.4	1.6	0.8	0.4
看護小規模多機能型居宅介護事業所連携加算	1.1	0.3	0.3	0.2	0.2	0.1
緊急時等居宅カンファレンス加算	3.5	0.6	1.0	0.7	0.6	0.6

注：１）事業所からの請求時点の数値を集計している。
２）太枠内は基本算定項目である。
３）各サービスの計は、基本算定項目（太枠内）を計上した値である。
４）*は日数を集計している。
５）短期入所療養介護には、「特定治療」「特別療養費」「特定診療費」を含まない。
６）特定施設入居者生活介護の外部サービス利用型特定施設入居者生活介護には、基本部分の日数を計上していない。
７）総数には、月の途中で要介護から要支援に変更となった者を含む。

統計表第14表　介護サービス（地域密着型サービス）回数・日数・件数，

	総数	要介護１	要介護２	要介護３	要介護４	要介護５
定期巡回・随時対応型訪問介護看護**	237.0	59.9	60.4	45.1	42.7	28.9
定期巡回・随時対応型訪問介護看護(Ⅰ)(1)看護なし**	36.5	10.0	9.9	6.4	6.0	4.2
定期巡回・随時対応型訪問介護看護(Ⅰ)(2)看護あり**	65.7	14.3	15.5	13.3	13.0	9.6
定期巡回・随時対応型訪問介護看護（Ⅱ）**	134.8	35.7	35.0	25.3	23.7	15.1
通所利用減算(1)看護なし**	113.0	30.4	30.7	22.9	19.1	9.9
通所利用減算(2)看護あり**	35.1	8.0	8.7	7.8	6.5	4.2
同一建物減算**	104.5	26.7	27.1	20.1	18.9	11.7
特別地域定期巡回・随時対応型訪問介護看護加算**	2.1	0.6	0.5	0.5	0.3	0.2
中山間地域等における小規模事業所加算**	0.2	0.0	0.0	0.0	0.1	0.0
中山間地域等に居住する者へのサービス提供加算**	0.1	0.0	0.0	0.0	0.0	0.0
緊急時訪問看護加算**	34.0	6.7	7.7	6.8	7.1	5.7
特別管理加算（Ⅰ）**	3.6	0.1	0.3	0.2	1.1	1.9
特別管理加算（Ⅱ）**	2.2	0.3	0.4	0.4	0.6	0.4
ターミナルケア加算**	0.1	0.0	0.0	0.0	0.0	0.1
初期加算**	25.8	6.8	5.9	4.6	5.2	3.3
退院時共同指導加算**	0.3	0.0	0.1	0.1	0.1	0.1
総合マネジメント体制強化加算	215.7	55.5	55.7	40.9	38.2	25.5
サービス提供体制強化加算（Ⅰ）イ**	102.8	26.7	26.1	19.0	18.3	12.6
サービス提供体制強化加算（Ⅰ）ロ**	19.1	4.9	5.3	3.6	3.3	2.0
サービス提供体制強化加算（Ⅱ）**	6.3	1.4	1.4	1.2	1.4	0.9
サービス提供体制強化加算（Ⅲ）**	1.0	0.4	0.2	0.2	0.1	0.1
介護職員処遇改善加算（Ⅰ）**	207.4	53.5	53.7	39.4	36.9	23.9
介護職員処遇改善加算（Ⅱ）**	15.5	3.3	3.8	3.3	2.9	2.3
介護職員処遇改善加算（Ⅲ）**	4.5	1.1	1.0	0.8	1.0	0.8
介護職員処遇改善加算（Ⅳ）**	2.1	0.5	0.6	0.4	0.3	0.3
介護職員処遇改善加算（Ⅴ）**	0.1	0.1	0.0	0.0	0.0	0.0
定期巡回・随時対応型訪問介護看護市町村独自加算**	2.2	0.4	0.5	0.4	0.5	0.5
夜間対応型訪問介護**	118.9	15.7	28.6	23.8	25.2	25.6
夜間対応型訪問介護（Ⅰ）（基本）**	93.0	13.7	25.0	19.2	18.2	16.9
（定期巡回）**	14.0	1.0	1.6	2.3	3.7	5.4
（随時訪問）**	10.4	0.6	1.6	2.1	3.0	3.1
夜間対応型訪問介護（Ⅱ）**	1.5	0.4	0.3	0.2	0.3	0.2
24時間通報対応加算**	63.0	9.6	17.9	13.3	12.1	10.1
サービス提供体制強化加算（Ⅰ）イ**	7.5	0.5	0.9	1.3	1.9	2.9
サービス提供体制強化加算（Ⅰ）ロ**	2.8	0.1	0.5	0.5	0.9	0.7
サービス提供体制強化加算（Ⅱ）イ**	–	–	–	–	–	–
サービス提供体制強化加算（Ⅱ）ロ**	0.1	0.1	0.0	–	–	–
介護職員処遇改善加算（Ⅰ）**	78.3	11.8	21.1	15.9	15.3	14.1
介護職員処遇改善加算（Ⅱ）**	9.0	1.1	2.2	1.9	1.7	2.1
介護職員処遇改善加算（Ⅲ）**	1.4	0.2	0.3	0.3	0.3	0.3
介護職員処遇改善加算（Ⅳ）**	–	–	–	–	–	–
介護職員処遇改善加算（Ⅴ）**	0.0	0.0	0.0	0.0	0.0	–
夜間対応型訪問介護（Ⅰ）市町村独自加算**	4.5	0.6	1.3	1.1	0.9	0.6
夜間対応型訪問介護（Ⅱ）市町村独自加算**	–	–	–	–	–	–
地域密着型通所介護	45 795.4	15 501.7	13 725.5	8 929.5	4 971.4	2 667.1
地域密着型通所介護	45 724.1	15 500.6	13 722.5	8 924.8	4 959.8	2 616.2
療養通所介護	71.3	1.1	3.0	4.7	11.6	50.9
中山間地域等に居住する者へのサービス提供加算	7.0	2.8	2.4	1.1	0.5	0.3
入浴介助加算*	26 180.7	7 630.8	7 951.7	5 725.9	3 199.1	1 673.1
中重度者ケア体制加算*	1 618.6	370.0	427.2	371.9	267.6	182.0
個別機能訓練加算（Ⅰ）*	5 379.2	2 379.6	1 804.8	743.5	330.4	120.9
個別機能訓練加算（Ⅱ）*	11 067.6	4 601.5	3 623.9	1 706.1	790.9	345.1
認知症加算*	710.5	100.9	154.6	192.4	148.8	113.8
若年性認知症利用者受入加算*	32.3	7.5	5.1	8.5	4.0	7.2
栄養改善加算	1.4	0.4	0.4	0.4	0.1	0.1
口腔機能向上加算	217.6	83.9	71.1	35.4	17.4	9.8
個別送迎体制強化加算*	43.3	0.4	1.2	2.6	7.0	32.2
入浴介助体制強化加算*	54.0	0.6	1.9	3.5	9.3	38.7
同一建物減算*	4 513.8	945.1	1 042.2	1 045.3	907.8	573.3
送迎減算*	5 512.8	868.7	1 171.3	1 594.3	1 202.0	676.5
サービス提供体制強化加算（Ⅰ）イ	8 391.7	3 150.2	2 601.2	1 493.2	752.2	394.9
サービス提供体制強化加算（Ⅰ）ロ	1 913.1	670.7	591.2	363.9	187.1	100.2
サービス提供体制強化加算（Ⅱ）	5 673.5	2 003.7	1 742.5	1 071.4	561.3	294.5
サービス提供体制強化加算（Ⅲ）	25.2	0.6	1.5	1.9	4.2	17.0
介護職員処遇改善加算（Ⅰ）**	2 895.0	1 091.2	904.2	496.9	265.5	137.1
介護職員処遇改善加算（Ⅱ）**	832.5	322.4	257.1	140.7	75.3	37.0
介護職員処遇改善加算（Ⅲ）**	574.7	218.5	180.0	98.4	51.0	26.8
介護職員処遇改善加算（Ⅳ）**	51.3	19.4	15.4	9.1	5.0	2.4
介護職員処遇改善加算（Ⅴ）**	42.1	16.1	13.4	7.3	3.7	1.6

サービス種類内容・要介護状態区分別（２－１）

平成29年５月審査分～平成30年４月審査分
（単位：千回（日・件））

	総数	要介護１	要介護２	要介護３	要介護４	要介護５
認知症対応型通所介護	7 205.8	1 526.4	1 747.9	1 938.4	1 134.2	858.9
認知症対応型通所介護（Ⅰ）	6 890.7	1 457.8	1 649.0	1 849.8	1 096.1	838.1
認知症対応型通所介護（Ⅱ）	315.1	68.6	98.9	88.6	38.1	20.8
入浴介助加算*	5 196.9	1 005.7	1 285.5	1 434.8	835.6	635.2
個別機能訓練加算*	2 072.7	470.2	514.5	547.1	314.6	226.3
若年性認知症利用者受入加算*	54.9	9.4	8.2	14.5	9.0	13.8
栄養改善加算	0.7	0.1	0.2	0.1	0.1	0.2
口腔機能向上加算	37.8	7.1	8.9	10.2	6.4	5.2
同一建物減算*	353.3	43.9	58.5	89.0	96.9	64.9
送迎減算	617.2	88.6	117.6	188.4	124.9	97.7
サービス提供体制強化加算（Ⅰ）イ	3 025.8	665.2	742.8	811.2	453.7	353.0
サービス提供体制強化加算（Ⅰ）ロ	640.5	128.7	155.6	173.5	105.5	77.2
サービス提供体制強化加算（Ⅱ）	1 458.8	299.0	363.1	393.4	227.3	176.0
介護職員処遇改善加算（Ⅰ）	533.4	126.2	132.2	134.0	79.1	61.8
介護職員処遇改善加算（Ⅱ）	86.3	21.6	21.2	21.4	12.2	9.9
介護職員処遇改善加算（Ⅲ）	46.7	11.8	12.1	11.2	6.5	5.1
介護職員処遇改善加算（Ⅳ）	3.4	0.9	0.8	0.8	0.5	0.4
介護職員処遇改善加算（Ⅴ）	1.8	0.6	0.4	0.3	0.3	0.1
小規模多機能型居宅介護**	1 133.4	322.6	309.3	242.4	163.6	95.4
小規模多機能型居宅介護**	1 128.8	321.5	308.0	241.3	162.9	95.1
短期利用居宅介護*	4.6	1.1	1.3	1.1	0.7	0.4
中山間地域等に居住する者へのサービス提供加算**	3.0	0.9	0.9	0.7	0.3	0.1
初期加算**	84.6	28.4	21.9	16.5	12.3	5.5
認知症加算（Ⅰ）**	451.5	67.5	98.0	123.1	92.4	70.5
認知症加算（Ⅱ）**	103.6	0.0	103.3	0.1	0.1	0.0
看護職員配置加算（Ⅰ）**	294.0	80.7	79.7	63.4	43.6	26.6
看護職員配置加算（Ⅱ）**	274.6	77.4	73.9	58.6	40.6	24.0
看護職員配置加算（Ⅲ）**	77.7	22.6	20.9	16.7	10.8	6.7
看取り連携体制加算**	0.3	0.0	0.0	0.0	0.1	0.1
訪問体制強化加算**	383.3	105.8	103.9	83.9	55.8	33.9
総合マネジメント体制強化加算**	962.4	276.7	263.2	205.0	137.1	80.2
サービス提供体制強化加算（Ⅰ）イ**	316.5	92.8	88.4	67.0	43.8	24.5
サービス提供体制強化加算（Ⅰ）ロ**	98.5	28.1	26.6	21.6	13.6	8.6
サービス提供体制強化加算（Ⅱ）**	255.5	71.7	68.5	54.9	37.7	22.7
サービス提供体制強化加算（Ⅲ）**	96.2	27.5	25.9	21.0	13.5	8.3
介護職員処遇改善加算（Ⅰ）**	911.1	260.1	249.5	194.8	130.6	76.0
介護職員処遇改善加算（Ⅱ）**	119.6	34.4	32.6	25.6	17.3	9.7
介護職員処遇改善加算（Ⅲ）**	61.9	17.4	16.5	13.6	9.1	5.3
介護職員処遇改善加算（Ⅳ）**	4.7	1.4	1.3	0.9	0.7	0.3
介護職員処遇改善加算（Ⅴ）**	7.3	2.3	2.1	1.6	0.9	0.4
小規模多機能型居宅介護市町村独自加算**	35.9	9.8	8.9	7.6	5.5	4.1
認知症対応型共同生活介護*	70 172.2	13 294.3	17 759.3	18 645.6	12 191.3	8 281.5
認知症対応型共同生活介護（Ⅰ）*	13 573.9	2 415.0	3 393.5	3 705.4	2 375.1	1 684.9
認知症対応型共同生活介護（Ⅱ）*	56 565.4	10 872.3	14 357.4	14 929.7	9 811.5	6 594.4
短期利用認知症対応型共同生活介護（Ⅰ）*	7.3	1.6	2.1	2.3	0.9	0.4
短期利用認知症対応型共同生活介護（Ⅱ）*	25.3	5.4	6.2	8.1	3.8	1.7
夜間支援体制加算（Ⅰ）*	575.9	84.5	144.7	167.2	106.5	72.8
夜間支援体制加算（Ⅱ）*	2 157.0	360.3	523.3	599.9	379.8	293.7
認知症行動・心理症状緊急対応加算*	0.2	0.0	0.1	0.0	0.0	0.0
若年性認知症利用者受入加算*	283.8	63.6	60.1	76.5	35.8	47.7
看取り介護加算（死亡日以前4日以上）*	92.1	3.2	7.1	14.2	23.8	43.8
看取り介護加算（死亡前日・前々日）*	9.2	0.3	0.7	1.5	2.5	4.1
看取り介護加算（死亡日）*	4.7	0.2	0.4	0.8	1.3	2.1
初期加算*	1 718.2	532.7	522.4	407.1	191.4	64.6
医療連携体制加算*	57 115.4	10 617.1	14 278.3	15 123.9	10 090.5	7 005.6
退居時相談援助加算	0.1	0.0	0.0	0.0	0.0	0.0
認知症専門ケア加算（Ⅰ）*	11 853.8	1 319.5	2 489.7	3 484.7	2 546.0	2 013.8
認知症専門ケア加算（Ⅱ）*	740.2	75.3	151.3	208.1	157.4	148.1
サービス提供体制強化加算（Ⅰ）イ*	11 907.7	2 124.8	3 082.5	3 278.8	2 024.6	1 397.1
サービス提供体制強化加算（Ⅰ）ロ*	6 871.8	1 273.6	1 775.3	1 810.0	1 167.7	845.3
サービス提供体制強化加算（Ⅱ）*	17 325.6	3 309.8	4 371.0	4 574.3	3 068.9	2 001.6
サービス提供体制強化加算（Ⅲ）*	16 479.3	3 089.5	4 035.8	4 341.2	2 911.5	2 101.3
介護職員処遇改善加算（Ⅰ）	1 895.3	359.1	480.0	503.6	328.7	223.9
介護職員処遇改善加算（Ⅱ）	241.2	45.4	59.2	63.6	43.7	29.3
介護職員処遇改善加算（Ⅲ）	165.3	31.7	41.7	43.7	28.4	19.8
介護職員処遇改善加算（Ⅳ）	14.4	2.8	3.2	3.9	2.7	1.8
介護職員処遇改善加算（Ⅴ）	19.1	3.8	4.9	5.0	3.6	1.8
地域密着型特定施設入居者生活介護*	2 530.0	461.1	636.1	529.8	538.3	364.7
地域密着型特定施設入居者生活介護*	2 526.0	460.1	634.7	529.0	537.9	364.2
短期利用地域密着型特定施設入居者生活介護*	4.0	0.9	1.4	0.8	0.4	0.4
個別機能訓練加算*	491.6	69.6	115.5	101.1	121.9	83.5

注：１）事業所からの請求時点の数値を集計している。
　　２）太枠内は基本算定項目である。
　　３）各サービスの計は、基本算定項目（太枠内）を計上した値である。
　　４）*は日数、**は件数を集計している。
　　５）総数には、月の途中で要介護から要支援に変更となった者を含む。

統計表第14表　介護サービス（地域密着型サービス）回数・日数・件数,

	総数	要介護１	要介護２	要介護３	要介護４	要介護５
夜間看護体制加算*	1 319.8	225.8	320.1	274.7	296.9	202.2
医療機関連携加算	52.8	9.2	12.8	10.7	11.8	8.3
看取り介護加算（死亡日以前４日以上）*	3.2	0.1	0.5	0.4	1.0	1.3
看取り介護加算（死亡前日・前々日）*	0.4	0.0	0.1	0.1	0.1	0.2
看取り介護加算（死亡日）*	0.2	0.0	0.0	0.0	0.1	0.1
認知症専門ケア加算（Ⅰ）*	67.8	7.8	10.6	13.1	16.4	19.9
認知症専門ケア加算（Ⅱ）*	4.2	0.5	0.6	1.1	1.6	0.4
サービス提供体制強化加算（Ⅰ）イ*	666.9	134.6	174.5	132.5	128.1	97.2
サービス提供体制強化加算（Ⅰ）ロ*	260.4	50.2	66.7	56.5	51.4	35.6
サービス提供体制強化加算（Ⅱ）*	518.7	86.7	130.5	113.2	118.0	70.2
サービス提供体制強化加算（Ⅲ）*	339.5	60.5	81.5	66.2	77.3	54.0
介護職員処遇改善加算（Ⅰ）	68.7	13.0	17.1	14.3	14.4	9.8
介護職員処遇改善加算（Ⅱ）	10.3	1.5	2.6	2.2	2.4	1.7
介護職員処遇改善加算（Ⅲ）	5.9	0.9	1.4	1.4	1.4	0.9
介護職員処遇改善加算（Ⅳ）	0.3	0.1	0.1	0.0	0.0	0.0
介護職員処遇改善加算（Ⅴ）	0.4	0.0	0.1	0.1	0.1	0.1
地域密着型介護老人福祉施設入所者生活介護*	19 143.3	294.6	918.0	4 744.2	7 170.8	6 015.7
地域密着型介護老人福祉施設入所者生活介護*	1 547.4	17.5	58.5	334.7	602.6	534.0
ユニット型地域密着型介護老人福祉施設入所者生活介護*	17 487.7	275.4	854.6	4 385.0	6 522.7	5 450.0
経過的地域密着型介護老人福祉施設入所者生活介護*	66.2	0.1	3.2	11.6	29.5	21.9
旧措置入所者経過的地域密着型介護老人福祉施設入所者生活介護*	–	–	–	–	–	–
ユニット型経過的地域密着型介護老人福祉施設入所者生活介護*	41.0	1.4	1.1	12.9	15.7	9.9
ユニット型旧措置入所者経過的地域密着型介護老人福祉施設入所者生活介護*	1.1	0.2	0.5	–	0.4	–
日常生活継続支援加算（Ⅰ）*	983.6	9.5	33.4	190.3	387.4	363.0
日常生活継続支援加算（Ⅱ）*	10 283.0	124.3	429.5	2 229.2	3 945.4	3 554.6
看護体制加算（Ⅰ）イ*	13 321.7	203.3	620.5	3 242.4	5 020.5	4 235.0
看護体制加算（Ⅰ）ロ*	60.2	1.5	2.3	13.6	25.4	17.4
看護体制加算（Ⅱ）イ*	9 011.2	124.9	393.2	2 086.9	3 420.8	2 985.4
看護体制加算（Ⅱ）ロ*	20.4	0.8	0.8	4.6	8.7	5.5
夜勤職員配置加算（Ⅰ）イ*	540.3	5.7	20.3	104.3	209.7	200.3
夜勤職員配置加算（Ⅰ）ロ*	26.6	0.1	1.9	2.7	12.6	9.3
夜勤職員配置加算（Ⅱ）イ*	9 778.3	142.2	467.9	2 376.3	3 627.3	3 164.6
夜勤職員配置加算（Ⅱ）ロ*	22.2	1.1	0.7	9.0	5.6	5.7
準ユニットケア加算*	39.1	1.0	1.3	9.5	12.8	14.5
個別機能訓練加算*	4 636.7	64.1	194.6	1 088.9	1 760.5	1 528.6
若年性認知症入所者受入加算*	18.7	0.2	0.2	2.6	5.5	10.2
常勤医師配置加算*	60.1	1.1	2.3	15.6	19.4	21.7
精神科医療養指導加算*	2 211.1	37.4	108.2	534.1	826.4	705.1
障害者生活支援体制加算*	14.5	–	0.7	2.8	7.1	3.9
身体拘束廃止未実施減算*	38.8	0.2	2.4	8.8	17.0	10.4
外泊時費用*	154.6	1.6	5.6	35.4	59.2	52.8
初期加算*	577.3	2.9	9.1	176.4	239.1	149.7
退所前訪問相談援助加算	0.0	0.0	0.0	0.0	0.0	0.0
退所後訪問相談援助加算	0.0	0.0	–	0.0	0.0	0.0
退所時相談援助加算	0.0	0.0	0.0	0.0	0.0	0.0
退所前連携加算	0.0	0.0	0.0	0.0	0.0	0.0
栄養マネジメント加算*	11 455.0	164.1	509.6	2 772.4	4 311.3	3 697.5
経口移行加算*	6.9	–	–	0.2	1.4	5.4
経口維持加算（Ⅰ）*	28.7	0.1	0.3	3.1	9.6	15.7
経口維持加算（Ⅱ）*	16.2	0.1	0.2	1.8	5.5	8.6
口腔衛生管理体制加算	255.8	3.7	11.8	60.9	96.4	83.1
口腔衛生管理加算	36.1	0.3	1.3	7.8	13.5	13.1
療養食加算*	1 570.2	27.7	88.2	398.7	608.9	446.6
看取り介護加算（死亡日以前4日以上）*	45.1	0.1	0.4	4.9	14.0	25.6
看取り介護加算（死亡前日・前々日）*	5.1	0.0	0.0	0.6	1.7	2.8
看取り介護加算（死亡日）*	2.6	0.0	0.0	0.3	0.9	1.4
在宅復帰支援機能加算*	–	–	–	–	–	–
在宅・入所相互利用加算*	1.5	0.2	0.3	0.4	0.4	0.3
小規模拠点集合型施設加算*	1.2	–	0.7	–	0.1	0.4
認知症専門ケア加算（Ⅰ）*	923.2	6.0	28.3	192.1	334.4	362.3
認知症専門ケア加算（Ⅱ）*	174.8	0.7	3.6	33.2	65.3	72.0
認知症行動・心理症状緊急対応加算*	–	–	–	–	–	–
サービス提供体制強化加算（Ⅰ）イ*	2 065.2	51.4	134.4	605.5	736.9	537.0
サービス提供体制強化加算（Ⅰ）ロ*	850.0	15.2	53.2	239.8	311.1	230.7
サービス提供体制強化加算（Ⅱ）*	2 086.5	47.6	140.3	576.9	753.8	568.0
サービス提供体制強化加算（Ⅲ）*	325.2	7.2	24.4	94.7	107.2	91.8
介護職員処遇改善加算（Ⅰ）	528.6	8.0	24.4	130.6	198.4	167.2
介護職員処遇改善加算（Ⅱ）	88.4	1.2	4.1	21.9	33.1	28.2
介護職員処遇改善加算（Ⅲ）	28.3	0.5	1.7	7.2	10.4	8.5
介護職員処遇改善加算（Ⅳ）	1.8	0.0	0.1	0.4	0.6	0.6
介護職員処遇改善加算（Ⅴ）	4.9	0.1	0.2	1.2	2.1	1.3

サービス種類内容・要介護状態区分別（２－２）

平成29年５月審査分～平成30年４月審査分
（単位：千回（日・件））

	総数	要介護１	要介護２	要介護３	要介護４	要介護５
複合型サービス（看護小規模多機能型居宅介護）**	96.0	15.8	20.9	19.7	19.8	19.9
看護小規模多機能型居宅介護**	94.6	15.6	20.6	19.4	19.5	19.6
短期利用居宅介護*	1.4	0.3	0.3	0.3	0.3	0.3
訪問看護体制減算**	4.1	0.7	1.1	0.8	0.8	0.6
医療訪問看護減算**	4.7	0.3	0.7	0.6	1.2	2.0
訪問看護特別指示減算**	2.0	0.1	0.2	0.2	0.5	1.0
初期加算**	12.0	2.2	2.5	2.2	2.7	2.4
認知症加算（Ⅰ）**	40.1	3.1	5.5	8.7	9.7	13.2
認知症加算（Ⅱ）**	6.5	-	6.5	0.0	0.0	0.0
退院時共同指導加算**	0.9	0.1	0.1	0.2	0.2	0.3
事業開始時支援加算**	9.6	1.7	2.0	1.8	2.1	2.0
緊急時訪問看護加算**	40.6	5.9	8.2	7.9	8.6	10.0
特別管理加算（Ⅰ）**	8.9	0.2	0.5	0.7	2.2	5.4
特別管理加算（Ⅱ）**	5.3	0.6	1.1	1.0	1.1	1.5
ターミナルケア加算**	0.4	0.0	0.0	0.1	0.1	0.2
訪問看護体制強化加算	17.7	1.8	3.0	3.1	4.1	5.8
総合マネジメント体制強化加算	85.1	13.8	18.5	17.6	17.4	17.8
サービス提供体制強化加算（Ⅰ）イ**	33.6	5.6	7.2	6.7	6.8	7.4
サービス提供体制強化加算（Ⅰ）ロ**	5.8	0.8	1.2	1.3	1.2	1.2
サービス提供体制強化加算（Ⅱ）**	14.3	2.3	3.1	3.0	3.2	2.7
サービス提供体制強化加算（Ⅲ）**	2.0	0.4	0.4	0.4	0.4	0.3
介護職員処遇改善加算（Ⅰ）**	78.8	12.9	17.3	16.2	16.4	16.0
介護職員処遇改善加算（Ⅱ）**	6.6	1.2	1.4	1.4	1.3	1.3
介護職員処遇改善加算（Ⅲ）**	3.7	0.6	0.8	0.8	0.7	0.8
介護職員処遇改善加算（Ⅳ）**	0.3	0.0	0.1	0.0	0.1	0.1
介護職員処遇改善加算（Ⅴ）**	1.3	0.1	0.3	0.2	0.3	0.3
看護小規模多機能型居宅介護市町村独自加算**	0.5	0.0	0.1	0.1	0.1	0.2

注：１）事業所からの請求時点の数値を集計している。
２）太枠内は基本算定項目である。
３）各サービスの計は、基本算定項目（太枠内）を計上した値である。
４）*は日数、**は件数を集計している。
５）総数には、月の途中で要介護から要支援に変更となった者を含む。

	総数	要介護１	要介護２	要介護３	要介護４	要介護５
介護福祉施設サービス ＊	186 185.7	3 233.2	9 367.7	44 320.6	68 512.1	60 752.1
介護福祉施設*	111 475.1	1 736.4	5 029.9	24 801.1	41 336.1	38 571.5
小規模介護福祉施設*	2 279.4	30.5	87.5	503.0	864.4	793.9
ユニット型介護福祉施設*	68 177.4	1 367.1	3 971.3	18 011.2	24 837.0	19 990.9
ユニット型小規模介護福祉施設*	2 887.4	61.4	177.4	755.2	1 039.4	854.1
旧措置介護福祉施設*	1 179.6	30.5	86.6	211.3	380.2	471.0
小規模旧措置介護福祉施設*	20.9	1.0	1.0	2.7	7.5	8.7
ユニット型旧措置介護福祉施設*	159.1	6.4	13.9	35.1	44.8	58.9
ユニット型小規模旧措置介護福祉施設*	6.8	−	0.1	1.0	2.6	3.2
日常生活継続支援加算（Ⅰ）*	87 630.8	1 149.1	3 470.9	18 244.0	32 803.0	31 963.8
日常生活継続支援加算（Ⅱ）*	47 928.6	812.5	2 517.2	11 490.2	17 761.6	15 347.2
看護体制加算（Ⅰ）イ*	32 012.3	446.0	1 301.4	6 935.5	12 062.9	11 266.5
看護体制加算（Ⅰ）ロ*	131 609.4	2 327.5	6 826.6	31 781.6	48 200.7	42 473.1
看護体制加算（Ⅱ）イ*	21 801.8	271.8	823.5	4 517.7	8 263.0	7 925.9
看護体制加算（Ⅱ）ロ*	84 174.2	1 444.8	4 253.5	19 822.3	30 890.8	27 762.7
夜勤職員配置加算（Ⅰ）イ*	20 854.9	260.8	791.7	4 261.7	7 884.4	7 656.4
夜勤職員配置加算（Ⅰ）ロ*	76 944.0	1 242.5	3 565.5	17 284.2	28 370.8	26 481.0
夜勤職員配置加算（Ⅱ）イ*	9 586.3	168.3	459.7	2 305.1	3 566.2	3 086.9
夜勤職員配置加算（Ⅱ）ロ*	50 631.3	1 046.2	3 081.4	13 386.4	18 361.0	14 756.4
準ユニットケア加算*	830.5	14.4	39.8	201.6	294.6	280.1
個別機能訓練加算*	97 862.5	1 644.5	4 798.2	22 809.6	36 236.1	32 374.0
若年性認知症入所者受入加算*	127.1	0.0	4.4	23.6	33.2	65.8
常勤医師配置加算*	4 322.0	60.2	203.2	999.5	1 551.4	1 507.7
精神科医療養指導加算*	57 042.2	983.9	2 865.7	13 394.4	20 773.5	19 024.7
障害者生活支援体制加算*	976.5	13.8	40.3	220.8	356.3	345.3
身体拘束廃止未実施減算*	134.8	2.8	7.0	33.5	51.6	40.0
外泊時費用*	1 517.6	18.5	57.6	325.0	573.3	543.3
初期加算*	4 652.4	32.8	87.6	1 277.4	1 913.1	1 341.5
退所前訪問相談援助加算	0.1	0.0	0.0	0.0	0.0	0.0
退所後訪問相談援助加算	0.0	0.0	0.0	0.0	0.0	0.0
退所時相談援助加算	0.1	0.0	0.0	0.0	0.0	0.0
退所前連携加算	0.2	0.0	0.0	0.1	0.1	0.0
栄養マネジメント加算*	162 708.3	2 813.8	8 197.2	38 783.4	59 714.0	53 199.8
経口移行加算*	76.5	−	0.3	1.1	16.9	58.2
経口維持加算（Ⅰ）*	394.5	1.3	5.5	46.3	125.0	216.4
経口維持加算（Ⅱ）*	234.6	0.9	3.7	29.2	76.8	124.0
口腔衛生管理体制加算	3 664.4	59.5	177.3	860.1	1 352.6	1 214.9
口腔衛生管理加算	378.8	4.9	15.7	79.1	140.1	138.8
療養食加算*	18 120.2	388.6	1 131.4	4 801.6	7 070.4	4 728.1
看取り介護加算（死亡日以前4日以上）*	521.0	1.6	6.1	51.2	169.9	292.1
看取り介護加算（死亡前日・前々日）*	62.6	0.2	0.8	6.8	21.2	33.6
看取り介護加算（死亡日）*	32.7	0.1	0.4	3.6	11.1	17.5
在宅復帰支援機能加算*	21.4	0.6	0.7	4.6	9.7	5.8
在宅・入所相互利用加算*	8.8	0.4	0.4	4.0	2.6	1.4
認知症専門ケア加算（Ⅰ）*	3 948.0	21.9	96.8	733.5	1 448.0	1 647.8
認知症専門ケア加算（Ⅱ）*	1 227.6	7.3	36.6	237.8	445.8	500.0
認知症行動・心理症状緊急対応加算*	0.1	0.0	−	0.0	0.0	0.0
サービス提供体制強化加算（Ⅰ）イ*	12 256.6	336.9	887.8	3 605.7	4 221.5	3 204.7
サービス提供体制強化加算（Ⅰ）ロ*	6 334.6	179.9	483.9	1 782.0	2 223.9	1 665.0
サービス提供体制強化加算（Ⅱ）*	14 553.4	378.7	973.2	4 116.3	5 234.1	3 851.0
サービス提供体制強化加算（Ⅲ）*	8 210.0	184.7	522.1	2 162.2	2 936.3	2 404.6
介護職員処遇改善加算（Ⅰ）	5 179.1	87.0	252.5	1 224.9	1 914.6	1 700.1
介護職員処遇改善加算（Ⅱ）	748.5	12.9	38.5	180.6	273.6	242.8
介護職員処遇改善加算（Ⅲ）	332.9	6.4	17.3	80.3	122.0	106.9
介護職員処遇改善加算（Ⅳ）	25.7	0.5	1.1	6.4	9.5	8.3
介護職員処遇改善加算（Ⅴ）	30.8	0.6	1.5	6.8	10.9	11.0

サービス種類内容・要介護状態区分別（２－１）

平成29年５月審査分～平成30年４月審査分
（単位：千回（日））

	総数	要介護１	要介護２	要介護３	要介護４	要介護５
介護保健施設サービス*	121 908.0	13 976.7	22 885.7	29 733.6	32 857.7	22 454.2
介護保健施設 （Ⅰ）従来型*	95 241.0	11 135.5	18 210.4	23 627.5	25 381.7	16 885.7
（Ⅰ）在宅強化型*	14 896.7	1 515.8	2 582.9	3 648.5	4 274.7	2 874.8
（Ⅱ）療養型*	1 297.1	76.6	127.0	204.7	447.6	441.3
（Ⅱ）療養強化型*	1 533.7	33.3	61.8	155.9	524.1	758.7
（Ⅲ）療養型*	180.3	11.8	16.5	23.9	55.6	72.5
（Ⅲ）療養強化型*	109.7	0.8	3.2	11.2	44.6	49.8
ユニット型介護保健施設 （Ⅰ）従来型*	7 442.1	1 068.7	1 669.1	1 788.3	1 797.9	1 118.2
（Ⅰ）在宅強化型*	979.4	112.7	182.3	233.7	274.3	176.4
（Ⅱ）療養型*	163.6	18.0	26.2	30.6	41.5	47.3
（Ⅱ）療養強化型*	54.5	3.4	4.9	6.9	12.6	26.7
（Ⅲ）療養型*	10.0	0.2	1.7	2.3	3.0	2.8
（Ⅲ）療養強化型*	－	－	－	－	－	－
夜勤職員配置加算*	105 154.4	11 995.1	19 634.3	25 705.0	28 431.7	19 388.1
短期集中リハビリテーション実施加算*	10 152.0	1 340.2	2 051.8	2 536.4	2 742.1	1 481.5
認知症短期集中リハビリテーション実施加算*	2 155.2	310.4	470.1	566.2	562.8	245.7
認知症ケア加算*	15 936.7	1 044.1	2 330.7	4 301.5	4 742.9	3 517.4
若年性認知症入所者受入加算*	72.4	5.5	11.9	18.4	17.0	19.6
在宅復帰・在宅療養支援機能加算*	29 746.6	3 414.7	5 666.4	7 398.5	8 122.3	5 144.6
身体拘束廃止未実施減算*	205.2	18.9	29.3	48.5	56.1	52.4
外泊時費用*	122.7	26.0	34.7	31.5	22.1	8.4
ターミナルケア加算（死亡日以前４日以上）*	350.0	7.0	20.3	48.7	115.6	158.5
ターミナルケア加算（死亡前日・前々日）*	39.6	1.0	2.6	6.0	13.2	16.7
ターミナルケア加算（死亡日）*	20.7	0.6	1.4	3.2	7.0	8.6
療養体制維持特別加算*	1 777.5	57.0	98.8	199.3	614.1	808.2
初期加算*	7 288.0	1 003.9	1 492.4	1 784.3	1 899.5	1 107.9
入所前後訪問指導加算（Ⅰ）	13.0	2.3	3.2	3.4	3.0	1.3
入所前後訪問指導加算（Ⅱ）	10.8	1.8	2.6	2.7	2.6	1.1
退所前訪問指導加算	29.0	4.5	7.4	7.6	6.8	2.6
退所後訪問指導加算	16.9	2.8	4.4	4.3	3.6	1.6
退所時指導加算	88.9	14.9	23.1	22.7	19.5	8.7
退所時情報提供加算	93.9	16.0	24.3	23.8	20.7	9.2
退所前連携加算	86.1	14.2	22.4	22.0	18.9	8.5
老人訪問看護指示加算	3.2	0.3	0.6	0.7	0.9	0.8
栄養マネジメント加算*	115 202.8	13 198.2	21 607.8	28 192.9	31 081.1	21 122.6
経口移行加算*	208.1	0.9	1.5	9.1	54.5	142.1
経口維持加算（Ⅰ）*	397.3	12.8	31.1	73.3	132.5	147.6
経口維持加算（Ⅱ）*	277.5	10.0	23.8	53.4	93.7	96.6
口腔衛生管理体制加算	2 575.4	290.8	482.3	630.4	700.6	471.3
口腔衛生管理加算	360.8	35.4	58.9	82.9	103.5	80.3
療養食加算*	32 554.8	3 933.0	6 584.1	8 614.8	8 871.3	4 551.7
在宅復帰支援機能加算*	132.8	7.6	12.4	18.5	43.7	50.6
緊急時治療管理*	30.6	1.7	3.3	6.1	9.7	9.8
所定疾患施設療養費*	691.8	33.4	71.9	136.0	229.6	220.8
認知症専門ケア加算（Ⅰ）*	1 643.9	104.1	220.6	364.9	510.1	444.2
認知症専門ケア加算（Ⅱ）*	638.1	36.3	78.5	162.3	203.6	157.5
認知症行動・心理症状緊急対応加算*	0.3	0.0	0.1	0.1	0.0	0.0
認知症情報提供加算	0.0	0.0	0.0	0.0	0.0	0.0
地域連携診療計画情報提供加算	0.5	0.0	0.1	0.1	0.2	0.1
サービス提供体制強化加算（Ⅰ）イ*	79 746.7	9 068.7	14 958.8	19 470.6	21 393.6	14 855.0
サービス提供体制強化加算（Ⅰ）ロ*	15 157.7	1 717.8	2 875.2	3 768.0	4 104.3	2 692.3
サービス提供体制強化加算（Ⅱ）*	16 327.1	1 964.5	3 086.4	3 933.3	4 400.3	2 942.6
サービス提供体制強化加算（Ⅲ）*	7 756.9	889.0	1 408.2	1 843.2	2 138.2	1 478.4
介護職員処遇改善加算（Ⅰ）	3 116.7	357.5	590.9	768.7	842.4	557.1
介護職員処遇改善加算（Ⅱ）	574.8	65.7	107.4	136.8	156.7	108.3
介護職員処遇改善加算（Ⅲ）	349.5	39.5	63.3	82.2	93.8	70.7
介護職員処遇改善加算（Ⅳ）	45.5	6.1	7.9	10.7	11.6	9.3
介護職員処遇改善加算（Ⅴ）	47.6	5.7	9.0	11.6	12.5	8.8

注：１）事業所からの請求時点の数値を集計している。
２）太枠内は基本算定項目である。
３）各サービスの計は、基本算定項目（太枠内）を計上した値である。
４）*は日数を集計している。
５）介護保健施設サービス及び介護療養施設サービスには、「特定治療」「特別療養費」「特定診療費」を含まない。
６）総数には、月の途中で要介護から要支援に変更となった者を含む。

統計表第15表　介護サービス（施設サービス）回数・日数，サービス種類内容・要介護状態区分別（2－2）

平成29年５月審査分～平成30年４月審査分
（単位：千回（日））

	総数	要介護１	要介護２	要介護３	要介護４	要介護５
介護療養施設サービス*	17 415.6	193.2	440.6	1 438.9	6 187.5	9 155.3
療養型*	15 923.0	147.0	350.6	1 230.8	5 707.0	8 487.4
療養型経過型*	30.1	0.1	1.4	1.1	13.9	13.6
ユニット型療養型*	63.6	0.4	1.3	6.1	24.5	31.3
ユニット型療養型経過型*	－	－	－	－	－	－
診療所型*	679.6	23.3	42.9	78.7	219.3	315.5
ユニット型診療所型*	－	－	－	－	－	－
認知症疾患型*	698.2	22.3	43.6	119.6	215.4	297.3
認知症疾患型経過型*	－	－	－	－	－	－
ユニット型認知症疾患型*	20.7	0.1	0.9	2.7	7.3	9.8
病院療養病床療養環境減算（病院のみ）*	3 210.5	17.1	45.6	186.6	1 134.2	1 827.0
病院療養病床療養環境減算（Ⅲ）（病院のみ）*	62.8	1.6	3.8	8.0	23.4	26.0
医師配置減算（病院のみ）*	642.0	7.2	15.7	41.6	210.8	366.5
診療所療養病床設備基準減算（診療所のみ）*	198.5	7.3	14.7	22.9	63.3	90.3
診療所療養病床療養環境減算（Ⅱ）（診療所のみ）*	－	－	－	－	－	－
若年性認知症患者受入加算*	7.5	0.1	0.8	0.6	2.3	3.8
身体拘束廃止未実施減算*	55.8	0.1	0.4	2.1	16.9	36.3
外泊時費用*	3.0	0.3	0.5	0.7	0.8	0.6
療養経過型試行的退院サービス費*	－	－	－	－	－	－
他科受診時費用*	13.0	0.4	0.8	2.0	4.2	5.6
初期加算*	585.1	15.7	29.1	71.9	206.4	261.9
退院前訪問指導加算	0.3	0.0	0.0	0.1	0.1	0.0
退院後訪問指導加算	0.1	0.0	0.0	0.0	0.0	0.0
退院時指導加算	1.0	0.1	0.1	0.2	0.3	0.2
退院時情報提供加算	1.5	0.1	0.1	0.2	0.6	0.5
退院前連携加算	0.8	0.1	0.1	0.2	0.3	0.2
老人訪問看護指示加算	0.2	0.0	0.0	0.0	0.0	0.1
栄養マネジメント加算*	15 855.5	161.6	377.7	1 303.1	5 680.0	8 333.1
経口移行加算*	89.8	0.0	0.0	1.7	22.1	65.9
経口維持加算（Ⅰ）*	45.1	0.3	0.8	3.8	14.4	25.7
経口維持加算（Ⅱ）*	28.2	0.2	0.6	2.4	9.1	16.0
口腔衛生管理体制加算	267.6	3.2	7.0	23.2	94.4	139.8
口腔衛生管理加算	43.2	0.4	0.8	3.3	15.2	23.4
療養食加算*	4 225.9	69.8	153.9	464.3	1 594.1	1 943.8
在宅復帰支援機能加算*	143.4	1.8	5.7	17.8	56.8	61.4
認知症専門ケア加算（Ⅰ）*	209.0	1.5	5.3	20.0	80.3	101.8
認知症専門ケア加算（Ⅱ）*	2.3	－	－	－	0.5	1.7
認知症行動・心理症状緊急対応加算*	0.2	0.0	0.0	0.0	0.1	0.1
サービス提供体制強化加算（Ⅰ）イ*	6 834.4	53.4	149.9	579.1	2 489.0	3 563.0
サービス提供体制強化加算（Ⅰ）ロ*	2 468.6	31.3	70.6	232.1	850.4	1 284.2
サービス提供体制強化加算（Ⅱ）*	4 639.9	63.8	118.9	377.8	1 670.5	2 408.9
サービス提供体制強化加算（Ⅲ）*	2 999.2	36.6	86.1	219.2	1 021.6	1 635.7
介護職員処遇改善加算（Ⅰ）	258.3	3.0	6.6	22.6	92.0	134.2
介護職員処遇改善加算（Ⅱ）	79.6	1.2	2.6	7.8	27.9	40.1
介護職員処遇改善加算（Ⅲ）	76.6	0.6	1.8	5.8	27.2	41.1
介護職員処遇改善加算（Ⅳ）	6.8	0.0	0.1	0.4	2.4	3.9
介護職員処遇改善加算（Ⅴ）	16.6	0.3	0.6	1.9	5.5	8.4

注：１）事業所からの請求時点の数値を集計している。
２）太枠内は基本算定項目である。
３）各サービスの計は、基本算定項目（太枠内）を計上した値である。
４）*は日数を集計している。
５）介護保健施設サービス及び介護療養施設サービスには、「特定治療」「特別療養費」「特定診療費」を含まない。
６）総数には、月の途中で要介護から要支援に変更となった者を含む。

統計表第16表　訪問介護単位数，内容類型・所要時間・要介護状態区分別

平成29年５月審査分～平成30年４月審査分
（単位：千単位）

				総　数	要介護１	要介護２	要介護３	要介護４	要介護５
総数				76 391 937	12 467 714	16 070 923	15 249 444	15 954 475	16 649 182
身体介護			20分未満	8 777 107	650 017	1 289 384	2 088 006	2 618 604	2 131 067
			20分以上　～30分未満	25 037 624	1 561 117	3 048 091	5 206 957	7 277 875	7 943 544
			30分　～１時間	11 312 250	1 962 367	2 431 743	1 888 114	1 986 689	3 043 319
			１時間　～１時間30分	1 354 980	205 089	302 639	225 271	204 635	417 346
			１時間30分　～２時間	333 660	49 484	69 427	49 300	40 305	125 145
			２時間　～２時間30分	75 652	14 927	18 875	11 142	9 662	21 047
			２時間30分　～３時間	59 700	11 207	13 347	7 846	6 103	21 196
			３時間　～３時間30分	24 605	5 597	6 767	3 691	2 597	5 953
			３時間30分　～４時間	19 687	3 973	4 508	2 564	1 947	6 696
			４時間以上	24 295	4 749	6 152	3 202	2 866	7 327
身体介護	20分以上～30分未満	生活援助	20分以上　～45分未満	7 093 518	1 294 432	1 571 610	1 599 455	1 432 357	1 195 652
			45分　～70分	3 005 477	672 432	879 366	635 479	470 642	347 548
			70分以上	894 968	198 103	293 726	193 361	121 958	87 819
	30分以上～１時間未満		20分以上　～45分未満	2 325 476	490 004	640 536	431 503	344 541	418 884
			45分　～70分	1 479 663	266 790	464 020	315 218	215 879	217 753
			70分以上	453 321	76 363	146 625	107 902	63 191	59 238
	１時間以上～１時間30分未満		20分以上　～45分未満	307 703	37 748	74 739	62 111	48 460	84 646
			45分　～70分	165 840	19 349	42 979	36 721	27 246	39 544
			70分以上	111 307	10 146	28 373	28 906	20 869	23 014
	１時間30分以上～２時間未満		20分以上　～45分未満	37 307	5 357	7 792	5 980	5 775	12 403
			45分　～70分	37 292	4 027	7 756	6 414	6 499	12 596
			70分以上	23 539	1 953	4 733	4 346	4 104	8 402
	２時間以上～２時間30分未満		20分以上　～45分未満	19 252	1 515	2 426	1 960	5 591	7 760
			45分　～70分	9 543	1 025	1 997	2 163	930	3 428
			70分以上	9 068	729	956	1 100	952	5 331
	２時間30分以上～３時間未満		20分以上　～45分未満	5 194	871	1 184	963	472	1 704
			45分　～70分	5 582	663	1 175	1 112	598	2 033
			70分以上	4 007	277	609	658	618	1 845
	３時間以上～３時間30分未満		20分以上　～45分未満	2 375	435	595	458	268	620
			45分　～70分	2 361	362	527	452	213	807
			70分以上	2 318	116	173	222	189	1 618
	３時間30分以上～４時間未満		20分以上　～45分未満	2 206	266	370	334	193	1 044
			45分　～70分	1 583	245	421	267	203	448
			70分以上	1 642	88	133	235	77	1 109
	４時間以上		20分以上　～45分未満	1 621	258	481	297	176	409
			45分　～70分	2 520	259	397	284	239	1 341
			70分以上	3 508	144	135	292	305	2 632
生活援助			20分以上　～45分未満	3 422 923	1 050 488	1 165 286	720 005	344 774	142 353
			45分以上	9 941 261	3 864 742	3 540 870	1 605 155	685 874	244 561

注：１）事業所からの請求時点の数値を集計している。
　　２）基本算定項目のうち、所要時間別区分が可能なものについて集計している。
　　３）総数には、月の途中で要介護から要支援に変更となった者を含む。

統計表第17表　訪問介護回数，内容類型・所要時間・要介護状態区分別

平成29年５月審査分～平成30年４月審査分
（単位：千回）

				総　数	要介護１	要介護２	要介護３	要介護４	要介護５
総数				274 305.0	45 380.1	57 607.1	55 824.9	58 533.5	56 958.5
身体介護			20分未満	45 848.1	3 566.5	6 953.1	10 976.0	13 546.2	10 806.2
			20分以上　～30分未満	94 908.1	6 108.7	11 799.0	19 857.6	27 463.9	29 678.8
			30分　～１時間	28 018.4	5 032.2	6 181.9	4 749.6	4 859.0	7 195.6
			１時間　～１時間30分	2 284.3	352.0	518.6	383.7	345.5	684.5
			１時間30分　～２時間	490.8	74.6	104.3	73.9	59.6	178.4
			２時間　～２時間30分	100.1	20.0	25.2	14.9	12.7	27.4
			２時間30分　～３時間	71.3	13.5	16.1	9.5	7.3	24.9
			３時間　～３時間30分	26.7	6.1	7.4	4.0	2.8	6.3
			３時間30分　～４時間	19.6	4.0	4.5	2.6	2.0	6.5
			４時間以上	19.7	3.9	5.1	2.7	2.4	5.6
身体介護	20分以上～30分未満	生活援助	20分以上　～45分未満	22 099.9	4 033.3	4 900.1	4 980.1	4 463.2	3 723.2
			45分　～70分	7 689.0	1 715.9	2 247.8	1 625.0	1 208.0	892.2
			70分以上	1 944.5	429.1	637.7	421.2	265.4	191.0
	30分以上～１時間未満		20分以上　～45分未満	5 015.0	1 064.4	1 386.4	933.8	742.4	888.1
			45分　～70分	2 769.0	500.1	869.0	590.8	404.9	404.1
			70分以上	747.9	126.1	242.1	178.0	104.3	97.4
	１時間以上～１時間30分未満		20分以上　～45分未満	470.6	58.1	115.0	95.6	74.4	127.5
			45分　～70分	230.2	26.8	59.8	51.1	37.7	54.7
			70分以上	140.7	12.8	36.0	36.7	26.2	29.0
	１時間30分以上～２時間未満		20分以上　～45分未満	50.5	7.3	10.7	8.0	7.9	16.6
			45分　～70分	46.2	5.0	9.7	8.0	8.1	15.5
			70分以上	27.0	2.2	5.4	5.0	4.8	9.7
	２時間以上～２時間30分未満		20分以上　～45分未満	22.6	1.8	3.0	2.4	6.0	9.5
			45分　～70分	10.6	1.2	2.3	2.4	1.0	3.8
			70分以上	9.4	0.8	1.0	1.1	1.0	5.5
	２時間30分以上～３時間未満		20分以上　～45分未満	5.7	1.0	1.3	1.1	0.5	1.9
			45分　～70分	5.8	0.7	1.2	1.2	0.6	2.1
			70分以上	3.8	0.3	0.6	0.6	0.6	1.8
	３時間以上～３時間30分未満		20分以上　～45分未満	2.4	0.4	0.6	0.5	0.3	0.6
			45分　～70分	2.2	0.3	0.5	0.4	0.2	0.8
			70分以上	2.1	0.1	0.2	0.2	0.2	1.4
	３時間30分以上～４時間未満		20分以上　～45分未満	2.1	0.2	0.3	0.3	0.2	1.0
			45分　～70分	1.4	0.2	0.4	0.2	0.2	0.4
			70分以上	1.3	0.1	0.1	0.2	0.1	0.9
	４時間以上		20分以上　～45分未満	1.3	0.2	0.4	0.2	0.1	0.3
			45分　～70分	1.8	0.2	0.3	0.2	0.2	0.9
			70分以上	2.3	0.1	0.1	0.2	0.2	1.7
生活援助			20分以上　～45分未満	18 330.7	5 602.4	6 211.8	3 860.3	1 874.5	781.6
			45分以上	42 881.7	16 607.6	15 248.2	6 945.6	2 999.0	1 081.1

注：１）事業所からの請求時点の数値を集計している。
　　２）基本算定項目のうち、所要時間別区分が可能なものについて集計している。
　　３）総数には、月の途中で要介護から要支援に変更となった者を含む。

統計表第18表　介護予防訪問看護－介護予防認知症対応型通所介護単位数・回数，事業所区分・所要時間・要支援状態区分別

平成29年５月審査分～平成30年４月審査分

	単位数（千単位）			回数（千回）		
	総数	要支援１	要支援２	総数	要支援１	要支援２
介護予防訪問看護	2 266 716	594 035	1 666 094	5 825.7	1 531.8	4 279.9
20分未満	3 865	1 079	2 763	12.8	3.6	9.2
30分未満	488 979	182 844	304 517	1 074.4	401.6	669.3
30分以上　～１時間未満	616 177	127 676	485 778	768.0	159.4	605.2
１時間　～１時間30分	20 749	2 002	18 467	18.7	1.8	16.7
訪問看護ステーション	2 236 812	584 169	1 646 166	5 758.0	1 508.6	4 235.6
20分未満	3 698	1 044	2 633	12.2	3.4	8.7
30分未満	471 843	176 145	294 133	1 029.7	384.1	642.2
30分以上　～１時間未満	603 965	124 606	476 680	746.2	153.9	589.0
１時間　～１時間30分	20 359	1 939	18 150	18.2	1.7	16.3
ＰＴ，ＯＴ，ＳＴ	1 136 946	280 435	854 570	3 951.7	965.5	2 979.5
１日２回以下の場合	627 872	180 262	446 494	2 080.5	597.2	1 479.7
１日２回を超える場合	509 074	100 173	408 075	1 871.1	368.3	1 499.8
病院又は診療所	29 904	9 866	19 929	67.7	23.2	44.3
20分未満	166	35	131	0.7	0.1	0.5
30分未満	17 136	6 699	10 383	44.7	17.5	27.1
30分以上　～１時間未満	12 212	3 070	9 097	21.8	5.5	16.2
１時間　～１時間30分	390	63	317	0.5	0.1	0.4
介護予防認知症対応型通所介護	50 074	18 117	31 781	65.8	25.7	39.8
２時間以上　～３時間未満	286	111	175	0.9	0.4	0.5
３時間　～５時間	3 701	1 806	1 886	7.5	3.7	3.7
５時間　～７時間	23 415	8 683	14 636	30.9	12.2	18.6
７時間　～９時間	22 650	7 506	15 073	26.5	9.4	17.0
９時間　～10時間	21	12	9	0.0	0.0	0.0
10時間　～11時間	1	－	1	0.0	－	0.0
11時間　～12時間	1	－	1	0.0	－	0.0
12時間　～13時間	－	－	－	－	－	－
13時間　～14時間	－	－	－	－	－	－
単独型	34 716	12 357	22 226	43.4	17.0	26.2
２時間以上　～３時間未満	269	104	165	0.8	0.3	0.5
３時間　～５時間	2 878	1 549	1 320	5.6	3.1	2.4
５時間　～７時間	16 261	5 951	10 239	20.3	7.9	12.3
７時間　～９時間	15 297	4 742	10 501	16.7	5.6	11.0
９時間　～10時間	11	11	－	0.0	0.0	－
10時間　～11時間	－	－	－	－	－	－
11時間　～12時間	－	－	－	－	－	－
12時間　～13時間	－	－	－	－	－	－
13時間　～14時間	－	－	－	－	－	－
併設型	13 579	5 274	8 266	18.4	7.6	10.7
２時間以上　～３時間未満	15	6	9	0.1	0.0	0.0
３時間　～５時間	736	243	492	1.5	0.5	1.0
５時間　～７時間	6 463	2 504	3 937	9.0	3.7	5.2
７時間　～９時間	6 355	2 519	3 819	7.8	3.3	4.5
９時間　～10時間	8	1	7	0.0	0.0	0.0
10時間　～11時間	1	－	1	0.0	－	0.0
11時間　～12時間	1	－	1	0.0	－	0.0
12時間　～13時間	－	－	－	－	－	－
13時間　～14時間	－	－	－	－	－	－
共用型	1 779	486	1 289	4.0	1.1	2.9
２時間以上　～３時間未満	1	1	1	0.0	0.0	0.0
３時間　～５時間	87	13	74	0.3	0.1	0.3
５時間　～７時間	691	228	461	1.6	0.6	1.1
７時間　～９時間	998	244	752	2.0	0.5	1.5
９時間　～10時間	2	－	2	0.0	－	0.0
10時間　～11時間	－	－	－	－	－	－
11時間　～12時間	－	－	－	－	－	－
12時間　～13時間	－	－	－	－	－	－
13時間　～14時間	－	－	－	－	－	－

注：１）事業所からの請求時点の数値を集計している。
２）基本算定項目を集計しており、加算項目は計上しない。
３）介護予防訪問看護のＰＴ，ＯＴ，ＳＴ部分は、指定訪問看護ステーションの理学療法士（ＰＴ）、作業療法士（ＯＴ）、言語聴覚士（ＳＴ）が介護予防訪問看護を行う場合に算定されるものである。
４）総数には、月の途中で要支援から要介護に変更となった者を含む。

	総数	要介護１	要介護２	要介護３	要介護４	要介護５
訪問看護	20 133 715	3 740 339	4 840 133	3 438 275	3 627 742	4 487 179
20分未満	221 776	20 782	21 335	20 189	46 543	112 927
30分未満	4 351 174	970 186	926 787	645 571	754 234	1 054 386
30分以上　～１時間未満	8 329 396	1 410 708	1 871 550	1 370 126	1 556 233	2 120 764
１時間　～１時間30分	829 990	75 862	172 900	143 824	165 404	272 000
訪問看護ステーション	19 736 358	3 673 263	4 763 091	3 382 452	3 553 812	4 363 695
20分未満	210 462	19 851	20 382	19 537	44 522	106 171
30分未満	4 128 773	930 310	886 191	615 583	712 255	984 426
30分以上　～１時間未満	8 181 301	1 386 078	1 838 949	1 347 689	1 529 156	2 079 415
１時間　～１時間30分	814 442	74 224	170 008	141 078	162 551	266 581
ＰＴ，ＯＴ，ＳＴ	6 401 379	1 262 800	1 847 560	1 258 565	1 105 328	927 103
１日２回以下の場合	3 359 132	624 028	909 786	652 881	616 823	555 607
１日２回を超える場合	3 042 247	638 772	937 774	605 684	488 506	371 495
病院又は診療所	397 358	67 077	77 042	55 823	73 930	123 484
20分未満	11 314	932	953	653	2 021	6 756
30分未満	222 401	39 876	40 596	29 988	41 979	69 960
30分以上　～１時間未満	148 095	24 630	32 601	22 437	27 077	41 349
１時間　～１時間30分	15 548	1 639	2 893	2 745	2 853	5 419
通所介護	104 741 124	27 954 846	30 237 000	22 335 928	15 190 318	9 022 574
２時間以上　～３時間未満	170 770	42 081	47 780	28 078	27 760	25 068
３時間　～５時間	5 460 890	1 749 648	1 694 609	905 499	680 746	430 344
５時間　～７時間	30 050 617	8 773 142	9 136 385	5 923 143	3 894 619	2 323 180
７時間　～９時間	68 683 156	17 351 784	19 289 924	15 370 491	10 494 541	6 176 153
９時間　～10時間	254 516	30 548	52 338	71 637	57 326	42 667
10時間　～11時間	68 854	3 731	8 520	20 874	18 025	17 704
11時間　～12時間	41 269	3 588	6 529	12 643	13 508	5 000
12時間　～13時間	5 454	220	608	1 910	1 356	1 360
13時間　～14時間	5 597	104	307	1 653	2 436	1 096
通常規模型事業所	85 690 191	22 873 263	24 780 802	18 308 002	12 343 423	7 384 295
２時間以上～３時間未満	143 778	34 591	39 500	24 025	23 916	21 743
３時間　～５時間	4 851 190	1 571 631	1 517 368	798 797	590 209	373 146
５時間　～７時間	26 232 266	7 631 239	7 987 478	5 198 946	3 388 149	2 026 315
７時間　～９時間	54 188 526	13 610 531	15 188 577	12 207 034	8 269 477	4 912 682
９時間　～10時間	187 334	20 671	36 694	52 073	45 046	32 850
10時間　～11時間	49 812	2 854	7 175	14 895	12 904	11 983
11時間　～12時間	26 276	1 429	3 117	8 679	9 930	3 121
12時間　～13時間	5 422	220	588	1 899	1 355	1 360
13時間　～14時間	5 586	98	304	1 653	2 436	1 095
大規模型事業所（Ⅰ）	9 604 937	2 497 661	2 782 090	2 058 835	1 429 763	836 560
２時間以上～３時間未満	11 198	2 844	3 511	2 139	1 609	1 094
３時間　～５時間	306 585	87 595	88 819	55 017	46 713	28 440
５時間　～７時間	1 816 206	525 927	541 705	352 874	247 898	147 794
７時間　～９時間	7 428 318	1 875 341	2 138 346	1 634 980	1 126 331	653 303
９時間　～10時間	26 370	3 964	6 299	8 939	3 636	3 532
10時間　～11時間	5 627	346	1 012	1 625	1 170	1 473
11時間　～12時間	10 596	1 637	2 378	3 252	2 406	923
12時間　～13時間	29	－	19	10	－	－
13時間　～14時間	8	6	2	－	－	－
大規模型事業所（Ⅱ）	9 445 996	2 583 922	2 674 108	1 969 091	1 417 131	801 719
２時間以上～３時間未満	15 794	4 646	4 768	1 914	2 235	2 231
３時間　～５時間	303 115	90 422	88 422	51 685	43 824	28 758
５時間　～７時間	2 002 144	615 977	607 202	371 323	258 572	149 071
７時間　～９時間	7 066 313	1 865 911	1 963 001	1 528 477	1 098 734	610 168
９時間　～10時間	40 813	5 914	9 345	10 625	8 643	6 285
10時間　～11時間	13 416	530	333	4 354	3 950	4 248
11時間　～12時間	4 397	522	1 034	713	1 172	956
12時間　～13時間	3	－	1	1	1	－
13時間　～14時間	2	－	1	－	－	1

－地域密着型通所介護単位数，事業所区分・所要時間・要介護状態区分別（２－１）

平成29年５月審査分～平成30年４月審査分
（単位：千単位）

	総数	要介護１	要介護２	要介護３	要介護４	要介護５
通所リハビリテーション	35 735 665	9 140 143	11 291 256	7 696 542	5 092 419	2 514 919
１時間以上　～２時間未満	792 549	294 334	293 754	121 780	59 859	22 811
２時間　～３時間	388 155	139 846	131 277	63 064	35 850	18 114
３時間　～４時間	1 281 174	439 114	464 306	211 686	114 831	51 189
４時間　～６時間	2 985 976	758 926	931 441	614 980	436 214	244 393
６時間　～８時間	30 235 452	7 501 131	9 461 216	6 670 681	4 434 078	2 168 045
８時間　～９時間	32 170	4 694	5 513	8 976	7 625	5 363
９時間　～10時間	15 837	1 746	3 222	3 922	2 810	4 137
10時間　～11時間	3 862	347	519	1 377	903	717
11時間　～12時間	451	3	7	73	232	136
12時間　～13時間	35	1	2	3	15	14
13時間　～14時間	5	2	－	－	3	－
通常規模型事業所(病院又は診療所)	9 554 472	2 732 876	3 080 287	1 937 309	1 200 476	603 438
１時間以上　～２時間未満	606 860	228 815	224 799	92 835	44 312	16 090
２時間　～３時間	206 411	78 894	69 532	32 528	16 909	8 546
３時間　～４時間	717 106	255 573	263 959	114 743	58 286	24 520
４時間　～６時間	963 523	254 787	300 580	198 016	135 503	74 638
６時間　～８時間	7 056 151	1 914 541	2 220 563	1 497 866	944 474	478 656
８時間　～９時間	3 105	237	351	997	867	654
９時間　～10時間	1 304	29	502	323	116	334
10時間　～11時間	8	－	1	－	7	－
11時間　～12時間	－	－	－	－	－	－
12時間　～13時間	－	－	－	－	－	－
13時間　～14時間	3	－	－	－	3	－
通常規模型事業所(介護老人保健施設)	11 214 085	2 686 579	3 515 094	2 492 162	1 711 218	808 916
１時間以上　～２時間未満	56 175	18 218	20 693	9 614	5 309	2 341
２時間　～３時間	78 290	24 504	26 131	14 156	9 019	4 481
３時間　～４時間	183 346	55 122	63 186	33 783	21 066	10 190
４時間　～６時間	1 009 145	252 058	317 199	211 198	149 092	79 595
６時間　～８時間	9 876 600	2 335 690	3 085 519	2 220 548	1 524 445	710 284
８時間　～９時間	7 273	553	1 691	1 805	1 861	1 363
９時間　～10時間	2 351	425	592	632	213	490
10時間　～11時間	840	10	83	408	204	135
11時間　～12時間	61	－	1	17	8	35
12時間　～13時間	4	－	－	1	1	2
13時間　～14時間	－	－	－	－	－	－
大規模型事業所(Ⅰ)(病院又は診療所)	1 820 830	487 127	574 976	370 794	255 339	132 570
１時間以上　～２時間未満	22 894	9 554	7 987	3 279	1 364	709
２時間　～３時間	14 695	5 062	4 909	2 434	1 452	838
３時間　～４時間	72 147	22 832	28 726	11 676	5 836	3 077
４時間　～６時間	132 663	28 941	37 565	28 618	21 685	15 852
６時間　～８時間	1 577 240	420 478	495 624	324 665	224 521	111 930
８時間　～９時間	1 054	249	158	111	398	139
９時間　～10時間	135	10	8	11	81	25
10時間　～11時間	－	－	－	－	－	－
11時間　～12時間	1	－	－	－	1	－
12時間　～13時間	－	－	－	－	－	－
13時間　～14時間	－	－	－	－	－	－
大規模型事業所(Ⅰ)(介護老人保健施設)	3 493 218	834 137	1 092 883	784 547	528 582	253 048
１時間以上　～２時間未満	13 962	4 279	5 347	2 129	1 548	658
２時間　～３時間	13 745	3 879	5 054	2 117	1 885	810
３時間　～４時間	48 099	14 153	15 869	8 996	5 577	3 500
４時間　～６時間	195 812	46 005	61 736	39 218	32 392	16 461
６時間　～８時間	3 212 123	763 450	1 003 416	729 174	485 760	230 307
８時間　～９時間	7 370	1 959	1 198	2 236	1 197	780
９時間　～10時間	1 277	194	118	353	194	418
10時間　～11時間	827	218	144	325	27	113
11時間　～12時間	2	1	1	－	－	－
12時間　～13時間	1	－	1	－	－	－
13時間　～14時間	－	－	－	－	－	－

注：１）事業所からの請求時点の数値を集計している。
２）基本算定項目を集計しており、加算項目は計上しない。
３）訪問看護のＰＴ，ＯＴ，ＳＴ部分は、指定訪問看護ステーションの理学療法士（ＰＴ）、作業療法士（ＯＴ）、言語聴覚士（ＳＴ）が訪問看護を行う場合に算定されるものである。
４）総数には、月の途中で要介護から要支援に変更となった者を含む。

統計表第19表　訪問看護－通所介護－通所リハビリテーション－地域密着型通所介護単位数，事業所区分・所要時間・要介護状態区分別（２－２）

平成29年５月審査分～平成30年４月審査分
（単位：千単位）

	総数	要介護１	要介護２	要介護３	要介護４	要介護５
大規模型事業所（Ⅱ）（病院又は診療所）	2 396 469	617 283	761 010	513 382	339 497	165 253
１時間以上　～２時間未満	50 349	18 595	19 144	7 645	3 669	1 296
２時間　～３時間	31 432	12 746	10 432	4 841	2 222	1 192
３時間　～４時間	126 029	46 326	45 332	19 566	10 292	4 502
４時間　～６時間	188 024	50 006	60 424	37 854	25 259	14 476
６時間　～８時間	1 999 671	489 460	625 547	443 202	297 874	143 562
８時間　～９時間	673	147	132	194	164	36
９時間　～10時間	289	2	－	80	17	190
10時間　～11時間	－	－	－	－	－	－
11時間　～12時間	－	－	－	－	－	－
12時間　～13時間	－	－	－	－	－	－
13時間　～14時間	1	1	－	－	－	－
大規模型事業所（Ⅱ）（介護老人保健施設）	7 256 591	1 782 141	2 267 005	1 598 349	1 057 307	551 694
１時間以上　～２時間未満	42 309	14 872	15 785	6 277	3 658	1 716
２時間　～３時間	43 580	14 761	15 218	6 989	4 363	2 247
３時間　～４時間	134 446	45 108	47 234	22 923	13 774	5 401
４時間　～６時間	496 809	127 129	153 939	100 076	72 282	43 370
６時間　～８時間	6 513 667	1 577 512	2 030 546	1 455 227	957 003	493 306
８時間　～９時間	12 695	1 548	1 984	3 633	3 137	2 392
９時間　～10時間	10 480	1 087	2 002	2 523	2 189	2 680
10時間　～11時間	2 188	119	291	644	665	468
11時間　～12時間	386	2	5	56	222	101
12時間　～13時間	29	1	1	1	14	12
13時間　～14時間	1	1	－	－	－	－
地域密着型通所介護	35 544 909	9 402 289	9 992 728	7 964 529	5 091 372	3 093 854
地域密着型通所介護	35 445 642	9 400 851	9 988 808	7 958 199	5 075 786	3 021 862
２時間以上　～３時間未満	78 047	20 203	22 117	14 704	11 531	9 493
３時間　～５時間	5 743 988	2 222 001	1 949 844	878 446	464 806	228 850
５時間　～７時間	8 574 737	2 390 386	2 525 021	1 824 735	1 139 635	694 917
７時間　～９時間	20 750 133	4 740 541	5 436 727	5 144 075	3 390 081	2 038 657
９時間　～10時間	196 590	22 129	40 467	62 645	43 537	27 811
10時間　～11時間	64 688	3 437	10 106	23 915	15 618	11 612
11時間　～12時間	30 552	1 976	3 706	7 817	8 970	8 083
12時間　～13時間	4 116	126	574	1 088	1 025	1 303
13時間　～14時間	2 791	51	247	775	581	1 136
療養通所介護	99 267	1 438	3 921	6 330	15 586	71 992
３時間以上　～６時間未満	16 967	326	1 365	1 485	3 822	9 968
６時間　～８時間	82 300	1 112	2 555	4 844	11 765	62 024

注：１）事業所からの請求時点の数値を集計している。
　　２）基本算定項目を集計しており、加算項目は計上しない。
　　３）訪問看護のＰＴ，ＯＴ，ＳＴ部分は、指定訪問看護ステーションの理学療法士（ＰＴ）、作業療法士（ＯＴ）、言語聴覚士（ＳＴ）が訪問看護を行う場合に算定されるものである。
　　４）総数には、月の途中で要介護から要支援に変更となった者を含む。

統計表第20表　訪問看護－通所介護－通所リハビリテーション－地域密着型通所介護回数，事業所区分・所要時間・要介護状態区分別（2－1）

平成29年５月審査分～平成30年４月審査分
（単位：千回）

	総　　数	要介護１	要介護２	要介護３	要介護４	要介護５
訪問看護	43 983.7	8 465.4	11 085.8	7 742.6	7 802.1	8 887.7
20分未満	763.6	69.3	72.7	68.7	161.2	391.7
30分未満	9 767.6	2 148.1	2 058.7	1 443.4	1 709.6	2 407.8
30分以上　～１時間未満	10 348.3	1 757.3	2 329.2	1 702.3	1 932.1	2 627.4
１時間　～１時間30分	741.8	68.4	155.5	129.1	147.4	241.3
訪問看護ステーション	43 060.3	8 310.6	10 912.6	7 616.6	7 629.3	8 591.1
20分未満	718.7	65.5	68.7	66.1	153.0	365.3
30分未満	9 170.5	2 043.1	1 951.2	1 363.4	1 596.4	2 216.5
30分以上　～１時間未満	10 085.5	1 713.2	2 271.0	1 662.2	1 884.1	2 554.9
１時間　～１時間30分	723.2	66.4	152.0	125.8	144.0	235.0
ＰＴ，ＯＴ，ＳＴ	22 362.4	4 422.3	6 469.7	4 399.1	3 851.7	3 219.5
１日２回以下の場合	11 176.6	2 073.8	3 022.2	2 171.9	2 055.5	1 853.2
１日２回を超える場合	11 185.8	2 348.5	3 447.5	2 227.2	1 796.2	1 366.3
病院又は診療所	923.4	154.8	173.2	126.0	172.8	296.6
20分未満	44.9	3.8	3.9	2.6	8.2	26.4
30分未満	597.1	105.0	107.5	80.0	113.3	191.3
30分以上　～１時間未満	262.8	44.0	58.2	40.1	48.0	72.5
１時間　～１時間30分	18.6	2.0	3.5	3.3	3.4	6.4
通所介護	141 349.2	46 865.7	42 766.1	26 898.2	16 187.4	8 631.2
２時間以上　～３時間未満	530.7	159.2	157.6	81.8	72.7	59.5
３時間　～５時間	12 328.0	4 619.5	3 900.5	1 844.3	1 248.4	715.2
５時間　～７時間	43 397.2	15 405.2	13 572.1	7 628.2	4 428.1	2 363.4
７時間　～９時間	84 704.3	26 628.4	25 054.0	17 231.3	10 353.4	5 437.0
９時間　～10時間	274.0	43.7	64.0	76.2	54.0	36.0
10時間　～11時間	66.5	5.0	9.8	21.1	16.2	14.4
11時間　～12時間	39.3	4.5	7.1	12.1	11.6	3.9
12時間　～13時間	4.7	0.3	0.6	1.7	1.1	1.0
13時間　～14時間	4.6	0.1	0.3	1.4	1.9	0.8
通常規模型事業所	115 734.5	38 394.9	35 088.4	22 041.2	13 147.7	7 061.8
２時間以上～３時間未満	443.0	130.1	129.5	69.7	62.3	51.3
３時間　～５時間	10 935.2	4 136.8	3 481.3	1 621.3	1 078.0	617.7
５時間　～７時間	37 721.3	13 342.9	11 818.6	6 669.6	3 836.6	2 053.3
７時間　～９時間	66 355.0	20 749.8	19 601.9	13 599.2	8 105.6	4 298.1
９時間　～10時間	198.4	29.3	44.5	55.0	42.1	27.5
10時間　～11時間	48.1	3.8	8.2	14.9	11.5	9.6
11時間　～12時間	24.3	1.8	3.4	8.3	8.5	2.4
12時間　～13時間	4.7	0.3	0.6	1.7	1.1	1.0
13時間　～14時間	4.6	0.1	0.3	1.4	1.9	0.8
大規模型事業所（Ⅰ）	12 689.6	4 096.7	3 851.4	2 446.8	1 505.8	789.0
２時間以上～３時間未満	35.8	10.9	11.7	6.3	4.3	2.6
３時間　～５時間	689.4	234.2	207.1	113.5	86.7	47.9
５時間　～７時間	2 649.1	936.0	814.7	460.5	285.6	152.3
７時間　～９時間	9 269.7	2 907.4	2 806.3	1 852.2	1 122.6	581.2
９時間　～10時間	29.5	5.7	7.8	9.6	3.5	3.0
10時間　～11時間	5.6	0.5	1.2	1.7	1.1	1.2
11時間　～12時間	10.6	2.1	2.6	3.1	2.1	0.7
12時間　～13時間	0.0	－	0.0	0.0	－	－
13時間　～14時間	0.0	0.0	0.0	－	－	－
大規模型事業所（Ⅱ）	12 925.1	4 374.2	3 826.2	2 410.3	1 534.0	780.5
２時間以上～３時間未満	52.0	18.2	16.3	5.8	6.1	5.5
３時間　～５時間	703.4	248.4	212.1	109.5	83.7	49.7
５時間　～７時間	3 026.8	1 126.3	938.7	498.1	305.9	157.8
７時間　～９時間	9 079.6	2 971.2	2 645.7	1 779.9	1 125.2	557.7
９時間　～10時間	46.1	8.7	11.8	11.7	8.4	5.5
10時間　～11時間	12.9	0.7	0.4	4.5	3.7	3.6
11時間　～12時間	4.3	0.7	1.2	0.7	1.0	0.8
12時間　～13時間	0.0	－	0.0	0.0	0.0	－
13時間　～14時間	0.0	－	0.0	－	－	0.0

注：1）事業所からの請求時点の数値を集計している。
2）基本算定項目を集計しており、加算項目は計上しない。
3）訪問看護のＰＴ，ＯＴ，ＳＴ部分は、指定訪問看護ステーションの理学療法士（ＰＴ）、作業療法士（ＯＴ）、言語聴覚士（ＳＴ）が訪問看護を行う場合に算定されるものである。
4）総数には、月の途中で要介護から要支援に変更となった者を含む。

	総数	要介護１	要介護２	要介護３	要介護４	要介護５
通所リハビリテーション	43 700.5	14 171.1	14 456.2	8 253.3	4 740.0	2 079.5
１時間以上　～２時間未満	2 235.6	899.8	824.5	315.6	144.4	51.3
２時間　～３時間	987.1	411.4	332.6	139.9	70.9	32.3
３時間　～４時間	2 500.9	999.1	901.4	358.7	172.5	69.1
４時間　～６時間	4 348.9	1 373.3	1 415.4	805.9	502.8	251.5
６時間　～８時間	33 578.6	10 478.8	10 972.2	6 619.9	3 839.8	1 667.6
８時間　～９時間	31.2	6.2	6.1	8.5	6.4	4.0
９時間　～10時間	14.4	2.2	3.4	3.6	2.3	3.0
10時間　～11時間	3.3	0.4	0.5	1.2	0.7	0.5
11時間　～12時間	0.3	0.0	0.0	0.1	0.2	0.1
12時間　～13時間	0.0	0.0	0.0	0.0	0.0	0.0
13時間　～14時間	0.0	0.0	－	－	0.0	－
通常規模型事業所(病院又は診療所)	12 833.4	4 594.8	4 301.1	2 227.3	1 187.1	523.0
１時間以上　～２時間未満	1 705.4	695.6	628.1	239.4	106.3	35.9
２時間　～３時間	524.6	230.0	174.7	71.5	33.2	15.1
３時間　～４時間	1 395.4	575.6	507.7	192.6	86.7	32.8
４時間　～６時間	1 394.1	455.8	451.4	256.6	154.4	75.9
６時間　～８時間	7 810.0	2 637.4	2 538.2	1 466.1	805.7	362.6
８時間　～９時間	2.8	0.3	0.4	0.9	0.7	0.5
９時間　～10時間	1.2	0.0	0.5	0.3	0.1	0.2
10時間　～11時間	0.0	－	0.0	－	0.0	－
11時間　～12時間	－	－	－	－	－	－
12時間　～13時間	－	－	－	－	－	－
13時間　～14時間	0.0	－	－	－	0.0	－
通常規模型事業所(介護老人保健施設)	12 914.9	3 920.7	4 250.7	2 562.3	1 533.9	647.3
１時間以上　～２時間未満	156.0	55.4	57.8	24.8	12.7	5.2
２時間　～３時間	193.9	71.5	65.7	31.1	17.7	7.9
３時間　～４時間	347.3	124.2	121.5	56.7	31.3	13.6
４時間　～６時間	1 451.8	451.0	476.3	273.7	169.9	80.9
６時間　～８時間	10 756.3	3 217.5	3 526.8	2 173.4	1 300.4	538.1
８時間　～９時間	6.7	0.7	1.8	1.7	1.5	1.0
９時間　～10時間	2.2	0.5	0.6	0.6	0.2	0.3
10時間　～11時間	0.7	0.0	0.1	0.3	0.2	0.1
11時間　～12時間	0.0	－	0.0	0.0	0.0	0.0
12時間　～13時間	0.0	－	－	0.0	0.0	0.0
13時間　～14時間	－	－	－	－	－	－
大規模型事業所(Ⅰ)(病院又は診療所)	2 203.0	738.7	724.5	394.3	235.5	110.0
１時間以上　～２時間未満	65.7	29.6	22.6	8.6	3.3	1.6
２時間　～３時間	37.4	15.0	12.5	5.4	2.9	1.5
３時間　～４時間	141.3	52.3	56.1	19.9	8.8	4.2
４時間　～６時間	189.1	52.5	57.4	37.7	25.1	16.4
６時間　～８時間	1 768.5	589.0	575.7	322.5	195.0	86.2
８時間　～９時間	1.0	0.3	0.2	0.1	0.3	0.1
９時間　～10時間	0.1	0.0	0.0	0.0	0.1	0.0
10時間　～11時間	－	－	－	－	－	－
11時間　～12時間	0.0	－	－	－	0.0	－
12時間　～13時間	－	－	－	－	－	－
13時間　～14時間	－	－	－	－	－	－
大規模型事業所(Ⅰ)(介護老人保健施設)	4 017.3	1 213.0	1 320.3	804.3	476.5	203.1
１時間以上　～２時間未満	39.2	13.2	15.1	5.6	3.8	1.5
２時間　～３時間	34.3	11.5	12.9	4.7	3.8	1.5
３時間　～４時間	91.9	32.4	31.0	15.3	8.4	4.8
４時間　～６時間	283.9	83.5	94.3	51.7	37.5	17.0
６時間　～８時間	3 558.4	1 069.3	1 165.5	724.3	421.9	177.4
８時間　～９時間	7.6	2.6	1.3	2.1	1.0	0.6
９時間　～10時間	1.1	0.2	0.1	0.3	0.2	0.3
10時間　～11時間	0.8	0.3	0.1	0.3	0.0	0.1
11時間　～12時間	0.0	0.0	0.0	－	－	－
12時間　～13時間	0.0	－	0.0	－	－	－
13時間　～14時間	－	－	－	－	－	－

－地域密着型通所介護回数，事業所区分・所要時間・要介護状態区分別（２－２）

平成29年５月審査分～平成30年４月審査分
（単位：千回）

	総数	要介護１	要介護２	要介護３	要介護４	要介護５
大規模型事業所(Ⅱ)(病院又は診療所)	3 049.5	1 002.0	1 013.7	568.5	324.8	140.4
１時間以上　～２時間未満	146.8	58.9	55.3	20.5	9.1	3.0
２時間　～３時間	83.6	38.6	27.2	11.1	4.5	2.2
３時間　～４時間	255.8	108.8	90.7	34.2	15.9	6.3
４時間　～６時間	284.5	93.3	94.7	51.1	30.0	15.3
６時間　～８時間	2 277.8	702.3	745.6	451.4	265.1	113.4
８時間　～９時間	0.7	0.2	0.1	0.2	0.1	0.0
９時間　～10時間	0.2	0.0	－	0.1	0.0	0.1
10時間　～11時間	－	－	－	－	－	－
11時間　～12時間	－	－	－	－	－	－
12時間　～13時間	－	－	－	－	－	－
13時間　～14時間	0.0	0.0	－	－	－	－
大規模型事業所(Ⅱ)(介護老人保健施設)	8 682.4	2 701.8	2 846.0	1 696.6	982.2	455.7
１時間以上　～２時間未満	122.6	47.1	45.6	16.8	9.1	4.0
２時間　～３時間	113.4	44.7	39.6	16.0	8.9	4.1
３時間　～４時間	269.3	105.9	94.5	40.0	21.3	7.5
４時間　～６時間	745.5	237.2	241.3	135.1	85.9	46.0
６時間　～８時間	7 407.6	2 263.4	2 420.3	1 482.2	851.8	389.9
８時間　～９時間	12.3	2.1	2.2	3.5	2.7	1.8
９時間　～10時間	9.6	1.4	2.1	2.3	1.8	2.0
10時間　～11時間	1.9	0.1	0.3	0.6	0.5	0.3
11時間　～12時間	0.3	0.0	0.0	0.0	0.2	0.1
12時間　～13時間	0.0	0.0	0.0	0.0	0.0	0.0
13時間　～14時間	0.0	0.0	－	－	－	－
地域密着型通所介護	45 795.4	15 501.7	13 725.5	8 929.5	4 971.4	2 667.1
地域密着型通所介護	45 724.1	15 500.6	13 722.5	8 924.8	4 959.8	2 616.2
２時間以上　～３時間未満	217.5	67.8	64.8	38.1	26.8	20.0
３時間　～５時間	11 901.7	5 217.1	3 996.7	1 592.2	757.7	338.0
５時間　～７時間	10 936.5	3 730.1	3 336.7	2 089.1	1 152.2	628.4
７時間　～９時間	22 391.3	6 450.9	6 265.4	5 116.1	2 965.8	1 593.1
９時間　～10時間	189.3	28.2	44.1	59.4	36.6	21.0
10時間　～11時間	57.3	4.1	10.4	21.6	12.6	8.5
11時間　～12時間	25.3	2.2	3.6	6.8	7.0	5.7
12時間　～13時間	3.2	0.1	0.5	0.9	0.8	0.9
13時間　～14時間	2.0	0.1	0.2	0.6	0.4	0.7
療養通所介護	71.3	1.1	3.0	4.7	11.6	50.9
３時間以上　～６時間未満	16.8	0.3	1.4	1.5	3.8	9.9
６時間　～８時間	54.5	0.7	1.7	3.2	7.8	41.0

注：１）事業所からの請求時点の数値を集計している。
２）基本算定項目を集計しており、加算項目は計上しない。
３）訪問看護のＰＴ，ＯＴ，ＳＴ部分は、指定訪問看護ステーションの理学療法士（ＰＴ）、作業療法士（ＯＴ）、言語聴覚士（ＳＴ）が訪問看護を行う場合に算定されるものである。
４）総数には、月の途中で要介護から要支援に変更となった者を含む。

統計表第21表　認知症対応型通所介護単位数，事業所区分・所要時間・要介護状態区分別

平成29年５月審査分～平成30年４月審査分
（単位：千単位）

	総数	要介護１	要介護２	要介護３	要介護４	要介護５
認知症対応型通所介護	7 374 255	1 310 587	1 650 820	2 033 623	1 301 800	1 077 416
２時間以上　～３時間未満	6 865	1 470	1 387	1 560	1 227	1 222
３時間　～５時間	241 393	49 118	63 729	60 613	40 092	27 842
５時間　～７時間	2 744 904	540 566	632 982	743 023	462 249	366 075
７時間　～９時間	4 314 595	713 960	942 376	1 208 508	781 092	668 658
９時間　～10時間	34 545	3 019	4 965	11 395	8 120	7 046
10時間　～11時間	16 457	1 654	2 758	5 322	3 646	3 077
11時間　～12時間	11 950	616	2 220	2 299	4 255	2 559
12時間　～13時間	2 444	128	233	708	729	645
13時間　～14時間	1 102	56	169	196	390	292
単独型	4 901 792	899 303	1 088 797	1 345 551	850 242	717 900
２時間以上　～３時間未満	4 755	1 078	956	1 089	853	779
３時間　～５時間	186 596	38 748	49 102	46 676	31 081	20 989
５時間　～７時間	1 791 101	369 513	416 075	479 539	298 088	227 887
７時間　～９時間	2 882 435	486 425	617 435	808 042	510 659	459 874
９時間　～10時間	20 361	1 591	2 535	6 574	4 788	4 873
10時間　～11時間	7 676	1 227	1 076	2 084	1 791	1 499
11時間　～12時間	7 618	589	1 392	1 252	2 698	1 686
12時間　～13時間	1 116	126	202	270	262	257
13時間　～14時間	135	6	24	26	22	57
併設型	2 310 435	378 299	511 974	641 499	430 679	347 975
２時間以上　～３時間未満	1 926	296	401	432	366	433
３時間　～５時間	52 399	9 879	13 824	13 251	8 820	6 624
５時間　～７時間	918 065	162 599	206 402	253 902	159 858	135 295
７時間　～９時間	1 322 391	204 805	290 224	369 532	256 493	201 338
９時間　～10時間	7 421	705	747	1 688	2 367	1 915
10時間　～11時間	4 310	15	158	1 946	1 025	1 166
11時間　～12時間	3 218	1	218	684	1 483	832
12時間　～13時間	704	–	–	65	266	373
13時間　～14時間	–	–	–	–	–	–
共用型	162 028	32 985	50 050	46 573	20 879	11 541
２時間以上　～３時間未満	184	96	30	39	8	11
３時間　～５時間	2 398	491	802	686	190	229
５時間　～７時間	35 738	8 454	10 505	9 583	4 303	2 893
７時間　～９時間	109 769	22 731	34 717	30 935	13 941	7 446
９時間　～10時間	6 763	723	1 684	3 134	965	259
10時間　～11時間	4 471	412	1 525	1 292	830	412
11時間　～12時間	1 114	26	610	363	74	41
12時間　～13時間	624	3	32	373	201	16
13時間　～14時間	967	50	145	169	368	235

注：１）事業所からの請求時点の数値を集計している。
２）基本算定項目のうち、所要時間別区分が可能なものについて集計している。
３）総数には、月の途中で要介護から要支援に変更となった者を含む。

統計表第22表　認知症対応型通所介護回数，事業所区分・所要時間・要介護状態区分別

平成29年５月審査分～平成30年４月審査分
（単位：千回）

	総数	要介護１	要介護２	要介護３	要介護４	要介護５
認知症対応型通所介護	7 205.8	1 526.4	1 747.9	1 938.4	1 134.2	858.9
２時間以上　～３時間未満	17.5	4.5	3.8	3.9	2.8	2.6
３時間　～５時間	382.4	89.9	106.7	92.9	56.3	36.6
５時間　～７時間	2 837.3	655.6	697.4	746.3	425.8	312.3
７時間　～９時間	3 905.4	770.3	928.1	1 074.9	634.8	497.3
９時間　～10時間	33.8	3.6	5.9	12.1	7.0	5.2
10時間　～11時間	16.4	1.8	3.5	5.3	3.3	2.5
11時間　～12時間	9.6	0.6	2.2	2.0	3.1	1.7
12時間　～13時間	2.1	0.1	0.2	0.7	0.6	0.4
13時間　～14時間	1.3	0.1	0.2	0.2	0.5	0.3
単独型	4 539.6	996.2	1 086.2	1 210.6	703.0	543.6
２時間以上　～３時間未満	11.4	3.0	2.4	2.6	1.8	1.6
３時間　～５時間	285.7	68.7	79.2	68.9	42.3	26.5
５時間　～７時間	1 764.1	427.3	434.5	456.9	261.0	184.5
７時間　～９時間	2 450.3	493.9	565.6	674.3	391.0	325.5
９時間　～10時間	15.9	1.5	2.2	5.3	3.5	3.3
10時間　～11時間	5.9	1.1	0.9	1.6	1.3	1.0
11時間　～12時間	5.5	0.5	1.1	0.9	1.9	1.1
12時間　～13時間	0.8	0.1	0.2	0.2	0.2	0.2
13時間　～14時間	0.1	0.0	0.0	0.0	0.0	0.0
併設型	2 351.1	461.6	562.8	639.2	393.1	294.4
２時間以上　～３時間未満	5.0	0.9	1.1	1.1	0.9	1.0
３時間　～５時間	88.3	19.4	24.6	21.7	13.3	9.3
５時間　～７時間	995.8	209.0	239.8	269.1	155.9	122.1
７時間　～９時間	1 249.1	231.5	296.2	343.5	218.9	159.0
９時間　～10時間	6.4	0.8	0.7	1.5	1.9	1.5
10時間　～11時間	3.5	0.0	0.1	1.7	0.8	0.9
11時間　～12時間	2.5	0.0	0.2	0.6	1.1	0.6
12時間　～13時間	0.5	−	−	0.1	0.2	0.3
13時間　～14時間	−	−	−	−	−	−
共用型	315.1	68.6	98.9	88.6	38.1	20.8
２時間以上　～３時間未満	1.0	0.6	0.2	0.2	0.0	0.1
３時間　～５時間	8.4	1.8	2.9	2.4	0.6	0.7
５時間　～７時間	77.4	19.3	23.1	20.4	8.9	5.8
７時間　～９時間	206.0	44.9	66.3	57.1	24.9	12.9
９時間　～10時間	11.5	1.3	2.9	5.3	1.6	0.4
10時間　～11時間	7.0	0.7	2.4	2.0	1.3	0.6
11時間　～12時間	1.6	0.0	0.9	0.5	0.1	0.1
12時間　～13時間	0.8	0.0	0.0	0.5	0.3	0.0
13時間　～14時間	1.2	0.1	0.2	0.2	0.5	0.3

注：１）事業所からの請求時点の数値を集計している。
　　２）基本算定項目のうち、所要時間別区分が可能なものについて集計している。
　　３）総数には、月の途中で要介護から要支援に変更となった者を含む。

統計表第23表　訪問介護受給者数，月・内容類型・要介護状態区分別

（単位：千人）

月・内容類型			総　数	要介護１	要介護２	要介護３	要介護４	要介護５
累計		受給者総数	12 099.7	3 851.3	3 563.8	1 991.6	1 509.5	1 183.4
		身体介護	6 255.2	1 245.5	1 543.4	1 250.5	1 173.8	1 041.8
		身体介護・生活援助	3 558.8	1 014.4	1 102.1	672.1	452.7	317.5
		生活援助	6 132.3	2 542.6	2 032.4	877.5	466.3	213.5
		通院等乗降介助	1 116.9	307.1	403.9	198.3	135.0	72.5
平成29年	5月審査分	受給者総数	994.0	315.6	292.7	163.5	124.3	97.8
		身体介護	511.1	101.1	126.0	101.9	96.4	85.8
		身体介護・生活援助	293.5	82.9	90.8	55.6	37.7	26.4
		生活援助	500.1	208.3	166.2	71.3	37.4	16.9
		通院等乗降介助	94.1	25.8	33.9	16.7	11.4	6.2
	6月	受給者総数	1 006.3	319.3	296.4	165.9	125.9	98.8
		身体介護	517.9	102.7	127.6	103.5	97.3	86.8
		身体介護・生活援助	297.6	84.2	92.0	56.3	38.2	26.8
		生活援助	507.5	211.0	168.5	72.7	38.1	17.2
		通院等乗降介助	94.8	25.9	34.2	16.8	11.6	6.3
	7月	受給者総数	1 010.0	320.6	297.3	166.4	126.5	99.2
		身体介護	519.8	102.9	128.1	103.8	97.8	87.2
		身体介護・生活援助	297.6	84.3	92.1	56.4	38.2	26.7
		生活援助	509.5	211.6	169.0	73.0	38.4	17.5
		通院等乗降介助	95.8	26.4	34.4	17.1	11.6	6.3
	8月	受給者総数	1 009.2	321.0	297.2	166.1	125.9	98.9
		身体介護	519.3	103.1	128.2	103.7	97.5	86.9
		身体介護・生活援助	297.6	84.7	92.1	56.2	38.0	26.5
		生活援助	509.5	212.0	168.8	72.9	38.4	17.5
		通院等乗降介助	94.9	26.2	34.3	16.8	11.5	6.1
	9月	受給者総数	1 002.2	319.5	295.2	164.8	124.6	98.1
		身体介護	516.4	102.8	127.3	103.4	96.6	86.4
		身体介護・生活援助	295.0	84.2	91.4	55.7	37.4	26.2
		生活援助	508.9	211.5	168.6	72.7	38.5	17.6
		通院等乗降介助	92.9	25.7	33.7	16.4	11.2	6.0
	10月	受給者総数	1 016.5	323.8	299.6	167.4	126.6	99.2
		身体介護	522.4	103.5	129.0	104.4	98.1	87.4
		身体介護・生活援助	298.0	84.9	92.2	56.4	38.0	26.5
		生活援助	516.2	214.0	171.0	74.0	39.3	17.9
		通院等乗降介助	93.9	25.9	33.9	16.7	11.3	6.0
	11月	受給者総数	1 020.0	325.0	300.5	168.0	127.1	99.5
		身体介護	524.8	104.4	129.4	105.0	98.6	87.5
		身体介護・生活援助	299.2	85.2	92.6	56.7	38.1	26.6
		生活援助	521.1	215.8	172.5	74.8	39.8	18.2
		通院等乗降介助	94.1	25.7	34.1	16.7	11.4	6.2
	12月	受給者総数	1 017.4	324.1	299.5	167.6	126.7	99.4
		身体介護	524.3	104.2	129.4	105.0	98.3	87.4
		身体介護・生活援助	297.6	84.9	92.1	56.3	37.7	26.7
		生活援助	518.0	214.5	171.7	74.1	39.5	18.2
		通院等乗降介助	94.3	25.8	34.0	16.9	11.4	6.2
平成30年	1月	受給者総数	1 016.5	324.4	299.4	167.2	126.5	99.0
		身体介護	528.0	105.9	130.7	105.4	98.6	87.3
		身体介護・生活援助	297.7	85.3	92.3	56.1	37.5	26.5
		生活援助	517.0	214.1	171.3	74.0	39.5	18.2
		通院等乗降介助	93.7	25.8	34.0	16.7	11.3	6.1
	2月	受給者総数	1 003.1	320.2	295.8	164.8	124.6	97.8
		身体介護	524.0	105.5	129.8	104.7	97.6	86.4
		身体介護・生活援助	295.3	84.5	91.7	55.5	37.3	26.3
		生活援助	511.9	211.7	169.5	73.1	39.4	18.2
		通院等乗降介助	89.8	24.8	32.6	15.9	10.8	5.7
	3月	受給者総数	996.9	318.1	293.9	163.7	124.0	97.2
		身体介護	519.6	104.1	128.2	104.1	97.3	85.9
		身体介護・生活援助	293.1	84.1	90.9	55.0	36.9	26.2
		生活援助	505.1	208.9	167.3	72.1	38.8	18.0
		通院等乗降介助	88.3	24.4	32.2	15.6	10.5	5.6
	4月	受給者総数	1 007.6	319.7	296.3	166.2	126.9	98.5
		身体介護	527.7	105.3	129.9	105.7	99.7	87.0
		身体介護・生活援助	296.7	85.1	92.0	55.9	37.7	26.1
		生活援助	507.4	209.1	168.1	72.9	39.2	18.1
		通院等乗降介助	90.3	24.7	32.7	16.0	11.0	5.9

注：1）累計は、各月の内容類型別受給者数を合計したものである。
2）内容類型別受給者数は、同一月に異なる内容類型によるサービスを受けた場合、それぞれの内容類型に１人と計上されるが、同一の内容類型によるサービスを受けた場合は、該当の区分に１人と計上される。
3）総数には、月の途中で要介護から要支援に変更となった者を含む。

統計表第24表　訪問介護回数，月・内容類型・要介護状態区分別

（単位：千回）

月・内容類型			総数	要介護１	要介護２	要介護３	要介護４	要介護５
累計		総数	281 101.1	47 101.1	60 336.7	57 025.3	59 298.3	57 339.0
		身体介護	171 798.2	15 183.5	25 616.0	36 075.9	46 304.1	48 618.4
		身体介護・生活援助	41 306.0	7 988.8	10 532.1	8 944.8	7 358.7	6 481.6
		生活援助	61 212.4	22 210.0	21 460.0	10 805.9	4 873.5	1 862.7
		通院等乗降介助	6 784.5	1 718.8	2 728.6	1 198.7	761.9	376.4
平成29年	５月審査分	総数	22 489.8	3 765.0	4 839.8	4 566.8	4 730.2	4 587.9
		身体介護	13 571.7	1 185.7	2 015.2	2 841.8	3 658.5	3 870.4
		身体介護・生活援助	3 387.3	640.5	855.4	739.1	614.6	537.8
		生活援助	4 967.9	1 795.8	1 743.4	886.5	393.8	148.3
		通院等乗降介助	562.9	143.0	225.8	99.4	63.3	31.4
	６月	総数	23 605.3	4 014.5	5 124.8	4 781.9	4 923.8	4 760.1
		身体介護	14 145.7	1 252.7	2 118.9	2 967.7	3 795.7	4 010.6
		身体介護・生活援助	3 581.8	688.7	911.4	775.5	645.5	560.7
		生活援助	5 292.6	1 926.4	1 858.2	935.3	416.8	156.0
		通院等乗降介助	585.2	146.7	236.3	103.4	65.9	32.8
	７月	総数	23 364.7	3 967.7	5 060.0	4 715.6	4 890.7	4 730.8
		身体介護	14 056.0	1 246.2	2 101.7	2 935.0	3 779.2	3 993.9
		身体介護・生活援助	3 518.5	678.6	895.8	761.7	632.2	550.2
		生活援助	5 198.8	1 892.3	1 825.5	914.3	412.5	154.1
		通院等乗降介助	591.5	150.5	237.0	104.5	66.8	32.6
	８月	総数	23 664.2	3 980.0	5 092.8	4 793.6	4 982.3	4 815.4
		身体介護	14 356.1	1 269.1	2 139.6	3 004.5	3 869.0	4 073.8
		身体介護・生活援助	3 519.7	677.3	894.1	763.2	632.2	553.0
		生活援助	5 208.4	1 886.0	1 826.0	924.0	415.8	156.6
		通院等乗降介助	580.0	147.6	233.2	102.0	65.3	32.0
	９月	総数	23 649.6	4 005.1	5 102.1	4 786.0	4 954.3	4 801.9
		身体介護	14 338.1	1 275.5	2 140.5	3 001.1	3 852.8	4 068.2
		身体介護・生活援助	3 499.2	682.2	893.2	758.8	620.4	544.6
		生活援助	5 234.0	1 901.5	1 834.4	924.6	416.5	157.0
		通院等乗降介助	578.2	146.0	234.1	101.4	64.7	32.1
	10月	総数	23 471.1	3 953.8	5 054.4	4 754.5	4 932.7	4 775.7
		身体介護	14 279.8	1 263.6	2 130.2	2 994.3	3 842.4	4 049.2
		身体介護・生活援助	3 458.7	672.3	883.6	748.0	615.0	539.7
		生活援助	5 159.9	1 871.9	1 810.1	911.9	411.1	154.9
		通院等乗降介助	572.7	146.0	230.4	100.4	64.1	31.8
	11月	総数	24 083.2	4 053.1	5 179.4	4 890.3	5 067.5	4 892.9
		身体介護	14 658.6	1 294.6	2 185.7	3 079.4	3 953.2	4 145.8
		身体介護・生活援助	3 525.5	683.4	898.6	764.3	625.6	553.7
		生活援助	5 322.0	1 929.2	1 862.8	944.9	424.0	161.0
		通院等乗降介助	577.1	145.9	232.3	101.8	64.8	32.3
	12月	総数	23 554.1	3 957.4	5 054.4	4 783.3	4 958.7	4 800.1
		身体介護	14 372.3	1 265.6	2 138.7	3 026.6	3 872.1	4 069.2
		身体介護・生活援助	3 434.0	665.3	876.8	741.4	610.2	540.2
		生活援助	5 179.6	1 883.0	1 811.6	913.7	412.7	158.5
		通院等乗降介助	568.3	143.5	227.3	101.5	63.7	32.3
平成30年	１月	総数	23 832.3	3 961.9	5 091.6	4 846.1	5 042.1	4 890.6
		身体介護	14 707.5	1 297.6	2 190.3	3 098.6	3 962.2	4 158.8
		身体介護・生活援助	3 431.6	664.6	876.6	741.5	606.7	542.3
		生活援助	5 127.7	1 855.7	1 796.4	906.1	410.8	158.7
		通院等乗降介助	565.4	144.0	228.3	99.8	62.5	30.8
	２月	総数	23 258.4	3 795.3	4 910.1	4 736.8	4 979.5	4 836.7
		身体介護	14 574.2	1 277.0	2 157.8	3 073.6	3 938.1	4 127.5
		身体介護・生活援助	3 291.9	632.7	836.7	711.2	586.5	524.8
		生活援助	4 859.8	1 752.1	1 701.5	856.7	394.9	154.6
		通院等乗降介助	532.5	133.4	214.0	95.3	60.0	29.8
	３月	総数	22 002.7	3 642.9	4 683.6	4 462.1	4 678.8	4 535.3
		身体介護	13 719.1	1 217.9	2 049.5	2 886.5	3 699.7	3 865.6
		身体介護・生活援助	3 161.5	616.8	809.4	681.7	556.8	496.8
		生活援助	4 611.5	1 678.7	1 619.3	803.7	364.8	145.0
		通院等乗降介助	510.6	129.6	205.3	90.3	57.6	27.9
	４月	総数	24 125.6	4 004.4	5 143.8	4 908.3	5 157.5	4 911.5
		身体介護	15 019.1	1 338.0	2 247.9	3 166.7	4 081.1	4 185.4
		身体介護・生活援助	3 496.2	686.5	900.4	758.5	613.2	537.6
		生活援助	5 050.2	1 837.3	1 770.8	884.2	399.9	157.9
		通院等乗降介助	560.1	142.6	224.6	99.0	63.3	30.6

注：1）事業所からの請求時点の数値を集計している。
　　2）基本算定項目を集計しており、加算項目は計上しない。
　　3）累計は、各月の内容類型別回数を合計したものである。
　　4）総数には、月の途中で要介護から要支援に変更となった者を含む。

統計表第25表　介護予防訪問介護－介護予防訪問看護－介護予防通所介護－介護予防通所

サービス種類・月		総　数	要支援1	要支援2
介護予防訪問介護＊	累計	1 228.6	548.5	675.1
	平成29年5月　審査分	212.8	94.6	117.3
	6月	195.0	86.9	107.3
	7月	171.3	76.4	94.2
	8月	150.1	67.2	82.3
	9月	126.3	56.5	69.3
	10月	106.8	47.8	58.6
	11月	86.2	38.5	47.3
	12月	68.0	30.4	37.3
	平成30年1月	51.5	23.1	28.3
	2月	36.1	16.2	19.8
	3月	19.9	8.8	10.9
	4月	4.5	2.0	2.4
介護予防訪問看護	累計	5 825.7	1 531.8	4 279.9
	平成29年5月　審査分	431.7	114.2	316.5
	6月	463.9	121.4	341.4
	7月	485.1	126.8	357.2
	8月	470.0	123.8	345.2
	9月	491.1	128.4	361.6
	10月	487.0	127.8	358.0
	11月	509.2	133.6	374.5
	12月	507.9	133.8	372.8
	平成30年1月	499.8	132.1	366.6
	2月	473.8	126.2	346.4
	3月	479.8	126.9	351.5
	4月	526.4	136.9	388.3
介護予防通所介護＊	累計	1 626.7	745.9	876.2
	平成29年5月　審査分	275.6	125.3	149.4
	6月	255.7	116.6	138.4
	7月	227.4	104.1	122.6
	8月	198.5	91.0	107.0
	9月	167.7	76.8	90.5
	10月	142.7	65.6	76.7
	11月	116.2	53.6	62.3
	12月	91.6	42.3	49.0
	平成30年1月	68.9	31.8	36.9
	2月	49.1	22.9	26.1
	3月	26.8	12.6	14.1
	4月	6.6	3.2	3.3

リハビリテーション－介護予防認知症対応型通所介護回数・件数，月・要支援状態区分別

（単位：千回（件））

サービス種類・月		総　数	要支援１	要支援２
介護予防通所リハビリテーション＊	累計	1 886.6	750.9	1 132.1
	平成29年５月　審査分	151.1	60.2	90.7
	６月	154.5	61.4	92.8
	７月	155.5	62.0	93.2
	８月	156.2	62.3	93.6
	９月	154.8	61.6	92.9
	10月	158.3	63.2	94.8
	11月	159.4	63.6	95.6
	12月	160.7	64.0	96.4
	平成30年１月	160.3	63.7	96.3
	２月	158.3	62.9	95.1
	３月	157.7	62.7	94.7
	４月	159.7	63.3	96.1
介護予防認知症対応型通所介護	累計	65.8	25.7	39.8
	平成29年５月　審査分	5.3	2.2	3.1
	６月	5.9	2.3	3.6
	７月	5.6	2.2	3.4
	８月	5.6	2.3	3.3
	９月	5.6	2.3	3.3
	10月	5.6	2.2	3.4
	11月	5.8	2.2	3.5
	12月	5.6	2.1	3.5
	平成30年１月	5.5	2.1	3.4
	２月	4.9	1.9	3.0
	３月	4.8	1.9	2.9
	４月	5.5	2.1	3.4

注：１）事業所からの請求時点の数値を集計している。
　　２）基本算定項目を集計しており、加算項目は計上しない。
　　３）累計は、各月の回数を合計したものである。
　　４）＊は件数を集計している。
　　５）総数には、月の途中で要支援から要介護に変更となった者を含む。

サービス種類・月		総数	要介護1	要介護2	要介護3	要介護4	要介護5
訪問看護	累計	44 146.0	8 495.3	11 119.5	7 771.8	7 840.0	8 919.3
	平成29年5月　審査分	3 364.2	631.6	838.3	591.0	603.8	699.6
	6月	3 599.4	678.7	899.3	634.0	644.4	743.0
	7月	3 751.9	713.2	940.0	663.6	671.7	763.4
	8月	3 611.5	685.9	905.9	636.4	645.4	737.9
	9月	3 755.4	724.2	944.2	661.2	667.7	758.0
	10月	3 673.6	706.9	925.7	648.0	650.8	742.2
	11月	3 837.5	742.2	971.6	676.2	679.4	768.1
	12月	3 771.3	733.6	954.4	665.4	665.8	752.1
	平成30年1月	3 761.1	729.4	952.2	660.6	664.2	754.7
	2月	3 565.7	692.1	895.1	623.1	631.9	723.6
	3月	3 526.2	690.1	894.4	620.8	620.6	700.3
	4月	3 928.3	767.4	998.4	691.6	694.5	776.4
通所介護	累計	141 376.7	46 874.2	42 774.1	26 904.2	16 190.6	8 633.0
	平成29年5月　審査分	11 225.8	3 704.3	3 402.5	2 140.4	1 289.4	689.1
	6月	12 108.7	4 010.6	3 664.2	2 309.7	1 387.1	737.0
	7月	11 944.8	3 965.2	3 618.0	2 271.6	1 366.3	723.7
	8月	12 021.6	3 983.4	3 636.0	2 289.6	1 378.6	734.0
	9月	12 073.7	3 999.2	3 646.8	2 302.0	1 386.2	739.4
	10月	12 057.0	4 001.8	3 649.0	2 291.8	1 383.4	730.9
	11月	12 163.3	4 032.5	3 679.9	2 318.1	1 392.8	740.0
	12月	12 006.9	3 985.5	3 632.8	2 286.7	1 369.6	732.2
	平成30年1月	11 872.4	3 932.4	3 594.5	2 262.6	1 356.0	726.9
	2月	10 972.1	3 633.8	3 311.7	2 084.8	1 263.1	678.6
	3月	10 733.0	3 573.0	3 249.9	2 029.8	1 224.6	655.7
	4月	12 197.5	4 052.5	3 688.9	2 317.1	1 393.5	745.4
通所リハビリテーション	累計	43 698.3	14 169.4	14 455.3	8 252.7	4 740.5	2 079.9
	平成29年5月　審査分	3 527.8	1 133.8	1 167.3	669.8	385.6	171.2
	6月	3 754.4	1 207.2	1 239.7	714.4	411.4	181.7
	7月	3 810.3	1 230.8	1 259.9	723.1	414.4	182.0
	8月	3 735.4	1 206.8	1 234.4	708.6	407.0	178.6
	9月	3 719.1	1 201.9	1 228.3	704.5	405.9	178.5
	10月	3 715.8	1 203.6	1 229.1	703.3	403.0	176.7
	11月	3 765.7	1 223.0	1 245.1	710.7	407.3	179.5
	12月	3 703.3	1 202.4	1 225.7	697.9	401.2	176.0
	平成30年1月	3 659.0	1 189.6	1 212.8	687.3	396.7	172.6
	2月	3 295.0	1 074.1	1 090.3	619.1	355.6	155.8
	3月	3 268.2	1 069.4	1 082.1	612.9	350.9	152.9
	4月	3 744.4	1 226.9	1 240.5	701.1	401.5	174.4

認知症対応型通所介護－地域密着型通所介護回数，月・要介護状態区分別

（単位：千回）

サービス種類・月		総　数	要介護１	要介護２	要介護３	要介護４	要介護５
認知症対応型通所介護	累計	7 205.8	1 526.4	1 747.9	1 938.4	1 134.2	858.9
	平成29年５月　審査分	582.3	122.6	139.9	158.7	91.9	69.2
	６月	626.3	131.8	150.9	170.4	98.6	74.6
	７月	614.5	129.8	147.4	166.4	97.6	73.3
	８月	617.0	129.7	149.0	166.8	98.1	73.4
	９月	619.4	131.5	149.5	166.4	98.6	73.3
	10月	615.7	130.3	149.3	165.1	97.4	73.5
	11月	619.0	131.0	150.1	165.5	98.3	74.1
	12月	610.8	129.8	148.7	163.1	95.8	73.4
	平成30年１月	602.2	127.9	146.9	161.3	94.4	71.6
	２月	555.9	118.1	135.8	149.1	86.7	66.1
	３月	537.6	114.7	131.9	144.2	82.8	64.0
	４月	605.1	129.0	148.4	161.6	94.0	72.2
地域密着型通所介護	累計	45 795.4	15 501.7	13 725.5	8 929.5	4 971.4	2 667.1
	平成29年５月　審査分	3 640.3	1 224.1	1 091.9	710.2	402.0	212.0
	６月	3 967.9	1 339.8	1 189.5	774.6	434.7	229.3
	７月	3 947.3	1 335.6	1 184.9	769.7	427.8	229.3
	８月	3 904.3	1 316.0	1 169.0	765.1	427.2	227.0
	９月	3 891.9	1 313.6	1 162.0	761.8	425.8	228.7
	10月	3 892.3	1 314.7	1 168.2	760.6	422.8	226.1
	11月	3 955.8	1 337.9	1 188.1	772.5	428.3	229.0
	12月	3 894.2	1 321.3	1 166.3	758.4	419.8	228.4
	平成30年１月	3 811.6	1 290.8	1 141.2	744.6	411.7	223.3
	２月	3 517.2	1 188.7	1 051.5	687.7	382.2	207.0
	３月	3 475.1	1 184.3	1 043.9	672.1	372.0	202.8
	４月	3 897.7	1 334.9	1 169.0	752.2	417.2	224.4

注：１）事業所からの請求時点の数値を集計している。
　　２）基本算定項目を集計しており、加算項目は計上しない。
　　３）累計は、各月の回数を合計したものである。
　　４）総数には、月の途中で要介護から要支援に変更となった者を含む。

統計表第27表　福祉用具貸与単位数・日数・件数，都道府県・貸与種目別（３－１）

（単位数）

平成29年５月審査分～平成30年４月審査分
（単位：千単位）

	総　　数	車いす	車いす付属品	特殊寝台	特殊寝台付属品	床ずれ防止用具	体位変換器	手すり	スロープ	歩行器	歩行補助つえ	認知症老人徘徊感知機器	移動用リフト	自動排泄処理装置
全　国	32 736 804	5 420 002	560 734	9 440 712	4 038 604	1 820 112	135 526	6 149 430	1 149 808	2 468 284	254 283	243 588	1 044 500	11 221
北海道	1 132 382	160 313	18 861	290 938	136 675	59 988	6 951	287 465	27 980	101 254	8 096	18 673	14 433	755
青森県	362 485	63 114	5 319	127 418	49 604	34 154	1 611	33 302	14 264	23 004	1 670	4 438	4 540	47
岩手県	354 144	48 596	6 343	114 255	40 484	28 222	2 103	50 713	18 881	26 158	3 017	3 405	11 838	127
宮城県	549 555	68 801	8 461	164 404	62 974	40 241	2 678	104 499	28 813	37 861	4 679	3 432	22 454	259
秋田県	276 419	34 102	3 123	92 868	38 221	21 276	1 310	40 953	13 651	21 934	2 409	1 130	5 367	75
山形県	294 420	37 273	3 605	90 070	37 764	27 001	1 644	42 262	15 611	22 207	2 386	4 924	9 573	98
福島県	569 097	69 190	6 754	182 569	73 926	42 728	2 093	95 281	27 480	33 213	4 543	3 025	28 066	227
茨城県	574 878	77 291	8 710	161 048	74 200	36 405	1 546	108 629	31 590	36 446	5 018	2 938	30 968	88
栃木県	470 262	71 912	8 086	139 632	58 038	30 589	1 799	78 557	26 395	28 710	3 042	3 034	20 264	204
群馬県	444 300	81 012	9 741	130 381	49 561	28 911	1 870	62 433	19 446	32 121	3 360	7 254	18 060	149
埼玉県	1 446 610	235 709	26 823	446 292	179 745	75 030	5 743	260 542	53 693	91 457	10 909	5 890	54 177	600
千葉県	1 420 027	220 779	25 691	443 946	194 331	81 764	5 488	241 413	50 139	82 305	12 669	6 404	54 722	378
東京都	3 410 364	605 670	71 759	1 027 583	429 368	180 320	13 310	698 407	64 235	194 376	23 194	15 412	85 745	987
神奈川県	2 190 360	357 590	44 308	699 337	282 666	122 681	9 126	410 140	48 341	116 078	20 391	12 681	66 281	741
新潟県	643 584	79 472	6 918	203 511	80 731	42 810	3 191	103 482	32 913	60 108	5 587	4 353	20 233	275
富山県	321 908	38 548	4 617	80 893	39 638	17 178	1 493	72 649	24 513	28 857	1 999	2 679	8 707	137
石川県	247 331	34 091	4 234	62 174	26 363	15 193	975	58 098	13 229	21 155	1 454	3 094	7 190	80
福井県	209 408	24 002	2 575	54 316	23 293	12 160	701	50 246	17 980	17 462	1 456	875	4 264	77
山梨県	204 916	27 198	3 125	58 629	23 562	13 178	820	41 389	10 865	14 915	1 394	1 499	8 336	6
長野県	687 369	88 668	9 131	197 780	76 571	46 268	2 999	131 427	39 845	56 838	4 225	6 439	26 980	196
岐阜県	539 919	82 497	8 239	156 017	60 607	35 647	2 366	99 524	29 701	39 856	4 387	4 336	16 538	203
静岡県	909 511	147 256	15 979	250 263	102 962	51 166	4 095	180 938	45 131	71 103	7 948	6 521	25 956	193
愛知県	1 634 727	295 449	34 330	450 830	191 066	95 309	9 730	289 890	64 151	130 069	14 608	13 611	45 278	406
三重県	487 324	78 143	7 951	133 083	54 413	29 709	1 533	103 380	24 697	33 184	3 737	3 589	13 798	106
滋賀県	397 841	59 059	6 233	105 683	45 731	22 572	1 390	78 162	24 230	33 070	3 539	1 893	16 181	97
京都府	932 415	147 938	13 586	259 039	118 369	39 815	3 602	205 970	25 503	75 649	8 080	3 760	30 812	291
大阪府	3 052 399	625 603	51 966	965 023	409 932	129 757	9 296	474 899	50 591	234 075	21 087	13 061	66 303	805
兵庫県	1 557 310	301 272	26 178	427 614	182 601	77 922	5 946	279 164	45 640	135 914	14 181	7 225	53 196	457
奈良県	362 179	55 159	5 035	105 924	45 378	21 456	1 196	73 716	13 033	24 182	3 598	2 367	10 999	137
和歌山県	327 719	68 525	4 345	96 650	41 406	20 776	1 614	47 132	10 252	23 156	2 872	2 410	8 517	62
鳥取県	167 515	23 374	2 672	40 597	21 330	11 285	1 324	33 763	10 622	15 248	921	1 466	4 809	104
島根県	287 789	41 051	2 700	71 707	40 678	13 963	1 418	59 662	14 874	26 427	2 847	2 836	9 555	72
岡山県	554 705	85 751	7 225	142 057	69 933	25 612	1 632	114 672	24 004	50 963	4 723	3 186	24 691	255
広島県	887 868	155 146	11 205	256 564	128 063	36 760	3 389	154 774	28 648	69 625	6 843	5 671	30 813	365
山口県	383 958	56 776	4 952	93 995	47 571	18 115	1 731	90 993	12 787	36 992	3 394	4 890	11 627	135
徳島県	213 588	30 041	2 808	61 046	28 607	11 586	762	32 800	7 722	24 646	2 041	1 049	10 428	52
香川県	287 308	45 546	4 385	70 801	36 450	15 931	1 703	53 592	13 788	31 948	2 230	1 599	9 215	121
愛媛県	444 850	83 194	5 748	117 457	57 153	26 401	2 030	72 300	20 786	38 581	3 033	3 379	14 651	138
高知県	183 009	34 356	3 055	36 314	19 214	7 896	488	46 639	5 949	17 871	781	1 094	9 333	18
福岡県	1 121 191	184 762	20 697	273 959	131 270	51 453	4 269	265 970	28 546	102 031	8 753	16 076	32 780	625
佐賀県	165 198	29 813	3 148	37 980	21 242	7 863	425	34 583	6 870	13 810	1 062	3 072	5 245	83
長崎県	298 496	48 075	4 512	80 580	41 421	15 857	1 227	62 250	9 168	20 483	2 637	3 907	8 208	169
熊本県	443 724	66 424	7 083	103 780	49 981	20 117	1 564	96 450	15 210	55 300	2 662	6 960	17 945	248
大分県	280 912	52 215	6 139	58 846	25 253	19 649	1 931	55 993	9 759	33 157	1 880	4 644	11 299	148
宮崎県	297 438	56 182	7 869	80 842	24 396	19 013	1 482	41 509	8 912	30 896	1 232	7 244	17 736	126
鹿児島県	445 167	74 810	6 459	119 989	38 839	20 241	1 603	94 476	14 465	34 089	2 287	5 225	32 434	251
沖縄県	262 922	68 252	8 050	76 028	27 021	18 144	324	34 340	4 904	19 500	1 421	938	3 955	46

注：１）事業所からの請求時点の数値を集計している。
　　２）単位数は特別地域加算分を含まない。

統計表第27表　福祉用具貸与単位数・日数・件数，都道府県・貸与種目別（3－2）

（日数）

平成29年5月審査分～平成30年4月審査分
（単位：千日）

	総数	車いす	車いす付属品	特殊寝台	特殊寝台付属品	床ずれ防止用具	体位変換器	手すり	スロープ	歩行器	歩行補助つえ	認知症老人徘徊感知機器	移動用リフト	自動排泄処理装置
全国	2 649 287.1	238 727.0	84 816.4	304 393.3	887 801.0	77 892.6	13 058.6	603 963.2	102 709.0	240 707.2	65 024.1	10 776.1	19 068.1	350.4
北海道	94 205.4	7 432.4	3 156.6	9 078.3	26 329.1	2 506.7	699.6	29 595.6	2 913.8	9 392.4	2 048.6	742.6	290.0	19.5
青森県	28 076.1	3 028.1	925.0	4 262.5	11 338.1	1 421.4	119.5	3 106.8	1 136.4	2 031.2	426.2	184.0	95.5	1.4
岩手県	28 734.4	2 406.0	962.2	3 821.8	9 943.7	1 283.0	138.7	4 851.5	1 737.4	2 382.9	779.1	162.6	261.7	3.8
宮城県	44 002.3	3 508.9	1 300.9	5 387.1	13 958.7	1 726.9	205.6	9 788.4	2 474.7	3 773.5	1 240.1	159.2	470.8	7.6
秋田県	22 600.5	1 664.7	478.5	2 996.3	8 429.4	933.6	127.0	3 643.3	1 632.4	1 983.0	540.9	48.2	121.1	2.1
山形県	23 678.6	1 750.8	543.1	2 968.9	8 514.9	1 101.1	127.7	4 192.1	1 456.7	2 002.2	615.1	195.8	207.4	2.7
福島県	40 083.6	3 087.0	923.1	5 345.5	14 393.7	1 705.8	139.4	7 750.9	1 974.2	2 895.9	1 147.7	132.6	581.0	6.8
茨城県	45 299.6	3 598.3	1 218.4	5 858.0	16 411.0	1 519.6	130.2	8 506.6	2 522.7	3 602.4	1 220.8	142.4	566.3	3.0
栃木県	36 155.8	3 249.7	1 190.7	4 514.8	12 740.9	1 312.4	140.3	6 739.2	2 131.8	2 787.2	795.2	132.3	415.9	5.3
群馬県	34 227.7	3 516.6	1 454.2	4 137.1	11 383.6	1 239.9	140.5	5 993.5	1 633.2	3 169.1	882.9	294.6	378.0	4.5
埼玉県	114 073.5	10 588.8	4 021.9	13 710.2	39 141.2	3 227.0	482.2	25 279.2	4 364.5	9 172.3	2 884.2	249.1	933.9	19.1
千葉県	111 737.7	9 826.9	3 650.5	13 782.4	40 454.1	3 432.7	494.0	23 441.8	4 017.9	8 219.2	3 186.3	295.8	923.4	12.7
東京都	277 311.9	27 380.7	10 738.1	30 201.0	91 245.8	7 594.5	1 156.1	75 229.2	5 848.7	19 724.1	5 940.2	674.8	1 546.1	32.7
神奈川県	182 706.2	15 941.2	6 024.5	21 927.5	65 176.0	5 363.4	897.9	42 798.1	5 261.4	11 972.4	5 559.5	578.6	1 181.8	23.8
新潟県	58 875.5	3 717.5	1 277.2	6 667.1	20 945.0	2 128.4	316.0	10 627.6	3 897.1	6 985.8	1 652.9	212.5	439.2	9.2
富山県	26 610.9	1 892.7	696.5	2 683.2	8 402.8	772.0	154.7	6 517.5	2 015.2	2 748.5	478.9	109.2	136.7	3.0
石川県	20 753.5	1 631.6	639.0	1 997.8	6 208.8	693.9	121.5	5 635.8	1 168.3	2 010.8	371.7	141.9	131.5	0.9
福井県	18 503.6	1 306.6	389.5	1 894.0	6 022.4	527.5	59.7	4 647.6	1 532.0	1 683.8	317.3	43.1	77.1	2.9
山梨県	16 724.6	1 288.0	531.6	2 085.3	5 461.4	578.0	75.5	3 755.1	757.6	1 573.2	364.2	60.8	193.7	0.2
長野県	60 061.9	3 891.9	1 455.4	6 300.8	20 455.8	2 107.8	372.1	13 378.3	3 585.0	6 378.0	1 220.5	263.1	646.3	6.8
岐阜県	45 855.7	3 762.2	1 274.2	5 167.3	15 598.9	1 577.5	256.3	9 776.1	2 394.6	4 260.1	1 299.6	188.0	296.6	4.2
静岡県	76 132.8	6 350.2	2 452.2	8 188.1	24 762.6	2 161.3	300.4	17 886.0	3 906.6	7 224.8	2 127.4	277.0	488.5	7.5
愛知県	129 228.3	12 352.3	4 832.5	14 055.6	40 353.4	3 924.3	951.3	29 036.7	5 877.5	12 637.4	3 850.1	601.4	743.3	12.4
三重県	39 961.7	3 448.6	1 096.9	4 813.9	13 661.6	1 220.1	190.0	8 924.2	2 026.3	3 217.8	963.6	159.6	235.2	4.0
滋賀県	32 883.4	2 733.7	978.5	3 494.4	10 848.9	1 034.5	163.2	7 036.1	1 764.4	3 576.5	912.8	79.6	257.2	3.7
京都府	73 127.3	6 062.7	2 142.1	8 258.8	23 809.9	1 667.9	454.0	18 797.2	2 091.1	7 236.2	1 912.6	146.5	539.0	9.2
大阪府	242 973.9	27 418.6	8 792.6	30 774.2	87 878.0	5 431.8	982.7	47 133.4	4 920.9	22 548.4	5 246.4	567.5	1 253.0	26.1
兵庫県	126 730.7	13 271.8	4 110.8	14 056.6	39 504.9	3 383.5	691.3	28 638.7	4 665.6	13 325.8	3 810.4	331.6	923.6	16.1
奈良県	28 841.8	2 392.5	737.9	3 471.2	9 774.0	866.3	113.3	6 829.8	1 092.0	2 413.3	847.7	94.2	204.7	4.9
和歌山県	25 521.9	2 584.3	808.3	3 275.2	9 290.0	851.8	107.8	4 602.5	775.7	2 241.9	710.7	105.2	166.2	2.2
鳥取県	13 815.2	1 036.0	375.8	1 520.3	4 766.3	483.1	130.7	2 908.6	847.4	1 361.4	248.2	58.8	75.6	2.9
島根県	22 297.9	1 572.6	359.4	2 479.7	8 047.6	597.9	153.3	4 785.3	1 217.1	2 237.0	573.7	110.5	161.9	1.9
岡山県	45 640.8	3 302.6	1 093.7	4 962.1	15 905.9	1 138.8	196.3	10 751.6	1 980.1	4 667.5	1 086.6	150.8	396.6	8.2
広島県	74 019.9	5 760.0	1 848.8	8 750.4	29 342.8	1 630.5	388.3	14 895.8	2 282.1	6 565.2	1 743.4	271.6	528.8	12.4
山口県	32 056.8	2 484.0	741.8	3 192.2	10 178.5	761.9	209.2	8 675.2	1 226.5	3 387.0	788.9	211.3	196.1	4.0
徳島県	17 198.2	1 439.2	414.9	2 046.3	6 020.3	487.0	93.7	3 025.1	717.8	2 241.2	486.3	42.1	182.5	1.8
香川県	22 505.6	1 939.2	646.5	2 234.0	6 633.2	675.1	180.1	4 959.5	1 475.7	3 027.8	504.1	67.7	158.9	3.8
愛媛県	35 333.6	3 511.2	928.8	4 042.6	11 164.2	1 214.8	260.8	7 059.0	2 085.3	3 803.8	844.2	148.5	265.1	5.3
高知県	15 208.5	1 410.7	420.9	1 505.6	4 312.5	382.4	70.3	4 362.6	468.3	1 828.9	218.5	55.3	171.8	0.7
福岡県	96 724.6	7 899.4	2 917.2	10 198.7	28 304.9	2 115.8	415.3	28 387.1	3 165.6	9 726.4	2 276.1	702.6	595.3	20.1
佐賀県	13 929.9	1 273.9	404.5	1 481.2	4 505.5	319.1	33.5	3 455.4	588.1	1 370.9	270.6	139.4	85.1	2.8
長崎県	22 689.1	1 883.6	529.3	2 645.6	7 616.0	600.1	63.3	6 005.3	810.9	1 728.1	497.5	163.6	141.1	4.8
熊本県	37 309.0	3 009.1	1 058.7	3 976.2	11 315.9	879.9	108.9	9 129.6	1 496.7	5 113.6	599.6	311.9	302.7	6.2
大分県	21 885.4	2 145.5	993.4	1 958.8	5 400.0	774.9	173.4	5 506.1	956.4	3 067.1	489.4	210.2	205.7	4.5
宮崎県	20 988.7	2 599.6	1 196.3	2 398.0	6 288.4	811.0	110.5	3 603.0	537.2	2 484.6	249.9	423.5	283.4	3.5
鹿児島県	32 624.8	3 190.8	1 016.8	3 483.3	9 565.0	899.0	143.0	8 985.8	1 056.0	2 941.8	490.4	286.6	559.1	7.3
沖縄県	19 378.3	3 184.3	1 066.4	2 342.9	5 995.5	826.5	19.5	3 329.3	222.1	1 984.8	303.4	48.0	53.9	1.7

注：1）事業所からの請求時点の数値を集計している。
　　2）日数は、同一種目に分類される用具を複数利用した場合には、それぞれの日数を合計している。

統計表第27表　福祉用具貸与単位数・日数・件数，都道府県・貸与種目別（３－３）

（件数）

平成29年５月審査分～平成30年４月審査分

（単位：千件）

	総　数	車いす	車いす付属品	特殊寝台	特殊寝台付属品	床ずれ防止用具	体位変換器	手すり	スロープ	歩行器	歩行補助つえ	認知症老人徘徊感知機器	移動用リフト	自動排泄処理装置
全国	93 304.3	8 466.9	3 002.6	10 725.1	31 324.1	2 853.3	485.3	21 055.4	3 646.2	8 412.9	2 257.9	391.6	670.5	12.5
北海道	3 348.6	267.6	112.8	324.3	940.9	92.0	26.1	1 037.9	104.6	332.7	71.8	27.1	10.2	0.7
青森県	986.0	107.1	32.3	149.7	398.4	51.1	4.3	107.8	39.9	70.6	14.7	6.7	3.3	0.1
岩手県	1 003.7	84.7	33.6	133.4	347.9	46.4	5.2	167.1	61.2	82.4	26.6	5.9	9.1	0.1
宮城県	1 538.5	123.6	45.5	188.7	490.0	62.5	7.7	338.5	86.8	130.4	42.5	5.7	16.3	0.3
秋田県	791.7	58.7	16.8	104.9	295.8	33.7	4.6	126.4	57.4	68.7	18.6	1.7	4.2	0.1
山形県	835.0	62.5	19.3	105.0	301.1	40.4	4.8	145.5	51.2	69.6	21.1	7.1	7.2	0.1
福島県	1 464.2	113.7	34.1	194.3	523.8	64.9	5.5	282.8	72.9	104.8	40.9	5.0	21.2	0.2
茨城県	1 600.7	128.5	43.6	206.9	581.0	55.8	4.9	296.7	89.6	126.2	42.4	5.1	19.9	0.1
栃木県	1 271.7	115.1	42.3	158.8	448.6	47.9	5.2	234.2	75.3	97.2	27.5	4.8	14.6	0.2
群馬県	1 239.7	129.0	53.8	150.3	412.1	46.6	5.3	212.7	59.8	113.5	31.6	11.1	13.7	0.2
埼玉県	4 021.3	376.1	143.0	483.2	1 381.4	118.8	17.9	881.6	154.6	321.4	100.3	9.5	32.9	0.7
千葉県	3 901.9	345.2	128.0	480.5	1 413.1	124.3	18.2	812.2	141.3	285.9	110.1	10.6	32.2	0.5
東京都	9 726.4	965.0	378.7	1 058.4	3 204.3	278.3	43.2	2 618.2	206.0	688.2	206.1	24.6	54.4	1.2
神奈川県	6 393.6	562.4	212.2	765.7	2 280.4	196.1	33.3	1 484.9	184.6	418.1	192.8	21.0	41.3	0.8
新潟県	2 069.3	132.0	44.9	234.8	738.6	77.2	11.7	369.8	137.4	242.5	56.9	7.7	15.4	0.3
富山県	939.8	67.7	24.8	95.3	297.9	28.1	5.7	227.2	71.4	96.1	16.7	4.0	4.7	0.1
石川県	729.5	57.9	22.5	70.4	219.2	25.3	4.4	195.8	41.6	69.8	12.8	5.1	4.6	0.0
福井県	648.5	46.2	13.6	66.5	211.7	19.0	2.2	161.3	54.2	58.6	11.0	1.6	2.7	0.1
山梨県	603.0	46.9	19.3	75.3	197.8	21.7	2.9	133.5	28.1	55.7	12.8	2.2	6.9	0.0
長野県	2 150.1	141.6	52.8	227.0	737.4	79.0	14.3	468.6	130.2	223.7	42.5	9.6	23.0	0.3
岐阜県	1 616.5	133.9	45.3	182.3	551.4	58.6	9.8	339.0	85.3	148.6	45.0	6.9	10.5	0.2
静岡県	2 647.6	222.8	85.6	284.7	862.5	78.2	11.2	615.6	137.0	249.8	73.1	9.9	17.0	0.3
愛知県	4 560.1	440.2	171.9	497.8	1 428.3	144.1	34.9	1 009.7	208.2	442.3	134.1	21.8	26.2	0.5
三重県	1 397.5	121.4	38.6	168.3	478.4	44.4	6.9	308.5	71.8	111.8	33.4	5.7	8.2	0.1
滋賀県	1 155.6	97.0	34.6	123.0	382.5	37.8	6.0	243.8	63.0	124.3	31.5	2.9	9.0	0.1
京都府	2 581.5	215.8	76.0	291.3	842.4	61.8	16.9	657.5	75.0	253.4	66.7	5.3	19.0	0.3
大阪府	8 504.2	964.2	308.2	1 074.6	3 078.3	197.6	36.2	1 639.1	174.0	784.4	182.3	20.6	43.8	0.9
兵庫県	4 465.9	469.6	145.0	496.7	1 398.9	124.4	25.5	997.6	165.7	465.4	132.2	12.0	32.3	0.6
奈良県	1 014.4	85.0	26.3	122.6	345.1	31.8	4.2	236.3	38.6	84.2	29.4	3.5	7.2	0.2
和歌山県	888.0	89.9	28.0	113.9	323.6	30.7	4.0	159.0	27.4	77.4	24.5	3.8	5.8	0.1
鳥取県	485.4	36.7	13.3	53.5	167.9	17.5	4.8	101.2	30.1	47.1	8.5	2.1	2.7	0.1
島根県	784.2	56.0	12.6	87.2	283.6	21.9	5.7	166.7	43.3	77.8	19.7	4.0	5.8	0.1
岡山県	1 598.4	116.4	38.5	173.8	558.6	41.5	7.1	373.1	70.1	162.1	37.5	5.4	13.9	0.3
広島県	2 602.1	204.0	65.2	306.6	1 030.8	59.3	14.3	520.5	81.4	230.1	60.8	9.8	18.8	0.4
山口県	1 137.9	89.2	26.5	113.5	363.6	28.2	7.6	303.8	43.6	119.7	27.6	7.8	6.9	0.1
徳島県	603.1	50.9	14.8	71.6	211.4	17.5	3.4	105.3	25.4	78.0	16.8	1.6	6.4	0.1
香川県	785.8	68.1	22.7	78.2	232.7	24.3	6.6	171.4	51.7	104.5	17.4	2.4	5.6	0.1
愛媛県	1 251.8	125.2	33.7	143.8	397.5	44.8	10.0	245.5	74.0	132.8	29.3	5.6	9.4	0.2
高知県	536.5	50.0	14.9	53.2	152.6	14.0	2.6	152.5	16.8	64.2	7.6	2.0	6.1	0.0
福岡県	3 422.4	282.2	104.1	362.7	1 004.6	78.2	15.6	994.1	112.1	342.1	79.3	25.6	21.0	0.7
佐賀県	491.2	45.4	14.4	52.3	158.9	11.8	1.3	120.8	21.0	47.9	9.4	5.1	3.0	0.1
長崎県	836.3	69.6	19.3	97.6	280.5	22.6	2.5	221.4	30.1	63.1	18.2	6.2	5.1	0.2
熊本県	1 311.4	106.8	37.5	139.8	398.7	32.0	4.1	318.5	53.3	178.0	20.8	11.2	10.6	0.2
大分県	781.4	77.2	35.7	70.4	193.9	28.6	6.5	194.2	34.5	108.2	17.1	7.6	7.3	0.2
宮崎県	731.8	90.9	41.8	83.7	219.5	29.0	4.0	124.8	19.1	85.7	8.6	14.8	9.9	0.1
鹿児島県	1 157.2	113.5	36.1	124.2	341.2	33.0	5.3	315.3	38.0	103.3	17.1	10.3	19.7	0.3
沖縄県	692.9	113.7	38.2	84.6	215.4	30.3	0.7	117.5	8.2	70.2	10.6	1.7	1.9	0.1

注：1）事業所からの請求時点の数値を集計している。
　　2）件数は、同一種目に分類される用具を複数利用した場合には、それぞれを１件として計上している。

統計表第28表　特定診療費単位数，特定診療費区分・要介護（要支援）状態区分別

平成29年５月審査分～平成30年４月審査分
（単位：千単位）

	計		介護予防サービス		介護サービス				
		短期入所療養介護（再掲）	要支援１	要支援２	要介護１	要介護２	要介護３	要介護４	要介護５
総数	1 205 393	15 970	30	198	15 524	37 236	113 931	427 977	610 498
感染対策指導管理	85 839	752	2	9	972	2 219	7 123	30 475	45 041
褥瘡管理	80 521	468	0	1	453	1 355	5 921	29 069	43 721
初期入院診療管理	3 599	・	－	－	116	207	445	1 239	1 593
重度療養管理	1 102	1 091	・	・	・	・	・	261	841
特定施設管理	16	－	－	－	－	－	－	8	9
特定施設管理個室加算	9	－	－	－	－	－	－	9	－
特定施設管理２人部屋加算	0	－	－	－	－	－	－	－	0
重症皮膚潰瘍管理指導	863	3	－	－	0	4	26	225	608
薬剤管理指導	35 346	287	－	4	465	1 030	3 547	13 426	16 874
特別薬剤管理指導加算	5	－	－	－	－	0	0	1	4
医学情報提供（Ⅰ）	528	5	－	－	10	21	55	192	249
医学情報提供（Ⅱ）	93	7	－	－	2	6	10	34	41
理学療法（Ⅰ）	279 263	6 466	19	98	3 889	9 163	26 223	100 172	139 700
理学療法（Ⅱ）	37 536	892	1	14	593	1 276	3 072	12 329	20 252
理学療法（Ⅰ）（減算）	70 027	955	－	3	889	2 791	8 007	25 617	32 719
理学療法（Ⅱ）（減算）	13 914	204	－	0	191	543	1 239	4 494	7 447
理学療法リハビリ計画加算	99	99	0	3	19	27	18	11	21
理学療法日常動作訓練指導加算	75	75	－	4	6	10	16	8	31
理学療法リハビリ体制強化加算	77 992	1 029	2	22	908	2 581	7 381	27 881	39 218
作業療法	135 795	1 773	5	31	1 740	4 246	13 990	49 893	65 891
作業療法（減算）	26 428	112	－	2	315	1 093	3 072	10 127	11 819
作業療法リハビリ計画加算	20	20	－	－	2	4	7	3	4
作業療法日常動作訓練指導加算	15	15	－	－	1	2	2	5	5
作業療法リハビリ体制強化加算	35 577	324	1	5	478	1 344	3 815	12 903	17 031
言語聴覚療法	113 846	970	－	3	406	1 541	6 507	37 997	67 393
言語聴覚療法（減算）	23 158	189	－	－	106	350	1 413	7 683	13 606
言語聴覚療法リハビリ体制強化加算	13 770	82	－	－	58	191	838	4 604	8 079
摂食機能療法	30 536	151	－	－	108	272	1 346	8 737	20 072
短期集中リハビリテーション実施加算	87 510	－	－	－	1 679	3 544	10 341	32 582	39 364
精神科作業療法	37 393	2	－	－	1 506	2 361	6 928	12 978	13 619
認知症老人入院精神療法	7 031	－	－	－	325	500	1 341	2 232	2 632
集団コミュニケーション療法	587	－	－	－	5	22	66	255	239
認知症短期集中リハビリ加算	6 877	－	－	－	281	531	1 184	2 519	2 362

注：1）介護予防短期入所療養介護・短期入所療養介護・介護療養施設サービスにおける、平成15年４月サービス提供分以降の報酬体系分の数値を集計している。
　　2）施設区分が可能なものについて集計している。

統計表第29表　特定診療費回数，特定診療費区分・要介護（要支援）状態区分別

平成29年５月審査分～平成30年４月審査分
（単位：千回）

	計		介護予防サービス		介護サービス				
		短期入所療養介護（再掲）	要支援１	要支援２	要介護１	要介護２	要介護３	要介護４	要介護５
総数	43 837.2	398.0	0.7	4.0	419.1	1 060.2	3 621.9	15 658.3	23 073.0
感染対策指導管理	17 167.9	150.5	0.4	1.7	194.3	443.7	1 424.6	6 095.1	9 008.1
褥瘡管理	16 104.1	93.6	0.0	0.1	90.6	271.1	1 184.2	5 813.9	8 744.1
初期入院診療管理	14.4	・	-	-	0.5	0.8	1.8	5.0	6.4
重度療養管理	9.0	8.9	・	・	・	・	・	2.1	6.8
特定施設管理	0.1	-	-	-	-	-	-	0.0	0.0
特定施設管理個室加算	0.0	-	-	-	-	-	-	0.0	-
特定施設管理２人部屋加算	0.0	-	-	-	-	-	-	-	0.0
重症皮膚潰瘍管理指導	48.0	0.1	-	-	0.0	0.2	1.4	12.5	33.8
薬剤管理指導	101.0	0.8	-	0.0	1.3	2.9	10.1	38.4	48.2
特別薬剤管理指導加算	0.1	-	-	-	-	0.0	0.0	0.0	0.1
医学情報提供（Ⅰ）	2.4	0.0	-	-	0.0	0.1	0.3	0.9	1.1
医学情報提供（Ⅱ）	0.3	0.0	-	-	0.0	0.0	0.0	0.1	0.1
理学療法（Ⅰ）	2 270.8	52.6	0.2	0.8	31.6	74.6	213.2	814.5	1 135.9
理学療法（Ⅱ）	514.3	12.2	0.0	0.2	8.1	17.5	42.1	168.9	277.4
理学療法（Ⅰ）（減算）	814.4	11.1	-	0.0	10.3	32.5	93.1	298.0	380.5
理学療法（Ⅱ）（減算）	272.8	4.0	-	0.0	3.7	10.6	24.3	88.1	146.0
理学療法リハビリ計画加算	0.2	0.2	0.0	0.0	0.0	0.1	0.0	0.0	0.0
理学療法日常動作訓練指導加算	0.3	0.3	-	0.0	0.0	0.0	0.1	0.0	0.1
理学療法リハビリ体制強化加算	2 228.5	29.4	0.0	0.6	26.0	73.8	210.9	796.6	1 120.6
作業療法	1 104.0	14.4	0.0	0.2	14.1	34.5	113.7	405.6	535.7
作業療法（減算）	307.3	1.3	-	0.0	3.7	12.7	35.7	117.8	137.4
作業療法リハビリ計画加算	0.0	0.0	-	-	0.0	0.0	0.0	0.0	0.0
作業療法日常動作訓練指導加算	0.0	0.0	-	-	0.0	0.0	0.0	0.0	0.0
作業療法リハビリ体制強化加算	1 016.5	9.3	0.0	0.2	13.6	38.4	109.0	368.7	486.6
言語聴覚療法	560.9	4.8	-	0.0	2.0	7.6	32.1	187.2	332.0
言語聴覚療法（減算）	163.1	1.3	-	-	0.7	2.5	10.0	54.1	95.8
言語聴覚療法リハビリ体制強化加算	393.4	2.3	-	-	1.7	5.5	23.9	131.5	230.8
摂食機能療法	146.8	0.7	-	-	0.5	1.3	6.5	42.0	96.5
短期集中リハビリテーション実施加算	364.6	-	-	-	7.0	14.8	43.1	135.8	164.0
精神科作業療法	170.0	0.0	-	-	6.8	10.7	31.5	59.0	61.9
認知症老人入院精神療法	21.3	-	-	-	1.0	1.5	4.1	6.8	8.0
集団コミュニケーション療法	11.7	-	-	-	0.1	0.4	1.3	5.1	4.8
認知症短期集中リハビリ加算	28.7	-	-	-	1.2	2.2	4.9	10.5	9.8

注：１）介護予防短期入所療養介護・短期入所療養介護・介護療養施設サービスにおける、平成15年４月サービス提供分以降の報酬体系分の数値を集計している。
　　２）施設区分が可能なものについて集計している。

統計表第30表　特別療養費単位数，特別療養費区分・要介護（要支援）状態区分別

平成29年５月審査分～平成30年４月審査分
（単位：千単位）

	計		介護予防サービス		介護サービス				
		短期入所療養介護（再掲）	要支援１	要支援２	要介護１	要介護２	要介護３	要介護４	要介護５
総数	94 712	1 018	0	2	2 257	4 343	8 985	32 171	46 954
感染対策指導管理	14 465	137	0	2	566	1 007	1 871	4 919	6 100
褥瘡管理	13 719	90	–	0	210	527	1 553	4 956	6 472
初期入所診療管理	723	・	–	–	34	75	118	237	261
重度療養管理	22 015	473	・	・	・	・	・	7 767	14 248
特定施設管理	8	–	–	–	–	–	–	8	–
特定施設管理個室加算	–	–	–	–	–	–	–	–	–
特定施設管理２人部屋加算	–	–	–	–	–	–	–	–	–
重症皮膚潰瘍管理指導	102	0	–	–	–	0	9	18	75
薬剤管理指導	4 450	14	–	–	258	536	742	1 472	1 442
特別薬剤管理指導加算	0	–	–	–	–	–	–	–	0
医学情報提供	242	2	–	–	12	16	32	82	102
リハビリテーション指導管理	21 201	・	–	–	840	1 496	2 856	7 382	8 628
言語聴覚療法	7 671	276	–	–	65	240	739	2 104	4 523
言語聴覚療法（減算）	1 192	–	–	–	10	28	119	360	676
言語聴覚療法リハビリ体制強化加算	879	26	–	–	5	27	99	268	480
摂食機能療法	4 827	0	–	–	64	104	357	1 428	2 874
精神科作業療法	2 583	–	–	–	163	216	387	928	888
認知症老人入所精神療法	635	–	–	–	31	71	103	243	186

注：1）介護予防短期入所療養介護・短期入所療養介護・介護保健施設サービスにおける特別療養費を集計している。
　　2）施設区分が可能なものについて集計している。

統計表第31表　特別療養費回数，特別療養費区分・要介護（要支援）状態区分別

平成29年５月審査分～平成30年４月審査分
（単位：千回）

	計		介護予防サービス		介護サービス				
		短期入所療養介護（再掲）	要支援１	要支援２	要介護１	要介護２	要介護３	要介護４	要介護５
総数	8 079.9	51.7	0.0	0.4	242.0	462.4	985.6	2 819.5	3 570.0
感染対策指導管理	2 893.1	27.5	0.0	0.4	113.3	201.4	374.1	983.9	1 220.1
褥瘡管理	2 743.9	18.0	–	0.0	42.1	105.5	310.7	991.3	1 294.4
初期入所診療管理	2.9	・	–	–	0.1	0.3	0.5	0.9	1.0
重度療養管理	183.5	3.9	・	・	・	・	・	64.8	118.8
特定施設管理	0.0	–	–	–	–	–	–	0.0	–
特定施設管理個室加算	–	–	–	–	–	–	–	–	–
特定施設管理２人部屋加算	–	–	–	–	–	–	–	–	–
重症皮膚潰瘍管理指導	5.7	0.0	–	–	–	0.0	0.5	1.0	4.1
薬剤管理指導	12.7	0.0	–	–	0.7	1.5	2.1	4.2	4.1
特別薬剤管理指導加算	0.0	–	–	–	–	–	–	–	0.0
医学情報提供	1.0	0.0	–	–	0.0	0.1	0.1	0.3	0.4
リハビリテーション指導管理	2 120.1	・	–	–	84.0	149.6	285.6	738.2	862.8
言語聴覚療法	42.6	1.5	–	–	0.4	1.3	4.1	11.7	25.1
言語聴覚療法（減算）	9.5	–	–	–	0.1	0.2	0.9	2.9	5.4
言語聴覚療法リハビリ体制強化加算	25.1	0.7	–	–	0.1	0.8	2.8	7.6	13.7
摂食機能療法	26.1	0.0	–	–	0.3	0.6	1.9	7.7	15.6
精神科作業療法	11.7	–	–	–	0.7	1.0	1.8	4.2	4.0
認知症老人入所精神療法	1.9	–	–	–	0.1	0.2	0.3	0.7	0.6

注：1）介護予防短期入所療養介護・短期入所療養介護・介護保健施設サービスにおける特別療養費を集計している。
　　2）施設区分が可能なものについて集計している。

統計表第32表　介護予防サービス件数・実日数・単位数，サービス種類・地域区分別

平成29年５月審査分～平成30年４月審査分

	サービス種類	総数	１級地	２級地	３級地	４級地	５級地	６級地	７級地	その他
件数（千件）	総数	21 550.7	911.7	1 003.9	1 187.9	1 487.9	2 304.5	2 962.5	3 464.4	8 228.0
	介護予防訪問介護	1 228.4	4.2	4.1	56.9	128.5	204.3	188.4	214.9	427.0
	介護予防訪問入浴介護	5.5	0.4	0.2	0.3	0.3	0.4	0.6	1.2	2.1
	介護予防訪問看護	811.0	68.9	66.0	60.1	69.0	81.9	88.1	120.6	256.2
	介護予防訪問リハビリテーション	194.4	8.7	8.8	6.7	10.1	18.3	25.0	29.3	87.6
	介護予防通所介護	1 626.6	5.6	3.7	62.3	127.3	207.2	246.7	317.8	655.9
	介護予防通所リハビリテーション	1 886.2	39.5	55.9	79.9	67.8	140.1	232.6	295.6	974.8
	介護予防福祉用具貸与	5 488.9	273.5	305.7	333.2	370.0	628.2	770.5	919.8	1 887.9
	介護予防短期入所生活介護	123.4	3.1	2.7	4.4	4.7	7.6	15.0	23.0	62.8
	介護予防短期入所療養介護（老健）	12.7	0.2	0.4	0.5	0.6	0.6	1.2	1.9	7.3
	介護予防短期入所療養介護（病院等）	0.5	0.0	0.0	–	0.0	0.0	0.0	0.1	0.4
	介護予防居宅療養管理指導	798.0	106.0	96.1	90.1	91.4	93.2	111.8	84.9	124.3
	介護予防特定施設入居者生活介護	357.9	28.5	32.9	32.3	35.8	36.5	50.4	46.5	95.0
	介護予防支援	8 855.9	371.0	422.2	456.5	577.6	879.3	1 217.4	1 384.9	3 547.0
	介護予防認知症対応型通所介護	11.7	0.1	0.3	0.5	0.2	0.5	1.5	1.3	7.3
	介護予防小規模多機能型居宅介護（短期利用以外）	137.3	1.7	4.4	3.6	4.3	5.7	12.0	21.1	84.6
	介護予防小規模多機能型居宅介護（短期利用）	0.2	0.0	0.0	0.0	0.0	0.0	0.0	0.0	0.1
	介護予防認知症対応型共同生活介護（短期利用以外）	12.1	0.3	0.3	0.5	0.4	0.5	1.2	1.4	7.5
	介護予防認知症対応型共同生活介護（短期利用）	0.0	–	–	0.0	–	0.0	0.0	0.0	0.0
実日数（千日）	総数	208 878	9 785	10 955	12 488	14 482	23 517	29 135	34 641	73 874
	介護予防訪問介護	7 447	26	26	327	776	1 220	1 143	1 302	2 626
	介護予防訪問入浴介護	23	2	1	1	1	1	2	5	9
	介護予防訪問看護	3 537	297	294	266	300	361	382	520	1 117
	介護予防訪問リハビリテーション	934	41	45	33	48	89	121	138	421
	介護予防通所介護	9 233	32	20	335	710	1 168	1 392	1 841	3 736
	介護予防通所リハビリテーション	10 862	209	306	466	383	775	1 341	1 741	5 641
	介護予防福祉用具貸与	161 566	8 091	9 012	9 834	10 925	18 507	22 751	27 071	55 376
	介護予防短期入所生活介護	692	17	15	26	25	40	80	130	361
	介護予防短期入所療養介護（老健）	64	1	2	3	3	3	6	10	36
	介護予防短期入所療養介護（病院等）	3	0	0	–	0	0	0	0	2
	介護予防居宅療養管理指導	1 572	209	200	181	189	186	220	161	225
	介護予防特定施設入居者生活介護	10 462	829	962	947	1 047	1 067	1 472	1 359	2 780
	介護予防支援	…	…	…	…	…	…	…	…	…
	介護予防認知症対応型通所介護	66	1	1	3	1	3	8	7	41
	介護予防小規模多機能型居宅介護（短期利用以外）	2 069	23	63	51	63	83	181	317	1 288
	介護予防小規模多機能型居宅介護（短期利用）	1	0	0	0	0	0	0	0	1
	介護予防認知症対応型共同生活介護（短期利用以外）	348	8	9	16	11	15	36	39	215
	介護予防認知症対応型共同生活介護（短期利用）	0	–	–	0	–	0	0	0	0
単位数（千単位）	総数	29 120 488	1 063 068	1 204 246	1 567 011	1 997 137	3 009 500	3 884 798	4 685 361	11 709 367
	介護予防訪問介護	2 401 484	7 451	7 791	104 904	250 729	390 507	365 884	421 280	852 937
	介護予防訪問入浴介護	20 080	1 665	803	1 086	1 125	1 076	2 013	4 383	7 929
	介護予防訪問看護	2 483 115	219 238	210 440	188 610	213 609	249 734	267 864	364 475	769 146
	介護予防訪問リハビリテーション	590 809	26 972	27 541	21 426	31 912	57 374	78 620	87 237	259 727
	介護予防通所介護	4 705 721	15 543	10 063	176 801	369 027	598 620	708 158	930 528	1 896 981
	介護予防通所リハビリテーション	6 396 865	131 854	186 595	274 886	230 645	464 625	787 256	1 010 720	3 310 284
	介護予防福祉用具貸与	3 403 891	165 666	191 009	219 403	226 476	418 223	484 474	543 356	1 155 284
	介護予防短期入所生活介護	450 845	10 973	9 608	16 708	16 507	26 635	52 476	85 049	232 890
	介護予防短期入所療養介護（老健）	55 765	998	2 002	2 326	2 787	2 505	4 984	8 602	31 560
	介護予防短期入所療養介護（病院等）	2 255	1	21	–	93	128	39	184	1 789
	介護予防居宅療養管理指導	615 378	80 456	76 336	68 521	74 568	74 497	84 989	64 154	91 857
	介護予防特定施設入居者生活介護	2 811 677	220 213	257 227	252 170	286 614	285 095	393 540	370 564	746 254
	介護予防支援	3 890 983	163 410	185 875	200 624	253 508	385 803	535 068	608 465	1 558 231
	介護予防認知症対応型通所介護	56 992	768	1 284	2 302	1 116	2 476	7 287	6 630	35 129
	介護予防小規模多機能型居宅介護（短期利用以外）	946 579	11 387	29 792	24 340	29 714	39 993	82 483	147 174	581 696
	介護予防小規模多機能型居宅介護（短期利用）	569	15	30	54	19	43	55	42	310
	介護予防認知症対応型共同生活介護（短期利用以外）	287 346	6 459	7 828	12 835	8 688	12 155	29 599	32 494	177 287
	介護予防認知症対応型共同生活介護（短期利用）	135	–	–	15	–	11	8	25	76

注：地域区分の分類が可能なものについて集計している。

統計表第33表　介護サービス件数・実日数・単位数，サービス種類・地域区分別（２－１）

平成29年５月審査分～平成30年４月審査分

	サービス種類	総数	１級地	２級地	３級地	４級地	５級地	６級地	７級地	その他
件数（千件）	総数	133 156.9	8 680.3	9 262.3	7 625.5	7 565.4	13 339.2	17 702.5	20 201.4	48 780.4
	訪問介護	13 174.6	1 004.3	1 180.4	827.3	767.9	1 484.3	1 725.6	1 816.6	4 368.1
	訪問入浴介護	795.7	86.6	63.9	48.5	49.2	78.9	112.9	108.9	246.7
	訪問看護	5 221.7	482.6	476.2	375.2	361.2	601.4	634.4	745.1	1 545.6
	訪問リハビリテーション	1 062.2	64.4	55.1	38.8	56.0	133.1	154.3	149.8	410.7
	通所介護	14 375.5	783.7	669.7	650.6	738.3	1 273.1	1 918.6	2 357.7	5 983.8
	通所リハビリテーション	5 297.3	177.9	242.3	232.6	229.1	451.2	743.9	768.1	2 452.2
	福祉用具貸与	20 312.1	1 248.6	1 322.7	1 181.4	1 197.4	2 234.4	2 923.8	3 296.1	6 907.5
	短期入所生活介護	4 085.9	173.9	157.8	157.3	175.9	331.8	539.7	722.3	1 827.1
	短期入所療養介護（老健）	577.4	18.7	34.6	27.0	29.0	45.1	74.2	78.3	270.6
	短期入所療養介護（病院等）	24.6	0.7	0.3	0.4	0.5	2.2	2.2	2.9	15.4
	居宅療養管理指導	12 369.7	1 402.7	1 522.1	1 228.9	1 176.1	1 611.1	1 837.4	1 438.3	2 153.2
	特定施設入居者生活介護（短期利用以外）	2 343.9	230.2	233.2	199.8	208.6	228.3	328.8	298.2	616.8
	特定施設入居者生活介護（短期利用）	16.1	2.5	2.1	1.9	1.8	2.0	2.4	1.6	1.8
	居宅介護支援	31 656.3	1 896.8	2 002.1	1 641.6	1 559.8	2 990.9	4 097.4	5 002.2	12 465.5
	定期巡回・随時対応型訪問介護看護	233.8	14.7	18.7	10.9	8.4	25.8	27.3	52.7	75.3
	夜間対応型訪問介護	94.5	19.9	22.3	9.6	2.5	17.2	5.9	5.3	11.8
	地域密着型通所介護	5 105.4	427.6	399.0	311.8	281.8	517.1	659.4	771.1	1 737.5
	認知症対応型通所介護	695.2	71.0	53.9	34.9	26.5	46.0	76.0	90.1	296.7
	小規模多機能型居宅介護（短期利用以外）	1 125.1	27.4	48.7	32.5	34.8	74.6	102.8	200.0	604.4
	小規模多機能型居宅介護（短期利用）	4.5	0.1	0.3	0.2	0.2	0.3	0.3	0.6	2.5
	認知症対応型共同生活介護（短期利用以外）	2 384.8	86.9	129.1	93.1	95.1	181.2	253.5	351.9	1 194.2
	認知症対応型共同生活介護（短期利用）	3.9	0.1	0.2	0.1	0.2	0.2	0.5	0.6	2.1
	地域密着型特定施設入居者生活介護（短期利用以外）	86.9	1.6	1.7	3.4	4.0	6.2	9.5	11.8	48.6
	地域密着型特定施設入居者生活介護（短期利用）	0.4	0.0	0.0	0.0	-	0.0	0.1	0.1	0.1
	地域密着型介護老人福祉施設入所者生活介護	658.3	4.0	6.0	18.1	22.7	37.0	70.9	127.6	372.0
	複合型サービス（看護小規模多機能型居宅介護・短期利用以外）	94.2	3.1	6.6	3.1	3.9	8.8	12.1	17.9	38.6
	複合型サービス（看護小規模多機能型居宅介護・短期利用）	1.4	0.0	0.1	0.1	0.0	0.0	0.2	0.1	0.8
	介護福祉施設サービス	6 401.0	282.4	374.1	283.1	311.2	554.2	788.8	979.5	2 827.8
	介護保健施設サービス	4 343.1	142.2	223.9	193.3	203.0	329.1	531.6	714.3	2 005.7
	介護療養施設サービス	611.4	25.8	15.3	19.9	20.3	73.6	68.0	91.6	297.1
実日数（千日）	総数	1 630 565	91 477	104 081	87 571	88 330	159 175	216 537	255 586	627 809
	訪問介護	173 585	12 349	16 138	11 073	9 901	19 857	22 667	23 611	57 989
	訪問入浴介護	3 893	418	320	245	245	403	568	538	1 157
	訪問看護	30 099	2 725	2 785	2 368	2 030	3 471	3 624	4 382	8 713
	訪問リハビリテーション	5 833	351	320	211	303	737	840	815	2 256
	通所介護	141 374	6 545	5 588	5 758	6 350	11 494	18 809	24 316	62 514
	通所リハビリテーション	43 712	1 242	1 810	1 799	1 765	3 612	6 119	6 522	20 843
	福祉用具貸与	583 918	36 128	38 163	34 126	34 537	64 360	84 452	94 377	197 776
	短期入所生活介護	45 424	1 417	1 588	1 683	1 844	3 459	5 968	8 371	21 094
	短期入所療養介護（老健）	4 452	152	260	200	235	338	574	599	2 094
	短期入所療養介護（病院等）	257	7	4	3	5	27	24	28	159
	居宅療養管理指導	25 650	2 905	3 429	2 617	2 573	3 445	3 787	2 862	4 033
	特定施設入居者生活介護（短期利用以外）	68 006	6 629	6 747	5 806	6 056	6 625	9 528	8 667	17 949
	特定施設入居者生活介護（短期利用）	158	23	19	18	18	19	25	16	19
	居宅介護支援	…	…	…	…	…	…	…	…	…
	定期巡回・随時対応型訪問介護看護	6 075	396	488	295	226	611	695	1 412	1 953
	夜間対応型訪問介護	511	49	41	71	12	83	54	76	125
	地域密着型通所介護	45 816	3 242	3 079	2 574	2 268	4 375	5 966	7 318	16 995
	認知症対応型通所介護	7 214	678	524	346	250	452	786	997	3 180
	小規模多機能型居宅介護（短期利用以外）	24 977	592	1 054	724	767	1 599	2 219	4 536	13 486
	小規模多機能型居宅介護（短期利用）	22	1	2	1	1	2	2	3	12
	認知症対応型共同生活介護（短期利用以外）	70 206	2 566	3 801	2 753	2 802	5 336	7 471	10 363	35 115
	認知症対応型共同生活介護（短期利用）	33	1	1	1	1	2	4	5	17
	地域密着型特定施設入居者生活介護（短期利用以外）	2 529	47	51	96	115	182	277	344	1 417
	地域密着型特定施設入居者生活介護（短期利用）	4	0	0	0	-	0	1	1	1
	地域密着型介護老人福祉施設入所者生活介護	19 143	115	175	524	658	1 072	2 062	3 718	10 818
	複合型サービス（看護小規模多機能型居宅介護・短期利用以外）	2 074	64	141	60	80	186	229	423	891
	複合型サービス（看護小規模多機能型居宅介護・短期利用）	7	0	0	1	0	0	1	1	4
	介護福祉施設サービス	186 188	8 197	10 872	8 234	9 040	16 121	22 946	28 528	82 249
	介護保健施設サービス	121 967	3 904	6 243	5 419	5 670	9 190	14 901	20 141	56 499
	介護療養施設サービス	17 436	733	438	565	578	2 116	1 938	2 616	8 450

注：地域区分の分類が可能なものについて集計している。

統計表第33表　介護サービス件数・実日数・単位数，サービス種類・地域区分別（2－2）

平成29年５月審査分～平成30年４月審査分

	サービス種類	総　　数	1　級　地	2　級　地	3　級　地	4　級　地	5　級　地	6　級　地	7　級　地	そ　の　他
単位数（千単位）	総数	938 516 051	47 125 838	56 113 443	46 213 399	46 774 036	83 441 636	118 273 029	146 337 818	394 236 853
	訪問介護	85 642 518	5 814 135	8 491 511	5 916 176	4 993 897	9 876 978	11 295 984	11 550 603	27 703 234
	訪問入浴介護	5 051 726	538 090	414 957	317 041	319 174	520 143	737 749	699 445	1 505 128
	訪問看護	22 608 138	2 155 037	2 101 884	1 763 811	1 556 058	2 587 798	2 741 737	3 230 755	6 471 059
	訪問リハビリテーション	3 855 907	243 195	206 995	144 239	210 048	492 645	576 816	540 955	1 441 015
	通所介護	119 709 626	5 533 985	4 657 760	4 843 896	5 299 887	9 613 021	15 983 324	20 575 545	53 202 207
	通所リハビリテーション	41 389 116	1 184 762	1 804 417	1 728 974	1 718 358	3 410 485	5 764 449	6 115 310	19 662 361
	福祉用具貸与	29 172 205	2 011 298	2 033 755	1 809 219	1 815 794	3 322 427	4 235 460	4 585 551	9 358 701
	短期入所生活介護	40 642 168	1 302 053	1 454 230	1 507 144	1 677 285	3 149 270	5 382 437	7 491 801	18 677 947
	短期入所療養介護（老健）	5 236 953	177 677	314 678	240 337	280 011	404 479	684 507	706 275	2 428 990
	短期入所療養介護（病院等）	275 532	7 619	3 971	3 975	5 651	25 802	25 627	31 126	171 760
	居宅療養管理指導	9 909 240	1 122 111	1 353 195	1 014 309	1 016 138	1 343 028	1 446 453	1 089 710	1 524 296
	特定施設入居者生活介護（短期利用以外）	48 215 122	4 846 210	4 893 072	4 183 181	4 336 223	4 719 552	6 781 489	6 112 223	12 343 172
	特定施設入居者生活介護（短期利用）	110 061	16 163	13 525	12 677	12 195	13 637	17 383	11 054	13 429
	居宅介護支援	43 106 529	2 523 551	2 677 878	2 188 907	2 095 267	4 084 567	5 503 465	6 801 684	17 231 210
	定期巡回・随時対応型訪問介護看護	3 716 648	252 495	325 357	190 853	135 346	450 345	411 293	785 127	1 165 832
	夜間対応型訪問介護	340 048	50 753	55 819	19 285	7 741	61 116	15 108	54 081	76 146
	地域密着型通所介護	38 825 468	2 583 567	2 515 789	2 076 344	1 841 237	3 576 442	4 988 143	6 224 038	15 019 907
	認知症対応型通所介護	8 345 236	818 757	640 180	414 005	290 664	530 555	936 913	1 138 150	3 576 011
	小規模多機能型居宅介護（短期利用以外）	23 484 790	595 984	1 041 508	679 287	730 533	1 595 156	2 150 871	4 202 912	12 488 539
	小規模多機能型居宅介護（短期利用）	16 515	455	1 315	836	758	1 343	1 102	2 085	8 622
	認知症対応型共同生活介護（短期利用以外）	64 772 852	2 370 234	3 532 490	2 548 261	2 586 365	4 957 628	6 890 446	9 571 711	32 315 717
	認知症対応型共同生活介護（短期利用）	30 070	831	1 293	1 031	1 318	1 446	3 932	4 410	15 808
	地域密着型特定施設入居者生活介護（短期利用以外）	1 830 409	33 980	36 118	70 831	81 106	133 270	200 929	251 450	1 022 725
	地域密着型特定施設入居者生活介護（短期利用）	2 731	20	41	182	-	204	960	650	674
	地域密着型介護老人福祉施設入所者生活介護	18 732 254	111 366	168 839	506 089	654 436	1 049 628	2 003 667	3 650 937	10 587 292
	複合型サービス（看護小規模多機能型居宅介護・短期利用以外）	2 415 435	83 241	183 072	79 408	102 300	229 237	302 926	461 460	973 790
	複合型サービス（看護小規模多機能型居宅介護・短期利用）	5 539	43	406	501	44	228	874	526	2 917
	介護福祉施設サービス	172 421 136	7 695 473	10 074 523	7 595 078	8 350 116	15 006 547	21 251 613	26 349 401	76 098 385
	介護保健施設サービス	125 568 307	4 076 635	6 534 176	5 580 641	5 890 635	9 494 982	15 333 229	20 632 913	58 025 095
	介護療養施設サービス	23 083 775	976 116	580 689	776 879	765 451	2 789 679	2 604 146	3 465 931	11 124 884

注：地域区分の分類が可能なものについて集計している。

統計表第34表　特定入所者介護サービス保険給付額，提供内容・要介護（要支援）状態区分別

平成29年５月審査分～平成30年４月審査分
（単位：千円）

			総数	介護予防サービス		介護サービス				
				要支援１	要支援２	要介護１	要介護２	要介護３	要介護４	要介護５
総数			317 295 676	48 926	222 515	15 116 964	30 380 680	79 071 398	106 556 384	85 898 808
介護予防短期入所生活介護			258 592	46 748	208 319	・	・	・	・	・
	食事		137 982	24 491	111 591	・	・	・	・	・
	滞在費	ユニット・個室	57 739	11 099	45 868	・	・	・	・	・
		ユニット・準個室	398	85	313	・	・	・	・	・
		従来型個室	26 613	4 604	21 718	・	・	・	・	・
		多床室	35 859	6 469	28 829	・	・	・	・	・
介護予防短期入所療養介護(老健)			15 997	2 045	13 374	・	・	・	・	・
	食事		11 658	1 584	9 633	・	・	・	・	・
	滞在費	ユニット・個室	1 181	57	1 097	・	・	・	・	・
		ユニット・準個室	17	2	10	・	・	・	・	・
		従来型個室	2 743	323	2 329	・	・	・	・	・
		多床室	398	79	304	・	・	・	・	・
介護予防短期入所療養介護(病院等)			718	45	666	・	・	・	・	・
	食事		635	38	591	・	・	・	・	・
	滞在費	ユニット・個室	－	－	－	・	・	・	・	・
		ユニット・準個室	－	－	－	・	・	・	・	・
		従来型個室	72	5	66	・	・	・	・	・
		多床室	11	1	9	・	・	・	・	・
短期入所生活介護			27 618 453	・	・	2 578 013	5 178 118	9 267 272	7 044 382	3 550 560
	食事		15 494 652	・	・	1 431 040	2 902 080	5 244 442	3 980 087	1 936 947
	滞在費	ユニット・個室	5 410 553	・	・	509 024	997 749	1 831 070	1 368 882	703 792
		ユニット・準個室	36 608	・	・	3 888	8 082	11 785	8 351	4 502
		従来型個室	2 090 543	・	・	240 209	453 555	654 650	490 094	252 028
		多床室	4 586 097	・	・	393 852	816 651	1 525 326	1 196 968	653 291
短期入所療養介護（老健）			1 330 241	・	・	147 446	286 997	365 282	315 783	214 733
	食事		1 065 662	・	・	117 160	228 675	295 598	257 018	167 211
	滞在費	ユニット・個室	77 829	・	・	8 863	16 785	20 410	17 989	13 782
		ユニット・準個室	1 939	・	・	257	519	465	467	230
		従来型個室	152 949	・	・	18 295	35 305	40 691	32 016	26 642
		多床室	31 861	・	・	2 870	5 712	8 118	8 292	6 869
短期入所療養介護（病院等）			71 750	・	・	6 215	12 884	14 994	17 459	20 198
	食事		61 894	・	・	5 536	10 838	12 817	15 212	17 490
	滞在費	ユニット・個室	16	・	・	3	－	13	－	－
		ユニット・準個室	－	・	・	－	－	－	－	－
		従来型個室	7 654	・	・	553	1 734	1 849	1 725	1 792
		多床室	2 186	・	・	123	312	313	521	917
地域密着型介護老人福祉施設			21 335 939	…	…	370 137	1 126 291	5 419 690	8 044 261	6 375 559
	食事		10 744 259	…	…	187 099	568 609	2 735 039	4 051 386	3 202 126
	滞在費	ユニット・個室	9 944 813	…	…	175 129	530 201	2 544 184	3 738 835	2 956 464
		ユニット・準個室	36 211	…	…	399	1 114	7 873	16 368	10 457
		従来型個室	138 709	…	…	1 808	6 445	31 674	55 059	43 723
		多床室	471 947	…	…	5 702	19 923	100 920	182 613	162 789
介護福祉施設			194 335 389	…	…	3 711 745	10 621 121	47 501 162	71 736 900	60 764 461
	食事		111 779 381	…	…	2 107 020	6 026 780	27 122 052	41 347 703	35 175 826
	滞在費	ユニット・個室	39 574 743	…	…	850 470	2 469 547	10 591 370	14 398 000	11 265 355
		ユニット・準個室	123 727	…	…	2 844	7 967	27 848	44 998	40 069
		従来型個室	4 546 972	…	…	125 905	313 113	1 199 298	1 653 818	1 254 838
		多床室	38 310 567	…	…	625 506	1 803 713	8 560 594	14 292 381	13 028 373
介護保健施設			64 263 724	…	…	8 214 536	12 943 197	15 823 545	16 504 369	10 777 970
	食事		55 363 742	…	…	6 919 990	10 999 118	13 669 487	14 359 889	9 415 170
	滞在費	ユニット・個室	3 542 988	…	…	524 133	803 700	849 676	834 713	530 766
		ユニット・準個室	139 205	…	…	26 112	38 100	31 532	25 079	18 382
		従来型個室	3 291 035	…	…	500 484	727 782	791 711	774 705	496 347
		多床室	1 926 755	…	…	243 816	374 496	481 139	509 984	317 306
介護療養施設			8 064 873	…	…	87 674	211 001	678 411	2 892 593	4 195 166
	食事		7 466 336	…	…	79 951	194 709	623 319	2 677 971	3 890 358
	滞在費	ユニット・個室	40 201	…	…	－	668	4 109	15 038	20 386
		ユニット・準個室	－	…	…	－	－	－	－	－
		従来型個室	196 925	…	…	4 018	5 896	20 759	64 412	101 839
		多床室	361 411	…	…	3 706	9 728	30 223	135 172	182 582

統計表第35表　居宅サービス給付受給者数・給付単位数，居宅サービス給付単位数階級・要介護(要支援)状態区分別

平成30年4月審査分
(単位：千人)

		介護予防サービス		介護サービス				
		要支援1	要支援2	要介護1	要介護2	要介護3	要介護4	要介護5
居宅サービス給付受給者数	総数	242.7	399.3	949.6	849.0	488.4	324.4	202.8
	1,000単位未満	123.7	187.4	63.6	38.8	14.8	8.1	3.3
	1,000～ 2,000単位	27.7	41.6	61.6	46.0	18.2	11.0	5.1
	2,000～ 3,000	71.5	24.7	72.4	40.3	14.7	9.0	4.6
	3,000～ 4,000	13.3	51.6	73.8	41.1	13.0	7.2	3.7
	4,000～ 5,000	5.4	58.7	64.5	40.4	13.6	7.0	3.2
	5,000～ 6,000	0.7	12.7	69.3	37.3	12.9	6.8	3.0
	6,000～ 7,000	0.2	11.0	79.1	41.1	12.6	6.7	3.2
	7,000～ 8,000	0.1	6.4	66.2	45.7	13.5	6.6	3.2
	8,000～ 9,000	0.0	2.6	57.1	44.6	14.8	6.6	3.2
	9,000～ 10,000	0.0	1.5	58.5	41.3	15.6	6.9	3.1
	10,000～ 11,000	0.0	0.7	59.0	40.9	15.1	7.3	3.0
	11,000～ 12,000	0.0	0.1	51.2	40.6	15.3	7.5	3.3
	12,000～ 13,000	0.0	0.1	37.0	39.5	15.6	7.4	3.4
	13,000～ 14,000	0.0	0.0	31.7	36.2	16.1	7.5	3.5
	14,000～ 15,000	0.0	0.0	29.1	34.3	15.9	7.4	3.5
	15,000～ 16,000	0.0	0.0	28.9	39.2	15.6	7.6	3.6
	16,000～ 17,000	0.0	0.0	34.1	42.1	15.1	7.6	3.6
	17,000～ 18,000	－	0.1	5.8	38.4	15.1	7.8	3.6
	18,000～ 19,000	0.0	0.0	2.9	44.5	15.4	7.7	3.7
	19,000～ 20,000	－	0.0	1.6	54.0	15.9	8.0	3.8
	20,000～ 21,000	0.0	0.0	1.2	9.7	17.0	7.9	3.9
	21,000～ 22,000	－	0.0	0.6	5.1	20.5	8.0	3.9
	22,000～ 23,000	0.0	0.0	0.3	3.4	25.8	9.0	4.0
	23,000～ 24,000	－	－	0.1	2.0	24.9	11.4	4.2
	24,000～ 25,000	－	0.0	0.1	1.1	25.6	13.1	4.4
	25,000～ 26,000	－	0.0	0.0	0.7	25.8	14.6	5.5
	26,000～ 27,000	－	－	0.0	0.4	36.5	16.0	5.9
	27,000～ 28,000	－	－	0.0	0.2	6.1	15.4	6.1
	28,000～ 29,000	－	0.0	0.0	0.1	2.7	16.0	7.6
	29,000～ 30,000	－	－	0.0	0.1	1.5	19.0	7.1
	30,000～ 31,000	－	－	0.0	0.1	0.9	31.6	7.3
	31,000～ 32,000	－	－	0.0	0.1	0.6	4.3	7.7
	32,000～ 33,000	－	－	0.0	0.0	0.4	2.1	8.0
	33,000～ 34,000	－	－	0.0	0.0	0.3	1.3	9.0
	34,000～ 35,000	－	－	0.0	0.0	0.2	0.8	10.8
	35,000～ 36,000	－	－	－	0.0	0.1	0.6	21.6
	36,000単位以上	－	－	0.0	0.0	0.3	1.6	15.3
居宅サービス給付単位数合計＊ (単位：千単位)		324 139	880 365	7 044 759	8 827 809	7 633 341	6 179 871	4 795 463

注：1）支給限度額管理対象者を名寄せしたものである。
2）＊は、介護給付費明細書のうち、居宅サービス支給限度額管理対象単位数の合計である。

統計表第36表　居宅サービス平均利用率，都道府県・要介護（要支援）状態区分別

平成30年４月審査分
（単位：%）

	介護予防サービス		介護サービス				
	要支援１	要支援２	要介護１	要介護２	要介護３	要介護４	要介護５
全国	26.7	21.1	44.4	53.0	58.0	61.8	65.6
北海道	26.4	19.7	39.8	48.6	55.2	60.6	64.4
青森県	32.7	25.5	42.8	50.8	58.2	65.7	69.0
岩手県	32.6	24.2	41.9	50.8	55.3	58.2	61.6
宮城県	24.9	21.0	43.8	52.7	55.0	59.3	62.2
秋田県	27.6	19.2	40.7	49.6	58.3	61.7	61.7
山形県	30.0	25.6	45.2	54.4	58.0	61.3	61.7
福島県	28.8	21.7	40.8	48.7	52.5	56.7	60.3
茨城県	29.8	23.6	42.3	50.6	54.9	57.4	59.8
栃木県	29.2	22.2	47.0	54.3	57.6	60.0	61.4
群馬県	30.6	23.3	47.7	57.4	62.3	65.9	69.1
埼玉県	26.2	20.4	40.5	49.7	54.4	56.7	61.3
千葉県	25.7	19.3	40.8	49.6	55.7	59.0	63.9
東京都	22.8	17.9	38.8	48.7	53.8	57.8	63.6
神奈川県	23.0	17.8	39.0	47.0	53.9	56.7	61.6
新潟県	25.8	20.7	44.3	54.0	58.3	60.8	61.1
富山県	23.8	18.9	45.3	55.7	62.0	64.6	63.4
石川県	27.6	23.4	51.0	60.5	64.5	66.6	69.6
福井県	29.8	23.7	50.3	58.4	62.2	64.8	65.4
山梨県	25.9	19.9	44.8	53.2	59.7	63.1	63.6
長野県	25.1	19.3	44.8	54.9	58.2	62.1	64.5
岐阜県	23.9	18.8	46.6	55.2	59.4	61.7	66.2
静岡県	28.4	20.8	48.1	57.4	59.5	61.9	64.2
愛知県	26.5	21.4	48.8	56.2	61.0	65.1	70.2
三重県	25.1	19.8	47.2	55.2	60.7	63.7	67.1
滋賀県	23.9	18.3	46.4	56.5	60.7	62.8	66.8
京都府	23.1	17.2	37.8	46.2	54.0	58.4	62.8
大阪府	22.8	18.4	42.2	50.6	57.5	63.0	69.1
兵庫県	26.2	21.1	45.5	55.1	58.6	60.8	65.4
奈良県	25.9	21.1	41.7	48.4	53.0	58.2	63.4
和歌山県	28.6	22.3	44.9	54.9	60.0	66.0	69.5
鳥取県	32.5	25.6	51.2	58.2	60.9	64.4	66.5
島根県	30.8	22.3	47.7	56.6	60.0	63.4	65.1
岡山県	29.9	23.2	46.8	55.2	59.3	61.4	63.4
広島県	30.1	24.4	47.3	56.1	61.0	64.6	67.6
山口県	27.7	21.0	49.2	60.1	63.8	67.2	70.0
徳島県	30.5	24.7	45.0	52.3	57.7	64.0	66.8
香川県	27.2	21.5	47.5	56.3	62.7	66.0	69.5
愛媛県	26.9	21.0	47.8	57.2	61.5	64.9	65.4
高知県	22.6	19.2	48.1	56.8	59.4	63.5	60.9
福岡県	27.3	22.2	50.8	59.1	61.9	66.8	69.7
佐賀県	33.4	29.7	58.8	69.5	71.8	74.0	76.3
長崎県	33.9	29.0	49.0	59.8	62.0	65.4	66.0
熊本県	31.2	26.4	49.5	58.6	62.6	66.7	69.0
大分県	32.7	25.8	51.1	61.3	65.5	71.4	75.5
宮崎県	28.5	24.0	52.9	62.8	66.8	74.1	76.1
鹿児島県	32.6	26.9	48.2	58.0	59.9	65.4	66.8
沖縄県	28.6	21.4	56.7	64.8	68.4	72.8	72.9

注：平均利用率＝平均給付単位数／支給限度基準額（単位数）

統計表第37表　請求事業所数,

	総数	介護予防居宅サービス											
		介護予防訪問介護	介護予防訪問入浴介護	介護予防訪問看護	介護予防訪問リハビリテーション	介護予防通所介護	介護予防通所リハビリテーション	介護予防福祉用具貸与	介護予防短期入所生活介護	介護予防短期入所療養介護(老健)	介護予防短期入所療養介護(病院等)	介護予防居宅療養管理指導	介護予防特定施設入居者生活介護
全国	216 715	2 948	362	8 682	2 957	3 916	7 473	6 572	4 848	755	38	14 570	4 093
北海道	8 291	205	9	408	139	282	274	270	195	34	1	491	236
青森県	2 683	88	3	64	16	133	85	96	28	7	-	46	6
岩手県	2 601	28	6	79	49	69	97	78	92	11	2	67	13
宮城県	3 708	69	18	125	40	87	116	118	125	23	1	235	55
秋田県	2 343	45	6	52	17	50	54	78	117	6	-	35	37
山形県	2 142	13	3	47	18	19	74	81	88	11	2	77	33
福島県	3 396	17	12	108	35	26	133	131	111	27	-	92	37
茨城県	4 385	74	6	133	52	123	169	106	101	20	-	191	44
栃木県	2 928	43	4	87	25	56	97	99	126	4	-	113	58
群馬県	3 809	46	6	138	41	77	127	88	96	11	-	165	47
埼玉県	9 467	184	11	327	123	253	258	273	184	29	-	764	411
千葉県	8 812	81	29	271	97	115	259	237	154	26	-	591	178
東京都	19 010	81	36	880	180	101	333	539	208	13	-	1 990	576
神奈川県	12 378	55	24	557	122	50	246	309	207	31	-	1 120	420
新潟県	4 269	58	12	125	36	111	115	123	228	19	-	252	59
富山県	2 080	16	4	57	26	43	74	60	66	5	-	75	2
石川県	1 549	35	5	86	27	54	91	51	64	6	-	127	25
福井県	1 191	15	1	83	22	22	66	38	29	4	-	56	11
山梨県	1 522	8	3	41	28	12	54	45	28	4	-	31	4
長野県	3 960	40	9	157	83	62	139	121	119	26	3	208	54
岐阜県	3 571	6	8	143	51	18	119	115	109	18	-	233	31
静岡県	4 958	94	15	180	68	156	218	192	167	22	1	307	109
愛知県	11 141	121	37	496	137	196	377	343	250	50	3	956	199
三重県	3 383	54	5	115	55	101	107	107	91	12	-	145	36
滋賀県	1 922	24	5	97	42	38	65	58	28	3	-	118	7
京都府	3 432	53	7	217	83	36	140	97	76	5	-	312	25
大阪府	19 190	329	17	825	239	251	487	700	167	34	1	1 608	280
兵庫県	10 201	287	19	553	167	345	333	312	220	32	1	965	199
奈良県	2 554	16	5	116	46	24	78	101	62	17	-	170	52
和歌山県	2 493	83	2	103	44	59	85	94	50	11	1	131	20
鳥取県	1 112	10	2	55	23	21	55	39	24	15	2	70	12
島根県	1 730	60	-	73	33	98	49	82	53	7	-	76	31
岡山県	4 071	46	2	137	56	91	172	79	105	15	3	236	100
広島県	5 753	86	10	244	88	118	244	141	181	29	4	467	102
山口県	3 037	44	1	109	50	61	113	97	85	10	1	143	34
徳島県	1 494	-	-	71	61	4	103	57	24	5	-	77	5
香川県	2 045	21	3	55	20	20	107	62	52	6	-	88	25
愛媛県	3 197	31	3	120	32	46	120	91	82	11	-	164	69
高知県	1 433	3	-	54	31	4	70	31	31	7	1	59	16
福岡県	10 202	76	6	384	134	76	452	277	182	36	2	736	192
佐賀県	1 426	28	1	58	29	67	101	40	41	14	1	105	28
長崎県	3 335	54	1	106	46	55	177	102	103	8	1	129	48
熊本県	3 900	142	2	157	62	148	224	115	83	25	3	143	43
大分県	2 605	21	3	104	46	21	139	70	63	12	2	99	35
宮崎県	2 556	28	1	74	14	66	113	64	44	9	-	60	44
鹿児島県	3 736	23	-	142	93	38	252	90	81	16	2	222	30
沖縄県	1 714	7	-	69	31	13	112	75	28	9	-	25	15

注：指定・基準該当等の区分が可能なものについて集計している。

都道府県・サービス種類別（２－１）

平成30年４月審査分

介護予防支援	地域密着型介護予防サービス					居宅サービス							
	介護予防認知症対応型通所介護	介護予防小規模多機能型居宅介護（短期利用以外）	介護予防小規模多機能型居宅介護（短期利用）	介護予防認知症対応型共同生活介護（短期利用以外）	介護予防認知症対応型共同生活介護（短期利用）	訪問介護	訪問入浴介護	訪問看護	訪問リハビリテーション	通所介護	通所リハビリテーション	福祉用具貸与	
4 960	545	3 743	13	879	1	33 284	1 872	11 164	4 138	23 599	7 740	7 193	全　国
272	23	222	－	44	－	1 580	56	497	171	744	276	296	北海道
57	10	34	－	15	－	508	40	134	33	287	86	109	青森県
54	6	57	2	6	－	328	48	109	56	312	99	84	岩手県
124	10	55	－	19	－	490	55	159	55	440	120	130	宮城県
57	5	58	－	10	－	257	35	70	25	213	57	81	秋田県
70	4	94	－	6	－	207	29	74	20	295	76	90	山形県
118	14	68	－	16	－	448	49	131	42	398	138	142	福島県
72	5	57	－	20	1	519	42	163	65	547	172	123	茨城県
94	14	78	－	10	－	368	23	94	30	439	103	111	栃木県
101	13	75	2	9	－	475	27	183	48	641	130	101	群馬県
275	10	83	－	35	－	1 251	78	389	172	1 093	269	308	埼玉県
192	13	86	－	14	－	1 398	105	350	136	848	271	273	千葉県
410	20	109	－	25	－	3 046	160	1 053	264	1 536	368	592	東京都
359	12	160	－	35	－	1 912	136	668	174	1 051	273	332	神奈川県
118	11	154	－	12	－	381	32	143	47	521	119	128	新潟県
61	13	53	－	8	－	224	15	76	43	246	78	69	富山県
56	10	61	－	14	－	230	19	117	41	256	92	64	石川県
36	14	60	－	5	－	151	15	88	36	187	66	40	福井県
34	2	14	－	2	－	176	16	56	38	197	63	50	山梨県
127	15	62	－	6	－	483	48	188	104	421	146	128	長野県
87	10	65	－	19	－	414	33	195	69	466	129	122	岐阜県
145	16	81	－	37	－	656	63	213	88	774	221	201	静岡県
222	27	139	1	64	－	1 589	83	631	181	1 161	389	369	愛知県
53	8	47	－	6	－	516	26	157	68	460	110	127	三重県
49	13	50	－	4	－	315	25	120	52	278	69	65	滋賀県
125	13	83	－	1	－	591	47	299	121	443	148	102	京都府
258	27	146	2	23	－	4 629	102	1 166	358	1 457	497	792	大阪府
204	36	168	1	37	－	1 745	70	639	212	917	336	329	兵庫県
63	4	33	－	13	－	511	24	145	56	273	80	121	奈良県
50	7	30	1	10	－	530	17	131	63	272	87	99	和歌山県
33	7	44	－	4	－	118	11	64	30	159	59	40	鳥取県
25	8	56	1	4	－	209	12	87	38	170	52	83	島根県
61	11	139	－	19	－	465	19	180	87	433	176	84	岡山県
100	15	183	1	41	－	710	38	308	118	575	258	146	広島県
59	5	56	－	6	－	362	21	155	65	357	115	101	山口県
35	4	25	－	10	－	343	13	102	83	213	107	71	徳島県
17	6	30	－	6	－	288	14	93	52	231	109	66	香川県
34	10	77	－	26	－	454	22	163	47	355	125	99	愛媛県
34	6	16	－	7	－	219	18	71	50	158	74	32	高知県
183	15	198	1	58	－	1 473	47	521	208	1 169	454	294	福岡県
40	11	43	1	57	－	174	9	70	39	281	101	41	佐賀県
52	18	95	－	33	－	358	17	134	85	323	183	105	長崎県
82	9	98	－	13	－	614	25	218	90	450	227	130	熊本県
60	15	33	－	17	－	419	19	135	68	355	139	77	大分県
70	3	34	－	26	－	438	21	127	34	375	115	67	宮崎県
65	10	96	－	22	－	413	41	191	132	324	261	101	鹿児島県
67	7	38	－	5	－	299	7	107	44	498	117	78	沖縄県

統計表第37表　請求事業所数,

	居宅サービス							地域密着型				
	短期入所生活介護	短期入所療養介護（老健）	短期入所療養介護（病院等）	居宅療養管理指導	特定施設入居者生活介護（短期利用以外）	特定施設入居者生活介護（短期利用）	居宅介護支援	定期巡回・随時対応型訪問介護看護	夜間対応型訪問介護	地域密着型通所介護	認知症対応型通所介護	小規模多機能型居宅介護（短期利用以外）
全国	10 530	3 444	291	36 246	5 088	378	40 065	868	179	19 709	3 541	5 363
北海道	418	151	10	1 219	281	8	1 557	82	6	835	151	327
青森県	148	49	2	259	16	2	532	4	-	147	46	43
岩手県	179	52	6	247	27	-	445	7	1	203	41	79
宮城県	219	70	5	552	62	3	660	14	1	403	60	69
秋田県	300	37	-	217	55	1	405	7	-	161	32	70
山形県	144	37	5	289	39	-	372	9	2	105	63	118
福島県	187	81	4	362	52	1	631	22	1	269	81	116
茨城県	308	108	3	636	63	5	860	8	-	431	40	81
栃木県	237	41	3	313	66	3	581	5	-	287	46	96
群馬県	221	78	-	437	67	4	744	10	-	303	61	113
埼玉県	483	149	2	1 616	443	41	1 843	51	7	840	76	121
千葉県	450	142	9	1 327	206	13	1 870	40	6	990	78	134
東京都	565	186	10	4 269	690	73	3 548	85	34	1 829	410	209
神奈川県	450	171	3	2 508	534	71	2 332	75	50	1 360	256	295
新潟県	332	67	2	642	68	2	732	15	1	186	94	187
富山県	118	38	7	269	6	-	355	11	2	196	60	78
石川県	103	33	5	317	37	1	335	6	1	138	36	78
福井県	104	27	7	146	33	1	261	7	-	83	54	84
山梨県	119	23	8	173	8	2	339	6	-	253	23	24
長野県	248	81	14	612	83	2	669	11	1	447	86	94
岐阜県	198	57	6	722	36	3	610	8	2	266	50	82
静岡県	289	104	7	874	131	10	1 128	14	1	584	128	151
愛知県	397	142	12	2 126	224	21	1 802	27	3	965	139	184
三重県	202	59	3	510	57	5	624	6	2	376	38	59
滋賀県	100	30	-	378	13	-	451	6	-	281	72	71
京都府	181	66	8	932	64	-	759	17	11	206	80	156
大阪府	518	195	7	3 783	331	38	3 697	55	16	1 588	212	217
兵庫県	413	154	7	2 022	227	15	1 773	42	3	903	136	232
奈良県	120	49	2	442	61	7	571	19	-	224	32	42
和歌山県	113	36	4	322	26	3	520	5	1	232	24	46
鳥取県	49	43	3	152	18	-	173	8	1	101	25	55
島根県	96	32	4	193	45	-	293	3	1	161	42	78
岡山県	225	59	9	628	119	4	641	13	1	345	53	172
広島県	383	102	20	1 039	119	9	889	39	3	369	69	211
山口県	144	46	3	437	48	1	515	16	3	350	66	81
徳島県	94	31	6	290	5	1	338	1	-	109	21	33
香川県	128	36	4	343	43	-	360	8	2	167	31	43
愛媛県	181	52	3	401	82	2	528	10	2	243	39	112
高知県	75	27	3	188	27	-	273	6	-	184	29	34
福岡県	373	142	16	1 699	226	10	1 589	38	3	846	104	271
佐賀県	70	34	6	274	33	4	259	2	-	190	38	52
長崎県	194	43	7	447	73	-	509	20	5	245	75	121
熊本県	167	87	25	405	53	2	726	6	1	327	76	145
大分県	132	49	11	281	42	6	439	7	3	134	51	41
宮崎県	107	38	2	247	66	1	457	3	1	259	20	59
鹿児島県	178	67	6	565	56	1	602	13	1	369	63	129
沖縄県	70	43	2	136	27	2	468	1	-	219	34	70

注：指定・基準該当等の区分が可能なものについて集計している。

都道府県・サービス種類別（２－２）

平成30年４月審査分

サービス								施設サービス			
小規模多機能型居宅介護（短期利用）	認知症対応型共同生活介護（短期利用以外）	認知症対応型共同生活介護（短期利用）	地域密着型特定施設入居者生活介護（短期利用以外）	地域密着型特定施設入居者生活介護（短期利用）	地域密着型介護老人福祉施設入所者生活介護	複合型サービス（看護小規模多機能型居宅介護・短期利用以外）	複合型サービス（看護小規模多機能型居宅介護・短期利用）	介護福祉施設サービス	介護保健施設サービス	介護療養施設サービス	
198	13 499	205	324	14	2 231	434	53	7 885	4 289	1 078	全国
9	966	8	28	-	114	40	-	357	199	49	北海道
5	323	1	4	-	44	4	-	95	65	16	青森県
6	197	8	7	-	57	1	-	116	68	13	岩手県
2	280	3	2	-	57	11	1	154	89	9	宮城県
1	201	5	13	-	29	5	-	120	59	7	秋田県
-	138	3	-	-	52	4	-	104	48	7	山形県
2	237	-	7	-	35	6	1	154	91	15	福島県
4	288	7	2	-	42	7	4	247	135	17	茨城県
4	175	4	-	-	80	3	-	131	64	6	栃木県
4	263	5	2	1	56	7	-	173	100	11	群馬県
3	450	3	10	-	43	11	4	388	168	15	埼玉県
6	457	12	12	1	69	13	4	372	161	17	千葉県
5	619	9	9	-	31	29	2	510	197	53	東京都
11	737	10	12	1	26	37	2	413	197	22	神奈川県
-	248	1	6	-	101	8	-	206	108	20	新潟県
2	171	1	-	-	29	5	1	83	48	32	富山県
2	181	1	1	-	41	5	2	72	45	15	石川県
4	90	2	-	-	36	13	-	70	36	15	福井県
1	71	2	5	1	48	3	1	58	31	7	山梨県
8	243	4	22	-	64	3	-	163	95	31	長野県
2	281	1	5	-	43	5	2	129	80	16	岐阜県
3	386	2	18	2	44	16	3	239	127	21	静岡県
13	548	5	15	3	116	11	3	267	195	34	愛知県
1	195	2	4	-	42	5	1	154	77	10	三重県
3	141	6	1	-	29	6	-	87	34	5	滋賀県
4	224	1	16	-	46	8	-	155	72	25	京都府
15	660	21	13	3	115	31	4	409	219	29	大阪府
11	404	8	6	1	87	17	3	342	176	27	兵庫県
4	134	10	1	-	7	3	-	99	52	7	奈良県
4	125	2	8	1	22	6	1	92	42	14	和歌山県
4	90	1	5	-	10	4	1	44	58	6	鳥取県
9	140	2	2	-	23	4	3	90	40	11	島根県
4	341	5	7	-	73	6	-	155	90	19	岡山県
3	357	5	1	-	64	15	-	184	115	52	広島県
4	194	7	4	-	55	5	1	99	67	28	山口県
2	139	1	-	-	13	4	-	66	52	31	徳島県
-	107	2	4	-	12	4	2	85	53	17	香川県
5	308	4	-	-	41	7	1	106	68	24	愛媛県
-	155	-	8	-	7	3	-	58	34	38	高知県
9	668	7	19	-	82	16	-	321	179	64	福岡県
2	187	-	3	-	6	7	1	57	41	20	佐賀県
5	329	6	-	-	38	8	1	119	65	33	長崎県
5	246	7	13	-	89	8	2	138	98	60	熊本県
1	135	3	8	-	45	9	1	82	71	35	大分県
3	181	1	-	-	11	4	-	96	45	28	宮崎県
1	384	5	16	-	45	5	1	164	91	36	鹿児島県
2	105	2	5	-	12	2	-	62	44	11	沖縄県

第Ⅳ編　用 語 の 定 義

(1) 原審査

介護サービスを提供した事業所から請求のあった介護給付費明細書等に対する各都道府県国民健康保険団体連合会の審査をいい、計画単位数を超える請求があった場合は査定減点されることがある。

なお、原則としてサービス提供月の翌月が審査月となっている。

(2) 受給者数

介護予防サービス又は介護サービスを受給し、当該審査月に保険請求のあった者の数であり、同一被保険者が同一月に２種類以上のサービスを受けた場合、サービスごとにそれぞれ計上するが、総数、小計には１人と計上している。

なお、年間累計受給者数は、各審査月の受給者数を合計している。

(3) 年間実受給者数

各年度とも４月から翌年３月の１年間において一度でも介護予防サービス又は介護サービスを受給したことのある者の数であり、同一人が２回以上受給した場合は１人として計上している。ただし、当該期間中に被保険者番号の変更があった場合には、別受給者として計上している。

(4) 年間継続受給者数

平成29年４月から平成30年３月の各サービス提供月について１年間継続して介護予防サービス又は介護サービスを受給した者をいう。

(5) 認定者数

要介護（要支援）認定を受け、介護保険の受給資格がある者として、審査月の前月中に受給者台帳に登録されている者をいう。

(6) 費用額

審査月に原審査で決定された額であり、保険給付額と公費負担額、利用者負担額（公費の本人負担額を含む）の合計額である。市区町村が直接支払う費用（償還払い）は含まない。

(7) 単位数

介護サービス費用の単位であり、１単位の単価は地域により異なる。

(8) 居宅サービス給付単位数

介護給付費明細書のうち、居宅サービス支給限度額管理対象単位数の合計である。

(9) 回数・日数

介護給付費明細書に記載された介護給付費単位数サービスコードごとのサービス提供回数・日数を計上する。

(10) 支給限度基準額（居宅介護サービス費等区分支給限度基準額及び介護予防サービス費等区分支給限度基準額）

居宅サービス・地域密着型サービス・介護予防サービス・地域密着型介護予防サービスについて、要介護（要支援）状態区分に応じて定められた、１か月間に利用できる保険給付対象となるサービス費用の上限をいう。

(11) 実日数

介護給付費明細書に記載されたサービス種類ごとの提供実日数を計上する。

(12) 件数

サービス種類ごとの請求件数であり、介護給付費明細書の請求枚数とは異なる。

(13) 介護予防居宅サービス・居宅サービス

①介護予防訪問介護、訪問介護

居宅で介護福祉士等から受ける入浴、排せつ、食事等の介護その他の日常生活上の世話をいう。

②介護予防訪問入浴介護、訪問入浴介護

居宅を訪問し、浴槽を提供されて受ける入浴の介護をいう。

③介護予防訪問リハビリテーション、訪問リハビリテーション

居宅で心身の機能の維持回復を図り、日常生活の自立を助けるために行われる理学療法、作業療法等のリハビリテーションをいう。

④介護予防訪問看護、訪問看護

居宅で看護師等から受ける療養上の世話又は必要な診療の補助をいう。

⑤介護予防通所介護、通所介護

老人デイサービスセンター等の施設に通って受ける入浴、排せつ、食事等の介護その他の日常生活上の世話及び機能訓練をいう。

⑥介護予防通所リハビリテーション、通所リハビリテーション

介護老人保健施設、病院・診療所に通って受ける心身の機能の維持回復を図り、日常生活の自立を助けるための理学療法、作業療法等のリハビリテーションをいう。

⑦介護予防福祉用具貸与、福祉用具貸与

日常生活上の便宜を図るための用具や機能訓練のための用具で、日常生活の自立を助けるもの（厚生労働大臣が定めるもの）の貸与をいう。

⑧介護予防短期入所生活介護、短期入所生活介護

特別養護老人ホーム等の施設や老人短期入所施設への短期入所で受ける入浴、排せつ、食事等の介護その他の日常生活上の世話及び機能訓練をいう。

⑨介護予防短期入所療養介護、短期入所療養介護

介護老人保健施設、介護療養型医療施設等への短期入所で受ける看護、医学的管理下の介護と機能訓練等の必要な医療並びに日常生活上の世話をいう。

⑩介護予防居宅療養管理指導、居宅療養管理指導

居宅要介護者について、病院、診療所等の医師、歯科医師、薬剤師等により行われる療養上の管理及び指導をいう。

⑪介護予防特定施設入居者生活介護、特定施設入居者生活介護

有料老人ホーム等に入居する要介護者等が、特定施設サービス計画に基づいて施設で受ける入浴、排せつ、食事等の介護その他の日常生活上の世話、機能訓練及び療養上の世話をいう。

※　⑪で「短期利用」とある場合は、一定要件を満たす特定施設における、空室がある場合の短期利用のサービスをいう。

(14) 介護予防支援

居宅要支援者の依頼を受けて、心身の状況、環境、本人や家族の希望等を勘案し、介護予防サービスや地域密着型介護予防サービスを適切に利用するための介護予防サービス計画等の作成、介護予防サービス提供確保のための事業者等との連絡調整その他の便宜の提供等を行うことをいう。

(15) 居宅介護支援

居宅要介護者の依頼を受けて、心身の状況、環境、本人や家族の希望等を勘案し、在宅サービス等を適切に利用するために、利用するサービスの種類・内容等の居宅サービス計画を作成し、サービス提供確保のため事業者等との連絡調整その他の便宜の提供等を行うとともに、介護保険施設等への入所が必要な場合は施設への紹介その他の便宜の提供等を行うことをいう。

(16) 地域密着型介護予防サービス・地域密着型サービス

①定期巡回・随時対応型訪問介護看護

定期的な巡回訪問又は通報を受け、居宅で介護福祉士等から受ける入浴、排せつ、食事等の介護その他日常生活上の世話、看護師等から受ける療養上の世話又は必要な診療の補助をいう。

②夜間対応型訪問介護

夜間において、定期的な巡回訪問又は通報を受け、居宅で介護福祉士等から受ける入浴、排せつ、食事等の介護その他の日常生活上の世話をいう。

③地域密着型通所介護

小規模の老人デイサービスセンター等の施設に通って受ける入浴、排せつ、食事等の介護その他の日常生活上の世話及び機能訓練をいう。

④介護予防認知症対応型通所介護、認知症対応型通所介護

認知症の要介護者（要支援者）が、デイサービスを行う施設等に通って受ける入浴、排せつ、食事等の介護その他の日常生活上の世話及び機能訓練をいう。

⑤介護予防小規模多機能型居宅介護、小規模多機能型居宅介護

居宅又は厚生労働省令で定めるサービスの拠点に通わせ、又は短期間宿泊させ、当該拠点において受ける入浴、排せつ、食事等の介護その他の日常生活上の世話及び機能訓練をいう。

⑥介護予防認知症対応型共同生活介護、認知症対応型共同生活介護

比較的安定した状態にある認知症の要介護者（要支援者）が、共同生活を営む住居で受ける入浴、排せつ、食事等の介護その他の日常生活上の世話及び機能訓練をいう。

⑦地域密着型特定施設入居者生活介護

有料老人ホーム等に入居する要介護者等が、地域密着型サービス計画に基づいて施設で受ける入浴、排せつ、食事等の介護その他の日常生活上の世話、機能訓練及び療養上の世話をいう。

⑧地域密着型介護老人福祉施設入所者生活介護

地域密着型介護老人福祉施設に入所する要介護者が、地域密着型サービス計画に基づいて受ける入浴、排せつ、食事等の介護その他の日常生活上の世話、機能訓練、健康管理及び療養上の世話をいう。

⑨複合型サービス（看護小規模多機能型居宅介護）

訪問看護及び小規模多機能型居宅介護の組合せにより提供されるサービスをいう。

※　⑤及び⑨で「短期利用」とある場合は、一定要件を満たす当該サービスにおける、短期利用に活用可能な宿泊室がある場合の短期利用のサービスをいう。

⑥及び⑦で「短期利用」とある場合は、一定要件を満たす当該サービスにおける、空室がある場合の短期利用のサービスをいう。

(17) 施設サービス

①介護福祉施設サービス

介護老人福祉施設に入所する要介護者が、施設サービス計画に基づいて受ける入浴、排せつ、食事等の介護その他の日常生活上の世話、機能訓練、健康管理及び療養上の世話をいう。

（介護老人福祉施設･･･老人福祉法に規定する特別養護老人ホーム（入所定員が30人以上であるものに限る。）で、かつ、介護保険法による都道府県知事の指定を受けた施設であって、入所する要介護者が、施設サービス計画に基づいて受ける入浴、排せつ、食事等の介護その他の日常生活上の世話、機能訓練、健康管理及び療養上の世話を行うことを目的とする施設）

②介護保健施設サービス

介護老人保健施設に入所する要介護者が、施設サービス計画に基づいて受ける看護、医学的管理の下における介護及び機能訓練その他必要な医療並びに日常生活上の世話をいう。

（介護老人保健施設･･･介護保険法による都道府県知事の開設許可を受けた施設であって、入所する要介護者に対し、施設サービス計画に基づいて、看護、医学的管理の下における介護及び機能訓練その他必要な医療並びに日常生活上の世話を行うことを目的とする施設）

③介護療養施設サービス

介護療養型医療施設の療養病床等に入院する要介護者が、施設サービス計画に基づいて受ける療養上の管理、看護、医学的管理の下における介護その他の世話及び機能訓練その他必要な医療をいう。

（介護療養型医療施設･･･医療法に規定する医療施設で、かつ、介護保険法による都道府県知事の指定を受けた施設であって、入院する要介護者に対し、施設サービス計画に基づいて、療養上の管理、看護、医学的管理の下における介護その他の世話及び機能訓練その他必要な医療を行うことを目的とする施設）

(18) 訪問介護内容類型

・身　体　介　護…利用者の身体に直接接触して行う介護等と、日常生活を営むのに必要な機能の向上等のための介助及び専門的な援助をいう。

・生　活　援　助…日常生活に支障が生じないように行われる調理・洗濯・掃除等をいう。

・通院等乗降介助…利用者の通院等のために指定訪問介護事業所の訪問介護員等が、自ら運転する車両への乗車・降車の介助を行い、併せて乗車前・降車後の屋内外での移動等の介助、又は通院先・外出先での受診等の手続・移動等の介助を行うことをいう。

(19) 特定治療

介護老人保健施設において、やむをえない事情により行われたリハビリテーション、処置、手術、麻酔、放射線治療について、医科診療報酬点数表により算定されるものである。

(20) 特別療養費

介護老人保健施設において、指導管理、リハビリテーション等のうち日常的に必要な医療行為として定められた特別療養費項目を行った場合に算定されるものである。

(21) 特定診療費

介護療養型医療施設等において、指導管理、リハビリテーション等のうち日常的に必要な医療行為として定められた特定診療項目を行った場合に算定されるものである。

(22) 加算・減算

サービスの実施状況等に応じて算定される加算、要介護（要支援）状態区分やサービス提供時間に応じ、人員配置や設備環境を反映して定められた基本算定項目を満たさない場合の減算をいう。

(23) 地域区分

人件費の地域差を反映させるために、１単位の単価が基本10円に対して地域区分ごとに割増が行われており、人件費水準の対全国平均上乗せ率にもとづいた、１級地・２級地・３級地・４級地・５級地・６級地・７級地・その他の８つである。

(24) サービス種類内容

介護給付費単位数サービスコード表算定項目について、サービス種類別に整理したものである。

(25) 請求事業所数

当該審査月に保険請求のあった事業所であり、同一月に２種類以上のサービスを提供した場合、サービスごとにそれぞれ事業所数を１と計上するが、合計には１と計上する。

(26) 特定入所者介護サービス

居住費（滞在費）及び食費について、所得の低い方に負担限度額を設け、施設には平均的な費用（基準費用額）と負担限度額との差額を保険給付で補うものである。

(27) 総合事業

市町村が中心となって、地域の実情に応じて、住民等の多様な主体が参画し、多様なサービスを充実することで、地域の支え合い体制づくりを推進し、要支援者等に対する効果的かつ効率的な支援等を可能とすることを目指す「介護予防・日常生活支援総合事業」をいう。

（参考）

様式第二（附則第二条関係）

居宅サービス・地域密着型サービス介護給付費明細書

（訪問介護・訪問入浴介護・訪問看護・訪問リハ・居宅療養管理指導・通所介護・通所リハ・福祉用具貸与・定期巡回・随時対応型訪問介護看護・夜間対応型訪問介護・認知症対応型通所介護・小規模多機能型居宅介護（短期利用以外）・小規模多機能型居宅介護（短期利用）・複合型サービス（看護小規模多機能型居宅介護・短期利用以外）・複合型サービス（看護小規模多機能型居宅介護・短期利用）・地域密着型通所介護）

公費負担者番号		平成　年　月分	
公費受給者番号		保険者番号	

被保険者	被保険者番号			
	(ﾌﾘｶﾞﾅ) 氏名			
	生年月日	1.明治　2.大正　3.昭和 年　月　日	性別	1. 男　2. 女
	要介護状態区分	要介護1・2・3・4・5		
	認定有効期間	平成　年　月　日から 平成　年　月　日まで		

請求事業者	事業所番号	
	事業所名称	
	所在地	〒　－
	連絡先	電話番号

居宅サービス計画	1．居宅介護支援事業者作成　　2．被保険者自己作成		
	事業所番号		事業所名称

開始年月日	平成　年　月　日	中止年月日	平成　年　月　日
中止理由	1.非該当　3.医療機関入院　4.死亡　5.その他　6.介護老人福祉施設入所　7.介護老人保健施設入所　8.介護療養型医療施設入院		

給付費明細欄	サービス内容	サービスコード	単位数	回数	サービス単位数	公費分回数	公費対象単位数	摘要

給付費明細欄（住所地特例対象者）	サービス内容	サービスコード	単位数	回数	サービス単位数	公費分回数	公費対象単位数	施設所在保険者番号	摘要

請求額集計欄						
	①サービス種類コード／②名称					
	③サービス実日数	日	日	日	日	
	④計画単位数					
	⑤限度額管理対象単位数					
	⑥限度額管理対象外単位数					給付率（/100）
	⑦給付単位数（④⑤のうち少ない数）＋⑥					保険
	⑧公費分単位数					公費
	⑨単位数単価	▲円／単位	▲円／単位	▲円／単位	▲円／単位	合計
	⑩保険請求額					
	⑪利用者負担額					
	⑫公費請求額					
	⑬公費分本人負担					

社会福祉法人等による軽減欄	軽減率	▲ %	受領すべき利用者負担の総額（円）	軽減額（円）	軽減後利用者負担額（円）	備考

枚中　枚目

様式第二の二（附則第二条関係）

介護予防サービス・地域密着型介護予防サービス介護給付費明細書

（介護予防訪問介護・介護予防訪問入浴介護・介護予防訪問看護・介護予防訪問リハ・介護予防居宅療養管理指導・介護予防通所介護・介護予防通所リハ・介護予防福祉用具貸与・介護予防認知症対応型通所介護・介護予防小規模多機能型居宅介護（短期利用以外）・介護予防小規模多機能型居宅介護（短期利用））

公費負担者番号		平成　年　月分	
公費受給者番号		保険者番号	

被保険者	被保険者番号		
	(ﾌﾘｶﾞﾅ) 氏名		
	生年月日	1.明治　2.大正　3.昭和　年　月　日	性別　1. 男　2. 女
	要支援状態区分	要支援 1・要支援 2	
	認定有効期間	平成　年　月　日　から 平成　年　月　日　まで	
請求事業者	事業所番号		
	事業所名称		
	所在地	〒　－	
	連絡先	電話番号	

介護予防サービス計画	2．被保険者自己作成　3．介護予防支援事業者作成		
	事業所番号	事業所名称	
開始年月日	平成　年　月　日	中止年月日	平成　年　月　日
中止理由	1.非該当　3.医療機関入院　4.死亡　5.その他　6.介護老人福祉施設入所　7.介護老人保健施設入所　8.介護療養型医療施設入院		

給付費明細欄	サービス内容	サービスコード	単位数	回数	サービス単位数	公費分回数	公費対象単位数	摘要

給付費明細欄（住所地特例対象者）	サービス内容	サービスコード	単位数	回数	サービス単位数	公費分回数	公費対象単位数	施設所在保険者番号	摘要

請求額集計欄						
	①サービス種類コード／②名称					
	③サービス実日数	日	日	日	日	
	④計画単位数					
	⑤限度額管理対象単位数					
	⑥限度額管理対象外単位数					給付率（/100）
	⑦給付単位数（④⑤のうち少ない数）＋⑥					保険
	⑧公費分単位数					公費
	⑨単位数単価	円／単位	円／単位	円／単位	円／単位	合計
	⑩保険請求額					
	⑪利用者負担額					
	⑫公費請求額					
	⑬公費分本人負担					

社会福祉法人等による軽減欄	軽減率	％	受領すべき利用者負担の総額（円）	軽減額（円）	軽減後利用者負担額（円）	備考

枚中　枚目

様式第二の三（附則第二条関係）

介護予防・日常生活支援総合事業費明細書
（訪問型サービス費・通所型サービス費・その他の生活支援サービス費）

公費負担者番号	
公費受給者番号	

平成	年		月分
保険者番号			

被保険者	被保険者番号	
	(ﾌﾘｶﾞﾅ) 氏名	
	生年月日	1.明治　2.大正　3.昭和　年　月　日　性別　1. 男　2. 女
	要支援状態区分等	事業対象者・要支援１・要支援２
	認定有効期間	平成　年　月　日から 平成　年　月　日まで

請求事業者	事業所番号	
	事業所名称	
	所在地	〒　－
	連絡先	電話番号

介護予防サービス計画	３．介護予防支援事業者・地域包括支援センター作成			
	事業所番号		事業所名称	

開始年月日	平成　年　月　日	中止年月日	平成　年　月　日

事業費明細欄	サービス内容	サービスコード	単位数	回数	サービス単位数	公費分回数	公費対象単位数	摘要

事業費明細欄（住所地特例対象者）	サービス内容	サービスコード	単位数	回数	サービス単位数	公費分回数	公費対象単位数	施設所在保険者番号	摘要

請求額集計欄						
	①サービス種類コード／②名称					
	③サービス実日数	日	日	日	日	
	④計画単位数					
	⑤限度額管理対象単位数					
	⑥限度額管理対象外単位数					給付率（/100）
	⑦給付単位数（④⑤のうち少ない数）＋⑥					事業
	⑧公費分単位数					公費
	⑨単位数単価	円／単位	円／単位	円／単位	円／単位	合計
	⑩事業費請求額					
	⑪利用者負担額					
	⑫公費請求額					
	⑬公費分本人負担					

	枚中		枚目

様式第三（附則第二条関係）

居宅サービス介護給付費明細書
（短期入所生活介護）

公費負担者番号	
公費受給者番号	

平成	年	月分	
保険者番号			

被保険者		
	被保険者番号	
	(ﾌﾘｶﾞﾅ)	
	氏名	
	生年月日	1.明治 2.大正 3.昭和 　年　月　日
	性別	1. 男 2. 女
	要介護状態区分	要介護 1・2・3・4・5
	認定有効期間	平成　年　月　日 から 平成　年　月　日 まで

請求事業者		
	事業所番号	
	事業所名称	
	所在地	〒　－
	連絡先	電話番号

居宅サービス計画		
	1.居宅介護支援事業者作成　2.被保険者自己作成	
	事業所番号	
	事業所名称	

入所年月日	平成　年　月　日
退所年月日	平成　年　月　日
短期入所　実日数	

給付費明細欄

サービス内容	サービスコード	単位数	回数日数	サービス単位数	公費分回数等	公費対象単位数	摘要
合計							

請求額集計欄

区分	保険分	公費分
①計画単位数		
②限度額管理対象単位数		
③限度額管理対象外単位数		
④給付単位数		
⑤単位数単価	▲　円／単位	
⑥給付率	／100	／100
⑦請求額（円）		
⑧利用者負担額（円）		

特定入所者介護サービス費

サービス内容	サービスコード	費用単価(円)	負担限度額	日数	費用額(円)	保険分	公費日数	公費分	利用者負担額
合計									
					保険分請求額(円)		公費分請求額		公費分本人負担月額

社会福祉法人等による軽減欄						
	軽減率	▲　%	受領すべき利用者負担の総額（円）	軽減額（円）	軽減後利用者負担額（円）	備考
	21	短期入所生活介護				

枚中	枚目

様式第三の二（附則第二条関係）

介護予防サービス介護給付費明細書
（介護予防短期入所生活介護）

公費負担者番号	
公費受給者番号	

平成	年	月分
保険者番号		

被保険者		
	被保険者番号	
	(ﾌﾘｶﾞﾅ) 氏名	
	生年月日	1.明治　2.大正　3.昭和　年　月　日　性別　1. 男　2. 女
	要支援状態区分	要支援１・要支援２
	認定有効期間	平成　年　月　日から 平成　年　月　日まで

請求事業者		
	事業所番号	
	事業所名称	
	所在地	〒　－
	連絡先	電話番号

介護予防サービス計画	2.被保険者自己作成　3. 介護予防支援事業者作成
	事業所番号
	事業所名称

入所年月日	平成　年　月　日
退所年月日	平成　年　月　日
短期入所　実日数	

給付費明細欄	サービス内容	サービスコード	単位数	回数日数	サービス単位数	公費分回数等	公費対象単位数	摘要
	合計							

請求額集計欄	区分	保険分	公費分
	①計画単位数		
	②限度額管理対象単位数		
	③限度額管理対象外単位数		
	④給付単位数		
	⑤単位数単価	円／単位	
	⑥給付率	／100	／100
	⑦請求額（円）		
	⑧利用者負担額（円）		

特定入所者介護予防サービス費	サービス内容	サービスコード	費用単価(円)	負担限度額	日数	費用額(円)	保険分	公費日数	公費分	利用者負担額
	合計									
						保険分請求額(円)		公費分請求額		公費分本人負担月額

社会福祉法人等による軽減欄	軽減率	%	受領すべき利用者負担の総額（円）	軽減額（円）	軽減後利用者負担額（円）	備考
	24	介護予防短期入所生活介護				

枚中　枚目

様式第四（附則第二条関係）

居宅サービス介護給付費明細書
（介護老人保健施設における短期入所療養介護）

公費負担者番号	
公費受給者番号	

平成	年	月分	
保険者番号			

被保険者		
	被保険者番号	
	(ﾌﾘｶﾞﾅ)	
	氏名	
	生年月日	1.明治　2.大正　3.昭和　年　月　日
	性別	1. 男　2. 女
	要介護状態区分	要介護 1・2・3・4・5
	認定有効期間	平成　年　月　日から 平成　年　月　日まで

請求事業者		
	事業所番号	
	事業所名称	
	所在地	〒　－
	連絡先	電話番号

居宅サービス計画	
1.居宅介護支援事業者作成　2.被保険者自己作成	
事業所番号	
事業所名称	

入所年月日	平成　年　月　日
退所年月日	平成　年　月　日
短期入所　実日数	

給付費明細欄

サービス内容	サービスコード	単位数	回数日数	サービス単位数	公費分回数等	公費対象単位数	摘要
合計							

緊急時施設療養費

緊急時傷病名	① ② ③	緊急時治療開始年月日	①平成　年　月　日 ②平成　年　月　日 ③平成　年　月　日
緊急時治療管理（再掲）	単位	単位×	日

特定治療			
	ﾘﾊﾋﾞﾘﾃｰｼｮﾝ	点	摘要
	処置	点	
	手術	点	
	麻酔	点	
	放射線治療	点	
	合計	点	

往診日数		医療機関名		通院日数		医療機関名	

特別療養費

傷病名								
識別番号	内容	単位数	回数	保険分単位数	公費回数	公費分単位数	摘要	
合計								

請求額集計欄

区分	保険分	公費分	保険分特定治療・特別療養費	公費分特定治療・特別療養費
①計画単位数				
②限度額管理対象単位数				
③限度額管理対象外単位数				
④給付点数・単位数				
⑤点数・単位数単価	円／単位		10円／点・単位	10円／点・単位
⑥給付率	／100	／100	／100	／100
⑦請求額（円）				
⑧利用者負担額（円）				

特定入所者介護サービス費

サービス内容	サービスコード	費用単価(円)	負担限度額	日数	費用額(円)	保険分	公費日数	公費分	利用者負担額
合計									
					保険分請求額(円)		公費分請求額		公費分本人負担月額

	枚中		枚目

様式第四の二（附則第二条関係）

介護予防サービス介護給付費明細書
（介護老人保健施設における介護予防短期入所療養介護）

公費負担者番号			平成	年		月分
公費受給者番号			保険者番号			

被保険者	被保険者番号			
	(ﾌﾘｶﾞﾅ)			
	氏名			
	生年月日	1.明治　2.大正　3.昭和　年　月　日	性別	1. 男　2. 女
	要支援状態区分	要支援１・要支援２		
	認定有効期間	平成　年　月　日から 平成　年　月　日まで		

請求事業者	事業所番号	
	事業所名称	
	所在地	〒　－
	連絡先	電話番号

介護予防サービス計画	2.被保険者自己作成　3. 介護予防支援事業者作成	
	事業所番号	
	事業所名称	

入所年月日	平成	年	月	日
退所年月日	平成	年	月	日
短期入所　実日数				

給付費明細欄	サービス内容	サービスコード	単位数	回数日数	サービス単位数	公費分回数等	公費対象単位数	摘要
	合計							

緊急時施設療養費	緊急時傷病名	① ② ③	緊急時治療開始年月日	①平成　年　月　日 ②平成　年　月　日 ③平成　年　月　日	
	緊急時治療管理（再掲）	単位	単位×	日	
	特定治療	ﾘﾊﾋﾞﾘﾃｰｼｮﾝ	点	摘要	
		処置	点		
		手術	点		
		麻酔	点		
		放射線治療	点		
		合計	点		

往診日数		医療機関名	通院日数		医療機関名

特別療養費	識別番号	内容	単位数	回数	保険分単位数	公費回数	公費分単位数	摘要
	傷病名							
	合計							

請求額集計欄	区分	保険分	公費分	保険分特定治療・特別療養費	公費分特定治療・特別療養費
	①計画単位数				
	②限度額管理対象単位数				
	③限度額管理対象外単位数				
	④給付点数・単位数				
	⑤点数・単位数単価	円／単位		10円／点・単位	10円／点・単位
	⑥給付率	／100	／100	／100	／100
	⑦請求額（円）				
	⑧利用者負担額（円）				

介護予防サービス費特定入所者	サービス内容	サービスコード	費用単価(円)	負担限度額	日数	費用額(円)	保険分	公費日数	公費分	利用者負担額
	合計									
						保険分請求額(円)		公費分請求額		公費分本人負担月額

	枚中		枚目

様式第五（附則第二条関係）

居宅サービス介護給付費明細書
（病院・診療所における短期入所療養介護）

公費負担者番号	
公費受給者番号	

平成	年		月分
保険者番号			

被保険者		
	被保険者番号	
	(ﾌﾘｶﾞﾅ)	
	氏名	
	生年月日	1.明治 2.大正 3.昭和　年　月　日　性別　1. 男 2. 女
	要介護状態区分	要介護 1・2・3・4・5
	認定有効期間	平成　年　月　日 から 平成　年　月　日 まで

請求事業者		
	事業所番号	
	事業所名称	
	所在地	〒　－
	連絡先	電話番号

居宅サービス計画	
	1.居宅介護支援事業者作成　2.被保険者自己作成
事業所番号	
事業所名称	

入所年月日	平成	年	月	日
退所年月日	平成	年	月	日
短期入所　実日数				

給付費明細欄

サービス内容	サービスコード	単位数	回数日数	サービス単位数	公費分回数等	公費対象単位数	摘要
合計							

特定診療費

傷病名

識別番号	内容	単位数	回数	保険分単位数	公費回数	公費分単位数	摘要
合計							

請求額集計欄

区分	保険分	公費分	保険分特定診療費	公費分特定診療費
①計画単位数				
②限度額管理対象単位数				
③限度額管理対象外単位数				
④給付単位数				
⑤単位数単価	円／単位		10円／単位	10円／単位
⑥給付率	／100	／100	／100	／100
⑦請求額（円）				
⑧利用者負担額（円）				

特定入所者介護サービス費

サービス内容	サービスコード	費用単価(円)	負担限度額	日数	費用額(円)	保険分	公費日数	公費分	利用者負担額
合計									
					保険分請求額(円)		公費分請求額		公費分本人負担月額

枚中	枚目

様式第五の二（附則第二条関係）

介護予防サービス介護給付費明細書
（病院・診療所における介護予防短期入所療養介護）

公費負担者番号	
公費受給者番号	

平成	年	月分
保険者番号		

被保険者		
被保険者番号		
(ﾌﾘｶﾞﾅ) 氏名		
生年月日	1.明治 2.大正 3.昭和 年 月 日	性別 1. 男 2. 女
要支援状態区分	要支援１・要支援２	
認定有効期間	平成 年 月 日から 平成 年 月 日まで	

請求事業者	
事業所番号	
事業所名称	
所在地	〒 －
連絡先	電話番号

介護予防サービス計画	2.被保険者自己作成　3．介護予防支援事業者作成
	事業所番号
	事業所名称

入所年月日	平成 年 月 日
退所年月日	平成 年 月 日
短期入所　実日数	

給付費明細欄

サービス内容	サービスコード	単位数	回数日数	サービス単位数	公費分回数等	公費対象単位数	摘要
合計							

特定診療費

傷病名								
識別番号	内容	単位数	回数	保険分単位数	公費回数	公費分単位数	摘要
合計							

請求額集計欄

区分	保険分	公費分	保険分特定診療費	公費分特定診療費
①計画単位数				
②限度額管理対象単位数				
③限度額管理対象外単位数				
④給付単位数				
⑤単位数単価	▲ 円／単位		10円／単位	10円／単位
⑥給付率	／100	／100	／100	／100
⑦請求額（円）				
⑧利用者負担額（円）				

特定入所者介護予防サービス費

サービス内容	サービスコード	費用単価(円)	負担限度額	日数	費用額(円)	保険分	公費日数	公費分	利用者負担額
合計									
					保険分請求額(円)		公費分請求額		公費分本人負担月額

枚中	枚目

様式第六（附則第二条関係）

地域密着型サービス介護給付費明細書
（認知症対応型共同生活介護（短期利用以外））

公費負担者番号		平成　年　月分	
公費受給者番号		保険者番号	

被保険者	被保険者番号	
	(ﾌﾘｶﾞﾅ)	
	氏名	
	生年月日	1.明治　2.大正　3.昭和　年　月　日　性別　1. 男　2. 女
	要介護状態区分	要介護 1・2・3・4・5
	認定有効期間	平成　年　月　日から 平成　年　月　日まで

請求事業者	事業所番号	
	事業所名称	
	所在地	〒　－
	連絡先	電話番号

入居年月日	平成　年　月　日
退居年月日	平成　年　月　日
入居実日数	
外泊日数	
入居前の状況	1.居宅　2.医療機関　3.介護老人福祉施設　4.介護老人保健施設　5.介護療養型医療施設　6.認知症対応型共同生活介護　7.特定施設入居者生活介護　8.その他
退居後の状況	1.居宅　3.医療機関入院　4.死亡　5.その他　6.介護老人福祉施設入所　7.介護老人保健施設入所　8.介護療養型医療施設入院

給付費明細欄

サービス内容	サービスコード	単位数	回数日数	サービス単位数	公費分回数等	公費対象単位数	摘要
合計							

請求額集計欄

区分	保険分	公費分
①単位数合計		
②単位数単価	円／単位	
③給付率	／100	／100
④請求額（円）		
⑤利用者負担額（円）		

枚中　枚目

様式第六の二（附則第二条関係）

地域密着型介護予防サービス介護給付費明細書
（介護予防認知症対応型共同生活介護（短期利用以外））

公費負担者番号		平成　　年　　月分	
公費受給者番号		保険者番号	

被保険者	被保険者番号		請求事業者	事業所番号	
	(ﾌﾘｶﾞﾅ) 氏名			事業所名称	
	生年月日	1.明治　2.大正　3.昭和　年　月　日	性別 1. 男　2. 女	所在地	〒　－
	要支援状態区分	要支援 2			
	認定有効期間	平成　年　月　日から 平成　年　月　日まで		連絡先	電話番号

入居年月日	平成　年　月　日
退居年月日	平成　年　月　日
入居実日数	
外泊日数	
入居前の状況	1.居宅　2.医療機関　3.介護老人福祉施設　4.介護老人保健施設　5.介護療養型医療施設　6.認知症対応型共同生活介護　7.特定施設入居者生活介護　8.その他
退居後の状況	1.居宅　3.医療機関入院　4.死亡　5.その他　6.介護老人福祉施設入所　7.介護老人保健施設入所　8.介護療養型医療施設入院

給付費明細欄	サービス内容	サービスコード	単位数	回数日数	サービス単位数	公費分回数等	公費対象単位数	摘要
	合計							

請求額集計欄	区分	保険分	公費分
	①単位数合計		
	②単位数単価	▲　円／単位	
	③給付率	／100	／100
	④請求額（円）		
	⑤利用者負担額（円）		

枚中　　枚目

様式第六の三（附則第二条関係）

居宅サービス・地域密着型サービス介護給付費明細書

（特定施設入居者生活介護（短期利用以外）・地域密着型特定施設入居者生活介護（短期利用以外））

公費負担者番号		平成　年　月分	
公費受給者番号		保険者番号	

被保険者		
	被保険者番号	
	(ﾌﾘｶﾞﾅ)	
	氏名	
	生年月日	1.明治　2.大正　3.昭和　年　月　日
	性別	1. 男　2. 女
	要介護状態区分	要介護 1・2・3・4・5
	認定有効期間	平成　年　月　日から 平成　年　月　日まで

請求事業者		
	事業所番号	
	事業所名称	
	所在地	〒　－
	連絡先	電話番号

入居年月日	平成　年　月　日	退居年月日	平成　年　月　日	入居実日数	外泊日数
入居前の状況	1.居宅　2.医療機関　3.介護老人福祉施設　4.介護老人保健施設　5.介護療養型医療施設　6.認知症対応型共同生活介護　7.特定施設入居者生活介護　8.その他				
退居後の状況	1.居宅　3.医療機関入院　4.死亡　5.その他　6.介護老人福祉施設入所　7.介護老人保健施設入所　8.介護療養型医療施設入院				

給付費明細欄	サービス内容	サービスコード	単位数	回数日数	サービス単位数	公費分回数等	公費対象単位数	摘要
	合計							

請求額集計欄	区分	保険分	公費分
	①外部利用型給付上限単位数		
	②外部利用型上限管理対象単位数		
	③外部利用型外給付単位数		
	④給付単位数		
	⑤単位数単価	円／単位	
	⑥給付率	／100	／100
	⑦請求額（円）		
	⑧利用者負担額（円）		

枚中	枚目

様式第六の四（附則第二条関係）

介護予防サービス介護給付費明細書
（介護予防特定施設入居者生活介護）

公費負担者番号		平成　　年　　月分	
公費受給者番号		保険者番号	

被保険者	被保険者番号		請求事業者	事業所番号	
	(ﾌﾘｶﾞﾅ) 氏名			事業所名称	
	生年月日	1.明治　2.大正　3.昭和 年　月　日　　性別　1. 男　2. 女		所在地	〒　　－
	要支援状態区分	要支援１・要支援２			
	認定有効期間	平成　年　月　日から 平成　年　月　日まで		連絡先	電話番号

入居年月日　平成　年　月　日　退居年月日　平成　年　月　日	入居実日数　　外泊日数
入居前の状況	1.居宅　2.医療機関　3.介護老人福祉施設　4.介護老人保健施設　5.介護療養型医療施設　6.認知症対応型共同生活介護　7.特定施設入居者生活介護　8.その他
退居後の状況	1.居宅　3.医療機関入院　4.死亡　5.その他　6.介護老人福祉施設入所　7.介護老人保健施設入所　8.介護療養型医療施設入院

	サービス内容	サービスコード	単位数	回数日数	サービス単位数	公費分回数等	公費対象単位数	摘要
給付費明細欄								
	合計							

	区分	保険分	公費分
請求額集計欄	①外部利用型給付上限単位数		
	②外部利用型上限管理対象単位数		
	③外部利用型外給付単位数		
	④給付単位数		
	⑤単位数単価	円／単位	
	⑥給付率	／100	／100
	⑦請求額（円）		
	⑧利用者負担額（円）		

枚中　　枚目

様式第六の五（附則第二条関係）

地域密着型サービス介護給付費明細書
（認知症対応型共同生活介護（短期利用））

公費負担者番号		平成　　年　　月分	
公費受給者番号		保険者番号	

被保険者	被保険者番号	
	(ﾌﾘｶﾞﾅ)	
	氏名	
	生年月日	1.明治　2.大正　3.昭和　　年　　月　　日
	性別	1. 男　2. 女
	要介護状態区分	要介護1・2・3・4・5
	認定有効期間	平成　　年　　月　　日から 平成　　年　　月　　日まで

請求事業者	事業所番号	
	事業所名称	
	所在地	〒　　　－
	連絡先	電話番号

居宅サービス計画	1.居宅介護支援事業者作成　2.被保険者自己作成	
	事業所番号	
	事業所名称	

入居年月日	平成　　年　　月　　日
退居年月日	平成　　年　　月　　日
短期利用　実日数	

給付費明細欄	サービス内容	サービスコード	単位数	回数日数	サービス単位数	公費分回数等	公費対象単位数	摘要
	合計							

請求額集計欄	区分	保険分	公費分
	①計画単位数		
	②限度額管理対象単位数		
	③限度額管理対象外単位数		
	④給付単位数		
	⑤単位数単価	▲　円／単位	
	⑥給付率	／100	／100
	⑦請求額（円）		
	⑧利用者負担額（円）		

枚中	枚目

様式第六の六（附則第二条関係）

地域密着型介護予防サービス介護給付費明細書
（介護予防認知症対応型共同生活介護（短期利用））

公費負担者番号		平成	年　月分
公費受給者番号		保険者番号	

被保険者	被保険者番号		
	(ﾌﾘｶﾞﾅ)		
	氏名		
	生年月日	1.明治　2.大正　3.昭和　年　月　日	性別　1. 男　2. 女
	要支援状態区分	要支援 2	
	認定有効期間	平成　年　月　日 から 平成　年　月　日 まで	

請求事業者	事業所番号	
	事業所名称	
	所在地	〒　－
	連絡先	電話番号

介護予防サービス計画	2.被保険者自己作成　3. 介護予防支援事業者作成	
	事業所番号	
	事業所名称	

入居年月日	平成　年　月　日	
退居年月日	平成　年　月　日	
短期利用　実日数		

給付費明細欄	サービス内容	サービスコード	単位数	回数日数	サービス単位数	公費分回数等	公費対象単位数	摘要
	合計							

請求額集計欄	区分	保険分	公費分
	①計画単位数		
	②限度額管理対象単位数		
	③限度額管理対象外単位数		
	④給付単位数		
	⑤単位数単価	円／単位	
	⑥給付率	／100	／100
	⑦請求額（円）		
	⑧利用者負担額（円）		

	枚中		枚目

様式第六の七（附則第二条関係）

居宅サービス・地域密着型サービス介護給付費明細書
（特定施設入居者生活介護（短期利用）・地域密着型特定施設入居者生活介護（短期利用））

公費負担者番号	
公費受給者番号	

平成		年	月分
保険者番号			

被保険者	被保険者番号	
	(ﾌﾘｶﾞﾅ)	
	氏名	
	生年月日	1.明治　2.大正　3.昭和　年　月　日　性別　1. 男　2. 女
	要介護状態区分	要介護 1・2・3・4・5
	認定有効期間	平成　年　月　日 から 平成　年　月　日 まで

請求事業者	事業所番号	
	事業所名称	
	所在地	〒　　－
	連絡先	電話番号

居宅サービス計画	1.居宅介護支援事業者作成　2.被保険者自己作成	
	事業所番号	
	事業所名称	

入居年月日	平成　年　月　日
退居年月日	平成　年　月　日
短期利用　実日数	

給付費明細欄	サービス内容	サービスコード	単位数	回数日数	サービス単位数	公費分回数等	公費対象単位数	摘要
	合計							

請求額集計欄	区分	保険分	公費分
	①計画単位数		
	②限度額管理対象単位数		
	③限度額管理対象外単位数		
	④給付単位数		
	⑤単位数単価	▲　円／単位	
	⑥給付率	／100	／100
	⑦請求額（円）		
	⑧利用者負担額（円）		

	枚中		枚目

様式第七（附則第二条関係）

居宅介護支援介護給付費明細書

平成		年		月分

公費負担者番号	

保険者番号	

居宅介護支援事業者	事業所番号		所在地	〒　　－
	事業所名称		連絡先	電話番号
			単位数単価	（円／単位）

項番	被保険者	被保険者番号		（フリガナ） 氏名		性別　1．男　2．女
		公費受給者番号				
		生年月日	1．明治　2．大正　3．昭和 年　月　日	要介護状態区分	要介護 1・2・3・4・5	認定有効期間　平成　年　月　日から 平成　年　月　日まで
		担当介護支援専門員番号		サービス計画作成依頼届出年月日	平成　年　月　日	

給付費明細欄	サービス内容	サービスコード	単位数	回数	サービス単位数	摘要	サービス単位数合計
							請求額合計

項番	被保険者	被保険者番号		（フリガナ） 氏名		性別　1．男　2．女
		公費受給者番号				
		生年月日	1．明治　2．大正　3．昭和 年　月　日	要介護状態区分	要介護 1・2・3・4・5	認定有効期間　平成　年　月　日から 平成　年　月　日まで
		担当介護支援専門員番号		サービス計画作成依頼届出年月日	平成　年　月　日	

給付費明細欄	サービス内容	サービスコード	単位数	回数	サービス単位数	摘要	サービス単位数合計
							請求額合計

様式第七の二（附則第二条関係）

介護予防支援介護給付費明細書

平成		年		月分

公費負担者番号		保険者番号	

介護予防支援事業者	事業所番号		所在地	〒　　－
	事業所名称		連絡先	電話番号
			単位数単価	（円／単位）

項番	被保険者番号		（フリガナ） 氏名		性別	1. 男　2. 女
被保険者	公費受給者番号					
	生年月日	1. 明治　2. 大正　3. 昭和 年　月　日	要介護状態区分	要支援１・要支援２	認定有効期間	平成　年　月　日から 平成　年　月　日まで
	担当介護支援専門員番号		サービス計画作成依頼届出年月日	平成　年　月　日		

給付費明細欄	サービス内容	サービスコード	単位数	回数	サービス単位数	摘要	サービス単位数合計
							請求額合計

項番	被保険者番号		（フリガナ） 氏名		性別	1. 男　2. 女
被保険者	公費受給者番号					
	生年月日	1. 明治　2. 大正　3. 昭和 年　月　日	要介護状態区分	要支援１・要支援２	認定有効期間	平成　年　月　日から 平成　年　月　日まで
	担当介護支援専門員番号		サービス計画作成依頼届出年月日	平成　年　月　日		

給付費明細欄	サービス内容	サービスコード	単位数	回数	サービス単位数	摘要	サービス単位数合計
							請求額合計

様式第七の三（附則第二条関係）

介護予防・日常生活支援総合事業費明細書
（介護予防ケアマネジメント費）

公費負担者番号	
公費受給者番号	

平成		年		月分
保険者番号				

被保険者		
	被保険者番号	
	(ﾌﾘｶﾞﾅ) 氏名	
	生年月日	1.明治　2.大正　3.昭和　年　月　日
	性別	1. 男　2. 女
	要支援状態区分	事業対象者・要支援１・要支援２
	認定有効期間	平成　年　月　日から 平成　年　月　日まで

請求事業者		
	事業所番号	
	事業所名称	
	所在地	〒　－
	連絡先	電話番号

事業費明細欄	サービス内容	サービスコード	単位数	回数	サービス単位数	公費分回数	公費対象単位数	摘要

事業費明細欄（住所地特例対象者）	サービス内容	サービスコード	単位数	回数	サービス単位数	公費分回数	公費対象単位数	施設所在保険者番号	摘要

請求額集計欄	区分	事業分	公費分
	①サービス単位数合計		
	②単位数単価	円／単位	
	③給付率		／100
	④事業費請求額（円）		

	枚中		枚目

様式第八（附則第二条関係）

施設サービス等・地域密着型サービス介護給付費明細書
（介護福祉施設サービス・地域密着型介護老人福祉施設入所者生活介護）

公費負担者番号		平成	年　月分
公費受給者番号		保険者番号	

被保険者				
被保険者番号				
(ﾌﾘｶﾞﾅ)				
氏名				
生年月日	1.明治　2.大正　3.昭和 年　月　日	性別	1. 男　2. 女	
要介護状態区分	要介護 1・2・3・4・5	旧措置入所者特例	1. 無 2. 有	
認定有効期間	平成　年　月　日　から 平成　年　月　日　まで			

請求事業者	
事業所番号	
事業所名称	
所在地	〒　－
連絡先	電話番号

入所年月日	平成　年　月　日	退所年月日	平成　年　月　日	入所実日数	外泊日数
入所前の状況	1.居宅　2.医療機関　3.介護老人福祉施設　4.介護老人保健施設　5.介護療養型医療施設　6.認知症対応型共同生活介護　7.特定施設入居者生活介護　8.その他				
退所後の状況	1.居宅　3.医療機関入院　4.死亡　5.その他　6.介護老人福祉施設入所　7.介護老人保健施設入所　8.介護療養型医療施設入院				

給付費明細欄

サービス内容	サービスコード	単位数	回数日数	サービス単位数	公費分回数等	公費対象単位数	摘要
合計							

請求額集計欄

区分	保険分	公費分
①単位数合計		
②単位数単価	円／単位	
③給付率	／100	／100
④請求額（円）		
⑤利用者負担額（円）		

特定入所者介護サービス費

サービス内容	サービスコード	費用単価(円)	負担限度額	日数	費用額(円)	保険分	公費日数	公費分	利用者負担額
合計									
					保険分請求額(円)		公費分請求額		公費分本人負担月額

社会福祉法人等による軽減欄	軽減率	%	受領すべき利用者負担の総額（円）	軽減額（円）	軽減後利用者負担額（円）	備考
51	介護福祉施設サービス					
54	地域密着型介護老人福祉施設入所者生活介護					

枚中	枚目

様式第九（附則第二条関係）

施設サービス等介護給付費明細書
（介護保健施設サービス）

公費負担者番号			平成	年	月分
公費受給者番号			保険者番号		

被保険者	被保険者番号		請求事業者	事業所番号	
	(ﾌﾘｶﾞﾅ) 氏名			事業所名称	
	生年月日	1.明治 2.大正 3.昭和 年 月 日 / 性別 1. 男 2. 女		所在地	〒 −
	要介護状態区分	要介護 1・2・3・4・5			
	認定有効期間	平成 年 月 日 から / 平成 年 月 日 まで		連絡先	電話番号

入所年月日	平成 年 月 日	退所年月日	平成 年 月 日	入所実日数	外泊日数
主傷病		入所前の状況	1.居宅 2.医療機関 3.介護老人福祉施設 4.介護老人保健施設 5.介護療養型医療施設 6.認知症対応型共同生活介護 7.特定施設入居者生活介護 8.その他		
退所後の状況	1.居宅 3.医療機関入院 4.死亡 5.その他 6.介護老人福祉施設入所 7.介護老人保健施設入所 8.介護療養型医療施設入院				

給付費明細欄	サービス内容	サービスコード	単位数	回数日数	サービス単位数	公費分回数等	公費対象単位数	摘要
	合計							

所定疾患施設療養費等						
所定疾患施設療養費	傷病名	① ② ③	所定疾患施設療養開始年月日	①平成 年 月 日 ②平成 年 月 日 ③平成 年 月 日		
	単位（再掲）		単位		単位×	日
緊急時治療管理	傷病名	① ② ③	緊急時治療開始年月日	①平成 年 月 日 ②平成 年 月 日 ③平成 年 月 日		
	単位（再掲）		単位		単位×	日
特定治療	ﾘﾊﾋﾞﾘﾃｰｼｮﾝ	点	摘要			
	処置	点				
	手術	点				
	麻酔	点				
	放射線治療	点				
	合計	点				
往診日数		医療機関名		通院日数		医療機関名

特別療養費	傷病名							
	識別番号	内容	単位数	回数	保険分単位数	公費回数	公費分単位数	摘要
	合計							

請求額集計欄	区分	保険分	公費分	保険分特定治療・特別療養費	公費分特定治療・特別療養費
	①点数・単位数合計				
	②点数・単位数単価	円／単位		10円／点・単位	10円／点・単位
	③給付率	／100	／100	／100	／100
	④請求額（円）				
	⑤利用者負担額（円）				

特定入所者介護サービス費	サービス内容	サービスコード	費用単価(円)	負担限度額	日数	費用額(円)	保険分	公費日数	公費分	利用者負担額
	合計									
						保険分請求額(円)		公費分請求額		公費分本人負担月額

枚中	枚目

様式第十（附則第二条関係）

施設サービス等介護給付費明細書
（介護療養施設サービス）

公費負担者番号	
公費受給者番号	

平成	年	月分	
保険者番号			

被保険者		
	被保険者番号	
	(ﾌﾘｶﾞﾅ)	
	氏名	
	生年月日	1.明治 2.大正 3.昭和　年 月 日
	性別	1. 男 2. 女
	要介護状態区分	要介護 1・2・3・4・5
	認定有効期間	平成 年 月 日から 平成 年 月 日まで

請求事業者		
	事業所番号	
	事業所名称	
	所在地	〒 －
	連絡先	電話番号

入院年月日	平成 年 月 日	退院年月日	平成 年 月 日	入院実日数	外泊日数
主傷病		入院前の状況	1.居宅 2.医療機関 3.介護老人福祉施設 4.介護老人保健施設 5.介護療養型医療施設 6.認知症対応型共同生活介護 7.特定施設入居者生活介護 8.その他		
退院後の状況	1.居宅 3.医療機関入院 4.死亡 5.その他 6.介護老人福祉施設入所 7.介護老人保健施設入所 8.介護療養型医療施設入院				

給付費明細欄

サービス内容	サービスコード	単位数	回数日数	サービス単位数	公費分回数等	公費対象単位数	摘要
合計							

特定診療費

傷病名							
識別番号	内容	単位数	回数	保険分単位数	公費回数	公費分単位数	摘要
合計							

請求額集計欄

区分	保険分	公費分	保険分特定診療費	公費分特定診療費
①単位数合計				
②単位数単価	円／単位		10円／単位	10円／単位
③給付率	／100	／100	／100	／100
④請求額（円）				
⑤利用者負担額（円）				

特定入所者介護サービス費

サービス内容	サービスコード	費用単価(円)	負担限度額	日数	費用額(円)	保険分	公費日数	公費分	利用者負担額
合計									
					保険分請求額(円)		公費分請求額		公費分本人負担月額

枚中	枚目

様式第十一（附則第二条関係）

給付管理票（平成　　年　　月分）

保険者番号		保険者名	作成区分	
			1. 居宅介護支援事業者作成 2. 被保険者自己作成 3. 介護予防支援事業者・地域包括支援センター作成	
被保険者番号		被保険者氏名		
		フリガナ	居宅介護／介護予防支援事業所番号	
生年月日	性別	要支援・要介護状態区分等	担当介護支援専門員番号	
明・大・昭　年　月　日	男・女	事業対象者　要支援 1・2 要介護 1・2・3・4・5	居宅介護／介護予防支援事業者の事業所名	
居宅サービス・介護予防サービス・総合事業支給限度基準額	限度額適用期間		支援事業者の事業所所在地及び連絡先	
単位／月	平成　年　月　～　平成　年　月		委託した場合　委託先の支援事業所番号	
			委託した場合　介護支援専門員番号	

居宅サービス・介護予防サービス・総合事業

サービス事業者の事業所名	事業所番号（県番号－事業所番号）	指定／基準該当／地域密着型サービス／総合事業識別	サービス種類名	サービス種類コード	給付計画単位数
		指定・基準該当・地域密着・総合事業			
		指定・基準該当・地域密着・総合事業			
		指定・基準該当・地域密着・総合事業			
		指定・基準該当・地域密着・総合事業			
		指定・基準該当・地域密着・総合事業			
		指定・基準該当・地域密着・総合事業			
		指定・基準該当・地域密着・総合事業			
		指定・基準該当・地域密着・総合事業			
		指定・基準該当・地域密着・総合事業			
		指定・基準該当・地域密着・総合事業			
		指定・基準該当・地域密着・総合事業			
		指定・基準該当・地域密着・総合事業			
		指定・基準該当・地域密着・総合事業			
		指定・基準該当・地域密着・総合事業			
		指定・基準該当・地域密着・総合事業			
			合計		

定価は表紙に表示してあります。

平成31年2月20日　発 行

平 成 29 年 度

介護給付費等実態調査報告

（平成29年5月審査分～平成30年4月審査分）

編　集　厚生労働省政策統括官（統計・情報政策、政策評価担当）

発　行　一般財団法人　厚生労働統計協会
郵便番号 103-0001
東京都中央区日本橋小伝馬町4－9
小伝馬町新日本橋ビルディング3F
電　話　03－5623－4123（代表）

印　刷　統計プリント株式会社